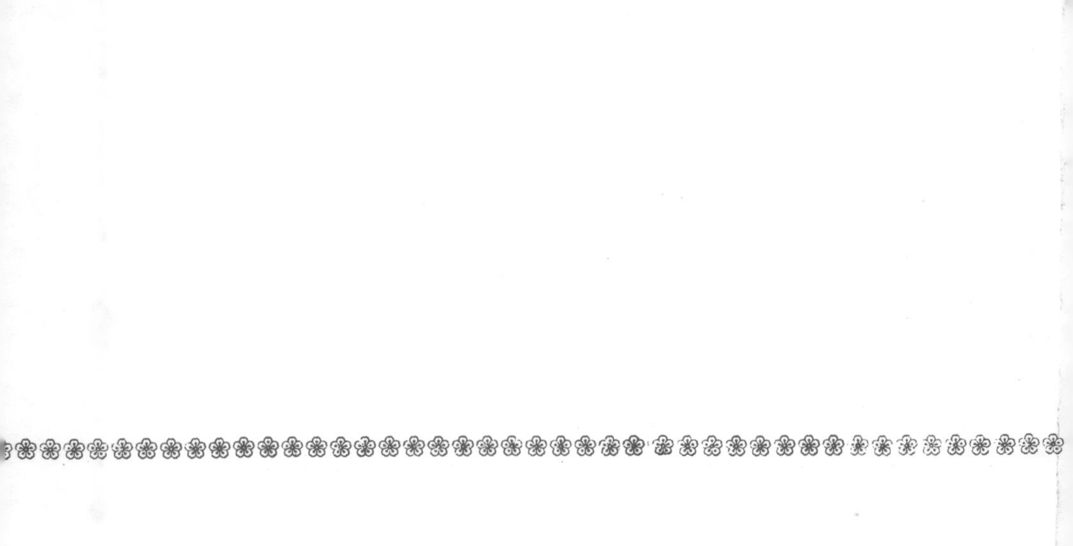

# 國學方法論文集

上册

吳福助編

文史哲出版社印行

# 國學方法論文集

編　者：吳福助
出版者：文史哲出版社
登記證字號：行政院新聞局局版臺業字〇七五五號
發行所：文史哲出版社
印刷者：文史哲出版社
台北市羅斯福路一段七十二巷四號
郵撥〇五一二八八一二彭正雄帳戶
電話：三五一一〇二八
精裝實價新臺幣九〇〇元
平裝實價新臺幣八〇〇元
中華民國七十三年十月初版
中華民國七十九年八月再版



ISBN 957-547-009-5（精裝）
ISBN 957-547-010-9（平裝）

# 序

吳福助

「國學」是我國人自稱固有學術的名稱。它是清末五口通商以後，爲了與新輸入的歐美學術區別而產生的新名詞。如對外國人或世界學術而言，則當稱「Chinese Studies」（中國學）。

我國是世界文明古國之一。數千年來，歷代積聚留傳下來的典籍，門類龐雜，內容淵博，卷帙之多更是令人驚歎。單就漢族文獻而言，據保守估計，現存典籍總量，起碼在八萬種以上，其卷數、册數，當各有數十萬之多。此外尙有大批文書卷子、檔案信札以及金石碑志，難作確切統計。至於藏、焉耆、回鶻、西夏、契丹、蒙、女眞、滿、彝、傣等各民族文獻，存藏亦頗豐富可觀。面對如此浩似煙海的古典文獻，如果初學者沒有具備充足的基礎常識，把握簡捷有效的治學方法，就不免要望洋興歎，趦趄不前了。

本書是爲有志研讀國學的初學者啓導治學門徑而編輯的。選集民國初年以來，特別是晚近一、二十年，國內鉅儒碩學有關國學方法的單篇論文。選文標準一以新穎細密、簡切實用、富啓發性爲主。總計二十五人，五十二篇。全書凡分九輯。第一輯總類十五篇，綜述閱讀古書的一般方法，傳統國學的體系內涵、特質旨趣，從事國學研究的若干重要原則方法，以及初學必讀古籍簡目。第二輯目錄學類六篇，第三輯版本學類七篇，第四輯校勘學類七篇，第五輯辨僞學類五篇，第六輯輯佚學類一篇，第七輯語言學類一篇，以上諸輯均是介紹校讀一切古籍普遍需要參究運用的各種應用學問，以便培養學者的讀書能力，掌握一些校讀古籍的規律與技巧，進而奠定高深學術研究的基礎。其中拙作「記東海大學圖書館鎭庫之寶——宋本陶叔獻『西漢文類』」一篇，係以作爲考訂古籍版本的實例而附入。又語言學類，包括文字、聲韻、訓詁、語法諸學，本應加以細分，廣選衆作，但因本書編輯的最主要目的，是作爲大學中國文學系新生「國學導讀」課程的教材，而上述這些學科，在教育部頒訂課程標準裏，除「語法」外，「文字」、「聲韻」、「訓詁」一向列爲二、三、四年級必修科目。因此爲了減輕學習負擔，且亦節縮篇幅，遂僅選錄涵蓋面最廣的周法高先生「中國語言學的過去現在和未來」一篇，先對中國語言學的全貌予以簡介，俾作以後修習部定科目的準備。第八輯漢學類九篇，說明漢學的名義和範疇，歐美與日本人漢學研究的近況和成績（特別舉「敦煌學」、「簡牘學」爲例），以及研討如何建立臺灣爲國際漢學研究中心問題。第九輯學術論文寫作類一篇，則闡釋學術論文寫作的理論和實際程序法則，作爲平時寫作研究報告，以及將來撰著學位論文，獻身學術研究工作的方針。國學門徑，千途百轍，本書所收論文，不過擧其宏綱，撮其機要而已，難求賅備。至於如何從此取精用宏，觸類旁通，藉收事半功倍之效，那就端看讀者諸君的深思熟玩，善加利用了。

編者濫竽東海大學中國文學系教席多年，教授「國學導讀」一課。上述各篇，原多作爲該課程講義，以補充課堂講演的不足。今以講義印製費用較多，效果亦不盡如理想，因商請文史哲出版社重新排印，劃一版面，以使讀者的目光與心思，更易留駐。又本書的出版，各篇論文原作者凡能設法連絡的，均已逐一徵得同意，謹此致謝。

民國七十三年九月序於東海大學香楓山房

# 國學方法論文集目次

吳福助編

## 上册

第一輯　總　類

## 下冊

**第六輯　輯佚學類**……



**第七輯　語言學類**……



**第八輯　漢學類**……

# 第一輯 總類

## 古人的讀書方法

杜松柏

### 一、讀書與治學的關係

我們立身用世，必資學問，學問的求得，必講求治學方法。可是任何的學問，都不是片面的、孤立的、偶然的存在，而是有起源、形成、蛻變、創新等歷程，所以治學要回顧過去——回顧古人的成就，已發生的一切；要注意現在——注視當代的人的研究情形，研究的成績如何；展望將來——將來的人的需要如何？能否解決將來的問題；也可說所有的學問，是由過去延展到現在，由現在通往將來，故推陳才能出新，「鑑往」方足「知來」。古人已死，其事其學問，都保存在典籍文物之中，所以讀書是治學的基本方法，是「知古」「鑑往」的必要工夫。然而我們對於讀書，大致有二種不同的態度，一種是認爲讀書無用，一種是認爲讀書有用。讀書有用，其理甚明，不必多談，主張讀書無用的，第一是認爲書本所記的，是古人的糟粕，讀之無益，莊子天道篇說：

> 桓公讀書於堂上，輪扁斲輪於堂下，釋椎鑿而上，問桓公：「敢問公之所讀爲何言耶？」公曰：「聖人之言也。」曰：「聖人在乎？」曰：「已死矣。」曰：「然則君之所讀，古人之糟粕已夫！」桓公曰：「寡人讀書，輪人安得議乎？有說則可，無說則死。」輪扁曰：「臣也以臣之事觀之，斲輪，徐則甘而不固，疾則苦而不入。不徐不疾，得之於手，而應之於心，口不言，而有數存焉於其間，臣不能以喻臣之子，臣之子亦不能受之於臣，是以行年七十而老斲輪。古之人與其不可傳也死矣，然則君之所讀者，古人之糟粕已夫。

這雖是一則寓言，卻涵有至理，因爲精微的道理和無數經驗而體會出來的心得，是無法用語言文字記載在書上而傳達於後世的，何況古人已死，產生其學術思想的時代背景，產生的事實及經過和思想方法，我們都無法了解，這大概是輪扁所說：「君之所讀，古人之糟粕已夫」的意義所在。所以我們讀書，要言外求理，要知人論世，以得書中的精華，從「糟粕」中得到滋養。第二是認爲古書的記載有問題，「盡信書不如無書」，孟子道：

> 盡信書，則不如無書。吾於武成，取二三策而已矣，仁人無敵於天下，以至仁伐至不仁，而何其血之流杵也！（盡心下）

古書所記，有言過其實的地方，孟子又說：「如以辭而已矣，雲漢之詩曰：『周餘黎民，靡有孑遺』，信斯言也，是周無遺民也。」（萬章上）所以讀書時，要以意逆志，「不以文害辭，不以辭害志。」

又孟子所見的周書武成篇可能是言過其實，並非僞書，而後世僞書不知凡幾，所以讀書又牽涉到辨僞等問題。第三是認爲可直接從事上練歷，不必讀書，論語先進篇記載道：

子路使子羔爲費宰，子曰：「賊夫人之子！」子路曰：「有民人焉！有社稷焉！何必讀書，然後爲學？」子曰：「是故惡乎佞者」。

子路的話，是主張由政事上直接去學，而不必讀書爲學，孔子只是討厭其佞語，而未明斥其非理，然孔子是主張「學而優則仕」的。又左傳襄公三十一年載子產尹何爲邑的事道：

子皮欲使尹何爲邑。子產曰：「少，未知可否。」子皮曰：「愿，吾愛之，不吾叛也。使夫往而學焉，夫亦愈知治矣。」子產曰：「不可。人之愛人，求利之也。今吾子愛人則以政，猶未能操刀而使割也，其傷實多。……子有美錦，不使人學製焉。大官大邑，身之所庇也，而使學者製焉，其爲美錦不亦多乎？僑聞學而後入政，未聞以政學者也。若果行此，必有所害。譬如田獵，射御貫則能獲禽。若未嘗登車射御，則敗績厭覆是懼，何暇思獲？」

天下之事，學而後能，不學而直接由事上去經歷，則付去的代價太多，「猶未能操刀而使割也，其傷實多。」足以說明子皮的看法的錯誤。經過以上的探討，可見前人不主張讀書，有的是觀念上的錯誤，有的是方法上的不周密，有的是對書的了解有偏差。讀書與治學，是一事一體的兩面，讀書乃治學的基礎，治學乃讀書的發揮。讀書乃由知人之所知到知人之所不知；能人之所能，到能人之所不能的必經途徑。天下決沒有不食桑葉而吐絲的蠶，不採花而釀蜜的蜂，亦必沒有不讀書而能治學的人。

## 二、古人讀書的方法

人的天資有上智、中才、下愚的分別，人的境遇有貧賤、富貴、勤苦、逸樂等差別，在性向上有長於記誦或長於思考的不同，這些都影響到求學的成敗和讀書的方式，劉勰在文學上有「因性以練才」的主張，實際在讀書的方法上亦應因才性、因境遇而決定每個人的讀書方法。最有效的讀書方法，是以最少的時間，發揮最大的功效，獲得最佳的心得。經過個人的研究和歸納，前人的讀書方法，大致可分下述十三種：

㈠閒讀：這是一種最無目的、最無系統、更不講求效果的讀書方法，看書只是爲消遣時間，遮遮眼皮，當然也不必選擇書，也不必選擇讀書的環境和時間了。其唯一的好處，是沒有任何精神負擔和壓迫感，對讀過的書，不必求甚解，不必記得內容，甚至連書名和作者都不必在意，偶有會心之處，綻顏一笑，自得其樂。古人不爲功名，不爲寫作而讀書的人，以及晚年爲消遣而讀書的人，都是採這種方式。在現在，如果有人對讀書沒有興趣，或者是爲某種目的而讀書，精神上負擔最重，視讀書爲畏途而又不得不讀，最好採用這種閒讀的方式，以培養興趣和減輕壓力，「最好消閒是讀書」，最足以說明閒讀的意義了。

㈡略讀：從古到今，著述人的衆多，書籍的浩瀚，既不能遍讀，又不能不讀，只有乞靈於略讀了。略讀的目的，一方面在知道一書的大要，認識一本書的價值；一方面在剌取資料。古人一目數行俱下，就是略讀的方法。張岱的話，最足以說明略讀的效用：

學海無涯，書囊無底，世間書怎讀得盡？只要讀書之人，眼明手辣，心細膽粗；眼明則巧於掇拾，手辣則易於剪裁，心細則精於分別，膽粗則決於去留。（瑯環文集・廉書小序）

充分地說明了略讀的作用和效果。筆者在寫博士論文——禪學與唐宋詩學時，以將近三年的時間，看完了現已出版的唐宋人詩文集、禪宗典籍、古今詩話，蒐集資料，便是用略讀的方法。略讀的最大缺點，一是走馬觀花，不夠仔細和深入，一是不免遺漏，心得太少。

㈢**精讀**：精讀是最重要的讀書方法，古人最爲看重，認爲是最具效果的讀書方法之一。精讀共有三種：⑴精熟：讀書必由精熟，以樹立基礎。精熟以後，才能與書俱化，而得到書的滋養，所以蘇洵道：

取論語孟子韓子，及其他聖人賢人之文，而兀然端坐，終日以讀之者，七八年矣。方其始也，入其中而惶然，博觀於其外而駭然以驚；及其久也，讀之益精，而其胸中豁然以明，若人之言固當然者，然猶未敢自出其言也。時既久，胸中之言日益多，不能自制，試出而書之，已而再三讀之，渾渾乎覺其來之易矣。然猶未敢以爲是也。（嘉祐集・上歐陽內翰書）

充分說明了精讀的效果，所以蘇軾的詩道：「故書不厭百回讀，熟讀深思子自知」。蘇轍道：「讀書百遍，經義自見。」都是稟承蘇老泉的庭訓而說明熟讀的功效的。如果看書萬卷，沒有幾本書是精熟的，可以隨時受驅遣，隨時提供資料，到臨文應用的時候，四顧茫然，眞是「雖多亦奚以爲？」⑵精一：讀書精熟，必由精一着手。黃山谷云：「大率學者，喜博而常病不精，汎濫百書，不若精於一也。」精一的確是求精熟的法門，李翺對精一說得最具體：

其讀春秋也，如未嘗有詩也；其讀詩也，如未嘗有易也；其讀易也，如未嘗有書也；其讀屈原莊周也，如未嘗有六經也。（李文公集・答王載言書）

因爲專一才能精神集中，意志集中，專一到如薛瑄所說：「讀前句如無後句，讀此書如無他書，心乃大有得。」如此讀書，自然可由精一而精熟。⑶精純：讀書非集中精神意志，心無旁鶩不可，而精讀尤非如此不能收功效。張履祥道：

學問之道，固尙從容，然一任優遊，難晞自得。擧其通病，不外五閒。（閒思閒慮、閒言語、閒出入、閒涉獵及接閒人閒事。）果能必有事焉，其諸惰慢，非惟不敢，亦不暇矣。（淑艾錄）

去此五閒的毛病，才能用心精純，念玆在玆，除讀此書以外，無餘事、無餘念，自然可「用志不分」，而能精一、精熟了。

㈣摘讀：書一分好壞，而列朝之書，已十去八九；又一書之中，又非全部皆佳，以詩而言，一人的詩集，最佳的「人不過數篇，篇不過數句」；以文集而言，昭明文選便在「略其蕪穢，集其清英」，同理於任何典籍，都要分別輕重優劣，摘要而讀，秦觀云：

每閱一事，必尋繹數終，掩卷茫然，輒不復省。雖有勤苦之勞，而常廢於善忘。比讀齊史，見孫搴答刑邵云：「我精騎三千，足敵君羸卒數萬。」心善其說，因取經傳子史事之可爲文用者，

得若干條，勒爲若干卷，題曰精騎集云。（淮海集・精騎集序）

這是秦觀利用摘讀，以得經史子集的精要而爲作文之用的例子。所以精讀要與摘讀同時實施，摘取最精要的精讀，才會事半而功倍，韓愈所謂「提要」「鈎玄」，便是摘讀的意思。

(五)**抄讀**：在印刷術沒有發明以前，所有書籍的流傳，全是手抄的，即使印刷術發明以後，大多數的人，仍然在抄書而讀，南史衡陽王道度傳云：

（蕭）鈞手自細書寫五經，都爲一卷，置於巾箱中，以備遺忘。侍讀賀玠問曰：「殿下家自有墳素，何須蠅頭細書，別藏巾箱中？」答曰：「巾箱中有五經，於檢閱既易；且一更手寫，則永不忘。」諸王聞而爭效爲巾箱五經。巾箱五經自此始也。

蕭鈞的抄書，不是爲了沒有書的緣故，而是因爲刻板的書太大，不便攜帶；又抄過以後，有助記憶，永不遺忘；同時抄書還有練字的效果，所以梁朝袁峻，每日抄五十張紙而讀之（見梁書卷四十九袁峻傳），同時的王筠，則抄書成趣，到老不倦（見南史卷二十二王筠傳自序）。至於明代的張溥，更是抄讀的典型。明史云：

溥幼嗜學，所讀書必手抄，抄已朗誦一過，卽焚之，又抄，如是者六七始已。（明史文苑四・卷二百八十八張溥傳）

經過這反覆抄讀以後，當然已熟記於心了。這樣也許太麻煩了，清葉弈繩的抄讀方式，是值得一提的：

歷城葉弈繩嘗言強記之法，某性甚鈍，遇意所好，即劄錄之；錄訖，乃朗誦十餘徧，黏之壁間。每日必十餘段，少亦六七段，掩卷閒步，即就壁間所黏錄日三五次以爲常，務期精熟，一字不遺。黏壁既滿，乃取第一日所黏者收於笥中，俟再續有所錄，補黏其處，隨收隨補，歲無曠日。一年之內，約得三千段，數年之內，腹笥漸富。每見務爲汎覽者，略得影響而止，稍經時日，便成枵腹；不如予之約取而實得也。（邇語）

葉弈繩這種抄讀的方式，甚爲有效，而且是由摘讀、抄讀，以至於精熟。蘇軾抄漢書，是以事爲段落，依段立題目，然後熟讀，這種抄讀的方式甚爲特別，耆舊續聞道：

東坡謫黃州，日課手鈔漢書，自言讀漢書凡三鈔：初則一段事鈔，三字爲題，次則兩字，今則一字。朱司農載上謁坡，乞觀其書，坡云：「足下試舉題一字。」公如其言，坡應聲輒誦數百言，無一字差缺。凡數挑皆然。公他日以語其子新仲曰：「東坡尙如此，中人之性，豈可不勤讀書！」新仲嘗以是誨其子輅叔暘云。

類似東坡這種抄讀方式而最有成績的，要算是袁樞了，他讀資治通鑑時苦於每件史事都不聯屬，於是以每一史事的起訖，乃區別其事而貫通之，號「通鑑紀事本末」。實際上是抄錄而出，乃成了另一種歷史的體例。現在留下來的抄本，多半是前人抄讀的成績，而今這種方法，幾乎不用了，僅止於抄錄資料而已，實是一種損失。

㈥**校讀**：古書流傳到現在，不知道經過多少次的傳抄，多少次的雕版，在傳抄雕刻的時候，自然會產生錯誤，一位最心細的抄錄人員，一千字錯上一二個字，已是難能可貴的了，所謂「書經三寫，魯魚亥豕」，王引之的校讀，不但態度謹愼，多所發現，有益於自己，而且有益於後學。龔自珍記王引之的校讀成績云：

又聞之公曰：「吾用小學校經，有所改，有所不改。周以降，書體六七變，寫官主之，寫官誤，吾則勇改；孟荀以降，槧工主之，槧工誤，吾則勇改；唐宋明之士，或不知聲音文字而改經，以不誤爲誤，是妄改，吾則勇改其所改；叚借之法，由來舊矣，其本字什八可求，什二不可求，必求本字以改叚借字，則考文之聖之任也，吾不改。寫官槧官誤矣，吾疑之，且思而得之矣；但羣書無左證，吾懼來者之滋口也，吾又不改。」（工部尙書高郵王文簡公墓志銘）

這是述王引之校讀的態度。校勘工作，經過清朝漢學家的手，已算是成績斐然，精本、足本，隨處可見，可是大多限於經學、子學，至於文籍，經過校勘的仍然很少。校讀的範圍，大致可分爲四大項，如江藩所說：

且諸公最好著爲後人省精力之書：一蒐補（或從羣書中蒐出，或補完或綴緝），一校訂，一考證，一補錄，此皆積畢生之精力，踵曩代之成書而後成者。（經解入門卷七）

校讀的內容，一是蒐補，一是校訂，一是考證，一是補錄，當然要涉及版本、目錄、校讐的方法，自然不是簡單的事，現在幾乎已成爲專門的學問，可是這也是治學時最重要的方法之一，在中文系受過校讐及版本目錄的訓練後，應該有校讀的能力。至少讀書的時候，知擇善本、精本、足本。

(七)點讀：古書大都是沒有分段和標點斷句過的，所以明句讀的點讀，開始時是老師的傳授，如韓愈所云：「彼童子之師，授之書而習其句讀者也」。其後標點斷句是學者自己的事，崔學古論句讀云：

書有數字一句者；有一字一句者；又有文雖數句而語氣作一句讀者；須逐字逐句，點讀明白。大約句盡處則用大點；句法稍頓處中用小點。（幼訓）

古人點讀，大抵如崔學古所說，可是現在點讀的符號不只於小點——頓號（、），大點——逗號（，），尚有句號（。）——用以表示數句的文意已完足。又有分段符號（」），以表示文章的分段。此外尚有人名號、地名號（——），書名號（﹏﹏），破折號（——），引號（「」），雙引號（『』），夾註號（〔〕）或（（）），冒號（：），分號（；），疑問號（？），驚嘆號（！）等，都可用於點讀，使用這些符號點讀以後，則段落、句讀、文意、語氣都非常明顯地表露出來了。唐彪論點書的重要云：

凡書文有圈點，則讀者易於領會，而句讀無訛。不然，遇古奧之句，不免上字下讀，而下字上讀矣。又文有奇思妙論，非用密圈，則美境不能顯；有界限斷落，非畫斷，則章法與命意之妙不易知；有年號國號，地名官名，非加標記，則披閱者苦於檢點，不能一目了然。（讀書作文譜）

點讀誠如唐彪所說，是在「易於領會，句讀無訛」。古人除了用標點外，尚用密圈，以表示妙文奇思及章法關鍵所在，又在文旁加損，以表示重要之處。點讀實在是一種重要的讀書訓練，師大、政大、文化學院等中文研究所的研究生，都要點讀，將前四史、文選、說文解字、十三經注疏等書，分別於二至六年內點完，方能提出論文，申請考試。元朝的許謙，更是將點讀和校讀聯合使用，宋元學案云：

謙嘗句讀九經儀禮三傳，而於大綱要旨，錯簡衍文，悉別鉛黃朱墨，意有所明，則表而出之。

一書經過這樣校讀、點讀以後，心得自然不同。今天很多古書已分段標點好了，讀來方便得很，畢竟是「因人成事」，自己不曾深入體會，往往有浮光掠影，輕輕從眼前晃過之感，自然心得無多。

㈧**朗讀**：古人讀書，無不注重朗讀，因為朗讀才能得古人文章的氣勢，「因聲以求氣」，更是桐城派學文的要訣。劉大櫆云：

凡行文字句長短、抑揚高下，無一定之律，而有一定之妙；可以意會，不可以言傳。學者求神氣而得之音節，求音節而得之字句，思過半矣。其要只在讀古人文字時，設以此身代古人說話，一呑一吐，皆由彼而不由我。爛熟之後，我之神氣，卽古人之神氣；古人之音節，都在我喉吻間。合我喉吻處，便是與古人神氣音節相似處，自然鏗鏘發金石聲。（論文偶記）

這一理論似乎很神秘，但實在有至理，譬如現在的歌曲教唱，先教樂譜，等到樂譜唱熟了，再教歌詞，方有水到渠成之功。現代人要學好文言文，用朗讀的方法，把古人的文章朗讀熟了，於是則神氣已得，自己操筆作文的時候，自然沒有語調語氣和文氣上的壅隔了。因朗讀以求古人文章的聲律，因聲律以求氣勢，其理在此。劉大櫆又云：

予論論文而至於字句，則文之能事盡矣。蓋音節者神氣之迹也；字句者音節之矩也；神氣不可

見，於音節見之；音節無可準，以字句準之。（同上）

因聲求氣的理論，大致如此，而其主要的方法，則全在朗讀上，朱熹和崔學古所說的，是朗讀的基本法則：

凡讀書，須整頓几案，令潔淨端正，將書册整齊頓放。正身體，對書册，詳緩看字，仔細分明讀之。須要讀得字字響亮，不可誤一字，不可少一字，不可多一字，不可倒一字，不可牽強暗記。只是要多誦徧數，自然上口，久遠不忘。（朱熹．童蒙須知）

念書毋增，毋減，毋複；毋高，毋低，毋疾，毋遲；最可恨者，興至則如罵詈，如蛙鳴；興衰如蛩吟，如蠅鳴。凡此須痛懲之。（崔學古．幼訓）

合此二人之言，足以得朗讀的方法了。做到這些，似乎很容易，實際上非心到、眼到、口到不可，而且要對所讀的書，有深切的了解，才能讀得出文中的文氣、語調、文意，所以前輩嘗說一個人文章的通不通，不必看他的文章，只聽他讀書時的讀書聲音就知道了。所以朗讀是一種最有效的直接學習方法。可惜現在的人都忽略了，不是在朗讀，而是在唸書，這樣也減底了讀書的趣味。

㈨溫讀：任何記憶力好的人，絕無過目經久不忘的可能，所以孔夫子才說：「溫故而知新。」所以讀書要溫讀，把已精讀過的書，過了半個月或一個月之後，再從頭溫讀，一徧又一徧，直到能背誦精熟爲止。半年之後，又再溫讀，這才會得到了新的，不會忘記了舊的，子夏所謂「日知其所亡，月無忘其所能」，如果不用溫讀的話，是沒有其他更便捷的方法去達到這一目的。張爾岐蒿菴閒話所載，正是溫讀的佳例：

邢懋循嘗言其師教之讀書，用連號法。初日誦一紙，次日又誦一紙，並初日所誦誦之。如是漸增引至十一日，乃除去初日所誦，每日皆連誦十號，誦至一週，遂成十週。人即中下，已無不爛熟矣。

這種溫讀，是連鎖的溫讀。現在學生由初中至高中而大學，國文讀了一二百篇，英文也讀了一二百課，不爲不多，只是因爲缺少溫讀的功夫，記得了新的，忘了舊的。以英文而言，大學畢業後，到社會做事，如果所用的與英文無關，過了一年半載，每個英文單字，都似乎似曾相識，却沒有幾個能記得完全的，這就是缺少溫讀的原故。筆者童年嘗入私塾，幼時記憶力尙佳，每日所背的書，進度很快，也很熟，可是到了一個時期，在父親前面背溫書，眞慘極了，上章不接下章，上句不接下句，常常跪在地上溫讀。我從初一以後，再沒有上過初中和高中，以後能考入大學，得到高學位，其根基就建築在那段痛苦的背溫書上。而且背溫書，其精神是與桑代克學習三律的練習律相通的，實在不容忽視。

㈩**分讀**：一家之書，有一家的面貌風神，每一個時代的書有其時代習氣，每一種文體有不同的法式，混合在一起讀，則有茫然不知所從的感覺，如果採用分讀的方法，依照相同的文體，或類別、時代、作者及思想內容相同的書，分別讀之，仍然能得其大同之處，所以錢基博道：

讀書之法，貴能觀其會通。必先分部互勘；非然，則以籠統爲會通矣。嘗擬姚纂之讀書法有：

第一、分體分類讀。

第二、分代分人讀。

第三、分學讀。如分爲通論、道家文學、儒家文學、墨家文學……之類。（古文辭類纂解題及其讀法）

這樣的讀法，自能得到文體、氣勢、內容大同之處了。至於李光地所云，是則將分讀、合讀聯合使用：

讀書要搜根；搜得根，便不會忘記。將那一部書分類纂過，又隨章箚記；復全部串解，得其主意，便記得。（李榕村集）

由分讀——分類纂過；合讀——全部串解；則主意精義可得，亦可期於熟記不忘了。

㈩合讀：合讀在求貫通，在同一本書內，求前後互相啓發，不同的書，求彼此互相參證，朱熹云：

凡看文字，諸家說有異合處最可觀，如甲說如此，且扯住甲窮盡其詞；乙說如此，且扯住乙窮盡其詞。兩家之說既盡，又參考而窮究之，必有一眞是者出矣。（朱子語類）

古人之書，言事言理，有相合之處，有相異處，用合讀之法，以「參考而窮究之」，則同異見而是非優劣得，如讀左傳而參以公羊、穀梁；讀公羊、穀梁兩傳而互相參合讀或與左傳合讀；史記、漢書參合讀等，自可收到參考而窮究的效果。又張伯行云：

讀書有不曉處，箚出侯去問人；亦有時讀別處，撞着文義與此相關者，便自曉得。朱子讀書，往往用此法。（困學錄集粹）

這便足以說一書可前後相啓發，或不同的書可互相貫通的道理。程端禮論分讀合讀云：

凡玩索一字一句一章，分看合看，要析之極其精，合之無不貫。去了本子，信口分說得出，合說得出，於身心上體認得出，方爲爛熟。（讀書分年日程）

這與李光地所說的，合讀在求全部串解，意義是相同的。試以論語爲例，如不求前後參合，則一條條全是孤孤單單而互不相關的，只有用合讀的方法，使之參照貫通。

(十一)**深求讀書法**：對書的了解，有很多的層次，認字辨句，通訓詁，明文義，是最淺的層次；由理知事，由事明理，由文見法，則是深的層次，所以張潮說：

少年讀書，如隙中窺月；中年讀書，如庭中望月；老年讀書，如臺上玩月，皆以閱歷之淺深，爲所得之淺深耳。（幽夢影）

讀書是由淺入深，當然年事愈高，閱歷愈多，所得會愈深。然而這是一種「自然的成長」，不是我們所希望的，深求讀書法，卽是由淺求深，程端禮卽是以深求法讀韓愈文，他說：

每篇先看主意，以識一篇之綱領；次看其敍述、抑揚、輕重、運意、轉換、演證、開闔、關鍵、首腹、結末、詳略、淺深、次序；既於大段中看篇法，又於大段中分小段看章法，又於章法中看句法，句法中看字法，則作者之心，不能逃矣！（讀書分年日程）

這是透過文字去求文意、文章的法則，有方法有步驟的由淺求深。如何深求，一是學，一是思，突破文字、訓詁的障礙，是要靠學；求理、求法式、求眞、求用，是要由思；如何思？就其大者而言，則實處虛求，虛處實求是也。孫德謙云：

嘗謂讀書之法，當於實者虛之，虛者實之。何言乎實者虛之也？如讀記事之書，必求其義理，孟子之論春秋曰：「其事則齊桓、晉文，其文則史。」孔子曰：「其義則丘竊取之矣。」蓋其事其文而外，自有大義存焉。故凡書之記事者，當進而探索乎其義，此實者虛之之法也。雖然，虛者實之，其法將奈何？古人立言，豈能遺棄事實，而嚮壁虛造？吾就其所論義理，而證之以事，卽其法也。（古書讀法略例）

孫德謙的所謂實者虛之虛者實之，卽是就書的實事而虛求其理，就虛空之理而求證於事，以此一方法而讀書深求，大致是不錯的。至於有疑之處，求其破疑，也是深求的範圍。

㈢**立課程讀**：讀書如果要講求功效，限期求成績，則非立定課程不可。古人讀書立課程最有名的是朝經、暮史、晝子、夜集。古人讀書的大範圍，不外經史子集，故天天以此爲常課。今天知識的領域不知擴大了幾十百倍，這種立課程的方式雖不適用，但精神却不可不知，只要改進其方法，便可收效了。讀書要立課程，是限期計功，在一定的時間以內，讀完要讀的書，採的是漸進積累的方法，今天進一點，明日積一點，便可達到荀子所說的，「積土成山」、「積水成淵」了。梁章鉅道：

讀書不務多，但嚴立課程，勿使作輟，則日累月積，所蓄自富。歐陽公言：「孝經、論語、孟子、易、尚書、詩、禮、周禮、春秋左傳，準以中人之資，日讀三百字，不過四年半可畢，稍鈍者減中人之半，亦九年可畢。」（退菴隨筆）

分日立課的功效，在成日積月累之功，馮煦論按時立課程的大要云：「古人讀書，或分年，分四時，分月分日。今所學既衆，則當分時，將一日作幾分，以一分讀經或讀史……。」梁啓超特別立了讀書分月課程。這種立課程而讀書的方法，是值得我們效法的，可使我們用功不懈，持志有恆，按時計功，而得失立見。

以上所擧，皆古人讀書的重要方法，或單獨使用，或聯合使用，都有過明顯的績效。至於如何讀某一種書——如何讀經讀史、讀子或集，古人亦有專門的見解，暫不在此論述了。

## 三、結論

讀書除了方法之外，尙涉及讀何種書？先讀那些書？均非一言可盡。至於如何使以上的讀書方法生效，就人的官能作用而言，則不外求其眼到、口到、心到、手到、脚到。眼、口、心到的功夫，前人論之已精，且已包含在上述十三種讀書方法之內，惟有手到的功夫，則胡適論之最完善，他認爲手到是：⑴標點分段。⑵查參考書。⑶做箚記。做箚記分：㈠抄錄備忘；㈡提要；㈢記錄心得；㈣參考諸書而融會貫通之，作有系統之文章。然應加上脚到，以採訪查閱資料。盡到此五到，則充分發揮一個人官能的聯合作用，讀書自然有效。就讀書的範圍而言，有博約的問題，博觀而約取，是一大原則，至於先博後約，或先約後博，或博約同施，亦難遽下論斷。個人認爲約以求精熟，是偏重於奠基礎。由讀書的程序而言，應由約至博，博是求貫通，確定治學的範圍以後，要博觀旁覽，以求讀書的周徧無遺，求治學有成，則應由博返約，博觀而約取。就讀書的目的而言，爲獲得知識而讀書，則着重求眞；爲立身治事而讀書，則着重於求用；然求眞與求用，亦非絕對相違反的事。當然讀書最急切的，是求有益於身，如果能以梁啓超的話，作爲大的方向，將不致有誤：

學問之道，未知門徑者以爲甚難，其實則易易耳。所難者莫如立身，學不求義理以植其根柢，雖讀盡古今書，祇益其爲小人而已。所謂藉寇兵而齎盜糧，不可不驚懼也。故入學之始，必惟義理是務：讀象山上蔡學案，以揚其志氣；讀後漢儒林、黨錮傳、東林學案以厲其名節；熟讀孟子以悚動其神明。大本既立，然後讀語錄及羣學案以養之。凡讀義理之書，總以自己心得能切實受用爲本，既有受用之處，則拳拳服膺，勿使偶失，已足自治其身，不必貪多爲貴也。（讀書分月課程）

梁氏的話，實是大的徑道，如加上論語，以作求義理的綱領，則較周全了。他說：「學問之道，未知門徑者甚難，其實則易易耳。」然則上述的十三種讀書方法，只是門徑而已。能否由此門徑而達「易易」的境地，神而明之，則在於我們自己了。

（原載「幼獅月刊」第四十八卷第二期，民國六十七年八月）

# 讀書須求甚解

屈萬里

「讀書不求甚解」，陶淵明的這句名言，爲千古所傳誦。但，它只是名言，却並不是至理。因爲對於以讀書作消遣的人們來說，誠然不必抛却心力去探賾索隱。至於從事學術研究的人，就必須實事求是，絲毫都不能馬虎。拿文史方面的書籍來說，如果囫圇吞棗的讀過，而不求甚解，常會把假的史料當作眞的史料，或者把甲的史實誤列入乙的名下。站在學術的立場來說，這是非常嚴重的錯誤。

誠然，能不能發現問題，要看人們對於書籍瞭解的深淺，而對於書籍瞭解的深淺，要看各人的學力。但是更要緊的，還要靠讀者能夠細心，能持着懷疑的態度，能於無字句處讀書。否則，即使讀書破萬卷，也不免人云亦云，衍訛踵謬。以下單就論語、詩經和尙書（這些都是兩千多年以來讀書人所必讀的書）裏，擧幾個例子，用來提醒「讀書不求甚解」者的注意。

論語陽貨篇，有這樣一段記載：

「公山弗擾以費叛，召，子欲往。子路不說，曰：『末之也已，何必公山氏之之也！』子曰：『夫召我者，而豈徒哉？如有用我者，吾其爲東周乎！』」

費，是魯國的一個邑。公山弗擾，是季氏的家臣。他以費邑來反叛魯國，而招呼孔子去和他合作；孔子便樂意去作「幫兇」，惹得子路大發脾氣。孔子還自己解嘲，說要幫助公山氏，作成個「東周」。這個記載如果屬實，那麼，「至聖」的頭銜，孔子實在是當之有愧了。

然而，從戰國以來，直到清代中葉，兩千餘年間的經生們，從沒有人討論過這段記載的眞假問題。直到崔東壁，才替孔子辯了誣。他在洙泗考信錄（卷二）裏說：

「余按春秋傳云：『季氏將墮費，公山不狃、叔孫輒帥費人以襲魯。入，及公側。仲尼命申句須、樂頎下伐之，費人北。』然則，是弗擾叛而孔子伐而敗之耳。初無所爲召孔子，及孔子欲往之事也。孟子曰：『孔子成春秋而亂臣賊子懼。』弗擾旣以費叛，是亂臣賊子也；孔子肯輔之乎？……又按：費之叛，在定公十二年夏。是時孔子方爲魯司寇，聽國政。弗擾季氏之家臣耳，何敢來召孔子？孔子方輔定公以行周公之道，乃棄國君而佐叛夫；舍方興之業，而圖未成之事，豈近於人情耶！費可以爲東周，魯之大反不可以爲東周乎？公羊傳曰：『孔子行乎季孫，三月不違。曰：家不藏甲，邑無百雉之城。於是帥師墮郈，帥師墮費。』然則，是主墮費之議者，孔子也。弗擾不肯墮費，至帥費人以襲魯，其讐孔子也深矣，必不反召之；弗擾方沮孔子之新政，而孔子乃欲輔弗擾以爲東周，一何舛耶！……總之：此乃必無之事也。」

我們看了崔東壁的這些議論，可以斷定公山弗擾決沒有召孔子而孔子欲往的事。只因論語是大家公認的記載孔子言行最可靠的書，所以沒人敢懷疑它。以至於孔子受了誣衊，經過了二千多年，竟沒人替他洗白，如果沒有崔東壁，雖至聖如孔子，也不免寃抑難伸了！

此外，如「佛肸以中牟叛，召，子欲往。」和「季氏將伐顓臾，冉有、季路見於孔子……」，也都是不可信的史料，這裏不再詳說。原來論語的編定，可能已到戰國年間。梁任公說：「書中所記，如魯哀公、季康子、子服景伯諸人，皆舉其謚，諸人之死，皆在孔子卒後。書中又記曾子臨終之言，曾子在孔門齒最幼，其卒年當更遠後於孔子。」按：論語說：「曾子有疾，孟敬子問之。」孟敬子名捷，是孟武伯的兒子。魯哀公二十七年左傳：「（哀）公游於陵阪，遇孟武伯於孟武之衢。」這時是孔子歿後的十一年，孟武伯還在着。那麼，他的兒子孟敬子之卒，自當遠在哀公二十七年之後。論語已稱他的謚號；可見論語編定時，至少也在孔子故去的三四十年之後，甚至已到戰國年間。因此，論語裏固然大部分是可信的史料；但也有些是後人的傳說。而這些傳說，就不盡可信了。

現在我們再談詩經的載馳之篇。毛詩鄘風載馳篇的序說：

「載馳，許穆夫人作也。閔其宗國顚覆，自傷不能救也。衞懿公爲狄人所滅，國人分散，露於漕邑。許穆夫人，閔衞之亡，傷許之小，力不能救；思歸唁其兄，又義不得，故賦是詩也。」

詩序說：「思歸唁其兄」。它所指的許穆夫人之兄是誰呢？鄭康成的箋說：

「懿公死，國人分散。宋桓公迎衞之遺民渡河，處於漕邑，而立戴公焉。戴公與許穆夫人，俱公子頑烝於宣姜所生也。」

依照鄭康成的解釋，則詩序所謂許穆夫人之兄，是指衞戴公而言。

載馳之詩的第一章是：

「載馳載驅，歸唁衞侯。驅馬悠悠，言至于漕。大夫跋涉，我心則憂。」

從這章的前四句看來，知道是唁問衞侯；而此衞侯這時是在漕邑。從末二句以及後文看來，知道此詩的作者沒能親自去唁衞侯，而是派了大夫去的。可知此詩的作者，如果不是國君，也必定具有和國君相差不遠的地位。下文說：「女子善懷，亦各有行。許人尤之，衆穉且狂！」根據上下文來看這四句詩的意思，知道這位女子（卽此詩的作者），是在許國。她要去唁衞侯，而許國人不讓她去。據毛傳和鄭箋（二者都是據閔公二年左傳），知道衞失國，戴公流亡在漕邑。而許穆公的夫人，是衞戴公的妹妹。如此說來，這首詩是許穆夫人所作；她因爲不能親往漕邑，而派了大夫去唁問戴公。這似乎是沒有什麼問題，所以歷來的詩學家，很少有人提出不同的意見。

但是，這首詩裏，有「我行其野，芃芃其麥」，和「我行其野，言采其蝱」的句子。這些句子所表現的，都是春深或夏初時的景象。而衞戴公之立，是在魯閔公二年的十二月，在位只有一個月就死掉了。如果是唁戴公，那麼，在冬天的時候，怎麼會見到「芃芃其麥」？又怎麼能「言采其蝱」呢？

因此，清人范家相和胡承珙，都提出了新的意見。胡氏的毛詩後箋（卷四）說：

「范氏詩瀋曰：『春秋閔公二年，狄入衞。冬十二月，宋桓公隨立戴公以廬于漕。是年戴公卒；立甫一月耳。文公繼立。夫人之思歸，當在此時矣。周之十二月，夏十月也。詩：芃芃其麥，言采其蝱，豈十月所有乎？蓋唁衞或在次年，或戴公未立之前。』承珙案：戴公未立以前，不容有唁。況狄滅衞，在二年冬，亦非麥蝱之候。考定之方中，文公營室詩也；在夏之十月，爲周之十二月——此蓋魯僖公元年之十二月。至僖二年，諸侯乃城楚邱而封衞焉。則當僖元年春夏之間，戴公已卒，文公雖立而尙無寧居，許穆夫人所爲賦載馳以弔失國歟？揆之情事，衞侯似指文公爲近。㐭邱、麥野，雖皆係設詞，亦不宜取非時之物而漫爲託興也。」

范氏和胡氏，是根據閔公二年和僖公二年左傳以及杜注而作了上述的論證。現在，我們歸納范氏和胡氏的論證並參照左傳，列一個簡表如下：

魯閔公二年十二月　狄入衞，衞懿公敗死。

同月，宋桓公立衞戴公以廬于漕。戴公旋卒。

魯僖公元年正月　衞文公立，居於漕。

十二月　營室於楚丘。

魯僖公二年正月　城楚丘。

從上表看來，許穆夫人當芃芃其麥的季節，去派人唁問居住於漕的衞侯；這衞侯一定是文公，而決不是戴公。時間一定是在魯僖公元年的春夏之間。

末了，我再舉一個尙書中的例子：

尙書費誓篇開頭說：「公曰：『嗟！人無譁！聽命！徂茲淮夷、徐戎並興，善敹乃甲冑，……』」。從這些話裏，知道這是某國的國君將伐淮夷和徐戎時的誓師之辭。又從後文「魯人三郊三遂，峙（峙乃楨榦，……」等語，知道這個誓師的人必是魯國的國君；這些都是不成問題的。但，這魯君是誰？

書序說：

「魯侯伯禽宅曲阜，徐夷並興，東郊不開，作費誓。」

史記魯周公世家也有類似的說法（史記「費」作「肹」）。於是二千年來，沒人不認爲費誓是伯禽伐淮夷和徐戎時的誓師之辭。

近人余永梁，才開始懷疑這篇書不是伯禽時的作品。他作了粊誓的時代考一文（載中山大學語言研究所週刊一卷一號，轉載於古史辨第二册上。）提出了兩個問題：一、本篇文體和兮甲盤相似，不類周初作品，二、戎狄蠻夷等稱，春秋時最盛；本篇稱徐戎不稱徐方，和春秋時的風尚相合。因而他認爲本篇是魯僖公時的作品。

王靜安的學生楊筠如，也認爲費誓是魯僖公時的作品；他所持的理由更充分些。他的尚書覈詁說：

「竊疑西周諸侯，當承王命征伐，而此篇無一語道及王命。當是東周以後，諸侯自專攻伐時之作品。且其文字，與秦誓相去不遠。據魯頌閟宮：『奄有龜蒙，遂荒大東，至于海邦，淮夷來同。』又曰：『保有鳧繹，遂荒徐宅，至于海邦；淮夷蠻貊，……』此確敍魯公征討徐戎淮夷之事。泮水：『既作泮宮，淮夷攸服；矯矯虎臣，在泮獻馘。』亦明爲克服淮夷，獻功之事。則詩書所載，自屬一事。而閟宮有『莊公之子』一語，鄭箋以爲僖公時事，似尚可信。」

按：余楊兩君的見解，都很卓越。除了他們所說之理由之外，還有兩個證據，足以證明費誓是魯僖公時的作品。

段玉裁的尚書撰異說：「考春秋之初，費自爲國。隱元年左傳云：『費伯率師城郎。』後并於魯，爲季氏邑。僖元年左傳：『公賜季友汶陽之田及費』是也。」費在春秋之初，還是一個獨立國。那麼，春秋以前的魯君，決不會跑到別的國裏去誓師。到了僖公時代，費已是魯國的一個邑。這費邑，又是接近徐戎和淮夷的地方，所以魯侯在這裏誓師。隱公以後，魯君有能力而且也確曾伐過徐戎和淮夷的，只有僖公。所以這費誓一定是僖公時的作品。

春秋僖公十六年經文說：「冬十有二月，公會齊侯、宋公、陳侯、衞侯、鄭伯、許男、邢侯、曹伯于淮。」左傳：「會于淮，謀鄫，且東略也。」杜注說：「鄫爲淮夷所病故。」按照董作賓先生的中國年曆簡譜，僖公十六年（卽周襄王八年）十二月朔日是癸酉。次日（初二日）便是甲戌。而費誓說：「甲戌，我惟築。」這日期和春秋經傳的記載正合。這又是費誓作於僖公時的有力證據。

由於上述的理由，費誓是僖公伐徐戎和淮夷時的誓師之辭，似乎可以論定了。

× × ×

以上只就經書中舉了三個例子。論語、詩經、尙書，是二千多年以來千千萬萬的人讀過的書；然而還有上述的問題，等待後人發現。這一類的情形，在其他古書裏還多得很。有些是被人發現了；而沒被人發現的，必定還很多。只因一般的讀書人總是滑口讀過，不求甚解，以致它們的眞象，還被埋沒着。這正像人人都看見過沸水揭掉了壺蓋，而細心的瓦特才能發明蒸汽機；人人都曾見過果實落地，而細心的牛頓才能發現地心引力。所以，如果肯求甚解，必會有出人頭地的造詣。袁子才的詩說：「雙眼自將秋水洗，一生不受古人欺。」俗話說：「天下無難事，只怕有心人。」謹以此二語，奉獻給從事學術研究的人們。

（原載「新時代」第一卷第九期，民國五十年九月）

# 論讀書之門徑

馬宗霍

一、宗經　文心雕龍曰：『三極彝訓，其書言經，經也者，恆久之至道，不刊之鴻教也。故象天地，效神鬼，參物序，制人紀，洞性靈之奧區，極文章之骨髓者也。』觀此可知欲治文學，首宜宗經。惟經卷浩繁，不能盡通，歷代大儒，大約以一經名家者多，兼通群經者少，宜先治其一，再及其他。一經中皆有大義數十百條，又宜研究詳明，會通貫串，方爲有益，若僅隨文訓解，一無心得，仍不得爲通也。至於治經次第，南皮張之洞以爲宜先看毛詩，次及三禮，再及他經。蓋詩禮兩端，最切人事，義理較他經爲顯，訓詁較他經爲詳，其中言名物，學者達與否，較然易見。三禮之中，先儀禮、禮記，次周禮。儀禮句碎字實，難讀能解，難記易曉，注家最少，異說無多，好在禮記一書，即是外傳。周禮門類較多，事理更爲博大，漢人說者亦少，故較難。然鄭注及諸儒零星解說，亦尚明白。尚書辭義既古，隸古傳寫，通借譌誤，而漢代今古文兩家之經傳，一時俱絕，故尤難通。春秋乃聖人治世大權，微文隱義，本非同家人言語，三傳並立，恉趣各異，公羊家理密而事疏，左傳者事詳而理略，穀梁師說久微，治者亦少。周易統貫天人，成於四聖，京孟虞鄭諸大師，以及後代諸家，皆止各道所得，見仁見智，從無一人能爲的解定論，所以通者雖少，而注者最多，演圖比象，任意紛紜，所謂畫狗馬難於畫鬼神之比也。總之，詩、禮可解，尚書之文，春秋之義，不能盡解，周易則通儒畢生探索，終是解者少而不解者多，故治經次第，自近及遠，由顯通微，較有實獲也。雖然，班固有云：「古之學者，耕且養，二年而通一藝，存其大體，玩經文而已，是故用日少而畜德多，三十而五經立也。後世經傳既已乖離，博學者，又不思多聞闕疑之義，而務碎義逃難，便辭巧說，破壞形體，說五字之文，至於二三萬言，後進彌已馳逐，故幼童而守一藝，白首而後能言，安其所習，毀所不見，終以自蔽，此學者之大患也。」揚雄亦曰：「非獨爲之華藻也，又從而繡其鞶帨。」夫漢代去古不遠，說經者之衆，揚、班已不勝其慨，吾人生於數千載後，自非爲經生，則亦惟從存其大體之訓耳。

二、**治史**　一代之學術典章制度，皆萃於史，龔自珍謂「史之外無有語言焉，史之外無有文字焉，史之外無有人倫品目焉。」故未有史之不明而能與於文學之事者也。治史之法，張之洞以爲宜讀正史，正史者：史記、漢書、後漢書、三國志、晉書、宋書、齊書、梁書、陳書、魏書、北齊書、周書、隋書、南史、北史、舊唐書、新唐書、舊五代史、新五代史、宋史、遼史、金史、元史、明史是也。諸史中體例文筆，雖有高下，而其有益實用處，并無輕重之別。蓋一朝自有一朝之事蹟，一朝之典制，無可軒輊，且時代愈近者，愈切於用。不過全史繁賾，似宜先讀史、漢、後漢、三國四史。四者之中，史、漢尤要，其要如何，語其高，則證經義，通史法；語其卑，則古來詞章，無論駢散，凡雅辭麗藻，大半皆出其中。又讀史時，須注重表志，志以包括典章文物，表可以訂歲月之誤，補紀傳之闕，若止看列傳數篇，或於每篇之中，割裂首尾，專留中間一段，謂爲精華在是，或獵取浮文，廣求雋語，以爲餖飣之資，是皆陋人所爲，非文學之大者。正史之外，宜讀司馬光資治通鑑，及畢沅之續通鑑，通鑑猶恐未能貫串，宜兼讀通鑑紀事本末及宋、元、明紀事本末。因此等皆編年體，可以通知歷代人才之盛衰，政治之得失，風俗之厚薄，國勢之強弱也。他若雜記、逸事、水經、地志，爲史之支流，亦足廣見聞，擴胸襟，皆所宜覽。又政典、會要諸書，如唐杜佑之通典，宋鄭樵之通志，馬端臨之通考，徐天麟之兩漢會要，王溥之唐會要，李攸之五代會要、宋朝事實等，或通貫古今，或專存一代，大抵關於文化方面居多，尤便於用。至於論史法，如唐劉知幾之史通，明朱鎬之史糾，清章學誠之文史通義，皆考究精覈，義例嚴整。論史事，如宋葛洪之涉史隨筆，范祖禹之唐鑑，明王船山之讀通鑑論，亦尙通博，不涉空談。刋補校正，如清王鳴盛之十七史商搉，趙翼之廿一史劄記，錢大昕之廿二史考異等，亦於史學有推闡發明之功，咸宜備焉。

三、**讀子**　諸子之書皆昔之通人碩士，自爲一家之言，其精誼名論，時足以輔經訓之所不逮，故班固稱爲六經之支與流裔，而思想恢宏，挹注不窮，蓋亦文學之淵藪也。張之洞謂周秦諸子，如老子、管子、孫子、晏子春秋、列子、莊子、文子、吳子、墨子、荀子、韓非子、鶡冠子、孔叢子、呂氏春秋等，其有益於經者三：一證佐事實，一證補諸經僞文佚文，一兼通古訓古音韻。至漢魏間，則其義理已不免偏駮，宜辨其眞僞，別其瑕瑜。唐以後子部書最雜，不可同年而語矣。至於讀子之法，張氏以爲宜求訓詁，看古注，蓋諸子道術不同，體制各別，首宜求訓詁，務使確實可解，切不可空論其文，臆度其理。卽如莊子寓言，謂其事多烏有耳，至其文字名物，仍是鑿鑿可解，文從字順，豈有著書傳後，故令其語在可曉不可曉之間者乎？以經學家實事求是之法讀子，其益無限，大抵天地間人情物理，下至猥瑣纖末之事，經史所不能盡者，子部無不有之，其趣妙處，較之經史，尤易引人入勝。故不讀子，不知瓦礫糠秕，無非至道；不讀子，不知文章之面目變化百出，莫可端倪也。此其益人又有在於表裏經史之外者矣。買書之法，則以多買叢書爲好，蓋諸子切要者，清人雖多有校刊善本，其未及者，明人亦多有仿宋重刻單行本，然枝節求之，卽五都之市，亦須積年累月，始能完備，將何日讀之耶？爲學者計，止有多買叢書一法，購得一書，卽具數種或數十種，其單行精本，徐圖可也。叢書明刻以漢魏叢書爲子部大輳，其餘有四子、六子、十一子、二十子之屬，皆坊間所有，此外甚繁雜，今皆微矣。近時刻本，有十子全書，通行易得。清人叢書，率皆精好，孫星衍、孫馮翼、孔繼涵、盧見曾、盧文弨、畢沅、黃丕烈諸家尤勝。惟其體例不一，不專子部，或止一兩種，然其中有精校本、精注本、足本、孤本，學者過市，遇叢書，可檢其目，多古籍者，萬不可忽也。

四、**誦集**　自著述不專家，而集部以起。隋志集部凡三種。首列楚辭，因屈原被讒放逐，著爲離騷，以寫其悲而見其志，其徒宋玉、景差之屬，傷而和之。原爲楚人，遂名楚辭，其後賈誼、東方朔、劉向、揚雄，嘉其文采，擬之而作，亦附其末。蓋騷出於風雅之遺，而抑揚反覆，以盡其變，金相玉式，豔溢錙毫，實詞章之鼻祖，治文學者所宜首誦者也。別集則代各有人，巧歷所不能盡，吾人遍觀悉讀，勢有所難，但擇最有名諸大家瀏覽，取性所近三兩家熟玩之斯可耳。大約漢、魏人之集，傳於後者有數，明張溥嘗彙集百三名家，亦云略備。漢魏以後，張文襄分詩文爲二，詩家之最烜赫者，六朝之陸

（機）、陶（潛）、謝（靈運）、鮑（照）、庾（信），唐之李（白）、杜（甫）、韓（愈）、白（居易），宋之蘇（軾）、黃（庭堅）、陸（游），金之元（好問），明之高（啓）、李（夢陽），清初之吳（偉業）。又如唐之四傑（王勃、楊炯、盧照鄰、駱賓王）、王（維）、孟（浩然）、韋（應物）、柳（宗元）、高（適）、岑（參）、錢（起）、劉（禹錫）、孟（郊）、張（籍）、李（商隱）、杜（牧），宋之歐陽（修）、梅（聖俞）、王（安石）、范（成大），元之虞（集）、楊（維楨）、吳（萊），明之何（景明）、王（世貞）、李（攀龍）、徐（禎卿）、楊（愼），清初之施（閏章）、王（士禎）、朱（彝尊）、查（愼行），亦甚表表。文則除世稱八家（韓、柳、歐、曾、王、三蘇）外，唐之元（結）、陸（贄）、劉（禹錫）、孫（樵）、李（翺），宋之宋（祁）、張（耒）、葉（適），元之姚（燧），明之王（守仁）、歸（有光），清初之方（苞）、姚（鼐）、惲（敬）、曾（國藩）諸家，皆宜一覽。張氏又謂一集百數十卷，不能一一精美，然必見其疵病處，方知其獨到處也。且詩文一道，各有面目，各有意境，大家者氣體較大，所造較深，所能較多耳。若謂大家兼有古今之長，此目未見衆集之謬說也。雖杜與韓，豈能盡詩文之能事哉？總集則推昭明文選爲最古，杜甫詩云：「續兒誦文選」，又訓子云：「熟精文選理」，則此書唐時已甚重，宋初尤爲盛行。陸游老學庵筆記載當時士爲之語曰：「文選爛，秀才半」，此可知矣。注文選者，以唐李善爲最精博，王伯厚困學紀聞有云：『李善精於文選，爲注解，因之講授，謂之文選學。』今觀所引多古書，不獨多記典故，於考訂經史小學，皆可取資，信乎其能成一家之學也。惟學文選者，當學其體裁筆調句法，當看注，若徒誦其文，或徒寫難字，掇拾成句，皆所不取也。蕭選而外，古文苑、唐文粹、宋文鑑、金文雅、元文類、明文在、清代文錄諸書，皆可以見各代之體制，而晚出之書，則以姚鼐之古文辭類纂最爲善本，以其體例分明，評點精妙，校讎詳審也。曾國藩經史百家雜鈔，所收較廣，與類纂微有出入，可以共覽。李兆洛之駢體文鈔，張惠言之七十家賦鈔，亦雅古有法。詩選張之洞謂自唐及今，或各標一派，或各選一體，或求多取備，名目實繁，未爲定衡通義，惟郭茂倩樂府詩集，源流俱在，全唐詩錄、宋詩鈔，尙不繁重，亦無偏畸。再思其次，則陳祚明采菽堂古詩選，沈歸愚五朝詩別裁，雖有科臼，然正平不入惡道，可爲學詩津梁。而最近王湘綺先生有八代詩選，起漢終隋，唐以後皆不得與焉。詞選則花間集、草堂詩餘、絕妙好辭，數種最有名，略可見唐宋五代之一斑。要而言之，總集之用，在便披閱，若欲以詩文名家，總宜博覽，徒恃選本無益也。

**五、通論讀書**　正述四篇，經、史、子、集之門徑，已可略窺大概矣。至於升堂入室，則存乎其人，玆再摘錄曾國藩、張之洞通論讀書之道於次，俾學者知所法焉。曾之言曰：「讀書之道，有不可易者數端：窮經必專一經，不可泛騖；讀經以硏尋義理爲本，考據名物爲末。讀經有一耐字訣，一句不通，不看下句，今日不通，明日再讀，今年不精，明年再讀，此所謂耐也。讀史之法，莫妙於設身處地，每看一處，如我便與當時之人，酬酢笑語於其間。不必人人皆能記也，但記一人，則恍如接其人；不必事事皆能記也，但記一事，則恍如親其事。經以窮理，史以考事，舍此二者，更無別學矣。蓋自西漢以至於今，識字之儒，約有三途：曰義理之學，曰考據之學，曰詞章之學，各執一途，互相詆毀。

私意以爲義理之學最大，義理明，則躬行有要，而經濟有本。詞章之學，亦所以發揮義理者也。考據之學，吾無取焉矣。此三途者，皆從事經史，各有門徑。吾以爲欲讀經史，但當研究義理，則心一而不紛，是故經專熟一經，史則專熟一代，讀經史則專主義理，此皆守約之道，確乎不可易者也。若夫經史而外，諸子百家，汗牛充棟，或欲閱之，但當看一人之專集，不當東翻西閱，如讀昌黎集，則目之所見，耳之所聞，無非昌黎，以爲天地間除昌黎集外，更無別書也。此一集未讀完，斷斷不換他集，亦專守訣也。讀經讀史讀專集講義理之學，此有志者萬不可易者也。聖人復起，必從吾言矣。」又曰：「凡看書止宜看一種，一種未畢，而另易他書，則無恆之弊，終無一成，若同時幷看每種，尤難有恆，將來必不能看畢一種，不可不戒。」又曰：「讀書惟『敬』字『恆』字，是徹始徹終功夫。『敬』字惟無衆寡、無大小、無敢慢三說最爲切當。至於『有恆』二字，尤不易言，大抵看書與讀書，須畫分爲兩事，看書宜多宜速，不速則不能看畢；讀書宜精宜熟，能熟而不能完，是亦無恆也。」張之言曰：「先博後約，語、孟通義，無論何種學問，先須多見多聞，再言心得，若株守坊間講章一部，兔園册子數帙，而云致知窮理，好學能文，世無其理。」又曰：「天下書老死讀不可徧，『博』之爲道將如何？曰：在有要而已。古書不可不解，有用之書，不可不見，專門之書，不可不詳考貫通，如是，則有涯涘可窮矣。若治經者，雜覽苦思，而所據多僞書俗本；讀史者，記其詞語而不曉史法，多蒐異聞，而本事始末未嘗通考；爲詞章者，頗有僻典難字，而流別不明，華藻富豔，而字義不合雅訓，引用但憑類書，而不求本源；講經濟者，不通當代掌故，口如懸河，下筆萬言，猶之陋也。能祛數蔽，斯爲

『博』矣。」又曰：「汎濫無歸，終身無得；得門而入，事半功倍。或經，或史，或詞章，或經濟，或天算地輿。經治何經，史治何史，經濟是何條，因類以求，各有專注。至於經注，孰爲師授之古學，孰爲無本之俗學；史傳孰爲有法，孰爲失體，孰爲詳密，孰爲疎舛；詞章孰爲正宗，孰爲旁門；尤宜抉擇分析，方不致誤用聰明。此事宜有師承，然師豈易得，書卽師也，將四庫全書總目提要讀一過，卽略知學問門徑矣。」又曰：「讀書宜讀有用書，有用者何？可用以考古，可用以經世，可用以治身心三等。唐人崇尙詞章，多選瑣碎虛誕無理之書；宋人筆墨繁宂，公私文字，多以空論衍成長篇，著書亦然；明人好作應酬文字，喜談賞鑒清供，又好藍本陳編，改換敷衍，便成著作，以故累車連屋，眩人耳目，耗人精神，不能專意要籍。唐以後除史部各有所用外，其餘陳陳相因之經注，無關要道之譜錄，庸猥應酬之詩文集，皆宜屛絕廓清，庶幾得有日力，以讀有用之書耳。」又曰：「讀書不必畏難，一經、一史、古集一家，詞章一體，經濟一門，專精探討，通鑑古子，觀其大略，知其要領，又其次，涉獵而已。如此爲之，不過十年，卓然自立，自茲以往，左右逢源。夫航斷港而求至海，驅北轍而求至越，則難矣。若津渡顯然，定向有在，循途而行，計日而到，何難之有？蓋讀書一事，古難今易，無論何種學問，先正皆有極精之書，前人是者證明之，誤者辯析之，難者考出之，不可見之書采集之，一分眞僞而古書去其半，一分瑕瑜而列朝書去其十之八九矣。且諸公最好著爲後人省精力之書，一蒐補，一校訂，一考證，一譜錄，此皆積畢生之精力，踵曩代之成書而後成者，故同此一書，古人十年方通者，今人三年可矣。前人甚苦，後人甚樂，諸公作室，我輩居之，諸公製器，我輩用之，士生今日，若肯讀書，眞可不費無益之精神，而取益身心，坐收實用，據漢學之成書，玩宋學之義理，事半古人，功必倍之，愼無驚怖其言，以爲河漢而無極也。」

（錄自「文學概論」，臺灣商務印書館，民國五十五年）

# 復興中華文化人人必讀的幾部書

錢穆

## 一、引言

諸位先生：去年　總統提出了復興中華文化運動的號召。這一運動可說是民國創建以來一個最重大、最有意義的運動。到今已過一年，我聽到很多人說，一年來，這一個復興文化運動有了些什麼成績呢，或者有了些什麼具體的方案呢？這當然是大家都關切這問題，可是我們也該知道，這一運動，我們並不能希望它有一個很快的成績給我們看。我可以說，倘使在座的先生們，在五十歲以內出生的話，他從出生日起，已是我們中國人存心在懷疑，在反對，在破壞自己傳統文化的時候了。並不要到共匪執政，或者如今天的紅衞兵正式提出文化大革命以後才如此。我們已經是五十年來，造成風氣，在懷疑，在反對，也可說在破壞這一套自己的文化。當然開始這一番思想、理論，也是爲着愛國家、愛民族，其心無他，然而我們早已認爲中國文化要不得，至少是看輕了中國文化，接下來就看輕了中國民族，看輕了中國人。那麼我們要來救這個國家，救這個民族，就得另外來一套。那些覺得要另外來一套的是所謂前進份子，那些不能追隨向前的人，便是頑固守舊要不得、該淘汰。倘使不是這種思想這種風氣在社會上隱藏着，蔓延着，我可以說共匪也不會得政。我們五十年來的社會風氣已如此，我們怎能在一年兩年內，就有顯着的改變，這當然是很困難的。

而且所謂復興文化，也不是一個人、一個團體、一個機關所能負起責任的。這事千頭萬緒，我們每個人都該負起責任來，不能在一旁觀看，說你有什麼成績？大家抱着這心理，這一運動便不會有很大樂觀的前途。

可是我也可以從大體上講，我們要復興文化，在我們前面擺着有兩條大路：一條路是振興學術，這可以說是少數知識份子，在學術界應該負的責任。我們研究有關中國各方面的學問，應該以復興中華文化爲抱負。不要對自已文化，專門去挑些可以批評的來批評，來反對。我們當知道，全世界各民族各文化，到今天爲止，還沒有一個能說眞到了無可批評的地步。中國歷史，至少已有三四千年的緜歷，這中間那有找不到毛病可批評的。從每一個人說，即使是一個大聖人，也會有過失。怎樣一個強健的身體，到醫院去檢查，也總有毛病。我們現在的智識界總喜歡找我們歷史裏面零零碎碎的、向不受人注意的許多毛病，或許舉出一件兩件特殊的事，來大肆批評，這是最近幾十年來的風氣。到今天我們要振興學術，該換一個方向，究竟中國文化裏面有沒有它的長處，長處在那裏，不要專找毛病。得要研究我們自己文化精華之所在，這決不是一年兩年所能有成績的事情。另一條路是改造風氣，這是一般社會的。譬如此刻大家看不起中國人，只看重外國人，這個風氣瀰漫整個社會，任何人都不免。我可以舉很多具體的例來講，可以拿一件一件的小事情來作證。今天我們雖是一個中國人，但只看重外國人，看不起中國人，接着就看不起自己。看不起自己，還有何事肯認眞實地去幹。每一個家庭爲父母的，總望能送子女往外國去留學，若是父母老了，七八十歲，他的子女不回來，長期居留在外國，甚至入了外國籍，照中國文化傳統講，那子女太不懂孝道。但爲父母的，總覺得子女在外國，總比在中國強一點，不歸來盡孝道也應該。這是他們太看重了外國，看不起中國，看不起中國人，連自己也看不起，只要能沾到外國一點光也好。依照這種心理演變下去，中國斷然會永遠沒有翻身的日子。所以我說我們 總統提倡復興中華文化，這是民國創建以來一件最有意義的事。

至於如何來提倡學術，改造風氣，這都不是短時期一年兩年內就能做到。今天我所講的題目，是我們要復興中華文化，能不能提出幾部人人必讀的書來？這與振興學術改造風氣這兩方面都有關係。可是我今天所提出的，也只是一問題而已。我們要不要有這樣幾部書，能不能有這樣幾部書，這都是問題。我只借這個機會，舉出幾部書來，這幾部書是不是我們人人必讀，當然希望在座各位，乃至全社會，拿來做一個共同討論的問題。此刻所講只是我個人的想法。文化是一個共業，大家來共同合作。當我們的文化，在正常或是在隆盛的時候，好像一健康的人不注意到他的身體般，我們只在這個文化空氣中生活着，大家不覺得，又好像我們此刻坐在這所房子裏面，不注意到這房子。但今天我們的中國文化，已經到了一個支離破碎將次崩潰的時候，大家反對它，看不起它，至少懷疑它，在這時候來談復興，我們首先不能集中到一個大方向，雖不能有個共同的信仰，也該有一個共同的了解，這裏要提出幾部人人必讀的書，便是由這問題而起。可是所謂人人必讀，我的想法，只要他能有相當於高中或大學的程度，社會上一切人都在內，是不是眞能有一部兩部或多幾部，大家應該都看一下的書。這樣可使大家在心理上有一共同的規範，或是共同瞭解。就如我們同在這個屋子裏，自然大家的座位可以在這邊，在那邊，人人儘可有不同，可是大家總是共同在此一個屋子之內，我們纔能爲此屋子有些想法，有些做法。所謂復興文化，也該有一些共同嚮往之點，共同瞭解之點，至於意見，却儘不妨各人有各人之相異。

我們要從年輕人，譬如一個高中學生，直到年老人，不論他在社會還擔任責任或不擔任責任，不論他做什麼事業、什麼行業，都希望他能來讀這樣一本書或幾本書，如此說來，也就覺得困難。要大家能讀，不是說要我們少數人能讀。若爲今天來到這裏聽我講話的人學出幾本人人能讀的書，還比較是輕而易學。但我們要着想到社會上的一般人，這就難了，能不能眞有幾本這樣的書人人能讀，而又是人人必讀呢？說到這裏，我要請各位原諒。我認爲文化一定要傳統，沒有傳統，便不叫文化。若使今天有一位大思想家、大學問家，他發明一套新理論，提供一套新知識，但這不就叫文化，這是他個人的思想、理論、知識、研究成果。不曉得這些思想、理論、知識、成果，還要經過多少年，或是幾十年或是幾百年，而後才慢慢地變成了某一文化裏重要的一部份，我們不能今天就把這個來認叫作文化。我大膽告訴諸位，文化中一定有古老的東西，而且可說都是古老的。新的只是由此古老中所生，斬斷了古老的根，便不能有新生的枝葉和花果。今天我們大家講，復興文化不是要復古，那麼我請問各位，要復的是什麼東西？你說我們要學外國人，但外國人有外國之古，外國也不能只有今天一天全新的東西。你講近代科學，近代科學也至少有兩三百年之古在裏面。講民主政治，民主政治也至少有四五百年之古在裏面，所以文化不能全是新的。全新的不成爲文化，要慢慢在舊文化裏面出新花樣，這是中外一律的。所以我今天在此要想提出幾部書來，却都是幾部代表傳統性的古老書，沒有一部近代人的新出書。最重要的一點，我們要懂得我們以前的中國人，他們是怎樣想法？怎樣講法？怎樣做法。我們希望今天的中國人，能同我們的父母祖宗，幾百年、一千年、兩千年以前的中國人，通一口氣，這才叫有文化，叫有傳統。若這口氣不通的話，將來縱使中國或可以做出一個極富極強的國家來，但不一定就是文化復興。至於一個並沒有文化傳統的民族與國家是否能極富極強，這是另一問題，不在此刻討論。

現在我想要找幾部人人必讀的書，從前逑意見講來，還是要找出從前我們中國人大家讀的書。這是比較客觀的標準。若我今天提出一部書，與文化傳統無關，可能這部書有貢獻，有影響，或許可變成將來文化重要的一部份，確實使中國文化改造，起了新變化。可是在此刻，只是我一人意見，不能強人人必讀。我們此刻是在復興中華文化的前提之下來選幾部書，此幾部書，則是古人的，從前大家讀過的，在中國社會上遞傳了多少年，有憑有據。不能說由我一個人來提倡讀這幾部書。否則我認爲應該讀什麼幾部書，你認爲應該讀什麼幾部書，各有各的意見，很難得調和。因此我們該是站在中國文化的立場，在中國傳統文化裏，看有那幾部特別應該看的書？其主要條件，則是從前中國人都曾看的。爲何要把此作標準？這很簡單，若要講中國文化，則不能不理會到中國古人。此刻講民主，該由大家投票表決。在今天你認爲這幾部書不該看，但是我們上一代、兩代、三、四代、十代、二十代歷史上的古人，都曾讀，都曾看重這幾部書，那麼這卽是中華文化傳統一向集中偏重在那裏。我要把此標準來舉出幾部歷史上大家都讀的書，來作爲我們今天也應該人人一看，讓我們從此了解到從前中國人想些什麼，講些什麼，看重些什麼。這豈不與我們此刻要來復興文化也有些關聯。

但是這些書也不能是大書，大書不能大家有工夫去看。我已經講過，若你在大學裏當敎授，設講座，你可以從容研究。現在講的是希望人人有一份。既不能是大書，同時又不能太專門。現在大學分科分得很細，很專門。或學文學，學史學，學經濟，學法律，講藝術，講哲學。自然科學更不論，分門別類，實是太細太多了。我們現在的標準是人人的，不論你是藝術家，建築師，或是醫生，或是律師，或是任何行業，我們要在文化傳統的共同之點上有一個了解，而來讀這部書。而且要這部書不一定是學術界中人才能讀，要男女老少行行色色人都能讀。我告訴諸位，這像是難，却不難。只要眞正是一部大有價値的書，大家都該讀的書，也就絕不是一部專門書。要講專門書，如講史學，某一人某少數人可以讀二十四史，却不能請大家都讀二十四史。在學校裏講課，可以講專門。而文化則不是一項專門學問，亦不能由某一項專門學問家來講。我們需要的是有一個共同的了解，人人必讀的書則絕非專門的，而且也絕不是大部的書，大部的書只可放在圖書館裏去研究成一個學者。現在是要社會上流行的書，是要人人能讀的書，那往往是幾句話的書，絕不是大書。惟其是幾句話的書，所以能流傳到整個社會，所以能成爲文化傳統中一個共同的目標。但是不是有這樣的書呢？我此下所擧，當然只是我個人的意見。

我上面講的這套話，我想第一是原則上的，要先討論，是不是要提出幾部我們應該提倡大家來看的書。第二是這類的書，一定要有傳統性，要能使我們中華民族上下通氣。要使今天我們有一口氣通到上面中國古人身邊去。諸位不要怕這就是落伍，其實這是不落伍的，這些書應該在今天還是有價值。若使中國古書在今天都落伍了，那麼就是中國文化落伍，所以有些人要提倡綫裝書扔毛厠裏，要廢止漢字，要用羅馬字拼音，這就沒有話講了。若使我們中國古代還有幾部傳統性的書，這套思想，這套理論，今天還有價值，那麼我們中國文化就該存在，我們今天自該也來用心一看。要說這都沒有了，只有要我們今天來創造一番新的，我請問諸位，怎樣般去創造？那就只有到外國留學去，但這也不是創造，只是去拿人家的，來借作自己的用。倘使我們本來沒有，去拿一點人家的來，這事也還簡單。譬如這房子裏面空蕩蕩地沒有東西，搬張桌子來，搬張椅子來，很簡單。所可恨的，是我們這所房子裏早有東西充滿了，要從外面拿進來，先要把自己裏面的拿出去。所以先要打倒中國文化，就是這個理由。因爲外面的拿不進，拿進來了又不合適，則只有先拿掉裏面的。又可恨，裏面的拿不走，又拿不盡。我們今天的問題在這裏。今天我們　總統既然提倡到復興文化這句話，我們能不能從正面來具體想想，究竟中國文化有些存在的價值？若我們眞認爲有，那麼我們要復興中華文化，便應該在中國的舊書裏，找出幾部人人必讀的，至少希望造成一種風氣，亦可爲振興學術奠一基礎。

## 二、四書——論語、孟子、大學、中庸

我想舉的第一部書是論語。你若要反對中國文化，那很簡單，第一就該打倒孔家店。當時立意要打倒孔家店的人，就都在論語裏找話柄。如說：「唯女子與小人爲難養也」，說這是孔子看不起女人。又如說「民可使由之，不可使知之」，說孔子主張愚民政策。又如「子見南子」，把來編成劇本表演。拿論語裏凡可以挑剔出毛病的，都找出來。至於如論語開卷所說「學而時習之，不亦說乎？」有何毛病呢？這就不管了。至少從漢朝開始，那時中國人就普遍讀論語，像如今天的小學教科書。論語、孝經、爾雅，人人必讀。爾雅是一部字典，現在我們另外有合用的字典，不需要讀爾雅。孝經今天也不須讀，已經經過很多人研究，孝經並不是孔子講的話。我想論語還應該是我們今天人人必讀的一部書。倘使要找一部比論語更重要，可以用來了解中國文化，又是人人可讀的，我想這不容易。只有論語，照我剛才所講條件，從漢朝起，到我們高呼打倒孔家店時爲止，本是人人必讀的，在中國沒有一個讀書人不讀論語，已是經歷了兩千年。我們要了解一些中國文化，我想至少該看看論語。

既然要讀論語，便連帶要讀孟子。講孔子講得最好的，莫過於孟子，宋代以後的中國人常合稱孔孟。唐朝以前只叫周、孔，不叫孔、孟，這不能說不是中國後代一個大進步。說周孔，是看重在政治上。說孔孟，是看重在學術、教育上。至少從宋朝到現在，一般中國人都拿孔孟並稱，所以我們讀論語也該連讀孟子。論孟這兩本書我現在舉出爲大家該讀之書，讀了論語有不懂，再讀孟子，容易幫我

們懂孔子。

既然講到論語和孟子，又就聯想到大學和中庸，這在宋代以來合叫做四書。實際上，大學、中庸只是兩篇文章，收在小戴禮記中，不算是兩部獨立的書。但很早就有人看重這兩篇文章。到了宋朝，特別是到了朱夫子，就拿大學、論語、孟子、中庸，合稱四書。他說大學是我們開始第一本該讀的。中間所謂格物、致知、誠意、正心、修身、齊家、治國、平天下，八個大綱領，把中國學術重要之點全包在內。使一個初學的人，開始就可知道我們做學問的大規模，有這樣八個綱領。至於如何來講究這格物、致知、誠意、正心、修身、齊家、治國、平天下這一套，就該進而讀論語和孟子。這樣讀過以後，才叫我們讀中庸。中庸有些話講得很深微奧妙，好像我們今天說太哲學了。所以朱子說，四書的順序，該最後纔讀中庸。後來坊間印本書，大學、中庸的分量都太單薄了，就把這兩本書合訂成一本，於是小孩子跑進學校，就先讀大學、中庸，再讀論語、孟子，這就違背了我們提倡讀四書的人的原來意見。可是四書認爲是我們人人必讀的書，從元朝就開始，到今天已經七百年。

我的想法，我們既然要讀論語、孟子，兼讀大學、中庸也省事，而且大學、中庸這兩篇文章，也是兩千年前已有，中間確也有些很高深的道理。我們不必把它和語孟再拆開，說讀了語孟，便不必讀學庸，所以我主張還是恢復舊傳統舊習慣，依然讀四書，只把讀的方法變動些。不要在開始進學校識字就讀，我也不主張在學校裏正式開這四書一門課。我只希望能在社會上提倡風氣，有了高中程度的人，大家應該看看這四書。尤其重要的讀四書，一定該讀朱子的註。提倡這個四書的是朱子，朱子一生，從他開始著作，經歷四十年之久，把他全部精力多半放在為四書作注這一工作上，因此朱子的論孟集注學庸章句可以說是一部非常值得讀的書。我們中國的大學者，多方面有成就，在社會上有最大影響的，所謂集大成的學者，上面是孔子，下面是朱子。朱子到今天也已八百年，我們不該不看重這個人。四書是兩千年前的書，今天我們不易讀。我們拿八百年前朱子的註來讀兩千年前的四書，這就容易些。直到今天，還沒有一個人註四書能超過了朱子。所以我希望諸位倘使去讀論語、孟子、大學、中庸，一定要仔細看朱子的註。我再敢直率講一句，倘使我們讀了四書，就不必讀五經。當時宋朝人提出這四書來，就是要我們把四書來替代五經。讀四書，既省力又得益多。至於五經，在漢代以來就規定為大學教材的，然而五經不易讀。在漢時，已經講得各家各說，莫衷一是。朱子也曾在五經裏下工夫，但他一生，只講了兩部經，一是詩經，一是易經。可是他後來說他的工夫浪費了，他讀詩易所得，遠不如他讀四書所得之多而大。倘使我們今天還要拿詩和易來做人人必讀的書，那就有些不識時務。至於春秋，那是孔子自己寫的，但誰能真懂得春秋。朱子說，他對春秋實在不能懂。直到今天，也沒有人真能懂。講春秋的，就要根據左傳、穀梁傳、公羊傳，把這三傳的講法來講春秋，但三傳講法又不同。所以講春秋的一向要吵架。朱子勸他學生們且不要去讀春秋，現在人還要來講春秋，這是自欺欺人，誰也不懂得。又若講禮，儀禮十七篇今天社會上那裏行得通。而且從唐代韓昌黎起他已說不懂這部書。從唐到清凡是講禮的，都得是專家之學，不是人人能懂，而且也易起爭辯。若論書經，清代如戴東原，近代如王靜安，都說它難讀難懂。目前學者，還不見有超出戴王的，他們如何却對書經能讀能懂。所以我認爲到今天我們還要來提倡讀經，實在大可不必了。但我也並不是要主張廢止經學，經學可以待大學文科畢業，進入研究院的人來研究。縱使在大學研究院，也該鄭重其事。近代能讀古書的大師如梁任公王靜安他們在清華大學研究院作導師，也不曾提倡研究經學。若要稍通大義則可，要一部一部一字一句來講，要在經學中作專門研究，其事實不易。王靜安研究龜甲文，講訓詁，講經學。據說他勸學者略看儀禮，因爲名物制度有些和研究龜甲文有關。譬如一個廟，一項祭典，一件衣服，龜甲文中有些字非參考儀禮尙書守古經典不可。一言以蔽之，我並不反對大學研究院有絕頂的高才生，眞等經學專家作導師，再來研究五經，來一部一部作研究。可是從宋朝起，一般而論，大家就已不像漢唐時代以經學爲主。元、明、清三朝的科學考試，雖也考五經，實際上只要第一場四書錄取，第二場以下的五經只是名義上亦加考試，而錄取標準並不在此。這三朝來，如通志堂經解、清經解正續編，卷帙繁重，眞是汗牛充棟，不先理會這些書，又如何來對經學上有更進一步之新發現。所以我認爲我們今天雖要提倡文化復興，似乎可以不必再要人去讀五經。讀通五經的是孔子，我們今天讀了孔子的書，也就夠了。而且經學中也儘有孔子所沒有讀過的，譬如儀禮，這是孔子以後的書，孔子一定沒有讀過，今天我們要講復興文化，並不是說不許人復古，但古代的東西也該有一選擇。更要是使人能了解。近人又認爲五經雖難懂，翻成語體文便易懂，但先要有人眞能懂，纔能翻。若請梁任公王靜安來翻，他們必然敬謝不敏。在清朝時代講經學，那時尙有個行市、行情。一人說錯了，別人來糾正。今天經學已無行市行情可言，大家不管了，一個人如此講，別人也無法來批評，你是一個專家，儘你講，沒人作批評。却要叫人人來讀你翻的，那太危險了。所以我想五經最好是不讀，我們就讀四書吧。

## 三、老子、莊子

但是我要告訴諸位，講中國文化，也不是儒家一家就可代表得盡，還有老子、莊子——道家一派的思想，從秦開始到清也歷兩千載。我們最多只能說道家思想不是正面的、不是最重要的。但不能說在中國文化裏沒有道家思想之成分。儒道兩家思想固有不同，但不能說此兩派思想完全違反如水火冰炭不相容。我們要構造一所房子，決不是一根木頭能造成的。我們講文化，也決不是一家思想所能構成。中國自漢到清，恐怕讀過老子、莊子書的很多，不曾讀過老子、莊子書的很少。如陸德明經典釋文中有老莊，但無孟子。宋以前不論，宋以後雖則大家讀四書，但還是大家都兼看老莊。我想要講中國文化，應該把孔、孟、老、莊定為四書。儒道兩家在中國傳統文化中是一陰一陽，一正一反，一面子，一夾裏。雖在宋朝以下，所謂四書是大學、中庸、論語、孟子，可是我們今天是要講中華文化，不是單講儒家思想。儒家思想是中國文化裏一根大樑，但其他支撐此文化架構的，也得要。所以我主張大家也不妨可以注意讀讀老、莊。老子只有五千言，其實論語也不過一萬多字，孟子多了，也不過三萬多字。今人一動筆，一口氣寫一篇五千一萬三萬字的文章並不太困難，讀論語老子孟子三書合共不超過六萬字，這又有什麼困難呀。每天看一份報章，也就五六萬字一氣看下了。只有莊子三十三篇較爲麻煩一些。但我想，我們讀莊子，只要讀內篇七篇，不讀其外篇雜篇也可以，當然喜歡全讀也儘可全讀。但內篇大體是莊子自己寫的，外篇雜篇或許也有莊子自己的話，或許更多是莊子的學生及其後學們的話加上去。內篇七篇也不到一萬字上下，讀來很輕鬆。若我們要讀老子莊子的話，大家知道，老子有王弼註；莊子有郭象註。但兩部註書實不同。從王弼到郭象，還有幾十年到一百年，這個時候正是中國大變的時候，等於我們從民國初年到今天，思想、學術、社會上各方面都大變。所以我們看王弼註的老子，也還不太離譜。至於郭象註莊子，文章寫得很好，可是這些話是郭象自己的意見，並不是莊子的原意。我們若要研究中國思想史，應該有一個郭象的思想在那裏。他的思想正在他的莊子註裏面。倘使我們喜歡，當然郭象的文章比較容易讀，莊子的文章比較難讀。但是我們讀了郭象註，結果我們認識了郭象的思想而誤會了莊子的思想，那也不好。因此我想另外介紹一本注莊子的書，那是清代末年的王先謙。他有一部莊子集解，這部書商務印書館有賣，篇幅不大。有兩個好處：一是註得簡單。莊子是一個哲學家，但他的註不重在哲學，只把莊子原文調直一番，加一些字句解釋便是。第二個好處是他把莊子原文分成一章一節，更易讀。若你讀郭象注，讀成玄英疏，一篇文章連下去，就較麻煩。能分章分節去讀便較容易。論語、孟子、老子都是一章一章的，只有莊子是一長篇，所以要難讀些。也把來分了章，便不難。若這一章讀不懂，不妨跳過去讀下一章，總有幾章能懂的。諸位當知，這些都是兩千年前人的書，此刻我們來讀，定不能一字一句都懂。你又不是在個大學開課設講座，來講孔孟老莊。只求略通大義卽得。縱使大學講座教授，有學生問，這字怎樣講？教授也可說這字現在還無法確定講，雖有幾個講法，我都不認爲對，且慢慢放在那裏，不必字字要講究。大學教授可以這樣，提出博士論文也可以這樣。寫一本研究莊子的書，也可說這裏不能講，講不通。眞讀書的人，其實那本書眞能從頭到尾講，每一字都講得淸楚明白呢？這是一件不可能的事。假讀書的人，會把這些來難你，叫你不敢讀，或者一樣來假讀不眞讀。這些話，並不是我故意來開方便之門，從來讀書人都如此。能讀通大義，纔是眞讀書。或許諸位會問，那麼朱子註四書不也是逐字逐句講究嗎？但朱子是個數一數二的大學者，他註四書爲方便我們普通讀四書的人。我們是普通的讀書人，爲要讀書，不爲要註書。而且我們只要普通能讀，不爲要人人成學者。這裏是有絕大分別的。從前人說讀六經，我想現在把論語、孟子、大學、中庸、老子、莊子定爲新六經，那就易讀，而且得益也多些。

## 四、六祖壇經

以上所講都是秦朝以前的古書，但我還要講句話，中國的文化傳統裏，不僅有孔子、老子，儒家道家，還有佛家。其原始雖不是中國的，但佛教傳進中國以後，從東漢末年到隋唐，佛學在中國社會普遍流行，上自皇帝、宰相，下至一切人等信佛教的多了，實已成爲中國文化之一支。直到今天，我們到處信佛教的人還是不少。印度佛教經典，幾乎全部翻成了中文，如大藏經、續藏經，所收眞是浩瀚驚人，而且歷代的高僧傳，不少具有大智慧、大修養、大氣魄、大力量的人，在社會上引起了大影響，那些十分之九以上都是中國人，你那能說佛教還不是中國文化的一支呢？這正是中國民族的偉大，把外來文化吸收融化，成為自己文化之一支。據此推論，將來我們也能把西方文化吸收過來融化了，也像佛教般，也變成為中國文化之又一支，那決不是一件不可想像的事。而且佛教是講出世的，孔孟老莊都是講入世的，出世入世兩面尚能講得通，至於我們吸收近代西方文化講民主，講科學，這些都是入世的，那有在中國會講不通之理？從前中國人講修身、齊家、治國、平天下，講治國平天下怎樣不講經濟？又怎樣不喜歡講民主？我們何必要拿這所房子裏的東西一起全搬出去了，纔能拿新的進來。從前人講佛教，拿佛經一部一部的翻，使中國社會上每個人都能讀，何嘗是先要把中國古書燒掉，抑扔進毛厠去。今天講西方文化的人，却不肯把西方書多翻幾本，有人肯翻，却挑眼說他翻錯了。翻錯了也不打緊，金剛經薄薄一小本，不也翻了七次嗎。不論翻書，連講話也不肯講中國話，必要用英語講，至少遇話中重要字必講英語。這樣，好像存心不要外國文化能變成中國文化，却硬要中國捨棄自己一切來接受外國文化，那比起中國古僧人來，眞太差勁了。最了不起的是唐玄奘，他在中國早把各宗派的佛經都研究了，他又親到印度去。一路上千辛萬苦不用提，他從印度回來，也只從事翻譯工作。他的翻譯和別人不同，他要把中國還沒有翻過來的佛經關於某一部分的全部翻。他要把全部佛教經典流傳在中國，那種信仰和氣魄也眞是偉大。若使現代中國這一百年乃至五十年來，亦有一個眞崇信西洋文化像玄奘般的人來畢生宏揚，要把西方文化傳進中國來，也決不是一件難事。若使玄奘當時，他因要傳進佛學先來從事打倒孔子老子，我也怕他會白費了精力，不僅無效果，抑且增糾紛。

在隋唐時，佛教裏還有許多中國人自創的新宗派，以後認為這些是中國的佛學——這裏有三大派，天臺派、禪宗、華嚴宗，而這裏最重要的尤其是禪宗。在唐以後中國社會最流行，幾乎唐以後的佛教，成爲禪宗的天下。我這些話，並不是來提倡佛教，更不是在佛教裏面來提倡禪宗，諸位千萬不要誤會。或許有信佛教的人在此聽講，不要認爲我太偏，我來大力講禪宗，我只說中國唐代以後，中國佛教中最盛行的是禪宗。這只是一件歷史事實。因此我要選出唐代禪宗開山的第一部書，那就是六祖壇經。這是在中國第一部用白話文來寫的書。這書篇幅不大，很易看，也很易懂。而且我們此刻自然有不少人熱心想把西洋文化傳進中國，那更該一讀此書，其中道理，我不想在此詳細講。我記得我看六祖壇經，第一遍只看了整整一個半天，就看完了，但看得手不忍釋。那時很年輕，剛過二十歲，那天星期，恰有些小毛病，覺得無聊，隨手翻這本書，我想一個高中學生也就應該能讀這本書的了。如此一來，我上面舉出的書裏，儒釋道三教都有了。也許有人又要問，你爲什麼專舉些儒釋道三教的書，或說是有關思想方面的書呢？這也有我的理由。若講歷史，講文學，講其他，不免都是專門之學，要人去做專家。我只是舉出一些能影響到整個社會人生方面的書，這些書多講些做人道理，使人人懂得，即如何去做一個中國人。若能人人都像樣做個中國人，自然便是復興中國文化一條最重要的大道。這是我所以舉此諸書之理由。這樣我上面舉了六經，此刻加上六祖壇經，可以說是七經了。

## 五、近思錄、傳習錄

從唐代六祖壇經以後，我還想在宋、明兩代的理學家中再舉兩書。諸位也許又要說，理學家不便是儒家嗎？但我們要知道，宋明兩代的理學家已經受了道家、佛家的影響，他們已能把中國的儒釋道三大派融化會通成爲後代的新儒家。從歷史來說，宋以後是我們中國一個新時代，若說孔孟老莊是上古，禪宗六祖壇經是中古，那宋明理學便是近古，它已和唐以前的中國遠有不同了。現在我想在宋明理學中再舉出兩部書來：一部是朱子所編的近思錄，這書把北宋理學家周濂溪、程明道、程伊川、張橫渠四位的話分類編集。到淸朝江永，把朱子講的話逐條註在近思錄之下，於是近思錄就等於是五個人講話的一選本。這樣一來，宋朝理學大體也就在這裏了。也許有人說我是不是來提倡理學呢？這也不是。在近思錄的第一卷，朱子自己曾說，這一卷不必讀，爲何呢，因這中間講的道理太高深，如講太極圖之類，也可說是太哲學了。既不要人人做一哲學家，因此不必要大家讀。下面講的只是些做人道理，讀一句有一句之用，讀一卷有一卷之用，適合於一般人讀，不像前面一卷是爲專門研究理學的人讀的，所以我們儘可只讀下面的。我選此書，也不是要人去研究理學，只是盼人注重做人，則此書實是有用的。

最後一本是明代王陽明先生的傳習錄，這本書也是人人能讀的。我勸人讀六祖壇經，因六祖是一個不識字的人。當然後來他應識得幾個字，可是他確實不是讀書人。他也不會自己來寫一本書。那部壇經是他的佛門弟子爲他記下，如是的一本書，我說一個高中程度的人應能讀。至於王陽明自己是一個大學者，但他講的道理，却說不讀書人也能懂，他的話不一定是講給讀書人聽，不讀書人也能聽。而且陽明先生的傳習錄，和朱子的近思錄，恰恰一面是講陸王之學的，一面是講程朱之學。宋明理學中的兩大派別，我也平等地選在這裏。教人不分門戶平等來看。

## 六、結　言

以上我所擧的書，論語、孟子、中庸、大學、老子、莊子、六祖壇經、近思錄、傳習錄，共九部。九部書中，有孔、孟，有老、莊，有佛家，有程、朱，有陸、王，種種派別。我們當知中國文化，本不是一個人一家派所建立的。諸位讀這九部書，喜歡那一派、喜歡這一派，都可以，而且我擧此九部書，更有一個特別重要的，因此九部書，其實都不是一部書，都可以分成一章一節。諸位果是很忙，沒有工夫的話，上毛厠時也可帶一本，讀上一條也有益，一條是一條，不必從頭到尾通體去讀。倘使你遇有閑時，一杯清茶，或是一杯咖啡，躺在籐椅上，隨便拿一本，或是近思錄，或是陽明傳習錄，依然可以看上一條、兩條就算了。究看那些條，這又隨你高興，像抽簽一樣，抽到那條就那條。或有人說，中國人的思想就是這麼不科學，沒系統、無組織。但我認爲中國思想之偉大處，也就在這地方，不從一部一部的書來專講一個道理。我們只是一句一個道理、一條一個道理，但那些道理到後却講得通，全部都通了。西方人喜歡用一大部書來專講一個道理。像馬克斯的資本論，老實說，我從沒有時間來讀它，其實西方人眞能從頭到尾讀它的恐怕也不多。如果馬克斯是一個中國人，他受了中國文化影響，我想只很簡單兩句話就夠了，說你這些資本家太不講人道，賺了這許多錢，也該爲你的勞工們想想辦法，讓他們的生活也得改好些。這就好了。如此說來，他的話也是天經地義，一些也沒錯。但西方習慣，定要成爲一家的思想，只此一家，別無分出，於是不免要裝頭裝尾，裝出許多話。於是，歷史的命定論、唯物史觀、階級鬥爭種種理論都裝上。本是講經濟，講資本主義，後來不曉得講到那裏去，毛病就出在這些加上的話。我對西洋哲學，當然是外行。但我覺得一部書從頭到尾讀完，其實也只幾句話。但他這幾句話，必須用許多話來證。中國書中講一句是一句，講兩句是兩句，不用再有證。只此一句兩句已把他要說的道理說完了。所以西方哲學，是出乎人生之外的，要放在大學或研究院裏去研究，中國人孔孟老莊所說的話，是只在人生之內的，人人可以讀，人人也能懂。從這個門進來，可以從那個門出去，隨便那條路，路路可通。我們中國人認爲有最高價值的書應如此。我所擧的這九部書，每部書都如此。可以隨你便挑一段讀，讀了可以隨便放下，你若有所得，所得就在這一條。如論語云「言忠信，行篤敬，雖蠻貊之邦，行矣。言不忠信，行不篤敬，雖州里行乎哉！」你若到外國留學去，這段話對你恰好正有用。我們此刻要講中國文化，孔子思想，卑之毋甚高論，即如言忠信行篤敬六字也有用，難道有此六字，便使你不能留學！必得先打倒孔家店才能留學嗎？若要民主與科學，有此六字亦何害。你到外國，言不忠信，行不篤敬，你在家裏，你到街上，言不忠信，行不篤敬，到底會行不通。難道你嫌孔子講的思想太簡單？但中國思想的長處就在這簡單上。我不說外國思想要不得，但和我們確有些不同，正如一人是網球家，一人是拉小提琴的，你拿打網球的條件來批評拉小提琴，只見短處，不見長處，只有不是，沒有是處。你總是要我把小提琴丟了，來打網球，那未免太主觀太不近人情。我們不能儘拿外國的來批評中國，等於不能拿獅子來比老鷹，老鷹在天上，獅子不能上天去。我這樣講，你說我頑固守舊，那也沒法。我在小孩時最受影響的有一故事，試講給諸位聽。那時我在初級小學，那是前清光緒時代，一位教體操的先生，他摸摸我的頭，問我說，你會讀三國演義是嗎？我說是的，他說這書不要讀，開頭就錯了，什麼叫做天下分久必合，合久必分，一治一亂，這都是中國人走錯了路，中國的歷史才這樣，你看外國，像英國法國，他們治了還會亂，合了還會分嗎？那是六十多年前的事。中國人崇拜西洋，排斥中國自己的那一套心理，前清時代就有，我在小學時那位體操先生就是思想前進早會講這些話。但現在的英國法國又是如何呢？我的意思，還是勸諸位且一讀這九部書，也不勸諸位去全部讀，可以一條一條隨便的讀。讀了一條又一條，其間可以會通。如讀論語這一條，再翻論語那一條，這條通了，那條也可通。讀了王陽明這一條，再讀王陽明那一條，其間也可以通。甚至九部書全可得會通。

我提出了這九部書，照理我該提出第十部，我們　總統提倡復興中華文化，就是要實行　國父孫中山先生的三民主義，三民主義應該是今天的國民黨一部人人必讀的書，三民主義並沒有抹殺中國文化，在近代可說是獨出人羣一個大見解，也可定為中國人一部人人必讀書，可是我今天只想舉幾部古書，不舉今人的著作。因此也不把三民主義舉在內。這九部書中，也不一定要全讀，讀八部也可七部也可。只讀一部也可。若只讀一部，我勸諸位讀論語。論語二十篇，至少有幾篇可以不讀，譬如第十篇鄉黨，記孔子平常生活，吃什麼穿什麼，那一篇可以不讀。最後一篇堯曰，不曉得講些什麼，也可不讀，只堯曰篇最後一條却該讀。如是一來，論語二十篇只讀十八篇也好。十八篇中有你不喜歡的，也可不必讀，譬如上面說過「唯女子與小人爲難養也」，這一條，你說不行，你不讀這條也好。那一部書找不出一點毛病，不要把這一點毛病來廢了全書。你不能說孔子這人根本就不行，當知這只是一種時代風氣，時代過了，那些便只是偏見，很幼稚，很可笑。孟子的文章是好的，莊子文章也好，若不能全讀，只讀內篇，就內篇中分章分段把懂的讀。其餘各書當然一樣。我們既不是要考博士，又不是應聘到大學裏去當教授，既爲中國人，也該讀幾部從前中國人人人讀的書。若有人把這幾本書來問你懂不懂，你儘說不懂便好。你若把書中道理你懂得的講，人家會把西洋人見解來和你辨。那是急切辨不出結果來的。只要我讀了一遍感覺有興趣，自然會讀第二遍，讀一條感覺有興趣，自然會讀第二條。讓我再舉一故事。那時我還不到二十歲，十九歲時，那是民國二年，已在一小學裏教書。一天病了，有一位朋友同在一校，他說他覺得論語裏有一條話很好，我問那一條，他說「子之所愼，齊、戰、疾」一條很好。他說你此刻生病，正用得着，應該謹愼，小心一點，不要不當一件事，不要大意，可也不要害怕，不要緊張，請個醫生看看，一兩天就會好。我到今天還記得那一段話。還覺得論語此一條其味無窮，使我更增加讀論語的興趣。你不能說今天是二十世紀，是科學時代，這一條七個字要不得，不能存在了。其實在論語裏，直到今天還可以存在，絕不只這一條七個字。如「言忠信，行篤敬」這條能不能存在呢？「子曰：『學而時習之……』」這條能不能存在呢？你若用筆去圈出其能存在的，第一遍至少圈得出二三十條，第二遍可圈出七八十條都不止。還有一位朋友問我對論語最喜歡那一條，我一時感得奇怪，說我並沒注意喜歡那一條。我反問他你喜歡那一條呢？他說他最喜歡「飯疏食，飲水，曲肱而枕之，樂亦在其中矣。不義而富且貴，於我如浮雲」那一條。那位先生比我還要窮，他喜歡這一條，是有特別會心的。我仔細再把這一條來讀，我說你講得好。回想那時，民國初年，在小學裏教書，還能有朋友相討論，此刻是不同了，肯讀論語的人更少了。我今天所講，當然並不是一個學術上的問題，讀書得其大意，爲自己受用。若能成爲風氣，大家來讀，那時情形就更不同，可以互相討論，可以溫故知新，可以各自受用。不論政、軍、商、學各界，學科學的，做醫生的，都可讀，醫院裏的護士，店舖裏的伙計都該讀。此刻的問題我所擧的九部書是不是可以替換？這也無所謂。只要是大家能讀，容易讀，而讀了又有用。

今天我大膽的提出這九部書，這九部書，可以減，可以加。有幾部該讀註，有幾部不要註。從前我曾把王陽明先生的傳習錄作一節要本，並不是說某幾條不重要故節了，我只把傳習錄裏凡引到大學、論語、孟子，引到其他古書的都刪了，我要使一個只懂白話，一本古書也沒有讀過的，讓他去讀這節本，我是這樣節法的。我想諸位勸別人讀陽明先生的傳習錄，他要說他沒有讀過中國古書，好了，凡是裏面引到論語、大學、孟子種種古書的暫且都不要讀，不好嗎？等他讀了有興趣，再去找本四書看，自然會把自己領上一條路。最難的是對中國無興趣，對中國古人古書更無興趣，那就無話可講。但如此下去，終必對自己也無興趣，對中國人一切無興趣，把中國人的地位全抹殺，中國的前途也眞沒有了。我們今天如何來改造社會轉移風氣，只有從自己心上做起，我最後可以告訴諸位，至少我自己是得了這幾部書的好處，所以我到今天，還能覺得做一中國人也可有光榮。

（錄自「中國文化叢談」，三民書局，民國五十八年十一月）

# 民俗與經義

屈萬里

經書，自漢代以來，認爲是金科玉律、至高無上的寶典。民俗，在古代士大夫心目中，認爲是不登大雅之堂的物事。因而歷代說經的先儒，很少有用俗事俗物解說經義的（但並非沒有）。可是，實際上經書中涉及民俗的地方很多；而這些民俗，或爲先儒所不屑於採用，或爲學者所未曾注意；也或者中原已無其俗，而國外或邊疆地區還保存着，因未爲國內學者所知，以致未能採及。可是，用民俗來解說經義，往往使人有渙然冰釋之樂。現在分別舉幾個例子，用以求正於大雅之士。

## 一、願言則嚏

詩經邶風中的終風之詩，舊說是衞莊公夫人莊姜作的。詩中有兩句說：「寤言不寐，願言則嚏。」寤言不寐，是說醒了以後再也不能入睡。願言則嚏，鄭康成把願解釋爲「思」，把言解釋爲「我」；全句的意思，是說思念我我就打噴嚏。鄭康成並且說：

今俗：人嚏，云人道我；此古人之遺語也。

這是用民俗說經、而爲大家最熟知的例子。這種民俗，到現在還存在着，但說法却不盡相同。有些地方，當自己打了噴嚏，說是有人在想念自己；有些地方，則說是別人談起自己；更有些地方，却說是別人咒罵自己。諸說雖不完全相同，但打噴嚏是由於別人無形中對自己的影響，則是一致的。從詩經的這項資料看來，這個民俗，至少已有兩千五六百年的歷史了。

## 二、蝃蝀在東莫之敢指

詩經鄘風蝃蝀篇，第一段的經文是：

蝃蝀在東，若之敢指。女子有行，遠父母兄弟。

毛傳和朱子集傳都說這是一首懲戒淫奔的詩。蝃蝀，就是虹。毛傳說：

夫婦過禮則虹氣盛，君子見戒而懼諱之，莫之敢指。

夫婦過禮，是不合乎禮的婚姻，指私奔說。毛傳認爲：人間如果有不合乎禮的婚姻，天上就會有虹出現。照朱子的解釋，是：陰陽之氣，不應當配合的而配合了，就會變成虹。於是他說（詩集傳卷三）：

此刺淫奔之詩。言蝃蝀在東，而人不敢指。以比淫奔之惡，人不可道。況女子有行，又當遠其父母兄弟，豈可不顧此而冒行乎？

毛傳之說，固然使人不易了解。朱子把這詩說成比體；但「女子有行，遠父母兄弟」兩句，從語法上看，朱子那樣地解釋，似乎也不免「增文解經」之嫌。

如果把這首詩看成興體，就容易解釋了。朱子說：「興者，先言他物，以引起所詠之辭也。」那是說：興體詩開頭的一二句，和下文常常沒有關聯；只是先言他物，作爲開頭而已。我國南北各地，都有一種類似的風俗，就是不讓小孩子指虹。有的說：指了虹手指會爛；也有的說：指虹會使手指歪邪。說法雖不盡同，而「不敢指」則一。詩經的「莫之敢指」。當是由於這種風俗的關係。

在詩經裏，「有行」二字，用到婦女身上，都是出嫁的意思。這首詩是詩人詠一個女子出嫁，在傍晚的時候（古人結婚，多在晚間。）看到虹出現在東方，因而就以虹起興，說：「虹在東方，沒有人敢指它（和下文沒關聯）。女子出嫁了，遠離開她的父母兄弟。」這樣，似乎簡單明瞭些。

## 三、下莞上簟　不遑啓居

詩經小雅的斯干篇，其中有幾段是描寫宮室的建築，和室內陳設之情形的。它有兩句說：

下莞上簟，乃安斯寢。

鄭康成解釋說：「莞，小蒲之席也。竹、葦曰簟。」這是說寢室裏鋪着雙層席子：在下層的，是用類似蒲草的一種植物做的、比較粗糙的席子；在上層的，是用竹子或葦子做的，比較細緻的席子。有這樣兩層席子，就可以安適地睡覺了。這說明了一點，就是古人睡覺不常用牀，而是用席子鋪在地上作爲寢具。

這種習俗，在國內早就沒有了（除非貧苦的人，沒有牀、或炕的，才席地而睡。）；但日本人還保存着。日本的榻榻米，就是這種風俗的遺留。榻榻米外面精緻的席子，就類似簟；裏面粗糙的草，就類似莞。雖然榻榻米的做法，和下莞上簟稍有不同；但大體上還是相似的。日本的很多文物制度，都是從我國流傳過去的，榻榻米是由我國的席子演變而成的，當無可疑。這正是所謂「禮失而求諸野」。看到日本的榻榻米房間，對於詩經這兩句話，才能有親切的了解。

又：小雅采薇篇，是一位征伐玁狁的軍人，歸來時所作的詩。詩中有這樣兩句：

不遑啓居，玁狁之故。

鄭康成解釋說：「啓，跪也。」那麼，不遑啓居，就是無暇跪處。這也是後人所不易了解的；因爲居處在家裏，又何必跪着呢？其實，古人跪着就是坐着；這乃是席地而坐的現象。

古人不僅寢室裏鋪席，客廳或其他房間凡是人坐時都要鋪席，古書中這種例子多得不勝枚舉。這種習俗，國內雖然沒有了；但在語言方面，還留下了不少的痕跡，譬如酒席、主席、來賓席、記者席……都是。然而，要了解切實的狀況，也需要參考日本的習俗。

日本人房間裏鋪榻榻米，前面已經說過。每一個榻榻米，就是一張席。房間裏沒有桌、椅，只有矮几。吃飯、讀書、寫作，都利用這矮几。因而，人們必需坐在席上。坐的姿勢，是雙膝跪下，上身坐在雙足上面。由此可知跪着也就是坐着。

日本人這種坐的姿勢，無疑地也是傳自我國；這從我國古代的文字，就可以得到證明。甲骨文和金文的女字，是這樣寫：「[illegible]」；母字是這樣寫：「[illegible]」。一望而知，它們的形狀，是雙膝跪下，上身坐在足上，雙手交叉着放在膝上。這兩個字形，生動地畫出了跪坐的姿態。甲骨文是三千多年前的產物，日本的信史才不過二千年。前面說過，日本很多的文物制度，都是由我國傳去的；那麼，這種跪坐的習俗之傳自我國，當無可疑。這是「禮失而求諸野」的又一例證。

## 四、織　貝

尚書禹貢篇所載揚州進貢的物品中，有一種東西，叫做「織貝」。鄭康成的解釋（見史記集解引說：

貝，錦名也。詩云：「成是貝錦。」

這是一般學者所採用的說法。但，貝錦是織有貝形花紋的錦，顧名思義，容易明白。單一個貝字，或織貝二字，就說是貝錦，便成問題。因爲貝固然不能解爲錦；而織貝從名義上看，也只能解釋爲編起來的貝殼，似乎不可能把織貝說成貝錦。

僞孔傳把織貝說成兩件東西，它認爲織是細的紵蔴，貝是貝殼。但，古代凡是用筐子進呈的東西，都是絲織品、或絲繩，或用絲繩貫串着玉石等的飾物。單是貝殼，不應該用筐子進呈。而織貝是用筐子進呈的。因此，僞孔傳之說，也成問題。

按：台灣山地同胞，有一種飾物，叫做珠裙。那是把貝殼打碎，磨成圓形的小粒，中間穿洞，用細線把這貝粒，一串一串地串連起來，然後再織成布狀，作爲裙子或披肩等。日本尾崎秀眞，在他所著的台灣四千年史之研究一書中，說這珠裙，就是禹貢的織貝。他這一說，看來是很正確的。

古揚州在今長江的下游，距離台灣較近。由於近年考古發掘所得的實物，證知本省在很早的古代，就和大陸有了交通。那麼，這山胞的珠裙，也當是我神州文化的孑遺了。

## 五、牝鷄之晨惟家之索

尚書牧誓篇，所記載的，是周武王伐商紂時，在牧野誓師的事。武王數商紂的罪惡說：

古人有言曰：「牝鷄無晨。牝鷄之晨，惟家之索。」今商王受，惟婦言是用。……

武王是把母鷄司晨，比喻商紂寵信妲己、讓她干預朝政；這是人人都能了解的。但，牝鷄司晨，家境爲什麼就會「索」（蕭條）呢？這也須向民俗中尋求理解。

大約二十多年前，台北溫州街一帶，還有些稻田。有一天早晨，筆者路過一塊稻田時，看到稻田的一個角落裏，揷着一只長約三尺的竹竿，竹竿的頂端被劚開，裏面夾了一疊紙錢，紙錢裏包着一只血淋淋的鷄頭。筆者不解其意，問到本省的朋友，才知道被殺的是一隻母鷄，因爲它早晨像公鷄一樣的啼叫，這樣，鷄的主人家裏，就會發生凶災的事情。必需把這隻母鷄梟首示衆，才能免除家裏的災殃。

這大概是閩南的風俗；台灣山地同胞中，有的種族，也還有類似的習俗。由於這種習俗的啓示，我們才能切實地了解「牝鷄之晨」，何以「惟家之索」的道理。

## 六、索十有二寸

周禮考工記玉人說：

案十有二寸，棗栗十有二列。

鄭司農的注說：「案，玉案也。」鄭康成則說：「玄謂：案，玉飾案也。……玉案十二以爲列。……棗栗實於器，乃加於案。」漢人沒說十二寸是案的長度、寬度、或高度；大概漢人們還經常用案，它長、寬、高的尺度，不言可喻，所以就無須注解了。

這裏的案，既然是用來盛棗栗，可見它是進食的案。

進食的案，常見於古代的記載。譬如史記田叔傳記述漢高祖路過趙國的時候，趙王張敖招待漢高祖吃飯，張敖「自持案進食，禮甚恭」。可見進食的案，是可以用手持着的。尤其盡人皆知的孟光的故事（見後漢書逸民傳）：當孟光送飯給他的丈夫梁鴻時，「擧案齊眉。」孟光能把案擧到和眉一樣高，可見這案也是輕而易擧的。從上述的兩件事看來，周禮所謂十有二寸之案，決不是像桌子似的案，而是另外一種東西。

擧案齊眉的案，一般人都認爲是桌案之案。但孟光雖然力大，又何至於作這種吃力而不討好的擧動！因而宋代有人把案講作椀（見曾鞏的耳目志）。但，這一說是誤解了廣雅釋器的話，絕不可信。到了明代的陳繼儒，才說案是有足的盤（見枕談）。清代的戴震和段玉裁，才證明周禮的十有二寸之案，與「今之上食木槃近似」。從這些情形看來，顯然地，十有二寸是指長寬各十二寸說；換句話說，它是十二寸見方以玉爲飾的木盤。

用木盤盛着菜碗，把菜碗從盤中取出，放在桌上，大家食用，這情形在內地還有。但把一人份的全部飯菜和餐具放在盤裏，連飯菜餐具帶盤一齊放在食者面前，食後再把原盤和餐具撤走，這情形在內地就少見了。可是，在日本還保存這種習俗。日本的御膳（ゴゼン），是一尺多見方的木盤（也有長方形的），油漆得很漂亮，四周有矮的邊欄，盤下有四隻矮脚（也有沒脚的）。送飯時把一人份的飯、菜、碗、筷、醬油等，統統放進御膳裏；然後把這盛着食物的御膳，放在食者的面前。見到這種情形，不但可以深切地了解「持案進食」和「擧案齊眉」的狀況；也可以確實地知道「案十有二寸」的意義了。

到過日本的中國學人，跪坐在榻榻米的房間裏，靠着矮几，用御膳進食，不但可以發思古之幽情，不但對經義可得到正確的了解；同時也可以體會到日本被我國文化薰陶之深，幾乎無微不至了。

## 七、結　語

以上只是隨便擧了幾個例子，如果更進一步去探討，相信這一類的情形還很多。而且，上面所擧的這些例子，都是現在在本國和日本所能見到的。倘若再多多利用考古學、和民族學的資料，把我國古代的、邊疆的，亞洲乃至亞洲以外國家的事事物物，用以印證我國的古書，不但可以得到一些確實的了解；而且在文化傳播方面，也將會得到更多的知識。

（原載「孔孟月刊」第十三卷第十二期，民國六十四年八月）

# 用科學方法校正群經之差誤

程發軔

十三經注疏，先後完成於漢晉唐宋之世，去古日遠，所注不免有失。至清代之皇清經解，闡揚經義，力求完善。然于聲韻訓詁名物之學，補益實多，於科學觀察，仍欠細密。近世器物，日新月異，能發前人所未發，此荀子所以法後王也。茲條述如次：

一、「螟蛉有子，蜾蠃負之」。此詩經小雅小宛之詩也。注疏略謂：「螟蛉，桑蟲也。蜾蠃，蒲盧也；卽土蜂，似蜂而小腰。取桑蟲之子，負持而去，煦嫗養之，七日而化成己子。喻有萬民不能治，則能治者，將得之矣。毛傳以爲刺宣王，鄭箋以爲刺厲王也。」案蜾蠃負螟蛉之子而去，則誠然矣。至謂煦嫗七日而化爲己子，特注疏者觀察有欠周密，似應加以校正也。

孫文學說：「夫科學者，系統之學也，條理之學也。凡眞知識，必從科學而來也，捨科學而外之所謂知識者，多非眞知識也。……吾俗呼養子爲螟蛉子，蓋有取於蜾蠃變螟蛉之義。古籍所傳：螟蛉，桑蟲也。蜾蠃，蜂蟲也。蜂蟲無子，取桑蟲蔽而殪之，幽而養之，祝曰：『類我類我。』久則化爲蜂蟲矣。吾人以肉眼驟察之，亦必得同等之判決也。惟以科學之系統考之，物類之變化，未有若是其突然也。若加以理則之觀察，將蜾蠃之取螟蛉，蔽而殪之，幽而養之之事，集其數起，別其日數，而同時考驗之；又以其一起，分日考驗之，以觀其變態。則知蜾蠃之於螟蛉，『蔽而殪之』是也，『幽而養之』非也。蔽而殪之之後，蜾蠃則生卵於螟蛉之體中，及蜾蠃之子孵出，則以螟蛉之體爲糧。所謂幽而養之者，卽幽螟蛉以養蜾蠃之子也。是蜾蠃並未變螟蛉爲己子也，不過以螟蛉之肉，爲己子之糧耳。由此事之發明，令吾人證明一醫藥學之妙術，爲蜾蠃行在人類之先，卽用『蒙藥』是也。夫蜾蠃之蔽螟蛉於泥窩之中，卽用蜂螫以灌其毒於螟蛉之腦海而蒙之，使之醉而不死，活而不動也。若螟蛉立死，則其體卽成腐敗，不適於爲糧矣。若尚生而能動，則必破泥窩而去，而蜾蠃之卵，亦必因而破壞，難以保存以待長矣。故蜾蠃者，爲需要所迫而創蒙藥之術以施之於螟蛉。夫蒙藥之術，西醫用之以治病，尚不滿百年，而不期蜾蠃用之，已不知幾何年代矣？由此觀之，凡爲需要所迫，不獨人類而能應運而出創造發明，卽物類亦有此良能也。是行之易，知之難，人類有之，物類亦然也。」

謹案　國父深邃醫學，又用科學方法，或同時考驗，或分別密察，遂斷定「蜾蠃乃取螟蛉之肉，爲己子之食糧」，打破注疏家「螟蛉子」之說。又以「蒙藥」說明「螟蛉醉而不死，活而不動」之情狀，于以見蜾蠃毒螫之厲巧，能麻醉被俘者，至死不悟。則凡有撫民之責者，對於情緒衝動之青年，不可不預爲綢繆也。

二、「十月之交，朔日辛卯，日有食之，亦孔之醜。彼月而微，此日而微。今此下民，亦孔之哀！」

此小雅十月之交之詩也。注疏略謂：「周之十月，夏之八月也。朔日辛卯之日，日月交會而日食，月掩日也。陰侵陽，臣侵君之象。醜，惡也。微，不明也。食則不明，此其爲異，蓋刺幽王也」。

又謂：「辛，金也。卯，木也。金常勝木，今木反侵金，亦臣侵君之象，故甚惡也。」案前釋淺明，甚合。後說則雜引陰陽五行說經，爲後儒所詬病，甚無謂，不足取也。陳啓源毛詩稽古錄：「漢世通儒，未有以曆法考此辛卯日食者。至虞鄺推定十月辛卯，乃幽王六年乙丑歲，唐大衍曆，元授時曆，所推相同」。戴震詩補傳曰：「交者，月道交於黃道也。交乃有食，以步算之法，上推幽王六年乙丑，建酉之月辛卯朔，辰時日食」。戴氏所推，較舊注最爲精密。然細玩經文：「彼月而微，此日而微」。是先有月食，後有日食，必推出月食時日，方與經文相合。（案我國正史，自春秋以來，祇記日食，不記月食，直至清史，自順治二年正月己亥望月食起，至宣統三月十日丙戌望月月食止，凡月食不下二十六次，記載完備。）今戴氏對日食推算明確，對月食隻字不提，未免缺望。朱文鑫歷代日食考內載：「密結爾 A. S. Mitchell 謂：『西元前七七六年八月，二十一日有月食，九月六日有日食，惟此次日食，中國僅見偏食，月食可見九分』」。朱氏謂：「幽王六年，月食在九月望戌時。日食在十月朔辰時。兩食迭見，故詩經相提並舉，而曰：『彼月而微，此日而微』也。又據奧泊爾子 Th. R. V. Oppolyer 所推，是日（九月六日卽辛卯日）爲全環食，所經地帶，在亞洲之北，北冰洋沿岸，周都洛邑，所見偏食，在一分餘。合朔在格林威基時間平時一時三〇・九分，合諸中原標準時間，約在上午九時半，與辰時相符。」案西元前七七六年八月二十一日，卽周幽王六年周正九月十五日乙亥望戌時月食，九月六日，卽周正十月辛卯朔辰時日食。必推定日食與月食，則詩經所載「彼月」與「此日」，各有所當矣。又上月望爲月食，本月朔爲日食，在交食週期中，常有此現象，如民國五十六年國曆十月十八日，卽夏正九月十五日乙卯望月食。國曆十一月二日，卽夏正十月朔日庚午日食，其一例也。

自詩經「十月之交」之日月食，經中外天文曆算家推定後，於是幽王六年九月望之月食，爲世界最古之月食記錄。書經胤征：「惟仲康肇位四海，……義和俶擾天紀，遐棄厥司，乃季秋月朔，辰弗集于房」。經明李夫經推定，仲康五年，丙寅（西元前二一五五年）九月丙戌朔，日食在房，爲世公認最古之日食紀錄。（均據朱氏歷代日食考）至春秋所載三十七日食，除襄公二十一年十月朔日食，二十四年八月朔日食，兩個錯簡不合外，其餘三十五個日食，無不相合。於以見我國春秋所載者皆爲信史，我國曆算家如姜笈、郭守敬等，及外國曆算家如密結爾、奧泊爾等，所運算者，極爲精巧。學術原有民族性、國家性、世界性，日月天象，乃世界性之學術，有春秋記載以資稽古，有交食算法以證今說。「他山之石，可以攻玉」。取密結爾之說，以證明幽王六年九月月食之正確，取奧泊爾之說，以證明襄王廿一年、廿四年，兩月頻食之誤載，此則研究經書注疏，不必株守漢唐舊說，而以實事求是爲準繩也。

三、「導黑水至于三危，入于南海」。此禹貢導水經文也。注疏略謂：「黑水自北而南，經三危，過梁州，入南海。」（本孔傳）又云：「益州郡在蜀郡西南三千餘里，故滇王國也，內有滇池縣，縣有黑水祠。止言有其祠不知水之所在。鄭云：今中國無也，傳之此言順經文耳。」孔疏據酈道元水經注：「黑水出張掖雞山，南流至敦煌，過三危山，南流入于南海」。然張掖、敦煌，並在河北，所以黑水得越河入南海者，河自積石以西，皆多伏流，故黑水得越而南也。案禹貢所導者爲雍州之黑水，乃以滇國之黑水祠當之，相去遼遠，已屬不合。更謂積石以西，水多伏流，故黑水得越河而入南海，似近荒誕。蔡沈書經集傳，則引唐綽蠻書：「入南海之水有四：卽區江、西洱河、麗水、瀰渃水，而以麗水爲古黑水。」胡渭禹貢錐指：「以由吐蕃雲南，極於交趾，方五六千里，以一州而兼五服之地，不應懸殊至此。且樊綽妄指南詔城北一山爲黑水所經之三危山，此無異瞇目而道黑白也。」然胡氏僅糾正舊說之不當，而黑水所入之南海，究在何處？無從確指。俞正燮癸巳類稿有黑水解，引敦煌縣志云：「三危山俗名昇雨山，在縣東南三十里，三峰聳峙，如危欲墮，故名。黑海子，在沙州西北大澤，番名哈喇淖爾，黨河之水自南來，以此爲歸宿。是禹貢導水之黑水，今名哈喇淖爾矣」。是俞氏對黑水源委，引證較詳，而南海無說焉。楊守敬氏水經注圖云：「水經注今缺黑水篇，張掖之水，實無入南海之理，楚辭天問篇：『黑水元趾，三危安在？』蓋自戰國時，此水已渺茫無據。」是黑水南海之地，竟成三千年來之懸案矣。

匈牙利考古學家斯坦因，Sir Mark Aurel（斯氏生於匈京布達佩斯，後入英籍爲爵士）于光緒二十六年（西元一九〇〇年）第一次探險新疆，在和闐至羅布淖爾途中，發現漢代古蹟及文獻極多，引起探險興趣。光緒三十二年至三十四年，（西元一九〇六～〇八年）第二次探險塔里木盆地，至甘肅西部。在敦煌西部三危山西麓，千佛洞內，發現晉唐古代寫本書卷極多，乃以廉價購買六千卷而歸倫敦，卽世所稱之「敦煌手卷」也。（法人伯希和，到此亦選購二千餘卷。）民國二年至五年，（西元一九一三～一六年）再作第三次探險，復查塔里木盆地及蒙古甘肅西部。又在帕米爾及高昌等處，發現唐代遺物。三次探險，行程共達二萬五千餘英里，是為中亞探險之第一人。其古物今皆藏諸英倫博物院矣。（一說民國十九年，即西元一九三〇年，曾作第四次探險。）

斯氏在探險敦煌時，曾測定黑水地勢高度及流量，並謂：「黑水入哈喇淖爾（即黑海子）以後，更西出玉門關，潛入羅布淖爾，至今沙迹尚在，潛流猶存」。是黑水西流入羅布淖爾，皆斯氏脚踏實地所得之驗語也。

案黑水，番語哈喇烏蘇，哈喇，黑水，烏蘇，水也。時隔四千年，而番語名稱未改，亦幸事矣。今地圖多稱黨河，漢書地理志謂之氐置水，上源曰沙拉果勒河，（哈喇、喀喇，沙拉，其義皆為黑，果勒、噶勒，義皆為水，番語隨族異名，義皆一也。）源出青海北部山中，（漢志氐置水出南羌，當時南羌，即今青海，正合。）曲折東北流，入甘肅，逕黨城西，遂有黨河之名。黨城東北有千佛洞，又東北有三危山，即禹貢：「導黑水至于三危」是也。黑水經三危山，又東北流逕敦煌縣城西，又北流有布隆吉河，一名疏勒河，經安西縣城北，西流來會。益西入哈喇淖爾，每逢溶雪豐沛之年，哈喇湖水上漲，西流出玉門關外九十公里，另注一小湖，再潛流入羅布淖爾，此斯氏目驗之言，彌足珍貴也。（參考甘肅省志、新疆誌略、及中國地理概論）

再以地平高度言，則敦煌高出一、一三六公尺，玉門關高九〇五公尺，羅布淖爾高七三二公尺，水性向下，則黑水西流羅布淖爾，亦水性使然也。

復考羅布淖爾，（或稱羅布泊）卽漢志之蒲昌海，一名鹽海，或黝澤，又稱臨海，或牢蘭海，樓蘭國因此得名。（見漢書補注所引水經注及括地志）牢與蘭雙聲，急讀爲蘭，爲臨，此牢蘭海所以又稱臨海也。牢臨皆來母字，南爲寧母字，臨與南古音通轉，且南字古韻多讀寧，如小雅：「鼓鐘欽欽，鼓瑟鼓琴，笙磬同音，以雅以南。」又如邶風：「凱風自南，吹彼棘心。」南字均讀寧，（乃林切）而琴、音、心、臨、林，又同在侵韻，是南海卽臨海，卽牢蘭海，聲韻皆可互通，則知南海之南，是譯番地臨海蘭海之音，非指南北東西方位之義。呂刑云：「禹平水土，主名山川。」其無名者則定新名，其有名者則仍舊名。黑水南海，率用舊名。黑水譯其義，南海譯其音。二千年來，不知南字爲音譯，是以數十家注釋，無一當於地者。

至積誤之成因有二：其一：史記大宛傳：「張騫具爲天子言曰：『于窴（卽于闐）之西，水皆西流，注西海。其東水東流注鹽澤，鹽澤潛行地下，其南則河源出焉』」。漢書西域傳，及水經注，直至徐松西域水道記、王先謙漢書補注，皆承張騫鹽澤潛行東流，爲河重源之說，而水經注更謂：「蒲昌又東入塞，過敦煌、酒泉、張掖郡，南出于積石。」竟無一人謂黑水西流入鹽澤者。其二：自漢以來之學者，多謂黑水在益州郡，而南海指在交趾至揭陽者，欽定書經圖說，更繪有黑水越隴岷至益州入南海之地圖。誠如胡渭所謂：「瞽說欺人」，一誤再誤也。

然斯氏祇知黑水經三危山以入羅布淖爾，而不知羅布淖爾卽臨海，亦卽禹貢之南海。及輙讀斯氏探險記，豁然貫通。則知「導黑水至于三危，入于南海」之經文，字字切實，而三千年來之誤解，竟一掃而空矣。

茲以科學知識，先校正經書注疏之遺誤有三：一、闡述 國父行易知難學說，以校正「螟蛉子」之誤解。二、摘述密結爾之曆算，以補益「彼月而微」之遺漏。三、貫通禹貢導水及斯氏探險記，以糾正「黑水與南海」之積誤。則知今日研讀群經，應以注疏爲進修之門，以科學新知，校正舊注之遺誤也。

（原載「中央月刊」第一卷第十期，民國五十八年一月）

# 傳述史料中常見的幾種現象
## ——以關於先秦的史料爲例

屈萬里

民國六十三年夏，曾以此題，在中國史學會年會講演。爾時既未撰擬講稿，亦無講演紀錄；惟關係資料，尚存篋中。茲略加董理，草述成文，以為剛伯先生壽；亦野人獻芹之意也。民國六十五年元月萬里附識。

## 一、前　言

傳述史料和原始資料，常常有很大的差異；譬如同一史事而主名不同，同一史事而年代互殊，甚至於加枝添葉，顚倒是非，都是傳述史料中常見的情形。韓非子顯學篇說：

孔子、墨子，俱道堯舜，而取舍不同，皆自謂眞堯舜。堯舜不復生，將誰使定儒墨之誠乎！

寥寥幾句話，已說明了傳述史料差異之大。可惜的是，有些學者，往往把傳述史料和原始資料等量齊觀，以致對於許多問題，得不到正確的結論。本文的目的，是列擧一些傳聞異辭的資料，以實例來證明傳述資料之不可盡信，希望提醒若干人士在運用資料時的注意。

近年來有不少人們，把傳述資料視爲僞書，這是不正確的。因爲所謂僞書，是一、原有眞書，後來眞書亡佚，有人另作了一部假的，以冒充眞書。二、原來沒有這部書，後人假作了一部書，以冒充古人的眞書。以上兩種，才是僞書。而傳述史料，乃是作者根據傳聞資料筆之於書的，雖然它們的資料不可盡信，但絕不是有心作僞，所以不應該把它們視爲僞書。這是應該附帶說明的。

以下就分別列舉一些比較常見的例子。

## 二、史事記載的歧異

這是傳述史料中最常見的現象，以下分爲三方來敍述：

### ㈠史事同而主名不同

這裏且舉兩個例子：

其一，以鴻鵠之六翮喻賢士的故事，見於新序，也見於說苑。新序（卷一）雜事一說：

晉平公浮西河，中流而歎曰：「嗟乎！安得賢士，與共此樂者！」船人固桑進對曰：「君言過矣！夫劍產于越，珠產江漢，玉產昆山，此三寶者，皆無足而至。今君苟好士，則賢士至矣。」平公曰：「固桑來！吾門下食客者三千餘人。朝食不足，暮收市租；暮食不足，朝收市租。吾尚可謂不好士乎？」固桑對曰：「今夫鴻鵠，高飛沖天，其所恃者六翮耳。夫腹下之毳，背上之毛，增去一把，飛不爲高。不知君之食客六翮邪？將腹背之毳也？」平公默然而不應焉。（

漢魏叢書本）

說苑（卷八）尊賢篇，也記載了這一故事。但晉平公，說苑作趙簡子；固桑，說苑作古乘；韓詩外傳（卷六）作盍胥。新序和說苑，都是劉向所編的書，而記載的歧異如此。這當然是韓嬰和劉向所根據的史料不同，以致記載互異。而這三個不同的記載，必有一誤，甚至三個都有問題。傳述史料之不可輕信，這是一個顯著的例子。

其二，韓南梁之難，韓請救於齊，戰國策齊策載其事如下：

南梁之難，韓氏請救於齊。田侯召大臣而謀曰：「早救之孰與晚救之便？」張丐對曰：「晚救之，韓且折而入於魏，不如早救之。」田臣思曰：「不可。夫韓魏之兵未敝，而我救之，我代韓而受魏之兵，顧反聽命於韓也。」

史記田敬仲完世家，也記載了這個故事。但張丐，史記作田忌；田臣思，史記作孫子（索隱以爲是孫臏）。史記採用戰國策的資料很多；但這不同的地方，就不知道是根據的什麼資料了。

## (二)同一人同一事而記載不同

這一類的情形也很多，譬如周文王被商紂囚禁的故事，就有一些不同的記載。崔述的豐鎬考信錄（卷二），對此事曾考辨過。他說：

且春秋傳以爲囚之七年，戰國策以爲拘之百日，其久暫固已懸殊矣。尚書大傳以爲在西伯戡耆之後，史記以爲在虞芮質成之前，其先後亦復抵牾矣。春秋傳以爲諸侯從之而紂歸之，尚書大傳以爲散宜生賂之而紂釋之，其所以得出之故又不一說矣。學者將何所取信乎？尤可異者，殷本紀以爲竊歎九侯而被囚，周本紀則以爲積善累德而見譖；殷本紀以爲獻洛西而後賜斧鉞，周本紀則以爲賜斧鉞而後獻洛西：此一人之書也，而先後矛盾亦如是，其尚可信以爲實耶！

崔氏這一段話，說得非常爽快。春秋傳、戰國策、尙書大傳、史記等所載文王被囚的故事，都是傳述史料，而不是原始資料，所以就有那麼多的不同了。

又如人所共知公山弗擾以費叛召孔子、孔子欲往的故事，論語陽貨篇說：

公山弗擾以費畔，召，子欲往。子路不悅，曰：「末之也矣！何必公山氏之之也！」子曰：「夫召我者，而豈徒哉？如有用我者，吾其爲東周乎！」

研究孔子的學說，論語一書，當然是最重要的資料。但，論語中也間有傳聞失實的記載。像上述這一故事，實在是誣衊孔子。但，二千年來，注解論語的學者，只是替孔子圓說，而不能找出其他的證據，來證明這一記載的不正確。也是到了崔述，才根據左傳，辨明了論語這一段記載之誤。洙泗考信錄（卷二）說：

余按：春秋傳云：「季氏將墮費，公山不狃、叔孫輒帥費人以襲魯。……入，及公側。仲尼命申句須、樂頎下伐之，費人北。」然則，是弗擾叛而孔子伐而敗之耳；初無所爲召孔子、及孔子欲往之事也。……又按左傳，費之叛，在定公十二年夏。是時孔子方爲魯司寇，聽國政。弗擾，季氏之家臣耳；何敢來召孔子？孔子方輔定公，以行周公之道；乃棄國君而佐叛夫，舍方興之業而圖未成之事，豈近於人情耶？費可以爲東周，魯之大反不可以爲東周乎？

### ㈢年代的差異

年代的差異，在史籍中，更是屢見不鮮的事。下面也只舉兩個大家所熟知的例子。

其一，后稷到周文王的世代。國語周語上，祭公謀父說：「昔我先王世后稷，以服事虞夏。」是說周的先人，在虞夏時卽作后稷之官。最早的后稷之官，本名棄，後人多以他的官名，作爲他的私名。同上周語下太子晉說：「自后稷之始基靖民，十五王而文始平之。」周語下又載衞彪傒的話說：「后稷勤周，十有五世而興。」根據上述資料，可知后稷當虞夏時，從他到周文王，共計是十五代。史記周本紀，且把這十五代的名子，一一列舉出來。如此看來，這應該是沒什麼問題了。但，只要一計算年代，馬上就會產生疑竇。所以從譙周（史記索隱引）、毛詩正義（大雅公劉篇）以來，如歐陽的帝王世次圖序、羅泌的路史（發揮卷四）、洪邁的容齋隨筆（卷一）、楊愼的丹鉛續錄（卷三）等，都曾談到這個問題。淸代和現代，討論這一問題的人更多。這裏只舉詩經大雅公劉篇的正義爲例：

又：外傳稱后稷勤周十五世而興，周本紀亦以稷至文王爲十五世。計虞及夏殷，共有千二百歲；每世在位皆八十許年，乃可充其數耳。命之短長，古今一也；而使十五世君在位皆八十許載，子必將老始生，不近人情之甚。

可見雖然言之鑿鑿的世代，也往往是有問題的。

其二，如燕王讓國於子之的故事。這是一件著名的史事。由於燕國讓國，以致燕國大亂，而招致了齊國的討伐。但伐燕的齊君是誰，則衆說不一。孟子以爲是齊宣王（見梁惠王下），荀子（王霸篇）和史記（燕世家），都以爲是齊湣王。戰國策的燕策作齊宣王，而齊策又作湣王。按：齊王伐燕的時候，孟子正在齊國。孟子梁惠王篇（下）說：「齊人伐燕勝之。宣王問曰：……」可見這件史事，孟子的記載，應當是可信的。荀子和齊策，則由於傳聞失實。史記則可能是根據齊策或荀子，因而致誤。

## 三、史事的增飾

這一類的情形，可以分兩方面來說。其一，本來是沒姓沒名的寓言，後人增飾姓名，變成了史事。其二，本來的史實很簡單，後人加枝添葉，變成了很複雜的史事。關於第一點，史通外篇雜說下（別傳九條）就曾說過：

蘇秦答燕易王，稱「有婦人將殺夫，令妾進其藥酒，妾佯僵而覆之。」又甘茂謂蘇氏曰：「貧人女與富人女會績，曰：『無以買燭，而子之光有餘，子可分我餘光，無損子明。』」此並戰國之時游說之士，寓言設理以相比興。及向之著書也，乃用蘇氏之說，爲二婦人立傳，定其邦國，加其姓氏，以彼烏有，特爲指實。何其妄哉！

按：婦人進藥酒事，見戰國策燕策，本無姓名。及劉向作列女傳，就說這婦人的丈夫叫周主忠，是周的大夫。分餘光事，見史記甘茂傳。兩個女子，在史記裏，也都沒有姓名。而劉向列女傳，也都給她們立了傳，說貧女是齊國的徐吾，富女是她的鄰人李吾。把寓言變成了史事，劉知幾斥劉向爲妄，實不爲過。

至於把簡單的史實，加枝添葉，變成複雜的史事一點，這裏且舉商紂的例子爲證：

商紂在後人心目中，是最壞的君王。但就比較原始的資料——尚書中的周誥部分看來，紂的罪惡，不過是好逸樂、酗酒、聽婦人之言、怠於祭祀、喜用小人，不喜歡用舊臣等幾件。到春秋戰國時代，紂的罪惡已增加了很多。戰國時代的著作，如左傳、戰國策、韓非子、呂氏春秋……等書所載紂的罪惡，就增加了二十七條。到西漢時代，見於淮南子、史記、新序、列女傳等書的，紂的罪惡又增加了二十二條。東漢到晉代的著作，如論衡、帝王世紀、僞古文尙書等，又增加了紂的罪惡十多條。總計紂的罪惡共達七十餘條。（以上據顧頡剛所著「紂惡七十事發生的次第」一文，原文見古史辨第二册。）子貢說（見論語子張篇）：「紂之不善，不如是之甚也。是以君子惡居下流，天下之惡皆歸焉。」可見在春秋末年，子貢早已覺察到紂的罪惡，有不少是後人所增益的了。

## 四、古代用後代的典制

在戲劇或電影裏，常常會看到所演的漢代故事中，有人拿着線裝書在讀；在晉代的故事中，廳堂裏掛着八幅屏，上面寫着杜甫的秋興詩；在包拯的房間裏，擺列着甲骨文。這都是編劇的人無意中（或未加考證）把後來所常見的事物，放進古人的時代裏。這種現象，也常見於傳述的資料之中。現在列舉以下兩個例子爲證。

## ㈠夏代用春秋及戰國時代的典制

尙書的甘誓篇，墨子（明鬼下）以爲禹誓；莊子人間世、呂氏春秋召類篇、說苑正理篇，也都以爲是夏禹與有扈作戰的誓辭；書序、史記夏本紀，則以爲是夏啓和有扈作戰的誓辭；呂氏春秋先己篇，又以爲是夏后相與有扈氏作戰之誓。異說紛紜，莫衷一是。但，從古以來，沒有不認爲這篇所記的事是屬於夏代的。而這篇書裏，却有這些話：

大戰于甘，乃召六卿。

有扈氏威侮五行，怠棄三正。

按：六卿這種官制，到春秋時才有。宋的六卿，始於魯文公七年。晉的六卿，開端於晉文公初年。鄭的六卿，始見於襄公九年左傳。在春秋以前，絕沒有六卿的官制。這，在史景成先生所著的六卿溯源（見大陸雜誌二十五卷七期）一文中，考證得非常淸楚。述夏代的史事而用了春秋以來的官制，可見甘誓的著成時代，最早也不會在春秋以前了。

威侮五行的威字，王氏經義述聞以爲是威字之誤；並且說威是蔑的假借；威侮，卽輕蔑侮慢的意思。這是很正確的見解。但，對於五行——金木水火土，又怎樣輕蔑侮慢呢？卽使能夠輕慢，又有什麼嚴重的罪過而値得討伐呢？我想，這五行一定是指「終始五德」而言。依照鄒衍的終始五德之說，凡是一個應運而興的帝王，在五行中就各佔一行；如周以火德王，殷以金德王等。那麼，威侮五行，就是說看不起應運而興的帝王。這罪過自然嚴重，就必須予以討伐了。如此說來。甘誓的作成時代，已遲到鄒衍以後。

周正建子，殷正建丑，夏正建寅，合起來稱爲三正，這是人所共知的。但，夏代的君王，已經預知殷正建丑和周正建子，豈不奇怪！因此就有人認爲堯正建丑，舜正建子（鄭康成說，見尙書堯典正義引），加上夏正建寅，不也是三正嗎？殊不知用干支紀日，雖然很早；但用地支紀月，則始見於逸周書的周月篇；而周月篇也是戰國時代的作品。戰國以前，還沒有以地支紀月的習慣，又怎能有三正之說呢？甘誓既然用了三正之說，可見它的著成時代，也不會早到戰國以前了。

古代用後代的典制，這是一個很顯著的例子。

**㈡墨翟時已有漢代的官制**

墨子的備城門以下，原有二十篇，現在只存了十一篇。這十一篇中所載的，多是禽滑釐和墨翟問答的話語。但，這些篇中，常常出現漢代的官名。以下且舉兩個例子：

都司空　見於雜守篇和號令篇，是守城的人。但，先秦的其他典籍中，沒見過這個官名。到漢書百官公卿表，才出現了這個職位。

中涓　號令篇中有這個官名。先秦其他典籍中，只有國語吳語中有「涓人」之官。韋昭注解「涓人」說：「今中涓也。」韋昭既說中涓是今官，而先秦其他典籍中又不見此官，可見中涓之官到漢代才有。

以上是本於朱希祖之說，詳細考證，見於他所著的墨子備城門以下二十篇係漢人僞書說（見古史辨第四冊）。但，朱氏用「僞書」二字，筆者却不敢贊同。因爲這些晚出之篇，大概是秦漢時代的墨學之徒，根據傳聞而筆之於書的。著者本無心作僞，所以不能說它們是僞書。只是它們是傳述之作，不自覺地染上了時代的色彩，於是就使戰國初年的墨翟，已經預先知道漢代的官制了。

## 五、前人引述後人的言論

傳述資料中，最使人感到奇異的現象，莫過於前人引述後人的言論。這種顯然不合理的情形，似乎不應該有。但實際上這種情形還不在少數。現在只引說苑中的兩個例子如左。

其一，是周公引周易謙卦的彖傳。說苑（卷十）敬愼篇說：

昔成王封周公，周公辭不受，乃封周公子伯禽於魯。將辭去，周公戒之曰：「去矣！子其無以魯國驕士矣。我，文王之子也，武王之弟也，今王之叔父也，又相天子，吾於天下亦不輕矣。然嘗一沐而三握髮，一食而三吐哺，猶恐失天下之士。……夫貴爲天子，富有四海，不謙者失天下亡其身，桀、紂是也。可不愼乎？故易曰：『有一道，大足以守天下，中足以守國家，小足以守其身，謙之謂也。』夫『天道毀滿而益謙，地道變滿而流謙，鬼神害滿而福謙，人道惡滿而好謙。』是以衣成則缺衽，宮成則缺隅，屋成則加錯。示不成者，天道然也。易曰：『謙，亨，君子有終，吉。』詩曰：『湯降不遲，聖敬日躋。』其戒之哉！子其無以魯國驕士矣！」

「謙，亨，君子有終。」是周易謙卦的卦辭，周公還有引述的可能。「有一道」五句，很像文言傳或繫辭傳，但今易中無此文。這且不談。「天道毀滿而益謙」四句，則是謙卦彖傳的話。只是四個滿字，周易皆作盈，此當是因避漢惠帝之諱而改。此外，還有一個毀字，周易作虧，字雖不同而義則相似。彖傳相傳是孔子作的，這點今人已有異議。即使眞是孔子所作，那麽，早於孔子五百年的周公，又怎能引述孔子之言呢？「湯降不遲」二語，是商頌長發篇的話。商頌五篇，韓詩和史記都說是宋襄公時正考父所作；經今人考證，認爲此說可信。如此說來，周公也不可引述此詩了。

其二，是泄冶引述易經的話，這是見於說苑（卷一）的君道篇：

陳靈公行僻而失。泄冶曰：「陳其亡矣！吾驟諫君，君不吾聽，而愈失威儀。……易曰：『夫君子居其室，出其言善，則千里之外應之，況其邇者乎！居其室，出其言不善，則千里之外違之，況其邇者乎！言出於身，加於民。行發乎邇，見乎遠。言行，君子之樞機，樞機之發，榮辱之主。君子之所以動天地，可不愼乎！』天地動而萬物變化。詩曰：『愼爾出話，敬爾威儀，無不柔嘉。』此之謂也。」

「易曰」以下的話，見於周易的繫辭傳。從宋代歐陽修以來，很多學者都認爲繫辭傳是孔子以後的儒者所作。我們姑且仍依舊說，說是孔子作的。但陳靈公卽位於周頃王六年（西元前六一三），沒於周定王八年（西元前五九九）。孔子生於魯襄公二十二年（西元前五五一）。陳靈公沒時，孔子還沒出生，泄冶已經在靈公面前引述了孔子的言論，豈不也是笑話！

像上舉的兩個例子，都是傳述古事的人，爲了使故事的內容充實，於是假借古人的嘴引述了自己所讀過的書；而忽略了引書人的時代乃在所引的書之前。這類的情形，不止說苑中有之，甚至國語和左傳中，也不能免；細心的學者，當能找出一些例證來。

## 六、結　語

歸納上述的情形，可知傳述史料有以下常見的幾種現象：

㈠由於古人寫書的工具，是用竹帛；而帛太貴，竹簡又太笨重，故古代史事，往往由於口傳。因爲輾轉傳說，訛誤愈來愈多。到後人各就所聞分別著於竹帛時，於是一事而有多種不同之記載。

㈡追述古事的人，往往以自己所見當時的制度或風氣，無意中誤加之於古代；致使古代史事中攙雜一些後代的色彩。

㈢傳述古事的人，爲了使他的記載內容充實，於是把原來很簡單的事，加枝添葉；甚至藉古人之口，以引述他自己讀過的書，以致往往造成時代差錯的笑話。

基於上述的情形，可知：㈠傳述史料，不可輕信。㈡從事研究工作引用傳述史料時，最好能多找相關的資料，加以比較研討，然後決定其資料可信的程度。如無比較資料而又必須引用時，最好以疑問的態度出之。

（原載「沈剛伯先生八秩榮慶論文集」，聯經出版事業公司，民國六十五年）

# 中國傳統古史說之破壞和古代信史的重建

屈萬里

## 一、引　言

每一個民族的古史，都有它的傳說時代。傳說未必就是史實，這本是研究歷史的人所共知共喻的。「遂古之初，孰傳道之？」（楚辭天問語）兩千年以前的古人，已經提出來這樣的疑問了。

然而，我們是一個好古的民族，「則古昔，法先王」（禮記曲禮上語），幾乎是我國老輩學人所共同遵守的信念。在他們心目中，世代愈古老，聖人也愈多，政治也愈修明，文物也愈燦爛。而且，把自己的歷史說得愈久遠，自己的光榮也愈大。於是乎堯舜之前有黃帝，黃帝之前有神農，神農之前有伏羲，以至於溯到開天闢地的盤古氏。這就是我國一般人所遵信的古史系統。

但是，細心的學者，一追究這些傳統古史說的原委，便可發現一種現象；那就是，時代愈晚的人所知道的史事愈古。百多年前的崔述，在他的考信錄（補上古考信錄卷上）裡曾說過：

羲農以前，未有書契，所謂三皇十紀帝王之名號，後人何由知之？……夫尚書但始於唐虞；及司馬遷作史記，乃起於黃帝。譙周、皇甫謐又推之以至於伏羲氏。而徐整以後諸家，遂上溯於開闢之初。豈非以其識愈下，則其稱引愈遠；其世愈後，則其傳聞愈繁乎？

這些話語，說得已經夠明快的了。

欲證明史事的眞僞，自然首先要追究史料的來源；要追究史料的來源，就不能不考察古書著成的時代和眞僞。所以辨僞書的工作，乃是導致破壞傳統古史說興起的主因。而考古學材料之大量發現，又漸漸地引導研究古史的人們，走上了重建古代信史之途。

從民國六、七年起，到民國三十年前後的二十餘年間，是破壞傳統古史說最激烈的時代。而利用考古學的材料，開始走向重建古代信史之途，也恰在這個時期。到目前爲止，辨證古書眞僞的工作，還在餘波盪漾；而重建古代信史的工作，也已有了許多使人滿意的成績。這是我國史學上的一件大事，是值得大書而特書的。

本文的目的，是想把這個史學史上的重大事件，作一番概括的敍述。這裡要首先聲明的，是：㈠本文所謂古史，雖指秦以前的史事而言；但却着重在殷代及其以前的上古史部分；㈡本文只作概略地說明，不作詳細地敍述。

以下，先從破壞傳統古史說興起的原因說起。

## 二、破壞傳統古史說興起的原因

前面說過：導致破壞傳統古史說興起的原因，主要的是由於辨僞書。而辨僞書的工作，乃是分作兩途發展的。其一，是辨一般的僞書；其二，是辨經部的僞書。辨一般的僞書，導源於漢書藝文志，至清代而極盛。辨經部的僞書，雖也始於漢代（如馬融疑河內本的太誓；鄭康成的弟子臨孝存不相信周禮，趙岐删掉孟子外書四篇）；而致使一般人士對於經書不再迷信和盲從的原因，乃是由於淸代晚年到民國初年的今古文經學家的爭論。下文將對上述兩點，分別敍述。此外，如晚淸以來讀書人思想的開放和科學方法的輸入，也是助成破壞傳統古史說的原因之一，本文也一併述及。

### ㈠辨僞書之學的進展

孟子曾經說過：「盡信書，則不如無書。」他於武成，只取二三策。太史公作史記，也以爲「百家言黃帝，其文不雅馴」；而必須「考信於六藝」。這可見他們對於史料，都曾經過選擇的工夫。選擇史料，雖和辨僞書有關，但究竟是兩回事。就現在所見到的文獻而言，眞正鄭重其事地去辨僞書的，恐怕是始於漢書藝文志。譬如文子九篇，班固自注說：「老子弟子，與孔子並時，而稱周平王問，似依託者也。」又如大禹三十七篇，班固自注說：「傳言禹所作，其文似後世語。」此外如力牧二十二篇，孔甲盤盂二十六篇，神農二十篇，伊尹說二十七篇，天乙三篇，黃帝說四十篇，……經班固認爲依託或有後人增益的書，大約近二十種。可見我國辨僞書的風氣，至遲在西元第一世紀的時代已經開始了。

漢代而後以辨僞書著名的，如唐代的柳宗元，他斷定鶡冠子、亢倉子、鬼谷子、文子、列子，都是僞書；他認爲晏子春秋是齊國的墨子之徒所作的：這都是很高明的見解。到了宋代，辨僞書的風氣更盛了。像葉適的習學記言，陳振孫的直齋書錄解題，晁公武的郡齋讀書志，高似孫的子略，黃震的黃氏日抄，王應麟的漢書藝文志考證，都曾辨過僞書。而歐陽修說周易的繫辭、文言、說卦、序卦、雜卦，都不是孔子作的。後來趙汝楳的周易輯聞，比歐公更徹底，他認爲十翼都非孔子所作。又如吳棫和朱子，都懷疑尙書中的僞古文部分。兩宋時代的經學家們，能有如此的識見和膽量，眞可說是難能可貴了。

明代初年，宋濂作諸子辨；他列舉了四十四種子部的書，其中被他定爲「僞」、或「疑」、或「後人依託」……的，共達二十四種。明代晚年，胡應麟作了四部正譌一書，列舉一百零四種古籍，雖然是子部的書最多，但也有經部、史部、集部的著作。在這一百零四種裡面，被胡氏認爲「僞」、或「眞僞相雜」、或「疑」……的，多達九十三種。而且胡氏在此書的末尾，曾舉出了八種辨僞的方法，見解都很正確。過去辨僞書的，不過是在文集裡，有幾篇辨僞的文章；或在其他著作裡，有些辨僞的話語。至於專門辨僞書，而又有方法的，胡氏此書，可以說是最早的專書了。

清初的萬斯同，著有羣書疑辨，不但辨別了許多經部以外的書，乃至連周禮、儀禮、左傳、易傳等，他都有懷疑的議論。和他同時的姚際恒，則著了一部古今僞書考，舉出了僞作或眞雜以僞的經史子三部的書共九十種，它是繼四部正譌之後的另一部辨僞的專書。

以一部書爲對象而從事辨僞工作，明代以來最著名的，是梅鷟的尙書考異。他辨證古文尙書的僞迹，有不少地方都能深中要害。清初的閻百詩，繼續從事這一工作。他化了四十年的工夫，作成了古文尙書疏證一書。於是東晉以後所傳的二十五篇尙書之僞，遂成定讞。和閻氏同時的胡渭，著了一部易圖明辨，把宋人所傳的河圖、洛書、先天、後天等妄說，一掃而空。到了乾隆時代，有孫志祖的家語疏證，和范家相的家語證譌，由於這兩部書的問世，而確定了孔子家語一書，是王肅的僞作。

辨僞書之學，發展到這個地步，有識之士，對於古書，自然不再盲目地全部相信；自然也不再盲目地相信僞書中的史料。於是崔東壁（述）的考信錄便應運而生。他把諸子百家中所傳說的古代史事，給以嚴格的審核；他駁斥了許多傳統的大家信以爲眞的古史說。無疑地，他是破壞傳統古史說的急先鋒，也是重建古代信史的拓荒者。

## (二)經今文學派之復活和今古文兩派之爭

經學今文派和古文派的爭辯，本來是西漢末年經生們的老題目。但從漢代以後直到清中葉以前，再沒有人談起這一問題。宋人疑周易的十翼，以及宋人開始疑古文尙書而到淸初判定古文尙書之僞，這些還只是單純的辨僞之事，和經今古文家因學派的不同而起爭論的情形不同。經學今古文舊案之再度掀起，乃在淸代中葉以後。而究其重掀舊案的前因，則不能不追溯到淸代初葉以來的學術風氣。

淸代初年，由於對王陽明之學的反動，激起了朱子之學的復興，也激起了旣反對朱學又反對王學的顏李學派。而聲勢最大、成績最多，成爲淸代正統學派的，則是以考據爲主的漢學。漢學家研究的對象，主要的是經學和小學。其硏究的目的，則是希望能夠弄淸楚漢儒說經的眞象，從而憑藉着那些去古未遠的經說，以瞭解經文的本義。到了乾嘉年間，這種學風，眞可說已到了登峯造極的程度。但是，這些漢學家們所致力的，主要的是東漢經學家之說；換句話說，主要的是古文學派的經說，或者是今古文混合不分的經說。

嘉慶以來，經生們對於古文、或今古文混合的經說，漸漸感到不能滿足他們的願望，而要進一步探究今文家之學；也就是說，他們已鄙視東漢諸儒的學說，而要上溯西漢。於是治春秋公羊之學的劉逢祿，著了一部左氏春秋考證，開始懷疑左傳是僞書。同時的魏源，著了一部書古微，不但認爲東晉以來所傳的古文尙書二十五篇是僞作的，他並且懷疑孔壁裡所出的古文尙書（比今文尙書多十六篇），也是假的。接著則有龔自珍和陳壽祺、陳喬樅父子，以至於清末民初的皮錫瑞、廖季平、崔適、康有爲等，都是這一風氣下的重要人物。而康有爲的學說，對於動搖傳統古史的信念來說，更有重大的影響。

康有爲的新學僞經考一書，說周禮、毛詩、和左傳，都是劉歆假造、或者竄改的。他又作了孔子改制考一書，說：「上古之事，茫昧無稽。」他認爲孔子時已苦於夏殷文獻的不足，何況三皇五帝的史事！他這些驚人的議論，自然激起了古文派的不滿。當時駁斥今文派最力的是章太炎。由於今古文兩派各自盡力地揭破對方的弱點，結果使人們對今古文兩派都不再輕於信從，因而引起了人們更進一步向先秦探尋的興趣。葉德輝的翼教叢編（卷七）與戴宣翹校官書，曾經慨然地說：

有漢學之攘宋，必有西漢之攘東漢。吾恐異日必有以戰國諸子之學攘西漢者矣。

葉氏由於清代經學發展的情形，已料到將會有以戰國攘西漢的趨勢。而後來學風演變的結果，不但以戰國攘西漢，並且以甲骨文和金文攘春秋和戰國了。

這是導致破壞傳統古史說興起的另一個原因。

### ㈢思想的開放和科學方法的輸入

有了上述的兩個因素，則態度比較客觀的學者，對於傳統的古史說，自然不會再盲目地信從了。又由於八股文之廢除，人們的思想漸漸開放；復因西洋學說不斷地輸入，使人們的知識領域擴大，治學的方法也有了改變。這也是促成破壞傳統古史說的原因之一。這點，顧頡剛在他的古史辨第一册自序裡，說得很詳細。他說（自序七七頁）：

同時，西洋的科學傳了進來，中國學者受到它的影響，對於治學的方法有了根本的覺悟，要把中國古代的學術整理清楚，認識它們的歷史價值。整理國故的呼聲倡始於太炎先生，而上軌道的進行則發軔於適之先生的具體的計劃。古史古書之僞，自唐以後書籍流通，學者見聞廣博，早已致疑。……不過，那些時代的學術社會處於積威的迷信之下，不能容忍懷疑的批評，以致許多精心的創見不甚能提起社會注意，就是注意了也只有反射着厭惡之情。到了現在，理性不受宗教的約束，批評之風大盛，昔時信守的藩籬都很不費力地撤除了，許多學問思想上的偶像都不攻而自倒了。加以古物出土愈多，時常透露一點古代文化的眞相，反映出書籍中所寫的幻相，更使人對於古書增高不信任的意念。長素先生受了西洋歷史家考定的上古史的影響，知道中國古史的不可信，就揭出了戰國諸子和新代經師的作僞的原因，使人讀了不但不信任古史，而且要看出僞史的背景，就從僞史上去研究，實在比較以前的辨僞者深進了一層。適之先生帶了西洋的史學方法回來，把傳說中的古代制度和小說中的故事，舉了幾個演變的例，使人讀了不但要去辨僞，要去研究僞史的背景，而且要去尋出它的漸漸演變的線索，就從演變的線索上去研究，這比長素先生的方法又深進了一層了。我生當其頃，歷歷受到這三層敎訓，……終至放大了膽子而叫喊出來，成就了兩年前的古史討論。這個討論何嘗是我的力量呢，原是在現在的時勢中所應有的產物。

這是導致破壞傳統古史說興起的近因。

上述三種原因，互有連帶的關係，相輔而且相成。於是終於有古史辨的出現，成爲破壞傳統古史說的大本營。誠如顧頡剛所說：那「原是在現在的時勢中所應有的產物。」

## 三、傳統古史說的破壞及其反應

崔東壁不相信三皇十紀以及諸子百家中所載關於古史的若干傳說，但他却仍全盤相信五經中所載的史事（僞古文尚書二十五篇除外）。康有爲雖然更進一步，以爲經書裡的若干史事，乃是孔子的託古；但他對於經書（周禮、毛詩、左傳除外）的崇拜，則並不亞於他以前任何經學家。到了民國六、七年間，胡適之先生作中國哲學史大綱時，纔把經書和諸子百家一視同仁，而不再把它們視作至上的權威。他不但斷定周禮不是周公致太平之書，他不但不相信二十五篇僞古文尚書，他並且認爲「即二十八篇之『眞古文』，……也沒有信史的價值」（中國哲學史大綱卷上三十三頁）。他認爲「我們對於東周以前的中國古史，只可存一個懷疑的態度」（同上）。

民國九年十一月，顧頡剛開始和胡適之先生商量標點姚際恆的古今僞書考。次年一月，胡適之先生訪得崔東壁遺書，打算把其中的考信錄重印。從這以後的一、二年中，胡先生、顧頡剛、錢玄同等，就書信往返，不斷地討論辨僞書和辨僞史的問題。這些信札，當時並沒有發表，後來纔收入了古史辨的第一册裡。在這些信札裡，言論最激烈的，是顧頡剛。他在民國十年六月九日的「自述整理中國歷史意見書」（古史辨第一册三五頁）裡，曾經說：「照我們現在的觀察，東周以上只好說無史。現在所謂很燦爛的古史，所謂很有榮譽的四千年的歷史，自三皇以至夏商，整整齊齊的統系和年歲，精密的考來，都是僞書的結晶」。

民國十二年四月二十七日，顧頡剛有「與錢玄同先生論古史書」，刋登在同年五月六日的讀書雜誌第九期裡（後收入古史辨第一册）。這封信相當重要，他對崔東壁的考信錄提出兩點批評，他說：「第一點，……他只知道戰國以後的話足以亂古人的眞，不知道戰國以前的話亦足以亂古人的眞。他只知道楊墨的話是有意裝點古人，不知道孔門的話也是有意裝點古人。所以他只是儒者的辨古史，不是史家的辨古史。第二點，他要從古書上直接整理出古史蹟來，也不是妥穩的辦法。因爲古代的文獻可徵的已很少，我們要否認僞史是可以比較各書而判定的，但要承認信史便沒有實際的證明了。崔述相信經書卽是信史，拿經書上的話作標準，合的爲眞，否則爲僞，所以整理的結果，他承認的史蹟，亦頗楚楚可觀。但這在我們看來，終究是立脚不住的：因爲經書與傳記只是時間的先後，並沒有截然不同的眞僞區別；假使在經書之前還有書，這些經書又要降做傳記了。

他認爲我國傳統的古史說，是層累地造成的。他曾經打算作一篇「層累地造成的中國古史」，後來雖然沒能實現他的願望，但他的三個要點已經透露在這封信裡。他說：

第一，可以說明「時代愈後，傳說的古史期愈長」。如……周代人心目中最古的人是禹，到孔子時期有舜堯，到戰國時有黃帝神農，到秦有三皇，到漢以後有盤古等。第二，可以說明「時代愈後，傳說中的中心人物愈放愈大」。如舜，在孔子時只是一個「無爲而治」的聖君，到堯典就成了一個「家齊而後國治」的聖人，到孟子時就成了一個孝子的模範了。第三，我們在這上，卽不能知道某一件事的眞確的狀況，但可以知道某一件事在傳說中的最早狀況。我們卽不能知道東周時的東周史，也至少能知道戰國時的東周史；我們卽不能知道夏商時的夏商史，也至少能知道東周時的夏商史。

在讀書雜誌第九期裡，顧氏所發表的致錢玄同書，共計兩封。上面所引的是第一封信。第二封信雖然附在第一封信之後，而寫成的日期，實在第一封信之前（十二年二月二十五日）。在這封信裡，關於層累地造成的古史一事，有更具體的論述。他根據商頌長發「洪水芒芒，禹敷下土方；……帝立子生商」等語，以爲在西周中葉時的禹（顧氏從王國維說，謂商頌是西周中葉宋人作的），「是上帝派下來的神，不是人」。又根據魯頌閟宮「是生后稷，……俾民稼穡；……奄有下土，纘禹之緒」等語，他以為「到魯僖公時，禹確是人了」。他認為在起初，「禹和夏並沒有發生了什麼關係」。他以為禹的來源，是「九鼎上鑄的一種動物，……禹是鼎上動物的最有力者」。他根據說文「禹，蟲也，從禸，象形」的解釋，以為禹「大約是蜥蜴之類」。他以為九鼎上的禹，「或者有敷土的樣子，所以就算他是開天闢地的人。流傳到後來，就成了眞的人王了」。

顧氏說：「東周初年只有禹，是從詩經上可以推知的；東周的末年更有堯舜，是從論語上可以看到的。」他說：「在論語之後，堯舜的事蹟編造得完備了，於是堯典、臯陶謨、禹貢等篇出現。有了這許多篇，於是堯與舜有翁壻的關係，堯與舜有君臣的關係了。」他說：「從戰國到西漢，僞史充分的創造，在堯舜之前，更加上了多少古皇帝。於是春秋初年號為最古的禹，到這時眞是近之又近了。自從秦靈公於吳陽作上畤，祭黃帝，經過方士的鼓吹，於是黃帝立在堯舜之前了。自從許行一輩人抬出了神農，於是神農又立在黃帝之前了。自從易繫辭抬出了庖犧氏，於是庖犧氏又立在神農之前了。自從世本出現硬替古代名人造了很像樣子的世系，於是沒有一個人不是黃帝的子孫了。自從春秋命歷序上說『天地開闢，至春秋獲麟之歲，凡二百二十六萬年』，於是天皇十二人各立一萬八千歲了。自從漢代交通了苗族，把苗族的始祖傳了過來，於是盤古成了開天闢地的人，更在天皇之前了。時代越後，知道的古事越前；文籍越無徵，知道的古史越多。汲黯說：『譬如積薪，後來居上』。這是造史很好的比喻」。

這種大膽的議論，眞是駭人聽聞。錢玄同雖然不贊成顧氏的「禹爲蜥蜴之類」的說法；但他却認爲顧氏層累地造成的「中國古史」之說，「眞是精當絕倫」（見「答顧頡剛先生書」，讀書雜誌第十期；又：古史辨第一册。）。胡適之先生則認爲「顧先生的『層累地造成的古史』的見解，眞是今日史學界的一大貢獻」。（見「古史討論的讀後感」，讀書雜誌第十八期；又：古史辨第一册。）傅斯年先生更加推許說：「你這一個題目，乃是一切經傳子家的總鎖鑰，一部中國古代方術思想史的眞線索，一個周漢思想的攝鏡，一個古史學的新大成」「談兩件努力週報上的物事」，見國立中山大學語言歷史研究所週刊第一集十期至二集十三期。後收入古史辨第二册，及傅孟眞先生集第一册）。可是一般守舊的學者，就忍受不住這種「邪說」，而向顧氏展開了攻擊。

在讀書雜誌第十一期（民國十二年七月一日出版）裡，同時刋載了劉掞藜的「讀顧頡剛君『與錢玄同先生論古史書』的疑問」，和胡堇人的「讀顧頡剛先生論古史書以後」兩文；稍後，柳詒徵又作了「論以說文證史必先知說文之誼」一文，登在東南大學史地學報第一、二合期裡（十三年四月一日出版。以上三文，皆收入古史辨第一册）。這三篇文章，都對顧氏的古史說，予以猛烈的抨擊。辯論的焦點，除了治古史的方法和態度問題而外，最主要的是關於堯舜和禹的問題。這三家所持的理由雖不盡同；但他們的態度却是一致的。那就是：他們仍然是顧氏所謂「儒者的辨古史，而不是史家的辨古史」。他們的見解，比起崔東壁來，並沒有什麼進步。

從十二年春起，到十四年春止，直接或間接參加古史討論的，除上述的三人反對顧氏而外；其餘如胡適之先生、傅斯年先生，和錢玄同、丁文江、魏建功、容庚諸人，對於顧氏懷疑古史的態度，原則上都是贊成的。此外，能不泥古而以客觀的態度批駁顧氏的，則有張蔭麟的「評近人對於中國古史之討論」一文（原刊十四年四月學衡第四十期，後收入古史辨第二册）。而這兩年以來辯論的結果，守舊派顯然沒得到勝利。

守舊的學者們，所以要打倒顧頡剛的「層累地造成的古史」之說，乃是由於衞道的熱忱，所以提出了「影響人心」的問題。在讀書雜志第十三期裡（十二年九月二日出版），刊載了劉掞藜的「討論古史再質顧先生」一文（已收入古史辨第一册），其中有這樣的幾句話：

> 因爲這種翻案的議論，這種懷疑的精神，很有影響於我國的人心和史界，心有所欲言，不敢不告也。

這雖是劉掞藜的話，實際上是反顧派所以反顧的原動力。胡適之先生針對着這一問題，曾發表過他的意見（「古史討論的讀後感」，十三年二月二二日，讀書雜志十八期；又見古史辨第一册）。他說：

> 否認古史某部分的眞實，可以影響於史界，那是自然的事。但這事決不會在人心上發生惡影響。我們不信盤古氏和天皇地皇人皇氏，人心並不因此變壞。假使我們進一步，不能不否認神農黃帝了，人心也並不因此變壞。假使我們更進一步，不能不否認堯舜和禹了，人心也並不因此變壞。——豈但不變壞，如果我們的翻案是有充分理由的，我們的翻案只算是破了一件幾千年的大騙案，於人心只有好影響而無惡影響。卽使我們的證據不夠完全翻案，只夠引起我們對於古史

某部份的懷疑，這也是警告人們不要輕易信仰，這也是好影響，並不是惡影響。本來劉先生並不曾明說這種影響的善惡，也許他單指人們信仰動搖。但這幾個月以來，北京很有幾位老先生深怪顧先生「忍心害理」，所以我不能不替他伸辯一句。這回的論爭是一眞僞問題：去僞存眞，決不會有害於人心。譬如豬八戒抱住了假唐僧的頭顱痛哭，孫行者告訴他那是一塊木頭，不是人頭，豬八戒只該歡喜，不該惱怒。又如窮人拾得一圓假銀圓，心裡高興，我們難道因爲他高興就不該指出那是假銀圓嗎？上帝的觀念固然可以給人們不少的安慰，但上帝若眞是可疑的，我們不能因爲人們的安慰就不肯懷疑上帝的存在了。上帝尙且如此，何況一個舜？何況黃帝堯舜？

站在純學術的立場來看，胡先生的這些話語，自然是不刋之論。

在討論古史期間，及其以前、以後的若干年內，對於傳統古史說及古書持懷疑態度，而爲學術界所重視的，則有：

一、傅斯年先生　他在民國七年四月（時在北大讀書），發表了「中國歷史分期的研究」一文（見傅孟眞先生集上編甲五九頁），主張自周平王以前爲第一期，認爲是傳疑時代。後來（民國十六、七年間），在他編的「中國古代文學史講義」（傅孟眞先生集中編上）裡，談到尙書各篇著成的時代。他認爲堯典、皐陶謨、甘誓、湯誓、牧誓，都是戰國時代的作品；禹貢、洪範，「是春秋戰國間的東西」；西伯戡黎、微子兩篇，是宋人根據傳訓，寫成的典書。

二、梁啓超　梁啓超自謂「雖然勇於疑古」，可是比起胡適之先生和錢玄同來，已「瞠乎其後」

（見古書眞僞及其年代三八頁）。然而他在民國十一年作「中國歷史研究法」時，已經說「伏羲神農等皆神話的人物，非歷史的人物」。他認爲「稷、契決非嚳子」；「繼武王而立者，乃周公而非成王」（以上俱見七四頁）。到了民國十六年，他作了一部「古書眞僞及其年代」，辨別了許多僞書。關於尙書一書，他雖然還說「從湯誓到微子叫做商書，從牧誓到秦誓叫做周書，眞僞絕無問題」；但他也已經把堯典、皐陶謨、禹貢、甘誓等篇，認爲是後人追述的（見九三頁）。關於周易十翼的作成時代，他則把繫辭（裡面有許多記述古史的話）、文言，歸之戰國末年；把說卦、序卦、雜卦，歸之戰國秦漢之間（見七八頁）。

三、李泰棻　民國二十年，李泰棻著成「今文尙書正僞」一書。他辨證的是堯典、皐陶謨、禹貢、甘誓、湯誓、盤庚、高宗肜日、微子、洪範等九篇（里按：依原書所載「書序」，當尙有西伯戡黎一篇。里所見本未載）。他認爲甘誓作於墨子以後，盤庚較早於甘誓，微子作於西周中葉，洪範作於康王以後戰國以前；其餘五篇，則都是戰國時的作品。

四、顧頡剛論堯典的專書　有「堯典評論」、及「堯典問題集」兩書（民國二十六年開明書店出版）。他認爲堯典創始於戰國而重作於漢人。

討論古史的重要文章，大多數都已收入了古史辨。上述的幾種著作，則是沒被古史辨收入的比較重要的文獻。至於專辨僞書的書，除了梁啓超的「古書眞僞及其年代」而外；搜集古今辨僞書之說最完備的，則是張心澂的「僞書通考」（民國二十八年商務印書館出版）。

古史辨第二冊所收的，是民國十三年十一月到十八年間討論古史的文章。其中以顧氏的㈠「秦漢統一的由來和戰國人對於世界的想像」，㈡「春秋時的孔子和漢代的孔子」，㈢「紂惡七十事發生的次第」三文，以及傅斯年先生和張蔭麟對於㈠㈡兩文的評論，最爲重要。第三冊，專討論周易和詩經的問題。第四冊和第六冊，專討論周秦諸子著作的時代問題。第五冊，討論經學的今古文問題、和陰陽五行說的起源問題。第七冊，討論古史傳說問題、三皇五帝問題，和唐虞夏的史事問題。第七冊出版時，已到民國三十年了。到這時爲止（到現在還是如此），討論所得的結果，是：

一、盤古和三皇五帝（不包括堯舜的五帝）之說，已不再有人相信是信史。卽使信古最勇的繆鳳林，在他所著的「中國通史綱要」裡，已把唐虞以前的古史，題爲「傳疑時代」及「上古之傳說」。

二、關於堯舜的事蹟，認爲是出於後人傳說的佔多數；認爲是信史的，已佔少數。

三、認爲實有禹和夏代的，佔絕大多數；但故書中所載禹的功業、和夏代史事，究竟有多少是可信的，還沒有一致的意見。

## 四、古代信史的重建

清代嘉慶年間崔東壁所著的考信錄，於「異端小說不經之言，咸闢其謬，而刪削之」（考信錄自序），他雖然「以經爲主，傳註之與經合者則著之，不合者則辨之」（同上）；致使顧頡剛批評他「只是儒者的辨古史，不是史家的辨古史」。然而，從事重建我國上古史工作的，它究竟是第一部書。

民國六年，王國維利用甲骨文字的材料，作成了「殷卜辭中所見先公先王考」和「續考」兩文（見觀堂集林）。他證實了殷先公自上甲以下的次序，是「報乙、報丙、報丁」，而不是像史記和漢書人表的次序——報丁、報乙、報丙；他證實了殷中宗是祖乙而不是太戊；他證實了祖乙是中丁的兒子而不是河亶甲的兒子。另外，關於殷代帝王的世系，史記殷本紀和漢書人表不合的地方，都證實了是漢書人表之誤。他固然糾正了史記殷本紀不少的錯誤；可也證實了殷本紀所記殷代帝王的世系，大致正確可信。這告訴人們對於史記所記的古史，固然不能全盤相信；但也使善疑的人們對於史記增加了不少的信心。利用甲骨文的材料，重建殷代的信史，王國維的這兩篇文章，無疑地是開山之作。

重建古代信史，最主要地是靠地下出土的資料，這是不爭的事實。有文字的地下材料，如金文、甲骨文之類，固然重要；沒有文字的材料，如石器、陶器、骨器、居住遺址，乃至於人獸的骨骼等，其重要性也不亞於金文和甲骨文。金文從宋人就開始研究；近年出土的鐘鼎彝器更多，研究金文的人也愈衆。對於重建古史方面說，像吳大澂因認識了「文」字，而證明了尚書大誥的「寧王」是「文王」之誤（見字說）；劉心源因「康侯鼎」而證明了「康叔」之康，是邑名而不是謚號（奇觚室吉金文述卷一）；近人更進一步，證明康誥乃是周武王封康叔之誥，而不是周公以成王之命誥康叔；更從而證明了周易晉卦卦辭的康侯也就是康叔（見古史辨第三册一八頁）。糾正了經生的謬說，恢復了古史的原貌，研究金文的人們，類似上面所舉的那些發現，固已不少。而對於重建我國古代信史，關係最大的，則莫過於甲骨文字和殷墟出土的其他文物。

甲骨文字，雖然發現於清光緒二十五年（西元一八九九）；而用它來證史，則始於王國維。自從王國維作了「殷卜辭中所見先公先王考」和「續考」以後，研究甲骨文的學者，在探討殷史方面，已得到了不少的成績。而甲骨文字之大量發現，和伴着甲骨文的其他文物之大量出土，以致使重建殷代信史的工作更光明燦爛的，則是由於中央研究院歷史語言研究所對於殷墟之發掘。這一偉大事件，自然要歸功於當時該所的所長傅斯年先生、和該所考古組主任李濟先生。

中央研究院發掘殷墟，開始於民國十七年。到二十六年止，共發掘了十五次。發掘所得，除了有字的甲骨近乎兩萬五千片外（中有完整的龜甲二百多版），另有人骨、獸骨、陶器、骨器、蚌器、銅器、玉器、石器等共達十萬件左右，建築遺址約六十餘處，窖穴約六百餘處，墳墓約一千五百個。這些文物，對於殷代史的研究，自然是最寶貴的資料；而董作賓先生於民國二十二年發表了「甲骨文斷代研究例」一文以後，對於殷史的研究，更有重大的影響。綜合近人根據殷代的遺文、遺物和遺址等研究所得的結果，對於殷代的若干史實（特別是自盤庚遷殷以後二百七十三年間的史實），已有了明確的認識。到現在爲止，可以確知的殷代的重要史事，是：

㈠關於殷代帝王的世系，自上甲以下三十七人，除了王國維所糾正的史記的幾處錯誤之外，餘如沃丁、帝辛不見於卜辭（帝辛的名子雖不見於卜辭，但有帝辛時的卜辭）；仲壬、雍己、河亶甲、沃甲、陽甲，甲骨文作南壬、𡆥己、戔甲、羌甲、寽甲，而𡆥己乃卽位於大戊之後仲丁之前；庚丁，甲骨文作康丁；甲骨文中有康丁和武乙祭祀廩辛的卜辭，但只稱兄辛、或父辛，而沒有禀辛的名號；文丁，甲骨文作文武丁。這都是和史記殷本紀不同的地方。而且，殷人除祭祀先祖之外，還有大宗的先妣；因而從示壬到文武丁（未見帝乙、帝辛兩世配偶的名號）；各直系君王之配偶的名號，也都見於甲骨文。這是書本文獻中從來沒有記載過的。

㈡殷王位的繼承，父死子繼，和兄終弟及兩種辦法是並用的，傳兄之子和傳弟之子也是並行的。但從康丁以後，已成了傳子的定局。

㈢殷代的官制，還不能弄清楚。見於甲骨文的殷代的官名，有：正、小臣、耤臣、馬、亞、村、衞、犬、尹、作册、卜、工、史、卿史……等。那時的諸侯，則有伯、侯、田等名稱。

㈣殷代的疆域，雖還不能確知。但從殷王的行踪和屬於殷朝的都邑看來，大約不出現今的河南、山東兩省，和河北省的南部，江蘇、安徽兩省的北部。可是，從殷墟出土的各種骨骼看來：有馬來半島所產的大龜，馬來種的貘，烏蘇里的熊，陝西西北部的羚羊，不知從何海來的貝和鯨魚骨。這些都說明了殷代對外的交通，已相當發達。至於殷代的敵國（有的有時成爲屬國），見於卜辭的，則有土方、𢀛方、鬼方、羌方、馬方、印方、尸（夷）方、㫚方、井方……，共三十多個。其中大部份是經籍中所沒記載過的。

㈤殷代的戰爭，以武丁、和帝乙、帝辛時較多。戰爭的規模，有時相當龐大，一次徵集出征的人數，可以多至五千人；一次殺伐的敵人，有二千六百五十六人的記錄。從殷王陵墓中殉葬的車馬看來，那時似乎已用車戰。

㈥殷人的祭祀，是隆重而且繁多的。他們固然祭祀自然神，如上帝、社、日、風、雲、雨、雪、岳（太岳）、河（黃）、及其他的山川……，但祭祀先祖，更爲鄭重。他們除了排定了日程，以彡、翌、祭、壹、劦五種祀典，輪流祭祀先祖先妣之外，對於祖妣，還有許多格外的祭祀。他們祭社、祭山川、祭祖妣，也可以用燎祭。他們祭祀時所用的牲，既沒有一定的數量，也沒有一定的顏色；數量和顏色完全決定於卜問的結果。和後世禮學家們所傳述的殷禮，多不相同。而且，祭祀時常常以人爲牲（多數是用羌人）；這更是使後人驚異的。

㈦殷代是農業社會，見於甲骨文的穀物，有稻、黍、禾（小米）、麥等。殷代帝王固然常常狩獵；但那只是娛樂，或者是練習作戰，而不是生產活動。那時已知道利用蠶繭絹絲，並已有了絲織品。

㈧殷代的曆法，已相當進步。他們已知道一周年是三百六十五又四分之一日，一個月是二十九天有零。他們採用陰陽曆，就是既顧及太陰月又顧及太陽年。因而月有大小不同（二十九日和三十日），年也必須置閏。起初是把閏月放在年底，叫做十三月；後來才把閏月放到年中。這表示殷代晚年，人們的曆術知識，更進步了。

㈨殷代的文字，雖然象形字很多，然已具備了後世所謂六書的條件。可知從發明文字到這時，必定已經歷了相當長久的年代。而且，甲骨上常有寫而未刻的文字，從而證知那時已用毛筆。

㈩殷代的工藝，已相當發達。青銅器的鑄造，不但種類繁多，而且花紋精緻。雕刻的東西，有玉的、大理石的、骨角的和陶類的。雕刻有平面的、也有立體的。骨角器還有鑲嵌松綠石的。刻鏤的精緻細膩，不在現代的優良工匠之下。

以上只是簡略的概述。詳細的情形，請閱中央研究院歷史語言研究所出版的安陽發掘報告、田野考古報告、和各種中國考古報告集，以及董作賓先生的殷曆譜、陳夢家的殷墟卜辭綜述、日本島邦男的殷墟卜辭研究等書。

上述的殷代史實，大部分是盤庚遷殷以後到殷代末年的情形。盤庚以前，以及更早的夏代史事，還沒有有文字的考古資料可憑，因而無從臆測；這自然有待於考古學者的努力。但，由於利用沒有文字的考古資料研究的結果，對於我們的遠古史，也有了不少的新知。

從民國十年四月，安特生在河南澠池縣仰韶村發現石刀、石斧、以及紅地黑花的彩陶片，把它定名爲「仰韶文化」以後，由於中外考古學者不斷地從事調查、採集、發掘的結果，關於我國的史前史，已得到了一個輪廓。大致說來，今河南省的西部，到陝西、甘肅一帶，是彩陶文化流行的區域；河南中部以東，尤其是山東的中部到沿海一帶，是黑陶文化流行的區域。它們都是新石器時代的文化。而由於中央研究院在安陽後岡發掘時所得的現象——上層是殷商期的遺物，中層是黑陶的堆積，下層是彩陶的堆積，證知至少在今豫北地區，是彩陶文化早於黑陶文化，黑陶文化又早於殷代文化。但這彩陶和黑陶兩種文化的時代，究竟各距現代有若干年數，到現在還沒有定論。安特生起初把彩陶文化定爲西元前三千五百年到一千七百年，後來改爲二千五百年到七百年。梁思永則把黑陶文化定爲西元前二千年至二千二百年。但，這些估計，還都有待於將來的論定。

舊石器時代初期的遺物，則有北平西南房山縣周口店發現的「北京人」的骨骼化石。伴着這些骨骼的，還有他們吃剩的獸骨化石，和些粗糙的石器。據考古學家的推斷，他們已知道用火，知道熟食。他們的時代，據估計，約距今三十萬年到五十萬年。

舊石器時代後期的遺物之被發現的，則有周口店山頂洞的人頭骨及體骨化石，以及動物骨骼化石與文化遺物等。從各種遺物推測，知道他們過的是漁獵生活。遺物中有骨針，可證他們已知道縫綴獸皮為衣。又有有孔的石珠和有孔的小礫石等，推知它們可能是佩掛在身上的裝飾品。他們的用具，以骨角器為多；刮削骨器和割裂皮革，則用火成岩所製的石器。他們已知道埋葬屍體，並且已有以生前的用具殉葬的習慣。但據體質人類學家研究的結果，山頂洞裡的人們，有類似白人的，有類似黑人的，也有類似北方的黃種人的。這說明了當舊石器時代的晚期，在周口店一帶活動的，並不全是我們黃種人的祖先。

到了新石器時代的晚期，接近銅器時代的時候，在河南、甘肅、和奉天等地的史前遺址裡，發現了較多的人骨；可以和中央研究院在安陽發掘所得的一千多具殷代人的頭骨，作比較的研究。李濟先生於民國四十三年，發表了「中國上古史之重建工作及其問題」一文（民主評論五卷四期）；四十六年（一九五七）又出版了「中國文明的開始」（The Beginnings of Chinese Civilization, Three Lectures Illustrated With Finds at Anyang）一書（美國華盛頓大學出版），都會談到利用這些資料研究的結果。他的結論是：從新石器時代到中國的歷史期間，在華北區域，人種上大體沒有變遷，都是蒙古種（卽黃種）人居住。

以上所述，都是現代學者根據正確的史料，對於我國古史的重建工作所做的成績。雖然我敍述的過於簡略，但已可見其大概的情形。重建我國古史的工作，還只在開始的階段。將來地下出土的材料愈多，則我國古代的信史愈充實，這是必然的。傅斯年先生曾經說過：「本所同人之治史學，不以空論爲學問，亦不以『史觀』爲急圖，乃純就史料以探史實也」（史料與史學發刊辭）。他並且提出了「上窮碧落下黃泉，動手動脚找東西」的口號（見歷史語言研究所同人工作之旨趣，載該所集刊第一本及傅孟眞先生集）。對於有志重建我國古代信史的人們來說，這些話語，不啻是指路的南針。

（原載「第二屆亞洲歷史學家會議論文集」，民國五十一年十月）

# 文物資料和圖書資料的相互關係

屈萬里

一般人稱呼文物資料，最常聽到的有兩個名詞：其一，叫做「古董」；另一，則叫做「文玩」。從這兩個名詞看來，在一般人心目中，這些物事，都不過是些高雅的陳設品，具有欣賞的價值，或昂貴的商品價值而已。

但，一些有識見的學者，則利用文物作爲學術研究的資料。而且，早在漢代就有人從事斯業了。許叔重的說文解字，收了很多的籀文。這些籀文，就是從當時出土的鼎彝中採錄的。用文物資料，從事考史工作，更早在西漢的宣帝時代已有。漢書郊祀志下說：

是時（宣帝時）美陽得鼎，獻之。下有司議，多以爲宜薦見宗廟，如元鼎時故事。張敞好古文字，按鼎銘勒而上議曰：「臣聞周祖始乎后稷，后稷封于斄，公劉發迹于豳，大王建國于邠梁，文武興于豐鎬。由此言之，則邠梁豐鎬之間，周舊居也；固宜有宗廟壇場祭祀之臧。今鼎出于郊東，中有刻書曰：『王命尸臣，官此栒邑；賜爾旂鸞黼黻琱戈。尸臣拜手稽首曰：敢對揚天子丕顯休命。』臣愚不足以迹古文，竊以傳記言之，此鼎殆周之所以褒賜大臣，大臣子孫刻銘其先功，臧之于宮廟也。……」

從這段記載看來，遠在二千年前，這位以「畫眉」和「五日京兆」著名的張敞，就已利用文物資料，作考證史事的工作了。

用古器物糾正經說，在南朝時代已有。梁書（卷五十）劉杳傳記載着一個故事，大意說：劉杳和沈約談起宗廟的犧尊，沈約說：「鄭玄答張逸，謂爲畫鳳皇尾娑娑然；今無復此器。」劉杳說：「頃魏世魯郡地中，得齊大夫子尾送女器，有犧樽作犧牛形。晉永嘉賊曹嶷，於青州發齊景公冢，又得二樽，形亦爲牛象。二處皆古之遺器，知非虛也。」劉杳已利用出土的器物，糾正了鄭玄的臆說；可惜，宋人所作的三禮圖，依舊在尊彝的腹上，畫些雞鳥虎蜼犧象之形，當作犧尊；以致到現代，還有不少談經學的人相信三禮圖之說。

也在南朝時代，已有專門記古器物的著作，現今還能見到的，則有梁陶宏景的刀劍錄，和陳虞荔的鼎錄。到了宋代，收錄金石等物，著成專書，成了一時的風氣。不但著錄器物，而且根據這些資料，來糾正經說、和史事記載的錯誤。歐陽修的集古錄跋尾，既利用石刻，以證史記、後漢書、和三國志記載的不確實（詳下文）；呂大臨的考古圖，也能依據眞實器物的形狀，以明羣經中所載彝器的原貌，「於是一洗漢唐諸儒臆說之陋。」（見籀史「徽宗皇帝祀圜丘方澤太廟明堂禮器六款識跋」）

元明兩代，在這方面沒有多大的貢獻；清代乾隆以後，蒐集、傳佈、研究古器物的風氣，又復興起來；而且這種風氣，越來越盛，到現在已達到登峯造極的狀態。大抵在清末以前，大家所重視的，是古代的青銅器、石刻、玉器，以及有文字的陶器、錢幣、璽印等物；近幾十年來，由於考古學、民族學的興起，研究的範圍，愈來愈廣，蒐集的和發掘的文物，其種類之多，幾乎不可勝數了。

文物幾乎全部是原始資料，圖書大部分是傳述資料。在學術研究方面來說，原始資料自然遠勝於傳述資料；這是文物勝過圖書的地方。但，文物資料，很多是沒有文字的；有文字的，也多是簡略地記述某些特定的事項；而這些記載，則遠不如圖書資料之詳備：這是圖書勝過文物的地方。因此，文物和圖書，適足以相輔相成，而不可偏廢。

可惜的是以前雖已有不少學者，利用文物資料，創下了一些輝煌的成績；但直到現在，還有很多的學人，不肯、甚至於不知道利用文物資料，來從事研究工作；以致因循陳說，難有創見。同時又有些人，只固執着文物資料，而不肯、甚或沒有能力利用圖書資料；以致只能作報告方式的文章，而不能有互證式的著作。本文的目的，就在擧出一些例證，來說明文物資料和圖書資料的相互關係，以見二者之所以相輔相成，而不可偏廢之故。

## 一、甲骨文資料與圖書資料

甲骨文的發現，是震驚學術界的一件大事。從發現到現在，才不過七十年，由於學者研究的結果，在文字學方面，已使向來被奉爲寶典的說文解字，黯然失色；在經學方面，已糾正了許多先儒的舊說；尤其在古史方面，使兩千多年來大家信而不疑的史記殷本紀之說，很多地方爲之改觀。茲但就關於殷代帝王名號和世系的問題，略擧幾個例子如下：

民國六年（一九一七），王國維利用甲骨文資料和圖書資料互證，作了「殷卜辭中所見先公先王考」和續考兩篇重要的文章（見觀堂集林）。在這兩篇文章裡，他利用甲骨文、山海經、楚辭的天問、呂氏春秋、漢書古今人表……等資料，證明了「王亥」確是殷代的先公。由於羅振玉在古文字學方面的造詣，認識了上甲、報乙、報丙、報丁等字，王氏從而證明了史記殷本紀、和漢書古今人表之誤。因爲史漢兩書所載這四代殷先公的次序，是：上甲、報丁、報乙、報丙；而甲骨文的次序，則是上甲、報乙、報丙、報丁。他利用甲骨文和太平御覽（卷八十三）所引竹書紀年的資料，證明了殷中宗是祖乙，而不是大家公認的太戊；並且證明了祖乙是仲丁之子，而不是河亶甲之子，或河亶甲之弟。此外，關於殷代帝王的世系，他根據甲骨文資料，並且證明了凡是史記殷本紀和漢書古今人表不同的地方，都是古今人表之誤。他這些重要的發現，自然不能不使學術界吃驚。

此後，王氏和後來的甲骨學者研究的結果，對於殷代史事的糾正和補充的地方，不勝枚舉。單就帝王的名號和世次來說，如：

仲壬　甲骨文作南壬。

雍己　甲骨文作𨚕己；他的世次，是在大戊之後，仲丁之前。

河亶甲　甲骨文作戔甲。

沃甲　甲骨文作羌甲。

陽甲　甲骨文作㒸甲。

庚丁　甲骨文作康丁。

大丁　或作文丁，甲骨文作文武丁。

單就殷代帝王的名號和世次來說，甲骨文可以糾正圖書之誤的，就有那麼多；其餘如方國、祭祀、曆法、農業、漁獵、官制、戰爭……，足以糾正和補充圖書資料的地方很多，這裡姑且不論。由於上舉的例子可以知道：如果不利用甲骨卜辭的資料，固然不可能有這麼多的驚人的創獲；但，如果不熟習圖書資料，那就連甲骨卜辭的文字，都不能認識，自然更無法利用這些資料去作考證的工作了。

## 二、青銅器資料與圖書資料

阮文達說：鐘鼎彝器的重要，和九經相同（註一）。清代中葉的人，已經有這樣的見解，眞是難能可貴。宋人著錄鐘鼎彝器的書，如考古圖、博古圖、薛氏鐘鼎款識……等，共收了約六百件彝器。這些彝器的實物，雖然絕大多數都已經失傳了；但，由於這些書籍的存在，我們大致還可以當作實物的資料來利用（註二）。現在傳世的有文字的青銅器，約計有五千件左右，既有博物館陳列這些器物，又有精良的印刷術把它們印成圖錄，對於從事學術工作的人來說，眞是十分方便。因而，從晚清以來，利用這些器物資料，從事經學、文字學、和史學等考證的人們，也有很多重要的貢獻。現在且舉兩個例子如次：

譬如尚書的康誥篇，左傳（定公四年），書序和史記，都說是周成王平定了武庚之亂以後，把康叔封在殷的舊地，建立了衞國；這篇康誥，就是成王封康叔於衞時的誥辭。歷代的經師們，大都相信這個說法。在清末以前，只有宋代的胡寅（註三）、和蔡沈（註四），懷疑它是周武王誥康叔的書。但，康叔封於衞時，武王早已死了，怎能再誥康叔？所以一般人很少相信胡蔡兩氏的說法。可是康誥裏誥康叔的人，旣說：「孟侯，朕其弟，小子封。」又自稱「寡兄」。成王是康叔的侄兒，卽使他做了君王，也絕不應該爬高輩分，把叔父叫做弟弟、叫做小子，而自己冒充大哥！說經的人，以爲這是周公的口氣，所以他可以稱康叔爲弟。但，康誥明明地說「王若曰」；周公雖然攝政，當時只把他叫做「公」，而不稱他爲「王」；這情形在各篇周誥的資料中，表現得很清楚。因此，這篇西周初年的重要文獻，究竟是何王封康叔於何地而作，便成了二千多年來不能解決的問題。

傳世的青銅器有「康侯鼎」，它的銘文只有六個字，就是「康侯丯作寶障」。清末的金文學家劉心源，認識了丯（丰）就是「封」字，是康叔的名子。他又根據宋忠註解世本的說法，知道康叔初封於康，後來才徙封於衞。因爲他曾被封於康，所以稱爲康侯（註五）。顧頡剛由於劉氏這一說的啓示，曾說康誥是武王誥康叔之書，其事當在康叔封康之後；並且證明周易晉卦卦辭的康侯，也就是康叔（註六）。我在作尚書釋義時，由於兩家的啓示，從而悟到康誥乃是周武王封康叔於康時的誥辭，並非在封於康之後。因爲是封於康，所以標題叫做康誥；武王是康叔的哥哥，所以誥辭中稱康叔封爲弟，而自稱爲寡兄。這樣，前面所說的那些矛盾，就都不存在了。這一解說如果能夠成立，則應歸功於劉氏以古器物資料和圖書資料互證的成績。

宋代以來，著錄鐘鼎彝器的圖書，所記載的器物，常見敦、彝、簋等名稱。在這些書裏，都是把圓形、兩耳、圈足，用以盛黍稷之類的銅器，叫做敦。和「敦」形相似，但沒有兩耳的，叫做彝。和「敦」形略似，但器形是橢圓的，叫做簋。到清代晚年，陳介祺才知道「彝」是彝器的通名（註七）；因而在簠齋藏器目中，把以前所謂彝的器物，都改稱爲敦。所以把這器名叫做敦的緣故，是因爲原器的銘文，說這器物是𣪘。此字和敨（卽敦）字相似，所以自宋以來就把它隸定爲敦字。但，𣪘字從皀從殳，而敦字原作𣪠，隸書作敨，兩字左右的偏旁都不相同。所以稍早於陳介祺的錢坫，在十六長樂堂古器款識考中，就證明𣪘字的楷書，應寫作毁，也就是簋字。自然，這一類的器物，也應該叫做簋，而不應稱爲敦。後來黃紹箕的說毁（見翠墨園語），容庚的商周彝器通考（三二三頁），更加以疏通證明，於是成了定論。而以前所謂簋的，實際上是個盨字；這點，容氏通考裏，也已經予以證明了（見三六〇頁）。

說文：「簋，黍稷方器也。」詩秦風權輿：「於我乎每食四簋。」釋文說：「內方外圓曰簋，以盛黍稷。」現在簋的實物既經證明，可見從許叔重以來，就都把簋的形狀說錯了。

至於眞正的敦，它的本字當作錞，是一種器身和器蓋的大小相同，器蓋都有三足，器蓋相合卽成球狀的銅器（如陳侯午敦等）；它和毁的形狀，大不相同。

由上舉的例子看來，更可以看出文物資料和圖書資料相輔相成的情形。

## 三、石刻資料和圖書資料

利用石刻資料，來糾正和補充圖書資料，宋以來的學者，在這方面所作的貢獻很多。清代李遇孫的金石學錄（卷三）說：「葉夢得取古碑所載與史違誤者，爲金石類考五十卷。」可惜葉氏這書，現在已經失傳。但從歐陽修的集古錄跋尾以後，以迄現在，用石刻資料和圖書互證，而有所創獲的著作，除了已經失傳的金石類考外，還有很多。現在先以歐陽修跋魏受禪碑爲例，以見石刻和圖書的相互關係。

宋代出土的詛楚文，是秦王禱告神靈詛咒楚王的石刻。所詛咒的楚王，名子叫熊相。但，史記楚世家所載楚王的名子，沒有叫做相的。歐陽修的集古錄跋尾，認爲詛楚文的「熊相」，不應該錯誤。而史記說楚頃襄王名橫，楚懷王名槐；歐氏認爲這「橫」「槐」二字，必定有一個是「相」的誤字（註八）。

又：後漢書的獻帝紀，說魏王（曹丕）延康元年十月乙卯，皇帝遜位，魏王稱天子。三國志的魏志，則說這年十一月庚午，魏王升壇受禪，癸酉奉帝爲山陽公。而魏受禪碑，却說：「十月辛未，受禪於漢。」歐氏的集古錄跋尾，參考各家的說法，證明了魏王受禪的日期，應當是十月二十九日辛未，後漢書和魏志都錯誤了。

現在，再以我個人的經驗爲例：我曾用宋代和近代出土的漢石經殘字資料，作過兩本小書，一本是漢石經周易殘字集證，一本是漢石經尚書殘字集證。在周易方面，證知漢石經的經文，是用的梁丘賀本。它分爲十二篇，和呂祖謙復原的古本相同。用來和今本比較，今本多了「彖曰」、「象曰」、「文言曰」等一千零二十個字；此外，今本多了大約七十個字，脫掉了十多個字；章節的次序，也有不同的地方。在尙書方面，知道漢石經是用的小夏后本。經文和後世傳本不同的地方很多；單就盤庚篇來說，和唐石經互校的結果，證知唐石經有衍文十六個字，有脫文四個字，另有不同的字二十一個。唐石經本和今本大致相同；尙書本來就難讀，又加上這麼多的衍文、脫文、和異文，自然就增加了更多的困難。

以上所舉的例子雖然不多，但也可見石刻資料和圖書資料的相互關係了。

## 四、其他文物資料和圖書資料

文物資料的類別，多得不能勝數；而這些資料，絕大多數都可以和圖書互證。前文所述的三類，只是資料最豐富、而又爲學者最常用的物事。以下再就甲骨、銅器、和石刻以外的文物，略舉幾個例子。

**璣組** 尙書禹貢說荊州的貢物，有「厥篚玄纁璣組」。傳統的解釋，說璣是不圓的珍珠，組是佩帶玉器等物用的絲繩，是兩種東西。胡渭的禹貢錐指，和江聲的尙書集注音疏，雖然都根據周禮，說璣組是貫串着珍珠的絲繩，但却很少人採用他們的說法。王氏的經義述聞，以爲依照禮書的規定，篚中所盛的，只限於絲帛一類的東西，並不盛玉石等物；因而把璣字讀爲「曁」，說禹貢這句話，應該是「厥篚玄纁曁組」。這個說法，博得不少人的信從；我在作尙書釋義時，也曾採用了它。

但，由近代硏究民族學的人，調查所得的資料看來，臺灣和東南亞許多地方的山地民族，大都有作爲裝飾用的貝珠串，就是用細繩把貝珠貫串起來的東西；張光直先生，認爲這就是禹貢的璣組（註九）。有了這些實物的證據，可知胡、江兩氏之說，確實可信；而經義述聞之說，則是智者千慮之一失了。

**織貝**　揚州的貢物，又有「織貝」。鄭康成說織貝就是詩經小雅巷伯篇所說的「貝錦」（註一〇），是織有貝殼形花紋的絲織品。一般的解釋，則認爲織是布帛之類，貝就是貝殼，織貝是兩種東西。甚至有人說織貝是織的吉貝（註一一）。但，臺灣和東南亞的山地民族，有些工藝品，是用絲線穿貫上細小的貝珠，然後織成衣服或裙子等物。日本的尾崎秀眞，以爲這就是禹貢的織貝（註一二），那顯然是確當的解釋。

由於上述兩種文物的實證，不但可以解決了兩千年來禹貢中沒能解決的問題；而且由於文物和圖書的互證，也顯示了這兩件物事在文化傳播方面的重要意義。

**清明上河圖**　張擇端的淸明上河圖，是一幅人所共知的名畫。但，這畫的摹本，却非常之多，以致眞僞難辨。台北故宮博物院裏，藏有一幅淸明易簡圖，有人曾經撰文，說它是張擇端的親筆。但，經過翁同文先生鑑定之後，證明它乃是明人的手迹。因爲畫中的榜額和招牌，有「奎章閣」和「新安程氏……」等字樣。奎章閣是元代才有的；而新安程氏在商界著名，乃是明代以來的事。張擇端是宋人，怎能預畫後代的事物？即此一事，就可以說明，對於繪畫的鑑別，除了繪畫本身的風格之外，還須具有豐富的圖書知識。

**案**　「擧案齊眉」，孟光的這個著名的故事，至今還膾炙人口。一般人都認爲孟光所擧的案，就是類似桌子的東西。但，孟光雖然「力擧石臼」（註一三），而給她丈夫送飯時，又何至於把桌案擧到齊眉，作這種毫無意義的動作呢？宋代的呂少衞，覺察到一般之說的不合理，於是把案解釋成「椀」（註一四）。但，這一解釋，實在找不到證據（註一五）。到了明代的陳繼儒，和清代的戴震，才都知道這案字並不是桌案，也不是椀，而是送飯用的托盤。

陳繼儒的枕談，根據楚漢春秋：「漢王賜臣玉案之食」一語，證知「玉盤而下有足者曰玉案」。段氏說文解字注（案字下）引戴震說：「案者，棜禁之屬。」段玉裁更申明之，說：「今之上食木盤近似。」陳、戴、段三氏所說的，才眞正是擧案齊眉的案。這種案，在中國一般的家庭中，已經很少使用；只有飯館裏、或家中大規模宴客時，還用它作爲輸送菜肴的工具。可是，在保留中國文化較多的日本，無論在家庭間、或餐館裏，在送飯時，還常用一種約半公尺見方的木盤（也有長方形的），盛着一人份的飯、菜、碗、筷等，送到食者面前；食者就用這木盤就食，如有散落的飯屑或湯水之類的東西，就都落在這木盤裏。食畢，將木盤連同賸餘的飯菜碗筷等撤去，既乾淨、又俐落。日本人把這木盤叫做御膳（ゴゼン）；而這物事和用法，還保留着中國古代的習俗。在東漢時代，人們還是席地而坐（現在日本人還是這樣），房間裏只有矮几，而沒有高桌。孟光送飯時，一定和現在的日本人一樣，雙手端着案，跪在席上，把案送給梁鴻，爲了表示恭敬，就把案擧得高與眉齊。如此說來，「擧案齊眉」，就是很自然的事了。禮失而求諸野，見到日本的御膳，才能確切地瞭解案字的意義。

## 結　語

王國維曾經提出了「二重證據」之說，以明文物和圖書互證的重要。傅斯年先生在「歷史語言研究所工作之旨趣」一文中，強調文物的重要，曾喊出「上窮碧落下黃泉，動手動脚找東西」的口號。他在「史學方法導論」（註一六）中也說：

我們要能得到前人所得不到的史料，然後可以超越前人；我們要能使用新得材料於遺傳材料之上，然後可以超越同見這材料的同時人。

他認爲以下兩條路是不可走的：

一、只去玩弄直接材料，而不把他應用到流傳的材料中。例如玩古董的，刻圖章的。

二、對新發現之直接材料深固閉拒的，例如根據秦人小篆，兼以漢人所造新字，而高談文始。……

所謂「前人所得不到的史料」、和「新得材料」、「直接材料」，絕大部分是文物資料；所謂「遺傳材料」、「流傳的材料」，則大都指圖書而言。這些話語，對於從事中國文史研究的青年來說，不啻是一個指示方向的南針。

【附註】

註一　見積古齋鐘鼎彝器款識、商周銅器說上篇。

註二　宋代的金文書，後世摹刻的多不精緻：有石刻本的，也已失傳。故說大致可作實物資料利用。

註三　見簡朝亮的尙書集註述疏（卷十五）引。

註四　見蔡氏的書經集傳。

註五　見劉氏的奇觚室吉金文述。

註六　見顧氏所作「周易卦爻辭中的故事」，載古史辨第三冊。

註七　見簠齋尺牘卷十二，與吳雲書。

註八　集古錄跋尾（卷一），以爲「相」是「橫」（楚頃襄王名）之誤；但，集古錄別本，則以爲「相」是「槐」（楚懷王名）之誤。

註九　見張氏所著「臺灣土著貝珠文化叢及其起源與傳播」，載中國民族學報第二期。

註一〇　見孔氏尙書正義禹貢篇所引。

註一一　見東坡書傳，蔡沈書集傳略從之。

註一二　見註九張文所引。

註一三　見後漢書逸民傳。

註一四　見曾鞏的耳目志。是書今無傳本，此據康熙字典引。

註一五　陳繼儒的枕談，和我作的「案」（見書傭論學集），都曾評論過。

註一六　見傅孟眞先生集。

（原載「文物彙刊」創刊號，新加坡南洋大學李光前文物館，一九七二年六月）

# 地下資料與書本資料的參互研究

周法高

## 一、釋　名

書本資料指常見或罕見之書本上之資料，地下資料指出土之遺物（包括有文字的與無文字的資料）。有文字的地下資料，經過刋布流傳後，也可以書本的姿態出現，例如：三代吉金文存、居延漢簡等，不過我們通常仍稱之爲地下資料。至於晉代汲冢所得的竹書紀年、穆天子傳等，漢代孔子壁中書的古文，一部份收在說文中，現在仍包括在書本資料以內。又如敦煌千佛洞發現的寫本書籍多種，則是介乎二者之間的資料了。

## 二、論治學風氣的轉變

在二十世紀的前夕，發生了幾件學術界的大事，那便是：一八九八年（光緒二十四年戊戌），馬建忠完成了馬氏文通，是中國人寫的第一部語法書；一八九九年河南安陽發現了殷代的甲骨文；一九〇〇年（光緒二十七年庚子）甘肅敦煌發現了大量的六朝唐人寫本。這三件學術界的大事和當時動蕩不安的政治局面（戊戌政變和庚子拳亂）相呼應，象徵着一切都在變，來迎接二十世紀的新時代。

五四運動以來，對於書本以外的資料，特別是地下資料，加以重視，北京大學國學門、清華大學研究院和中央研究院歷史語言研究所先後成立，對於中國學問有了嶄新的成就。二十世紀以來對中國學問的研究，和清代的學術研究有着基本的不同，那就是利用新材料、新方法、新觀點來研究的結果。

我們不妨在以上三個機關裏各舉出一個代表人物的言論來說明其旨趣，王國維在「最近二三十年中中國新發見之學問」一篇講稿中說：

「古來新學問，起因大都由於新發見——有孔子壁中書出，而後有漢以來古文家之學；有趙宋古器出，而後有宋以來古器物古文字之學；晉時汲冢竹簡出土後，同時杜元凱之注左傳，稍後郭璞之注山海經，已用其說；然則中國紙上之學問，有賴於地下之學問者，固不自今日始矣。——自漢以來，中國學問上之最大發現者有三：一爲孔子壁中書，二爲汲冢書，三則今日之發見也。——故今日之時代，可謂之發現時代，自來未有能比者也！」（學衡四十五期，民國十四年，一九二五）

接着他又列舉近代中國學術界的幾大發現：㈠殷契甲骨文字，㈡敦煌塞上及西域各地之簡牘，㈢敦煌千佛洞之六朝唐人所書卷軸，㈣內閣大庫之書籍檔案，㈤中國境內之古外族遺文。

胡適在「國學季刊發刊詞」（民國十二年，一九二三）說：

「清朝學者好古的風氣不限於古書一項；風氣所被，遂使古物的發現、記載、收藏，都成了時髦的嗜好，鼎彝、泉幣、碑版、壁畫、雕塑、古陶器之類，雖缺乏系統的整理，材料確是不少了。最近三十年來，甲骨文字的發現，竟使殷商一代的歷史有了地底下的證據，並且給文字學添了無數的最古材料。最近遼陽、河南等處石器時代的文化的發現，也是一件極重要的事。」（胡適文存第二集頁三）

他又指出清代學術研究的缺點：一、研究範圍太狹窄了，二、太注重功力而忽略了理解，三、缺乏參考比較的材料。接着他又提出應該注意的幾點：一、擴大研究的範圍，二、注意系統的整理，三、博采參考比較的資料。最後提出：第一、用歷史的眼光來擴大國學研究的範圍；第二、用系統的整理來部勒國學研究的資料；第三、用比較的研究來幫助國學的材料的整理與解釋。

傅斯年在「歷史語言研究所工作之旨趣」（民國十七年，一九二八）一文中提出了「上窮碧落下黃泉，動手動脚找東西」的口號，並且提出幾點：㈠凡能直接研究材料便進步；凡間接的研究前人所研究或前人所創造之系統，而不繁豐細富的參照所包含的事實，便退步。㈡凡一種學問能擴張他研究的材料便進步；不能的，便退步。㈢凡一種學問能擴充他作研究時應用的工具的，則進步；不能的，則退步。接着提出：宗旨第一條是保持亭林百詩的遺訓，宗旨第二條是擴張研究的材料，第三條是擴張研究的工具（傅孟眞先生集第四册頁一六九～一八二）。

關於這篇工作旨趣，李濟在「傅孟眞先生領導的歷史語言研究所」（傅所長紀念特刊，民國四十年，一九五一）一文中說：

「我們可以說歷史語言研究所的意識形態是綜合若干不同的歷史因素形成的；在這些因素內，潛伏在知識界下意識內的不滿與不服，都是重要的成份。……同時在北方進行的自然科學工作的發展，不但一步一步地推及到人類歷史的邊緣，並且伸入歷史範圍以內了。地質調查所倡導的地質與古生物學，協和醫學校進行的體質人類學，以及北平為活動中心的外國學術團體所遣送的各種科學工作遠征隊，皆是堅強的組織：氣勢極盛，愈來愈猛。主持這些事業的，除地質調查所外，都是外國的科學團體。這些外國人，挾其豐富的物質配備以及純熟的科學技巧，不但把中國境內的自然科學資料一部份一部份地搜走了，連歷史的、考古的、美術的以及一般人類學的資料也引起了他們的絕大興趣，他們很堅決地跑到中國來，調查我們的語言，測量我們的身體，發掘我們的地下古物，研究我們的一切風俗習慣——這些『學問原料』眞是一天一天的被歐洲人搬去乃至偸去了！」（頁十一、十二）

我們可以了解到那時重視材料的風氣的形成，是有其特殊的時代背景的。第一、由於當時外國人在中國千方百計掠奪材料，所以引起了中國學者的極端不滿，而要自己動手來找尋並保存研究的資料。第二、由於二十世紀的中國已經步入了嶄新的時代，受了西方文化的刺激，而擴大了研究的工具，改良了研究的方法，改變了研究的觀點，例如：語言學的研究注重審音和實際語言的調查，考古學的研究注重實際的發掘工作，民族學、人類學的研究注重實際的調查工作，歷史學的研究也需要利用語言學、考古學、人類學和社會學的研究成果，這樣一來，對於新材料的需要更爲迫切了。第三、由於當時考據的風氣很盛，而考據之業，對新材料的需求更殷。

不過新材料也要和書本上的資料互相配合互相補充，纔能發揮它的效力的，單靠新材料是不夠的。例如：甲骨文和金文的研究，是要靠說文來幫助的；漢簡的研究，是要靠漢代的史書來幫忙的。甲骨文、金文絕對代替不了說文，漢簡更絕對代替不了兩漢書，在當時對新材料的過分重視，固然未免失之於偏，而發生了「矯枉過正」的毛病。

對於新材料的需求，也隨學科的性質不同而異，第一、在國內新興的學科，如考古學、人類學、社會學、現代方言學等，其需要新材料的程度也較切。例如抗日軍興，播遷西南，由於對西南邊疆民族的調查，而使民族學、語言學的研究大放異彩，便是一個例子。第二、對新材料的需求也隨所研究的時代不同而異，例如，上古史研究特別有賴於地下資料的幫助，近代史和現代史的研究則有賴於書本以外的文獻資料，如檔案等。

近三十年來文史學界的研究風氣有了轉變，牟潤孫在「記所見之二十五年來史學著作」（星島日報，一九六三年）一文中說：

「自今上溯二十五年，適爲一九三八，民國二十七年，抗日戰爭之二年，……綜觀此一時期之史學，當其初也，沿襲五四以來之積習，仍多以考據爲專業，而偏重材料。其時遠識之巨匠名家，已覺其非是，不肯隨逐波流，而一般風氣則尙未改易，治史者咸致力於尋求罕見之典籍文物，苟有所獲，則不問事之巨細，題之輕重，旁徵廣引，附會渲染以爲文章，考史愈專精，可讀之史愈少，苟長此不革，史學殆難發展矣。幸偏頗之流蔽日顯，復受國難刺激，有識之士復相繼而起，不賴新材料之著作日多，風氣始爲之轉移。前所舉之名家佳著，引用莫非習見之籍，而咸能光芒四射，歆動海內，人乃益知史之所重何在。降至今日，以新材料勝人之史學家，世漸視若平常，尚學識者乃愈受崇敬矣。」

我們今日持平而論，在學術研究中，材料的豐富與否，可能影響整個的研究。而書本上的資料和書本以外的資料，是各有其重要性的，所以牟文最後也說：

「大陸易手以來，考古之業日漸開展，古城市、古墓之發掘，壁畫、雕刻、建築、古器物之發現數量之多，搜羅之衆，規模之大，至可驚歎，……自其所刋佈之圖片、考釋、消息通訊觀之，其涉及時代之長，範圍之廣，對今後歷史研究富有極大之裨益。舉例言之：如將來秦咸陽、唐長安之發掘完成後，在秦與唐之歷史研究上，自可增加甚多新說。又如漢畫像刻石出土日多，漢人服飾之研究，遂愈方便。」

嚴耕望「石刻史料叢書序」（一九六六年十月廿六日華僑日報「書評」第三五四期轉載新亞生活）也說：

「石刻內容，實極豐富，儒佛道經、公文、章約、盟誓、繪圖、界至、醫方、書目、詩文、行狀、題記、紀功、以及各種興建之紀事等等悉有之，若以今日之史學領域言，秦漢以降，諸凡政治、經濟、宗教、學術各方面之研求，亦莫不可取資於石刻，固不限於邊疆民族之文與史事也。」

## 三、兩項例證

近來在台北有兩項學術研究的計劃，便是結合了書本資料和地下資料的好例證，第一是中國上古史的集體創作，其編輯計劃緣起如下：

「五十年來，地下發掘出來的考古資料已經累積到了一個頗為可觀的數量，發表的報告不斷的透露了在遠古的時代，中國民族與文化形成的消息。有些新發現，不但是先前的史學家未曾見過的，也是他們沒有想得到的，但是，這些新史料的性質，大半都很龐雜；他們的眞實價值一時尙難加以準確的估計。尤其是史前遺存，佈滿全國，有關他們的採集與研究工作已經構成了一門專業。這一組史前史的原始資料所表現的時代性質與發展階段，展開了一幅甚為錯綜複雜的景象。

如何把這批史前的史料與中國文明的黎明期銜接起來，實為治中國上古史的同志們當前面臨的一個緊要課題。

中國的史學開始就蘊藏着一派懷疑的傳統，對於上古史的紀錄，向來保持一種（溫和一點說）傳信傳疑的態度。這一傳統到了民國初年，與近代科學漸漸地合了流，發展出來了近代的田野考古學，為中國新史學奠定了更穩固的基礎。所以我們可以說，這一新基礎建置在兩列支柱上。

由傳疑的傳統孕育的清代樸學所留下的業蹟——僞史料的清理工作——已經爲新史學鋪了路；近半世紀提倡的鋤頭考古學又爲新史學開闢了建設的資源。現在似乎已經到了一個時間，史學家可以憑藉校訂完善的古籍與發掘出土的實物，把中國上古史再作一番整理了。

如何整理？我們想嘗試這一件工作。我們的目的是想編輯一部比較可信的中國上古史。我們無意再寫一部偏重政治方面的專史，褒貶過去的帝王卿相，評論每一朝代的興替。我們想把他的重心放置在民族的發展與文化的演進兩組主題上。這一計劃可以說完全是根據審查原始資料的性質而作的決定。

由史前到秦的統一，中國這一地區的人類曾經從四面八方接收不少別處人類的文化業績，也曾經向四面八方放射出不少對別處人類的影響。可是更多的是中國民族在創新、適應、與調節所作的各種努力而獲致的豐碩的果實。中國人在這一段時期解決了不少人類聚居時勢必發生的問題，創造了不少利用自然的手段，促進實際生活的繁榮，建立了不少應時而起的社會模式和政治制度，發現了不少表露人類感情的方法，也對宇宙間的似乎矛盾的現象提出了不少疑問。這些節目共同組成了中國文化初期的整盤面目，而中國民族本身在這一個時期也吸收溶合了不少新的血液，構成中國民族的主要成份。

由文化的交流和民族的融化來說，我們可以看見中國文化的演進和制度的創新調節，我們也可以看見世界文化的這一部份有許多突出的成就，輝煌的業績。因此，我們在這裏提出的一百個『擬題』，內容或是討論中國中心區域與四圍的關係，或是討論中心區域的擴展過程，或是討論中心區域內的各種演進程序。不過，這只是我們的『擬題』，我們願意以這份草樣質諸各方高明，請大家指教修正，然後由我們根據各方高見，編成一套確定的題目。」

現在已經印行了若干篇，例如：

李　濟：「北京人」的發現與研究及其所引起之問題

張光直：中國境內黃土期以前的人類文化

屈萬里：史記殷本紀及其他紀錄中所載殷商時代的史事

張秉權：甲骨文的發現與骨卜習慣的考證

李宗侗：史官制度——附論對傳統之尊重

李宗侗：封建的解體

陳　槃：春秋列國的交通

許倬雲：戰國的統治機構與治術

此外還編了一個長達二百頁的「中國上古史中文文獻分類書目」，這個計劃充分顯示了如何將地下資料（包括有文字的及無文字的）和書本資料結合起來。

另一個計劃是「儀禮之實驗的研究」是由台大文學院的師生集體研究的。一九六七年八月我在台灣的時候，他們曾經舉行過一次士昏禮的表演，最近又出版了一篇「儀禮樂器考」（中國東亞學術年報第六期，民國五十六年，一九六七年）。這種研究集合了經學、史學、語言文字學、社會學、考古學、人類學、民俗學各方面的學者，對書本上的資料和書本以外的資料（包括地上的和地下的，有文字的和無文字的）作有系統的研究和實驗，一洗從前過分重視書本資料的習慣。

## 四、如何參互研究地下資料與書本資料？

如何參互研究地下資料與書本資料？現在分幾項來說明：

第一、先要辨別地下資料的眞僞。不但古書有眞僞，就是地下資料，如果不是經過科學發掘的，也有眞僞的問題發生。例如台北中央圖書館藏有漢石經殘字的拓本，是經過方藥雨所收藏的，比起馬衡的「漢石經集存」（一九五七年）一書裡所收的要多出好多字。經過屈萬里先生的考證，認爲是方氏所作僞。關於銅器銘文，商承祚著有「古代彝器僞字研究」（金陵學報三卷二期，民國二十二年，一九三三年）和「古代彝器僞字研究補編」（考古第五期，民國二十五年，一九三六年）二文，便是研究這個問題的。關於甲骨文，董作賓「甲骨學五十年」（民國四十四年，一九五五年）說：

「僞刻之多，到處皆是，數量着實驚人。……

甲骨學也需要先做『辨僞』的工夫。……

西曆一九〇四至一九〇八年間，英人考齡和美人方法歛所購得的甲骨文字，後來刋印了一部庫

方二氏藏甲骨卜辭，共計有一千六百八十七片，其中大片過半數都是僞刻……」（頁八二～八四）

可見辨僞的工夫是少不了的。

石刻碑誌方面，作僞者且不說它，即使不是作僞，也往往有腐詞濫調、和不足徵信的。山西通志九一「論唐上元南溪縣令孟貞墓誌多與鄉正馬惲墓誌雷同」云：

「初唐誌銘，率用駢儷一種通調，輾轉沿襲，而未有若此其甚者，且又生同地，葬同時，而千載後俱流散於世，豈不奇哉！」（岑仲勉續貞石證史，史語所集刊第十五本頁二三八引，並云：「其說可與拙論安師誌與康達誌一條參看，集刊八本四分五〇一頁。」）

不過話又說回來了，過分的、沒有任何根據的懷疑也是要不得的。章炳麟國故論衡上卷有理惑論說：

「而世人尊信彝器，以爲重寶，皮傅形聲，曲徵經義，顧以說文爲誤，斯亦反矣。……然則吉金著錄，寧皆贋器？而情僞相雜，不可審知，必令數器互讐，文皆同體，斯確然無疑耳……

又近有得龜甲者，文如鳥蟲，又與彝器小異，其人蓋欺世豫賈之徒，國土可鬻，何有文字？而一二賢儒信以爲質，斯亦通人之蔽……」

直到民國二十四年（一九三五），章氏與金祖同書說：

「要而言之，鐘鼎可信而爲古器者，什有六七，其釋文則未有可信者。甲骨之爲物，眞僞尙不可知，其釋文則更無論也。」（甲骨學五十年頁七九引）可謂堅持到底了。

第二、不但有文字的材料應該注意，就是沒有文字的資料也有其價值，例如：研究美術史的人，重視雕塑、石刻、建築等資料，都是無文字的。考古學家、古器物學家所硏究的對象，也大部份是沒有文字的；古生物學家研究動植物的化石和骨骼，體質人類學家所測量的人類的骨骼，都是沒有文字的。研究小屯的殷代建築遺存，可以體會到「明堂」的制度；研究殷周的車制，可以和載籍互相發明。此外，古器物中，樂器如鐘鉦鈴鐸，食器如簠簋籩豆，烹飪器如鼎鬲甗釜，飲器如爵角觚觶，盛酒器如尊卣觥壺，水器如盤匜盆鐸，兵器如戈戟矛劍，農器如钁錢犂鋤，度量衡如尺斗權衡等，其形制都可以和載籍相發明；其花紋更爲治美術史者所重視；其合金的成份，及鑄造的技術和方法，也爲治化學史者所重視。

尤有進者，彝器的形制、花紋可以和銘文互相參證，而判斷其年代。例如毛公鼎的時代，向來有兩派主張：一派主張是周康王時器，另一派主張是周宣王時器。經過郭沫若和高本漢從形制、花紋上個別的作獨立研究，證明了毛公鼎屬於西周晚期，那末康王的說法就不能成立了。

第三、對於出土的來源和地層要盡可能的弄清楚，科學的發掘當然比零星的發掘要有價值得多。例如，梁思永在「小屯龍山與仰韶」（慶祝蔡元培先生六十五歲論文集，民國二十四年，一九三五）

一文中，根據彩陶地層而知了「龍山文化的時代早于小屯，而仰韶文化又早于龍山」。不過「這些文化的絕對年代，只有利用像放射性炭素測定法等的科學方法，才能加以解決」（梁思永考古論文集頁九八編者後記語，一九五九年出版）。可見新方法、新工具的重要性了。

錢穆說：

「民國十九年城子崖（山東濟南附近）的發掘，在那裡也發現了文字，據考古家推定，城子崖應是在西元前二千年以上的遺踪，約當夏朝時代。」（中國文化史導論頁七四）

案城子崖上層有文字，相當於戰國時代，下層史前遺跡中並未發現文字（參周法高中國語文研究頁一二四）。這便是記錯了地層的一個例子。

第四、對於出土文字的解釋，要相當審慎，否則便會得出錯誤的結論了。例如：郭沫若早期把殷代卜辭裡的「免妫（嘉）字讀作「免奴」，其實這是卜分娩安全不安全的意思，和奴隸一點關係也沒有，後來他也改正了。又如董作賓對於卜辭中「庚申月食」的考證，是根據下列的卜辭：

「癸未卜，爭貞：旬亡囚？王固曰：㞢希，三日乙酉夕亞丙戌，允㞢來齒，十三月。」

由於張秉權發現了「巳未亞庚申」是表示兩個相連的干支的年數（他找出同樣的文例有二十幾個，我還可以補充十幾條），我們對於董氏的「庚申月食」不得不解作「巳未庚申之間的月食」了（參周法高「論商代月蝕的記日法」，載哈佛亞洲學報第二五期，趙林譯文，載大陸雜誌第三十五卷第三期）。

第五、對於出土資料的價值，固然不宜過份抑低，但也不宜過份誇張。例如：唐蘭在古文字學導論中說：

「安特生在甘肅考古記裏把一些骨板上所刻的記號，疑爲文字，其實他搜集的『辛店期』陶甕上，却確有文字，雜置在圖案中間，不過他以爲是花紋罷了。……『辛店期』的絕對年代，還不能證明，據安特生甘肅考古記的假定，大概在去今四千五百年左右。』（上編頁二十七）

案唐氏所舉之例，如謂犬形卽犬字，鳥形卽鳥字，人形卽人字，因爲無上下文可考，都不能證明牠們是文字（參中國語文研究頁一一三）。

清代吳大澂的「字說」說：書經大誥「寧王」的「寧」字是「文」字之誤，因爲金文裏面有把「文」字裏加一個「心」字，所以誤認作「寧」字，這是一個膾炙人口的例子。不過他又說：

「大誥乃武王伐殷大誥天下之文，寧王卽文王，寧考卽文考，『民獻有十夫』，卽武王之亂臣十人也，『寧王遺我大寶龜』，鄭注：『受命曰寧王。』此不得其解，而強爲之說也。旣以寧考爲武王，遂以大誥爲成王之誥，不見古器，不識眞古文，安知寧字爲文之誤哉！」

案大誥：「民獻有十夫，予翼，以于敉寧武圖功。」「寧武」卽「文武」，那麼大誥仍然是可能作於武王歿後的。

胡厚宣在「甲骨文四方風名考證」（載甲骨學商史論叢初集二册）一文中說，把甲骨文裏的風名，和山海經以及書經的堯典互證，可以看出山海經和堯典裏有着很古的傳說。不過如果因此便說堯典的著成時期早於東周，那就超過材料所給的範圍了。

第六、有時書本上的資料有兩種不同的說法，由出土的資料可以決定其是非。例如：容庚金文編說：

「段从㠯从殳，說文：『黍稷方器也。』周禮『舍人』鄭注：『圓曰簋。』今證之古器，其形正圓與鄭注合。」（卷五頁一）

案容說本於清代黃紹箕的說法，這是用無文字的地下資料決定書本資料中二說之是非的一個例子。

以下再舉一個用地下文獻決定書本資料中二說之是非的例子。

關於書經的康誥，諸家有三個不同的說法：

㈠認爲康叔封衞在成王時，康誥是周公輔成王時所作。書序、史記主此說。

㈡認爲康叔封衞在武王時，康誥是武王封康叔於衞的誥命，宋朝的胡宏、吳棫、朱熹、蔡沈，清朝的梁玉繩，民國的顧頡剛、容庚主此說。

㈢認爲康叔封衞在成王時，康誥是武王封康叔於康的誥命。清朝的雷學淇、夏炘主此說。

我在「康侯𣪘考釋」（金文零釋，民國四十年，一九五一）一文中，根據我對於康侯𣪘的考證，主張第三說，屈萬里尚書釋義（民國四十五年，一九五六）頁七六也主張第三說。

又有一種情形，出土資料和書本資料不同，但可能二說皆是，可互相補充。例如牟潤孫「折可存墓誌銘考證兼論宋江之結局」（注史齋叢稿，民國四十八年，一九五九）一文中說：

「墓誌言可存曾從征方臘，還，更擒宋江。宋江就擒之說，向未經人言及，爲一極可注意之新史料。……

余既考折氏之誌，爰更研討宋江之結局問題，綜合史誌，爲之疏通證明，始知宋江投降從征，兩說均無可推翻之理由，而折可存捕宋江之記載亦信爲實錄，墓誌與史籍固不相悖也。」（注史齋叢稿頁一九一、一九八）便是一個例子。

第七、地下資料可與正史互勘。民國十一年，梁任公撰中國歷史研究法，其「說史料」一章有專節論石刻史料謂前人取碑刻證史傳徒耗光陰，毫無價値，實在批評得太嚴峻了，甲骨文記載殷代先公先王的世系，一方面可以糾正殷本紀的錯誤，另一方面可以證實殷本紀的大致可靠。自從王國維寫了「殷卜辭中所見先公先王考」（觀堂集林卷九），討論的人很多，現在根據屈萬里「史記殷本紀及其他紀錄中所載殷商時代的史事」（台大文史哲學報第十四期，民國五十四年，一九六五）一篇概括性的文章，約略敘述了一下。姑舉先王爲例：

「外丙，甲骨文作卜丙，可知外字是傳寫之誤。

太戊應該在雍己之前。殷本紀所說的次序，是把他們弄顚倒了。

雍己以後（殷本紀作太戊以後）到陽甲，共計有九位君王。這九位殷王的世次和行輩，除了祖乙應當是仲丁之子而不是河亶甲之子以外，其餘的完全和甲骨的資料相合。

這些殷王的稱號，凡是書本文獻和甲骨文資料不相同的，大概都是書本文獻的傳寫之誤。」（屈文頁九五、九六）

第八、金石文字的通讀。石刻因爲大部份是用楷書，所以比較容易辨認，不過其中也有一些古字、俗字（可參看商承祚石刻篆文編、羅振玉碑別字等書）。漢簡方面，也有一些疑難文字。甲骨金文方面，辨識文字的工夫比較重要，必需要具有文字學、聲韵學、訓詁學、考古學、古器物學、經學、古史學各方面的知識。考釋的工作雖然有可觀的成績，可是繆誤的解釋却也不在少數。甲骨文字彙方面有考古研究所的甲骨文編，金祥恒的續甲骨文編，最有用的是李孝定的甲骨文字集釋，收集了各家的說法，最便參考。金文字彙方面有容庚的金文編和續金文編，不過太簡單了，我正在主編一部金文詁林。

章炳麟國故論衡上卷的理惑論說：

「說文錄秦漢小篆九千餘文，而古文大篆未備，後人抗志慕古，或趨怪妄。余以爲求古文者，宜取說文獨體，觀其會通，攝以音訓，九千之數，統之無慮三四百名……周禮故書，儀禮古文，有說文所未錄者，足以補苴缺遺。邯鄲淳三體石經作在魏世，去古猶近，其間殊體，若虞字作㕛之類，庶可采錄。旁有陳倉石鼓，得之初唐，晚世疑爲宇文新器，蓋非其實。雖叵復見遠流，亦大篆之次也。四者以外，宜在闕疑之科。」

其堂廡也未免太狹隘了。我在「何謂漢學」一文中說：

「漢學研究者必需能利用新舊的資料。例如研究文字學的不但要治說文，並且要利用出土的甲骨文、金文、陶文、璽印文字、木簡、帛書等等；不但此也，漢以後的碑版、敦煌寫本，宋以

後的木刻、手抄，都在搜羅研究之列。」（漢學論集頁一二）可見「博觀約取」之重要了。（一九六七年十一月初稿）

（原載「聯合書院學報」第八期，民國六十年）

# 論治我國傳統學術

牟潤孫

自清季維新興學以還，國人競尚西學以圖富強。故學術機構之衡量人才，必以其人對於歐美學術造詣之深淺，爲取捨之標準，洵洵爲事理之當然者。五四而後，此一觀念漸及於中國傳統諸學之域。時至今日，西方治學方法與理論影響於我國舊學者，乃愈益深刻。蓋近世中外人士能以社會科學理論研治我國歷史文化諸問題，頗多新穎之說，成績斐然，舉世翕然稱之，以爲治中國學術當取法於斯，中國昔日惟有材料耳。

自治學方法與理論上言，吾人研治舊學採用新說以求進步，爲必要亦必需之舉。然苟謂中國傳統舊學無方法可言，僅爲一堆材料，則失之於偏蔽。尤以不問中國學術獨有之傳統，以爲通過現代人之觀點，卽能瞭解中國學術上全部問題而達於毫無蘊義之境地，恐更爲溢量之言。

夫中國文史思想諸學，無一不與經學有關。捨經學而不講，則基本盡沒，一切研究皆有喪其本源之虞。此卽中國學術獨有之傳統也。試舉例言之，今之研究中國近代史者，每喜言龔定盦康長素。康氏思想顯受西方影響，特其主張變法必依公羊立說。龔定盦論史同於章實齋，而治公羊學，亦主改革。如於今文家「孔子當素王，作春秋爲漢創制立法」之說，昧昧然，則於二氏之思想淵源將茫乎不得其解。又如晚清之言民族革命者，實導源於西方民族學說，而其時用以鼓舞人心之書籍，則多採清初明末遺老之作，豈顧、呂、黃、王諸先生，亦嘗讀西書歟？儻春秋夷夏之大義湮廢，將致迷失其所上承之本根。此猶其淺而易知者也，若夫稍涉曲折，義蘊較深，則更非探究於經不能明知其意旨所在。如章氏六經皆史一說，證佐備載於周官漢志。今人斥周官爲新學僞經，擯而弗觀，遂有六經皆史料之臆解。「性與天道」子貢有不可得聞之歎，而春秋書災異，以見人事與天道之關係，其詳在左傳國語。今人經傳均束高閣，遂致疑於夫子知天命之學。夫天人感應之說，雖未必可信，而古人有此觀念與理論，且見之於言行，則爲事實。

五四以來，凡立論涉及先秦歷史與學術，能爲新奇之說，以譁衆取寵者，泰半出於非薄經籍，妄事穿鑿者流。六經中誠有待考辨糾矯之篇，而未可謂悉是僞託；經生後師之說間有出於附會謬誤，而不能全目爲嚮壁虛造。居今日而治經學，如能參以考古、社會、經濟諸學，更與地下出土材料相印證，於古人之懸疑或可得較確切之解釋。蓋隨時代之進步，後人超軼前賢，又爲當然者矣。奈何執偏以蓋全，因噎而廢食，避之若浼。其甚者，至謂經典爲封建產物，鄙夷視之，而不屑一顧其中義理。

今日大學中之講授經書者，其旨大略在於古文字聲韻、訓詁、名物與古文法之探討，猶循考據之遺轍而罕措意於大義微言。二千餘年來經學影響於我國歷史文化者果何在？至今猶爲吾人讀史之課題，卽坐是之故。治思想史者雖好論身心性命天理人欲諸問題，而所述爲程、朱、陸、王，兩宋以後之儒學也。

我國史學，魏晉之際始離經學而獨立。其方法理論既多淵源於經，捨經，則史無可言。故我國學術不爲世人瞭解，亦以史學爲最。所謂徒有材料者，卽指史而言。如春秋書法，卽爲今人所極厭聞，以爲今日詎可再從事於此？有撰史者，既大書太平軍克復某城於前，復書殉難之官紳某某諸人於後。此不知內外之詞也。有治清史者，見康熙時實錄所記平三藩戰事月日，與淸史稿歧異，乃大事考證，以明其誤謬。此不知從赴告之例也。吾人今日誠不必講書法，斤斤爲漢、魏、宋、金爭正統，第史家自有其義例：太史公書何以陳涉孔子入世家？匈奴列傳何以厠平津侯李將軍衞將軍諸傳問？漢書何以有古今人表？諸志何以述漢以前事？苟不問義例，開卷卽將譏議班馬誤謬，不特范蔚宗謂班孟堅「任情無例，不可甲乙辨」爲難曉而已。此雖著史之例，實出於春秋，必當略通經傳大義，始能知馬班諸氏非徒逞其胸臆，而果有所紹述也。其中義蘊，章實齋以降，近世張爾田、劉咸炘、柳翼謀諸君子之論著已多所引發，潤孫亦嘗詳論之於史學史中。

中國史學有一精義爲前人所習知之，而今人以歷久弗言，竟至迷惘不省，必當指出之者，曰中國史書卽政書是也。章實齋謂六經皆先王之政典，其言誠是。史既出於經，則史卽後世之政典。昔人讀史之目的不專以治史學爲主，而在於稽求往事沿革以致用於當日；退而著述，乃不得用於世之事，所謂讀史者，知古以用今考古以知今之學也。中國過去誠無如西方所謂之政治、經濟、社會諸學，而中國數千年來學人未嘗不硏究討論此類問題，所謂治亂興衰民生休戚朝章國典得失利蔽是也。此類議政之言，多載於史，與制度沿革同爲史家所重，有詔令、政要、會典、會要、奏議則例之編，有水利、土地、賦稅、鹽法、馬政、漕運、邊防、學校等行政之記，與府、州、縣之方志。學說在事實之中，事實卽理論所由出。顧亭林讀資治通鑑、廿一史、明實錄、地方志發爲經世致用之學；吾人乃讀其書以治史，一如明經世文編，今人用爲治明史之要籍。著通典之杜君卿，相唐；著資治通鑑之司馬君實，相宋。其著述目的均在於用世。卽林則徐之著畿輔水利議，亦爲服官實用之書，而非供學人誦習。宋人治典章制度之學者多出於浙水學派。以溫公重在致用，故通鑑詳於典章制度，以明歷代之政治得失，潤孫曾反覆證明之。

如謂今日治史學當諳習社會科學以解釋歷史現象，爲西方之學說。考諸歷史，則其說與我先哲之議論行事足以互相發明，有如上所述者。特吾人學問分類無西方精細，而基礎理論咸依本於六經耳。吾人固當自知其長短，以求改進。未可妄自卑視，以爲一切不如人。況專重考據爲乾嘉時事，徒炫材料爲五四以後事。若夫康雍以前，通儒之治史，多以古今齊視通觀，以求致用。討論一問題，必貫穿上下。不特顧寧人之學如此，卽明代諸儒，如：鄭曉、何喬遠、唐順之、薛應旂、王圻諸君子雖精密未必逮寧人，而規模氣象則皆沿王伯厚馬貴與而來。清道光以降李申耆、魏默深諸氏亦未嘗不循此途徑。清末民初柯鳳蓀先生猶校注文獻通考，講明經世之學，碩學耆儒何盍盡棄其所守哉？

我人既不能自固重其學，又未嘗有以闡揚發明之。則人以爲我之學術僅如此，習我之語文，用彼之方法，卽已足矣。又奚異哉！外國大學中設東方學系講授我國語文及研究我國歷史文化者，今日固指不勝屈。使無事實之證明，斷不能以言辭說之，使人信從我之理論。故苟不欲域外人士知我國學術之眞相，則己如欲之，必當於我國內大學中開立課程，講明經學大義，並由國人自主，設校於海外，內外並進，闡揚傳統學術獨有精神與方法。以樹立規模，以開張風氣。期以十年，其庶幾可以一改世界人士之視聽乎？

（原載「東西文化」第二十三期，民國五十八年五月）

# 中華學術的體系

## ——在六十二年暑期國學研究會講——

高明

中華學術，我們通常省稱爲「華學」（如張其昀先生所主持的中華學術院出版有華學月刊，民國五十七年八月在臺北市曾召開過國際華學會議，就都稱爲「華學」）；外國人研究他，叫做Sinology，我們通常又譯爲「漢學」（如周法高先生有漢學論集），又或叫做「中國學」、「支那學」（如韓國有中國學會，日本有支那學報）；我們中國人又喜歡自稱爲「國學」（如章太炎先生曾在蘇州開辦過國學講習會，程發軔先生爲國立編譯館主編過一部六十年來之國學，而這兩年來孔孟學會和青年救國團合辦的這個暑期活動也叫做國學研究會）；其實，這些都是異名而同實，內容並沒有甚麼區別。凡是學術，都是經過研究與創造，而自成條理、自成體系的。我們從各種學術的體系裏，就能看出各種學術的特色。中華學術，是中華民族運用自己的智慧，研究、創造出來的，他自然也有一套自己的體系，和別的民族所創造的學術不同。我們要想了解他，就必須先認識他的體系，然後纔能知道他的特色在那裏；知道他的特色在那裏，然後再對他作進一步的研究，就不致茫無頭緒了。這就是我今天拿這個題目——中華學術的體系——來和大家談談的緣由。爲著講說的方便，我先製一個「中華學術體系表」，發給大家，以供參考。

講到中華學術的體系，我想首先介紹論語述而篇所載孔子的四句話，那就是：「志於道，據於德，依於仁，游於藝。」所謂「志於道」，我們可以說是中華學術的目標。「心之所之」叫做「志」，志就是心裏所期往的目標。宋代的大儒朱熹說：「道，是人倫日用之間所當行的。」（見論語述而集註）這話雖然是不錯，但還不十分周密和圓到。周易繫辭傳說：「有天道焉，有人道焉，有地道焉。」所謂「天道」、「人道」、「地道」，其實止是一個「道」，這個「道」是宇宙間最高的眞理，宇宙間的一切——包括天、地、萬物和人——都應當遵循著他去行。這個「道」雖然說的是「天人合一」的自然律，但是他的重心仍然在「人」，人應當把握這個「道」，去適應天、地、萬物的變化，在人倫日用之間去踐履。中華學術研究的目標，就在追尋這個「道」、把握這個「道」、適應這個「道」、踐履這個「道」，所以孔子說「志於道」。所謂「據於德」，我們可以說是中華學術的基礎。「據」就是憑藉，任何建築物的輝煌結構都是憑藉於基礎，中華學術的輝煌結構則是憑藉於「德」，以「德」爲基礎的。「德者，得也。」（禮記樂記說）「外得於人，內得於己」，叫做「德」（見許愼說文）。人以天賦的心性，發而爲行爲；對外，使自己的行爲與他人相得，是「德行」；對內，使自己的行爲與自性相得，是「德性」。以這種「德性」與「德行」作基礎，去研究「人倫日用之間」的一切，自然能造福於人羣。擴而充之，「與天、地合其德」（見周易文言），由「盡人之性」而「盡物之性」（說見禮記中庸），使天、地、萬物各得其所，又是可以增進人羣的福利的。中華學術在這種基礎上進行研究與創造，所以孔子說「據於德」。所謂「依於仁」，我們可以說是中華學術的精神。「依」是依隨，影子依隨著形體，是無時不在、無處不在的；同樣，依隨著中華學術的研究，而無時不在、無處不在的，則是「仁」的精神。說文：「仁，親也；从人，从二。」這是說人與人在一起互相親愛，叫做「仁」。樊遲問「仁」，孔子說「愛人」（見論語顏淵篇）。愛人的人亦必爲人所愛；父母愛子女，子女亦必愛父母；兄姊愛弟妹，弟妹亦必愛兄姊；丈夫愛妻子，妻子亦必愛丈夫；領袖愛部屬，部屬亦必愛領袖；老師愛學生，學生亦必愛老師；交朋友也是一樣，你愛朋友，朋友也必愛你。人與人之間，果能大家相愛，在人羣裏定必瀰漫著一種愛的氣氛；生活在這種氣氛裏，到處有溫暖，隨時有愉快，那是何等的辛福啊！中華學術便是發揮這種「愛人」的精神，要造成一個人人無不相愛的幸福的社會、美滿的世界的，所以孔子說「依於仁」。所謂「游於藝」，我們可以說是中華學術的內涵。非沈浸在海裏，游來游去，不能知道海裏有些甚麼事物。同樣，非沈浸在中華學術（學術卽是孔子所說的「藝」）的淵海裏，游心放目，不能知道中華學術的內涵。孔子說這「游」字很微妙，「游」有自由自在、往來無礙、去尋索、去探取、去欣賞、去領會、去享受的意思，這正是一種「海闊隨魚躍、天空任鳥飛」的高遠境界。在這種境界中，去研究中華學術，纔能對中華學術的內涵有所認識、有所收穫。這決不是淺嘗卽止的、專走窄門的、盲從附和的、短視偏激的學人所能理解得到的。這個「游」字，實在是說盡了中華學術研究的態度和方法，我們決不能輕易的放過他。

至於中華學術的內涵，據清末大儒朱次琦（學者稱爲九江先生，他是康有爲、簡朝亮的老師）說，可分爲「考據之學」、「義理之學」、「經世之學」、「詞章之學」四種。他是就戴震、姚鼐、曾國藩等所分的三種，即「考據之學」、「義理之學」、「詞章之學」（見曾國藩聖哲畫像記），再加上「經世之學」（見朱九江先生集），是很有見地的。

所謂「考據之學」，又稱「考證之學」，是一種考求眞象的學術。要考求眞象，必須要有充分的證據，站在客觀的立場，運用科學的方法，來從事於研究。「考據之學」又可歸納爲三類：一是考求文字眞象的學術，包括研究字形的「文字學」、研究字音的「聲韻學」、研究字義的「訓詁學」，而「文字學」又可分爲「普通文字學」（泛論字形的構造與變遷）、「古文字學」（專講秦、漢以前的古文字）、「俗文字學」（專講漢、魏迄今的俗文字）、「字樣學」（專講唐、宋以來的正體字）、「字書學」（專就彙集文字的字書來作研究，如研究說文的就叫「說文學」，研究玉篇的就叫「玉篇學」……之類），「聲韻學」又可分爲「普通聲韻學」（泛論字音的標注、分析與變遷）、「等韻學」（專講分析字音的韻圖一類的著述）、「古音學」（專講未有韻書以前的古聲、古韻與古調）、「韻書學」（專講切韻以來的各種韻書），「訓詁學」又可分爲「普通訓詁學」（泛論訓詁的意義、起因、用途、方式、條例、術語等）、「爾雅學」、「方言學」、「釋名學」、「語詞學」等。對於字形、字音、字義沒有正確的了解，就是不識字。不識字的人，如何能讀書？如何能寫作？所以考求文字的學術是研究一切學術的入門的學術。二是考求文籍眞象的學術，包括研究羣書著錄的「目錄學」、研究羣書版本的「版本學」、研究羣書譌誤的「校勘學」、研究羣書眞僞的「辨僞學」、研究佚書輯集的「輯佚學」，有了這些學術，書籍纔正確可讀。否則，面對著紛紜雜亂的書籍，學術研究將何從著手？三是考求文物眞象的學術，包括調查、發掘、整理、研究古蹟、古物的「考古學」，研究鐘鼎彝器、碑銘刻石的「金石學」，研究龜甲獸骨的「甲骨學」，研究漢、晉竹木簡策的「簡策學」，研究敦煌文獻的「敦煌學」，研究清宮、內閣大庫檔案的「庫檔學」。其中光緒二十四、五年間（西元一八九八至一八九九年）在河南安陽小屯開始出土的甲骨，可以考見殷代的文化；光緒三十四年（西元一九〇八年）開始發現的漢、晉簡策，居延的漢簡可以考見漢代的邊防與社會，武威的漢簡爲儀禮最早的傳本，尤有價值；光緒三十三年（西元一九〇七年）在敦煌千佛洞石室裏發現的藏書，是我國四庫書和佛經唐寫本的寶庫，而佛像與壁畫又都是我國中古時代藝術的精華；光緒三十四年（西元一九〇八年）發現內閣大庫的舊檔，其後又發現清宮裏所藏的滿文大檔，研究中國近代史的都視爲最珍貴的第一手資料；因此，「甲骨學」、「簡策學」、「敦煌學」和「庫檔學」就成爲現代的顯學！這些考求文物的學術，供給我們研究學術最豐富而珍貴的資料，我們自然也不能予以忽視。

「義理之學」和「經世之學」是有密切的關係的。「義理之學」是「體」，「經世之學」是「用」。「體」是理論，「用」是實際；「體」是思想，「用」是施行。理論與實際，思想與施行是不能分開的。有「體」而無「用」，只是一些空洞的理論而不切於實際，只是一些虛幻的思想而不便於施行。有「用」而無「體」，只是一些紛亂的實際而沒有理論的指導，只是一些盲動的施行而沒有思想的主宰。總之，有「體」而無「用」，必然會流於玄虛；有「用」而無「體」，必然會困於紛擾。所以「

體」、「用」是不能分開的，中華學術是有「體」而又有「用」的，是「體」、「用」兼備的。

「義理之學」是以思想的理論爲主的學術。中華學術的思想主流，是寄寓在「經學」裏面的。唐堯、虞舜、夏禹、商湯、周文王、周武王、周公以至孔子那些歷史上偉大人物的思想，都在周易、尙書、詩經、三禮（周禮、儀禮、禮記）、春秋（有左氏、公羊、穀梁三傳）這些經書裏面，研究這些經書的就是「周易學」、「尙書學」、「詩經學」、「三禮學」、「春秋學」。孔子集前聖的大成，他的言行和思想都記載在論語裏，孝經記載孔子與曾子的問答，研究這兩部書的就是「論語學」、「孝經學」。專門研究孔子思想的，又叫做「孔學」。孔子前後，適當周末春秋、戰國的時代，諸子百家競鳴；最著名的思想家，有儒家的孟子（軻）、荀子（況），道家的老子（聃）、莊子（周），墨家的墨子（翟），法家的管子（仲）、韓子（非），名家的公孫子（龍），陰陽家的鄒子（衍）……等。秦、漢諸子，除了薈萃各家的呂不韋（有呂氏春秋）和劉安（有淮南子）外，大都屬於儒家，如董仲舒（有春秋繁露）、賈誼（有新書）、陸賈（有新語）、揚雄（有法言）、王符（有潛夫論）、桓譚（有新論）、王充（有論衡）……等，就都是孔子的信徒，這顯然是儒家思想已從諸子百家脫穎而出、定於一尊的緣故。漢末，天下大亂，民生疾苦，肯定人生的儒家思想被曹操等人大加破壞（見顧炎武日知錄卷十三兩漢風俗條），於是一般人的思想相率而逃於玄虛，玄談的風氣大盛；高級智識分子喜歡空談周易、老、莊的道理，號稱爲「三玄」，這就產生了魏、晉時代的「玄學」；民間則流行著濃厚的神仙思想，興起了「道敎」；而否定人生的印度佛敎，也就在這時候乘隙而入。不過佛敎思想到了中國，受到我們傳統文化的影響，就遺棄了「小乘」而弘揚「大乘」，遺棄了「邊見」而弘揚「中觀」，發揮渡己渡人、普渡衆生的宏願，建立了「禪宗」、「密宗」、「淨土宗」、「三論宗」、「唯識宗」、「法華宗」、「華嚴宗」那些宗派，而形成了隋、唐時代「中國的佛學」的極盛，使「佛學」成爲中華學術的一部分。由於道教與佛教思想的激盪，使中華學術的主流思想——儒家思想——有了一個新的開展，那就是產生了宋、明的「理學」。到了清代，歐、美思想傳進了中國，與固有的儒、釋、道思想相激相盪，終於萬流歸匯於海，又爲中華學術所吸收，向創建「新儒學」、「新哲學」的道路邁進，於是章太炎的訄書、鄒容的革命軍、康有爲的大同書、譚嗣同的仁學相繼而出；而孫中山繼承堯、舜、禹、湯、文、武、周公、孔子以來一貫的道統，融會新知，倡導民族、民權、民生的思想，尤屬震撼人心，開創出一個新時代。

「經世之學」是以實際的施行爲主的學術。人類的生活與大自然息息相關，研究大自然，使人能適應他、運用他，這是現代所謂的「自然科學」。在中華學術裏，自然科學老早就有的。就如「天文學」，在尙書堯典裏，已有關於天文的正確的記載（故友董作賓先生據尙書堯典，以歲差定堯典所記天象，約距今四千餘年，正合於唐堯時代，以此證堯典記載天文的正確，見平盧文存卷一諸文）；史記裏有天官書，漢書裏有天文志，嗣後司馬彪的續漢書、房玄齡等的晉書、沈約的宋書、梁子顯的南齊書、魏徵等的隋書、劉昫等的舊唐書、歐陽修等的新唐書、薛居正等的舊五代史、托克托等的宋史、金史、宋濂等的元史、柯紹忞的新元史、張廷玉等的明史、趙爾巽等的清史稿就都有天文志，惟魏收的魏書叫做天象志、歐陽修的新五代史叫做司天考，由古到今對於天文有這樣詳細記載的，全世界上可說只有中國。尙書緯考靈曜的地動說，遠在哥白尼（Nicolas Copernicus 1473—1543）以前一千五百年就發明了，可見中國的天文學在世界上原是遙遙領先的。「地理學」現存的名著很多，尙書裏有禹貢，漢書裏有地理志，北朝有酈道元的水經注，唐有李吉甫的元和郡縣志，宋有樂史的太平寰宇記，明有徐繼畬的瀛寰志略，淸有顧祖禹的讀史方輿紀要……眞是一時數說不盡；單是淸人的地理著述，收入王錫祺小方壺齋輿地叢鈔的，就有一千二百種之多，可見「地理學」在中國的發達。中國過去認爲「算學以步天爲極功」（語見張之洞書目答問），所以把「曆法」和「數學」嘗合稱爲「曆算學」。相傳黃帝曾命容成造曆法，其後顓頊氏時更作新曆（並見世本佚文），始分一年爲十二月。唐堯命羲和，「朞三百有六旬有六日，以閏月定四時成歲」（見尙書堯典），奠定了中國曆法的基礎。夏曆又據堯曆而加以修正，商、周、秦相繼採用而稍有變更，大體夏以寅月爲正月，商以丑月爲正月，周以子月爲正月，秦以亥月爲正月。漢武帝修太初曆，與夏曆的內容大略相似。史書方面，自從史記有曆書後，正史大都有曆法的記載，只是名稱不同，有的叫「律歷志」（如漢書、續漢書、晉書、魏書、隋書、宋史），有的叫「歷志」（如宋書、舊唐書、新唐書、舊五代史、金史、元史、新元史、明史），有的叫「歷象志」（如遼史），有的叫「時憲志」（如淸史稿）。世界上對於曆法記載得最詳細的，沒有超過我們中國的了。最古的數學書，要數周髀算經，其次要數九章算術，這兩部書與孫子算經、海島算經、五曹算經、夏侯陽算經、張邱建算經、五經算術、緝古算經、數術記遺合稱「算經十書」，可說是唐以前數學書的總集。宋、元承唐代之後，數學更有進步，秦九韶撰數學九章，朱世傑撰四元玉鑑，尤爲有名。秦氏由正負開方術推廣到多乘方，與霍納法（Horner's Method）相似，而早於霍納法約五百年。朱氏對於多次方程式以及級數極有研究；把多位數除法簡化，編爲九歸除法，至今珠算還在使用。清代的屈曾發撰九數通考，可以說是集中國傳統算法的大成。明代徐光啓、李之藻傳入西算後，古算漸被取代，清初的王錫闡、梅文鼎兩大數學家猶是兼通古算與西算，至清末的李善蘭、華蘅芳兩大數學家就只知有西算了，相沿至今，除了一個李儼能談「中國算學史」外，幾乎沒有一個數學家知道中華民族對數學的貢獻了，這是令人十分歎惋的！過去中國學者常以「一物不知」爲恥，所以很注意「博物學」。孔子教人學詩，就說過要「多識於鳥獸草木之名」（見論語陽貨篇），後人治詩的就有專講「名物」的一派。這一派始於陸璣的毛詩草木鳥獸蟲魚疏，隋人有毛詩草蟲經（見徐堅初學記引），宋以後這一類的書就多了，最著名的要數宋蔡卞的毛詩名物解、明馮應京的六家詩名物疏、清陳大章的詩名物輯覽、徐鼎的毛詩名物圖說、俞樾的詩名物證古。爾雅書裏也有訓解名物的專篇，如釋草、釋木、釋蟲、釋魚、釋鳥、釋獸、釋畜等是，爾雅一派的訓詁書也就都有這一類的篇章。講各地名物的，有晉嵇含的南方草木狀，宋宋祁的益都方物略記、范成大的桂海虞衡志、明屠本畯的閩中海錯疏……等書。講一種名物的，有南朝宋戴凱之的竹譜、唐陸羽的茶經……等書。專講植物的，有明王象晉的羣芳譜、清康熙敕撰的廣羣芳譜，尤以吳其濬的植物名實圖考爲詳盡。其他如許愼的說文解字的一類字書，對於動、植、鑛物也都有說明。「博物學」在中國，資料也是很豐富的。研究人羣各種活動的學術，就是現代所謂的「社會科學」，在中華學術裏也佔有重要的地位。其中研究人羣血統演進的，是「氏族學」，唐林寶的元和姓纂、宋王應麟的姓氏急就篇、鄭樵的通志氏族略、清錢大昕的元史氏族表、汪輝祖的史姓韻編這是一門學術的重要著述。研究人羣活動業績的，是「史學」。如漢司馬遷的史記、班固的漢書……一類的紀傳體的史書，通常稱爲「正史」；如宋司馬光的資治通鑑、漢荀悅的漢紀……一類的史書，通常稱爲「編年史」；如宋袁樞的通鑑紀事本末、清馬驌的繹史……一類的史書，通常稱爲「紀事本末」；如逸周書、國語……一類的史書，通常稱爲「古史」；如漢劉珍的東觀漢記、宋王偁的東都事略……一類的史書，通常稱爲「別史」；如晉皇甫謐的帝王世紀、宋羅泌的路史……一類的史書，通常稱爲「雜史」；如晉常璩的華陽國志、清吳廣成的西夏書事……一類的史書，通常稱爲「載記」；如清孫星衍等的孔子集語、鄭珍的鄭學錄……一類的史書，通常稱爲「史料」；而如唐劉知幾的史通、清章學誠的文史通義……一類的書，通常稱爲「史評」的，尤爲重要。中華民族的歷史最爲長久，中華民族的史書最爲豐富，中華民族的史學也是最值得研究的。研究人羣戰爭的策略、技術、組織與器用的，是「兵學」。孫子兵法成爲世界兵學的寶典，這是舉世皆知的；這部書裏言簡而意賅，實在不是遠在其後的德國克勞塞維慈的戰爭原理所能趕得上的。孫子兵法以外，研究兵學的書還多得很，我們只看李浴日所輯集的中國兵學大系，就巳經是洋洋大觀了；何況還有許多書是李氏沒有收進去的！卽如宋陳傅良的歷代兵制、明戚繼光的練兵實紀、紀效新書、清胡林翼的讀史兵略這幾部名著就不在其內。我們如果能夠把這些兵學著作加以整理闡述，在世界兵學研究上是必能放出萬丈光芒的。兵學是撥亂返治、扶正滅邪決不可少的學術，我們也是不能忽視的。研究人羣組織與管理的，是「政治學」。這種資料在經、史、子、集裏是隨處都可以發現的，把中國的政治思想和制度那些資料作史的縱貫的整理，已有薩孟武、陶希聖、蕭公權、曾繁康諸先生；把中國的政治行爲和術略那些資料加以分析，作橫面的整理，則尙有待於後人的努力。研究人羣社會秩序與安寧的維護的，是「刑法學」，現代叫做「法律學」。把中國的法律思想和制度作史的整理，已有陳顧遠、楊鴻烈、徐道鄰諸先生；但是把中國傳統的法律和德日法系、英美法系的法律作比較的研究，從而探討中國傳統法律的特色，作爲改革中國現代法律的參考，也還是有待於後人的努力的。研究政府財務處理的，是「財用學」，現代叫做「財政學」。大學裏說：「是故君子先愼乎德，有德此有人，有人此有土，有土此有財，有財此有用。德者本也，財者末也。」財用雖然是末，但是政府要爲人羣做事，仍非財用不可。所以周官太宰「以九賦斂財賄」，「以九式均節財用」，而太府則掌財用的出納，以後各代也無不注意財用。大抵政府的收入，有田賦、力役、征榷（包括征商、鹽鐵、榷酤、榷茶、榷鑛冶以及山澤津渡的征斂等）、市糴、土貢等項的所得；而政府的支出，則有內政（如祭祀的消費、喪荒的救濟、治安的維護……等）、外交、教育、國防、經濟建設……等項。如何使財源豐富而不傷民生？如何使國務具擧而不損國力？必須從前人的經驗裏覓取教訓，我們在通典、通志、文獻通考以及續三通、淸三通裏是不難找到那些資料的，只看我們怎樣的去整理、去運用了。研究國與國間交接的策略的，是「縱橫學」；在戰國時有「合縱」（卽結合六國共同對抗秦的一種策略）、「連橫」（卽使六國分別與秦連繫的一種策略）這兩種策略，所以叫做「縱橫學」；這兩種策略互爭短長，所以又叫做「短長學」。記載戰國時這些策略的書，是戰國策，戰國策又名短長書。在戰國時運用「合縱」、「連橫」策略最成功的是蘇秦、張儀，相傳蘇秦、張儀的師傅是鬼谷子，鬼谷子那部書可能是最早講「縱橫學」的。雖然胡應麟的四部正譌、姚際恆的古今僞書考都懷疑這書是僞作，但這書有晉皇甫謐注，漢劉向說苑曾引鬼谷子，可見漢時已有這書，晉人曾爲作注，也算是一部古書了。後人專研「縱橫學」的，則以唐代的趙蕤爲最著名，他著有長短經。所謂「縱橫學」，就是現在的「外交學」，現代正是一個新的戰國時代，外交的肆應是十分重要的。如何吸收、運用前人的經驗於今日的國際壇坫，這是一個極爲重要的課題。研究人羣傳遞生活經驗的，是「敎育學」。中華民族自古以來就重視敎育，契作司徒，「敬敷五敎」（見尙書舜典），是中國歷史上第一個敎育長官。「夏曰校，殷曰序，周曰庠，學則三代共之」（見孟子滕文公上），可見三代已有學校。孔子於王官失守以後，開私人授徒講學的風氣，是中國歷史上第一個敎育大家。孟子繼承其後，以「得天下英才而敎育之」爲樂，也是一個熱心於敎育的人。秦代設立了以吏爲師的敎育制度，漢代立五經博士，獎勵經明行修的人，敎育完全以儒家思想爲準。魏、晉以後，玄風大盛，史學和文學都很發達，雷次宗在南朝宋文帝時創立四學——卽儒學、史學、玄學、文學，在敎育制度上是一種革新，這是由倫理敎育轉向智識敎育的信號。隋時在國子寺（後改國子監，猶如今日的國立大學）裏設有書學、算學；唐時更設有律學，此外還有醫學和崇文館、弘文館，就更向智識敎育邁進了。科舉制度也在這時建立起來，最初是量才取士，用意未始不佳；但到了明、清兩代，使智識分子專以八股文來攫取利祿，就弊病太大了！在宋、元、明、清四代幸而還有一種書院制度，由一些大儒主持，擔負起倫理教育的重任，使科舉制度的流毒得以減輕。到了清末，新式學校興起，完全注重智識教育，倫理教育已成「告朔之餼羊」，此所以人心大變，造成今日苦難的局面！這是我們應該深自惕厲與檢討的。研究人羣生活規範的，是「禮俗學」。禮俗是積極的化導人不去爲非作歹，刑法是消極的制裁人去爲非作歹的，兩者相輔爲用，而禮俗是更重要的。孔子嘗說：「道之以政，齊之以刑，民免而無恥；道之以德，齊之以禮，有恥且格。」（見論語爲政篇）德化和禮治是培養人的羞恥心和自尊心的。有了羞恥心和自尊心的人，是決不會做妨害人群生活之事的，所以中華民族一向都注重禮俗。我們看正史裏通常有關於禮俗的記載，就可以知道禮俗和我們民族生活關係的密切。如史記八書，第一篇就是禮書；其後晉書、宋書、南齊書、魏書、宋史、遼史、金史、新元史、明史、清史稿都有禮志，漢書、新唐書、元史有禮樂志，後漢書、隋書、舊唐書都有禮儀志（後漢書中原缺，係劉昭取司馬彪續漢書補入）。他如九通、歷代會典以及各種類書裏都有禮俗的記載，而宋陳祥道的禮書，清江永的禮書綱目、徐乾學的五禮備考、秦蕙田的五禮通考、黃以周的禮書通故尤爲記載禮俗的淵藪。研究人群經濟生活的，是「食貨學」。尙書洪範已提出「食貨」爲治國的要政，漢書立食貨志，更爲後史所沿用（晉書、魏書、隋書、新舊唐書、宋史、遼史、金史、元史、新元史、明史、清史稿皆有食貨志）。管子裏有輕重篇，史記裏有平準書，所以此學又或稱爲「輕重學」、「平準學」，在現代就都叫做「經濟學」。唐慶增是首先整理中國古代經濟思想的人，其次甘乃光有中國經濟思想小史，劉紹輔有中國經濟思想史；但寫中國經濟史的，最著名的只有馬乘風，可惜他的書並未寫完成。把中華民族對於經濟生活的經驗，從縱貫的整理和橫剖的分析，俾對現代人的經濟生活有所貢獻，還是有待於我們去努力的。我們人群創造了許多技術，來促進、改良、維護我們的生活的，是「應用科學」。其中有關於衣食的，是「農桑學」。中華民族自神農、嫘祖以來，即講求「農桑學」。漢書藝文志諸子略所列漢以前農家的書都已亡佚，現存最早的要算魏代賈思勰的齊民要術；此後，唐有陸龜蒙的耒耜經，宋有陳旉的農書、秦湛的蠶書，元有王楨的農書和官修的農桑輯要，明有徐光啓的農政全書，清有官修的授時通考等書，對歷代的農桑學還能看到大概的情形。這些是我們中華民族在農業社會裏累積起來的經驗，我們是不應忽視的。現代的農桑學雖然十分的進步，但是數典不能忘祖，前人的經驗仍是極爲珍貴的。農桑不能離開水利。夏禹以治水成功，在中國史乘上享到了大名；共工氏世爲治水的官；李冰父子在四川，以治水的績效，獲得了兩千年來的廟祀；「水利學」也是中國歷代所最講求的。我們看到鄭餘慶的行水金鑑、黎世序的續行水金鑑，對於中國水利的大勢，可以知道一些；再看各區域的水利專書，如歸有光的三吳水利錄、陶澍的江蘇水利圖說、王鳳生的浙西水利備考、吳邦慶的畿輔河道水利叢書、方觀承的海塘通志以及治黃河、導淮水等書（如潘季馴的河防一覽、武同舉的淮系年表等），則對於黃河、長江、淮水下流、沿海一帶的水利，更可以瞭如指掌了。民國以來，中國的水利大家要推李儀祉了，他在陝西辦水利的成績是舉世聞名的，我們讀李儀祉全集，在中國水利學方面，會得到許多提示。

研究人群健康的維護與疾病的治療的，是「醫藥學」。相傳神農嘗百草，藥學已經萌芽。黃帝內經載黃帝與岐伯問答，則爲醫學之始；其中素問論病理，直探根源；靈樞經講臨床，多存古法；今日世界上風行的針灸術，在這裏已有完美的敍述。秦越人撰難經，採擷內經的菁華，增入自己的創見，使醫學更建立了一個新的體系。漢代的張機著有傷寒論與金匱要略，不僅對傷寒作專精的研究，對其他雜症也都有療治的藥方，對婦科他也十分的注意。晉代皇甫謐有甲乙經，葛洪有肘後備急方都是醫學的要籍，而王叔和的脈經尤爲醫家診斷的圭臬。此後，南齊褚澄有褚氏遺書，唐孫思邈有千金要方，醫學仍在不斷的進步。我們現在看日本人所輯的皇漢醫學，眞可說是洋洋大觀！目前舉世都在注意我們的傳統醫學，我們又如何能妄自菲薄而不加以研究？對於那些奇效驗方，我們尤應化驗、分析、複製、推廣，使全人類都享受我們中華民族智慧和仁慈的貢獻。研究人群在器用方面的成就，是「工藝學」。周禮考工記已有工藝的記載。明代宋應星的天工開物，對於五穀、飲食、衣服、裝飾、舟車、陶冶、洗染、燃料、武器、紙墨……等農工業原料、製造工具與方法，無不窮究本源，詳加敍述，並附有圖說，由此可見我中華民族過去的民生工藝的一斑。丁文江在民國十七年所寫的重印天工開物卷跋說：「三百年前，言農工業書如此書，詳且備者，舉世界無之，蓋亦絕作也。」這決不是溢美的話。但是這書也有一個缺點，就是漏掉了漆工，可是明代黃成的髹飾錄可以彌補這個缺憾。髹飾錄是我國現存的唯一的漆工專著，前無古人，後無來者，也可以說是一部絕作！英國的科學家李約瑟(Joseph Needham)以寫中國的科學與文明而聞名於世界，爲甚麼我們中國的科學家不能寫這書呢？我們應引以爲恥！我們如果能夠知恥，纔能於吸收外人的長處之時，同樣的發掘自己的長處，融會中外，而創造出更新的科學與文明，以傲視於世界。附帶的要說到中國的「術數學」：如揚雄的太玄經、司馬光的潛虛、邵雍的皇極經世書等是推衍氣數世運的，如李淳風的觀象玩占、瞿曇悉達的大唐開元占經、姚廣孝的天象玄機等是占候明變的，如郭璞的九天玄女青囊海角經、楊筠松的龍經、張洞玄的玉髓眞經等是相宅相墓的，如東方朔的靈棋經、焦延壽的易林、官應震的六壬統宗等是占卦卜課的，如陳搏的神相全編、萬民英的三命通會、陸位崇的麻衣先生人相編等是算命看相的，如劉基的滴天髓、黃汝和的諏擇祕典、張鳳翼的夢占類考是諏吉占夢的，這一類的書雖然都帶些迷信的色彩，但有些也含有哲理，有些則出於經驗，在人生日用方面曾發生過深遠而微妙的影響；直到今日，這種影響並沒有完全消失。究竟這一類具有神祕感的術數之學，有多少科學價值？他滿足人群的是甚麼？他爲害人群的是甚麼？他對人群會有過怎樣的作用？我們對他似乎也應該作一番客觀的檢討與評價。

「詞章之學」實在應該稱爲「文藝之學」，他包括有「文學」與「藝術」兩部門的學術。在「文學」部門裏，研究文章的體製和作法的，是「文章學」（包括古文、駢文以及語體的散文在內）；研究詞性、句類以及篇章的結構的，是「文法學」；研究修飾文辭，使其美妙的，是「修辭學」；研究詩的作品、作家、作法以及流變的，是「詩學」；研究詞（由詩演變出來的一種新的體裁，又或叫做「詩餘」）的作品、作家、作法以及流變的，是「詞學」；研究散曲（又或叫做「詞餘」，有「小令」、「套數」等）的作品、作家、作法以及流變的，是「散曲學」；研究戲劇（包括「戲文」、「雜劇」、

「傳奇」、各種地方劇等戲曲以及現代的話劇等）的作品、作家、作法以及流變的，是「戲劇學」；研究小說（包括「筆記小說」、「通俗話本」、章回小說及西化小說等）的作品、作家、作法以及流變的，是「小說學」；研究文學思想、文學理論的，是「文學批評」（過去或稱爲「文史」、「文評」）。此外，還有一些特殊的文學研究，如研究佛經翻譯文學、寶卷、彈詞、鼓書以及變文……等，我們在這裏不再一一列舉了。在「藝術」一部門裏，研究聲音的音色和節奏美的，是「音樂學」；研究書法和繪畫的形象美的，是「書畫學」，研究動作的姿態和韻律美的，是「舞蹈學」，研究雕塑和建築的形象與結構美的，是「雕塑學」與「建築學」，他如刺繡、染織、陶瓷、冶鑄、髹漆……等工業製成品亦無不講求藝術的精美，我們在這裏也不再一一列舉了。

「考據之學」是接受智識的學術，是由外而內的。「詞章之學」是發抒情意的學術，是由內而外的。接受智識與發抒情意都是爲的造福人群，也都可以說是造福人羣的工具之學。「義理之學」與「經世之學」雖有「體」、「用」之別，但都是造福人群的學術，是內外兼顧的。莊子天下篇提出學術的最高境界，就是要做到「內聖」、「外王」。有了「內聖」的修爲，纔能建立「外王」的事功；有了「外王」的事功，也纔能完成「內聖」的修爲；「體」、「用」是不能分開的，也是不能偏廢的。「內聖」是「修己」的極致，「外王」是「安人」的極致，「修己」、「安人」是孔子在答覆子路問君子的時候提出的，見論語憲問篇。「修己」也就是禮記大學裏所講的「明明德」，「安人」也就是禮記大學裏所講的「親民」（這是用的大學的古本，我覺得程、朱改爲「新民」不如古本好）。大學說：「大學之道，在明明德，在親民，在止於至善。」所謂「大學之道」的「道」，也就是「志於道」的「道」；所謂「在明明德」的「德」，也就是「據於德」的「德」；所謂「在親民」的「親民」，包涵三層意義，一是領袖親愛人民，二是人民親愛領袖，三是使人民相互親愛，都是表現的「依於仁」的精神；在大學裏所學習的，也就是「游於藝」所要獲得的，就是「明明德」「親民」而「止於至善」。「明明德」而「止於至善」，就是「內聖」；「親民」而「止於至善」，就是「外王」。造福人群的學術，就是要想做到人人皆能「明明德」、「親民」而「止於至善」，實現「內聖、外王」的理想，這是我們中華民族最偉大的抱負。接受智識，必須要求所接受的智識是正確無訛的；我們可以說「接受智識之學」所追求的，是「止於至眞」。發抒情意，無論用文字、用聲音、用形象、用動作，都要美妙，纔能感染別人，爲別人所接受。「文學」、「藝術」是以美爲生命的，我們可以說「發抒情意之學」所追求的，是「止於至美」。而「造福人群之學」，像我們上面所說的，是追求的「止於至善」。我們可以綜合起來說，中華學術是追求「眞」、「善」、「美」的極致的，是要達到「至眞」、「至善」、「至美」的境界的。我們中華民族有這樣的學術遺產，既豐富，又偉大，我們中華民族的每一個人，尤其是智識份子，就應該珍惜他，愛護他，並進而發揚光大他，使他對這個道德漸歸於淪亡的人類社會，仇恨、猜忌瀰漫於人心的現實世界，能發生「撥亂返治」、「起死回生」的作用，引導全人類走向「至眞」、「至善」、「至美」的光明大道。我是這樣深切的期望著！

（原載「中華學苑」第十二期，國立政治大學中國文學研究所，民國六十二年九月）

# 中華學術體系表

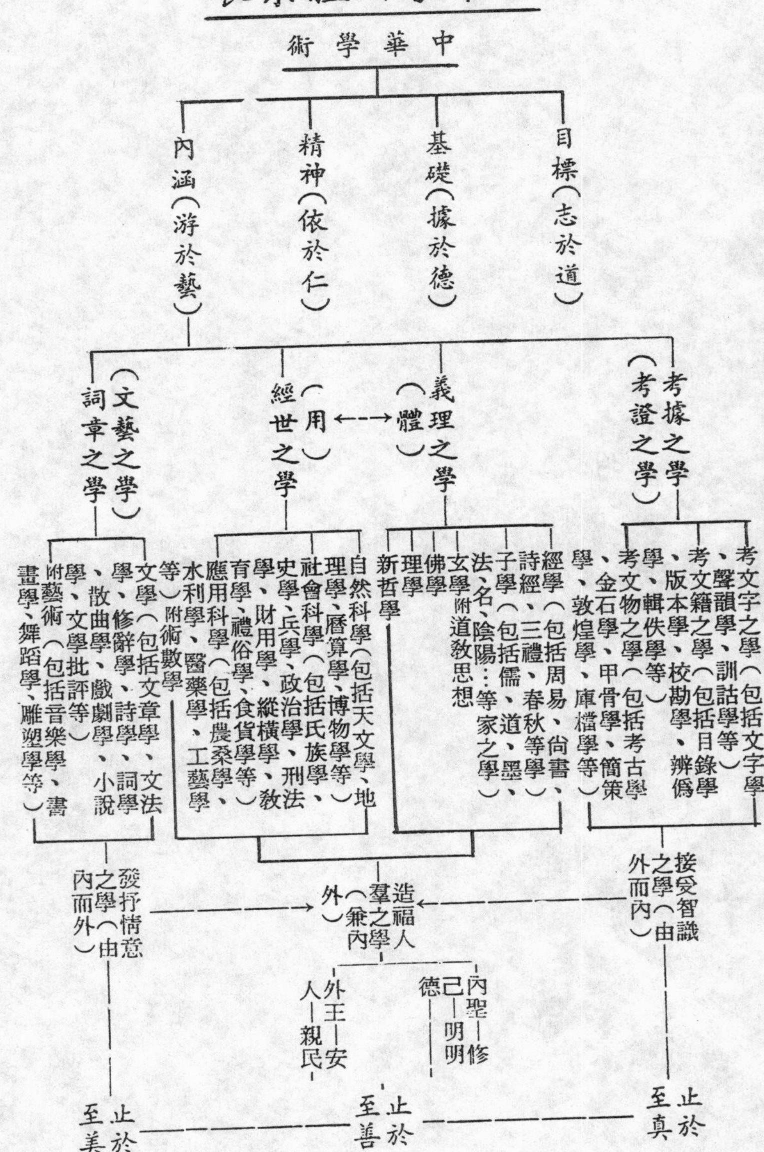
中華學術
目標（志於道）
基礎（據於德）
精神（依於仁）
內涵（游於藝）
考據之學（考證之學）
義理之學（體）
經世之學（用）
詞章之學（文藝之學）
考文字之學（包括文字學、聲韻學、訓詁學等）
考文籍之學（包括目錄學、版本學、校勘學、辨僞學、輯佚學等）
考文物之學（包括考古學、金石學、甲骨學、簡策學、敦煌學、庫檔學等）
經學（包括周易、尚書、詩經、三禮、春秋等學）
子學（包括儒、道、墨、法、名、陰陽⋯等家之學）
玄學附道教思想
佛學
理學
新哲學
自然科學（包括天文學、地理學、曆算學、博物學等）
社會科學（包括氏族學、史學、兵學、政治學、刑法學、財用學、縱橫學、教育學、禮俗學、食貨學等）
應用科學（包括農桑學、水利學、醫藥學、工藝學等）附術數學
文學（包括文章學、文法學、修辭學、詩學、詞學、散曲學、戲劇學、小說學、文學批評等）
附藝術（包括音樂學、書畫學、舞蹈學、雕塑學等）
接受智識之學（由外而內）
造福人羣之學（兼內外）
發抒情意之學（由內而外）
內聖—修己—明明德
外王—安人—親民
止於至真
止於至善
止於至美

# 國學的研究法

高明

研究國學要懂得方法，不懂得方法，不僅「事倍而功半」，甚至「徒勞而無功」。古人有「皓首窮經」，直到咽了最後一口氣，還沒有一點成就的，多半由於不懂得研究的方法。研究國學是要切切實實地去做的，所以研究的方法也不是空空洞洞的一兩句口號就能概括得了的。可是前人運用過的研究方法，前人很少作過系統的敘述。我們要吸收前人在研究方法上的經驗，必須一點一滴地去搜集起來，組織成一個系統。然後在自己研究的時候，纔能夠隨意取求，得心應手；並且觸類旁通，更有創獲。這是一個艱巨的工作，但是值得我們去嘗試。這種嘗試，要立卽求其圓滿，是不可能的。因此，我們現在講國學的研究法，只能說是「擧要」，不能說是「全備」。我只希望大家能「擧一隅而以三隅反」，不要以為研究國學的研究法就盡止於此，這是我要特別聲明的。現在略擧國學的研究法如次：

㈠明體系——研究國學，先要曉得國學的體系。我在民國六十二年的國學研究會裏，曾經講過「中華學術的體系」，那篇講稿分別發表在孔孟月刊和中華學苑裏，大意是說，我國學術的目標是「志於道」，我國學術的基礎是「據於德」，我國學術的精神是「依於仁」，我國學術的內涵是「游於藝」。而所謂「藝」者，又可分爲考據之學、義理之學、經世之學、文藝之學；考據之學包括考文字之學（

如文字學、聲韻學、訓詁學等）、考文籍之學（如目錄學、版本學、校勘學、辨僞學、輯佚學等）、考文物之學（如考古學、金石學、甲骨學、簡牘學、繒帛學、敦煌學、庫檔學等），義理之學包括經學（如周易學、尚書學、詩經學、三禮學、春秋三傳學、論語學、孝經學等）、子學（如儒家諸子學、道家諸子學、名家諸子學、法家諸子學、墨家子學、陰陽家子學、雜家諸子學等）、玄學（附道教思想）、佛學（如唯識學、三論學、淨土學、密學、禪學、法華學、華嚴學等）、理學（如濂學、洛學、關學、閩學、象山學、陽明學等）、新哲學等，經世之學包括自然科學（如天文學、地理學、曆算學、博物學等）、社會科學（如史學、兵學、政學、縱橫學、食貨學、教育學、禮俗學、財用學等）、應用科學（如農桑學、水利學、工藝學、醫藥學等），文藝之學包括文學（如文章學、文法學、修辭學、詩學、詞學、散曲學、戲劇學、小說學、文學批評學等）、藝術（如音樂學、舞蹈學、繪畫學、雕刻學、建築學、刺繡學等）。考據之學是接受知識之學，是由外而內的，所追求的是「止於至眞」。文藝之學是發抒情意之學，是由內而外的，所追求的是「止於至美」。義理之學爲體，經世之學爲用，都是造福人羣之學；內而修己，外而安人；修己在明明德，安人在親民；明明德而止於至善，便是「內聖」；親民而止於至善，便是「外王」；「內聖」與「外王」都是「止於至善」的表現，這正是義理之學與經世之學所共同追求的。然義理之學、經世之學與考據之學、文藝之學相互間又有密切的關係，眞、善、美又是合爲一體的。知道我們中國學術的完整的體系，然後去從事於研究，纔能夠認清目標、確立基礎、把握精神，知道國學的大本大源之所在，纔不致各「以其有爲不可加」，各「得一察焉以自好」，而見笑於通儒。

㈡**立根基**——譬如建築房屋，根基不牢固，高樓大廈是不能建築起來的，研究國學也是一樣。沒有牢固的國學根基，而心雄志大，好高騖遠，幻想建築起輝煌的國學殿堂，一定是徒勞無功的；萬一建築起來了，也經不了考驗，隨時會傾毀的。怎樣纔能把國學的根基打牢固呢？這沒有什麼討巧的方法，只有下死工夫去圈點國學要籍、鈔寫國學要籍、熟誦國學要籍。所謂「國學要籍」，是指國學裏最要緊的書。元朝的程端禮在他的程氏家塾讀書分年日程裏，就曾開過一個書目；民國以來，梁任公、胡適之、錢基博、汪辟疆諸先生都曾開過書目。他們所開的書目，最少的（如梁任公的最低限度之必讀書目）也有三十部書左右，多的開有一百幾十部書，王雲五先生爲商務印書館出了一套國學基本叢書，目錄裏就列了四百部書，以中國圖書的浩瀚，選出四百部爲基本的書，誠然也不算多，但是讓現在的青年看來，恐怕要望而却步了。我曾經把他們所開的書目減縮爲十部——那就是論語、孟子、荀子、禮記、左傳、史記、毛詩、昭明文選、文心雕龍、說文解字——這可說是眞的「最低限度的必讀書目」了。論語、孟子、荀子、禮記是中國哲學（也可說是義理之學）的基本書，左傳、史記是中國史學（也可說是經世之學）的基本書，毛詩、昭明文選、文心雕龍是中國文學（也可說是文藝之學）的基本書，說文解字是文字學（也可說是考據之學）的基本書。將論語的何晏集解、孟子的趙岐注、荀子的楊倞注、禮記的鄭玄注、左傳的杜預注、史記的三家注（裴駰集解、司馬貞索隱、張守節正義）、毛詩的毛亨傳與鄭玄箋、昭明文選的李善注、文心雕龍的黃叔琳注、說文解字的段玉裁注由頭到尾仔細地圈點一遍，國學的初步根基可算奠立起來了。現在研究國學的人，有的連這十部書都沒有瀏覽過，那能算是有根基？圈點一遍，一字一句不放鬆地讀下去，比瀏覽十遍所得的印象還深刻，這是奠立根基最好的方法。其實，圈點還不如鈔寫，鈔寫還不如熟誦。鈔寫一遍，比圈點十遍的印象還深刻。顧炎武每天都鈔書（見他的鈔書自序），所以他能成爲清代學術的開山祖師。至於最基本的書，最好能熟誦，曾國藩在他的家書裏告誡子弟們說：「溫舊書宜求熟，不背誦則易忘。」過去的讀書人，誰都能背誦四書五經，根基那樣好，研究而有成就的還不太多。現在研究國學的人，如果連一兩部最基本的國學書都沒有熟誦過，那還談什麼根基？那還想有什麼研究的成就？建築成什麼輝煌的學術殿堂？豈不是緣木而求魚？

㈢**識途徑**——譬如走入一個陌生的大都市，不認識途徑，就寸步難行，有時要借重這個都市的街道圖的指引，有時要請熟人帶路，纔不致盲目地摸索，浪費許多時間和精力。研究國學也是一樣，以國學範圍的廣博、國學資料的浩瀚，如果不認識途徑，只盲目地去摸索，可能終生走不出迷宮，毫無一點成就。怎樣纔能認識研究國學的途徑呢？第一要借重羣書目錄的指引，第二要依靠名師益友的帶路。所謂「羣書目錄」，是指史書裏的藝文志、經籍志、藝文略、經籍考，以及公私的藏書目錄，尤其重要的是一些提要式的目錄。這許多羣書目錄的編纂，總不是胡亂地開一篇流水賬，而是經過一番苦心經營的，大抵是按著學術的性質分類，大類中又往往分出許多小類，一類之中又以時代的先後爲次。我們看到這些羣書目錄，對於中國學術的類別和分合、各種學術的源流和變遷，就可以一目瞭然。

卽如我們讀漢書藝文志，就可以知道我們中華民族由上古到漢代有些什麼學術，那些學術又有些什麼書籍。等到我們讀隋書經籍志，又可以知道由漢至隋那些學術衰微了，那些學術又新興起來了，那些書籍亡佚了，那些書籍又新寫出來了。我們再讀舊唐書經籍志、新唐書藝文志、宋史藝文志、明史藝文志以及宋鄭樵的通志藝文略、元馬端臨的文獻通考和宋、元、明、淸各代的公私藏書目錄，我們對中國的學術流變和書籍情況更可有全盤地了解。尤其我們讀過像四庫全書總目提要那一類的目錄書，我們更可以知道，研究那一種學術，要讀那一些書，那一些書的內容是怎樣，我們就可以認識研究的途徑了。至於名師益友，會把他們研究國學的經驗告訴我們，讓我們知道研究經學要明家法，研究子學要明流別，研究史學要明因果，研究文學要明遷變，我們會少走許多寃枉路，無須自己去盲目地摸索，所以研究國學又貴乎有師承。只是投師必須投名師，若是投一個不識路的或是走錯路的師，那就終生受害了。

㈣**覓資料**——我們認識了研究國學的途徑，就可以選定了我們研究的方向。研究的方向既定，我們就應著手尋覓研究的資料。尋覓資料，自然要利用羣書目錄。由於中國圖書資料的過於豐富，如果不能善用羣書目錄，可能重要的資料沒有找到，而不重要的却找到一大堆。在羣書目錄裏，專科目錄尤應善爲利用。卽如研究經學的，應懂得利用朱彝尊的經義考；研究小學（卽文字學）的，應懂得利用謝啓昆的小學考；研究佛學的，應懂得利用智旭的閱藏知津；研究道教的，應懂得利用張君房的雲笈七籤；研究子學、史學的，應懂得利用高似孫的子略、史略；研究楚辭的，應懂得利用姜亮夫的楚辭書目五種；研究詞學的，應懂得利用饒宗頤的詞籍考；研究小說的，應懂得利用孫楷第的中國通俗小說書目提要；研究戲曲的，應懂得利用黃文暘的曲海總目……如此之類的專科目錄甚多，只要善爲利用，尋找研究的資料，就有很多的方便。在現代，我們研究國學，對於新發現的一些資料也不應忽略。卽如在安陽發現的甲骨和古器物，研究古文字和殷代的歷史文化就必須要用到；在敦煌發現的南北朝和唐人的寫本、壁畫、雕刻以及其他的一些文物，研究中國經學、子學、文學、藝術，尤其中古時期的西北邊疆的歷史、地理、語文、宗教等，都必須要用到；在居延發現的漢簡，是研究漢代西北邊防、社會、政治、經濟最重要的資料；在武威發現的漢簡，是研究儀禮最重要的資料；在臨沂發現的漢簡，是研究兵法和戰國策最重要的資料；在長沙發現的帛書老子和一些古佚書（如伊尹九主、經法、十大經、稱、道原等），是研究古子書最重要的資料；對這些資料，我們也應該予以適當地注意和確切地探討，不可以把它們一筆抹殺，棄置不理。

㈤**研文字**——研究的資料，有些是實蹟和器物，但十之九是見於文字的。不認識文字，就不能運用那些資料，來從事於研究。有些文字載在古銅器上的，要用他就須通金文；有些文字載有龜甲獸骨上的，要用他就須通甲骨文；有些文字載在石刻上的（包括篆書、隸書、楷書、行書、草書等），要用他就須通大篆、小篆以及各體書；有些文字載在簡策、縑帛上的，多爲手寫的簡體字、俗體字，要用他就須通「俗文字」。要通金文、甲骨文、大篆，必須先通小篆，所以「古文字學」要以「說文學」爲基礎；要通隸、楷、行、草各體書的手頭字、簡體字、俗體字，必須先通定爲標準的正體字，所以

「俗文字學」要以「字樣學」爲基礎；而講一般字形的構造和變遷的「普通文字學」，又是各種文字學（包括說文學、古文字學、字樣學、俗文字學等）的基礎。文字是兼具形、音、義的，三者不能缺一。只認識了字形，而不知道他的讀音和涵義，還不能算是認識這個字。字音隨著時代而變遷，有上古音（漢以前的音）、中古音（魏晉南北朝隋唐至宋的音）、近世音（元明淸的音）、現代音（民國以來的音）的區別；字音又隨著地域而不同，有各種各色的方音。要了解上古音，就須研究「古音學」；要了解中古音和近世音，以有韻書可以稽考，就須研究「韻書學」；要了解現代音，就須研究「國音學」；要了解各地的方音，就須研究「方音學」；在韻書中唯有廣韻最能表現「南北是非、古今通塞」（陸法言切韻序中語），可據以上考漢以前的上古音和魏晉以至隋唐的中古音，下考元明淸的近世音，也可據以考各地的方音，所以研究字音的「聲韻學」要以「廣韻學」爲基礎。無論研究那一個時代、那一個地域的字音，必須先知道字音的構造，分析字音的構造的是「等韻學」。字音是由語音來的，所以研究「聲韻學」又須先有一些「語音學」的基礎知識。而研究各種聲韻學（包括廣韻學、韻書學、古音學、國音學等）又都以講一般的字音結構和變遷的「普通聲韻學」爲基礎。文字的形與音，都是表達字義的。將古書上許多字義分類加以解釋的，是爾雅；將各地方的土話用通行的官話加以解釋的，是方言；從音與義的密切關係來解釋字義的，是釋名；研究爾雅、方言、釋名這一類書的，是「爾雅學」、「方言學」、「釋名學」。就古書的字句隨文釋義的，是傳注；研究傳注的，是「傳注學」。此外，專研名物的有「名物學」，專研語詞的有「語詞學」，專研俗諺、成語的有「俗諺學」、「成語學」。而這許多解釋字義的學術，又須以講一般的字義種類、解釋字義的方法和條例的「普通訓詁學」爲基礎。我們能夠正確地認識字的形、音、義，然後纔能讀通羣書，進一步研究經、史、子、集各種學問。所以研究國學的人必須先通「小學」，所謂「小學」是指文字、聲韻、訓詁之學，是別於格、致、誠、正、修、齊、治、平——也就是內聖、外王——的「大學」而說的。

㈥勤考訂——對於研究的資料，除了認識其上的文字外，還要詳加考訂。首先我們要辨別那些資料的眞僞，如果我們根據假的資料去研究，那研究的成果自然是不可靠的。漢人已經注意到辨眞僞的工作，即如張霸獻「百兩尙書」（就是比當時所傳聞的尙書百篇還多兩篇），那時就被人認出是僞造的了；班固寫漢書藝文志，在他的自注裏已辨明出許多僞書。唐人辨僞的話，大都見於張西堂所輯的唐人辨僞集語。宋人的辨僞風氣漸盛，如歐陽修有易童子問，鄭樵有詩辨妄，對於一向認爲神聖不可侵犯的經書，已開始懷疑其中有僞。明人宋濂的諸子辨、胡應麟的四部正譌，更擴大地辨別羣書的眞僞。清代姚際恆有古今僞書考，崔述有考信錄，康有爲有新學僞經考都是辨僞的名家。民國以來，顧頡剛等輯古史辨，張心澂撰僞書通考，可說集辨僞的大成。可是辨僞要做得確當，若是把眞的也辨成是僞的，雖然也駭世震俗，就不足憑信了。辨眞僞以後，要繼之以校謬誤。許多古書經過展轉傳寫，不能無謬誤；經過展轉翻刻，又不能無謬誤。我們總不能依據謬誤的資料來作研究，所以又要做校勘的工作。周時正考父曾校商代的名頌十二篇於魯太師，可見校勘的工作早就有人做了。大規模校勘羣書的，始於漢代的劉向、劉歆父子。宋鄭樵撰校讎略，纔建立起「校勘學」。清章學誠撰校讎通義，又對校勘學的理論加以闡述。清儒高郵王氏父子（念孫與引之）、盧文弨、俞樾、孫詒讓等，對於校勘古書，都有卓越的貢獻。民國以來，杜定友有校讎新義，胡樸安、胡道靜合著校讎學，向宗魯、王叔岷也各撰有校讎學，張舜徽又撰有廣校讎略，校勘學仍在繼續發展之中。中國的古書，經過政治上的禁燬，戰爭中的銷焚，天災的損失，藏書家的不善保藏，亡佚的不知有多少，這是中國文化最不幸的事，也是那些嘔心瀝血的作者死不瞑目的事。在那些亡佚的書中，不知道有多少可供研究的資料，因此輯遺佚的工作又是不容忽略的。宋代王應麟輯三家詩考、鄭玄易注、書注，已開輯佚的風氣。明孫瑴輯古微書，使讖緯之書復見於世。清人輯佚的成績尤爲輝煌，如馬國翰有玉函山房輯佚書，黃奭有黃氏逸書考，大規模輯集經、史、子三部的佚書；如嚴可均有全上古三代秦漢三國六朝文，則是大規模輯集集部的佚文；其他輯集一類的佚書、一派的佚書、一人的佚書以及一書的佚注的，還有很多，我們也不一一列舉了。只是清人並沒有將這輯遺佚的工作做完，繼續不斷地輯集遺佚，還有待於我們的努力。以上所說辨眞僞、校謬誤、輯遺佚這些考訂工作，都是於蒐覓研究資料以後應該做的。

㈦**探事理**——將研究資料考訂以後，進一步就應該根據那些資料，來探索事理。探索事理，首先要「知人」，其次要「論世」，然後再「究理」。一切事都是人做的，人爲什麼做那些事，與他的家世、才情、德性、學養、遭遇……等無不有關。從這許多方面去「知人」，就須作傳記、作年譜、作人表、作學案，來對於「人」作徹底地研究。凡人做事，一定各有其背景，背景不同，所做的也就不同。背景可從多方面去看，有歷史背景，有地理背景，有政治背景，有經濟背景，有文化背景……這許多背景造成了「環境」，而「環境」往往就限定了「人」的行為動態和「事」的發展方面。所謂「環境」，就是孟子所謂「知人論世」的「世」。孟子說：「尙論古之人，頌其詩，讀其書，不知其人，可乎？是以論其世也，是尙友也。」（見孟子萬章篇下）探索事理，不能憑空去想，要在接受前人的經驗，前人的經驗遺留在詩、書那些資料之中；要「尙友古人」，接受經驗，有賴於「知人」；要「知人」，又有賴於「論世」；孟子給我們的提示，是十分明切的。我們接受前人的經驗，知道了「人」不同、「世」不同，就不會盲目地跟著走，而要去窮究那些道理。除去了「人」的特殊因素、「世」的特殊因素，那些道理應該是古今中外皆能通用的。窮究那些道理，應採下列各種步驟：一是發掘問題，二是擬定假設，三是搜尋證據，四是試為駁議，五是愼下結論。採用這五種步驟，去窮究事理，所得到的事理應該是較為可靠的。從無數的事理中，發掘問題來研究，要有敏銳的眼光、切實的需要。問題發掘出來了，就要假設出解決那問題的辦法；假設不可不大膽，不大膽，就不能提出了嶄新的想法，而窒塞了創造的機運；假設也不可不小心，不小心，就可能導引著走上了歧路，而浪費了寶貴的精力。有了假設，就要搜尋證據，來給予支持。沒有證據的假設，只是空想，證據薄弱的假設，很容易被推翻；惟有證據豐富而又確鑿的，纔足以取信於人。有利的證據，固然可以支持假設；而不利的駁議，也可以推翻假設。等到各種駁議都不能推翻那些證據和假設時，然後可以試下結論了；但下結論時，仍須謹愼，要盡量地求其周密，防有萬一的疏忽。這樣地去探索事理，庶幾可以寡過了。

**㈧尋悟解**——研究國學的人，探索「修己」、「安人」的事理，也就是追求「內聖」、「外王」

的事理，貴能獲得悟解。要尋得悟解，須以歸納法求義例，須以綜合法提綱領，須以分析法闡精微，須以比較法別同異，須以貫通法明因果，須以譬喻法助點化，須以演繹法開境界……能用這些方法，去從事於研究，只要鍥而不捨，繼續不斷地努力，必能漸漸地獲得悟解。但是悟解亦不僅「漸悟」一途，即以追求「內聖」的事理來說，要「明明德」而「止於至善」，自有許多「格物」、「致知」、「正心」、「誠意」的工夫要做；再以追求「外王」的事理來說，要「親民」而「止於至善」，也有許多「修身」、「齊家」、「治國」、「平天下」的工夫要做。倘如中庸所說的「自誠明」，或如大學所說的「如惡惡臭，如好好色」，則是當下卽悟，乃是「頓悟」，是不待積漸工夫而自得的。中庸將悟解「內聖」、「外王」之道的人分爲兩種：一種人是「誠者」，是「不勉而中，不思而得，從容中道」的絕頂聰明的人，這種人自然是當下卽悟的。另一種人是「誠之者」，是「擇善而固執之」的人，這種人就須下積漸的工夫纔能有得。中庸所提出的積漸工夫，是「博學之，審問之，愼思之，明辨之，篤行之」五個階段，把這五個階段的工夫做到了，天下那有不能悟解的事理？我在本節一開始所講的，是積漸工夫的方法；其次引用大學所講的，是積漸工夫的種類；而引中庸所講的，則是積漸工夫的階段。合三方面所講的，可得積漸工夫的全貌；循此以進，自不難尋得悟解。至於「頓悟」，只有大智慧的人纔能語此，就不是一般人容易做到的了。可是我們中國人並不以「漸悟」、「頓悟」爲滿足，而以「圓融」爲悟解的最高境界。卽如「義理之學」是「體」、「經世之學」是「用」；也可說，「義理之學」是「理」，「經世之學」是「事」；中國人講究的是有體有用、體中有用、用中有體，體用一如，也可說卽理卽事，理中有事、事中有理、理事無礙，這纔是悟解的「圓融」，這「圓融」又或稱之爲「中」。中國人講佛法的，也有所謂「漸教」、「頓教」、「圓教」，如從法性、法相積漸契入的三論宗、唯識宗屬「漸教」，隨機隨緣當下契入的禪宗屬「頓教」，而悟徹一心圓融、法界圓融的華嚴宗却屬「圓教」。中國的佛學者，以觀一切法依因緣生，卽自性空，爲「空觀」；觀一切法依因緣而是假有的相，爲「假觀」；觀一切法亦非空、亦非假，是雙非的「中觀」；觀一切法亦空、亦假，是雙照的「中觀」；而觀一切法非假有、非實空、亦實空、亦假有，這纔是一心圓融的「中觀」。由於一切法各自有體而分界不同，名爲「法界」；有「事法界」，有「理法界」，有「理事無礙法界」，有「事事無礙法界」；理由事顯，事攬理成，理事互融，一卽一切，一切卽一，一多相卽；這就是所謂法界圓融。總之，中國人無論講入世間法或出世間法，總以圓融的「中道」爲悟解的最高境界，這便是中華民族所以稱之爲「中」的緣由。

㈨**求體驗**——研究國學，不尙紙面的空談、觀念的遊戲，而是要實際體驗的。無論考據、義理、經世、文藝那一種學問，都要有實際的體驗。從事於考據，只知道辨眞僞、校謬誤、輯遺佚的一些理論和方法，而沒有實際的體驗，到了要運用辨僞、校勘、輯佚那些方法時，就絕對不能得心而應手。研究義理和經世之學，所謂「格物」、「致知」、「誠意」、「正心」的內聖工夫，和所謂「齊家」、「治國」、「平天下」的外王工夫，前者重在「修持」，後者重在「措施」，總有賴於實際的體驗。修持如果沒有體驗，怎樣能超凡而入聖？措施如果沒有體驗，豈不要誤盡天下蒼生？從事於文藝鑑賞的人，先須有文藝創作的體驗，知道了創作的甘苦，然後鑑賞纔深入，纔不致隔靴搔癢，儘說一些門外漢的話。所以曹植說：「蓋有南威之容，乃可以論其淑媛；有龍泉之利，乃可以議其斷割。」（見與楊德祖書）自己有了創作的體驗和相當的成就，再批評別人的創作，別人就無話可說了。求體驗，一般說來，都要經過四個階段：一是「嘗試」，二是「實踐」，三是「匡謬」，四是「證道」。在開始體驗的時候，毫無經驗，只能說是「嘗試」。嘗試要有勇氣，沒有勇氣，就會望而却步；嘗試要有耐心，沒有耐心，就會淺嘗卽止。望而却步的人，只徘徊在宮牆之外，安能見廟堂之美？淺嘗卽止的人，只踟躕於困難之前，安能得成功之樂？嘗試如果失敗，自可見此路不通。嘗試如果成功，就得照著去做。照著去做，就是「實踐」，也就是中庸裏所說的「篤行」。踐行需要篤實，篤實纔能有所悟解，也纔能有所體驗。由實踐篤行，而累積經驗。經驗累積了，自能增進智慧，而判別出是非、得失、善惡、正邪。然後吸取是者、得者、善者，正者，予以享用；對於非者、失者、惡者、邪者，予以匡正。這樣，自然可以證驗「內聖」、「外王」之道，研究國學就有成就了；而考據的求眞與文藝的求美，也必能因證驗而得其道，與義理、經世的求善，更相輔而相成。

㈩**合天人**——研究國學，可以說有四種境界，考據之學是知識的境界，主要的是以物證物，所追求的是眞實無妄，可以培養人的「誠」的精神。義理之學是智慧的境界，經世之學是道德的境界，主要的是以人接人，以人使物，所追求的是善良純潔，可以培養人的「仁」的精神。文藝之學是藝術的境界，主要的是人物交融，所追求的是美雅至當，可以培養人的「中」的精神。這三種人文精神，是通貫於天地之間的。中庸說：「唯天下至誠，爲能盡其性；能盡其性，則能盡人之性；能盡人之性，則能盡物之性；能盡物之性，則可以贊天地之化育；可以贊天地之化育，則可以與天地參矣。」可見「誠」的精神是可以由人而通貫於天地之間的。中庸又說「仲尼祖述堯舜，憲章文武，上律天時，下襲水土；辟如天地之無不持載，無不覆幬；辟如四時之錯行，如日月之代明。萬物並育而不相害，道並行而不相悖；小德川流，大德敦化；此天地之所以爲大也。」無不持載是地之仁，無不覆幬是天之仁，並育而不相害是萬物之仁，並行而不相悖是人道之仁，可見「仁」的精神也是可以由人而通貫於天地之間的。中庸又說：「喜怒哀樂之未發，謂之中；發而皆中節，謂之和。中也者，天下之大本也；和也者，天下之達道也。致中和，天地位焉，萬物育焉。」又可見「中」的精神也可由人而通貫於天地之間。使人與天地萬物各盡其性、各行其仁、各致其中，而合爲一體，這是中國學術的最高理想。周易文言說：「夫大人者，與天地合其德，與日月合其明，與四時合其序，與鬼神合其吉凶，先天而天弗違，後天而奉天時。天且弗違，而況於人乎？況於鬼神乎？」中國學術雖是以人爲本，但其理想的人物，也就是所謂「大人」，却是要合天地萬物而爲一，使人文精神（誠、仁、中）能通貫於天地萬物之中，而造成幸福康樂的世界、和融圓滿的宇宙，這是何等崇高而偉大的理想啊！我們研究國學，既不能抹殺這個崇高而偉大的理想，則我們講國學的研究法，自不能不講「合天人」的一法。

國學的研究法甚多，一時是說不盡的。以上所舉十法，只不過述其大凡，並不能盡其精微。並世賢達，倘能因我所說，更能觸類旁通，做到中庸所說的「尊德性而道問學，致廣大而盡精微，極高明而道中庸」，那我就太滿意了！

（本文爲民國六十六年國學研究會講辭，原載「孔孟月刊」第十五卷第十二期，民國六十六年八月）

# 中國文學的研究法

高明

我們既然知道中國文學各方面的成就，就應該愛護這些成就，並進而將它們發揚光大。我們必須繼承這份寶貴的民族遺產——就是反映民族生活、表現民族智慧、寄託民族精神的中國文學——不使其敗落；並且要以這份遺產爲基礎，建樹起新的事業，我們纔不愧爲中華民族的子孫。因此，我們必須去研究中國文學。研究中國文學，應該用些什麼方法呢？我們的意見是：

㈠**治經子以明其淵源**——研究西洋文學的，一定要研讀聖經（Bible）。因爲聖經是他們的最古的文學作品之一，聖經的精神已滲入他們的民族生活將及二千年之久，後來的文學作品都有形地或無形地受到聖經的影響；對於聖經沒有研究，就是「數典忘祖」，不能算是懂得西洋文學。同樣，先秦時代的羣經和諸子，影響我們的民族生活，則有三千年之久，後來的文學作品都是由這些書中演變出來的。章學誠說過：「後世文章皆源於六藝，而多出於詩教。」（見文史通義詩教上）六藝就是易、書、詩、禮、樂、春秋六經，是後來各種純文學、雜文學的淵源所在，尤其詩經更是中國文學的始祖，中國歷史上偉大的文學家沒有一個人不受這些書的影響。至於先秦諸子，也是後來散文家視爲範式的；孟、荀、莊、韓的文章，唐、宋以來的古文作家對他們備致推崇，受他們的影響極大。所以我們研究中國文學，若是沒有研究羣經、諸子，便也是「數典忘祖」，不能算是懂得中國文學。

㈡**研究史地以索其背景**——文學不能離社會而存在。研究任何一個文學作家的作品，如果不知道那作家、那作品的社會背景，便不能眞正了解那作家和那作品。歷史是告訴我們各個時代的社會背景的，地理是告訴我們各個區域的社會背景的。研究中國文學的人，如果沒有研究過中國的歷史和地理，對於各時代、各區域的作家所以產生各種各色作品的緣由，便不能了解。屈原爲什麼會產生像離騷那樣的不朽的作品？我們只有研究戰國的歷史和楚國的地理，纔能得到解答。中國過去講地理的文章，多半附在史書裏，我們要研究中國文學的歷史和地理背景，就得研究一部二十四史；「文」、「史」在中國一向是聯繫在一起的。中國文學的基礎奠立在魏晉以前，所以史記、漢書、後漢書、三國志這四部記載魏晉以前史事的史書尤爲重要，何況這四部史書的本身又具有高度的文學價值，影響後世的文學家極大呢！我們研究中國文學的人，假使時間和精力不容許讀完二十四史，至少也要將四史研讀一過纔是。

㈢**按目錄以定其去取**——中國是一個「尙文」的國家，由於歷史悠久、地域廣大，所產生的文學作家可說是「多如牛毛」，所產生的文學作品可說是「浩如烟海」。研究中國文學，若要纖細無遺，面面俱到，是不可能的；只有確定了自己的研究題目和範圍，擇取自己所要研究的材料，來作一種深入的研究，纔不致「勞而寡功」。但怎樣纔能從「多如牛毛」的作家、「浩如煙海」的作品中，擇取自己所要研究的材料呢？這就必須借重「目錄學」了。目錄學告訴我們，中國有些什麼學術，那些學術裏有些什麼書，那些書裏是什麼內容；甚至還告訴我們，那些學術的源流怎樣，那些書的存佚和版本怎樣。我們懂得目錄學，就不難「按圖索驥」，從目錄書中找出我們所要研究的材料了。

㈣**由校勘以正其譌誤**——文學作家把文學作品創造出來，由於展轉傳寫，不能沒有譌誤；由於展轉摹刻，不能沒有譌誤；由於展轉排印，又不能沒有譌誤。作品出世的時間愈長，版本愈多，譌誤的可能性愈大。如果不懂得校勘學，將譌誤的地方校勘出來，也許「差之毫釐，失之千里」，誤解了作品，也誤解了作家。國語魯語記載魯閔馬父的話，說：「昔正考父校商之名頌十二篇於周太師，以那爲首。」可見遠在周代對文學作品已有做校勘工夫的了。詩經到了漢代，齊、魯、韓、毛四家的傳本大有差別，我們看到陳喬樅的四家詩異文考、李富孫的詩經異文釋，覺得詩經的校勘工作眞不可少。宋朝距離唐代，不能算遠，可是韓愈的文章已需要校勘，我們看朱熹的韓文考異，便會知道這事實。由是可知，研究中國文學，是得用校勘方法的。

㈤**用考證以別其眞僞**——中國古代的學者，最喜假託古人，來闡明自己的思想；儒家喜歡稱道堯舜，墨家喜歡稱述夏禹，道家更要上託黃帝，農家還要遠託神農。這種風氣也傳染到文學裏，相傳堯時有擊壤歌、康衢歌，舜時有卿雲歌、南風歌，我們若相信這些歌是眞的，也許就被古人騙了。鍾嶸詩品說：「逮漢李陵，始著五言之目。」但劉勰文心雕龍卻說：「至成帝，品錄三百餘篇，而辭人遺翰莫見五言，所以李陵、班婕妤見疑於後代也。」究竟李陵的五言詩是眞的，還是僞的呢？李白有菩薩蠻和憶秦娥等詞，前人推爲「千古絕唱」，但也有人懷疑在開元、天寶時不應有這樣的詞產生。像這些作品的眞僞，如果不考證清楚，我們對文學發展的過程，就不能有正確的認識。所以考證的方法，也是研究中國文學的人所要採用的。

**(六)藉搜輯以存其亡佚**——文學作家辛辛苦苦創造出來的作品，若是不能傳世，這可說是文學作家最傷心的事。但是兵燹可以燬掉他的作品，天災可以葬掉他的作品，政治的壓力也可以禁掉他的作品。在中國漫長的歷史中，眞不知有多少作家遭遇到這種不幸的命運。我們如不從事搜輯，使亡佚的再見於世，怎樣能使那些作家瞑目於地下？嚴可均輯全上古三代秦漢三國六朝文，馮惟訥輯古詩紀，清康熙四十六年敕編全唐詩，清嘉慶十九年敕編全唐文，唐圭璋輯全宋詞，盧前輯全元曲，遺文佚句一一登載，雖然間有蕪雜的地方，但用力不可謂不勤，用心不可謂不善，對於文學的貢獻實在不小。我們今後研究中國文學，也還可以從這一方面去下工夫。

**(七)明小學以探其精微**——文學作品是由文字連綴而成的；不識文字，即不能從事於創作；不識文字，亦不能從事於研究。韓愈說：「凡爲文章，宜略識字。」其實要研究文學，要先做識字的工夫。文學作品是最講究用字的，不獨字要用的正確，還要用的巧妙。字形可以構成文學圖象的美，音可以構成文學聲律的美，字義可以構成文學意義的美。唯有精研小學（卽文字學）的人，對文字的形、音、義有透徹的了解，纔能寫出最美的作品。司馬相如和揚雄是漢代的大文學家，他們寫出了許多不朽的作品，推究起來，司馬相如曾作凡將篇，揚雄曾作訓纂篇，他們原是小學家，所以在文學上纔能有這樣的成就。識字不多，詞彙就不夠；識字不精到，詞彙就不正確，這樣的人如何能夠寫出好的作品？

同樣，識字不多，識字不精到，對好的作品也就不能理解，不能欣賞。所以我們要研究中國文學，必先識字，要識字，必先研究小學；研究說文之學，以探索字形；研究聲韻之學，以探索字音；研究訓詁之學，以探索字義。

㈧**識名物以求其比興**——以事物來比喻自己的情志，以事物來興發自己的情志，這是文學作家常用的手法。我們如對事物認識不清，怎樣能用它們來比喻、來興發呢？所以研究中國文學的人，也要具備「博物學」的知識。孔子說研究詩要「多識於鳥獸草木之名」，就是這個緣故。很多人研究詩經，就從這方面著手。陸機著毛詩草木鳥獸蟲魚疏，是中國第一個從「識名物」來研究文學的人。此後，如蔡卞的毛詩名物解、陸佃的詩物性門類、馮應京的六家詩名物疏、姚炳的詩識名解、陳大章的詩名物輯覽、俞樾的詩名物證古……等書，都是從這一方面去研究的。所謂「名物」，並不以鳥獸草木蟲魚爲限，人所制作的東西如宮室、冠服、裝飾、禮器、農器、兵器……等，皆應在研究之列。即如讀詩經齊風著那一首詩：「充耳以素乎而，尚之以瓊華乎而。」如果不認識充耳那種裝飾品就是玉製的瑱，素是懸瑱的紞的顏色，瓊華是瑱的色澤；自然就會像胡適之先生那樣，把充耳當做耳環，說素是耳環的顏色，說瓊華是頭上戴的花，而鬧出極大的笑話來了（胡先生之說，見胡適言論集中傳記文學那一篇）。所以研究中國文學的人，就不爲研究比興的道理，也得要識名物。

㈨**習修辭以著其藻采**——文學作品的美，一般的表現在修辭上。孔子說：「修辭立其誠。」以修飾文辭來表現情意的眞實，沒有一個文學作家不是這樣做的。我們要研究一個作家在文學上的成就有多大，就須從修辭去研究他的作品；看他修辭的效果，表現在風神、氣骨、情韻、意境、體性、格調、聲律和色彩各方面，是否合於理想，看他修飾文辭，是否能夠消極地做到潔淨，積極地做到美妙；看他在修辭時，是否能夠善於運用譬喩、借代、映襯、摹狀、雙關、引用、拈連、移就、比擬、諷喩、示現、呼告、鋪張、倒反、婉曲、諱飾、設問、感歎、析字、藏詞、複疊、節省、周折、回文、反復、對偶、排比、層遞、頂接、倒裝……種種的辭格。沒有修辭學的知識，研究中國文學所領略到的藝術美，只是「霧裏看花」，是不能表裏透徹的。

㈩**窺作法以窮其技巧**——每一篇文學作品，在練字、遣詞、鑄句、裁章、謀篇、選題各方面，都要經過作家的一番經營的。作家的文學技巧，就在這些方面表現出來。我們要研究作家的文學技巧，也須從這些方面去研究他們的作法。中國歷史上成名的文學作家，多半是研究前人的文學作法，吸收前人的創作經驗，苦心模擬之後，恍然有會於心，然後纔能揮筆自如，自成一家的。枚乘有一篇七發，曹植就會模擬他的作法，而寫成七啓。東方朔有一篇答客難，後來許多作家模擬他的作法，揚雄就寫成了解嘲，班固就寫成了答賓戲，韓愈就寫成了進學解。歐陽修得到了韓昌黎集，極力揣摹他的作法，後來就成爲古文的大作家。像曹植、揚雄、班固、韓愈、歐陽修，他們都是中國文學裏有名的作家，就都研究過前輩作家的作法，我們現在研究中國文學的人，自然應該拿他們來做模範。

㈩㈠**辨體製以晛其應用**——體製是文學的一些類型，它有歷史的淵源，例如詩歌初起時與樂舞混爲一體，逐漸發展，就成爲一種文學的體製。各種文學的體製，有各種應用的原則，研究中國文學的人必須辨清這一點。魏文帝典論論文說：「奏議宜雅，書論宜理，銘誄尙實，詩賦欲麗。」雖然他只粗枝大葉地將中國文學分爲四個類型，但他是最早知道「研究文學必須辨體製」的人。晉陸機文賦，說詩要「緣情而綺靡」，賦要「體物而瀏亮」，碑要「披文以相質」，誄要「纏緜而悽愴」，銘要「博約而溫潤」，箴要「頓挫而精壯」，頌要「優游以彬蔚」，論要「精微而朗暢」，奏要「平徹以閑雅」，說要「煒曄而譎誑」，對各種文體的辨別，以及各種文體所要應用的原則，又說得細密的多了。到了劉勰著文心雕龍，其中由明詩至書記二十篇，辨別各種文體，更能「原始以表末，釋名以章義，選文以定篇，敷理以舉統」給我們提示一種研究的規範。從劉勰到現在，中國文學的演變更多，如何「囿別區分」，酌體應用，就要等我們去研究了。

㈩**觀流變以測其發展**——宇宙無時無刻不在變，人生也無時無刻不在變，反映人生的文學，自然也是無時無刻不在變的。但一切的變，都有一個因果、一個綫索、一個軌道，決沒有無緣無由突然變的。推求過去流變的緣由，因而找出流變的因果、綫索和軌道，便能推測未來流變的方向和途徑。我們研究歷史的著眼點在此，研究文學流變史的著眼點也在此。自林傳甲寫出第一部中國文學史，研究中國文學的人，已知道運用這種方法。謝无量、曾毅、歐陽溥存、鄭賓于……等人，雖相繼寫出了很多部中國文學史一類的書，但眞能找出中國文學流變的因果、綫索和軌道，以供我們推測未來流變的方向和途徑的，則並不多見。用這種方法，研究中國文學，可說還在「篳路藍縷」的時期。今後如何完成一部完善的中國文學通史，若干部中國文學斷代史，若干部散文、駢文、詩、詞、曲、小說、戲劇以及各種通俗文學的專史，實在還有待於我們去努力。

上面所舉的十二種研究法，研究的目光全集中在中國文學的本身。至於借中國文學來研究中國社會、民情、風俗、政治、經濟、語言、文字……等等，因爲研究的目光已散射在中國文學以外，這裏就不一一敍及了。現在一般青年研究學問的目光，都集中在英文、經濟、工程……這幾項，而忽略了中國文學對於我們自己的民族，具有無比的價値。研究中國文學的，又往往不得其法，鮮有成就。於是中國文學的光芒，在學術的圈子裏，就日益黯淡，日益消沈。寫到這裏，我眞不能不擲筆而長歎了！

（錄自「中國文學」，復興書局，民國四十五年一月）

# 初學必讀古籍簡目

屈萬里

教學書目之作，始於龍啓瑞之經籍舉要。清末張之洞書目答問（是書蓋經繆荃孫參訂），尤爲風行。民國以來，若梁任公（國學入門書要目及其讀法）、若胡適之先生（一個最低限度的國學書目）、若李笠（三訂國學用書撰要）等，皆有國學書目之作。而商務印書館之國學基本叢書，中華書局之四部備要，其所印行者，亦皆四部要籍也。惟是古籍繁夥，孰爲首要？孰爲次要？說之者於其中一小部分雖有共同之意見，而大部分則往往因人而異。故欲求一共同之標準，殊非易易也。

民國九年，胡適之先生曾著「中學國文的教授」一文。其所定中學國文選本中，既有老子、論語、檀弓、左傳等；復列有中學生自修應讀之書目。其目如下：

1.史書：資治通鑑或二十四史（或通鑑紀事本末）。

2.子書：孟子、墨子、荀子、韓非子、淮南子、論衡等。

3.文學書：詩經是不可不看的。此外可隨學生性之所近，選習兩三部專集，如陶潛、杜甫、王安石……陳同甫之類。

至民國十一年，適之先生復撰「再論中學的國文教授」一文。於上舉中學生自修應讀之書，除刪去二十四史外，餘悉仍舊。此外，並擬有「中學國故叢書」目錄，列舉古籍三十一種（其但列人名者，係指其詩文集而言），以備中學生閱讀。其目如次：

1.詩經　2.左傳　3.戰國策　4.老子　5.論語　6.墨子　7.莊子　8.孟子

9.荀子　10.韓非子　11.楚辭　12.史記　13.淮南子　14.漢書　15.論衡　16.陶潛

17.杜甫　18.李白　19.白居易　20.韓愈　21.柳宗元　22.歐陽修　23.王安石　24.朱熹

25.陸游　26.楊萬里　27.辛棄疾　28.馬致遠　29.關漢卿　30.元曲選　31.明曲選

適之先生於此一目錄，雖云：「這不過是隨便舉例，讀者不可拘泥。」然以今日大學文史以外等系學生視之，恐已有繁重之感，中學生更無論矣。

民國十二年，胡適之先生曾應清華學校學生之請，擬定「一個最低限度的國學書目」，所列書籍約一百九十種。是年，梁任公亦應清華週刊記者之約，撰「國學入門書要目及其讀法」一文，所舉書籍約一百六十種。兩氏意見，不同處甚多。梁氏並擬定「最低限度之必讀書目」，所列諸書如下：

四書、易經、書經、詩經、禮記、左傳、老子、墨子、莊子、荀子、韓非子、戰國策、史記、漢書、後漢書、三國志、資治通鑑（或通鑑紀事本末）、宋元明史紀事本末、楚辭、文選、李太白集、杜工部集、韓昌黎集、柳河東集、白香山集。

至於詞曲之書，右目中未列舉；梁氏以為可「隨所好選讀數種」。梁氏云：「以上各書，無論學鑛、學工程學……皆須一讀。若並此未讀，眞不能認為中國學人矣。」

此一最低限度之必讀書目，定於四十年前。今日視之，以之爲大學文史等系學生最低限度之必讀書則可。政、法、經濟等系學生，能盡讀其所學經史子三部之書者，已不多見。至於理工科學生，如能讀四書、詩經、尙書、左傳（節本）、墨子、老子、莊子、史記、資治通鑑，及三數種詩、文、詞、曲選本，卽已難能而可貴矣。

惟此所謂最低限度之必讀書，乃爲最低限度之常識而設；非謂治文史學科之人，讀畢此二十餘種後，卽已奠定優良之基礎也。古人言治學之道，恒曰：「由博返約。」蓋博者所以奠其基礎，約者所以成其專精。胡適之先生，曾著「讀書」一文（見胡適文存第十三版第三册）申論讀書須「精」與「博」之義。原文曾擧二例，以示「博」之重要。玆錄其一如次：

卽如墨子一書，在一百年前，清朝的學者懂得此書的還不多。到了近來，有人知道光學、幾何學、力學……等，然後看墨子，纔知道其中有許多部分是必須用這些科學的知識方才能懂的。後來有人知道了論理學、心理學……等，懂得墨子更多了。讀別種書愈多，墨子愈懂得多。

卽此一例，已可見治學必當有廣博之基礎。然徒博而無所專精，在學術上亦不能有高深之造詣。故治學者旣須淵博，又當精深。適之先生曾編成口號兩句，以爲讀書之目標。云：

爲學要如金字塔，要能廣大要能高。

此一淺近之口號，實硏治任何學科者之座右銘也。

從事專門硏究工作者，凡與所硏究之問題有關之書籍或其他資料，勢須盡知。惟爲初學之人奠定治學基礎而言，亦未宜牽涉太廣。茲參考諸家之說，爲有志研習本國文史之青年，擬一初學必讀古籍簡目，以爲他日從事學術研究之基礎。此目錄中所列古籍之數量，以視書目答問，尚不及五十分之一；即較梁胡二家，亦已損之又損。然青年能盡讀其書，於吾國文史之學，可謂已具根柢；而後從事專門研究，庶不至有基本常識貧乏之感矣。其目如下：

## 經部

**論語**　論語爲孔門弟子及後儒記載孔子言行之書，不特爲研究孔子學說最重要之著作，且爲「二千年來國人思想之總源泉」（梁任公語）。故必當熟讀。北宋以前，以何晏等之論語集解（二十卷）最爲流行；南宋以後，則以朱子之論語集註（十卷）最有勢力。初學宜先讀此二書。

**孟子**　自南宋以後，孟子一書在學術界之地位，僅次於論語，故學者亦應熟讀。註解孟子之書，今存者以漢人趙岐之註（七篇）爲最古；而自南宋以來，亦以朱子之孟子集註（七卷）流行最廣。初學之士，宜先讀此二家之註。

今人錢穆先生所著四書釋義，其論語及孟子二種，可供參閱。如欲於此二書，作稍進一步之理解，則可讀清劉寶楠之論語正義（二十卷）、焦循之孟子正義（三十卷），及焦循之論語通釋、戴震之孟子字義疏證。

## 周易

漢人謂周易爲六經之原，故自來學子，必讀此書。然是書實不易讀。初學可先讀魏王弼與晉韓康伯之周易注（注九卷，附略例一卷）及朱子之周易本義（四卷）。讀王韓注如有不能瞭解處，可參閱唐孔穎達等之周易正義（十卷）。如欲略知漢易，可取唐李鼎祚之周易集解（十七卷）與清惠棟之易漢學（八卷）二書對讀之。

昔之學者，於周易一書，皆熟讀成誦。今之治文史之學者，最好能熟讀之。如不能全部熟讀，其文言傳及繫辭傳兩部分，總以能成誦爲佳。

## 尚書

今通行本尚書五十八篇，乃就伏生所傳之二十九篇，析爲三十三篇；又僞撰二十五篇而成之者。伏生所傳之二十九篇（或合爲二十八篇）宜熟讀，注解可用清孫星衍之尚書今古文注疏（三十卷）。僞撰之二十五篇，雖無史料價値，然自東晉以來，旣爲學子所必讀；故爲常識起見，亦應瀏覽，俾略知其內容。其注解自當讀所謂「孔安國傳」（十三卷）者。

近人利用甲骨文、金文、及其他史料，以證尙書，頗多超越前人之說。然以散見於各書刊中，蒐覽匪易。拙著尚書釋義，採錄較多，可供參考。

## 詩經

二千餘年來，凡吾國識字之人，幾無人不讀詩經。其在文學上之價值，固不待言；卽在音韵、訓詁、以及古代社會史料方面言之，亦不愧一寶庫也。故治文史之學者，必當熟讀。其古注則以漢毛氏傳、鄭玄箋之毛詩（二十卷）爲最重要；南宋以後，則以朱子之詩集傳（八卷）爲最重要。故初學者宜先讀此兩書。

近人利用考古學、民族學等資料說詩經者，亦饒有突過前人之新義。拙著詩經釋義中，頗多採錄，可供參考。如欲略知齊、魯、韓三家詩遺說，可讀淸王先謙之詩三家義集疏。

**周禮**

周禮一書，爲戰國時人所擬之各級政府組織法。所言官制，雖多非周代職官之實錄；然其書包羅宏富，硏究吾國政治思想史、社會史、以及考古學者，此乃一重要之參考資料。雖不必熟讀成誦，然總須略知其內容。初學宜讀漢鄭玄注（十二卷）；遇鄭注不易懂處，可參閱淸孫詒讓之周禮正義。

**禮記**

禮記中所存戰國秦漢間儒家思想史料、及社會史料，甚爲豐富。亦爲舊時學者所必讀之書。其中王制、大學、中庸、禮運、學記、樂記等篇，最好能熟讀成誦。注解可用漢鄭玄注（二十卷）。大學、中庸二篇，可參閱朱子之大學章句、中庸章句。

如有志硏究吾國古代禮俗者，宜倂讀儀禮。初讀儀禮者，以用儀禮鄭注句讀（漢鄭玄注，淸張爾岐句讀）一書為便。

**春秋左傳**

左傳一書，爲研究春秋史實最重要之資料，亦舊時習古文者之寶典也。其中長篇，多文筆生動，饒有趣味，宜熟讀之。注釋則宜讀杜預之春秋左傳集解（三十卷）。

讀左傳時，如能取公羊傳及穀梁傳二書作參考，尤佳。

**孝經**

吾國最重孝道，而此乃言孝道最古之專書，故列入十三經內。書僅一卷，讀之甚易。注解可用唐玄宗注。

**爾雅**

此爲訓詁學最古之專書，亦十三經之一。卽不專治小學者，亦應略知其內容。通行之本，爲晉郭璞之爾雅注（三卷），宜取讀之。

**說文解字**

漢許愼撰。此書固爲研究秦漢以來字形、字義、字音者最重要之典籍，亦治金文、甲骨文者之津梁也。有志從事於小學之研究者，固應精讀；治其他文史之學者，亦宜略知其內容。初學可讀清段玉裁之說文解字注（三十二卷）。

有志研究古文字者，必先讀說文，以植其基，然後讀金文、甲骨文等書。金文之書，尙無便於初學習讀者；無已，則金文編一書差可用。甲骨文之書，則友人李孝定先生所著之甲骨文字集釋，最便閱讀。

**經學歷史**　淸皮錫瑞撰。欲知二千年來經學演變之情狀可讀此書。是書有近人周某注本，甚便初學；惟周注本現已不易購得。

## 史　部

**史記**　漢司馬遷撰，褚少孫等補。凡本紀十二篇，表十篇，書八篇，世家三十篇，列傳七十篇，都一百三十卷。紀事起黃帝，終漢武帝。今本開首爲三皇本紀，則唐司馬貞所補也。是書爲紀傳體之祖，在昔學人，無不讀之。今通行者，爲三家注本（宋裴駰集解、唐司馬貞索隱、張守節正義）。而以日本瀧川龜太郎之史記會注考證，最便初學。

**漢書**　漢班固撰，其妹班昭續成之。是書紀事起漢高祖，終平帝，凡百二十卷。昔人稱史記、漢書、後漢書、三國志爲前四史。史籍中之前四史，其地位之重要，猶十三經中之五經也。舊日通行者爲唐顏師古注本。淸王先謙有漢書補注，能補顏注所未備，於初學爲便。

**後漢書**

是書本紀十卷，列傳八十卷，爲宋范曄撰，唐李賢注。趙宋時，又取晉司馬彪所著之續漢書志三十卷（梁劉昭注）補入范書，乃成一百二十卷本之後漢書，卽今通行本是也。初學可讀淸王先謙之後漢書集解。

**三國志**

晉陳壽撰。凡魏志三十卷，蜀志十五卷，吳志二十卷，都六十五卷。今通行本，爲宋裴松之注。注文博引羣書，正陳氏之譌，補陳氏之闕，其價值不在陳氏原書之下。

**資治通鑑**

宋司馬光撰，劉攽、劉恕、及范祖禹助成之。是書爲編年體，紀事起戰國，終五代，凡二百九十四卷。不專治史學者，恐無力盡讀正史；則前四史而外，再讀此書，於吾國五代以前史事，亦可謂具有根柢矣。今通行者爲元胡三省注本，宜取讀之。

**續資治通鑑**

淸畢沅撰，紀宋元兩代史事，凡二百二十卷。

**明史紀事本末**

凡八十卷。題淸谷應泰撰；或謂徐倬代作，或謂談遷所作，今難遽定。明史旣過繁，編年之作又乏善本，故取此書。如必欲讀編年之書，則可讀清陳鶴所撰（陳克家續成）之明紀（六十卷）。

清史稿亦繁重，欲略知清代史實，可讀今人蕭一山先生所著之中國近代史概要。

右舉史部諸書，凡有意治文史之學者，望能全部讀之，庶幾於本國通史方面，可得一較堅實之基礎。如以日力不足，而又無意專治文史之學，則漢書、後漢書、三國志三書，可以緩讀。如無意治人文或社會科學，乃至無意從事任何研究工作，且又無暇讀較多之史書者，則上舉諸書可一概不讀，而易之以綱鑑易知錄。蓋學校中之本國史課本，過於簡略，實不敷常識之用，故舉此書。若並綱鑑易知錄所載之史事而不知，則眞愧爲中國讀書人矣。

國語

舊題周左丘明撰。凡二十一卷。今通行者爲吳韋昭注本。

戰國策

漢劉向編集。凡三十三卷。今通行者爲漢高誘注本。

國語、國策兩書，舊時治史學者，固人人所必讀；而習古文者，亦無不讀之。今治學之道，雖與古人不盡相同；然有意從事文史之學者，仍不能不讀此兩書。兩書皆有清黃氏士禮居覆宋刻本，且皆附校勘記，乃近世最佳之本。

宋元學案

清黃宗羲撰，全祖望、王梓材續成。凡一百卷。

**明儒學案**

清黃宗羲撰。凡六十二卷。

凡欲於宋明理學獲得較詳之知識者，可讀以上二書。惟二書卷帙繁重，讀之頗費日力。故無意從事思想史研究之青年，而僅欲略具宋明理學之常識者，可讀近人所著中國哲學史中與宋明理學有關部分。

**考信錄**

清崔述撰。凡考信錄提要二卷，補上古考信錄二卷，唐虞考信錄四卷，夏考信錄二卷，商考信錄二卷，豐鎬考信錄八卷，洙泗考信錄四卷，豐鎬考信別錄三卷，洙泗考信餘錄三卷，孟子事實錄二卷，考古續說二卷，考信附錄二卷，都計三十六卷。我國古代史事之見於記載者，疑信參半。崔氏辨疑存眞，其功甚偉。在今日視之，其說雖尚多可議處，然足以啓發青年之思路者良多。

## 子部

**荀子**

周荀況撰。儒家要籍，自論語、孟子、及禮記外，首推此書。昔日盛行唐楊倞注本（二十卷）；自清王先謙荀子集解（二十卷）問世後，學者便之。初學宜讀王本。

**韓非子**

周韓非撰。今傳先秦法家之書，若管子，若鄧析子，若商君書，率爲後人綴輯成書，甚少其本人之作品。韓非子雖未必全部出於韓非之手，然大部分可信，故爲先秦法家要籍。近人王先愼有韓非子集解二十卷，頗便初學。

## 墨子

舊題周墨翟撰。先秦學術，儒、老、墨鼎足而三。而墨子一書，又今存墨家之唯一著作也。其重要可知。昔人治墨子之書者甚少；至清孫詒讓墨子閒詁（十五卷）問世，學林盛稱之。讀墨子者，自宜先取此本。

## 呂氏春秋

舊題秦呂不韋撰。此書網羅宏富。先秦各家學說，往往見於其中。雜家中之要籍也。今人許維遹有呂氏春秋集釋（二十六卷），頗便初學。

## 老子

舊題周李耳撰。老子五千言，爲道家之祖籍，其重要猶論語一書之於儒家也。學者最好能熟讀成誦。解釋老子之書，以魏王弼注（二卷）最爲通行，初學宜讀此本。

## 列子

舊題周列禦寇撰。今傳本列子八卷，其爲僞書，已成定讞。然凡治學者無不讀之。故爲常識計，亦不容不知其概略。晉張湛注本，最爲流行，初學宜取讀之。

## 莊子

舊題周莊周撰。是書眞僞參半；然自六朝以來，幾於家傳戶誦。其在學術界之勢力；殆與左傳、孟子、楚辭相似；故學者必不可不讀。舊時晉郭象注（十卷）最爲風行；今初學之士，可讀清王先謙之莊子集解（八卷）。

子部書茲僅擧以上數家，可謂至簡。初學之士，如欲於先秦諸子思想得一系統之知識，可讀胡適之先生之中國哲學史大綱上卷（後改名中國古代哲學史）。關於秦漢以後者，可讀近人所著之中國哲學史。至於清代學術，則梁任公之中國近三百年學術史一書，敍述最爲簡當。此類書雖皆非古籍，然初學讀之，不惟於我國歷代思想狀況及清代學術大勢，可得一清晰之槪念；且於治學方法，亦可得不少之啓示也。

# 集部

## 楚辭

漢劉向編集。凡十七卷。是書爲辭賦之祖，故歷來學者，無不讀之。其中屈原作品，如離騷、九章、九歌、卜居、漁父、招魂諸篇，最好能熟讀成誦。初學可讀漢王逸章句、宋洪興祖補注本；如能再參閱朱子楚辭集注（八卷，又辨證二卷，後語六卷）、及清戴震屈原賦注（七卷），則更佳矣。

**陶淵明集**

晉陶潛撰。十卷。隋以前人所著詩文別集，後世流傳最普遍者，莫如此書。卽無意專治文學者，爲常識計，亦不可不略讀之。淸陶澍所撰陶靖節集注，頗便初學。

**李太白詩集**

唐李白撰。三十卷。今通行者爲元楊齊賢集注、蕭士贇補注本，讀者可取此本。

**杜工部集**

唐杜甫撰。杜甫有詩聖之稱，故其詩爲宋元以來學人所必讀。注解杜詩者甚多，而以淸仇兆鼇之杜少陵集詳注（二十五卷）、及楊倫之杜詩鏡詮（二十卷）二書爲勝。可任取一種讀之。

**韓昌黎集**

唐韓愈撰。韓氏提倡古文，蘇東坡譽其「文起八代之衰」，故卓然爲後世習古文者所宗。韓集注解者亦多，宋廖瑩中輯注者（四十卷、外集十卷），今有影印宋本，可取讀之。

**白氏長慶集**

唐白居易撰。七十一卷。白氏詩淺易近人，老嫗都解，故後世流行亦廣。宜略讀之。

**文選**

梁蕭統編。原三十卷，唐李善注此書，始析爲六十卷，嗣後遂通行六十卷本。自戰國下逮齊梁，重要詩文，略備於是書。故昔之習詞章者，無不奉爲寶典。初學讀李善注本卽可。

**文心雕龍**

梁劉勰撰。合評詩文之書，今傳世者，以此書爲最古。有意治文學者，宜精讀之。舊日盛行清黃叔琳輯注本（十卷）；今人范某有文心雕龍注十卷，較黃注爲勝。

集部之書，僅舉以上數種，以較他家教學書目，此實已減至無可再減。唐宋以下詩文總集，五代以來詩文別集，以及詞曲總集別集，本目皆未列舉。蓋詩文詞曲及文學史，大學中文系中，皆列爲必修科。故凡讀大學中文系之青年，於此皆已具有根柢；如欲從事研究工作，自能知其門徑。故本目皆從略。

研治數理及生物科學之青年，卽右列寥寥數種之集部書，亦無暇讀之。然生爲中國人，於本國文學，亦不宜瞢無所知。古文選本如古文觀止，駢文選本如六朝文絜（有箋注本），古詩選本如古詩源，唐詩選本如唐詩三百首，詞選如白香詞譜，如能取而趁暇諷誦之，以當謳歌。則於吾國詩文，亦已得些許最粗淺之常識矣。

右目所列，不及四十種，可謂至簡。如讀畢上述諸書後，尙有餘力，能作進一步之閱讀，可參考書目答問所列之書，就個人興趣而選讀之，則常識益豐，而從事研究工作之基礎益固矣。

傳記之書，最能淬礪品德，激發志氣。如仍有餘力，可讀名臣言行錄（宋朱熹撰）、元名臣事略（元蘇天爵撰）、明名臣言行錄（清徐開任撰）、國朝先正事略（清李元度撰）等書。又：著名小說，如三國演義、水滸傳、西遊記、紅樓夢等；傳奇之書，如西廂記、桃花扇等，所述故事，已爲一般人所共有之常識。亦宜趁暇讀之。

工具之書，有辭海、康熙字典二者，用以讀普通書，大致適用。如欲備較詳之字書，則有日本諸橋轍次所編之大漢和辭典。關於檢核文字形體者，可閱說文解字詁林。倘專意尋檢古代字義，則有經籍纂詁。至於檢查人名或地名，則有人名大辭典及地名大辭典。

（錄自「古籍導讀」，臺灣開明書局，民國五十三年九月）

# 第二輯 目錄學類

## 目錄學的意義

昌彼得

要研究我國的目錄學，不可不先明瞭我國目錄學的意義究竟是什麼？我國的目錄學淵源於漢代劉氏向歆父子的別錄七略。漢成帝時劉向領校秘書，在每一種書經過專家校讎整理編定後，則條擧它的篇目，並撮述其書著作的旨意，撰寫爲敍錄，以之奏進。劉歆又根據向及他自己所校定的秘閣所藏各種圖書的目錄，依書的內容及學術流別，予以分類編排，著成七略七卷。凡分六藝、諸子、詩賦、兵書、數術、方技等六個大類，內含三十八個小類，另外有輯略一篇，總論各門類學術的源流及旨要。依據別錄七略撰著的宗旨，則可以知道著作一部目錄，必定先要通盤瞭解一代學術的大勢，及各學派與各書的宗旨，而後乃可以將雜亂無序的圖書部次類居，才能免除凌亂失紀，雜而寡要的弊端。使人一讀目錄，就可以知道某項學術屬於那一家，某書屬於那一派。而對古今學術的興衰隆替，作者的得失優劣，都可以從目錄中考索而得。是以目錄的目的有二：第一、在將凌亂繁雜的圖書，予以分類部次，使得井井有序；第二、要區辨各書的學派，考述各門類學術的淵源流別，也就是章學誠所謂的：「考鏡源流，辨章學術」。此兩者不可缺一。因爲目錄的編著，是以書籍爲對象，而不是以學術爲對象。如以學術爲對象，而爲之條析源流，寫成一部著作，僅可以稱爲學術史，不得稱作目錄。但如以書爲對象，而不知道學術的源流，與各書著述的宗旨，則無從部次類居，而致淩亂無序。將正如章學誠所譏評的：「如徒爲甲乙部次計，則一掌故令史足矣」，不足以稱爲學。後世的目錄書，雖然體制或有不同，要皆以這兩個目的作爲編撰的依歸。

我國前代的目錄，就可以考知者，從其體制的不同，大別可以區分爲三類：一爲部類之前或後有小序，書名之下有解題或提要者；二爲僅有小序，而無解題者；三爲小序解題俱無，祇載書名、篇卷，及作者者。前人討論目錄學，對於這三類，雖然各有他們的主張，但對於撰著目錄的宗旨，必求其可以考見學術的源流，則無二致。玆分別加以研討：

有小序及解題的書目，今已佚傳的如齊王儉七志、梁阮孝緒七錄、隋許善心七林、唐元行冲羣書四部錄、及毋煚古今書錄等。尚存的如宋晁公武郡齋讀書志、陳振孫直齋書錄解題、元馬端臨文獻通考經籍考、清四庫總目等，及名存而實亡的宋崇文總目之類都是的。隋書經籍志簿錄類小序說：

漢時劉向別錄、劉歆七略，剖析源流，各有其部，推尋事跡，疑則古之制也。自是以後，不能辨其流別，但記書名而已。博覽之士，疾其渾漫，故王儉作七志，阮孝緒作七錄，並皆別行。大體雖準向歆，而遠不逮矣。

隋志抨擊晉以後的各家目錄，而獨尊向歆，蓋因爲劉向的別錄，每一部書都有敍錄，對於其書的指歸訛謬，皆有論辨。劉歆的七略，有輯略剖析九流百家學術的源流，所以極爲推崇。自晉元帝時李充編四部書目，下迄隋代，歷朝的官修書目，都只有少數幾卷，不著小序與解題，所謂「不能辨其流別，但記書名而已」，故評爲「渾漫」，認爲它們不能達到目錄的功用，故無足輕重。清章學誠校讎通義互著篇也說：

> 古人著錄，不徒爲甲乙部次計。如徒爲甲乙部次計，則一掌故令史足矣，何用父子世業，閱年二紀，僅乃卒業乎？蓋部次流別，申明大道，敍列九流百氏之學，使之繩貫珠聯，無少缺逸，欲人卽類求書，因書究學。……古人最重家學，敍列一家之書，凡有涉及一家之學者，無不窮源至委，竟其流別，所謂著作之標準，羣言之折衷也。

按漢書成帝紀，河平三年（西元前二六年）秋八月，劉向奉敕校中秘書，綏和元年向卒，而由劉歆繼續主持其事。據楚元王傳載，建平元年（西元前六年）歆改名秀，今傳山海經前載有歆上書表，卽署名秀，知在這一年他仍在主持校讎的事。同年歆移書責讓太常博士，觸大司空師丹之怒。師丹於綏和二年十月爲大司空，僅一年，建平元年十月被策免。而歆亦因此忤執政大臣，懼誅而請求外調郡縣。則劉歆奏進七略，當在建平元年的夏天以前。從向校書中秘，至歆編成七略，前後二十一年。章實齋說「閱年二紀」，乃舉其成數而言。這二十一年，蓋包括圖書的整理、校讎、及繕寫等項工作在內。若僅編一部著錄尚不足六百種書的目錄，當然不需要這麼多的時間。章實齋所舉的例子，雖不甚恰當，但他認爲向歆撰著目錄的目的，在使人能卽類以求書，因書以究學，凡涉及此一家學術的，無不窮源至委，條其流別，兼包學術的歷史，則並不錯。而論析學術的源流，概述圖書的大旨及優劣得失，非有小序及解題兩種體制，無法達到它的功用。帳簿式的目錄，是這一派學者所不取的。

僅有小序而無解題的書目，如漢書藝文志、隋書經籍志，及明焦竑的國史經籍志等。漢志是增刪七略而著成，七略原有解題，班固予以刪削，而但保存了它的輯略這篇文字，分散編入各類之後作爲序。如大序論學術折衷於孔子，諸子略的小序皆推言某家學術出於古代某官所掌，其流而爲某某氏之學。又書名之下往往有簡注，於書名之晦澀者加以註明，例如諸子略儒家董子一篇，注云：「名無心，難墨子」。六藝略易類蔡公二篇，注云：「衞人，事周王孫」，將書的內容或著者的學術背景作簡略的介紹。隋書經籍志則依據阮孝緒的七錄而增益之，書名之下也多有注。這種情形不過是刪繁就簡，是史學家著述目錄的一種體裁，其重點在存一代的文獻，並不是認爲解題沒有用處。至於辨章學術的得失，考鏡各家的源流，僅有小序也足以來證明。不過自唐以後的史志，僅列載書名，而不撰小序，且不足以保存一代的文獻，則是史家目錄的變體，不足以作爲準則，明焦竑撰國史經籍志，他在魏徵隋志之後九百多年，能規復小序，尚是通於史家目錄著述的宗旨，比起宋代諸賢來要勝過得多。

既無解題又無小序的書目，已佚者如晉迄隋歷朝的官修目錄，存者如唐宋明諸史藝文志、通志藝文略、以及明以來的各家藏書目之類均是。這一類的書目，不辨學術流別，但記載書名、卷帙、著者，而分類部次，深爲隋志及章氏等所譏評。然而學術重在條別門類，假若能夠周悉它的淵源沿革，因而製訂出周詳的分類法，來部次圖書，也就是作到章學誠在和州志藝文書序例所說的「以部次治書籍」，則可以秩然不紊，也足以辨章學術，考鏡源流。宋鄭樵即主張此說，他嘗云：

類例既分，學術自明，以其先後本末具在。觀圖譜者，可以知圖譜之所始；觀名數者，可以知名數之相承。讖緯之學，盛於東都；音韻之學，傳於江左。傳注起於漢魏，義疏盛於隋唐。觀其書，可以知其學之源流。或舊無其書而有其學者，是爲新出之學，非古道也。（通志校讎略編次必謹類例論篇）

其意以爲只要詳類例，學術的淵源流別自然可以顯現出來。鄭氏並且譏評崇文總目的解題爲毫無意義，他在校讎略泛釋無義論篇中又云：

古之編書，但標類而已，未嘗注解，其著注者人之姓名耳。蓋經入經類，何必更言經？史入史類，何必更言史？但隨其凡目，則其書自顯。唯隋志於疑晦者則釋之，無疑晦者則以類舉。今崇文總目出新意，每書之下必著說焉。據類自見，何更用爲之說？且爲之說也，何用一一說焉？至於無說者，或後書與前書不殊者，則强爲之說，使人意怠。

崇文總目的解題，是遠紹承劉向別錄的成法，並不是王堯臣、王洙、歐陽修等人自創的新意。鄭氏唯尊隋志，故發此論。所以四庫總目批評他是海濱寒畯，非出公心。鄭氏對崇文總目的譏評，固有未當。不過他的詳類例，而學術源流自明的見解，揆諸劉氏向歆父子的錄略，實導源於先秦學術的分類，也算得上不易之論。但如鄭樵之說，其編次必須要著錄亡佚的書（樵有編次必記亡書論篇），始能顯現其學的本末源流。而我國的典籍，累代遞增，歷朝書目，不論存佚，均予以著錄，則篇目依舊，頻煩互出，斯眞難免如劉知幾對史書藝文志的評詆：「何異以水濟水，誰能飲之乎」（史通書志篇）？何況目錄的作用除了明學術源流外，還要供人卽類以求書，若不論存佚，概予著錄，則不便於檢書。是故鄭氏詳類例而學術自明之說，雖然也是目錄的一端，但尙非極則。

綜以上所論三類目錄的體制雖各有不同，前兩類以辨章學術，考鏡源流，來部次羣書。換句話說，卽以辨章學術，考鏡源流爲主，分類部次爲輔。後一類則反是，以分類部次羣籍來顯現學術的源流本末，主從的關係雖然有殊異，但其目的則無二致。

目錄書對於不同的本子，兼載倂收，以標擧其書的異同，其來甚古。我國最早的一部目錄書——劉歆七略，雖然原本不傳，但它的體例，從漢書藝文志還可以窺見。漢志書類在伏生二十九卷之外，又著錄古文經四十六卷；春秋類於左氏國語二十一篇外，又有劉向編的國語五十四篇；於論語，分別的著錄了齊、魯、古三個本子，於古論二十一篇，注云：「出孔子壁中，兩子張」；於齊論二十二篇，注云：「多問王、知道」。目錄書不厭重出者，蓋不如此，則書本的異同，無從窺見。不過這種道理，自隋以來，不甚爲目錄學者所重視。自雕版印刷術發明以後，書籍大都用雕印的方法來流傳。清乾嘉以隆，版本校勘之學興起，而目錄的著錄項，已經不能像前代的目錄僅僅記載書名、篇卷、著者就夠了，必需著明它的版本，始能使閱者知道這部書的流別內容。因爲書版本的不同，不僅是文字有正誤之別，它的內容往往有很大的差異。有的是卷數相同，而書的內容詳略各異：例如宋魏泰的臨漢隱居詩話，今流傳的有說郛、學海類編、歷代詩話、知不足齋叢書、湖北先正遺書等刻本，都是一卷。但前兩種本子僅有三十五條，歷代詩話本更少一條，只有三十四條。後兩種本子則有六十九條，不僅篇帙多到一倍，而且各條的文句也比前三本多出很多，因爲前三本係出之於元人的刪節。有的是因校勘精粗有別而脫誤的不同：例如水經注，明代的各刻本率多經注混淆，文字脫誤，清武英殿本及全祖望、趙一清等校刻本，補脫正誤多達七千餘字。或者有輯本與原本的不同：例如元張養浩著的雲莊類稿，今流傳的有出自清四庫館自永樂大典輯編本，與今尚存的元代刻本，卷數內容各異。假若不載明是什麼版本，則目錄編著者與讀者所見的本子，可能不是同一版本而不自知。編撰目錄中敍錄或解題的論說，不能不依據原書。假若撰目錄者所依據立說的是足本，而讀者所看的是節本，則目錄書中所述的在他所持有的書中往往尋覓不到。假如目錄撰者所依據的是善本，而讀者所見的是誤本，則考對起來往往不相符合。假如目錄撰者所依據的是原本，而讀者所見的是別本，則篇卷的分合，目次的先後，往往互相乖剌。目錄的作用本來是指導讀者治學的門徑，而彼此所見的不是同一書本，好像治絲而棼，反令讀者困惑而無所適從，故關係甚大。反過來說，假如編撰目錄的人，沒有見到善本、原本、足本，而執着節本、誤本、別本以爲之論說，則他所說的是非得失，可能與事實大相背謬。譬如四庫總目卷一二三宋江少虞事實類苑提要，說此書傳本只有六十三卷、二十二門，因而批評書前所載的江氏自序謂爲二十八門，是傳寫之誤。按這部書近代發現通行的日本元和七年活字本，乃翻印宋紹興間麻沙坊本，凡七十八卷，確分二十八門，江氏的序並不誤，只不過四庫館臣未見到罷了。又譬如宋馬永易實賓錄，四庫提要云：「自元以來，其書久佚，陶宗儀收入說郛者，僅寥寥數條」。按今通行出自明鈔本的說郛，陶氏所錄的，多達二百八十八條。四庫館臣所依據立說的，是明末陶珽重編的本子，而不是陶宗儀的說郛原本。若此之類，是不僅厚誣古人，而且貽誤後學。故淸代校勘學家顧廣圻序他的朋友秦恩復的石研齋書目云：

蓋由宋以降，版刻衆矣。同是一書，無弗復若逕庭。每見藏書家目錄，經某書，史某書云云，而某書之爲何本，漫然不可別識。然則某書與否，且或有所未確，又烏從論其精粕美惡耶？（思適齋文集卷十二）

顧氏畢生從事校勘，深深了解書因版本的不同，其內容差異甚大。故若不著明版本，所謂的某某書，是不是它的本來面目，閱目錄的人則無從確定。我國目錄書之載明版本，就今流傳者來看，始於南宋孝宗時尤袤的遂初堂書目。這部書目中所著錄的，有的一書多至數本，但大抵限於經史典籍，因爲這些書宋代刊刻比較多的緣故。明代則有嘉靖時晁氏寶文堂書目，清嘉道以後，始漸普遍，衍及近代，則著錄益詳。標舉百宋千元，並不僅僅是務在矜炫，也是事實上有這種必需。

綜合前面的討論，則對於我國目錄學的意義，可以瞭解。所謂「目錄學」者，是詳分類例來部次羣書，並進一步推闡各書的旨要，辨學術的源流本末，誌版本的異同優劣，使閱者能夠即類而知道學問，因學問而知道求書，求書時知道選擇版本的一種專門學術。是以目錄不僅限於記載書名，目錄學也不僅在於將繁富雜亂的圖籍，分類編目，以便於尋檢而已。而應該積極的介紹書的內容，使學者得依據以爲指南，來從事於學術的研究。

（原載「包遵彭先生紀念論文集」，民國六十年二月）

# 目錄學之功用

昌彼得

目錄之書，既爲網羅群籍，分類部次，而重在辨學術之源流本末，明版本之優劣異同，故後人遂利用之治學，或以爲攷證之資，或以爲涉徑指南，其功用甚溥。玆略舉其犖犖大者數端，試申論之。

**一曰治學涉徑之指導**

張之洞書目答問略例云：「讀書不知要領，勞而無功。知某書宜讀，而不得其精校精注本，事倍功半」。我國典籍浩瀚，學術萬端，而生之有涯，詎能徧識。卽略知其流緖，而諸書疏注繁數，傳本夥頤，又何從而抉擇。故必有目錄爲之指示其途徑，使識其指歸，辨其緩急，卽類以求書，因書以知學。張氏輶軒語語學論讀書宜有門徑條云：

汎濫無歸，終身無得。得門而入，事半功倍。或經、或史、或詞章、或經濟、或天算地輿。經治何經？史治何史？經濟是何條？因類以求，各有專注。至於經注，孰爲師授之古學？孰爲無本之俗學？史傳孰爲有法？孰爲失體？孰爲詳密？孰爲疎舛？詞章孰爲正宗？孰爲旁門？尤宜抉擇分析，方不至誤用聰明。此事宜有師承，然師豈易得。今爲諸君指一良師，將四庫全書總目提要讀一遍，卽略知學術門徑矣。

蓋卽强調目錄之書爲涉學之門徑也。我國目錄或泛集群籍，或專誌一科，皆足資涉學之助。昔晁氏作志，顏以讀書；振孫著錄，名曰解題。發蔀刮蒙，由來已久。輓近所傳，如龍啟瑞之經籍舉要，張文襄之書目答問，或指示其內容，或詳注其版本，更具津逮後學，啟蒙發瞶之效，此目錄學之功用一也。

## 二曰鑑別古籍之眞僞

讀書之要，首在鑑別；鑑別之道，首在眞僞。蓋眞僞不辨，而誤信贋假，所獲得之知識，卽不眞實，所攷證之結論卽不可信。宋儒眞德秀引尚書大禹謨：「人心惟危，道心惟微，惟精惟一，允執厥中」十六字，謂爲係「堯舜禹傳授心法，萬世聖學之淵源」（大學衍義卷二）。元明以來學者，咸信其說。然大禹謨篇乃晉人所僞作，以此爲堯舜禹傳授心法，豈非厚誣古人？故自唐以降，鑑別典籍眞僞，寖成風氣。如唐之柳宗元，宋之朱熹、葉適，明之宋濂、胡應麟，清之姚際恒等人，或有專著，或有專篇，以攷辨古籍之眞僞。其辨僞之法，雖有多方，而據目錄以攷其書之源流，實爲首要。胡應麟四部正譌論辨僞有八種方法，首二法卽曰：「覈之七略以觀其源，覈之羣志以觀其序」。梁任公著「古書眞僞及其年代」，其甲編從傳授統緒上辨別各項，大率根據目錄之書來辨別眞僞。故葉德輝云：「鑑別之道，必先自目錄學始」（藏書十約）也。玆聊舉二例以明之：今傳關尹子一卷，題周關令尹喜所撰。按漢志著錄關尹子九篇，是本有其書，然隋唐及宋國史志皆未著錄，則佚傳已久。今傳之本乃南宋時徐藏得之於永嘉孫定。故陳振孫直齋書錄解題、宋濂諸子辨疑卽孫定所僞造。如今傳之子貢詩傳、申培詩說二書，乃明嘉靖中廬陵郭子章家所出，郭氏得之黃佐，而謂黃佐係獲得晉虞喜所傳摹自秘閣石本。二書一出，時人驚爲秘笈，紛紛傳刻。然攷之自漢迄宋諸史藝文志及藏書目皆不載，故可斷爲明人（豐坊、王文祿等）所杜撰。按漢書東方朔傳：「朔之文辭，此二篇最善（指答客難及非有先生論），其餘有封泰山、責和氏璧、及皇太子生禖、屏風、殿上柏柱、平樂觀賦獵、八言、七言上下，從公孫弘借車，凡劉向所錄朔書具是矣（師古注：「劉向別錄所載」）。世所傳他事皆非也」（師古注：「謂如東方朔別傳及俗用五行時日之書，皆非事實也」）。後漢書張衡傳：「初，光武善讖，及顯宗、肅宗，因祖述焉。自中興以後，儒者爭學圖緯，兼復附以妖言。衡以圖緯虛妄，非聖人之法，乃上疏曰：劉向父子領校秘書，閱定九流，亦無讖錄。成、哀以後，乃始聞之」。據此，則別錄成書未久，班固著述即加引用。以張衡之博洽，其攷學術之源流，亦據以論斷。則以目錄鑒別書籍之眞僞，漢人已開其先聲。此目錄學之功用二也。

### 三曰可考典籍之存佚

我國典籍與代俱增，亦與代俱亡。劉歆七略著錄六百三家，晉中經簿所載一千八百餘部，然迄蕭梁之世，前者所存僅及百之四五，後者所佚已達什之五六。漢志之書，求之隋志，十無二三；隋志之書，求之唐志，則十僅六七。如典籍任其放佚，稽古無徵，實學者之所患慮。故歷代有求書之舉，西漢成帝使謁者陳農求遺書於天下（漢志序）；元魏孝文帝借所缺書於蕭齊，以充秘府（隋志序簿錄類有魏闕書目一卷）；李唐昭宗命監察御史韋昌範赴諸道購求（新唐書志）；趙宋南渡，以唐藝文志及崇文總目所缺書下諸州軍搜訪（宋會要稿）。皆據簿錄，核計現存，知所缺佚，備目搜訪，始能按圖索驥，裒集徵求。蓋書有不顯於當代，而顯於後世者；或有不備於官府，而備於民間者；亦有亡佚於國內，而猶存於海外者。明季著作，清初多遭禁毀，無敢藏弆者，晚近始漸復出；平話雜劇，明清學者，多不之重，鮮見著錄。近年研究成風，紛紛重見，此皆顯於後世者。清修四庫，浙江鮑士恭、范懋柱、汪啟淑各進書數百種，多內府所無，此備於民間者。皇侃論語義疏，佚於南宋，乾隆中販自東瀛，始登四庫。黎庶昌輯刋古逸叢書，皆楊守敬訪之日本，此猶存於海外者。然若於簿錄無稽，莫可訪求，則雖存猶佚。故鄭樵謂書籍之亡，皆校讎之官失職也。我國往代目錄，多備闕書之目。王儉撰七志，條七略及兩漢藝文志、晉中經簿所闕之書，別爲一志。梁阮孝緒作七錄，亦循其例。隋書經籍志，尚注亡缺。唯唐人收書，只錄其有，不語其無，然尚可知其存。而宋志僅略收前代之作，明志則但錄一朝著述，並古籍之存亡不可知，最爲失之。所幸私家藏書目，傳世較夥，藉可攷見。昔牛弘以典籍遺逸，備有書目，上表請開獻書之路，一二年間，篇籍稍備。隋嘉則殿藏書達三十七萬卷，於古最盛，亦足徵按目求書之效著矣。此目錄學之功用三也。

## 四曰藉知佚書之崖略

目錄之書，重在敍錄，以其能撮一書之大旨，述作者之行事，辨學術之源流。古書之不傳於今者，如有簿錄，尚可藉見其內容，是書雖亡而猶存也。唐代以前之解題目錄如向歆之錄略、王儉之七志、阮氏七錄、許善心之七林，以及唐元行冲之群書四部錄、毋煚之古今書錄等，惜皆不傳。倘今尚存，則吾人於古代之學術，所知更多也。然仍可從漢隋諸史志略窺其旨。漢志本之七略，雖僅載書名，間自注其下。如子晩子三十五篇，注云：「齊人，好議兵，與司馬法相似」。世本十五篇，注云：「古史官記黃帝以來訖春秋時諸侯大夫」。隋志則損益七錄，如古史類於淮海亂離志四卷下，注云：「敘梁末侯景之亂」。舊事類於交州雜事九卷下，注云：「記士燮及陶璜事」之類是也。元明以前之解題目錄，今僅存晁公武郡齋讀書志、陳振孫直齋書錄解題、及文獻通攷經籍攷三家，崇文總目則原本已佚，今但有輯本。朱竹垞跋崇文總目云：「當時撰定諸儒，皆有論說，凡一書之大義，爲舉其綱，法至善也。其後若郡齋讀書志、書錄解題等編，咸取法於此。故雖書有亡失，而後之學者覽其目錄，猶可想見全書之本末焉」（曝書亭集卷四十四）。四庫總目書錄解題提要云：「其例以歷代典籍分爲五十三類，各詳其卷帙多少，撰人名氏，而品題其得失，故曰解題。古書之不傳於今者，得藉是以求其崖略；其傳於今者，得藉是以辨其眞僞，核其異同，亦攷證所必資」。四庫全書所未著錄而但存其目之書，達六千餘部，今歷時不足二百年，而佚者又復不少，吾人仍可據四庫總目而攷見其內容，此目錄學之功用四也。

## 五曰可核書名之異同

亘古迄今，典册浩瀚，有名同而內容實異者：如漢志兵略形勢家之尉繚子三十一篇，與雜家之尉繚子二十九篇同名；兵陰陽家之孟子一篇，與儒家之孟子十一篇同名；師曠八篇，與小說家之師曠六篇同名；力牧十五篇，與道家之力牧二十二篇同名；兵技巧家之伍子胥十篇，與雜家之伍子胥八篇同名。或有名雖異而書實同者：如老子之名道德眞經，莊子之名南華眞經，列子之名至德冲虛眞經，文子之名通玄眞經，亢倉子之名洞靈眞經，此盡人所知者也；他若張揖之博雅，卽廣雅是也；李卓之尙書談錄，卽尙書故實也。又如顏師古大業拾遺記，一名南部烟花，一名隋遺錄；虞世南北堂書鈔，一名大唐類要，一名古唐類苑；無撰人豪異秘纂，一名傳記雜鈔，一名載五事。亦有廢其初名，改從繼稱者：如今本史記，初名太史公書；淮南內篇，初名鴻烈；世說新語，初名世說新書；太平御覽，初名太平類編；永樂大典，初名文獻大成；百陵學山，初名丘陵學山之類是也。更有同一書名，而撰人紛歧者：如史記音義，作者九家；漢書音義，作者一十二家；晉紀一書，作者一十一家；晉書一書，作者一十八家。此皆先後述作，偶同其名，連編叠出，易滋㥯惑。不有簿籍，則循名撢實，難予貫通。此目錄學之功用五也。

## 六曰檢覈古書篇名之分合及卷帙之增減

先秦古籍，頗多雜揉。韓子初見秦篇，實採國策，乃張儀說秦惠王之詞。荀子之成相及賦篇，據漢志所載，本皆別行，而唐楊倞作注，始羼入書中。小戴禮記，輯前人論禮之文四十九篇，按鄭玄三禮目錄，其樂記乃取別錄樂記二十三篇中之十一篇，合爲一篇；明堂位篇則採自明堂陰陽記，月令篇則出呂覽十二月紀之首章。至於卷帙，稽之史乘，古今殊懸。如管子，漢志著錄八十六篇，隋志、新唐志載十九卷，舊唐志、崇文總目則作十八卷，至宋志乃作廿四卷，卽今之傳本。如晏子，漢志八篇，七錄作七篇，隋唐諸志作七卷，崇文總目則作十四卷，陳錄作十二卷，四庫著錄八卷，乃明以來之傳本。如孔子家語，漢志著錄三十七卷，隋志作二十一卷，唐志、陳錄、四庫並作十卷，乃魏王肅所僞造，非漢志之舊，今傳世復有三卷、六卷、八卷、十卷之不同。如抱朴子，隋志載內外篇五十一卷，舊唐志作七十卷，新唐志作內篇十卷、外篇二十卷，崇文總目著錄內外篇各二十卷，晁志則內篇二十卷，外篇十卷，宋志、四庫則合七十卷與舊唐志同，近世所傳，復有八卷之別本。其他如尹文子、淮南子、法言、中論等書，無不卷第參差，任意增減。四部之中，自以子部爲最，而集部之出入，尤視子部爲甚。如晉陶淵明集，梁有五卷，隋志九卷，新唐志乃作二十卷，今則有六卷、八卷、十卷之異。如宋張耒宛邱集，「世傳卷數最爲參差，聚珍本題柯山集五十卷，明嘉靖本題張文潛集十三卷，鈔本題張右史集，有六十二卷者，有六十五卷者，有六十卷者，而四庫著錄，又爲七十六卷。至汪藻所編張龍閣集三十卷，周紫芝所稱譙郡先生集百卷本，今已不可得見。蓋編刻之時地不同，傳錄之源流遂異」（傳增湘藏園群書題記）。賴有簿錄，古書篇目之分合、卷帙之增減，猶可得而攷覈。此目錄學之功用六也。

### 七曰可考古書之完缺

典籍傳世久遠，不無書缺簡脫，故昔人有「若犍度失其夾葉，猶禮記脫錯先後」（宋高僧傳玄逸傳）之嘆。若管子一書，漢志載八十六篇，唐代已亡數篇，見李善注文選陸士衡樂府猛虎行。入宋共亡十篇，僅存七十六篇，見郡齋讀書志，卽今之傳本。又其書尹知章注本，唐志著錄三十卷，宋崇文總目云：「今存十九卷，自列勢解篇而下十一卷亡」。又如愼子，漢志載四十二篇，隋唐志作十卷，宋代刻本以來，僅存一卷五篇。而今通行本雖亦五篇，乃明人摭拾殘餘，重行編次，又非宋人所見之舊。如抱朴子，原本七十卷一百十六篇，自宋以降，遞有殘缺，今本卷雖依舊，而篇帙則缺四十有四。如宋趙與虤娛書堂詩話，四庫一卷，今通行之讀畫齋叢書、歷代詩話續編諸刻本，咸上下二卷。按讀書敏求記著錄四卷，傳本僅當四卷本之首一卷，刻者改分上下，遂泯殘缺之迹。或有原本已佚，今本係出後人輯錄者。如清修四庫，自永樂大典輯出之書，多達三八五種。其他如王謨、黃奭、馬國翰、湯球等人，皆以輯佚名家，或專精一類，或擴及四部，此人所盡知者。另有如晉干寶搜神記、宋劉義慶幽明錄、唐張鷟朝野僉載、段成式酉陽雜俎續集等書，實出後人輯錄，則鮮爲人所知。亦有原本已佚，今本係經前人刪節者：如呂祖謙刪節十七史，據書名尚可知之。他知崔令欽教坊記、張唐英蜀檮杌、程大昌北邊備對、陸放翁家世舊聞，今傳之本，實出元末陶宗儀所刪節。若此之類，不稽目錄，則其本之完缺輯節不可知。此目錄學之功用七也。

## 八、曰可考古書版刻源流，而識其優劣異同

自印刷之術興，圖書率雕版以傳，唯校刻者之矜慎疏陋有別，編訂者之學識高下不同，致傳本而分優劣，書之內容或異。明人刻書喜任意篡改，故昔人發「明人刻書而書亡」之嘆。即以校刋矜審如宋者，閩刻周易井卦脫象傳，見譏於通人。校讎傳本優劣異同，雖屬校勘之學，而條列縷敍乃目錄學家之事。清乾嘉以來藏書家序跋題識書志，多載版刻時代，三五參稽，可攷一書源流。而如張金吾愛日精廬藏書志、陸心源儀顧堂題跋、瞿鏞鐵琴銅劍樓藏書目錄、朱緒曾開有益齋讀書志、楊守敬日本訪書志、傅增湘藏園群書題記、續記、莫伯驥五十萬卷樓群書跋文等等，多能挾其收藏之富，兼取衆

本而勘定其優劣異同。如張之洞書目答問、邵章增訂四庫簡目標注輒標注善本，俾讀者卽目而知各本之優劣。此目錄學之功用八也。

總之，目錄學之為用至廣，涉徑治學，皆需取資，故清儒王鳴盛以為學中第一緊要事。然亦視學者利用之方法若何，始能判其收效之厚薄也。

（錄自「中國目錄學講義」，文史哲出版社，民國六十二年十月初版）

# 目錄學的體制

昌彼得

劉氏向歆父子的別錄七略，是後世編著目錄者所取法的，故評論目錄書的優劣，不能不拿錄略作爲衡量的標準。綜括錄略著作的體例，主要有三項：一曰篇目，是概括一書的本末；二曰敍錄，是考述作者的行事，與論析一書的大旨及得失；三曰小序，是敍述一家一派的學術源流。所有這幾種體制，其作用即是章學誠所謂的：「辨章學術，考鏡源流」。後代的目錄書，無論其內容是或詳或略，或損或益，大抵不出這三個範圍。自從雕版印書術普及後，宋以來的目錄書中間有記載版本的。清乾嘉以來，版本之學倡盛，各家藏書目錄的編撰，大多詳記版刻的源流，則所以考版本的源流異同。這種體例雖然屬於後起，但已爲近世研治目錄學者奉爲圭臬。以上四項體制，如有不備，則目錄的功用不全。茲分別論說於後：

## 甲、篇　目

篇目的體例，是條別全書，著明某篇第幾。劉向別錄雖然不傳，但他的敍錄尚有若干存在原書中，固然其中已有數種經過後人更易，未必保存原貌，姑就晏子春秋、戰國策、荀卿新書、列子等四書敍錄觀之，都是在敍錄之前先列擧篇目次第。如晏子八篇云：「內篇諫上第一凡二十五章，內篇諫下第二凡二十五章……」，其下云：「右晏子內外八篇凡二百十五章」。如戰國策云：「東周第一、西周第二、秦一第三、秦二第四……」，其下云「右定著三十三篇」，卽其例子。篇目的作用，是概括一書的本末，使讀者一覽目錄，卽了然全書的首尾，而後閱書，卽可知其殘缺與否。這項體制在漢世非常重要，欲知其故，須明瞭古代圖書的形制。

古代的典籍，是用筆墨書寫在竹或木製成的簡牘上，集若干簡，而以韋皮或絲繩編連之，名之曰一篇。因爲簡策厚重，故一篇的文字不能過多。一部書既然分爲若干篇，必需各爲之立一名目，題於篇首，以資識別。其用意在便於察檢，有如後代的書冊，在下方題寫書根的意義一樣。凡是古人自著的書，係記述一件事情，或是闡明一個道理，則以事或義來題作篇名。如尚書的堯典、舜典，春秋的隱、桓、莊、閔……十二公等，皆是以事作篇名；如莊子的逍遙遊、齊物論，墨子的兼愛、非攻，荀子的性惡、正名等等，則是以義題篇。其有非出自著，而係將言行雜記，積章成篇，出於後人編次，首尾初無一定者，則摘其首簡的二三字作爲篇題。如莊子的秋水、馬蹄，論語的學而、爲政，孟子的梁惠王、公孫丑等篇皆是。凡以事或義來分篇的，文字的長短，作者著書時卽已固定，故雖僅數簡，亦可自爲一篇。其他則編次之時，大抵視字數的多寡，以絲繩韋皮能夠勝任編連簡策爲度，斷而爲篇，如論語分爲十四篇，晏子諫篇分爲上下兩篇。及春秋末年，以帛寫書盛行，因有改篇爲卷的。帛書一幅所能容納的字數，與簡篇約略相當，故大抵以一篇爲一卷。譬如尚書二十九篇，漢志載「大小夏侯章句二十九卷」，即是以一篇爲一卷。也有篇幅過短的，一篇不能自爲一軸，則往往將幾篇合爲一卷，例如漢志所載：「爾雅三卷，二十篇」。然而帛書過長也不便於舒卷，故偶而有將一篇分寫作幾卷的，如尚書二十九篇，漢志載歐陽經三十二卷，即是將其中的盤庚篇分作三卷，又有書序一卷，故成爲三十二卷。這一類篇卷的分合，大抵發生於漢以後。

因爲古書的篇卷自成單元，不相聯屬，則容易凌亂散佚，所以流傳的書本大多不是全書。又古書以一事或一義爲一篇，往往篇卷可以單行。如漢武帝末年河內女子進獻尚書泰誓一篇（按見論衡正說篇，唯作宣帝時，據近人考證實誤），東漢光武帝將史記的五宗世家、外戚世家、及魏其侯列傳等三卷賜與竇融（後漢書竇融傳），又明帝賜給王景河渠書一卷（後漢書循吏傳），即其例子。既然篇卷可以單行，所以同一書各家所收藏的篇卷往往多寡不一。劉向校書除了勘定文字的異同外，主要的目的是確定書的形質，把內廷及官府或私人所藏篇卷多寡不一的本子，集聚一處來校勘，刪除其中重複的篇卷，所餘下不重出的篇數，就是這部書的定本，如管子書錄云：

所校讎中管子書三百八十九篇，大中大夫卜圭書二十七篇，臣富參書四十一篇，射聲校尉立書十一篇，太史書九十六篇，凡中外書五百六十四篇，以校除複重四百八十四篇（按此數誤，應爲四百七十八篇），定著八十六篇。

又如晏子敘錄云：

所校中書晏子十一篇，臣向謹與長社尉臣參校讎太史書五篇，臣向書一篇，參書十三篇，凡中外三十篇，爲八百三十八章。除複重二十二篇，六百三十八章（按應作六百二十三章），定著八篇，二百一十五章。

劉向校書的過程，就今存的敍錄來看，大都類此，經過整理校讎而刪除重複後，定著爲若干篇。所以一定要將所定著的篇目條列在敍錄之前，以顯見此新定的本子與各家的藏本不同，而且可以固定這部書的形質，以防散佚與錯亂。這種體制能使後人檢覈古書的完缺與否，也可供人考逸篇的崖略，用意頗善。不過後世的目錄書仿效的甚少，僅四庫全書總目於各書間有著明篇目的，如傅子、公孫龍子等提要。揆度其緣因，在西漢以前，雖說是竹帛並用，然帛貴而竹賤，所以當時的圖書大多用簡策來書寫，只要看漢書藝文志著錄的書，篇多於卷，就可知道了。圖書既然多用簡策寫，則容易凌亂錯脫損失，所以校讎的工作，必以釐定篇目爲首要。自東漢和帝元興元年（西元一〇五年）蔡倫發明用樹皮、破布等廉價原料造紙的方法以後，圖書多用紙卷來書寫，唐宋以來，書式復由卷軸演進成書册，均易藏易檢。故魏晉以後職司校讎者，以勘定文字爲主要任務。而且後世的書，卷帙越來越多，編撰者大都紹述司馬遷史記自序、班固漢書敍傳的餘緒，仿效劉向敍錄的成法，在書首列有篇卷目次，以概括全書，這種目次多的自數卷以至數十卷。若果撰述敍錄一一條擧篇目，除了徒增篇幅，令讀者生厭以外，實無甚意義。近代研治目錄學的學者還有喟嘆篇目體制的失墜，竟欲起廢於千載之下，實在昧於事理，未免失之泥古不化。

篇目的功用既在概括全書的始末，如果因篇目繁多，刪削不載，則又使後世的人無從考覈存佚。

關於這點，四庫總目建立了一個很好的範例。四庫提要斟酌劉向的成法，於諸書大多著明其卷目。如長短經九卷提要，云：

第一卷八篇，題曰「文上」。第三卷四篇，題曰「文下」。第二卷四篇，則有子目而無總題，以例推之，當脫「文中」二字。第四卷一篇，題曰「覇紀上」。第五卷一篇，論七雄之事，題曰「覇紀中」。第六卷一篇，論三國之事，亦無總題，當脫「覇紀下」三字。第七卷二篇，題曰「權議」。第八卷十九篇，題曰「雜說」。第九卷二十四篇，題曰「兵權」。

又如王文成公全書三十八卷的提要，云：

是書首編語錄三卷，爲傳習錄，附以朱子晚年定論……次文錄五卷，皆雜文。別錄十卷，爲奏疏公移之類。外集七卷，爲詩及雜文。續編六卷，則文錄所遺，搜輯續刋者……後附以年譜五卷，世德紀二卷。

這一種的敍述方式，於卷幅無所增，雖未列篇目，而對於一書的始末仍可顯見，後世卽令有亡篇佚卷，猶可據以檢覈，於例最爲得之，是編著目錄者所應當師法的。

## 乙、敍錄

敍錄體例的要點，是考述作者的行事，與論析一書的大旨及其得失。漢志大序云：「每一書已，向輒條其篇目，撮其旨意，錄而奏之」。廣弘明集卷三阮孝緒七錄序云：「昔劉向校書，輒爲一錄，論其指歸，辨其訛謬」。所謂的「撮其旨意」，是概論作者著書的宗旨及書的大意。所謂的「論其指歸，辨其訛謬」，乃論析作者的學術淵源及評論書的優劣得失。欲明瞭作者著書的宗旨，必須先要明瞭他的生平。生平既明，則他的學術淵源及著書的原委，也就可以淸楚了。劉向撰寫敍錄，所立下的義例有三項：一曰介紹著者的生平。如晏子敍錄云：

晏子名嬰，諡平仲，萊人。萊者，今東萊地也。晏子博聞彊記，通於古今。事齊靈公、莊公、景公，以節儉力行，盡忠極諫，道齊國君得以正行，百姓得以親附。不用，則退耕于野；用，則必不詘義，不可脅以邪。白刃雖交胸，終不受崔杼之刼。諫齊君，懸而至，順而刻。及使諸侯，莫能詘其辭，其博通如此，蓋次管仲。內能親親，外能厚賢，居相國之位，受萬鍾之祿，故親戚待其祿而衣食五百餘家，處士待而舉火者亦甚衆。晏子衣苴布之衣，麋鹿之裘，駕敝車疲馬，盡以祿給親戚朋友，齊人以此重之。

綜敍作者的生平出處進退，言簡而意賅。又如韓子敍錄云：

韓非者，韓之諸公子也。喜刑名法術之學，而歸其本於黃老。其爲人口吃，不能道說，善著書。與李斯俱事荀卿，李斯自以爲不如。

列子敍錄云：

列子者，鄭人也，與鄭繆公同時，蓋有道者也。其學本於黃帝老子，號曰道家。道家者，秉要執本，淸虛無爲。及其治身接物，務崇不競，合於六經。

並敍述作者的學術淵源及其師承。其他如孫卿敍錄、管子敍錄等，介紹作者的生平，尤爲詳盡。劉向的其餘各書敍錄雖然多已亡佚，僅就淸嚴可均、姚振宗諸氏所輯的佚文觀之，很多都是介紹著者的文字，可以說是無書而不述其作者。至於不知其作者爲誰，也考出其著書的時代。例如道家鄭長者一篇，別錄云：「鄭人，不知姓名，六國時」。禮類王史氏二十一篇，陰陽家南公三十一篇、周伯十一篇，並云：「六國時人也」。卽有作者的時代不可考者，也予以註明，如農家的宰氏、尹都尉、趙氏、王氏等都注云：「不知何世」。不强以不知爲知，蓋如此可以免得學者再花費時間來作考證。

第二個義例爲說明著書的原委，及書的大旨。如孫卿敍錄云：

孫卿卒不用于世，老於蘭陵，疾濁世之政，亡國亂君相屬，不遂大道，而營乎巫祝，信禨祥。鄙儒小拘，如莊周等又滑稽亂俗。于是推儒墨道德之行事興壞序列，著數萬言。

韓子敍錄云：

韓非病治國不務求人任賢，反擧浮淫之蠹而加之功實之上。以爲儒者用文亂法，而俠者以武犯禁。寬則寵名譽之人，急則用介胄之士。所用非所養，所養非所用，廉直不容于邪枉臣，觀往者得失之變，故作孤憤、五蠹、內外儲、說難五十五篇，十餘萬言。

此皆說明作者何以著此書而其書的主旨亦可以見。又如易傳古五子敍錄：「分六十四卦，著之日辰，自甲子至於壬子，凡五子，故號曰五子」。周書敍錄：「周時誥誓號令也，蓋孔子所論百篇之餘也」。世本敍錄：「古史官明於古事者之所記也。錄黃帝已來帝王諸侯及卿大夫系謚名號，凡十五篇」。這些都是概述一書的內容。

第三項義例是評論書的得失。如戰國策敍錄：「皆高才秀士度時君之所能行，出奇策異智，轉危爲安，運亡爲存，亦可喜，皆可觀」。管子敍錄：「凡管子書務富國安民，道約言要，可以曉，合經義」。晏子敍錄：「其書六篇，皆忠諫其君，文章可觀，義理可法，皆合六經之義。又有復重，文辭頗異，不敢遺失，復列爲一篇。又有頗不合經術，似非晏子言，疑後世辯士所爲者，故亦不敢失，復以爲一篇，凡八篇。其六篇可常置旁御觀」。周訓敍錄：「人間小書，其言俗薄」之類皆是，對於書的優劣得失皆予以評述。

劉向敍錄，是後世撰著目錄者所師法的，然而能與劉向所立的義例完全相合的實甚罕見。隋書經籍志總序對魏晉六朝的幾部有敍錄的目錄批評說：荀勗中經新簿「但錄題及言，盛以縹囊，書用緗素，至於作者之意，無所論辯」。是說這目錄但重在抄錄書題及內容，並着意裝飾，而不能論述作者著書的原委。其評王儉的七志說：「然亦不述作者之意，但於書名之下，每立一傳」。論阮孝緒的七錄說：「其分部題目，頗有次序。割析辭義，淺薄不經」。對於這幾部目錄的不滿，溢於言表。因爲敍錄撰著的目的，是在使讀者在未讀其書之先，能對其書作者的生平、著書的目的等等有所知悉，幫助他們讀其書時可以有進一步的了解。所以敍錄的義例不僅止於介紹作者的生平，還須闡明著書的原委及書的內容。然而後世的目錄學家大都昧於這種道理，清章學誠校讎通義漢志六藝篇云：

藝文雖始於班固，而司馬遷之列傳，實討論之。觀其敍述戰國、秦、漢之間著書諸人之列傳，未嘗不於學術淵源、文詞流別，反復而論次焉。劉向、劉歆蓋知其意矣。故其校書諸敍論，既審定其篇次，又推論其生平，以書而言，謂之敍錄可也。以人而言，謂之列傳可也。也是紹述王儉七志的觀點，把敍錄的體制，視同列傳。實則敍錄與列傳撰述的重點是不相同的。章氏但執其一偏，而昧於劉向敍錄義例的整體。

唐以前的目錄現今雖不傳，但根據記載尚可以知道隋許善心所撰的七林，還能闡明作者著書的意旨。隋書卷五十八許善心傳：

（開皇）十七年除秘書監。于時秘藏圖籍，尚多淆亂，善心倣阮孝緒七錄，更製七林，各爲總敍，冠於篇首。又於部錄之下，明作者之意，區分其類例焉。

許氏的七林，隋唐史志都未著錄，不詳它的體例及區類如何。不過僅就隋書本傳所載，雖說規橅阮氏七錄。其敍錄還能發明作者著書的原委，通達劉向的義例，實超過六朝王阮諸氏。後代的解題提要的撰著，淵源雖出於別錄，然而許善心的七林，也不能說他沒有承先啟後之功。唐代元行冲等所修的羣書四部錄二百卷，此書久佚，其敍錄撰寫的優劣，無從詳悉。不過據舊唐志總序所載毋煚古今書錄序對此目的批評有云：「新集記貞觀之前，永徽已來不取；近書採長安之上，神龍已來未錄。此則理有未宏」。「書閱不偏，事復未周，或未詳名氏，或未知部伍。此則體有未通」。知道這部目錄大抵依據隋代的舊目錄，新增的書撰寫敍錄的，只有唐初太宗貞觀以前的著作，高宗以後的則無，而中宗以後的新著且不入目，故毋煚批評說「理有未宏」。按新唐志載開元七年，詔公卿士庶之家，所有異書，官借繕寫。到九年十一月羣書四部錄二百卷修成奏上，前後不過二年多，而完成此著錄八萬二千多卷的目錄巨著。大概敍錄多依據六朝的舊目錄，新撰的殆僅隋及初唐人的著作，才能於短期內修成，所以考證多疎，或有於作者姓名不詳的。未幾毋煚因此目多疎舛，乃刪略增補，撰成古今書錄四十卷，書名下也有敍錄論釋。據他自云：「改舊傳之失者，三百餘條」。永徽以後的新著，也「釋而附之」。但此目南宋以來不傳，其敍錄的優劣，也未見前人評論，不知道是否合於劉向的義例。宋代以降的敍錄之作，能紹述別錄的，祇有淸乾隆間所修的四庫全書總目提要。其他如宋代的崇文總目、晁氏郡齋讀書志、陳氏直齋書錄解題、明高儒的百川書志等，大多僅撮述各書的大旨，而對於著者的生平，及書的得失，但偶爾述及之，也不能詳明，爲例已不純。四庫總目雖說是一部相當詳贍的目錄，但其提要對於作者僅載爵里始末，而對於其立身行己，則罕加敍述，已經稍變別錄的義例。而且提要述作者爵里，大多止參考常見史傳一類的書，或依據本書中所有的來記載，不能旁搜博採，所以提要中常見：「始末未詳，仕履無考」的話。目前正在印行中的續修四庫全書提要，僅就已出版的兩册來觀，是頗能繼軌四庫總目，且有若干篇詳贍過之。不過此新出版的續修四庫提要，係雜出衆手，妍媸互見，未能斠一，還不能視作定本。目錄書編撰的目的，是指引讀者如何治學涉徑，節省他們盲目採討的勞費，而收事半功倍之效。假若編寫敍錄而畏繁難，當考而不考，則就無貴乎其爲目錄書了。近世題跋的書，如陸心源儀顧堂題跋、續跋，傅增湘藏園羣書題記、續記，莫伯驥五十萬卷樓羣書跋文等書中，介紹作者的生平，大多博採雜史、方志、文集、說部諸書，能詳以前目錄所未詳的。固然這些題跋書以詳記版本爲主，並不完全符合敍錄的體裁，然其博徵繁引，考作者的行事，實在是撰寫敍錄提要的人，所應當取法的。

## 丙、小序

小序的作用，是條別學術的源流與得失。劉歆繼續其父未竟的工作，校讎內府的圖書，將整理竣事的各書，移貯天祿閣上，部次類分，編成我國第一部目錄書——七略。他把當時的藏書區爲六藝、諸子、詩賦、兵書、術數、方技等六個大類，其下再細分爲三十八個小類。又敍述各家各派學術的淵源流變及利弊，合爲一篇，放置目錄之前，謂之輯略，作爲發凡起例。班固著漢書，依據七略，扼要刪取，編爲藝文志，因此將輯略一篇文字，解散分載於各類書目之後，作爲小序；每一略各小類書目載完後，復有撮述這一略的總序。在藝文志之首並有大序一篇，爲全書的綱領，這些敍述學術流變的序文，尤足以表見其類學術的淵源。玆酌列舉六藝略的易、書，及諸子略的儒、法等四類的小序，來說明小序撰著的體例。

**易類小序**：易曰「宓羲氏仰觀象於天，俯觀法於地，觀鳥獸之文與地之宜，近取諸身，遠取諸物，於是始作八卦，以通神明之德，以類萬物之情」。至於殷周之際，紂在上位，逆天暴物。文王以諸侯順命而行道，天人之占，可得而效；於是重易六爻，作上下篇。孔子爲之彖、象、繫辭、文言、序卦之屬十篇。故曰易道深矣，人更三聖，世歷三古。及秦燔書，而易爲卜筮之事，傳者不絕。漢興，田何傳之。訖於宣元，有施、孟、梁丘、京氏列於學官，而民間有費、高二家之說。劉向以中古文易經校施、孟、梁丘經，或脫去无咎、悔亡，唯費氏經與古文同。

**書類小序**：易曰「河出圖，雒出書，聖人則之」。故書之所起遠矣。至孔子篹焉，上斷於堯，下訖於秦，凡百篇而爲之序，言其作意。秦燔書禁學，濟南伏生獨壁藏之。漢興，亡失，求得二十九篇，以教齊魯之間。訖孝宣世，有歐陽、大小夏侯氏，立於學官。古文尚書者，出孔子壁中。武帝末，魯共王壞孔子宅，欲以廣其宮，而得古文尚書及禮記論語孝經凡數十篇，皆古字也。共王往入其宅，聞鼓琴瑟鐘磬之音，於是懼，乃止不壞。孔安國者，孔子後也。悉得其書，以考二十九篇，得多十六篇，安國獻之。遭巫蠱事，未列于學官。劉向以中古文校歐陽、大小夏侯三家經文，酒誥脫簡一，召誥脫簡二。率簡二十五字者，脫亦二十五字；簡二十二字者，脫亦二十二字。文字異者七百有餘，脫字數十。書者，古之號令。號令於衆，其言不立具，則聽受施行者弗曉。古文讀應爾雅，故解古今語而可知也。

**儒家類小序**：儒家者流，蓋出於司徒之官，助人君順陰陽，明教化者也。游文於六經之中，留意於仁義之際，祖述堯舜，憲章文武，宗師仲尼，以重其言，於道爲最高。孔子曰：「如有所譽，其有所試」。唐虞之隆，殷周之盛，仲尼之業，已試之效者也。然惑者既失精微，而辟者又隨時抑揚，違離道本，苟以譁衆取寵。後進循之，是以五經乖析，儒學寖衰，此辟儒之患也。

**法家類小序**：法家者流，蓋出於理官。信賞必罰，以輔禮制。易曰「先王以明罰飭法」，此其所長也。及刻者爲之，則無教化，去仁愛，專任刑法，而欲以致治，至於殘害至親，傷恩薄厚。

漢志六藝略的各小序，也就是七略輯略的文字，大都是首溯各經的起源及與孔子的關係，其次敍述傳授的源流與衍分的派別，再次敍古文經的來歷，及其與今文經的異同，使人讀後卽可以清楚這門學術的流變。而於諸子略各家，除了追溯其學的淵源外，並敍述其學的主旨，並評騭其得失。其他各略的小序，亦大多類此。每略之後的總序，則撮述各類而予以總論之，以挈綱領。漢志小序所述，據後人的考訂，固然其中不無可議之處，如魯共王壞孔子宅，按論衡在景帝末年，而譌作武帝時；如言孔子作易十翼，刪詩書等等，皆未必事實。然而能以極簡扼的文字，敍述其學的淵源流變，非深通於其門學術，而能辨識其得失之故，則不足與此。目錄書的撰述，敍錄固非易易，而小序尤難。章學誠校讎通義敍云：

非深明於道術精微羣言得失之故者，不足與此。後世部次甲乙，紀錄經史者，代有其人。而求其能推闡大義，條別學術異同，使人由委溯源，以想見於墳籍之初者，千百之中，不十一焉。

卽是指的小序而言。

自漢書藝文志以降，歷朝的官私目錄，於每類皆撰有小序者，各代偶或有之。而求其小序能辨章學術，考鏡源流者，實不多見。有小序或部類總序的目錄，除漢志而外，今存者有隋書經籍志、宋崇文總目、晁氏郡齋讀書志、陳氏直齋書錄解題、明焦氏國史經籍志、及清四庫全書總目六家。已佚傳而尚可考知的目錄，則有宋王儉七志、阮孝緒七錄、隋許善心七林、唐元行沖等羣書四部錄、毋煚古今書錄、宋三朝藝文志、兩朝藝文志、中興藝文志、中興館閣書目等九種。王儉作七志，隋志稱儉「又作九篇條例，編乎首卷之中，文義淺近，未爲典則」。已是批評其未善。復按七錄序，謂七志係倣別錄七略的體例，則其置在卷首的九篇條例，有若七略的輯略。然考七錄序又云：

王儉七志，卽六藝爲經典，次諸子，次詩賦爲文翰，次兵書爲軍書，次數術爲陰陽，次方技爲術藝。以向歆雖云七略，實有六條，故別立圖譜一志，以全七限。其外又條七略及兩漢藝文志、中經簿所闕之書，並方外之經：佛經、道經，各爲一錄，雖繼七志後，而不在其數。

據此則知七志雖以七爲名，實合佛道而分爲九大類，由此推知其卷首的九篇條例，應當是每類各撰總序一篇，九類的總序合成一編者，與漢志的小序尚略有不同，後來晁公武作郡齋讀書志，僅四部各撰一總序，大概淵源於此。或有以爲九篇條例卽同漢志的小序，實則非是。阮氏的七錄有無小序，他的自序中未明言，只說斟酌王劉。按隋書許善心傳云：

善心倣阮孝緒七錄，更制七林，各爲總敍，冠於篇首。又於部錄之下，明作者之意，區別其類列焉。

近人或有解釋此處的「類例」卽是指的小序，然細玩味這段文字，前面既云各爲總敍，冠於篇首，部錄之下，不應再有小序，古代目錄書中尙無如此體例者。故「類例」一辭，仍當如鄭樵校讎略編次必謹類別例論篇所云，係指的圖書分類。七林倣自七錄，七錄倣自七志，仍與劉歆輯略、漢志小序不同，只有總序，而無小序。隋志既批評七錄：「割析辭義，淺薄不經」，則此總敍也寫得不一定佳。許氏的七林，隋唐史志皆未著錄，大概是成書未久，旋卽亡佚，不詳其總敍的義例善否。唐元行冲羣書四部錄凡二百卷，係開元中元氏與毋煚等奏進者，據舊唐書經籍志引毋煚的四部都錄（卽古今書錄）序云：

曩之所修（卽指羣書四部錄）……所用書序，咸取魏文貞；所分書類，皆據隋經籍志。理有未允，體有不通，此則事實未安。

由此可以知道羣書四部錄的小序，全採魏徵所修的隋書經籍志。然魏徵所撰，敍述止於隋代，元氏等所修時在開元，相去百餘年，而全取舊序，所以毋氏批評說：「理有未允」，「事實未安」。古今書錄四十卷，係毋氏等刪節增補重訂羣書四部錄而成，舊唐志序曰：「煚等選集，依班固藝文志體例，諸書隨部皆有小序，發明其指」。玉海卷五二藝文門載此目錄也說：「並有小序，詞簡事具」。評語尙佳，則是這部目錄的小序尙能步武漢隋二志。後來劉昫修舊唐書時，其經籍志雖全採古今書錄，而以小序「卷軸繁多」，「序敍無出前修」，給全刪去了，實在是件很可惜的事。新唐書及宋明諸史志，也不撰小序，蓋皆舊唐志之始作俑。宋代幾次所修的國史多有藝文志，如三朝藝文志、兩朝藝文志、中興藝文志等書雖不傳，其小序於馬端臨文獻通考經籍考中所引錄的，尙略可窺見。經籍考引三朝藝文志的孝經、小學、起居注、雜史、傳記、故事、農家、天文、神仙、釋氏、文史等十一類的小序；引兩朝藝文志的傳記、天文、別集三類的小序；引中興藝文志的時令、文史兩類的小序。從所引的各篇小序來看，皆敍述簡略，尙不足以明學術的流變。中興館閣書目，據玉海卷五二所載，爲淳熙五年陳騤等奏上，凡七十卷，又有序例一卷，計五十五條。按此目係分四部五十二類，序例五十五條當是小序及總敍，惟尚短少一條，或玉海所記的門類數字有誤。其目不傳，無從考案，亦不詳小序撰述的義例如何。宋崇文總目，按玉海引國史志云：「六十六卷，序錄一卷，多所謬誤」。序錄卽倣輯略而作。六十六卷的原本及序錄現今雖然不傳，但據淸錢東垣、秦鑑等人合輯本所得的小序三十篇觀之，皆尙空談而少實證，實在無足輕重，所以宋國史志批評它「多所謬誤」。晁氏讀書志、陳氏書錄解題這兩部目錄，近世雖然號稱爲比較好的目錄書，而晁氏但能爲四部各作一篇總序，至於各類則無所論說，不過其總敍雖然簡略，於學術的流變得失，還略能涉及。陳氏解題，則無總序，而間有小序，見語孟、起居注、時令、農家、陰陽家、音樂、詩集、章奏等八類。惟書錄解題原本早佚，今通行的廿二卷本是四庫館臣從永樂大典輯出重編的。提要雖說「永樂大典尙載其完帙」，又說「當時編輯潦草，譌脫宏多」。則原本是否每類皆有小序，或不止此八篇，已無可考。姑就傳本的小序來看，也僅是解說門類分合的緣由，未能條別學術的源流。焦竑的國史經籍志每類後各有小序，共四十八篇，而無總敍。其小序大抵說明他著錄的旨意及分隸之故，雖也偶能敍及學術淵源兼評論得失，但尙不能通其流變。淸章實齋曾批評他：「未悉古今學術源流，不於離合異同之間，深求其故，而觀其所議，乃是僅求甲乙部次」（校讎通義卷二焦竑誤校漢志篇）。雖然這是章氏針對焦竑國史經籍志後所附糾繆一卷的評話，但也正可適用來評他的小序。今世所存目錄書中的小序勉强可以繼軌七略漢志的，也僅有隋書經籍志及四庫全書總目而已。所以章氏謂「千百之中，不十一焉」。

隋書經籍志前有大序一篇，敍述歷代典藉的源流甚詳，足以上繼漢志之闕。其述漢魏六朝目錄書的體例，與阮孝緒七錄序互有詳略，皆可供我們稽考隋代以前的目錄。其經子兩部的小序，皆依仿漢志，凡所論溯淵源，不出劉、班的範圍，及其補敍源流，又每每失考，故四庫隋書提要極爲譏抑，云：

惟經籍志編次無法，述經學源流，每多舛誤。如以尚書二十八篇爲伏生口傳，而不知伏生自有書教齊魯間。以詩序爲衞宏所潤益，而不知傳自毛亨。以小戴禮記有月令、明堂位、樂記三篇爲馬融所增益，而不知劉向別錄禮記已載此三篇，在十志中爲最下。

雖然隋志經子兩部的小序不乏舛誤之處，其實少許的錯誤在漢志及四庫總目也不能避免，因爲研究總是進步的。但隋志小序對學術的流變得失條析得相當簡明扼要，使人讀後對其類學術的興衰情形有概括的認識，可指導學者進而研究。比較來說，比四庫總目的小序敍述還要得法得多。所以四庫提要雖批評隋書經籍志在十志中爲最下，但其下又云：「然後漢以後之藝文，惟藉是以考見源流，辨別眞僞，亦不以小疵爲病矣」。於禮類附錄夏小正戴氏傳提要中亦云：「隋志根據七錄，最爲精核」。可見四庫館臣對隋志仍多所推重。

隋志的經子兩部小序，尙可說大體依仿漢志而補敍源流。其史、集兩部，則是漢志所無的，隋志也能辨章學術，窮源竟委。如序古史而推本於竹書紀年，序起居注而推本於穆天子傳，序舊事溯源於周官太史掌萬民的約契與質劑，序職官知卽周官御史所掌在位的名數，序譜系溯源於周官小史所掌定繫世，辨昭穆。至於雜傳序言史傳應當紀窮居側陋之士，足以辨正後世或謂地理書不宜記人物的非是；

簿錄序言應當辨流別，亦足以糾目錄但記書名之失，皆獨具卓識。道佛兩部則僅有總序，而無小序。此六部的總敍對其門學術的源流，也皆能作提綱挈領的概敍。隋志小序實爲漢志以後所僅見，固不宜因偶有疏略，而輕肆譏評。

四庫全書總目卷首凡例云：

四部之首各冠以總序，撮述其源流正變，以挈綱領。四十三（按三應作四）類之首亦各冠以小序，詳述其分併改隸，以析條目。如其義有未盆，例有未該，則或於子目之末，或於本條之下，附注案語，以明通變之由。

我國古代的目錄書，其敍述學術源流正變的文字，原輯爲一卷，置於目錄之前，或名輯略，或名條例，或稱作序例。自漢志採輯略，將總序、小序放置於部類之末，成爲定例，隋書經籍志、國史經籍志等皆沿此式。這種體例，源來甚古，古書中如淮南子的要略訓，史記的太史公自序，法言的十三篇序，班固的漢書敍傳等莫不如此，將發凡起例撮抄的文字，置於書末。把小序放置於部類之前，不知起於何時，就可考見者，則有晁氏讀書志的四部總序，及陳氏解題的八篇小序。陳氏解題因傳本係出輯本，尚未可確定原書是否卽如此。四庫總目大概是因襲晁志，將總序、小序放置部類之前，可謂已變改舊例。四庫總目的總序、小序，考證論辨，可以說是相當的精詳，初學者莫不奉爲津逮。四部序中大抵以經部爲最精，於學術流別與衰能說明其所以然，對漢宋門戶的分析亦詳。其次集部，於別集之特盛與總集的雜濫，也能道出其故。其餘二部，則如其凡例所言，多敍其著錄與分隸門類的義例，於學術的流變及古人著作的旨意發明較少。又往往不考本末，率爾立論，例如地理類小序云：

古之地志，方域山川風俗物產而已，其書今不可見。然禹貢、周禮職方氏，其大較矣。元和郡縣志頗涉古蹟，蓋用山海經例。太平寰宇記增以人物，又偶及藝文，於是爲州縣志書之濫觴。

按地志記載人物，晉摯虞所撰的畿服經卽已有此例，隋志地理類小序明言之，實不自樂史太平寰宇記始，近人余嘉錫在四庫提要辨證卷七太平寰宇記提要辨證中考辨甚詳。至於地志中載古迹，自漢晉以來幾乎成爲定例，譬如今傳世的三輔黃圖及輯本晉周處陽羨風土記等，均有古跡一門。元和郡縣志之頗涉古跡，實可謂淵源有自，也不一定用山海經例。又如「目錄」一辭，始見於班固的漢書敍傳，而四庫總目目錄類小序謂仿於東漢末年鄭玄撰三禮目錄。以上等等都是四庫小序失考的地方。再者，他論析學術的源流，大都依據現存的書來立說，比起漢隋二志來，精到還有不足。但大體而論，能條百家的優劣，進退古今的作者，隋志以後實僅見於這部目錄的小序。

敍錄的體制，自別錄七略，以及古人所作的書序，大抵相同。在結構及行文方面，皆有一定的法度。而小序的撰述，則漢志各篇已自不侔，故未可立爲成例，來繩後來的作者，所以隋志、四庫總目等論敍各異。余嘉錫氏嘗引章學誠的話來論二者的差別，云：

章氏之論文史也，以爲「撰述欲其圓而神，記注欲其方以智」（文史通義書敎下）。持此以衡目錄，則敍錄者記注之事，小序者撰述之事也。夫圓則無方，神則無體，惡可於字句之間求之？（見余著目錄學發微頁五九）

這是相當恰當的譬說。易繫辭云：「智以藏往，神以知來」。敍錄重在介紹作者生平及書的大旨與得失，皆就已有的來考述，故云藏往。而小序則溯學術源流演變之迹，可以測見未來的趨向，故謂之知來。雖然小序沒有一定的體式以資遵循，但只要通曉學術流變得失的原由，因事行文，文成則自然法立了。

## 丁、版本題識序跋

以上所敍述的，是就歷代的目錄書，上起別錄七略，下迄清修的四庫全書總目，相互參稽，討論其體制的功用與優劣，以說明目錄書的義例。但自宋代以後，目錄書中尚有記載版本，抄錄序跋的，對於正統的目錄學而言，雖可說屬於別體，然而這種晚起的體制，用意頗善。蓋書因版本的不同，內容或可能有差異，其道理在「目錄學的意義」一章中已論說過，故近世的目錄書罕有不明確記載版本的源流種別，也是現代研究目錄學者所不可不知。記版本的目錄書，就其體例的不同而言，大別可分爲三類，一曰僅只著明版刻，二曰詳載賞鑑考訂，三曰引錄刻書的序跋。玆分別予以論敍。

什麼叫做「版本」？「版本」是一個代表兩種意義的連合名辭。「版」是雕版，「本」是指的書本。「版」本來是中國古代圖書形制的一種，又名作「方」，用木做成，形狀爲長方形。儀禮既夕禮云：「知死者贈，知生者賻。書賵於方，若九若七若五」。鄭玄注：「書賵奠賻贈之人名與其物於版，每版若九行，若七行，若五行」。又聘禮云：「百名以上書於策，不及百名書於方」。從而可以想見古代方版的形制，每片可書寫五至九行，約容納一百字。百字以上書於策者，因簡策可以任意編集，故字數不受限制。唐代發明雕版印刷術後，刻書的版與古代的方版相似，故借用其辭以專指雕版。「本」字，說文解字說：「本下曰本，從丅」，有本根的意義。別錄云：「讎者，一人持本，一人讀書」，劉向校書，盡取中外所藏的各種本子勘對。顏氏家訓書證篇中常引江南書本，以示與江北書本有所差別。皆說明各書本的本根有所不同。故古代官校書籍，必須博采許多的本子來校讎。自印刷術普及後，印刷代替了手抄，一種書刻成，往往印刷千百部，則版同而本子也無區別，是故校勘者，須選用不同的版刻，而同版的印本，則毋庸采取了。例如明南監本漢書列載北宋時宋祁校勘，採用有古本、唐本、淳化、景德、景祐歷朝監刻，以及各地公私刋刻等十六種不同的版本。故後世的書目必需記明版本，始能達到目錄的功用。古代的公私書目，初不著錄所藏的係什麼本子。書目之記明版本，就現今所傳的來看，始於南宋初葉尤袤的遂初堂書目。尤目不載卷數與作者，然而偶記版本。書林淸話卷一古今藏書家紀版本篇云：

古人私家藏書必自撰目錄，今世所傳宋晁公武郡齋讀書志、陳振孫直齋書錄解題，無所謂異本重本也。自鏤版興，於是兼言版本，其例創於宋尤袤遂初堂書目。目中所錄，一書多至數本，有成都石經本、秘閣本、舊監本、京本、江西本、吉州本、杭本、舊杭本、嚴州本、越州本、湖北本、川本、川大字本、川小字本、高麗本。此類書以正經正史爲多，大約皆州郡公使庫本也。

自尤氏以後，編書目能仿用其例的尚甚罕見，在明代唯有嘉靖間晁瑮編寶文堂書目，於書名下偶有註明所藏的是什麼刻本。明末以來，藏書家特重宋元版，故清初的書目於所藏的宋元本始予以標注，如汲古閣宋元版書目、絳雲樓書目、季滄葦藏書目等是。而錢曾的述古堂書目除記明宋元版外，於抄本書也加以著明。一直到嘉慶間秦恩復編其藏書爲石研齋書目，才推廣尤氏遂初目的陳法，始備注明所藏各書的版本。顧廣圻作書目序云：

今先生此目，創爲一格，以入錄之本，詳注於下。既使讀者於開卷間，目憭心通而據以考信，遂不啻燭照數計。於是知先生深究錄略，得其變通，隨事立例，惟精惟當也。特拈出之，書於後，爲將來撰目錄之模範焉（思適齋文集卷十二）。

嘉慶以後，藏書家所編的書目大都注明版本，實爲一進步。惟各家書目所記的版本，多僅注明爲宋爲元爲明，稍詳者亦不過標擧元號，如「明嘉靖刻本」、「明萬曆刻本」、「清康熙刻本」等，若求如遂初堂目一樣，能載明刻地的，可以說甚罕。然而兩宋歷祚三百餘年，元朝歷史雖短，也有九十餘年，明代則有二百餘年。一種書的刋版，每一代不僅只一次，雕印出版者也不僅止一人，也不只一處地方，如統曰宋刻、元刻，則這家書目的宋元本，與另一家書目的宋元本，是否同一版刻，如不見其書，則無人敢予斷言。卽以標擧元號，題「明嘉靖刻本」等而言，一朝年限雖短，然亦無法確定所藏究爲何本。例如史記一書，明嘉靖四年至十三年凡十年中，其刋印可考者不下四次。有四年金臺汪諒、四至六年震澤王延喆、八至九年南京國子監、十三年秦藩等四家刻本。若但題嘉靖刻本，則此目所收的，未必就是另一書目著錄的藏本。自從西洋的圖書目錄學輸入我國後，對於圖書編目必須著明出版的年代、地域及出版者，影響於我國舊籍的編目頗大，近代的書目如江蘇國學圖書館書目、吳興劉氏嘉業堂明版書目、國立中央圖書館及其他圖書館的善本書目等尙多能儘詳的著錄。不過近年影印古籍出版的很多，一般圖書館編目只著明現代出版的年代與地域，而未能把據以影印的原本刻印的年代與出版者標擧出來，也一樣的未能盡目錄之用。所以這種義例，仍有待吾輩研治目錄學者來推而廣之。

我國雕版印書，肇始於唐代，迄宋而大盛。然而一直到明正德年間以前，還未聽說有特別珍視宋版者。自明代中葉以後，覆刻宋版的風氣甚盛，藏書家開始寶重宋刻。最膾炙人口傳爲士林佳話的，如嘉靖年間華亭朱大韶用所寵愛的美婢向人交換一部宋版後漢紀，萬曆時蘇州的王世貞賣了一座田莊，爲的是收購一套宋刻兩漢書。明末常熟的毛子晉，更張貼告示，出高價徵求宋版，計葉付錢。到了清代，錢牧齋謙益、季滄葦振宜等人復倡之於前，黃蕘圃丕烈、吳兔牀騫等更推波逐瀾於後，不僅寶宋，而且珍元，到了近代，明版也爲藏書家所重視。舊本書既爲收藏家所珍貴，然而歷時幾百年，屢經兵燹水火蠹蟲之災，傳世的也就日漸稀少了，徵求的既多，販鬻的自然無以爲供，坊間商人因緣射利，不惜僞造來欺騙購藏者，於是藏書家中出現了珍賞鑒訂的一派，就是洪亮吉在北江詩話卷三所稱：「第求精本，獨嗜宋刻，作者之旨意縱未盡窺，而刻書之年月日最所深悉，是謂賞鑒家者是也」。這些藏書賞鑒家將他們所藏的精本，記錄版式行款、序跋題記，敍述其本遞藏的源流，並取通行本校勘異同。其目的固在炫耀所藏的宋元版，也可供後來收藏者考訂眞僞，免上書估的當。這類的藏書目錄雖然所記載的多屬辨別版本的事，但從目錄學體制而言，也可說是敍錄的另一種體裁。鑒別版本，雖說是現代編目的人所應當具有的知識，但版本學今已發展成爲專門學術，欲研究者，應閱專書。而目錄學所討論的，只是在詳究它的體制。

版本賞鑒，導源於書畫的賞鑒。在南北朝時代，因爲士大夫間重視書畫，因之許多有關書畫的著作出現，然而尚不過是倣班固漢書古今人表的方式，品評作者的優劣高下，如南齊謝赫古畫品錄、梁庾肩吾書品、陳姚最續畫品等都是這一類性質的著作。到了唐代才漸漸別爲賞鑒一途。唐玄宗時有竇臮撰述書賦，其中兼記收藏印章太平公主等十一家，爲賞鑒的萌芽。到了唐代末葉有張彥遠撰歷代名畫記十卷，其第十一篇論鑒識收藏閱玩，第十二敍自古跋尾押署，第十三敍自古公私印記，第十四論裝褙褾軸。又按郡齋讀書志載張氏別有名畫獵精六卷，云：「論畫法，並裝背褫軸之式，鑒別閱玩之方」。在論書人畫法之外，兼敍收藏的印記及裝褫等外表，開後代賞鑒一派的先河。其後遞相祖述，到了明代發展成不論書畫的本身，專記載其上的題跋文字及遞藏源流與印記的純鑒賞一派。如朱存理鐵網珊瑚、汪砢玉珊瑚網、張丑清河書畫舫諸書即是。明清之際，舊本書既爲收藏家所特別寶貴，遂有倣書畫賞鑒的前例而倡爲版本賞鑒者，當首推錢曾的讀書敏求記。曾字遵王，自號也是翁、述古主人，江蘇常熟人，是錢謙益同族的曾孫。自其父裔肅卽喜歡搜購圖書，至曾收藏益富，其中頗多舊本秘笈。他將他的藏書先後編成述古堂書目及也是園書目，又遴選所藏的精本各撰解題，編成述古堂書目題詞，後來改名爲讀書敏求記。這部目錄係以四部分類，而類目毫無義例。所撰的解題，不敍介作者及書的內容，但討論繕寫刊雕的工拙。四庫總目僅存其目，提要批評它分別門類，不甚可解，考證也多乖謬，然而仍稱許其「述授受之源流，究繕刻之異同，見聞既博，辨別尤精，但以版本而論，亦可謂之賞鑒家矣」。其後，乾隆四十年于敏中等奉敕編昭仁殿所藏的善本書，成天祿琳琅書目十卷。嘉慶三年彭元瑞又奉敕整理昭仁殿續集的善本，編成天祿琳琅書目後編二十卷。這兩部書目以經史子集分類，每類中以宋金元明刊刻的時代順序著錄，每書各有解題，也是僅詳載槧梓的年月，刻印的工拙，及收藏家的題識印記，並一一考其時代與爵里，以述明授受的源流。所記載比錢曾讀書敏求記還要詳細，然而鑒別未精，版本多錯誤，未可全部採信。是後藏書家撰藏書志更遞事踵華，嘉道間海寧陳鱣的經籍跋文、吳縣黃丕烈撰百宋一廛賦注，又增錄舊本書的版式行款，開後來元和江標宋元行格表但記行格的一派。黃氏所撰寫的藏書題跋，他的友人王芑孫作陶陶室記云：

　　於其版本之後先，篇第之多寡，音訓之異同，字畫之增損，及其授受源流，繙摹本末，下至行幅之疏密廣狹，裝綴之精粗敝好，莫不心營目識，條分縷析。

爲書志題跋及於校勘與敍版本源流的濫觴。道光七年虞山張金吾撰愛日精廬藏書志，除記版本及遞藏源流外，又仿朱彝尊經義考的體例抄錄書中的序跋，不過僅錄元代以前人所撰而且比較稀見者，至於前賢及時人手書的題跋，則備錄其文。又凡四庫未收的書，並紹介作者及書的內容。後來編著藏書志的，如同治光緒間的吳縣潘祖蔭滂喜齋藏書記、常熟瞿鏞鐵琴銅劍樓藏書目錄，聊城楊紹和楹書隅錄、歸安陸心源皕宋樓藏書志及儀顧堂題跋、杭州丁丙善本書室藏書志、江陰繆荃孫藝風藏書記、順豐丁日昌持靜齋藏書紀要、宜都楊守敬日本訪書記，民國以來的江寧鄧邦述羣碧樓善本書錄、吳興張鈞衡適園藏書志、長沙葉德輝郋園讀書志、江安傅增湘藏園羣書題記、東莞莫伯驥五十萬卷樓藏書目錄等等，雖然是詳略或異，大抵皆師其法，而賞鑒之精，考訂之密，後來者居上。清代的各藏書志大多著錄宋元舊刻與舊抄秘笈，對於明版或明代人的著作僅選載較罕見者。丁氏善本書室藏書志及繆氏藝風藏書記於所藏的明刻本始多予著錄，至葉氏郋園讀書志、莫氏五十萬卷樓目錄，雖明版或明代著作也均詳予賞鑒。清人所撰的題跋於版式不列載刻工及諱字，民國二十八年海鹽張元濟爲南海潘氏寶禮堂編撰宋本書錄，始詳加記載。稍後北平文祿堂主人王文進編訪書記，也沿用其例，而現代作題記圖錄者，則無不詳載，體例愈臻精密。

賞鑑書志的編撰，在記錄一書的版式行款、刻工、避諱字、刻書牌記、裝訂、前後的序跋、收藏的印記及題識，以及紙墨字體與刋雕的工拙，如同敍錄一樣。不過僅以書的版刻及外形爲記述的對象，而不以闡介書的內容爲主旨。雖有資於版刻的考訂鑒別，而無關於學術的本末源流。然而自張氏愛日精廬藏書志於四庫所未著錄的書，撰寫解題，陸氏儀顧堂題跋續跋對於作者，能考四庫所未詳。降及近代，藏園羣書題記、五十萬卷樓羣書跋文，論述的範圍益廣，寖有兼具敍錄體制的趨勢，故爲研治目錄學者所不可不知。

古代目錄家編著目錄，論學術的源流，都是自撰敍錄，未嘗有採錄他人的序跋者。惟釋家典籍中有梁朝和尚僧佑所撰出三藏記集十五卷，其中卷六至卷十二，全錄各經典的序文。佑自序云：「一撰緣記，二銓名錄，三總經序，四述列傳。緣記撰，則原始之本克昭；名錄銓，則年代之目不墜；經序總，則勝集之時足徵；列傳述，則伊人之風可見」。他的採序文入目錄的體例，大概襲自劉宋時陸澄所撰的法論目錄。法論目錄一〇三卷今雖不傳，其目次尚載於出三藏記集卷十二，就目次所列，多集錄前人的序論。僧佑序云：

所以記論之富，盈閣以仞房；書序之繁，充車而被軫矣。宋明皇帝，摽心淨境，載餐玄味，迺敕中書侍郎陸澄，撰錄法集。陸博識洽聞，苞舉羣籍，銓品名例，隨義區分，凡十有六帙，一百有三卷。其所閏古今亦已備矣。

不僅錄序文，且集前人的記論，爲元代馬端臨撰文獻通考經籍考的張本。陸氏的這種體例不知是自創？抑或取法於前人？因書缺有間，無從考訂了。其後唐釋道宣撰大唐內典錄、智昇撰開元釋教錄，也仿僧佑的例子，目中間採錄作者的自序。到了元朝馬端臨文獻通考經籍考始推廣陸氏的體例，全採前人的論記序跋，自下論斷的甚少。馬氏撰經籍考，除採崇文總目、中興藝文志、郡齋讀書志、直齋書錄解題等目錄而外，時從文集或本書中抄出序跋，並自雜說筆記中摘錄有關其書的論辨。間有書已亡而序尚存者，也將之錄入，凡書名下無卷數者，皆是其時不傳的書。他的這種著錄方法收羅既不能完備，而且資料衆多，也不可勝採，有點近似爲例不純。然而其體制頗善，對於學者甚爲有益，而且頗存佚文。譬如宋李燾的文簡集一百二十卷已亡，經籍考採用了其序跋題記凡四十二篇（註），大都考證精確，遠在晁陳二家解題之上。可惜馬氏僅就一時所見的資料，隨手抄錄，於唐宋人的文集，未能廣事搜羅。清康熙間朱彝尊又仿經籍考之例撰經義考。四庫提要云：

每一書前列撰人姓氏、書名、卷數，次列存、佚、闕、未見字，次列原書序跋、諸儒論說及其人之爵里。彝尊有所考正者，即附案語於末。惟序跋諸篇，與本書無所發明者，連篇備錄，未免少冗。

蓋宋以後人所作的書序，喜歡借題發揮，橫空起議，雖朱氏僅考經義，所收尚不至甚濫，猶不乏無關學術的言詞，所以四庫提要說：「未免少冗」，不如馬氏經籍考尚能稍具翦裁。馬朱二氏於所引前人的論說，概標某氏曰，不著出處。所引的書序，也多删去其年月。翁方綱評經義考云：

經義考於每書之序多删去其歲月，觀者何自而考其師承之緒及其先後之迹乎？又所載每書考辯論說皆渾稱爲某人曰，不著其出於某書某注某集，則其言之指歸無由見，而於學人參稽互證之處亦無所裨助。蓋竹垞此書因昔人經籍存亡考而作，專留意於存佚，而未暇計及後人之詳考也。（蘇齋筆記卷一）。

而經義考的著錄體例，則是襲自文獻通考經籍考。

嘉慶初年謝啟昆撰小學考，亦沿襲朱氏的體例，但於採及他書論說者，則著明所出。道光中張金吾編愛日精廬藏書志，光緒八年陸心源刻皕宋樓藏書志錄其藏書的序跋，及名家手書的題識，悉載年月，一無删裁。惟於明以後人的書序，略加選汰。又於習見書的序跋，亦不錄其文，皆僅存目，以備稽考。所謂靑出於藍，後來居上。淸末孫詒讓撰溫州經籍志，更斟酌諸家，擇善而從。其敍例云：

敍跋之文，雅俗棌糅，宋元古帙，傳播浸希，自非繆悠，悉付掌錄。明氏以來，略區存汰。大抵原流綜悉，有資考校，義旨閎眇，足供誦覽，凡此二者，並爲攟采。或有瞀士剿剽，雅馴既少，書林衒鬻，題綴猥多，則匱存凡目，用歸簡要（原註：張氏藏書志于習見之書序跋，皆匱存目，今略放其例）。若編帙既亡，孤文匱在，則縱有疵纇，不廢迻謄。復以馬朱兩考，凡錄舊文，不詳典據，沾媮塗竄，每異本書，偶涉讎勘，輒滋歧牾。今亦依張志之例，凡舊編具在者，並迻寫原文，不剷一字，年月繫銜，亦仍其舊（原註：凡敍跋文字從他書采入者，並依朱考，於文首揭箸某某敍跋。其據本書甄錄者，既備載全文，則姓名已具，故不復冠以某某敍跋之題，亦張氏藏書志例也）。其有名作孤行，散徵他籍者，則備揭根柢，並著卷篇，庶使覽者得以討原，不難覆檢。至于辨證之語，刺劉叢殘，實難稽覈。朱考概標某曰，尤爲疏略。今則直冠書名，用懲肊造（原註：謝啟昆小學考已有此例。特此書名之下兼及卷數，與彼小異耳）。

有刪無改，亦殊專輒。

義例益臻邃密。民國初年徐世昌修大清畿輔書徵、項元勛編台州經籍志，也多仿孫氏例，於明以後人的序跋，亦全錄其文，更爲週詳。

關於目錄書中錄序跋的體制，近人余嘉錫甚贊其善，他說：

夫班固漢書採史公之自敍，錄法言之篇目，誠以學問出於甘苦，得失在乎寸心，自我言之，不如其人自言之深切著明也。論賈誼、東方朔，則徵信於劉向，論董仲舒則折衷於劉歆，誠以則古稱先，述而不作，前賢既已論定，後人無取更張也。考訂之文，尤重證據。是故博引繁稱，旁通曲證。往往文累其氣，意晦於言。讀者乍觀淺嘗，不能得其端緒。與其錄入篇內，不如載之簡端，既易成誦，又便行文。此所以貴與創之於前，竹垞踵之於後，體制之善，無閒然矣（目錄學發微頁七六）。

除了余氏所說的優點而外，宋以後人的序跋中，大多述及刋雕的事，也可以考見其書繙刻的源流，體制誠然甚佳。惟目錄學的意義，在於指示讀者治學涉徑的方法，故撰述宜鉤玄提要，簡明出之。錄序跋論說的體裁，雖然也是目錄的一端，自考訂經籍而言，固然甚善，然而不是目錄學體制的準則，這是學者所應當知道的。

綜以上所討論的，自別錄、七略、漢志以降，目錄的體制有若干種，各有其優點。然而篇目的體制，宜於古而不適於今；錄書的序跋，乃是纂輯工作，非著述的體裁。敍錄闡釋一書的大旨與得失，而不及版本的異同；書志題識記載版本賞鑑，而不及書的內容，皆各得一偏。研治學術的方法，貴在能變通，並不是一成不變，亘古常新的，端在吾人研究錄略之學，通悉古今，而開創新例。近世撰述版本題識的學者，如陸心源、傅增湘、莫伯驥諸氏的著作，已開融版本、敍錄體制爲一的端倪，雖然其例尚未臻於完善，但頗值得思考效行。因之拙意宜斟酌舊制，擇善而從，並因時損益。小序宜仍存留，以明各科學術的淵源；撰敍錄則應兼述卷目及版本的源流與異同，如此始能盡目錄的功用。雖則陳義未免稍高，然要在看吾人治學的態度如何，如果認其制對學者有益，雖有困難，亦當勉力以赴。

註：按通考經籍考收錄李燾的序論，凡經部十一篇，見晁以道古易、春秋指掌、春秋摘微、帝王曆紀譜、春秋得法志例論、左氏紀傳、春秋外傳國語、說文解字繫傳（又後序二篇）、字林。史部二〇篇，見漢紀、唐歷、唐紀、資治通鑑、續資治通鑑長編（進書奏狀共三篇）、高宗實錄、汲冢周書、建隆遺事、溫公日記、唐制科擧目圖、續會要、百官公卿表、中興館閣錄、歷代宰相年表、天禧以來御史年表、天禧以來諫官年表、劍南須知、西南備邊。子部十篇，見說玄、章氏太玄經註、太玄經疏、太玄發隱、信書、鬻子、墨子、雜纂、齊民要術、武經總要。集部則僅錄趙韓王集序一篇，共計四十二篇。余嘉錫目錄學發微謂錄三十三篇，殆有漏計。

（原載「圖書季刊」第一卷第三、四期，民國六十年）

# 中國目錄學的特色

昌彼得

以「中國目錄學的特色」爲題來談，我覺得實深具意義。到底中國目錄學有些什麼特色？這也是值得我們今天來探討研究的問題。目前在台灣的每一所學校及縣市都設置有圖書館。圖書館中皆備有各種卡片目錄，甚且許多還印有書本目錄。現在我國圖書館的編目方法受西洋目錄學的影響很大，而我國傳統的目錄學中的若干優點，實未爲圖書館界所瞭解，故現代的目錄對於一般讀書或作研究的人幫忙並不太大。

我國與西洋在目錄學方面的源起及發展顯然循着不相同的路線。西洋目錄學的發展是以一般民衆爲服務的對象，整理編目着重容易查檢，所以圖書館中除分類目片外，還備有書名、著者等目錄片，以資索檢，只要讀者知道書名或著者姓名，即可迅速的查出該館是否藏有其書，並很快的檢出。這種編目方法對社會大衆，的確是很方便。但是對一個想做學問而不知如何着手的人，或作研究者，尤其是人文或社會科學研究者，想要知道該館收藏究有多少他所需要的資料，則發生了很大的困難。記得十多年前，胡適之先生返國就任中央研究院院長後，多次來台中霧峰中央圖書館特藏組善本書庫看書，當時我正服役於中央圖書館，經常與胡先生接觸。有一次，胡先生談起返國所携的圖書不多，需多利用中央研究院傅斯年圖書館藏書，而感到該館的目錄不便於查檢。胡先生的意思並不是說該館現有的目錄編的不好，而是胡先生並不一定要看某書或某人的著作，他想知道的是該館所藏有那些書對他所欲研究的問題具有參考的價值，這個任務就不是現代圖書編目法所能勝任愉快的。當時胡先生曾促請該館編製一部合乎研究查檢的書目，但不兩年，胡先生就不幸去世了。大前年，美國威斯康辛大學東亞圖書館主任王正義先生返台時來故宮看我，談及目錄學的問題，他語重心長的說：「今日美國的圖書館學已經發展到了盡頭，現在的圖書館就好像一個大的百貨公司，五花八門，分門別類，要買某樣東西卽可到某部門去購得，看起來井井有條。但一位眞正作學術研究的人，想在裡面找尋所需要的資料，反而感到困難費事。」他並透露，美國學術界有見及此，思謀補救，最近支加哥大學圖書館長卽將退休，學校當局擬打破傳統，遴聘一位從未獲得圖書館學位的教授學者來繼任，思借重他的構想，再由圖書館專家制定一套合乎學術研究的圖書整理編目方法。西洋的圖書館學能合乎一般社會大衆，而不能完全合乎學者的需要，這正是現今美國圖書館界所面臨的問題。我國目錄學的發展則不然，自來卽以讀書人爲服務對象，雖然並非盡善盡美，但對學者而言，它有若干特色足以彌縫西洋目錄學之不足。

目錄學是以圖書爲研究對象的一門學科，西洋名爲—— Bibliography，日本稱爲書誌學或書史學。我國前代稱爲校讎學，包含的意義比較廣泛，清乾隆中葉才開始衍分，成爲現在的校勘學及目錄學。何以要用「目錄」一詞來名這一學科呢？這必須先了解這兩個字的含義。

「目」字是一個象形文字，在甲骨文及鐘鼎文中皆可見到，它象人的眼睛外匡內瞳的形狀，故本義爲人眼，管子所說：「目司視。」因爲樹木的榦節之處，其紋與人眼相似，故又引申樹木的榦節也稱爲目。人眼只有兩個，樹木榦節可以多至無數。故在先秦時代，目字應用甚廣，凡多數的名物一一條列出來則稱作「目」。譬如論語顏淵篇中記載顏淵問仁，孔子答稱：「克己復禮曰仁，一日克己復禮，天下歸仁焉。」但顏淵還不懂克己復禮的意思，希望孔子講詳細些，故又說：「請問其目。」孔子說：「非禮勿視，非禮勿聽，非禮勿言，非禮勿動。」目字就是將其細節要點一一舉出來。「錄」字，甲骨、鐘鼎皆未見，只有「彔」字。清代的小學家認爲彔就是錄的或體字。「彔」的本義是刻割雕鏤，歷歷可數。刻割須用刀，遂加金旁而成「錄」字。因爲殷商卜辭係用刀刻，乃引申爲記錄、著錄的意義。如隱公十年公羊傳：「春秋錄內而略外。」又由記錄再引申爲有一定次序的記錄，譬如國語吳語記載黃池之會，吳師昧明進逼晉軍的營壘，晉定公遣使質問：「兩君偃兵接好，日中爲期，今大國越錄，而造於敝邑之軍壘，敢請亂故？」晉使指斥吳軍越錄，即說吳軍不遵守原來協商好日中開會的議程。故在先秦時代，「錄」字有一定次序的記錄之意義。

「目」與「錄」兩字在先秦時代均已成爲習用的名詞，將此二字合成一詞是始於西漢成帝時的劉氏向歆父子，而見於文獻記載，則始於班固漢書敍傳：「劉向司籍，九流以別，爰著目錄，略序洪烈。」劉氏向、歆奉成帝之命，整理校勘內府的藏書，編成了兩部目錄——別錄與七略，奠定了中國目錄學良好的基礎。別錄是後代解題目錄之祖，七略是分類目錄之宗，爲後世立下了楷模。當時所謂的目錄，是指一書的篇目及敍錄，例如劉向列子目錄、鄭玄三禮目錄。目是將全書的篇目一一條列出來，錄是介紹其書的作者、書的內容主旨及評論其得失。讀者在讀其書之先，讀了目錄的介紹後，可以對其書有了初步的認識，能幫助作進一步的瞭解。總括群書僅載書名而無敍錄的名爲書目，例如東晉初李充所編的晉元帝四部書目。然而經過了東晉末年至南北朝時期的動亂，一般人對「目錄」一辭的意義已不甚明瞭，編目的只載書名而沒有介紹作者及書內容之敍錄的書目，也冒用目錄之名，實在是名實不符。自劉向、劉歆以降，歷代的目錄學家皆强調我國目錄學的學術性，認爲目錄學的意義在辨章學術，考鏡源流。目錄書能指導讀者治學涉徑，能考訂古籍眞僞，功用甚廣，故淸代學者王鳴盛說：「目錄學是學中第一緊要事。」我現在將我國目錄學中有別於西洋目錄學而具有特色的，分爲四點來加以說明。

## 一、小序

小序是我國目錄學中重要體制之一。所謂小序，是目錄書中每一類或每一部的後面或在前面，有一篇文字說明這一部類學術的淵源及流變。如漢、隋二志放在每一部類書目之後，四庫全書總目則放在每類書目之前。也有將全目的小序輯在一起，置於目錄之首的，如劉歆七略的輯略，王儉七志的九篇條例，宋中興舘閣書目的序例一卷皆是。小序的作用在介紹這一門類學術的起源、演變及其盛衰、優劣、得失。舉一個例子來作說明，例如漢志易類的小序，首先說明周易八卦、六十四卦爻辭及十翼的起源，其次說明經過秦始皇焚書而易何以能傳授不絕，最後說明漢代易學的分家，有列於學官者，有在民間傳授者，各家與內府所藏古文易經的異同。使我們讀了之後對此門類卽有概括的認識，對初學者及專門研究的學者皆有很大的幫助，查尋專書來研讀也非常的方便。

我國古代的學術皆由中央王官所執掌，欲學者必以王官爲師，世代傳授，而無民間講學。平王東遷後，諸侯勢力興起，各設官分職。中央王官無所執掌，遂散居四方，民間講學之風漸起，學術遂不斷的衍生出來。但是這些學術彼此之間多是有關連，有淵源，它們並不是孤立的。小序除了說明淵源流變外，也說明各門類學術在歷史上分合情形，各學術間的關聯。除了可使讀者知道此一門類是屬於那一方面的學術，還可知道與那些門類學術相通，對於找尋資料提供了線索。要研究一問題除了知道這一門類中應該有自己所需要的資料外，還可知道其他與此類有關聯的某些門類中也許有自己需要的資料。所以小序在這方面的作用是很大的，無論對初學者或作研究的人找資料皆有很大的貢獻。但是在中國歷代目錄書中，有小序體制的目錄並不太多。其已失傳而可考的除七略外，有劉宋王儉七志、梁阮孝緒七錄、隋許善心七林、唐元行冲群書四部錄、毋煚古今書錄、宋三朝藝文志、兩朝藝文志、中興藝文志、中興舘閣書目等九家；存世的除漢、隋史志外，只有宋崇文總目、晁公武郡齋讀書志、陳振孫直齋書錄解題、明焦竑國史經籍志、清四庫總目五種。而且這五部目錄中，崇文總目小序已殘缺不全，晁志僅四部前有序，各類並無序，陳錄則小序僅有八類，皆不全。焦氏國史志及四庫總目的小序雖完備，然大體而論，大都說明他們著錄的意旨及門類分併改隸的原委，比起漢隋二史志的小序能通學術的流變，尚有一段距離。蓋因小序的撰寫，須用簡扼的文字說出其學術的淵源及在歷史上的演變，的確不是一件容易的事。此所以自舊唐書經籍志以後的史志，均不撰小序。故章學誠曾說：「非深明於道術精微、群言得失之故者，不足與此。」然而小序實在有它的價值，不僅可以指導學者研究學術，並提供了在相關各類別中找尋資料的線索，這是我國目錄學所獨有的特色之一。

## 二、敍錄

所謂敍錄，是目錄書中每一書名下的一篇介紹這部書的說明，後代或稱解題，或名提要。這種體制是劉向別錄所奠立的，他奉成帝之命校讎整理內府藏書，將每一種整理完畢後，即條擧其篇目而撰寫一篇敍錄，放在其書的前面。將所有各書的敍錄集起來即成一部目錄書—別錄。劉向撰寫敍錄的義例爲：

甲、介紹作者的生平：因爲任何一個人的著作，都脫離不了他的時代背景，先瞭解了作者生平及其學術淵源，則可清楚其時代背景，自然對其書能作進一步的瞭解。

乙、簡介書的內容：使讀者未看原書之先，便對此書有一概略的認識，等到看書時就可知道某些地方應該特別注意，而進一步的研究。

丙、說明作者著書的原委：古人寫書大都是有所感觸，才以文字表達出他的感情及見解，決非無病呻吟。讀者先了解了作者著書的動機，自然能深刻的了解其書。

丁、介紹其書的優劣得失：這樣也可以增加讀者對其書的認識，但此種評介應出之客觀的立場。

撰寫敍錄的義例自劉向奠立後，後來的目錄學家大都倣效而作，雖然有詳略優劣之分，但對指導讀者讀書研究都有不同程度的貢獻。近代流傳最廣，最具學術價値的解題目錄是清乾隆年間所編的四庫全書總目。讀者只要將某一類的各書提要細讀一遍，即可對該類學術獲得極豐富的知識，研究起來尋檢資料就可得心應手。張文襄公於光緒元年對四川尊經書院的學生講讀書應有門徑，曾說：「汎濫無歸，終身無得，得門而入，事半功倍。……此事宜有師承，然師豈易得。今為諸君指一良師，將四庫全書總目提要讀一遍，即略知學術門徑矣。」（張氏輶軒語語學篇）。可知目錄書中的敘錄對於研究學術參考的重要。民國初年，日本人利用庚子賠款，在我國北平組織東方文化事業委員會，主要工作之一，即從事續修四庫全書提要，延聘我國各科學者從事撰寫工作，直到抗戰發生，一共撰寫了清四庫未收之書兩萬多種的提要，其中一萬零七十種當年曾予以油印發行。原稿因大陸淪陷，情形無法知悉，油印本則日本京都大學人文科學研究所藏有一份，五年前由商務印書館整理出版。這部目錄的提要固然尚不及清四庫提要的精核富贍，也姑不論日本人發起這項工作的動機如何，其對於學者的貢獻則是無容諱言的。

小序及敘錄都是以學者為對象，從事學術的介紹，是中國目錄學所獨有的兩項體制，而為西洋目錄學所無。就中國歷代的目錄書而言，有敘錄的目錄實較多於有小序的目錄，其原因在兩者撰寫的難易有不同。近人余嘉錫目錄學發微中，曾引章學誠文史通義中所云：「撰述欲其圓而神，記注欲其方以智。」（書教下）兩句話，來譬喻寫作的難易。寫敘錄是記注之事，古人立下之義例，可資依循，只要將作者及書的內容介紹出來即可。雖然寫作有高下之分，但只要不離其宗旨總可敷衍成篇。寫小序就不同了，小序是撰述之事，須通悉各門類學術的起源，盛衰衍變的原由，才能預推它未來演進的跡向。周易繫辭云：「神以知來。」又云：「知變化之道者，其知神之所爲乎？」故章學誠說：「非深明於道術精微、群言得失之故者，不足與此。」漢隋兩志的小序，各類的撰述方式不一，古人並未立下撰寫的楷模，以供後人遵循，所以說它圓而神。圓則無方，神則無體，不可以從字句之間求之。要在通曉其學，則文成而法自可立。小序的撰寫雖然比較難，但與敍錄對讀者研究及尋檢圖書都有很大的助益，形成了中國目錄學體制中的兩大特色。古人稱目錄學是爲人之學，就是這個緣故。

## 三、分　類

自清末美國杜威的十進分類法傳入我國以後，我國圖書館學專家紛紛仿效或改進之，以分類中國的圖書，已爲各級學校及公共圖書館所採用。我國的圖書分類，始於劉歆七略，他將圖書區分爲六藝、諸子、詩賦、兵書、數術、方伎六略六個大類、三十八個小類。七略分類法爲漢、魏時期內府藏書所沿用，本來是學術的分類法。到了晉代，因新的學術興起，舊分類法不能完全適用，於是改用概括之法，新創甲、乙、丙、丁的四部分類法，自西晉荀勗中經新薄開始，到東晉李充元帝四部書目才完成，而爲南北朝秘閣藏書所沿用。至初唐編隋書經籍志又定名爲甲經、乙史、丙子、丁集，經史子集四部分類法歷宋元明迄清習用不衰，成爲中國歷史上圖書分類的主流。雖然其間有不少的目錄學家思圖改革，別創各式各樣的分類，但因未獲得皇室藏書編目的支持，終不能成爲楷模而曇花一現。四部分類法不像七略是經過愼密思考而制定的，它的興起不過因學術的衍分併合而有變動，七略舊法不能適應之際，而暫行的概括之法。但因綱目簡明，再經過唐人的改進，才使它制度化，然而終不能掩蓋它先天的缺點——分類重書的體裁，不能條別學術，爲後代的目錄學家所詬病。

四部分類法誠然不是一種良好的分類法，處理古籍就已經發生了許多問題，對於近代的著作更無法適合。然而引進的杜威十進法又如何呢？它雖適用於新著作，但對於中國舊籍的處理還不能暢所欲爲。所以近幾十年來我國許多收藏舊籍較多的圖書館，大都採用雙頭馬車制，將新舊圖書分別編目，舊籍還是沿用四庫法或書目答問的五部法（經史子集之外增一叢書部），新書則用仿杜十進法。其偶或有將新舊圖書用十進法統一分類的，往往發生扞格不入的情形，不僅編目的人整編圖書歸類發生困難，讀者查目尋書也感到非常的不容易。尤其在今日，臺灣翻印古籍的風氣異常興盛，往年的善本舊籍，現在經過影印後都變成了新書，雙頭馬車制已不能適用，益形增加了圖書編目時的困難。相對的，作學術研究的人，特別是研究中國文史及社會科學方面的人，想查檢書目來找尋資料也增加了困難。這種情形，在收藏學術性典籍不太多的一般公共圖書館，也許不太顯著。但在藏書比較豐富的大學或學術性圖書館中找資料的人，則很容易的感覺出來。

杜威的十進分類法把西洋學術區爲九類，另立一個總類，來放置綜合性不屬某一學科的書。每一類下分十小類，每小類又可各分十目，目下還可以再分，以至於無窮，非常的細密，可謂相當地有條理，我國的目錄學家卽大體仿杜威的十進數序再略參四庫類目而編成中國圖書分類法，由各級圖書館來採用。杜法分類是否合乎現代西洋的學術姑且不論，卽令合於現代學術區分，也未必能適用我國固有的學術。杜法太重視十這個成數，仿杜者爲了遷就十進的數序，於是在類目方面就免不了拼拼湊湊，何況又參用未盡妥當的四庫類目，所以處處顯得扞格，編目及找書兩感其難。譬如我國傳統的經學，是我國文化的源泉。因爲西洋沒有經學，現代的目錄學家或者將經書拆散，各依其內容分別歸之於哲學、歷史、社會科學等類中。或有不打散的，但也並不承認它是我國學術之一，而附置在總類下，設一類目來部次。把經書打散，依現代學術的分野來分別歸入各類，在理論上並沒有錯。但我國經學的建立，已有兩千年的歷史，十三經之名，自南宋迄今也有八、九百年，早已成爲專門，歷代解經之作無數，就是現今傳世注解任何一種經書的專著皆不下數百種。這些解經的專著，如若皆從其內容來分類，却並不一定與原經歸入同一類中。譬如春秋是史，左傳是史，公羊穀梁傳就不宜說是史書，至於春秋繁露、春秋尊王發微等等更不能把它們歸到歷史書。尚書是史，單注解其一篇的禹貢及洪範五行傳等是否能與尚書放在一類？假若各隨其書的內容來分類，解經的書就不一定與原經放在一類，想研究經學的人，是沒有辦法依據書目來找書的。至於不將經書打散，而附置在總類下的十進分類法，也非常的不妥當。所謂總類是爲安置不能隸屬任何學科的書而設立的，很有點像四部分類法的子部雜家。然而經學的確是我國特有的學術，豈能貶抑視爲辭典類書之儔，而不承認它是一門專門的學科？

此外尚有金石方面的書，也是我國獨特的一門學科，其內容龐雜，無所不通。有專刻儒家、釋家、道家的經典，有諛墓旌功的碑銘，有名家的詩文法帖，四部皆能涉及，所以我國前代的目錄學家往往獨立成一大類，如鄭樵在通志藝文略外，專立金石略；清孫星衍的祠堂書目，有金石一類。現代的分類法，將之歸入歷史考古門，絕不能顯出它的特性。又如數術方面的書，也是我國獨有的學術，所以自劉歆七略以來，多立一大類來部次。我國的數術之學，雖然未經實驗，不能合乎科學的標準，但仍有它的一套理論，大抵由歸納得來，與符呪巫術不能相提並論。近代的分類列在宗敎的迷信門，實在是名實不符，讀者無法找書的。所以現代的十進分類法不惟不能彌縫四部法的缺點，反而增加了研究我國學術的人依目找資料的困難。

前面已講過，四部分類法之得以成爲我國前代圖書分類的主流，並不是它法良意善，也不是其他家的分類一無可取，而是四部法崛起於偶然的機遇，歷代秘閣憚於更張而沿用下來，成爲主流。故研究現代中國圖書分類者，不應只在四庫類目中找資料，應放開眼光去研究其他各家的分類，擷取其菁華，來編製適合於我國古今學術的圖書分類。像宋鄭樵通志藝文略、明代祁承㸁淡生堂藏書目錄、茅元儀白華樓書目、清代孫星衍祠堂書目等等，在分類方面皆各有其優點。譬如淡生堂書目在史部各體史書外，新增約史一門，以部次陳士元荒史、朱謀㙔邃古記、司馬光稽古錄一類的書。這些史書皆是在短短的十許卷中，記述數千年之事，既不同於紀傳、編年，也不是雜史、史鈔或敎科書，在現在的分類法中也找不到適宜的地方來部次，而且約史之名，名實相符。又如白華樓書目依學分爲十部：經學、史學、文學、說學、小學、兵學、類學、數學、外學、名稱劃一。其中類學包含辭典、類書、目錄等凡編集的書，名稱比總類要好。尤其說學一詞，最是妥切，可以解決千餘年目錄學家對於這類圖書處理的困難。宋鄭樵嘗說：「古今編書所不能分者五：一曰傳記，二曰雜家，三曰小說，四曰雜史，五曰故事。凡此五類之書，足相紊亂。」（校讎略編次之訛論）我國自先秦以來，有小說家一流，源出於稗官。魏晉以後，衍爲筆記一種體裁，或記軍國的大政，或記時事的見聞，或是讀書時偶有心得，而筆記發揮自己的見解，或是考訂民間習俗的譌誤，大抵隨意錄載，各類或多或寡皆具有。這一類型的書在四庫分類中很爲複雜，大都依其記錄偏多的資料作爲分類的標準。記載軍國大政多入雜史，記載某人或某些人事跡較多的入傳記，讀書考訂較多的入雜家雜考，瑣事較多的入雜說或是小說類的筆記，異常分歧。四庫分類法已使查檢這類書的人感到困難，而現代十進分類也大抵沿襲四庫的類目，以雜史入史地類，雜說雜考入總類普通論叢，小說筆記放在語文類，由四庫的兩部衍成三部。普通論叢既難以顯示出雜說的特性，小說一詞，古今的意義也不同，使讀者從書目中找尋資料更爲不易了。茅元儀的白華樓書目立有說學一門，我認爲確是卓見，值得編製現代圖書分類法的學者來考慮研究。總之，我國舊有的分類法固然還沒有一種適合於現代，但其中的類目倒是有很多可以研究的。

## 四、編目法

中國有中國的一套編目部次法，西洋有西洋的編目部次法。固然西洋編目法很好，但是中國固有的也有許多優點值得參考。譬如同一類中所著錄各書編次的先後，中西處理的方式就不相同。西洋係按作者的姓的第一個字母的順序排列，第一個字母相同，則據第二三個字母來編排。現代的編目法亦仿西洋，先按作者的朝代大分，同一朝代，則依其姓氏編爲著者號碼，著者號碼或按四角號碼，或依其筆順。其優點是同一朝代同姓的作者都編排在一起，想查某姓作者的著作就很方便省時。我國舊編次法則不同，是按作者生存的先後或科第的先後來排列的。自漢隋以來的傳統方法，同一類的書，大抵係按作者時代先後排列，但並無一定的標準。清初黃虞稷創了一個很好的編次法，他所編的千頃堂書目，在集部別集類係依科第中舉或中進士的先後來排列。乾隆間修四庫全書，編四庫總目時即採用千頃目別集編次法，並加以擴大，所有各類的書都依科第的先後來編排，其沒有科第的，則按其時代。其用意在使同一類中同時的人的著作排在一起。當然並不是所有的著作都是有功名的人所著的，但是自唐以後的作者，可以說絕大多數是中過進士或舉人的。這樣編排法，其優點在便於研究。我們研究某一人、某一時代、或某種學術的演進，查資料就方便得多了，只要查到一人，其前後都是同時代或時代相近的人的著作，所以這種編次法是專爲學術研究而設，對一般大衆想找某一部書或某一人的著作，則並不太方便。

中國目錄學在編目還有一個特色，此特色實値得大大的闡揚、推廣。因爲圖書分類是按學術的分野來擬定，而書却各有其特性。學術各有其源流，不能兼包並蓄，而書則不然，可以一下子介紹古代，一下子寫近代，一篇講哲學，一篇又述歷史，不妨旁通四達，與學術不能配合無間。現代編目法因爲便爲檢書的緣故，書目須與收藏相配合，一種書只能歸於一類。然而遇到內容複雜的書，譬如前面提到過說部方面的書，若僅編入一類，則其他不屬於此類的內容不能顯示出來。中國自宋以後的學者或出版業，喜歡編某一名家的全集，除了收錄其文章以外，也往往把他原爲單行而篇帙甚少的零星著作編入全集中，致使單行本不再流傳，或把若干人的著作編成叢書。例如歐陽修的易童子問三卷，本是歐氏關於周易的專著。因爲編入歐陽文忠公全集中，單本卽不傳。歐集依分類法編在文學類的別集中，研究易經的人就無法在易類中找到這部著作。對於研究的人非常不便，而且也增加編目者斟酌的困難。明代末年有一位目錄學家，浙江紹興會稽人祁承㸁針對這點，首倡了「通」、「互」兩種編目方法。他在萬曆四十八年，也就是泰昌元年，將他家中所藏的近十萬卷書，編了一部淡生堂藏書目錄，此目民國初年刻在紹興先正遺書第二集中。他另寫了一篇庚申整書略例（這一年是庚申年，此篇略例收在淡生堂集），說明他編目採用了四種方法──因、益、通、互。因是因襲四部，說明他何以因襲四部分類法；益則說明他雖用四部法，但在類目方面有不少的增添，與前代並不一樣；通、互二法則是他編目的精義所在。清乾隆中會稽章學誠著校讎通義，其中有別裁、互著兩篇。實際上是承襲了通互二法而改用了意義比較顯著的名詞，不過章氏未承認而已。通就是別裁，所謂別裁者，凡是一部書中包含有幾種著作，將其中與全書不同隸屬在一類的著作裁別出來，各按其內容，分別著錄在它們應入的部類中，並在下面註明其出處。例如宋李綱的梁谿先生全集，其中有靖康傳信錄、建炎時政記兩種是歷史著作，應把這兩種裁別出來，編到史部雜史類中，在下面註明出梁谿先生全集，找書的人可以知道到梁谿集中查到這兩種記載南、北宋之間的史著。祁承㸁的互即章學誠的互著。所謂互著者，凡一部書中內容龐雜，可依其不同的內容，重複著錄於不同的部類中，換句話說，同一種書可以編入不同的類目中，在其下註明「互見某類」，卽指某類是此書的本類，圖書放置的處所。例如元劉一清的錢塘遺事，記載南宋的史事較多，但也有不少非關軍國大政的，則著錄入史部雜史類，另在子部雜家雜說也著錄，在下面註「互見雜史」，則其中雜說的內容可以顯現出來，取書可在雜史類中。如此，找資料的人不致有所遺漏，編目者也省了斟酌的苦惱。

別裁與互著的確是我國圖書編目法中兩項很好的輔助方法，但在前代的目錄書中應用的很少，察其原因，祁氏死後不久，明代即亡了。祁氏的著作遭到清初禁毁，淡生堂書目明清兩朝未曾出版過。祁氏的集子，清初因禁毁而罕流傳，所以沒有發生影響。章氏著作流行時期，正是我國目錄在四庫總目籠罩影響之下，所以也沒有發生作用。直到民國才漸有開始用別裁法來編目的，但尙未推廣。現代的圖書館專家往往奢談仿效西洋的標題目錄。標題目錄固然很好，但比較繁難，需要大量的人力，而且因爲繁複，於其中找所需用的資料，也不一定容易。假如能善用別裁互著兩種方法來編目，其事較標題目錄要簡單，其效用，我相信決不遜於西洋的標題目錄，值得現代的圖書館來硏究推廣。

以上所講，只是我個人淺見所及。我國是一個文明古國，目錄學淵源很早，就是從奠立系統到現代也有兩千年的歷史，其間經過不斷的改進，都是先賢們心血之所寄。然而因其發展的路線，是以學者爲主要對象。近百年來，因西洋文化的介入，民智開發，圖書館已不是昔日的藏書樓，而成爲社會教育重要的機構之一，其功能非中國舊日的目錄學所能勝任愉快。然而西洋目錄學只適宜於一般公共圖書館，大學及學術性圖書館需要別尋蹊徑，而我國目錄學中有若干特色可以借鏡。我們固然不可故步自封，但也不應妄自菲薄，在西洋目錄學發展到不能配合學術界需要的今日，我們正宜溫故以知新，以克濟西洋目錄學之窮。

（原載「東海學報」第十七卷，私立東海大學，民國六十五年六月）

# 中國目錄學的源流

昌彼得

目錄學是以圖書爲研究對象的一門學科，雖然這門學科在我國已經有近二千年的歷史，但「目錄學」這個名辭卻起源甚晚，始出現於清乾隆年間，到近代才爲人所習用。在古代，這門學科稱作校讎學，它的意義較爲廣泛，舉凡圖書的採訪方法、選本、校勘、分類、編撰目錄等等，都是它研究的對象。清代初年校勘學發達，乃自校讎學中分化而出，另發展成爲一種專門的學術。近代又受西洋圖書館學的影響，圖書採訪也脫離了目錄學的範圍。故現代中國目錄學研究的範圍比起古代的校讎學要狹窄得多，僅以研究圖書的分類與編目爲主，與西洋目錄學似乎沒有什麼大區別。但因我國目錄學的體制與西洋有所不同，所以在意義上也就有了差異。除了研究如何分類編目以便查檢外，還要達到辨章學術、考鏡源流的目的。

談到我國目錄學的起始，無疑地要推漢代劉氏向歆父子所著的別錄七略爲鼻祖。但是循流必溯其源，任何一項學術上的造就，都不是一蹴可幾的，必須要在舊有的基礎上更創新意，所以隋書經籍志的大序，懷疑劉氏父子的目錄是「則古之制」。我國是一個文明古國，歷史文化悠久，相傳五千年前黃帝的史官蒼頡已發明了文字，有了文字的記載就有圖書，有了圖書就應當有管理的方法，可惜有關上古史可靠的記載太過缺乏，不要說不清楚上古圖書管理的方法，就是那時的圖書是什麼樣子，也無從想像。現在我們所能知道最古的圖書，是商代盤庚遷殷以後的圖書。其形制，一種是甲骨卜辭，一種是簡策。簡策書是用筆墨將文字寫在狹長形的竹或木片上，單指一根稱作簡，將若干簡用絲繩或韋皮編連起來稱爲一策（或册）、或叫作一篇。甲骨卜辭是用刀將文字刻在龜甲或獸骨上，也有先寫而後刻的。因爲這種記載方式係由太卜所掌專供占卜用，所以稱爲卜辭。據民國十七年在河南安陽所發掘出第三十六坑整年的龜版卜辭中，發現有幾塊在尾右甲的尖部刻有「册幾」或「編幾」字樣，可以看出當時收藏的卜辭，曾經整理編目過，而非隨意放置。又據國語魯語記載：宋國的正考父曾到周王朝太師那裏去校對他所藏的十二篇商頌的先後順序，足以證明周太師所典掌的圖書皆經過編次。只是商周時代編目的方法如何？也無可考。

戰國時代，我國的學術思想蓬勃，私家著述興起。當時的圖書除了用竹木簡册書寫而外，用原本供裁製衣裳的帛來寫書也漸漸地普遍起來了。一部書的篇數既多，各篇間倘使無一定的順序，則不便於收藏檢點，也無法確知所藏的是否有殘闕。於是有人設想出替古籍編寫一篇序，來說明其書各篇先後的順序及其內容。現存先秦的古籍如尙書、毛詩、周易都有序文。書序相傳是孔子所作，毛詩序相傳是子夏與毛公合著，不過這兩篇序據後人的考證，認爲是漢代人所作，而不是先秦的作品。只有周易的序卦傳，雖然相傳以爲孔子所作的說法並不可靠，但它是先秦時代的作品，而爲現存古籍中最早的序則無可疑。序卦傳列舉六十四卦的卦名順序，並說明各卦的意義，與後來劉向寫敍錄，「條其編目，撮其旨意」的體例大抵相符，無疑地是劉向所取法的，這可以說是我國目錄學的萌芽。由耆古籍編定篇目，逐漸演進爲作者自定著作目錄，如漢初淮南子的要略訓篇、史記的太史公自序篇，都是作者自撰其書的目錄。

除了一部書的目錄外，將許多的藏書經過校勘整理編成目錄的工作，在劉氏向歆以前也有人做過。漢高祖時有張良、韓信整理內府所藏的兵書，從一百八十二家中，整理刪定爲三十五家而予以編次。武帝卽位之初曾下詔徵求遺書，選文學之臣來校讎整理，分類編目，並親自主持。復增建藏書庫，添加繕寫官吏的員額。武帝時的編目工作，見於正史記載的，只有軍政楊僕編定的一部兵書目錄奏進了。全部的目錄，並未校編竣事。此外，關於學術的分類，前人也有很多討論的，如孔子以六藝教人，莊子的天下篇，荀子的非十二子篇，淮南子的要略篇，司馬談的論六家要旨等，各有區分學術門類的意見。劉氏向歆能採用前人的各種成法而予以融會貫通，編成別錄七略，建立了一個愼密完善的目錄學體制，俾後世得以遵循，我們推他爲目錄學的鼻祖，並不爲過。

劉氏向歆的校讎方法，第一步廣集內府、官府及私人收藏的各種本子勘對，刪除其中重複的篇卷，而後校勘文字的異同，繕寫定本。因爲古代用竹帛寫書，一篇一卷可以單行的。譬如武帝末年河內女子獻泰誓一篇；漢光武帝將史記的五宗世家、外戚世家、魏其侯列傳等三卷書賞賜竇融；明帝賜治河的王景一卷史記河渠書，卽是其例。全書的篇卷究有多少，如無目錄，藏者難以確定。所以劉向的首要工作，在固定各書的形質，採集各家的藏本而刪去重複，剩下來不重複的篇卷卽爲該書的全部。第二步工作，是在每一種書經過整理校勘謄繕定本之後，撰寫敍錄一篇放在書的前面，隨同書一併進呈給皇帝觀覽。將各書的敍錄另外抄集出來單行，就是別錄。敍錄的撰寫，先條列全書的篇目次第以確定形質，而後介紹著者的生平，師承淵源，與書的內容主旨，並評論其優劣得失。使學者在讀其書之先，可從敍錄中獲得對其書扼要的認識，以便進而研讀。第三步工作是將所有整理校勘寫定的書，分門別類，編成有系統的目錄，這項工作是在哀帝時劉向死後，由劉歆繼續完成的。劉歆在所有的書校讎寫定後，把原貯藏在溫室中的書全部移到天祿閣上予以分類排列置架，編成了我國第一部藏書分類目錄——七略。他把當時的圖書依照學術門目區分爲六個大類，卽六藝略、諸子略、詩賦略、兵書略、數術略、方技略。六略下再細分爲三十八個小類，一共著錄了六百〇三家的著作，一萬三千二百一十九卷。另外還有一篇輯略，放在分類目錄的前面，是六略的總最，各門類學術淵源流變的文字說明。

劉氏向歆所編著的別錄七略兩部目錄，體例完善，所創有系統的圖書分類，大綱細目，條理井然。東漢明帝時班固撰漢書，採劉歆的七略刪訂編爲藝文志。除了留存六藝諸子等六略的書目，刪裁敍錄外，並將輯略的文字打散，分別繫在各類書目的後面作爲小序，每略之後，並有總序一篇，卷前加撰大序一篇，敍述緣起，立下了後代史書志藝文的楷模。漢志雖說採自七略，但也不完全相同。例如刪去了兵書略中重出的十家二百七十一篇，並增入了劉向、揚雄、杜林三家五十篇。此外部次也微有歧異，如軍禮司馬法，七略收在兵書權謀家，而漢志改入六藝禮類；蹴鞠二十五篇，七略部次在諸子雜家，班固改入兵書技巧家等卽是其例，猶能權宜適應，並不墨守成規。別錄是後代解題提要之祖，七略爲分類編目之宗，班志示史家目錄之準則。三家的派別不同，而同爲後世目錄學的鼻祖則一。

劉歆所創的圖書分類法，爲東漢以迄曹魏秘閣藏書置架典守時所沿用。直到西晉初年荀勗領秘書監時，還仍「依七略以爲書部」。迨武帝太康年間，在汲郡的一個先秦古墓中發現了大批的古文竹簡書，交秘書整理，命荀勗撰次。勗乃將秘監的新舊藏書重編了一部目錄，名曰中經新簿，始改變七略法，另創四部分類。荀勗不標類名，僅將圖書約略依其性質分爲甲乙丙丁四部：

一、甲部　紀六藝及小學等書

二、乙部　有古諸子家、近世子家、兵書、兵家、數術

三、丙部　有史記、舊事、皇覽簿、雜事

四、丁部　有詩賦、圖贊、汲冢書

另外還附有佛家經典，不在四部之中。這部目錄是我國圖書以四部分類的開端，而後來南北朝以迄隋代的各目錄，或有將佛經道經書附列在書目之後，也以中經新簿爲先導。晉元帝東遷江左，命李充重編秘閣藏書目，當時因爲內府的藏書甚少，僅只有三千零一十四卷，充於是但以甲乙丙丁四部部次圖書，其下不再標舉子目，只是將荀勗乙丙兩部所著錄的書的地位先後互換，於是歷史類的書部次在諸子書之前，成爲甲經、乙史、丙子、丁集的順序。李充的分類編目法成爲南北朝迄隋代秘閣藏書編目所遵行的制度，他所立下的四部順序歷時迄今千餘年而未有改易。「目錄」一辭，漢魏時代本指一部書前的篇目及敍錄而言，總括羣書編成的目錄稱爲「略」、爲「簿」，並不名作「目錄」。所有

內府藏書編撰目錄，都有敍錄解題，並不僅列書名卷數作者。李充所編的晉元帝書目不僅四部分類影響於後世，他僅載書目，不撰敍錄，也爲南北朝隋代秘閣編目所沿襲，只是他尚未冒用「目錄」之名。到東晉末年，邱淵之編晉義熙以來新集目錄三卷，有目無錄，而冒用「目錄」之名，使「錄」字成爲「目」字的附屬品，而失去它的原意，則更名實不符了。這就是隋志所批評的：「不能辨其流別，但記書名而已」。晉代是我國目錄學的意義及分類轉變最遽的一個時代。

東晉以後以迄隋代，秘閣的藏書目雖沿用李充所定下的四部分類法，然四部法但着重按書的體裁分類而漠視書的本質，依據書目無從考索學術的源流，故私家編目並不悉遵，也有承襲劉歆七略法而改進其部次的，則是劉宋時王儉的七志、梁阮孝緒的七錄、及隋許善心的七林。王儉曾任秘書丞，在任內編過元徽元年四部書目，七志是他私撰的目錄，則不依四部分類，而改從七略，只不過略變其名稱而已。因七略雖以七爲名，其中的輯略是學術源流的文字說明，而非書目，實分爲六大類，王儉因增設圖譜一志，湊成七大類。所謂七志者，據隋志載：

一、經典志——紀六藝、小學、史記、雜傳

二、諸子志——紀古今諸子

三、文翰志——紀詩賦

四、軍書志——紀兵書

五、陰陽志——紀陰陽圖緯

六、術藝志——紀方技

七、圖譜志——紀地域及圖書

此外並將道經佛經各爲一志，附在七志的後面，而不具名，則是仿荀勗中經新簿的方法，故名雖爲七，而實分爲九志。王氏分類悉仿劉歆七略，亦步亦趨，其弊在刻意摹古，而忽略了學術的衍變分合。後人每推崇劉歆七略能「分類以義」，實則劉歆並不一味執着純依學術的源流來分類。譬如詩賦並不附於六藝詩類，蓍龜、雜占也不附於易類等等，因爲這些學術在他的時代已經發展成爲專門，不得不另立一略來統括。他將史書附在春秋之後者，不過是因爲當時的史書甚少，所以能辨析源流，附於春秋。東漢以後史書漸多，且已成爲專門的學術，若再附於春秋，顯然末大於本，有失分類別異同的原則。何況還有若干新創體例的著作出現，如魏文帝所勅編類輯的書——皇覽、晉庾仲容所編鈔輯的書——子鈔，後代頗有沿其體例而著作。其中或經或史，或儒或墨，都不是七略舊法所能部次的，故晉以後的圖書分類須要改變，也是形勢之所趨。荀李的四部，固然不盡當，而王儉必欲回復七略，也未免太泥古了。阮孝緒所編的七錄，其分類比王儉則要進步得多了。七錄雖早已佚傳，但阮氏的自序被唐朝和尚道宣編入廣弘明集卷三而保存下來，依自序所述，其分類爲：

一、經典錄——易、尙書、詩、禮、樂、春秋、論語、孝經、小學九部

二、紀傳錄——國史、注曆、舊事、職官、儀典、法制、僞史、雜傳、鬼神、土地、譜狀、簿錄十二部

三、子兵錄——儒、道、陰陽、法、名、墨、縱橫、雜、農、小說、兵十一部

四、文集錄——楚辭、別集、總集、雜文四部

五、術伎錄——天文、緯讖、曆算、五行、卜筮、雜占、刑（形）法、醫經、經方、雜藝十部

六、佛法錄——戒律、禪定、智慧、疑似、論記五部

七、仙道錄——經戒、服餌、房中、符圖四部

前五錄四十六部爲內篇，佛法仙道二錄九部曰外篇。從上面列舉的類目來看，雖則阮氏自序說是「斟酌王劉」，實際上兼採了四部的優點，尤其與他同時的劉孝標所編的文德殿書目，在四部之外，又分數術的書爲一部相近似。阮氏不將史書附於春秋，不將講理論的諸子兵書，與談實用技藝的數術方技合爲一錄，無論比起七志或四部的分類都要合理得多，沒有七志罔顧事實與四部含混籠統的弊病。雖然七錄對於後代影響頗大，只可惜唐代囿於六朝秘閣四部的制度，未能在阮氏分類理論基礎上作改進。許善心著七林，隋唐史志未著錄，僅見於隋書本傳，說他「放阮孝緒七錄，更製七林」，大抵分類沿襲七錄，其詳則不可得知。六朝秘閣所編目錄大都僅載書名，此三部目錄均有敍錄小序，以條析學術的源流，勝過官修書目多多。

唐代初年秘閣的藏書，除了所獲得隋朝的舊書外，並購募遺書，延聘學者來校讎，但未編撰藏書的目錄。貞觀三年，魏徵等奉詔纂修隋書，乃據現存隋朝的遺書撰成經籍志。一共著錄了五四五六部，四四一二二卷。其目分爲經史子集四部，其下細分四十類，並仿漢志，每類之後有小序，每部之後有總序一篇，另附道經佛經二部十五類的類目及各類部帙，不載書名，且僅有總序而無小序。據隋志大

序說：「離其疏遠，合其近密，約文緒義，凡五十五篇，各列本條之下」。而今本隋志僅有小序四十篇，卽令合總序而計，也只四十六篇，與大序所言不合。按隋書志書十篇三十卷，原名五代史志，合敍梁陳北齊北周隋五代的制度，本來是單行的。後來倂入隋書，故通稱隋志。似是原經籍志的道佛兩部十五類也各有小序，倂入隋書後而予以刪削，但是否如此，今已無可考。隋志的分類，雖說承襲六朝秘閣的制度，以四部爲綱。然而從它的類目來看，實是由七錄刪倂分合而來。隋志經部全取七錄的經典錄九類，而加上自七錄術技類移來的緯書一類，共十類。因爲讖緯係託自於經，故改隸經部。史部卽七錄的紀傳錄，而將國史類衍分爲正史、古史、雜史三類，而將鬼神附於雜傳中，其餘各類僅名稱略有改易，故由七錄十二類增至十三類。子部則是倂合七錄的子兵、術技兩錄而成，由原來的二十一類倂爲十四類。卽刪去術技錄中的卜筮、雜占、刑法、陰陽四類而將其書倂入五行類，刪去雜藝類而將其書歸入小說與兵家，將醫經、經方合爲醫方類，並出緯讖入經部。集部僅刪去雜文類而將其書附入總集，餘三類悉同。兩目道書的分類相同，佛書則隋志係依據隋大業中智果所撰衆經目錄的分類，區爲十一類，故與七錄異。故也可以說隋志的分類，是將七錄的七部倂合而成爲六部。自其精神言之，雖是遠承李充的四部，而實兼祧阮氏的七錄，是七錄四部揉合統一而成的一部目錄，類目詳密，後來的四部目錄雖間有損益，莫不奉爲圭臬。而自李充以來的四部法，得隋志的繼承與改進，遂能盛極一時。

隋書經籍志對於後代的目錄影響頗大，約而言之，可以分爲三點來討論。一、寓有褒貶之意。編撰目錄的本意，是將繁亂無序的藏書，整理得井井有條，辨章學術，部次流別，以便於查檢，並指導讀者治學涉徑。故對於所有的藏書，無所取捨，概予著錄；對於類例的釐定，應出之於學術的立場，客觀的態度，作平衡的支配，不可有所軒輊。隋志則不然，把目錄當作教化的工具。其序云：「其舊錄所取，文義淺俗，無益教理者，並刪去之；其舊錄所遺，辭義可采，有所弘益者，咸附入之」。又云：「雖未能研幾探賾，窮極幽隱。庶乎弘道設教，可以無遺闕焉」。所以獨專儒學，對於道佛經典，視爲「方外之教，聖人之遠致」，而刪其書名，但著其部類及卷帙數，附在目錄之末，不列四部之中。所著錄的書，也不能代表當時藏書的全部。蓋挾六朝以來衞道之見，作爲是非的標準，寓有褒貶之意，開後來所謂正統派的目錄，實悖於目錄學的原理。這種觀念，到清乾隆間修四庫總目，更至其極。二、分類以體不以義。圖書分類的標準，不外乎「體」與「義」兩端。辨「義」者，在明學術的源流，其例始於劉歆的七略；崇「體」者，惟圖書的體裁是從，則隋志之作俑。如正史類是紀傳體，古史類爲編年體，起居注爲日記體等卽是其例。因爲崇「體」，所以記載神仙高僧事蹟的與人鬼傳記同入史部雜傳，而不隸於道佛。如內典博要、因果記乃佛家的著作，而附入雜家。故學者想在書目中，求學術的系統，實戛戛乎難矣哉。三、經史子集的界限並不謹嚴，開後來目錄隨意依附之先導。李充的四部，雖具有經史子集的雛形，尚無其名，所以無礙乎把六藝、小學共入甲部；史記、皇覽共入乙部；古今諸子、兵家、數術共入丙部；詩賦、汲冢書共入丁部。把甲乙丙丁四部明稱爲經史子集，雖然並不始於隋志，梁元帝時秘閣校書已有經史子集的名稱以替代甲乙丙丁，但梁元帝時並未編成目錄，影響於後代目錄學者仍爲隋志。隋志旣以經史子集爲部名，應該立下嚴格的義例，才能名至實歸。然而隋志的總序，並未把經史子集各立下界說。他把小學入經部，鬼神入史部雜傳，詔集入集部總集，已屬不倫不類，但尙可以說係沿自七略七錄。而其子部，最爲冗亂。所謂子書者，必須持之有故，言之成理，卓然能成一家之言者。故劉王阮諸家都以術技別爲略錄，不與諸子相雜。隋志的子部，有空談哲理的諸子，有記載實用的技藝，有涉及迷信的五行術數，有摭拾異聞的小說，五光十色，薰蕕同器，而統名曰子，名實之相乖，莫此爲甚。其例一開，倒替後來編撰目錄的人闢了一個方便之門，凡一切後出而無部可歸的書，都在子部來設立一類隸次。於是新舊唐志增藝術，則琴棋書畫成爲子；遂初堂目增譜錄，而草本鳥獸蟲魚飮食器用也爲子，以至於類輯叢抄的類書叢書都變成了子書，子部愈來愈冗亂，都是因爲隋志不能覈核名實的緣故。

自初唐修隋書經籍志以後，四部分類法成爲定於一尊的局面，只有玄宗開元年間常侍馬懷素主持整理內府藏書時，曾建議賡續王儉七志來編目，但沒有竣事而馬氏卒。繼馬氏任的弘文館學士元行冲乃沿用隋志的四部，編撰完成了一部足以媲美清代四庫總目的大目錄——羣書四部錄二百卷。這部目錄在分類及小序撰述方法，大抵本於隋志。雖有敍錄，但不完備，於唐人的著作多略。因爲這部目錄成書太倉促，致紕謬疏漏之處，不一而足，深招致當時曾參與纂修工作的修書學士毋煚的不滿。毋氏曾提出其不當之點有五，於是乃依據四部錄爲之刪略增補，撰成了古今書錄四十卷，凡著錄四部書三〇六〇部，五一、八五二卷，也撰有小序及敍錄。其卷數比四部錄少者，殆有似七略之於別錄，四庫簡明目錄之於四庫總目提要。此目大概亡於北宋末年，但五代劉昫修舊唐書經籍志，即全採其書目，而僅删去了小序及敍錄而已。漢隋二志皆有小序，自舊唐志删去此項體制，後代的史志遞相沿襲，成爲一種變例。古今書錄的分類也大抵自隋志增益改易而成，但以甲乙丙丁與經史子集並用。其甲部經錄較隋志增經解、詁訓二類；丙部子錄增雜藝術、類事二類，並將醫方衍爲經脈、醫術兩類。即由隋志四部四十類增衍成爲四十五類，其餘僅類目名稱略有改易，如易古史爲編年、覇史爲僞史……等等。這部目錄部次的不當，尤甚於隋志。如釋道二教，本不同科，故七志、七錄、隋志都是分別各設一部。古今書錄與舊唐志所著錄釋典的書不多，而古來四部之目俱無佛家，於是把法苑、歷代三寶記等二十一種釋家典籍附於道家。又先秦以來的道家，本屬自然學派，與辟穀導引、符籙齋醮的神仙家迥異，故七略七錄隋志皆分別著錄，不在同一部類。而古今書錄以老子西昇經等書次於老莊之間，這都是有乖名實的地方，而爲後代目錄所沿襲。

自天寶以後以迄唐末，迭遭安史與黃巢之亂，秘閣藏書頗受損失，雖然肅、代、文宗諸朝曾搜訪遺文，屢詔購募，但均未能如初唐或盛唐時收藏的豐富。德宗、文宗時所編的書目今俱不傳，也未見前人論及，分類方面大抵陳陳相因，無所新創。私人藏書至唐也漸漸多起來了，據新唐志所載，私家也頗有編著書目的，均無甚特色，今皆不存。只有吳兢西齋書目，據玉海云凡分五十七類，較古今書目增多十二類，只是不詳所增的類目爲何。

五代之世，干戈相尋，各國的藏書都不甚多，除了蜀王建時曾編有書目一卷，見通志藝文略，此外未聞有其他的目錄。入宋以後，因爲雕版印刷已普及全國，得書比較容易。而且圖書的形制由卷軸改成册，收藏檢點，都比以前方便，是故官私藏書都要比前代豐盛得多，編著有書目而且尙存世的也不少，因之對於目錄學的演進也有若干新的貢獻。

宋代的官修目錄，大抵皆遵循隋志以來的四部，而無所更張，僅在類目方面略事增訂而已。在體制方面，尙能沿襲盛唐時代的目錄，有小序與敍釋。宋代內府藏書的處所有昭文、史館、集賢三館及秘閣，合稱爲館閣，或統名曰崇文院。初眞宗咸平中曾編成館閣圖籍目錄，目旋亡佚，藏書亦遭火焚燬。仁宗時新建崇文院落成，抄補圖書，命翰林學士王堯臣，館閣校勘歐陽修等整理校讎，編撰目錄，於慶曆元年奏上，賜名曰崇文總目。目錄計六十六卷，每種書下有敍釋，另有序錄二卷，有如七略的輯略、七志的九篇條例，亦卽小序。此目自元末以來僅存別行的書目一卷，有敍釋及序錄的六十八卷本不傳。清嘉慶間嘉定錢東垣、秦鑑等人輯得原序三十篇，原釋九百八十條，編爲五卷。現存的目錄專書，以此輯本崇文總目爲最古。依據輯本，此目分爲四部四十五類，與古今書錄或舊唐志類數同，類目則略有損益。經部刪去讖緯，蓋此類書入宋多不存；史部增歲時類，集部增文史類，則是崇文目所新創的；子部在道家外，新增道書、釋書二類，這是改正舊唐志部次的不合理。這些增改，大都爲後代的四部目錄所沿用。崇文院館閣、神宗時改名曰秘書省，徽宗政和中以續得的書編入舊目，名曰秘書總目，今亦不傳。南宋時有孝宗淳熙間秘書少監陳騤撰的中興館閣書目七十卷，及寧宗嘉定間秘書丞張攀撰的中興館閣續書目三十卷。此二目也不傳，今有趙士煒輯考五卷。館閣書目據玉海及周密齊東野語說分爲四部五十二門，較崇文目增多七類，不詳所增的類目爲何。

除了館閣的藏書目錄外，史書經籍志曾修過五次。舊唐志既全採古今書錄，於玄宗以後的著作皆缺。歐陽修撰新唐書，作藝文志一卷，頗有增補。其分類也大體據舊唐志，僅將訓詁類併入小學而少一類，則是仿之崇文總目。宋代的國史纂修過四次，即三朝國史、兩朝國史、四朝國史、中興國史。此四次纂修的國史，都有藝文志，每類皆有小序。史志雖然不傳，其小序在文獻通考經籍考中尚頗有引述，固然比不上漢隋二志的小序能條別學術的淵源流變，但能保存此項體制，比起兩唐志卻要高明得多。諸史志的分類，大抵出入舊唐志、崇文總目，新增的類目，有史部史鈔一類。元修宋史，即採宋代的諸國史志，刪削小序，去除重複的書而編成藝文志。惟因宋諸史志分類及部次的標準並不一致，重見迭出的書，刪不盡刪。所以在宋史藝文志中，同一書見於兩類以上著錄的屢見不鮮，即因此故，是以四庫總目批評宋志是各史志中最叢脞的一部目錄。

宋代私家編目則不像官府一樣，完全承襲自晉以來的四部分類。固然有不少仍採用四部法的，但也有突破四部的窠臼，而在中國目錄學史上放一異彩的，宋代的藏書家頗多，僅據王明清揮麈後錄、周密齊東野語二書中所敍及的，就有二十多家，藏書多者至十萬卷，少的也超過二萬卷，可以說與秘閣相埒，且或過之。藏書家中編有書目而依四部分類且現今尚傳世的，有昭德晁公武郡齋讀書志、無錫尤袤遂初堂書目、及吉安陳振孫直齋書錄解題三家。郡齋讀書志編成於高宗紹興三十一年，分四部四十五類，大抵依據崇文總目而略有增刪改併，在史部新創了史評一類，爲後代所沿襲。所著錄的書，皆有敍錄，或論析書中的要旨或介紹作者的始末，或詳敍學派的淵源，或斟定篇章的次第，具有傳統目錄書的體制，只是沒有小序，僅在每部之前作一篇總序。漢隋二志及唐代目錄皆將小序總序放置於部類的後面，而晁志放在前面，則是一種變例。這種變例，爲清代四庫全書總目所遵仿。晁志有衢州、袁州兩種不同的本子並行於世。衢本二十卷，袁本四卷附後志二卷，並附趙希弁附志一卷。兩本的編次及著錄書的多寡，略有不同。

遂初堂書目編成於光宗時，是一部比較特殊的書目，書只一卷，無小序及敍錄，僅著錄書名，偶冠上著者姓名，而不載卷數，但間註明版本，凡一書他收藏有幾部而版本不同者，分別予以著錄，這是與六朝以來傳統書目不同的地方，爲後世書目記版本的權輿。尤目雖以四部分類，但類目與自來的四部也大相逕庭。目共分四十四類，經部新增經總一類，以收經書合刻；史部在正史、編年、雜史、雜傳、故事以外，又將宋朝的國史、雜史、故事、雜傳別出爲類；子部將法名墨縱橫四家删併入雜家，後二者實在是淆亂體例，破壞學術系統的部次法，而影響及於後代。此外他又在子部新創譜錄一類，以收舊目無適當部類可附的香譜、石譜、蟹譜等書，則是比較可取的創例。

直齋書錄解題撰成於理宗時，原本不傳，今本二十二卷，是四庫館臣自永樂大典中輯出，並參校文獻通考經籍考而訂成。其體例大抵規仿晁志，唯無總序，而僅語孟、起居注、時令、農家、陰陽家、音樂、詩集、章奏等八類前各有小序一篇。每部書之下有解題卽敍錄，以品評其書的得失。全目分爲五十三類，類目之詳密，宋元以前的收藏目錄，實以此目爲最。其特點爲新創別史類，把紀傳體的史書區分爲正史、別史二類，實是有乖體例的地方。他又刪去經部的樂類，而在子部立音樂一類，則是受鄭樵的影響，其餘的類目雖繁，大都不出前代目錄的範圍。

自初唐編隋書經籍志，四部分類定於一尊後，最先突破其藩籬的，要推北宋仁宗皇祐元年李淑編的邯鄲圖書志。李氏把家藏的圖書區分爲五十七類，在經史子集四志之外，又有藝術志、道志、書志、畫志，總爲八十卷，故又稱圖書十志。他的這種分類法雖說不止四部，仍未脫四部的窠臼，實以四部爲主，所增列的四志有如七錄的外篇，隋志的附錄。而眞正能打破四部窠臼的，要數鄭樵的通志藝文略。他把中國圖書區分爲經、禮、樂、小學、史、諸子、天文、五行、藝術、醫方、類書、文等十二大類，其下再區爲一百五十五小類，小類之下，更分二百八十四目，非常的細密。另外他又編有圖譜、金石兩略，專著錄圖譜金石方面的書。我國自來的書目分類，僅只有部與類兩級，且從無如鄭氏所分的纖細。至於類下再析分子目，則創始於鄭樵，而爲明清兩代的目錄學家所沿襲。蓋鄭氏認爲古書之容易亡佚，學術之不能專門世守，都是因爲編撰書目的人，未能明類例的緣故。如果「類例既分，則學術自明」。所以他詳細地條別類例，無論現存或失傳的書，均予以著錄，俾使閱目錄者，可以知曉各門學術的淵源流變；從事專門學術研究者，可以據目以求書，而古籍也就不容易亡佚了。因此他不撰小序，並譏解題爲無意義。固然氏的詳類例而學術自明之說，在理論上並無不通，但其先決條件須著錄所有亡佚的書，就不是自來目錄書所能作到的。他不了解「辨章學術，考鏡源流」，是目錄體制中的小序與敍錄的功能，而必欲詳類例以明學術，所以編目部次時往往進限失據，後來焦竑、章學誠等人糾舉他失當之處頗多。

鄭氏的分類固然是突破了四部的藩離，但仍可看出從四部脫胎出的痕跡。鄭氏將經部的禮、樂、小學三門析出，各自獨立爲類；將術藝、方伎、類書從子部析出，分爲天文、五行、藝術、醫方、類書五大類；史集兩部大體未變，僅門類小有分合，或是改易名稱。他的改革，頗糾正了四部法中若干不合理而爲人所詬病的地方。譬如樂經早佚，後代的書目把律呂、曲調、管絃一類的書合稱樂類入經部；又把訓詁、字學、韻書等合爲小學類列在經部，都發生了名實不能相符的弊病。因爲這些書既非傳統的經典，也不是註釋經典的書，劉歆列入六藝略，荀勗、李充放在甲部皆無問題，既名爲經部則就不可以了。術藝、方伎、類書之屬，其性質各有不同，都與空談理論的諸子書異。鄭樵能把這些不同倫類的書各自爲類，足見他的識見高卓，自然比四部法要合理得多。只有三禮，自漢以來，卽已尊爲經典，鄭氏也把它自經部析出，與後代禮儀的書合爲一類，則就不一定妥當了。後來他的族孫鄭寅把所藏書分爲：經、史、子、藝、方技、文、類書七大類，卽從樵的類例併合而來，可惜其目不傳，對他的分類詳情無法知曉。

鄭氏通志中除了藝文、圖譜、金石三略外，又特撰校讎略一篇，來發揮他對於求書、校書、以及分類編目的意見。我國自漢以來，有目錄之書、有目錄之學，而研究目錄學的專著，則以此篇爲嚆矢。他所提出「卽類以求、旁類以求、因地以求、因家以求、求之公、求之私、因人以求、因代以求」的求書八法，以及「一類之書，當集在一處，不可有所間」；編目應當「以人類書」，不當「以書類人」；又不可苟且，「見名不見書」，「看前不看後」等意見，多爲後代的藏書家採訪編目時所採用。

元明兩朝可以說是我國目錄學衰微不振的時期，一般整理藏書編目的，大多視書目爲供檢點的賬簿，不僅沒有產生過一部能合乎我國目錄學標準體制的目錄，能求其類例清晰，部次有條理，已經算得上難能可貴的了。至於對錄略之學作理論上的發明，則更不多見。但自分類而言，卻是一個解放的時代。蒙元秘書監的藏書，係獲自金秘閣及南宋秘書省及國子監所藏的典籍，數量應有可觀，只是未嘗編撰成目錄。僅將藏書編數成號，置簿繕寫，但藏書簿已失傳。私家藏書編有書目的，根據記載所知的只有松江府上海的莊肅，曾把他家藏書八萬卷，以甲乙分爲十門，除了經史子集四部而外，另有山經、地志、醫卜、方技、稗官、小說，相當於藏書簿册，談不上是一部有系統的書目。比較有系統的目錄，只有元初馬端臨所撰文獻通考中的經籍考七十六卷。這部目錄鉅著並不是藏書目，著錄的也不一定都是他當時現存的書，完全根據宋晁公武郡齋讀書志、陳振孫直齋書錄解題、崇文總目等書目、以及各家筆記雜說、文集中的序跋等排比成書，以供學者的稽考。自己偶有所發明，則酌加按語附於後。全書分爲五十五類，大抵依據直齋書錄，並參考晁志及宋四代史志的類目而成，自己也無任何的創見。但這部目錄的體裁卻是新創的，與前代的目錄書不同。若推考其淵源，可上溯佛教目錄中的梁朝和尚僧祐編出三藏記集。該目錄自卷六至卷十二，皆抄錄各經典的序文。而下開清朱彝尊撰經義考、謝啟昆撰小學考，皆沿襲馬氏的經籍考而作，而體例更加邃密。

明代內府藏書除了獲得元秘書監所貯以外，並曾下詔徵求遺籍，所藏相當豐富，設有翰林典籍來掌管。到了英宗正統年間才由大學士楊士奇主持編了一部文淵閣書目二十卷。這部書目以千字文排次自天字至往字凡二十號五十櫥，所著錄的書不載卷數及作者，僅記書名及册數，下注完全或闕、殘缺等字樣，一種書有許多部的，也一併載列。譬如御製文集有二十部，資治通鑑有十五部等等。本爲閣中存記册籍的總帳，原來就不是編撰成目錄專書，所以編次草率冗亂，謬誤百出，毫無類例可言。首曰國朝，專著錄明初諸帝的御製、勅撰，以及政書、實錄。其次自易、書、詩以下一共列有三十七個門類，雖仍存有經史子集的名稱，然不以爲部門，其門類實與歷代的四部目錄不同。所以清周中孚鄭堂讀書記批評這部書目說：「如此著錄，從來官撰私著所未有」。自晉以來，歷代秘閣的書目都以四部分類，相沿成習。自此目出，打破了往例，故明代的私家藏書編目，頗多援引爲護身符，任意新創部類，不復恪守四部的成規，在中國圖書分類史上，實爲一大解放。自正統以後，因爲保管不善，文淵閣中的舊籍日漸殘缺流散，新增的都是明代撰刻的書。神宗萬曆時，有中書舍人張萱就閣中的藏書，編了一部內閣藏書目錄八卷，每一書略記撰者的姓名爵里，間注卷數存缺，比正統書目爲詳，但著錄的並不完備。此目共分爲十八部，大抵依正統目省併而來，也無甚條理系統。明代官修的僅此二部書目，自目錄學的標準而論，殊無足道，僅能藉此略窺明代內府藏書的情形而已。

明代私人藏書家很多，而編有目錄的也不少，僅就黃虞稷千頃堂書目所著錄，即不下五十餘種，惟歷時既久，散亡亦多。今就現存及可考的來看，有特色有貢獻的卻很少。其中依四部分類的，如高儒百川書志、朱睦㮮萬卷堂書目、徐𤊹紅雨樓家藏書目等，多受了文淵閣書目的影響。新創的類名雖不少，但是並無什麼條理，值得取法的。焦竑的國史經籍志，則比較有法度。此目大抵取法鄭樵通志藝文略。在部類之下，再細分子目。又所收的書，不論存佚與否。惟併鄭樵的十二大類一百五十五小類為四部四十七類。全目六卷，首列御製書類，以御制、中宮著作、敕修書、及記注時政等書附列，不在四部之中，係本之文淵閣書目，餘則分經史子集四部，末附糾繆一卷，則為駁正漢隋唐宋諸史志，及唐四庫書目、宋崇文總目、鄭氏藝文略、晁氏讀書志、馬氏經籍考諸目編次分隸的錯誤。御制書及四部四十七類後各有小序一篇，雖然是大抵敘述門類分隸的原由，而不能如漢隋二志考鏡學術的淵源流變，但比起自舊唐書以下的史志連小序的體制都沒有，卻要高明得多。

明代對於目錄最有貢獻的，要推祁承㸁。祁氏是浙江會稽人，萬曆三十二年中進士，做過寧國、長洲的知縣，及吉安知府，皆有治績。崇禎元年升任江西參政，尚未到官就病故了，年六十四歲。祁氏喜歡藏書，他的澹生堂是明末清初有名的藏書樓。所編的澹生堂家藏書目不僅著錄豐富，達十萬卷，而在分類上及編目方法上有若干甚具價值的創見。他把圖書區分為四部四十六類，凡經部十一類，史部十五類，子部十三類，集部七類，類下有目，共二百三十五目，相當的詳盡。子目雖然是參考鄭樵藝文略及焦竑國史經籍志而來，但比起兩家來要審慎，有條理。在類目方面，他新增了幾個有意義的類名，在經部增理學類，史部增約史類，子部增叢書類，集部增餘集類，其餘子目中新增有價值的目名也有不少。經部列理學類還可以說是規仿文淵閣書目及百川書志，其餘的是祁氏所首創。約史類專收那些在短短的幾卷書中，敘述千百年史事有似現代通史教本的著作，遠比前代的書目各依其體裁來分類，或入編年、或入別史、雜史、史鈔，都要來得妥當。而且類名清晰，望文可以生義。總集許多種書而彙爲一編，始於南宋，而盛於明正德嘉靖以後，既非旁搜博採，以成一家之言，也不是別類分門，可供考覽之助。文淵閣書目及千頃堂書目附入類書，清四庫總目列在雜家雜編，都不妥當。祁氏在叢書剛盛行之初，就把它獨立成爲一類，不能不佩服他有識見。近代研究目錄學史的人，多以爲張之洞的書目答問始創立叢書部，或以爲清乾隆間好古堂書目的區分「經史子集總」，是近世別立叢書部的濫觴，卻不知道在前明萬曆末年祁承㸁就已經將叢書獨立成類了。餘集以收那些滑稽、艷語、或逸品的詩文集，也比分別隸入別集或總集類能顯示此類詩文的特性。在部次方面，譬如把名墨法縱橫與雜家合稱爲諸子類，而不附入雜家中；經部不設樂類，而在史部立禮樂類，以部次後代律呂儀注一類的書，都要比前代的書目來得合理。他的類例有許多地方值得現代研究中國圖書分類的學者來研究參考。

祁氏對於我國目錄學貢獻最大的，是他發明了兩種編目的方法。他在庚申整書略例中說明他編澹生堂家藏書目，係採用「因」、「益」、「通」、「互」四種方法，所謂「因」，說明他何以因襲四部分類。所謂「益」，說明他何以新增若干類目的理由。所謂「通」，是流通於四部之內，古人有很多的著作，本來是單行的，因爲卷帙甚少，後人或編輯入文集中，或附錄在其他有關的著作中，則單行本不傳。假若編目時僅著錄其文集或本書，則這些所附載與本書或文集不同性質的專篇或專卷，則讀者無從查檢，也無從知曉。所以他創立「通」的方法，將那些附載的而與本書不同類例的專篇或專書，都分別摘出書名或篇名著錄於其應入的本類中，而在其下註明原載某書或某集之內，以便查閱。他舉例說：

古人解經，存者十一，如歐陽公之易童子問，王荆公之卦名解，曾南豐之洪範傳，皆有別本，而今僅見於文集之中，惟各摘其目，列之本類，使窮經者知所考求。又如靖康傳信錄、建炎時政記，此雜史也，而載入李忠定之奏議；宋朝祖宗事實及法制人物，此記傳也，而收於朱晦翁之語錄；如羅延平之集，而尊堯錄則史矣；張子韶之集，而傳心錄則子矣……凡若此類，今皆悉爲分載，特註明原在某集之內，以便檢閱，是亦收藏家一捷法也。

所謂「互」，是一種書可互見於四部之中，按其內容的分歧可以分別著錄於兩類以上所當入的部類。他說：

作者既非一途，立言亦多旁及，有以一時之著述，而條爾談經，條而論政。有以一人之成書，而或以攄古，或以徵今，將安所取衷乎？故同一書也，而於此則爲本類，於彼亦爲應收；同一類也，收其半於前，有不得不歸其半於後。如皇明詔制，制書也，國史之內，固不可遺，而詔制之中，亦所應入。如五倫全書，勅纂也，既不敢不尊王而入制書，亦不可不從類而入纂訓。又如焦氏易林、周易古林，皆五行家也，而易書占筮之內，亦不可遺……。

所以在澹生堂家藏書目中，往往有一書而彼此互見，有同集而名類各分者，就是他運用了「通」、「互」兩種編目方法的緣故。這眞是了不起的一項發明，可以解決一千多年來目錄家在編目酌定部類時所常感到的困惑。因爲類例可以依學術來區分，學術萬端，各有它的淵源，不能夠兼包並蓄。然而書則不同，它的內容可以旁通四達，一忽兒談經，一忽兒論史，又可以討論哲學、文學，並容而無礙。

所以世界上沒有包羅萬象的學術，而有六通四辟的書籍。古代的目錄家遇到這些包羅萬象六通四辟的書，編目歸類時常感到取捨困難，放在甲類固然可以，歸之乙類也不悖旨，與丙類也能相通，往往不知何去何從。故爾在前代的書目中，常常有一部書在同一書目中見於二類或二類以上的情形，即是在整理編目的人偶有失檢，前後歧出，或編者非一，見仁見智，各適其類的情況下產生的。如果運用了祁氏的通互兩種編目方法，不僅編目的人可以省去歸類時取捨維艱的困擾，讀者尋書時也不致於遺漏所需要的研究資料。清代會稽章學誠所創的「別裁」、「互著」二法，說是推衍劉歆七略而來，而隻字不提他的鄉前輩祁承㸁。實則劉歆既未運用也不知道這兩種編目方法，章氏所創乃承襲自祁氏，但更改其名辭而已。「別裁」即「通」，「互著」即「互」，內容並無區別。章氏隱沒祁氏不提，不無掠前賢之美之嫌。後人但推尊章學誠，也難免數典而忘祖。

明代因爲官府所編的文淵閣書目打破了自來四部法的傳統，故私家編目不遵四部的也較多。僅就現存或可考的有：正德時陸深編江東藏書目，區分爲：制書、經、性理、史、古書、諸子、文集、詩集、類書、雜史、諸志、韻書、小學醫藥、雜流共十四類。嘉靖時有晁瑮寶文堂書目，區爲三十一類，亦以制書居首。孫樓博雅堂藏書目錄，分爲十八類，也是特錄制書類，並附以鄉會試錄及墨卷。隆慶萬曆間則有沈節甫的玩易樓藏書目錄，分爲制、謨、經、史、子、集、別、志、類、韻字、醫、雜等十二類。萬曆間有陳第世善堂藏書目錄，分爲經、四書、子、史、集、名家共六部六十三類。上述的各家，前四家都是因襲文淵閣書目或內閣藏書目錄而來，雖則比起官目略有條理，但皆不是有系統的分類，類目也沒有什麼特色。陳氏世善堂目則是改良四部而成，把四書從經部析出，字學也析出不與爾雅同部，天文五行醫農等合爲各家部而與歷代諸子書分別爲部，尙具有創造的精神，但把道釋與術藝放在一部，金石法帖及字學書隸入集部等等，也不是一部好的分類法。明代不依四部的目錄而具有特色的，則數崇禎中歸安茅元儀編的白華樓書目，首創以學分類，所謂的九學十部，卽經學、史學、文學、說學、小學、兵學、類學、數學、外學等九學之部，再加上世學。他所謂的世學指的舉業，僅是當世的制度，不足以傳來世。自來目錄的弊病，只知道類書，而不知類學。類目的有無，胥依書的多寡而定，正是章學誠所批評的，不能以部次治書籍，而以書籍來亂部次。茅氏獨能以學術爲區類的標準，而且劃一其名稱，整齊其部次，實值得稱道。可惜這部書目已失傳，只有一篇自述載在鄭元慶湖錄經籍志，不能詳細研討它的部次如何。

清代初年一般仍承襲明代官目的遺風，不依四部的如錢謙益絳雲樓書目、錢曾述古堂書目、季振宜藏書目、徐秉義培林堂書目、王聞遠孝慈堂書目等等，都不分部，而因書設類，類目的淆亂，視明文淵目尤有過之。較有條理的，只有一部依四部法的黃虞稷千頃堂書目。千頃目並不是一部藏書目錄，是師法阮孝緒七錄、鄭樵通志藝文略，參取書目而作成，不論存佚及是否自藏。所不同的，是黃氏但以著錄明代的著作爲主，而附錄宋史藝文志未載的宋末人及元人的著作。因爲黃氏編此目的目的，是欲成有明一代的藝文志，張廷玉修明史，藝文一志，卽以此目爲底本。我國前代修史志，都是網羅一代的藏書，不論古今，皆予以著錄，可備後人徵文考獻，藉以知一代的名數。而元人修宋志，因係薈萃宋四朝所修的國史志編成，對於前代的著作，僅略有著錄，已不足顯見一代藏書概況。而明史志僅錄一代的著作，更無以考見古籍的存佚，實爲修纂史志的變例，此變例則因黃氏此目有以啟之。

千頃堂書目分爲四部五十類，類目大抵出入宋明各家書目，並無新創。除了著錄書名卷數撰人外，雖然沒有敍錄，但略述撰者的里貫仕履，足資考證。部類之下，固然未如通志藝文略、國史經籍志、澹生堂書目標明子目；但編次明晰，屬目仍隱然可見。譬如地理類首列總志，次輿圖、府志、邊域、海防、河流、水利、海塘、遊記，次域外朝鮮、琉球、日本，次土司諸夷、山岳、祠志、書院、寺廟，實分爲十七屬目，分類相當的細密。它另外還有一個特色，是別集一類，排列以朝代科第先後爲順序，沒有登科的人的著作，則就其時代酌附於各朝之末。前代的目錄，固然於一類書中大體依作者的先後編次排列，但沒有一定的標準，一遇同類書中同一朝代的書較多，則先後的順序顯得紊亂。黃氏的集部編次法所立下的標準，四庫全書總目卽採用而予以推廣至所有其他的各類，而爲乾隆以後的書目所沿襲。

我國目錄學的衰微不振，從元明至清初幾達五百年，到乾隆間才顯出中興的氣象，也結束了明至清初紊亂的分類。乾隆三十七年詔求遺書，開四庫全書館於翰林院，命文淵閣直閣學事兵部侍郎紀昀等爲總纂官，編繕四庫全書。並把所著錄的各書的提要，以及僅存其目各書的略節，合編爲四庫全書總目，於四十七年完成刋版。這部總目所載的合四庫著錄及但存其目的書共計一〇、二二三部，一七二、六二六卷，我國自來目錄著錄的繁富，沒有超過此總目者。此目依四部分類，爲類四十四，類下或再分析子目，計子目六十六。其類目爲：

經部——易、書、詩、禮（分周禮、儀禮、禮記、三禮通義、通禮、雜禮書六目）春秋、孝經、
五經總義、四書、樂、小學（分訓詁、字書、韻書三目）共十類九屬目。

史部——正史、編年、紀事本末、別史、雜史、詔令奏議（分詔令、奏議二目）、傳記（分聖賢、
名人、總錄、雜錄、別錄五目）、史鈔、載記、時令、地理（分宮殿疏、總志、都會郡
縣、河渠、邊防、山川、古跡、雜記、遊記、外紀十目）、職官（分官制、官箴二目）、
政書（分通制、典禮、邦計、軍政、法令、考工六目）、目錄（分經籍、金石二目）、
史評共十五類二十七屬目。

子部——儒家、兵家、法家、農家、醫家、天文算法（分推步、算學二目）、術數（分數學、占候、相
宅相墓、占卜、命書相書、陰陽五行、雜技術七目）、藝術（分書畫、琴譜、篆刻、雜
技四目）、譜錄（分器物、食譜、草木鳥獸蟲魚三目）、雜家（分雜學、雜考、雜說、雜
品、雜纂、雜編六目）、類書、小說家（分雜事、異聞、瑣語三目）、釋家、道家共十
四類二十五屬目。

集部——楚辭、別集、總集、詩文評、詞曲（分詞集、詞選、詞話、詞譜詞韻、南北曲五目）共
五類五屬目。

四庫的分類，係取隋志以下各目損益之，擇善而從。譬如詔令奏議，遂初堂書目、陳氏書錄解題、經

籍考、及明代的各書目多隸入集部，四庫以其事關國家大政，則從漢唐志，改入史部。如香譜、鷹譜一類的書，舊目無所附麗，勉强附在農家。四庫則從遂初堂目，立譜錄一類，來部次其類的書。如政書類，舊目名爲故事，所收濫及稗官雜記，四庫唯以國政朝章六部所聯的收入，其餘概不濫登。四庫並新增紀事本末一類。紀事本末體創自宋袁樞著通鑑紀事本末，以前的書目多附入編年。四庫始立爲專類，以收凡一書備諸事的始末，與一書具一事的始末者。綜而言之，四庫的分類，實較隋志以降的各家書目詳審有序，只可惜囿於四部傳統的成見，但求部類整齊，於學術的源流，不復計及。如名墨縱橫三家，因爲傳者書少，而併入雜家。如紀傳體的史書，其經敕修者，列入正史以尊崇之；其非經宸斷者，則抑之於別史。義既不存，體亦未周，誠使讀者有無所適從的感覺。又承襲六朝以來的衞道觀念，尊崇儒學，以能「敦崇風教，釐正典籍」作爲著錄的標準。對於釋道教的著作，僅擇其可資考證者始收入。至於像經讖章咒，朱表青詞，又及民間俗文學平話劇曲，都屏棄不錄。還有那些「言非立訓，義或違經」的書，則附存其目。而其評騭取捨，全憑主觀。所以嚴格說來，四庫全書總目既不是「辨章學術，考鏡源流」的目錄，也不是乾隆內府藏書的目錄。

在編目方面，四庫總目有若干的優點值得稱道。第一、前面已提到過，他能推廣千頃堂書目集部依作者科第先後編排的成例，而擴及於其他的部類。除了帝王的著作倣隋志例放在其朝代的最前面外，其餘「概以登第之年，生卒之歲，爲之排比，或據所往來唱和之人爲次。無可考者，則附本代之末」（四庫總目凡例）。這種編次法實在要比現代用四角號碼排比容易查檢。第二、前代的目錄家編目，往往草率從事，不能細心檢閱審定，正如鄭樵所譏評的：「編書之家，多是苟且，有見名不見書者，有看前不看後者」（校讎略）。四庫的部次，能考校原書，詳爲釐定。例如同一耆舊傳，分類卽不同。京口耆舊傳編入傳記類，錦里耆舊傳則編入載記類，因爲這部耆舊傳是紀王氏孟氏據蜀時的史事。又如倪石陵書名似子書，實爲文集；陳埴木鍾集名似文集，實爲語錄……等等，四庫皆能不爲其書名所惑，一一核其實際來部次歸類。第三，四庫的編目分類，能以著者撰述的宗旨爲主。如明徐晉卿的春秋經傳類對賦，舊入春秋類。此書雖亦採取左傳，然但摘取儷句，取便記誦，而無關經義，故四庫目改入類書。如滕元發著的孫威敏征南錄，舊入雜史。四庫以其著書的原意在表章孫沔的功績，而非記載儂智高的作亂事實，故改入傳記。四庫的第四個優點是在能予各類釐定它的義例，對於前代書目分類不妥的書，多能詳審其內容而歸入適當的部類。如其凡例云：

筆陣圖之屬，舊入小學類。今惟以論六書者入小學，其論八法者，不過筆札之工，則改隸藝術。羯鼓錄之屬，舊入樂類。今惟以論律呂者入樂，其論管弦工尺者，不過世俗之音，亦改隸藝術……孝經集靈，舊入孝經類，穆天子傳，舊入起居注類，山海經、十洲記，舊入地理類，漢武帝內傳、飛燕外傳，舊入傳記類，今以其或涉荒誕，或涉鄙猥，均改隸小說。

是故在部次方面，四庫比起舊目來爲能循名覈實。所以梁任公嘗論四庫目說：「雖其分類彙屬之當否，可商榷者正多。然其沭作義例之周備，實已爲崇文總目以下所莫能逮。其關於類隸所提供之意見，亦多足爲後人討論此問題憑藉之資也」（圖書大辭典簿錄之部）。

四庫總目是一部合乎中國目錄學標準體制的目錄，在每一書下有一篇敍錄（提要），以介紹作者及書的內容與得失。每一部及一類之前有一篇小序，以條別學術的源流。固然它的提要，我們如果拿劉向敍錄所立下的義例來核覈，還多有未逮。它的小序也大抵敍述各門類的分併改隸，不能如漢隋二志的小序能詳學術的淵源流變，但已不是今存宋以來的目錄所能及。尤其是自南宋理宗時續中興館閣書目以後，未再產生一部合乎體制的目錄達五百年之久，四庫全書總目的修成，不能不令人有重睹漢家旗幟的感覺。

在四庫全書開始纂修的同時，另有章學誠也承元明以來目錄學衰敝之餘，推究劉氏向歆錄略之學，而欲振衰起敝。章氏字實齋，浙江會稽人，登乾隆四十三年進士，雅好史學，著述甚富，其有關目錄學者，有天門縣志藝文考、和州志藝文書、史籍考及校讎通義。前三種是目錄書，後者則是繼鄭樵之後，推闡劉氏向歆校讎的意義。他高唱目錄學的意義是在辨章學術，考鏡源流，而不僅是部次甲乙，紀錄經史。所以他與鄭樵一樣，也着重類例。他說：

古人著錄，不徒爲甲乙部次計。如徒爲甲乙部次計，則一掌故令史足矣，何用父子世業，閱年二紀，僅乃卒業乎？蓋部次流別，申明大道，敍列九流百氏之學，使之繩貫珠聯，無少缺逸，欲人卽類求書，因書究學。古人最重家學，敍列一家之書，凡有涉此一家之學，無不窮源至委，竟其流別（校讎通義互著篇）。

鄭樵詳類例，而學術自明的方法是必記亡佚之書，才能明其學的本末源流。章氏敍列九流百氏之學，使之繩貫珠聯，無少缺逸，使人卽類求書的方法是因襲祁承㸁的「通」「互」而改名的「別裁」與「互著」兩種編目法。鄭氏的明類例能創新，改七略四部爲十二類，而章氏的辨章學術卻在復七略之古。

章氏對於分類的主張，經過了幾度改變。在乾隆二十九年修天門縣志藝文考時，是用四部分類。到三十八年應聘纂修和州志藝文書時，改用七略的類例來部次羣書，以條別學術的源流。漢代的七略，入兩晉後變爲四部，是因爲史書日增，無法附於春秋。文集漸多，不能括於詩賦。章氏認爲七略法尚保存了古代學在王官的遺意，能以部次治書籍，考鏡源流，可使人因委溯源，以想見墳籍之初。至於史書及文集並非不能用七略來部次。他說：

夫二十一史，部勒非難（按：其意爲附入春秋）。至於職官故事之書，譜牒紀傳之體，或本官禮制作，或涉儒雜家言，不必皆史裁也。……夫集體雖曰繁賾，要當先定作集之人。人之性情，必有所近。得其性情本趣，則詩賦之所寄託，論辨之所引喻，紀敍之所宗尚，掇其大旨，略其枝葉，古人所謂一家之言，如儒墨名法之中，必有得其流別者矣（如韓愈之儒家，柳宗元之名家，蘇軾之縱橫家，王安石之禮家）……家法既專，其無根駁雜類抄評選之屬，可以不煩而自治。（和州志藝文書序例）

很可惜他的和州志藝文書已佚，今僅存序例，不能完全詳悉他如何的把四部中史集兩部的書，分別部次到六藝諸子中。然而到了四十四年他撰校讎通義時，又修正他對分類的意見。宗劉篇云：

七略之流而爲四部，如篆隸之流而爲行楷，皆勢之所不容已者。史部日繁，不能悉隸以春秋家學，四部之不能返七略者一；名墨諸家，後世不復有其支別，四部之不能返七略者二；文集熾盛，不能定九流百家之名目，四部之不能返七略者三；鈔輯之體，既非叢書，又非類書，四部之不能返七略者四；評點詩文，亦有似別集而非別集，似總集而又非總集者，四部不能返七略者五。凡一切古無今有，古有今無之書，其勢判如霄壤，又安得執七略之成法以部次近日之文章乎？然家法不明，著作之所以日下也；部次不精，學術之所以日散也。就四部之成法，而能討論流別，以使之恍然於古人官師合一之故。

不再堅持復返七略，而主張但就四部的成法，以條別學術的源流。章氏的見解何以會有這種一百八十度的大轉變？我們推測這不外有兩個原因：第一、他在四十三年中了進士，有了功名，雖然沒有作什麼官，但總有顧忌。自卅八年後，四庫館已開，乾隆皇帝曾有上諭說經史子集四部，是古今不易的成法。章氏懾於天威，當然不便再唱反調，以攖其鋒。第二、大概是他經過編次和州志藝文書的經驗，深深體會到，執着一千餘年前七略的類例，來部次後世學術及體裁經過多次變遷的著作，處處扞格難合，不僅不能達到考鏡學術源流的目的，而且增加檢閱的困難。姑就序例所載，譬如他把閣奏議、工科奏疏歸六藝尙書部；釋常談、字學啟蒙入小學部。吳韜、孫廷鐸、孟思誼等三家制義附儒家部；韓文年編、陶詩考異二家歸名家部等等都是淆亂圖書的部次法。所以他後來說史部不能悉隸以春秋家學，文集不能悉定以九流百家的名目，恐怕這是主要的原因。

自四庫全書總目出，結束了幾百年來圖書分類紛亂的局面，四部法又定爲一專，成爲制度。私家編藏書目錄的，大都依據四庫的類目，而鮮有更革。但也偶有一二特出之士，不從四庫，而別創新的分類，那就是孫星衍的孫氏祠堂書目。孫星衍字淵如，江蘇陽湖人，乾隆五十二年舉進士，做到山東督糧道權布政使。他把家中的藏書編爲平津館藏書記三卷、廉石居藏書記二卷，這兩部目錄是所藏的善本書志。嘉慶五年編的祠堂書目內編四卷外編三卷，則是藏書的總目，把藏書分爲經學、小學、諸子、天文、地理、醫律、史學、金石、類書、詞賦、書畫、小說十二部，其下再細分四十五類。他的分類大抵出之鄭樵藝文略而頗有改革，去鄭氏的禮樂兩類而還歸經學，去五行而附入天文，改醫方爲醫律。另把地理從史類析出而獨立，小說從諸子析出獨立，再增金石部。其分類中，如小學不入經學，金石離史而獨立，天文、醫律、類書、書畫不列諸子，書目不放在史學部而入類書部等等，都是可取的地方。只是部下的類目太過簡單，把醫律放在一部，顯得有點不倫不類。此目另有一個特別的地方，是把藏書區分爲內外二編。以學有淵源，可資誦法的爲內；詞有枝葉，不合訓詁的爲外。他所謂的內外，有點像四庫把書分爲著錄與存目。這種區分高下，全憑主觀，並無一定的界劃。因爲孫氏編目的目的，本意在供宗族子弟，讀書循序漸進的指導，而不是目錄學的書目。不過在四庫成書以後，孫氏能夠不拘囿於四庫的成法，而矯然立異，其瞻其識，實在值得欽佩。光緒中繆荃孫撰藝風堂藏書記及續記，卽因襲孫氏祠堂書目的分類，只是把天文、醫律併入諸子類，把書畫改名藝術，由十二部變成十部而已。

清代又有一種新的目錄學體制衍生與發展。我國自來的目錄書，只著錄書名、篇卷數、作者，而不載明版本。自來的目錄學體制如小序與敍錄，只敍明一家或一書的學術淵源，只不載版本的形制與行款。自印刷術發明後，書的流傳較廣，書因所據以翻刻的底本有所不同，或校勘的精粗有別，或刻者的學識目的不一，所以同一書因版本的不同，內容往往有了差異。我國書目之記載版本，從現存的書目來看，始於宋尤袤遂初堂書目，所載明版本的，大抵是經史方面的書，因爲這類書宋代雕印的較多。在明代僅有晁瑮寶文堂書目，目中間註明所藏的版本。明清之際的書目，如毛氏汲古閣、錢氏絳雲樓、及季振宜等各家藏書目，只遇宋元本才加以注出。到了嘉慶年間秦恩復編石研齋書目，才推廣尤袤的辨法，把所有著錄的書，皆注明其版本。自此以後，目錄注明版本，成爲通例，著錄也愈後愈詳，與西洋目錄學，圖書編目必著明出版的年代、地域、及出版者相合。

我國自印刷術發明後，雕印書籍雖很盛行，然迄明正德以前，並未聽說藏書家有特別珍重宋版的。嘉靖以後，因覆刻宋本的風氣漸盛，藏書家才開始重視宋版，出高價徵求收購，甚至有用美婢來交換者。但宋代刻本，歷時既久，傳者漸少，於是有坊賈因緣射利，用覆刻本僞造宋本欺騙藏書家。根據明萬曆間高濂撰燕閒清賞牋中所描述，當時僞造的方法已是千奇百怪，無所不用其極。收藏家爲了防止他人受騙，於是開了珍賞鑒訂的一派，將他所藏的珍本各種情況記述出來，以供人參考。版本的賞鑒，導源於書畫的賞鑑。唐張彥遠撰歷代名畫記，專記書畫的裝裱標軸，及歷代收藏印記題跋，開書畫賞鑑一派的先河。自後收藏家遞相祖述，至明而益詳。明清之際，舊本書既爲藏書家所重視，遂有昉書畫的例子，而作版本的賞鑑，開此例的是康熙時的錢曾所撰的讀書敏求記。踵其例者有乾隆嘉慶年間內府先後撰成的天祿琳瑯書目及後編。嘉慶以後，作者愈來愈多，體例方面也越來越詳密，幾幾乎形成了清代目錄學的主流。

這類賞鑑書志，在記一書的版式行款、刻工、避諱字、刻書牌記、序跋、歷代收藏印記題跋，以及紙墨字體刊雕裝訂的工拙等情況，有似敍錄。只是以書的版刻及外形爲記述對象，而不是以闡介書的內容爲主旨。雖然可資版刻的考訂及鑒別，而無關於學術的本末源流。在分類方面，這些書志目錄多不太重視，大抵因襲四庫，很少有超出其門類的。自目錄學的標準而言，這是一種別體。然而自清道光間張金吾撰愛日精廬藏書志，對於凡是四庫未著錄的書，皆予以解題；光緒間陸心源撰儀顧堂題跋，對於古書的著者能考四庫之未詳。近代的賞鑑書志如傅增湘藏園羣書題記、莫伯驥五十萬卷羣書跋文等，於書的內容論說漸增，寖有兼具敍錄體制的趨勢。

四部分類法創始於荀勗，修訂於李充，至隋志而確定，歷時一千餘年而不改。這並不是說其法良意善，足以成爲永久的制度，但因獲得歷代官府採用，遂能經久而不衰。雖然後世的學術日有分歧，著述的體裁亦多變異，惟有補充類屬，勉强隸入乙丙兩部，這種情形誠如章學誠所批評的：「以書籍亂部次」。非但辨章學術之意不存，就是區類主體的體例亦亂。宋明之世雖有有識之士，期圖改革，終因新法各有瑕疵，不足以成爲楷模。自四庫總目出，四部法遂得獨尊於一時。然而自鴉片戰爭後，海禁大開，西學東漸。同治光緒間，同文館、江南製造局相繼設立，學人紛紛譯介東西洋的學術。東西洋學術皆與中國舊學不同。而國人新著作的內容與體裁，也與舊籍異。四部分類法不能專收舊籍，以之適用於新書，實枘鑿而方圓，格格不入。乃因外來的影響，生事實上的困難。歷時千餘年的四部法，遂呈動搖之勢。

清末改革四庫者，以張之洞的書目答問爲最早。張氏任四川學政時，於光緒元年編書目答問，作爲尊經書院學生讀書的指導。此書目雖然不是藏書目，然於我國各科重要典籍均有縷列，故分類也相當的細。因爲是官目，不能不遵四庫的體制，但與四庫的類目略有出入。最顯著的，是將叢書獨立爲部，不附雜家雜編，與經史子集合成五部，因爲張氏的離析，益暴露了四庫制度並不能包納一切典籍的弱點。張氏的書目，尚只是收的舊籍。至於東西洋學術的新著，不僅張氏書目及四庫法不能夠包容，就是偏究往代的目錄也沒有適當類例來部次。所以清末編目者旣乏依據，於是各行其是。有的勉强安插在四部之中，有的在四部之外，別立西學一部，以部次新書，再度形成我國圖書目錄分類的紊亂。例如光緒廿一年編的安徽中江書院尊經閣藏書目，卅三年編的浙江藏書樓書目，宣統三年涵芬樓編的藏書目等都是把新舊典籍分別編目，不相厠雜。統一編目的則有光緒二十八年杭州藏書樓書目，分爲經學、史學、性理（附哲學家言）、辭章、時務、格致（附醫學）、通學（卽叢書）、報章、圖表九類。三十年古越藏書樓藏書目分爲學政二部，凡四十七類。民國八年的南洋中學書目，分爲十四大類、五十七小類，連四庫經部的各類名都未保留，可謂澈底打破了四庫的範疇。這些過渡時期的目錄，都是編目者爲了適應新學術及新體裁的書而創訂的。但此等新法不能合乎近代學術的分野，且系統也不清晰足以成爲制度。所以到西洋杜威十進法傳入我國，經過改良以使適合部次我國典籍後，這些過渡時期所創訂的分類，遂歸於淘汰，沒有人再沿用它們。

美國杜威十進分類法，在滿淸末年卽已被介紹來我國。但其法的分類本爲西洋圖書而設，爲中國書所設的地位甚少，尙無法直接採用以分類我國圖書。民國以來，經我國人不斷的研究，於以修訂增補，或遵杜，或仿杜，所製訂出的各種十進分類法，漸次爲各圖書館採用。十進分類法成爲近代分類的主流。然而四部法或由四部改良的分類法仍不絕如縷。揆其原因，蓋由於仿杜十進法的類目，仍以西洋學術分野爲主而製訂，未能顯現我國學術的特性，對於我國若干的舊籍尙乏妥善的安排。尤其在今日古籍大量影印傳佈之際，往往使編目的人感到部次歸類的困難。

我國的目錄學，是詳分類例以部次羣書，而推闡各書的大旨，辨學術的源流本末，誌版本的異同優劣，俾使讀者依類目以知學術，因學而知求書，求書知道選擇版本的一種專門學術。故目錄學的主要對象是學術界，不僅是消極的便利查檢圖書，並能積極地指導學者如何去硏究找資料，這與西洋目錄學在基本上似有不同之處。自元明以來我國目錄學衰微久矣，淸代雖有四庫總目出，略呈中興氣象，而未幾又受西學東漸的衝擊，遂又一蹶不振。抗戰以前，日本曾利用庚子賠款，延請我國學者欲繼四庫總目之後，編修一部續四庫全書提要，雖然稿尙未完，所撰亦未甚佳，且原稿今有殘佚，然其志應足令國人興起。如何編纂一部合乎我國目錄學體制，且分類能顯現我國學術特色，包含古今典籍或續四庫總目的大目錄，是硏究我國目錄者所待共同努力的方向。

（錄自「圖書館學」，臺灣學生書局，民國六十三年三月）

# 改革中國圖書分類芻議

昌彼得

中國圖書分類的問題，是自魏晉以後一千多年來我國目錄學者所感到困擾，而迄未能獲得合理解決的問題。在我國歷史上，圖書的分類，有兩個主流，卽是「七略」與「四部」。「七略」是西漢哀帝初年劉歆所編的，是我國最早的一部有系統的圖書分類目錄。「七略」雖名爲七，實際上是將當時所有的圖書分爲六藝、諸子、詩賦、兵書、數術、方技六略六個大類。另外的一篇輯略，則是叙說各門類學術源流文字的總輯，而不是類名。在這六個大類下，又各按圖書的內容，再區別門目，共分成三十八個小類。有大綱，有細目，類名與所著錄圖書的性質，也相符合，是一部相當合乎分類原理的目錄。後代的人每每稱述劉歆的分類，辨義不以禮，也就是說他的分類在明學術的源流，不依圖書的體裁。然而實際上並不完全如此，劉氏固然有承襲先秦以來的學術區分門類，但也得斟酌學術的蛻變與圖書的多寡，而並不一味的執着分類以義。譬如詩賦一類的書，漢世著作的很多，所以他別分爲一略，而並不附於六藝略的詩類。著龜、雜占本出於易道，後來與陰陽五行合流，故劉氏列入數術略，而不附於六藝的易類。只有史書，劉歆的時代著作還少，還不足以成爲一門獨立的學術，所以他也就附入春秋，而未別立一類。後人但執着這一點，來證明劉氏分類以義，豈是劉氏的原意？

學術隨時代的演進而有所邅蛻，著述的體製，也不能一成而不變。東漢以後，歷史的著作日漸增多，流別也雜，已不是六藝春秋一類所能包容的。魏晉之世的文人，崇尚玄談，初則是祖述老莊虛無的學說，繼而轉爲以煉丹服餌來養生。這一類的著作，諸子略的道家，固難比附；方技略的房中、經方，也不相合。此外還有新創的著作體裁，如魏文帝曹丕命王象、劉邵等集五經羣書，以類相從，名曰皇覽，是按事物分類纂輯的書。梁庾仲容的子鈔，是摘抄諸子羣書一百多家，而編在一起的書。有經有史，或儒或墨。再加上方外釋家經典的盛行，都不是七略原有分類所能軌範的。於是四部分類法，遂得以乘時而起。但七略分類法的類名確當，又能條別學術，有它的優點，所以在四部法盛行後，有的目錄學家想予以規復，如劉宋時的王儉，蕭梁時的阮孝緒，隋許善心，以及清代的章學誠等是。許善心的七林早佚，它的分類不詳，不知與七略異同如何？王儉七志除因襲七略的六大類但略變更類名外，另增圖譜一類，並附錄釋道的著作各爲一類，雖名爲七，實際上分爲九類，只是繼承了七略分類的精神。唯有清乾隆年間章學誠撰和州藝文志，全倣七略，一意復古。章氏生在劉歆之後一千七八百年，學術的變遷不知經歷凡幾，竟想恢復在南北朝時代已滯礙難行的七略分類，簡直是胡搞，眞可說是泥古而不化。不過他經過這一番試驗後，在晚年著校讎通義，也承認「七略之流而爲四部，如篆隸之流而爲行楷，皆勢之所不容已者也」（宗劉篇），放棄了恢復七略的主張。只有阮孝緒編的七錄雖用七名書，但不是全倣七略，他能擷七略的精神，採四部的特點，而斟酌損益，將圖書分爲經典、記傳、子兵、文集、術技、佛法、仙道等七大類四十四個小類，是當時的一部比較妥切的分類目錄。後代沒有沿着他的方向來發展，是很可惋惜的一件事。

四部的興起本來不是一種經過愼密製訂的圖書分類法，它的初與原屬藏書的簿册，將圖書概括的區別爲甲乙丙丁四部分，以便於收藏核檢，好像明代文淵閣藏書用千字文編號一樣。由晉代荀勗所編的中經新簿發其端，其後經過李充編晉元帝四部書目，更換乙丙兩部所收書的順序，到唐代初年魏徵撰五代史志（卽現在的隋書經籍志），才予以詳密的區分門類，四部之下，再分爲五十五類，成爲甲經、乙史、丙子、丁集四部的定型。四部分類法的缺點，主要在於名實不能相稱。既稱曰經部，所收錄的應該僅限於我國傳統的經典。如古代雖有六經之名，但樂經早亡，自漢以來定名的五經、九經、十二經、十三經都無樂經。經部樂類所收的僅是後代論雅樂的著作，不在通稱的經典之列，又小學類的字書、韻書也不是傳統的經典。故樂與小學劉歆可以置之六藝略，六藝者，禮樂射御書數，當然可以包括樂與小學。荀勗、李充列在甲部，與九經、十二經共在一部也不發生名實的問題。但隋志以降的四部放在經部，就不應該了。既稱爲史部，應當僅限於歷史的著作。加上地理志書及典章政制，還勉強可以說得過去。但金石目錄類的書籍，又與歷史有何干係？竟也放在史部。四部法的子部最爲雜亂。子書的意義，應該是著書立說，持之有故，言之成理，能自成一家之言的書。然而隋志的子部，有記載實用的技藝，如天文、曆數、醫方等類，有摭拾神怪異聞的小說，有百家方伎的五行術數，都與談哲理的諸子混列在一部之內。尤有甚者，自隋志立此例後，替以後編目錄的，打開了一個方便之門，凡是一切古無今有，無部可歸的新增著作，都在子部中闢類安置。新舊唐志增加了藝術類，於是琴棋書畫篆刻成了子書；尤袤遂初堂書目增加了譜錄類，於是草木鳥獸蟲魚飲食器用也成了子書。類事纂輯的書，隋志附之雜家，新舊唐志獨立成類，四庫總目並彙輯叢編的書也附之雜家。到了民國初年，有的目錄甚至把社會科學、自然科學也列在子部，子部眞成爲後來圖書的淵藪，名實之相乖，莫此爲甚。

四部的分類雖然不合理之處很多，但是它的部類比較簡單，易於藏檢，而且自晉以後，得到歷代政府秘閣藏書所沿用，儼然形成爲一種制度。自宋以來，有好些目錄學家想圖謀改革圖書的分類。其中比較愼密卓立的，有宋鄭樵的藝文略，把古今圖書區分爲經、禮、樂、小學、史、諸子、天文、五行、藝術、醫方、類書、文凡十二大類，其下再區爲一百五十五小類，小類之下，更分二百八十四個屬目。又有清代孫星衍的祠堂書目分爲經學、小學、諸子、天文、地理、醫律、史學、金石、類書、詞賦、書畫、小說十二部，部下再區爲四十五個類。固然他們兩人的分類並非沒有商榷的地方，但比起四部來的確要合理得多。然終因未能獲得官府編目的採用，也就不能發生影響力。四部的優勢一直到清代末年因外來的影響，才發生動搖。

自鴉片戰爭以後，海禁大開，西學東漸。同治光緒年間，同文館、製造局相繼設立，培養翻譯人才，紛紛譯介外國的著作。那些著作，都不是我國固有的學術所能包容的。而我國人因受外國學術的影響，著作的內容與體裁，也與舊有的典籍不同。這些新增的圖書，多不是四部分類法所能部次的。當時的圖書編目者鑒於我國既無成法可遵，爲了適應新學術及新體裁的著作，或勉強納之四部；或在四部之外，別立西學一部，以類新書；或者乾脆打破四部的藩籬，而別創立新部類。這些各行其事，而不相師，所形成圖書分類紊亂的局面，到美國杜威十進分類法介紹到我國來後，才漸趨於平靜，而有所遵循。

杜威的十進分類法，是將一切的學術分爲哲學、宗教、社會科學、語言學、自然科學、應用科學、美術、文學、歷史九大部。九部之外凡屬普通圖書如百科全書、雜誌等不能歸入上述任何一部者，則另立爲總類，共爲十大部。每部又各分十類，每類各分十目，每目下仍可再各十分，以至於無窮。它的特點是部類目都用阿剌伯數字來代表，既便於置架查檢，也便於記憶。惟杜氏的十進分類表本爲部次西洋圖書而編製，其中爲中國書所設的位置甚少，然因其法的簡便，故在清末介紹到我國後，就爲我國圖書館從事分類編目者所注意研究，欲修訂增補其法，以求適合部次我國的新舊圖書。一直到民國七年沈祖榮、胡慶生二氏合編的仿杜威書目十類法出版，杜法才正式的應用到我國圖書的分類。自是以後，接踵而編製的很多，比較重要的有杜定友、查修、桂質伯、洪有豐、王雲五、裘開明、何日章、皮高品、賴永祥諸氏所編的分類法，爲各圖書館分別採用。他們的分類或者是完全遵照杜威的成法，僅在杜法的空位及中間，或在杜法類號前面增加符號以安插中國書的類目，如查修、桂質伯、王雲五諸氏所編的分類法是，其目的在求西文及中文新舊圖書統一分類。其次爲仿杜威十分十進的方法，但就杜氏的部類而有所分合變更，或者改易其先後次序；但也有少數幾家雖仿杜氏的數序法，而不全採用十分十進的。綜各家的分類雖分合詳略有異，大抵是沿襲杜氏所作的學術分類，而將四庫的類目打散，斟酌其性質，分別隸次杜法各部之下，以圖部次我國新舊的圖書。

我國是一文明的古國，歷史悠久，學術文化獨創一格，與歐美各國異；前人著作的體裁，也與之有所不同。是故杜威所作的分類能夠總括歐美的學術，能夠部次我國現代的著作，但拿來部次我國的舊籍，則還有些扞格不入。因爲我國舊籍的內容性質往往含混，很難辨別應歸入杜法的那一學科。還有的書，每一部裡面，往往含有新分類法中四五種門目以上，不知道應歸那一類才合適。是故杜威法爲我國採用以來，已屆五十年，增補修訂者紛紛，迄今仍無統一之勢。除了若干小規模的圖書館，及藏舊籍甚少的圖書館，僅採用一種新分類法外，其規模較大，所藏書籍較多的圖書館，大都採用新舊併行制，或仍沿用舊的四部法。如中法、交通、南開、華西協合四大學，及浙江、河南兩省立圖書館的藏書用四庫法及增補杜威法分別編目。四川大學兼用四庫及杜定友法，湖北省立圖書館及無錫國學專修科則兼用四庫及王雲五法。其他如北大、清華、武大、四川省中山圖書館、北平故宮博物院圖書館、以及江西省立圖書館所藏的線裝舊籍，仍沿用四部法。尚有江蘇省立國學圖書館的書目且改良四部的類目，以部次所藏的新舊圖書雜誌。民國九年北大圖書館整理藏書編目，當時司其事的卽想用新的分類法部次，經過多月的嘗試，最後歸於失敗，沒奈何，只有乃舊屈服於四庫的權威之下（見圖書館學季刊一卷三期、「對于中文舊書分類的感想」一文）。以倡中外圖書統一分類制的杜定友氏，他在民國廿二年主持的交通大學圖書館藏書編目，仍採新舊併行制。此無他，杜威所作的學術分類並不能完全概括我國的古今典籍。蓋我國的典籍中，有的固可以合於現代的知識分野，有的則難以合乎現代的分類。其難以合乎現代分類的，玆姑就筆者思慮所及，提出幾類，試加研討：

六經是我國學術的源泉，故自劉歆七略首列六藝爲一略。後世編目錄的，雖部類多寡或異，但無不以經列爲首部。自西洋學術輸入後，往日不成問題的經部，至是也發生了問題。因各家主張的不同，遂有應拆開部次及不應拆開部次兩派，衆說紛紛，莫衷一是。主張經部應拆開部次的，當以民國八年陳乃乾所編的南洋中學書目爲最早。陳氏以尙書記言，春秋記事爲歷史之書，毛詩是韻文，論語孟子則與老莊管墨商韓諸子書相等。所以他編的書目以尙書、春秋隸於周秦漢古籍部的歷史類，三禮隸於禮制類，易爲易類，論孟、孝經隸於諸子類儒家，詩經隸於詩文類。此雖將六經拆開，但還同在一部之中。繼其說的有民國十七年王雲五先生增補杜威法而編的中外圖書統一分類法，其緖論云：

如經部之書本是一部古史，詩本文學，春秋也是歷史，三禮等書是社會科學，論孟是哲學。若嚴格按性質分，當然不能歸入一類。

所以他的分類法中，把易、孝經、四書列入哲學類，三禮入社會科學類，樂律類的書入美術類，詩經入文學類，書經與春秋入史地類。去年十二月十五日嚴靈峰先生在新生報的星期專論上討論中國圖書目錄分類問題，也作相類似的主張。他將我國圖書分爲子、史、文、字、類、集六部，而擬將易、禮記、論孟入子部，周禮、儀禮、書、春秋入史部，詩經入文部。主張經部不應拆開部次的，當以洪有豐氏爲首。洪氏在他所著的圖書組織與管理一書第十二章中云：

攷易、書、詩、禮、樂、春秋六經之名，其源甚古。然依其性質，易義玄秘，賅儒道之學兼通，於禪理卜筮特其小用，應入哲學類。書述唐虞三代之政事，實古代之史。春秋，魯史記之別名，應入史類。詩爲古代輶軒，所采里巷歌謠與朝廟樂章，爲詩學之祖，應入文學類。禮以載古之禮制，應入社會科學類。古之樂經，今佚其篇。後世音樂之書，可入藝術類。經部之根本要籍，既可以科學之方法，分隸各類，其他更可依其性質而分，無獨立一部之必要矣。但尚有可以參酌而未必遽無存在之理由者。中國學術以儒教爲中心，儒教以經學爲根據。五經（樂經已亡故不列）之名，其源既古，而三禮三傳之名九經，又益以四書、孝經、爾雅名十三經，皆幾爲一般學者所公認。楊子曰：「天地爲萬物郛，五經爲衆說郛」。故就其類似之點而觀之，經部與各類雖可強爲分裂。而就其特殊之點而觀之，經學實羣言之奧區，而才思之神皐也。周秦諸子而後，義理攷據漢宋之爭，實爲中國學術之兩大派別，而皆原本於經。故經部著述，任舉一類之書，其訓文釋義者，汗牛充棟，至少無慮數百種，固自有特成一類之需要。今以附庸於他類，削足適履，毋乃不倫歟？夫一國之所以存立者，實賴文化以維繫之。經籍者，吾國文化之源泉也。獨標一部，以保存吾國固有之精神，是或一道也。

洪氏結尾雖說經部拆開與不拆開，究竟孰爲妥切，尚有待研究。但他在十三年所主編的東南大學孟芳圖書館書目，卽以經爲一部。他在自序中說：

今日中國各圖書館於編製中文書目有新舊之聚訟，莫衷一是。經史子集四部之舊分類法，於近日科學圖書日益增加，誠有未能應用之處。然爲之改絃更張，以科學分類法自詡者，襲摹西制，支離繁瑣，強客觀之書籍，以從主觀之臆說，恐亦未免有削足適履之嫌。

故洪氏分類雖仿杜，而不全遵杜。他以經部獨立爲類之說，爲後來裘開明、陳子彝、桂質伯諸氏所倣行。裘氏的哈佛大學中國圖書分類法，陳氏的中央大學區立蘇州圖書館圖書分類法，桂氏的分類大全，都以經獨立爲部。裘氏的分類法，現今美國各大圖書館尚多採用，以編所藏的中國書。除了上述兩派外，尚有一派調和派，如沈祖榮、何日章、皮高品、查修、杜定友、賴永祥等家的分類法，對於經部，旣不拆開，但也不獨立爲部，而將之附列入總類之下爲一小類。關於這一個問題，試從各方面來討論。一國有一國的文化背景，所以一國有一國的學術特色，爲求適合總括其圖書，因之一國有一國的分類法，固不必完全捨己以從人，此所以世界各國的圖書分類尚無法趨於統一。歐洲國家是基督教文化所孕育成的，所以他們的分類往往以神學居首類，並不把聖經當作哲學或歷史書來看待。我國的經籍，無可置疑的，是我國文化的源泉。六經、九經之名，兩千年前就已有了，十三經之名，雖起得較晚，自南宋以來也有八九百年的歷史，早成爲家喻戶曉。歷代的著作，多以十三經爲中心，近代且爲世界各國愛好我國文化者所研究。是經學不僅爲我國學術的中心，跟神學一樣，也是世界學術的一端。將經學立爲一部，並不悖於現代學術的分類。至於將經學附於總類之下，筆者認爲這種調和辦法，最不妥切。杜威的總類，是爲安置不能隸屬某類學科而設立的，很有點像四部分類的子部，尤其像子部的雜家類。如果我們承認經學是我國特有的學術，就應獨立成類；若果不承認的話，那還不如乾脆折散各按其性質歸類。把經學放在總類之下與類書、目錄並列，其不倫不類，猶之如四庫把叢書放在雜家類中一樣。把經部書拆散分類，除了在理論上有商榷的餘地外，還有一個實際的問題，那就是如何的把舊法經部的各書，都有適當的歸類。這一個困難，我相信凡是作過實際編目工作的人，都會有這個感覺。經部的書假如僅只有易書詩禮春秋等十三部經，那就好辦了，各按其內容性質分別歸類，可以說沒有什麼困難。但是還有那些數以千計的訓解注釋十三經的書怎麼辦？你隨着原來的經書分類吧，但發揮經義的書的內容性質，並不一定與原經一樣，放在一起，那就違背了分類的定義。譬如春秋是史，左傳是史，公羊、穀粱說是史書也還說得過去。但是春秋繁露、春秋尊王發微等等，你決不能說它是歷史書。三禮是社會科學書，但是月令解、檀弓記、儒行集傳等書，相信任何一個編目的人，都不會把它們分到社會科學類去。假若各隨其內容來分類，解經的書就不一定與原經放在一類，想研究各經的人，除了乞靈於各種索引外，是沒有辦法根據書目來查書的。即令這些問題都解決了，還有那些五經總義類的書怎樣辦？你既不承認有經學，總不好意思在總類裡面安上一個經總義的類名吧！經部的分合是研究我國圖書分類的人所應當深思熟慮的問題。不分開固佳，但必須獨立成爲一部，才能顯現這門學問的特色。分開也未嘗不可，但必須對所牽扯到的各項問題，先要作週詳的考慮安排。不是在各門學科中設個小類類名就算數，那樣只有徒增加編目工作人員的困惑。

金石之學也是我國專門學術之一，爲世界其他國家所沒有的。我國石刻之興，遠在先秦，石鼓文是存世最早的刻石。秦漢以降，風氣漸盛。有把經典刻在石上的，如漢魏唐宋歷朝石刻的儒家經典，唐代所刻的道家經典。佛家刻石更多，有圖像、有經幢、有摩厓、有經碑。河北房山縣西域寺所貯自隋迄元刋刻的經碑，其數逾七千塊，是尙未完成的石刻大藏經。此外還有自秦以來歷朝歷代紀功之銘，諛墓之碑。我國自蕭梁時代才知道用紙在石刻上以墨搴拓文字的方法，唐代且有專門爲拓取文字而刻石的。鐘鼎彝器本是古代的禮器及食用的器具，自宋以來陸續出土的很多。因爲古代鑄器的人往往在器物上鑄刻有文字以紀其事，成爲後人研究的對象。宋代以後金石的研究成了一種專門的學問，著作的很多。有搴印器形圖象的，有訓釋文字的，有考逑源流的，有編纂目錄的，有輾轉搴刻名家法書以充法帖的，種類繁多。以前的書目，部次這一類的著作，頗費斟酌，隋書經籍志附於經部小學，新舊唐書藝文志從之；宋史藝文志附入史部目錄，文獻通考經籍考從之；明陳第世善堂書目及淸錢謙益絳雲樓書目則列入集部；四庫的分類，則以訓釋文字的入小學，搴印圖象的入子部譜錄，法帖入藝術，編目的入史部目錄，分別部次。按這種金石學，自成一個系統，核其內容，可以證經，可以資史，如唐宋以來的墓誌銘文，多出名家撰述，且爲文學的作品。分之固不妥當，合之也無部可歸。故鄭樵於藝文略外，別撰金石略以志這類著作。淸孫星衍祠堂書目及繆荃孫藝風藏書記均立爲一部，以與經史分庭抗禮。近代的十進分類法把金石書與甲骨、簡牘、封泥、瓦當等合爲古物學一門，附入史地類，這是沿襲自江蘇國學圖書館書目，而國學圖書館書目放在史部，則承自書目答問。把金石與甲骨等合爲古物學，確比以前的辦法好。但列在史地，筆者認爲還有値得商榷的餘地。金石所涉及的範圍甚廣，不能專指爲史，所以當張之洞書目答問出版後，有一位名叫江人度者卽上書張氏，說他「置之乙帙，嫌其汜濫」。把金石古物放在史地類，筆者認爲還不如放在總類，似乎要恰當些。若能仿祠堂書目自成一類，那更妥當了。此金石書的部次問題，是研究我國圖書分類者所當考慮的第二點。

宋鄭樵嘗說：「古今編書所不能分者五：一曰傳記，二曰雜家，三曰小說，四曰雜史，五曰故事。凡此五類之書，足相紊亂」（校讎略編次之訛論篇）。我國自先秦以來，有小說家一流，源出於稗官，是記載得之街談巷語，道聽途說的。魏晉以後，衍爲筆記一體，或記軍國大政，或述時事見聞，或者是讀書時偶有心得，而發揮自己的意見，或者是考訂俗習的謁誤。大抵隨意錄載，無所翦裁。雖則是所記述的或多或寡，或詳或略，大體各類都具有。所以前人類次，頗多相混。四庫全書總目也云：「案記錄雜事之書，小說與雜史最易相淆。諸家著錄，亦往往牽混」（子部雜家類雜說案語）。案四庫著錄的體例，以記述朝政及軍國大事的入雜史，其參以里巷閭談詞章細故的入小說筆記。然看四庫所著錄的情形，他也難得劃分清晰。譬如史部雜史類著錄的元劉一清錢塘遺事一書。此書乃雜記南宋一代的事，大抵雜采宋人說部書而成，並不悉關軍國大政。其中所採羅大經鶴林玉露爲多，而鶴林玉露，四庫則著錄在子部雜家雜說。又如明葉子奇草木子多記元末明初的事，陶宗儀輟耕錄多記元代的大政，兩書的體裁內容多相類似，都是治史的人所必取資的，而四庫以前者入雜家雜說，後者入小說筆記。像這一類的例子很多，四庫分類對於這種圖書已多部次未當，近代的十進分類亦沿襲之，大抵以雜史入史地類，雜說入總類的普通論叢，小說筆記列在語文類的小說，由四庫的兩部衍成分隸於三類。這在前人已感到部次不易的書，我相信現代從事編目的人一樣的也會感到困難。而且小說一詞的意義，古代與現代不同；普通論叢一辭更難顯示雜說的特性，其未妥尤甚於四庫。筆者認爲這一類的書自學術源流來講，都是從稗官小說衍分的；從書的性質內容來看，雖詳略不同，大體相近似，曷不合爲一部，或許容易部次查檢些。這種說部書的類次問題是研究我國圖書分類所當予以考慮的第三點。

我國陰陽五行、蓍龜、占候之術，本爲易學的支流，是古代史官所職掌的。這類術技推五行休咎，生尅制化，以究造化之源，以徵人事的得失。雖然後世傳以雜說，流入妖妄，衍爲術士之技，然自劉歆七略已專置一略，隋志以來的四部書目也都有專類來部次之。而古人用兵行軍，亦莫不依據以行事。固然近世通行的僅有相卜堪輿，而這門學問的古籍現在存世的很有不少。察其內容，雖然不能合乎科學的標準，但仍有它的一套理論，與符呪巫術不能相提並觀，決不能說是宗敎或迷信。近代的十進分類法，或者是在宗敎類闢術數迷信一門，或者並其門類而無之。無其門類的，不知何以安置這類書；就是用宗敎迷信來概括的，也感到名實未符。這是研究我國圖書分類所當予以考慮的第四點。

中外學術發展的路徑不同，古今著作的體裁也各異，拿百孔千瘡的四部舊法來部次新書，固然是格格不入；以十進新法想網羅古今，又豈能契合無間？是以雖杜威法傳入我國多年，國人倣效編製我國圖書分類表者紛紛，而一般的大圖書館仍多採用併行制，將新舊典籍分別來編目。但新舊的區別，也很難釐定一個標準來劃分。無論是從著作的時代、出版的年代，或裝訂的式樣，都無法訂出我們理想中的新舊來。所以新舊併行制，僅是過渡混亂時期權宜之計，不足以為準則。而且二三十年前翻印古籍的，究為不多。影印古籍的，尚多用中式線裝，與西式裝訂的新著作異架度置，分別編目，對於藏檢管理，困難還不太大。近年的影印古籍，則皆用西式裝訂，則無法與新書分置。而古籍翻印的範圍，日漸拓展，幾乎無類無之，古今的典籍最終將賴印刷的傳佈，而趨於混一，以新分類法編目的，勢必將遭遇日漸增加的困難。我國圖書的分類，囿於四部法達千餘年，方幸脫其窠臼，又復拘於西法十進。四部法以子部為無可類歸圖書的淵藪，其未盡合理處，正與十進分類以總類為淵藪等。然四部雖不合理的地方很多，因為定於一統，熟諳它的分類以後，任檢各家書目覓書，還無若何困難。而新法因各家異制，讀者反滋困惑，須靠索引以濟其窮。因之編製一部能夠網羅古今圖書，分類合理而類目清晰的新分類法，可以供各級圖書館採用，實在是有迫切的必要。像嚴靈峯先生所提改革專屬舊籍分類的擬議，並不符合時代的要求。

師杜仿杜十進分類法的優點也很多，譬如把目錄與類書、叢書放在總類，非常妥切，就解決了我國幾百年來目錄學者討論不休的問題。它的缺點在太牽就現代學科的劃分，而忽略了我國固有學術的特性。把經學打開或放在總類，固然未妥，把三民主義放在總類，在我國說來，又何嘗適宜。其所以致此者，在杜法太重視十這個成數。姑不論我國，就以歐美而言，現在的學術未必如杜氏所分的僅有九類。再者學術以大包小，每一類所包含的部門，未必就恰好是十項。仿杜分類者為了遷就十這個數字，於是在類目方面就免不了拼拼湊湊。因之有將哲學宗教併為一類的，有將歷史地理併成一類的，有將語言文學併爲一類的。並不是說這兩種不夠資格獨立，非得合在一起才能稱得上是一門學術，無非是爲了湊成十這個成數而已。所以近五十年來研究分類的學者，感到義有未安，紛紛改來改去，但始終兜不出十這個圈子。這種情形，正與自宋以來的目錄學者，改來改去，始終脫不了四部的圈子相彷彿。因之筆者認爲要編訂出一部合理的分類法，首先一定要解除十的束縛，才有施展的餘地。換句話說，類目要視實際的情形來釐定，不要拿客觀的書籍，來就主觀的數字。當然這牽扯到數序問題，號碼對於編目與典藏取檢很有用處，不能去掉。不過這個問題並不難解決，可以參照美國國會圖書館或歐美其他家的分類法，類碼方面甚至可以用地支或者仿明文淵閣書目用千字文的順序，來替代英文字母。其次要將我國現存的古籍，通盤加以考慮，製定其類目，僅依據四庫的類目是不夠的。因爲四庫著錄書有選擇性，它的類目，且不說不能總括乾隆以後的著作，就是乾隆以前的古籍也有找不到適當的地位的。關於這種問題要先明瞭我國古籍現存的究有若干？其書的性質如何？其合於現代知識分野的有那些類？其不合於現代知識分野的又有那些類？然後製訂其類別，詳爲分析。不能用現代學科概括的，其類目名可以從前人的目錄中選擇或推敲改訂。如不先通盤考慮的話，遇到有些古籍翻印出來，編目的人往往會感到左支右絀，無所適從了。第三、新的統一分類的類名須要清晰，易知易曉，一定要能概括其下的門目，切忌含混籠統。因爲讀者查書必定從類以求目，即目以找他所需的書的。如果類目名不明確，讀者往往畏難，非得仰仗於索引了。

筆者不是研究現代圖書分類的，只是多年來從事編目工作，常常翻檢各家的書目而有所感觸。承本刊編者給我一個機會，因此不揣愚陋，把我縈廻腦際的想法提出來，獻曝於方家之前。也藉此拋磚以引玉，希望同道們把你們的經驗及所遭遇的困難發抒出來，共同切磋研討。分類，的確不是一件簡單的事，三四十年前，著文討論的，不知凡幾。民國十七年中華圖書館協會曾有分類委員會的設置，集合專家來研究，固然做了不少修壁補漏的工作，但也未見有何特殊的成就，可徵其事的不易。然一項事業的創立，不是一蹴可蹴的。如果大家認爲一個合理的、統一的分類法，能夠爲全國各級圖書館應用，有編製需要的話。只要具有信心，我相信在全國同道共同研究討論下，終必有達成的一天。

（原載「書目季刊」第二卷第二期，民國五十六年十二月）

# 第三輯　版本學類

## 讀古書爲什麼要講究板本

屈萬里

### 一、引　言

記得章太炎先生有幾句話，大意說：

讀書何必講究板本？我平生專讀石印本的書。

以太炎先生學問之精深博大，居然說出這樣的話來，眞不能不說是智者千慮之一失。黃蕘圃的學生某，也曾發過這種議論，顧澗薲就給以很不客氣的申斥。顧氏跋黃蕘圃藏本蔡中郎文集（見士禮居藏書題跋記卷五）云：

書（里案：此指傳本說）以彌古爲彌善，可不待智者而後知矣。乃世間有一等人（原注：其人蕘翁門下士也），必謂書無庸講本子。噫！將自欺耶？欺人耶？

「書（板本）以彌古爲彌善」，這句話雖然不能說是不刊之論，但也確不是欺人之談。因爲古書傳到現在，不知道已經過若干次的傳抄和若干次的刻板，每一次傳抄和每一次刻板，都難免有錯誤的地方。所以越古的本子，錯誤應該越少，這是很容易明瞭的道理。

但是宋陸游老學庵筆記（卷七）裡，記述着這樣一個故事：

> 三舍法行時，有教官出易義題云：「乾爲金，坤又爲金，何也？」諸生乃懷監本易至簾前，請云：「題有疑，請問。」教官作色曰：「經義豈當上請！」諸生曰：「若公試，固不敢；今乃私試，恐無害。」教官乃爲講解大概。諸生徐出監本，復請曰：「先生恐是看了麻沙本，若監本則『坤爲釜』也。」教授惶恐，乃謝曰：「某當罰。」即輸罰，改題而止。

這一段有趣的故事，曾經被不少人引述着，用以諷刺崇拜宋板書的人。以爲宋板書也還是有錯誤，而現在的通行本却有很多是沒有什麼錯誤的。

是的，宋板書也還是有錯誤，而現在的通行本却有很多是沒有什麼錯誤的。但是，這些沒有什麼錯誤的通行本，必然是根據着沒有錯誤的古本傳下來的。假若沒有不錯誤的古本，而易經這部書，只有那一個麻沙本的謬種流傳下來，那麼，元明以後的傳本，豈不都是「坤爲金」了嗎？所以，顧澗蘋的話，確不是欺人之談。

筆者並無佞宋之癖，也決不鄙棄沒有錯誤的近代刻本而盲目的推崇有錯誤的古本。本文的旨趣，乃在說明讀古書爲什麼不能不講究板本。這個道理雖不太繁雜，但說來却也一言難盡。

## 二、欲辨圖書眞僞不能不講究板本

「人心惟危，道心惟微。惟精惟一，允執厥中」。這是宋人眞德秀所謂十六字的心傳，是「堯舜禹傳授心法，萬世聖學之淵」。這說法八百年以來深深地牢籠着人心。閻若璩的古文尚書疏證著成後，到現在雖然已近乎三百年，但依然還有不少人，在信奉着眞德秀的「謠言」。其實，這十六字的心傳，正像兩位各自衒耀眼力好的近視眼者所爭論的關帝廟裡的匾一樣，不管他們怎樣地言之鑿鑿，而那匾壓根兒沒有掛。至於堯舜禹有無其人，那還是另外的問題。

因爲所謂心傳的十六個字，是出於現在還流傳着的古文本尙書中的大禹謨篇。這個古文本尙書，是晉人梅賾編定的。大禹謨這篇書，不是伏生所傳，漢熹平石經本尙書裡，自然也不會有它。它和其他的十幾篇古文尙書，同樣是梅賾僞造的冒牌貨。而這梅本的尙書，却欺騙了學子一千多年，直到清初閻百詩才把它那秘密揭發。甚至於到現在還有不少人不知道它是僞本。

其次，像竹書紀年，他在史學書裡，佔有重要地位。但現在的通行本，却不是晉太康年間，汲冢裡的眞貨，而是後人仿製的僞品。四庫全書總目提要裡，曾列舉證據，證明現行的本子，不是後魏酈道元所見之本，不是唐劉知幾、李善、瞿曇悉達、司馬貞、楊士勛等所見之本，也不是宋王存、羅泌、羅苹、鮑彪、董逌等所見之本。因而四庫館臣疑心它是「明人鈔合諸書以爲之」。這話雖然還不成定論，但現在通行本竹書紀年是假書，不是汲冢眞本，却是毫無疑義的。

因此，清人朱右曾便把古書裡所引的竹書紀年之文輯錄出來，編成了汲冢紀年存眞二卷；後來王國維先生又加以校補，編成了古本竹書紀年輯校一卷（刋入海寧王靜安先生遺書）；更後，錢穆先生又把它校補了一番，列在先秦諸子繫年考辨裡。這些輯本，所收的竹書紀年原文，雖已無多，但却是眞貨。所以，我們如果採用竹書紀年的史料，只有根據這些輯本。而輯本中如果見到王、錢兩氏之本，那麼，朱本也就可以不讀了。

以上不過舉兩個爲人所熟知的例子，古書類似此的僞本多得很，假若不弄明白是什麼本子，那麼你所得到的知識，很可能都是假的；倘若你根據僞本的材料而有所撰述，那便是自欺欺人。這樣說來，讀書能不講究本子嗎？

## 三、欲知圖書有無殘闕不能不講究板本

眞正做學問的人，對於一部書，必定要讀它的全本，決不肯只讀殘本或節本，這道理是無庸說明的。但，如果不講究板本，就有很多殘本書和節本書而被人認做全本。

家傳戶誦的十七史，明以後所流傳的本子，就有許多闕葉。例如南齊書，清武英殿本於志第七州郡下，缺十八行。傳第十六，缺十四行又三十字。傳第二十五，缺十四行又四字。傳第二十九，缺十五行又七字。明北監本和汲古閣本，缺處和殿本完全相同。核計這四處的闕文，應當各佔宋本的一葉。商務印書館影印百衲本二十四史時，好容易找到一個宋本，補起了兩葉（州郡下第三葉和列傳十六第十葉）；其餘兩葉，仍舊沒能補起。

又如魏書，廣平王懷傳「廣平王懷」下，宋本就注了一個「闕」字，可見在宋時已有殘闕，但究竟闕了多少字，現在已無法知道。樂志劉芳上言「先王所以敎化黎元，湯武所以」下，明以後的本子，

都缺了三百多字，恰合宋本的一葉。而這一葉的闕文，却被陳援菴從册府元龜和通典裡分別找出來（詳見輔仁學誌第十一卷第一、二合期葉德祿君所作魏書缺葉補一文）。周書第六卷本紀闕八十八字，也由陳援菴據册府元龜補足。

南齊書、魏書、周書，在明北監本以前所最流行的，是所謂眉山七史本。這個板子，從宋經元而到明代中葉，雖然把壞板補了又補，然仍有很多地方已經糢糊得不像樣子，所以有「九行邋遢本」之號。邋遢還不要緊，而又有全板壞掉的；壞掉了不補，就印刷流傳，於是乎繼承這三朝本衣鉢的北監本、汲古閣本、武英殿本，也就不能不一誤再誤了。

被人所重視的正史，尚且斷爛至此；其他短書小說，殘缺的就更多了。譬如唐人權德輿的權載之文集，四庫全書裡所收的是十卷本，是根據着明嘉靖二十年劉大謨序刻本著錄的。但此書全本是五十卷，王漁洋居易錄裡曾說過；四庫館臣也由居易錄而知道有五十卷本（但因居易錄的記載，不夠詳明，以致四庫館臣又疑惑它有八十卷），但他們却沒能夠見到。居易錄說顧宸藏有五十卷本，劉體仁的兒子名凡的曾抄了一部送給王漁洋。而現在中央圖書館裡藏有宋蜀刻本的殘卷（存卷四十三至五十），上面有劉體仁的印記，那必然是抄給王漁洋時所據的底本之殘餘了。這個五十卷本，既有傳抄本流傳；到了嘉慶年間，大興朱珪就據以刻板。於是這五十卷的足本，纔復行於世。現在來讀這部書，自然不能捨掉五十卷本而去讀十卷本了。

宋人江少虞著的皇朝類苑一書，記載着宋代的許多掌故。江氏的自序，說這書是七十八卷二十八門，可是四庫著錄之本和近代刻本，却只有六十三卷二十四門。四庫全書總目提要，還說江氏自序「分二十八門」的話，是傳寫之訛。近年中央圖書館買到了一部日本元和七年（當明天啓元年）的活字本，這活字本是根據宋代的麻沙本排印的，它正是七十八卷二十八門，比四庫全書本多了談諧戲謔、神異幽怪、詐妄謬誤、安邊禦寇四門。假使人們不見這個活字本，豈不是許多史料都被埋沒了嗎？

「明人刻書而書亡」，清代的校勘家常常有這種感歎。的確，明代萬曆以後的刻本，多半是一塌糊塗。他們任意改字，任意刪節，甚至任意改換書名。商濬所刻的稗海，陳繼儒所刻的寶顏堂秘笈，算是比較好一些的叢書了，然而仍舊免不了任意刪改的毛病。譬如宋人王楙作的野客叢書，本來是三十卷；可是稗海本和寶顏堂秘笈本，都只有十二卷，精核的地方，多被刪削。假若沒有嘉靖年間王穀祥的刻本存在着，人們就很少能知道這書是三十卷了。

以上也只是隨便舉幾個例子。但從這些例子看來，人們如果不好好的做學問則已，假若眞正治學，讀古書能不講究板本嗎？

## 四、欲免受錯字的欺騙不能不講究板本

校書如掃落葉，旋掃旋生。精校精刻的書，也難免有魯魚亥豕之訛；校勘粗疏的，甚至任意刪改的，那就更不必說了。譬如水經注一書，清初人所讀的都是明嘉靖以後的刻本，錯字多得幾乎沒法子讀。後來戴震用永樂大典本校對的結果，共補了明刻本所缺漏的二千一百二十八字，刪去了妄增的一

千四百四十八字，糾正了臆改的三千七百一十五字。短短的一部水經注，竟有七千字以上的錯誤，叫人怎麼去讀！所以戴震的校本刊行之後，明嘉靖刻本、萬曆乙酉（十三年）吳琯刻本和萬曆乙卯（四十三年）李長庚刻本等，就都可以束之高閣了。

明末常熟毛氏汲古閣刻書之多，說來眞是驚人。昔人誇耀汲古閣刻的書，不脛而走天下，實不是過譽之言。所以到三百年後的今天，汲古閣還負着盛譽。然而他所刻的書，却多半校勘不精。毛氏收藏了很多宋板書，又影鈔了很多宋板書，他家是那麼喜好善本，然而他們刻書，却不依據他家藏的善本校勘，眞是怪事。據說汲古閣刻本校勘最精的是四唐人集，而這部書却流傳極少。原來毛晉有一位好吃茶的賢孫，曾經得到了碧羅春茶葉，而找不到美薪，因而把四唐人集的板子給劈燒了。現在很多人震於汲古閣之名，以爲他家刻的都是善本，那是錯誤的。

所以欲免受錯字的欺騙，也不能不講究板本。單看水經注那一個例子，就夠人警惕的了。

## 五、怎樣知道板本的優劣

由上面所舉的例證看來，我可以決然地說：眞正讀書的人（特別是讀古書），不能不講究板本。所以前面說過，筆者並無佞宋之癖，也決不鄙棄沒有錯誤的近代刻本而盲目的推崇有錯誤的古本。所以，就十三經注疏來說，與其去求那高貴難得的宋十行本，或者雖不太難得，而錯誤頗多的明李元陽本、北監本、汲古閣本，就不如讀阮元的刻本（雖然阮元刻本，也還需要再校勘，但他已具有諸本之長，是不可否認的。）二十四史，你既然很容易地買到商務印書館的百衲本，就不必勞神耗財地去物色三朝本的十七史，和北監本、汲古閣本的二十一史，甚至於清武英殿本的二十四史。以上是「二者不可得兼」的說法，假若你有豐裕的財力，自然是收藏的本子越多越好。

但是，古書浩如烟海，不專門研究板本的人，怎麼能夠知道那些本子好或壞呢？說到這裡，有一部值得介紹的小書，那就是繆荃蓀幫張之洞編的書目答問。它分門別類地列着一般人所應讀的經籍，每一部書名下面都注着板本——錯誤比較少的本子。這書目裡所收的書雖然不多，但常見的書大致都有了。

近一二十年來，影印本的古書漸多，有很多善本是張之洞、繆荃蓀所不及見的。於是，在七七事變之前，南京國學圖書館，便把書目答問給補正了一番，題名書目答問補正，排印行世。「譬如積薪，後來居上」。現在來讀書目答問，自然以讀國學圖書館排印的補正本爲好。

至於生僻的書——書目答問所不載的，要知道它的板本優劣，就只好去查各家的藏書志、讀書記和校勘記，甚至於要自己去校勘，那就麻煩多了。

（原載「大陸雜誌」第二卷第七期，民國四十年四月）

# 一個錯字的關係

屈萬里

## 一、引　言

圖書板本的優劣，有天淵之別。這，在不研究板本學或不從事校勘工作的人，是往往不注意的。譬如同是一部權載之集，明刻本和四庫全書本只有十卷，而宋刻本和朱珪重刻本則有五十卷。同是一部陸游的家世舊聞，通行的叢書本只有七條，而中央圖書館所藏的舊抄本却有二卷一百零五條。同是一部蘇過的斜川集，清乾隆間刻本，乃是取劉過的龍州集和謝邁的詩文拼湊而成的；而周永年所輯、刻在知不足齋叢書中的本子，才眞正是蘇過的作品。同是一部水經注，戴震根據永樂大典校對明刻本的結果，證明了明本脫掉了二千一百二十八字，妄加了一千四百四十八字，臆改了三千七百一十五字。由於圖書板本的不同，其內容的差異，竟如此之大。對於隨便看書而不求甚解的人來說，倒沒多大關係；可是對於從事研究工作、或傳授知識的人來說，那就是非常嚴重的問題了。

一般不瞭解圖書板本之重要的人，常常諷刺珍視宋元刻本的人是玩古董。不錯，有些人是把印刷精美的宋元板書，當作美術品玩賞的，像明代的朱大韶以美婢換了一部宋板的後漢紀，而他並沒利用這部書從事校勘工作，便是一例。這正和收藏鐘鼎彝器的人一樣，固然有許多人只把它們當作古董玩賞，而從事研究工作的人却視它們爲重要的學術資料。收藏的人對於這些物事的觀念雖不相同，但它們本身的價值究竟是崇高的。

士禮居藏書題跋記（卷五）載有顧澗薲跋黃蕘圃所藏的蔡中郎集一文，說：

書以彌古爲彌善（按：這是指書的板本說），可不待智者而後知矣。乃世間有一等人（原注：「其人蕘翁門下士也」），必謂書無庸講本子。噫！將自欺耶？欺人耶？

已故的名學者章太炎也認爲讀書不必求善本；他說他自己就專讀石印本的書。黃蕘圃是著名的圖書板本學家，竟有這樣的「門下士」，章太炎是著名的國學大師，竟有這樣的議論，不能不說是學林的憾事。

## 二、兩個有趣的故事

也許有人說：像前面所擧的權載之集、斜川集、家世舊聞、水經注等例，固然足以說明讀書不能不重視板本；但那些情形，究竟是少數的，不是常見的。一般的圖書，即使有一些錯字，也不至於有大妨礙。這一說法，雖也有道理；但也有因一字之差，而發生嚴重影響的。下面且擧兩個有趣的故事：

宋陸游的老學菴筆記（卷七）有這樣一段記載：

三舍法行時，有敎官出易義題云：「乾爲金，坤又爲金，何也？」諸生乃懷監本易至簾前，請云：「題有疑，請問。」教官作色曰：「經義豈當上請！」諸生曰：「若公試，固不敢；今乃私試，恐無害。」教官乃為講解大概。諸生徐出監本，復請曰：「先生恐是看了麻沙本，若監本則『坤為釜』也。」教官惶恐，乃謝曰：「某當罰。」卽輪罰，改題而止。

明陸深的金臺紀聞下（儼山外集卷十二），也記載着一個有趣的故事：

金華戴元禮，國初名醫。嘗被召南京，見一醫家，迎求溢戶，酧應不閒。元禮意必深於術者，注目焉。按方發劑，皆無他異。退而怪之；日往觀焉。偶一人求藥者，既去，追而告之曰：「臨煎時，下錫一塊。」麾之去。元禮始大異之。念無以錫入煎劑法，特叩之。答曰：「是古方爾。」元禮求得其書，乃「餳」字耳。元禮急為正之。嗚呼！不辨錫餳而醫者，世胡可以弗謹哉！

上舉的兩個例子，前者雖僅止於認罰，却丟盡了教官的面子；後者則可能影響了人命。一個字的錯誤，其關係之重大，有如是者。

至於在學術研究方面，由於一字之誤，而發生重大影響的，也有很多例子。以下且舉兩事以見一斑。

## 三、尚書大誥和君奭兩篇中的寧字

尚書大誥篇，有以下這些句子：

寧王遺我大寶龜。

以于敉寧武圖功。

不可不成乃寧考圖功。

天休于寧王。

寧王惟卜用。

爾知寧王若勤哉！

予不敢不極卒寧王圖事。

予曷其不于前寧人圖功攸終？

予曷敢不于前寧人攸受休畢？

肆予曷敢不越卬敉寧王大命？

天亦惟休于前寧人。

敢弗于從、率寧人有指疆土？

以上這些「寧」字，古代的經學家們，都把它們解釋爲「安寧」的意思。雖然用這一意義解釋經文都非常勉強；但，二千多年以來的學者，也只好安之不疑。直到清代晚年，吳清卿（大澂）才由於鐘鼎彝器欵識中的「文」字作[illegible]等形，和「寧」字的形狀很相近，從而證明大誥中的這些「寧」字，都是「文」字之誤。在他所著的字說裡，有一專篇討論此一問題。和他同時的方濬益，在他所著的綴遺齋彝器考釋裡（卷一、吳生鐘），也因吳生鐘裡「前文人」的文字作「[glyph]」，而悟出大誥的「寧」字乃「文」字之訛。他說：

「前文人」，卽周書大誥、君奭等篇之「前寧人」。……漢世尙書出於壁藏，學者罕識古篆。誤以[glyph]爲寧，於是「前文人」之文均譌寧，而「文考」爲「寧考」，「文王」爲「寧王」矣。

我們試把上擧大誥中十二個例子裡的「寧」字都改作「文」字，於是「寧王」便成「文王」，「寧武」便成「文武」，「寧考」便成「文考」，「前寧人」便成「前文人」，「寧人」便成「文人」。文王、文武，不必說了；文考、文人、前文人，都是金文裡常見的字樣。這個錯字校正了之後，那麼，一向難解的這十二句書，就都可以文從字順了。

文字訛成寧字，在君奭裡的例子是：「在昔上帝，割申勸寧王之德。」禮記緇衣篇引下句作「周田觀文王之德。」這是因爲割和害二字古時通用，而害字的金文作[glyph]（格伯𣪕），所以訛成周字，申字中間的一畫，磨掉了上下的兩頭，於是變成了田字。寧、文互訛，自然就是吳淸卿和方濬益所說的原因了。

從出土的三體石經殘字看來，君奭篇「我廸惟寧王德□」句，寧字的古文作[glyph]，篆文和隸書都作寧。（按：此寧字應作文。）又，同篇「□□□寧于上帝命」句的寧字也作[glyph]。（按：此處應是寧字。）可是同篇中他處的「文」字以春秋殘石中「文」字，它們的古文都作[glyph]。三體石經是據孔壁古文傳刻的，孔壁古文乃是先秦人所寫。和金文的「文」字比對着看，[glyph]也確是「文」字。然而「寧于上帝命」的寧字，三體石經既作忞，可見在秦以前（約戰國晚年）就把「文」字誤認成「寧」字了。

## 四、因一個誤字而斷定舊雨樓所藏漢石經之僞

抗戰勝利還都之後，國立中央圖書館接收了僞內政部長陳羣在南京的「澤存書庫」。其中有一部題爲「舊雨樓藏漢石經拓本」的書，是漢石經殘字的拓片，每行裁爲一條，然後斷開，裱成册頁。詩、書、易、儀禮、春秋、公羊傳、論語七經的殘字都有，共計約一萬字以上。

那時我正服務於中央圖書館，看到這部拓本，驚疑不止。那些殘字的風格，和我以前所看到的一些漢石經殘字，非常神似。但，如果眞的有這樣一大批漢石經出土，應該是震驚學林的一件大事；然而，何以報章上旣沒刋登這個消息？又何以沒聽到文敎界的人士談起過？當時我曾請敎過許多位鑒賞家，都認爲它不是膺品。我想，這些殘石，可能是抗戰期間出土，所以後方的人們，沒聽到過它出土的消息。安於此見，就沒去深究。

民國五十一年，我作漢石經周易殘字集證一書時，曾用了這批資料。在字句、行欵方面，都沒發現它有什麼可疑之處。惟一的疑點，是他家所藏的漢石經周易殘字的字體，並不一律；而舊雨樓拓本的字體，則完全一致。

按：後漢書蔡邕傳，敍述修建石經事，說：「邕乃自書丹於碑，使工鐫刻。」隋書經籍志也說漢石經「皆蔡邕所書」。其實這些記載都是不正確的。宋洪适所著的隸釋裡，收了不少的漢石經殘字。

洪氏發現了各石經殘字的字體不同，於是他說：

今所存諸經字體各不同。……竊意其間必有同時揮毫者。

羅振玉的漢石經殘字集錄序，也說：「今目驗諸經殘字，果筆迹各異。」由此可知漢石經的字體並不完全一律；換言之，它並非出於一人手筆。而舊雨樓所藏的漢石經殘字，則無疑地全是一個人寫的；這就不能不使人懷疑它的眞實性了。然而，此外並無更可靠的證據以確定其僞。

後來，我又作漢石經尚書殘字集證。除了發現舊雨樓所藏拓本的行欵有問題外，並發現一個決定性的證據，足以證明舊雨樓藏漢石經殘字確是僞刻。這證據就是一個錯字。

原來，尚書呂刑篇「度作刑以詰四方」的「詰」字，舊雨樓本石經作「誥」。漢石經是用今文家的本子上石的，那麼這個「誥」字，應該是今文家的本子如此。但漢代的今文學家引述這句經文的，都是作「詰」，並不作「誥」。只有清代孫星衍的尚書今古文注疏說：「詰，一作誥。」又說：「詰作誥，今文尚書也。」孫氏這一說法，是根據困學紀聞來的，困學紀聞卷二：

度作刑以詰四方，周禮注云：度作詳刑以誥四方。

「詰」字作「誥」，只有明萬曆癸卯莆田吳獻臺刋本困學紀聞如此；此外如元刋本、明初葉刋本、清代刻本，以及各本周禮鄭注，都是作「詰」而不作「誥」。困學紀聞所以引這這句書，是因爲周禮注比通行本的尚書多了一個「詳」字，並不是由於詰誥之異。孫星衍誤根據了萬曆吳氏刻本困學紀聞立說，僞刻舊雨樓藏本漢石經的人，又誤根據了孫氏注疏，結果弄巧成拙，露出了破綻。所以，只這一個錯字，就足以斷定舊雨樓所藏的漢石經殘字，必然是僞刻的。

## 五、結　語

從上舉的例子看來，對以讀書作消遣的人來說，板本的優劣，倒還無關重輕；對於從事學術研究工作，以及負有傳授知識之責的人來說，又怎能不注意圖書的板本呢？

（原載「圖書館學報」第八期，私立東海大學，民國五十六年五月）

# 版本的名稱

陳國慶

## 版本涵義的擴大

中國古時的書籍，全是寫本，自從雕版印刷書籍出現之後，才有「版本」這一新興的名詞。但在初時，「版本」二字的涵義頗爲簡單，僅僅是爲了區別於寫本而言的。以後，雕版印刷的書籍逐漸增多，由於各書的印版有種種不同，藏書家便對於不同的版本進行分別的著錄，把「版本」這個名詞的涵義範圍擴大。和僅限於區別於「寫本」的意義不同了。再後，各藏書家著錄所藏的圖書時，不但把抄本的著錄并入版本之中，並且把從石經摹搨而裝訂成册的搨本，以及近代用新式技術所印成的石印本和影印本，亦全算做了版本的一種，於是「版本」這一名詞的涵義便愈益擴大了。

在各種版本之中，有因字體的大小不同，有因印刷技術的精粗不同，有因製版的時期不同，有因印刷的地方不同，有因裝訂的形式不同，以及因圖書內容的增減、殘闕或經過删定、校勘、附加繪圖等等的不同，而區分出來各種各樣的版本名稱。因此，在圖書館的工作中，當圖書入館時，首先應當經過登記編目的手續，而登記編目的時候，對於「版本」一項，尤應做精確的著錄。蓋因著錄版本，不但可以說明圖書製成的情況，並且可以反映出圖書的內容和價值。

## 版本名稱的區分

### 一、由於雕版情形區分的

**(1)槧本（刻本、刊本）**　古時用木版雕字所印的圖書，原稱爲槧本。宋時黃伯思的「東觀餘論」說「此帙所錄杜子美詩，頗與今行槧本小異」。這或許就是中國古代稱雕版所印的書爲槧本的起始。而刻本、刊本等名是從槧本這個名詞引伸而來的，其意義較槧本更爲明顯。圖書館在著錄簿册或卡片的時候，使用「刻本」或「刊本」等名，尤爲明切易解。

**(2)原刊本（原刻本）**　原刊本之名，是由於有重刊本之後而來的，凡是初次雕印的圖書，稱爲原刊本或原刻本，以後的凡按原本照樣翻刻的書，則稱爲重刊本或重刻本。一般的都以爲原刊本書，校勘精審，重刊本常有訛誤，所以藏書家每以原刊本爲貴。其實並不盡然。清代校勘之學大興，凡依古本重刊的書，其精審程度，往往遠出於原刊之上。

**(3)舊刊本（舊刻本）**　圖書館著錄圖書的時候，凡遇不詳年代之刊本，例稱舊刊本或舊刻本。其實刊本之佳者，雖遠在宋元時代，精於鑒別的人，多能考證明確。此處所說不詳年代的書，是僅就普通的較舊刊本而言的。

又當編目時，遇著書人的時代和刻書的時代相抵觸的時候，亦以舊刊本稱之較爲適當。例如顧炎武生於明萬曆四十年（一六一三），卒於清康熙二十年（一六八一），一般的都稱他爲清人，而他所著的「音學五書」，則是原刻於明朝崇禎末年，編目時便在版本一項，著錄爲舊刋本。這樣，就可以在著書人的時代上，免去讀者許多懷疑。

**(4)精刋本** 所稱精刋本，是指這種書的雕版字體工整且經過精審的校勘而言的。宋元時代的刻書，不但刻手是有名的工匠，卽其書寫，亦多出於當代的名人之手。因此，宋元版書的字體，大都是遒勁秀媚，可愛可觀。然彼時尙無所謂「精刻本」的名稱。明朝隆慶萬曆年間以後，雕版印書者，往往把書稿交與坊間書工之手，其書法既拙劣不堪，訛謬又所在皆是。清朝的汪琬、薛熙的「明文法」凡例上說：「古本均係能書之士各隨字體書之，無所謂宋字也。明季始有書工，專寫膚廓字樣，庸劣不堪。」及至清初，官府刻書，私人刻文集，都用善於書法的人寫之，然後付工雕版。孫從添曾在「藏書紀要」裏說：「本朝所刻之書，有御刻精刻，可與宋並。」如清代之「南巡盛典」、「禮器圖式」和「王漁洋全集」等書，皆屬精刻本之列。

**(5)寫刋本（寫刻本）** 寫刋本和上述精刋本的意義相同。惟寫刋本的書稿，出於名人手筆，照例都把書寫人的姓名刻在版上印出。如宋朝蘇軾寫刻的「陶詩」，楊次山寫刻的「歷代故事」，清朝鄭燮自書的「板橋集」，林佶寫刻的「漁洋山人精華錄」，便是其例之最著者。

**(6)翻刻本（複刻本）** 本版印刷日久，容易損壞，且遇水火兵災，更易湮沒。欲想長期留傳，則全賴有翻刻的辦法。翻刻之精者，大都先據原刻版影摹，然後上版開雕。這樣的書出版之後，往往與原刻無異。翻刻本中，有用宋版翻刻的，稱爲複宋本，用元版翻刻的，稱爲複元本。無論複宋複元，通稱複刻本，實卽翻刻本。

近代以來，攝影之術大興，更有用原書照相雕版的，亦可稱爲翻刻本或複刻本。例如清朝黎昌庶所刋的「古逸叢書」中的南宋本「莊子注疏」，其中的一部分，卽是用影照上木的。

按我國舊時雖無出版法之規定，但翻刻也有禁例。據葉德輝「書林淸話」載：「吾藏五松閣仿宋程舍人宅刋五種『東都事略』一百三十卷，目錄後有長方牌記云：眉山程舍人宅刋行，已申上司，不許複版云云。」據此可見，我國古時已有在官府立案禁人翻版的事實。不過，這項禁例只能限於當時不准翻刻，迨到時過境遷，版權繼承無人，也就少有過問的了。

**(7)通行本**　通行本就是普通流行的刻本。但它包括兩個意義：一，坊間流行甚多，隨時可以得到，二，雕刻平常，不值得特別珍藏，凡是這樣的書，全都稱爲通行本。著錄時所以要特別標爲通行本的原因，就是要和精刻本、寫刻本有所區別罷了。

**(8)修補本**　雕版流傳，常有保持到幾百年以上的，但其間旣屢經印刷，勢必有漫漶爛損的情形，因此就需要修補。往往有屢經修補，而仍繼續印刷的。使用修補版印出的書，稱爲修補本。修補版的版心、版框和字體等，因其修補的時代與工匠之不同，自然工劣相殊；更有在修補的當時，就在版上注明修補的年代，所以這種版本是最易鑒別的。例如蜀刻的七史，原成於南宋紹興十四年（一一四四），自元代以來，遞有修補，明代洪武年間，移入南京國子監，經嘉靖、萬曆、崇禎三朝叠次修補，至清代，順治、康熙、雍正、乾隆四朝，尚存在江南布政使衙門庫中，直到嘉慶年間，已七百餘年，被火災毀滅。這是中國雕版存世最久的一種。又如明版南監本「玉海」，自正德、嘉靖兩朝而下，屢有修補，明萬曆十六年趙用賢重修一次，清康熙三十六年李振玉重修一次，乾隆三年熊木重修一次，至嘉慶十年被火焚失。這都是雕版中修補次數最多的版本。

**(9)活字本**　用膠泥、銅、鉛和木塊等製成小方塊，每塊上刻一字，用各個單字，照書稿文義排列成版，印完可解散，再印可重排。使用這種版所印的書，稱爲活字本。

**(10)聚珍本**　清代乾隆三十八年（一七七三），因「四庫全書」編修告成的日子太長，令選擇「四庫全書」中的善本，先行刋印流傳。當時董理武英殿刻書事務的人，是侍郎金簡，以書的種類繁多，雕刋不易，建議用活字印行。遂刻木質單字二五萬餘個。清帝以活字這個名稱不夠文雅，便更名爲聚珍版。當時就用這種聚珍版在武英殿印了許多種書，卽後來所稱的武英殿聚珍本。其實，聚珍版就是活字。此後在浙江、江西、福建等省的布政使衙門，均有照武英聚殿珍本複刻木版所印的書，也稱爲聚珍本。這些書，雖名爲聚珍，而實是雕版，不是活字，這是著錄時應該注意的。

**(11)朝鮮活字本**　朝鮮用活字版所印的書，流入我國頗多，著錄時每特闢一格，另稱爲朝鮮活字本。按我國用活字印書的技術，流到朝鮮甚早，約當十五世紀（明朝初年），朝鮮就有活字印書的記載。日本尚在朝鮮以後。在朝鮮活字本「國語」韋昭注跋語中說：「我國活字印書之法，始自太宗朝癸未（一四〇三），以經筵古注『詩』、『書』、『左傳』爲本，命判司平府事李稷等鑄十萬字，是爲癸未字。……正宗朝壬子，命仿中國『四庫全書』聚珍版式，取字典字本刻大小三十二萬餘字，名之曰生生字。」

又朝鮮活字本「奎章閣志」卷二載：「鑄字之法，起於國初。而年久浸佚，不能印書。」據以上所述，可知朝鮮用活字印書技術，傳自我國，且遠在十五世紀之前。

⑿**配本**　集合許多不同的書版，配合而成爲一種完整的書，稱爲配本。例如清代有金陵、淮南、江蘇、浙江、湖北等五個官書局各刻幾種史書，配合而成爲一部二十四史。這類的書，書雖完整而版式不同。

⒀**百衲本**　衲是僧人所穿的經過許多補綴的衣服。百衲是形容補綴很多的意思。在書版中，用零散不全的各種版片，湊合而成爲一部完整的書，這樣的版本，稱爲百衲本。按百衲的名稱，由來很早。據宋朝蔡絛的「鐵圍山叢讀」卷六載：「唐李汧公者號善琴，乃自聚靈材爲之，曰百衲琴。」王隱「晉書」載：「董威輦于市，得殘繒輒結爲衣，號曰百衲衣。」宋朝董逌的「廣川畫跋」說：「蔡君謨妙得古人書法。其『晝錦堂記』，每字作一紙。擇其不失法度者，裁截布列，連成碑形，當時謂之百衲碑。」清朝初年，宋犖集有百衲本「史記」八十卷，是合宋版二種，元版三種而成的。近人傅增湘又集合了許多卷數不同的版本，湊成了一部「資治通鑑」，亦自名爲百衲本。以後商務印書館又用不同的版本滙印了一部二十四史，也稱爲百衲本。但是這部二十四史，每一史的版式一致，全可獨立成書，其實就是上述的配本，不能算做百衲本。這也是著錄家所應注意的。

⒁邋遢本　二字，是形容極不整飭的詞。南宋紹興年間，四川所刻的七史，到了元代大部分版片糢糊漫漶，極不整飭。著錄家把用這樣版片所印的書，稱爲邋遢本。又因這個七史的版本，每半葉九行，每行十八字，所以又稱它爲「九行邋遢本」。

⒂三朝本　南宋時代，杭州國子監所藏的各種書版，其成分既複雜又多殘缺。到了元朝，又把它遷入西湖書院，重加修補，繼續刷印。明朝洪武八年（一三八〇），移到南京國子監，又修補了一次。這些書版，歷經宋、元、明三朝遞次修補，所以著錄家就把用這種版印的書，稱爲三朝本。

## 二、由於雕版地方區分的

自鏤版之術大興以後，歷宋、元、明、清四朝，由於雕版之地方不同而區分的版本，有種種不同的名稱，概言之可分爲三類，一官刻，二私刻，三坊刻。官刻本概是雕鏤精審，私刻本概是校勘詳確，至於坊刻本，原是書商爲謀取利潤而雕印的，若是雕鏤精審，就需多耗物力，若是校勘詳確，就要多費人工，因此勢不能精詳。所以在這三種刻本之中，坊刻本的質量自然是最低下的了。

### ⑴官刻本

凡經官府雕版印行的書，稱爲官刻本。如宋時的秘書監、茶鹽司、漕司、郡庠、縣齋以及府州縣學，元時的國子監、各路儒學、府學、興文署，明時的南監、北監等處所刻印的書，都稱爲官刻本。至於明代各王府所刻印的書，如蜀王府的「自警編」，代王府的「譚子化書」，崇王府的「貞觀政要」，吉王府的「二十二子」，周王府的袖珍本「驗方大全」等書，也稱爲官刻本，或又稱爲藩刻本。

在官刻本之中，又有種種不同的名稱，擇其要者例舉如下。

**甲　監　本**：各朝國子監所刻印的書，稱爲監本。這個名稱，開始於五代時馮道請令判國子監事田敏校正九經，刻版印賣。到了明朝，則在南北兩京的國子監內，刻印經史。因此又有南監本和北監本區別。

**乙　經廠本**：明代執掌宮廷事務的機關，分十幾個「監」。其中的一個名叫「司禮監」，司禮監所屬的機關中另有一個「經廠」，這個經廠，就是專做內廷刻書印書工作的。因此，由經廠所刻印的書，就稱爲經廠本。在經廠本中，著名的有五經、「四書」和「性理大全」等書。這些書雖然多是大字大本，但因其出於閹宦之手，校勘的又不夠精詳，所以後世藏書家一般都不甚重視。

**丙　殿　版**：殿版之名，從清朝才有。其實清朝殿版書籍，乃肇始於明朝的經廠本。不過明朝是用宦官掌管，清朝則改用詞臣罷了。順治一朝，所刋的書籍，全是明朝經廠原有的工匠承辦的，所以它的格式和經廠本大同小異。康熙一朝，在武英殿初設修書處，刻書極工。迨至乾隆四年（一七三九），詔刻十三經、二十一史，仍在武英殿設刻書處，派王、大臣總裁其事，殿版這個專名，因而大著。乾隆十二年（一七四七），刻「明史」、「大清一統志」，次刻「三通」，再次刻「舊唐書」。凡在乾隆十二年以前所刻印的書，其寫刻之工致，紙張遴選之優良，印刷墨色光澤，校勘之精詳，莫不盡善，因此，殿版書籍，不但可以超越元明，且可比美兩宋，今日已不可多得，國內各圖書館似應列入善本，特別珍藏。

**丁 內府本**：在清代，凡經過皇帝訂定的或命人編纂的書，全由內廷刋行，稱爲內府本。凡內府本書，印刷校勘，都比較精良。在清昭槤所著的「嘯亭雜錄續錄」裏有「內府刻書目錄」一卷，可資參考。

**戊 局　本**：清朝同治年間（一八六二——一八七四），在江寧創立金陵官書局，同時，江西、浙江、福建、兩廣、兩湖等省，亦相續創立。由這些官書局所刋印的書，時人稱爲局本。在著錄局本圖書時，應在局本之前冠其地名，如金陵書局本、湖北書局本等等。

**⑵私刻本**

**甲 家刻本（家塾本、書塾本）**：凡私人在自己家中刋印的書，稱爲家刻本，或稱家塾本、書塾本。例如宋時相台岳珂所刻的「九經三傳」，稱爲相台岳氏家塾本。建安魏仲立所刻的「新唐書」，錢塘王叔邊所刻的「前後漢書」，則稱爲建安魏氏家塾本，錢塘王氏家塾本。

**乙 閔刻本**：明季吳興閔齊伋家首創朱墨和五色的套版，凌濛初家亦滙輯諸名家的詩文評語，加以批點而印行之。這種版本，字體方正，紙色潔白，行疎幅廣，頗爲悅目。其編纂雖與凌氏合作，而印行必屬閔雕，故時人稱爲閔刻本。其書自群經、諸子、史抄、文抄、總集、文集以至詞曲、雜藝，凡一百三四十種，莫不雕印精良，且多源出善本。對於這些書，當予珍藏。早年藏書家，因其批評圈點，近於時文批尾的陋習，不肯重視，殊爲可惜。

**丙　毛刻本**：明朝常熟汲古閣主人毛晉，校刻書籍，起於萬曆的末年，延至清朝順治的初年，歷時四十餘年，刻書六百多種，稱爲毛刻本或汲古閣刻本。汲古閣所刻的書中，最著名而流行最廣的則爲十三經、十七史、「文選」李善注、「六十種曲」等書，莫不雕印精審，校勘詳確。原版初印的書，概皆看做善本。

**(3)坊刻本**

**甲　坊刻本**：坊乃是指市上的「書坊」而言，包括五代時的「書肆」，北宋時的「書林」「書堂」南宋時臨安的「書棚」「書舖」以及近時的「書店」「書局」等在內。凡由書坊刋印的書，統稱坊刻本。往昔，因爲其出於書賈之手，校勘不精密，故不爲世人所重視。以後的，諸多大書局無不聚集人才，充任編纂，對於印刷校勘，力求精善，官府無暇刻書，而書局竟代負其責了。

**乙　書棚本**：書棚本，是專指南宋時陳道人之陳宅書籍舖所刻的書說的。陳宅書籍舖，在臨安府棚北大街睦親坊南，因此稱爲書棚本。故宮博物院圖書館所藏的宋版「常建詩集」卷上的末葉，有「臨安府棚北大街睦親坊南陳宅刋印」卽其一例。當時還有尹家書籍舖所出的書，亦稱書棚本。

**(4)宋　本**

**甲　蜀　本**：宋時在四川所刻印的書，稱爲蜀本，因其字體稍大，又稱蜀大字本。如紹興年間，在眉山所刻的宋、齊、梁、陳、魏、北齊、周七種史書，就是歷世最久的蜀大字本。

**乙　閩　本**（建本、麻沙本）：閩是福建的簡稱。建是指福建的建寧府（今建甌縣）和建陽縣而言。麻沙是指建陽縣的麻沙鎭說的。在南宋的時候，這兩個地方所刻的書，統稱爲建本，又稱爲閩本。麻沙鎭附近多產榕樹，木質鬆軟，麻沙人多取用雕版印書，因此稱爲麻沙本。麻沙本在宋版書中，訛誤較多，古時不爲世重。如「石林燕語」說：

天下印書，以杭州爲上，蜀本次之，福建最下。福建多以柔木爲之，取其易成速售，故不能工。

**丙　浙　本**：浙江的杭州，爲宋時雕版印書的中心地方，經國子監校勘的書，多數在此雕印，這種書稱爲浙本。浙本書，大都字體方整，刀法圓潤，爲宋版中之最佳者。

**丁　婺州本**：婺州卽今浙江的金華縣。當南宋的時候，浙東、浙西地方，刻書的風氣極盛。婺州地方所刻的書，字體瘦勁，別具風格。對於這個地方所刻的書，後人稱爲婺州本。

**(5)外國刻本**

**甲　高麗本（朝鮮本）**：朝鮮國所刻的書，中國古時都稱爲高麗本（今後著錄，應稱爲朝鮮本）。孫從添「藏書紀要」說：

外國所刻之書，高麗本最好。「五經」、「四書」、醫藥等書，皆從古本。凡中夏所刻，向皆字句脫落，章數不全者，而高麗竟有完全善本。

**乙　日本本**：凡日本國所刻印的完全漢文的書籍，著錄時，則直稱爲日本本。

按日本國用雕版印書，當亦在一千年以前。德淸傅雲龍藏有影印的日本延喜十三年二月五日良峰象樹所刋的「文選」殘卷一葉。其序文中有云：

日本百萬塔藏「無垢淨光經」，厥式不一，皆出鏤版。據「孝謙天皇紀」，刋於神護景雲四年，爲唐大曆二年（七六七），亦唐槧之一證也。延喜十三年，當中國後梁乾化三年（九一三），距唐末六年。這足以證明日本國雕版印書的年代。

### 三、由於印期和墨色區分的

#### (1)初印本和後印本

初印本是專指雕版所印的書籍說的。本版雕成之後，最初印刷的書，因其字迹清朗，邊框完整，藏書家多珍視之。及至印刷旣久，字迹漫漶，常有修補痕迹，且墨色亦較初印本暗淡，著錄家稱這樣的版本爲後印本。

#### (2)朱印本和藍印本

凡不用墨色而用朱色或藍色印刷的書籍，稱爲朱印本或藍印本。印譜、符籙等書，普通全用朱色印刷。明末的志書，多用藍色印刷。此外，一般的圖書，在雕版初成之後，例須先用朱色或藍色印刷若干部，因此又有初印紅本、初印藍本之稱。

#### (3)朱墨本和套印本

朱墨本是用墨色印書文，用朱色印評語、圈點。這種印法，實卽後來之套版的先聲。以後，愈演愈精巧愈複雜，由朱墨兩色的印本，進爲三色、四色，乃至五色。因此，把這種在印刷過程裏，分幾次上版的書，稱之爲套印本。朱色套印，雖創始於明末的閔刻，但其他刻書家亦多有之，難以閔本之名概括稱之。故此，仍存朱墨本、套印本之名。例如清代道光甲午年（一八三四），涿州盧坤刻「杜工部集」二十五卷。其間的評語，用紫色印的爲明朝王世貞的，用藍色印的爲明朝王愼中的，用朱色印的爲清朝王士禎的，用綠色印的爲清朝邵長蘅的，用黃色印的爲清朝宋犖的。這樣，若將用墨色印的正文算在一起，則爲六色套版了。

## 四、由於印刷質量等區分的

**(1)普及本**　普及本是舊社會末期新出的一個名詞。蓋因盜版之風盛行，各書局爲抵制翻印，便特用低劣紙墨印書，廉價售賣，以使盜版之人無利可圖。這類書，因其容易銷售，遂有普及本之稱。其與通行本之意相仿。

**(2)單行本**　單行本之名，是相對著叢書說的。凡滙聚許多種書，雕成一個版式，印成一部書，稱爲叢書。若把叢書中之某一種抽出，單獨印行，則稱爲單行本。例如汲古閣所刻印的「詩地理考」，即是「津逮秘書」中的一種。

**(3)抽印本**　把某種書中的一部分，或若干卷中的幾卷能自成一個段落的書，抽出單印，別訂成册，則稱爲抽印本。近時，對於期刊中的論文等，往往有抽出單印成册的，也稱爲抽印本。

**(4)附刻本**　凡一書附刻在他書的卷後，而其著作人又和所附之書的著作人非一人，在圖書館著錄時，則另提出記其版本，把它稱爲「附刻本」。例如「雕菰樓集」中附刻「梅花館集」一卷，「仰蕭樓文集」中附刻「經學名儒記」一卷，皆是附刻之類。

## 五、由於字體形狀大小區分的

**(1)大字本**　宋時刻書，多用大字。其版框紙幅，亦均高大。每行至多不過十七八字。藏書家稱這樣的版本爲大字本。例如清朝江標的「宋元本行格表」中所載：「宋槧蜀大字殘本『後漢書』，每行十六字，宋大字本『儀禮經傳通解』每行十五字，元大字本『毛詩注疏』每行十八字」。

**(2)小字本**　大字本和小字本的名稱，是指宋元版本說的。明清的版本，尙無大小之稱。宋元版的小字本，大約每行二十三、四字到二十六、七字以上。例如江標「宋元本行格表」載有「宋小字本『春秋正義』，行二十三、四字不等，宋小字本『晉書』，行二十六、七字」。一般說來，宋元版書之小字本不甚多見，藏書家每珍視之。

**(3)仿宋本和聚珍仿宋本**　宋元時代的刻書，其書寫多出自長於書法者之手，故字體刻成之後，遒勁可愛。明代以後所刻的書，其書寫多委之普通工匠，別創一種橫輕豎重的字體，卽俗稱爲匠體。迨至清朝，鏤版之術日工，刻書時往往摹仿宋版的字體。這種仿宋版書字體所刻的書，稱爲仿宋本。其用仿宋體活字所印的書，則稱爲聚珍仿宋本。

## 六、由於裝訂和版框大小區分的

**⑴合訂本** 凡把兩種或兩種以上性質不相系屬的書，合訂在一起，而又無叢書之名稱者，稱爲合訂本。期刊或按期續印的書，每屆相當時期，滙訂一起，亦稱爲合訂本。

**⑵毛裝本** 凡新刻印草訂而未加工剪裁的書，稱爲毛裝本。例如遼寧省圖書館藏的清代滿漢文「十朝聖訓」和「古香齋袖珍本叢書」，都是未加剪裁的毛裝本。

**⑶巾箱本** 巾箱就是古時裝頭巾的小篋。凡是書的版形特小，言其可以裝在巾箱裡邊的（形容其小之程度），稱爲巾箱本。按「南史」載：「衡陽王鈞，手自細書寫『五經』，都爲一卷，置巾箱中，以備遺忘。曰：『於檢閱旣易，且一更手寫，則永不忘。』諸王爭效之，巾箱『五經』自此始。」又宋朝戴埴的「鼠璞」說：「今之刋印小册，謂巾箱本。起於南齊衡陽王鈞手寫「五經」，置巾箱中。……古未有刋本，雖親王亦手抄錄。今巾箱刋本無所不備。嘉定間從學官楊璘之奏，焚燬小版，近又盛行。第爲挾書，非備巾箱之藏也。」據此則巾箱本之名，應起於南齊。但晉葛洪的「西京雜記」序說：「爾後洪家遭火，書籍都盡。此兩卷在洪巾箱中，常以自隨，故得獲在。」又「北堂書抄」王母巾箱條下引「漢武內傳」說：「帝見王母巾箱中有一卷小書，盛以紫錦之囊。」由此可證，巾箱之名，在漢晉已有了。

**⑷袖珍本** 袖珍本是言其版形極小，可藏於懷袖之中的意思。其實和巾箱本是一個東西，不過是

叫了兩個名罷了。

按清朝乾隆年間，在武英殿雕印經史，當時弘曆因製版所剩的小塊木頭頗多，爲恐浪費，不令遺棄，乃仿古人巾箱之意，刻武英殿袖珍版書，卽後來所稱的「古香齋十種」是也。

## 七、由於增減和批點評注區分的

**(1)校本**　善於藏書之家，對於普通版本，常取善本對照校讐，發現有訛誤或不同的地方，則詳錄在普通版本之上。這樣，這個普通版本的價値，就與前不同了。著錄家稱之爲「校本」。如果把校讐人的姓名也寫在書本上的，則稱之爲某某人校本。凡傳抄某人的校語在書本上的，則稱爲過校本。經過校讐的書，古今藏書都特別重視。孫從添「藏書紀要」說：

書籍不論抄刻好歹，凡有校過之書，皆爲至寶。

**(2)批點本（評本）**　凡書之經過批評標點的，稱爲批點本，亦稱爲評本。若是把批點人的姓名一並記在書上的，則稱爲某某人批點本或某某人評本。凡傳抄某人批語在書中的，則稱爲過錄批點本或過錄評本。

**(3)注本**　凡書之除正文以外，又另加注釋的，稱爲注本。若是一種書經過許多人注釋，則冠以注釋人的姓名稱爲某某人注本。

**(4)節本**　凡因爲原書的分量太多，或文字冗長，在重印時僅節取其中的某一部分或字句，稱爲節本。

**(5)增訂本** 凡書之經過前後幾次刊印，其後印的書，在內容上較以前所印的書，有所增加者，稱爲增訂本。

**(6)孤本** 凡海內罕見的書，稱爲孤本。

按既稱爲孤本，應該是世間僅有此一種，方才名符其實。一般的收藏家，往往好爲誇張之語，故其所稱爲「孤本」者，實則未必一定是孤本。

**(7)殘本** 凡不完整的書，稱爲殘本。

**(8)書帕本** 明代當隆慶、萬曆年間，卽十六世紀，一般作官的文人，承嘉靖時代古學盛行之後，喜歡刻書，幾成風氣。推求其動機不外是由於好名起見。雖刻而不能校勘，且又妄加刪改，以致訛謬百出，時人稱爲書帕本。按淸代王士禎的「居易錄」說：「明時翰林官初上任，或奉使囘國，例以書籍送署中書庫，後無復此例矣。」

又：「如御史巡鹽茶，學政部郞權關等差，率出俸錢刊書，今亦罕見。」

葉德輝「書林淸話」說：「明時官吏奉使出差囘京，必刻一書，以一書一帕相餽贈。此謂之書帕本」。這種版本的書，因其校勘不精，或內容有所抽減，至今，藏書家竟把它比同經廠坊肆之物，而其名低價賤，則又過之。

## 八、由於非雕版印刷區分的

**(1)抄本（寫本）** 凡是寫的而不是版印的書，稱爲抄本。抄本中之字體工整者，又別名之爲寫本。其不詳年代的抄本，則稱爲舊抄本或舊寫本。自明季以來，藏書家以抄書爲課程的頗多，往往竭畢生的精力，互相假借，手校眉批。這樣的書，不但其內容本身原足珍貴，卽其手迹亦誠見重。後世得其一種，無不視爲善本者。茲將比較著名的抄書，表列於下。

| 姓名 | 別號 | 地名 | 齋室名 | 用紙、版欄及附記 |
| --- | --- | --- | --- | --- |
| 吳寬 | 匏庵 | 長洲 | 叢書堂 | 用紅格紙，版心有「叢書堂」三字。 |
| 葉盛 | 興中 | 崑山 | 賜書樓 | 用綠墨二色格紙，版心有「賜書樓」三字。 |
| 文徵明 | 衡山 | 長洲 | 玉蘭堂 | 格欄外有「玉蘭堂錄」四字。 |
| 王肯堂 | 宇泰 | 金壇 | 鬱岡齋 | 版心有「鬱岡齋藏書」五字。 |
| 沈與文 | 辨之 | 吳縣 | 野竹齋 | 欄外有「吳縣野竹齋沈辨之制」九字。 |
| 楊儀 | 夢羽 | 常熟 | 七檜山房 | 版心有「嘉靖乙未七檜山房」八字，或「萬卷樓雜錄」五字。 |
| 姚咨 | 舜咨 | 無錫 | 茶夢齋 | 版心有「茶夢齋鈔」四字。 |
| 秦四麟 | 酉巖 | 常熟 | 致爽閣 | 版心有「致爽閣」三字，或「玄覽中區」四字。 |

| | | | | |
|---|---|---|---|---|
| 祁承㸁 | 爾光 | 山陰 | 淡生堂 | 版心有「淡生堂鈔本」五字。 |
| 毛晉 | 子晉 | 常熟 | 汲古閣 | 版心有「汲古閣」三字，格欄外有「毛氏正本汲古閣藏」八字。 |
| 謝在杭 | 肇淛 | 長樂 | 小草齋 | 版心有「小草齋鈔本」五字。 |
| 馮班 | 定遠 | 常熟 | 空居閣 | 格欄外有「馮氏藏本」四字。 |
| 馮舒 | 已蒼 | 常熟 | 空居閣 | 格欄外有「馮氏藏本」四字。 |
| 馮知十 | 彥淵 | 常熟 | 空居閣 | 格欄外有「馮氏藏本」四字。 |
| 錢謙益 | 牧齋 | 常熟 | 絳雲樓 | 版心有「絳雲樓」三字。 |
| 錢曾 | 遵王 | 常熟 | 述古堂 | 格欄外有「虞山錢遵王述古堂藏書」十字，或「錢遵王述古堂藏書」八字。 |
| 錢謙貞 | 履之 | 常熟 | 竹深堂 | 版心有「竹深堂」三字。 |
| 曹溶 | 潔躬 | 秀水 | 倦圃 | 版心有「檇李曹氏倦圃藏書」八字。 |
| 葉樹廉 | 石君 | 常熟 | 樸學齋 | 版框外有「樸學齋」三字。 |
| 徐乾學 | 健庵 | 崑山 | 傳是樓 | 版心有「傳是樓」三字。 |
| 朱彝尊 | 竹垞 | 秀水 | 潛采堂 | 用毛泰紙，無格欄。 |
| 惠棟 | 定宇 | 吳縣 | 紅豆齋 | 格欄外有「紅豆齋藏書抄本」七字。 |
| 趙昱 | 功千 | 仁和 | 小山堂 | 格欄外有「小山堂鈔本」五字。 |

| 吳焯 | 尺鳧 | 錢塘 | 繡谷亭 | 版心有「繡谷亭」三字。 |
|---|---|---|---|---|
| 吳騫 | 槎客 | 海昌 | 拜經樓 | 用毛泰紙，無格欄。 |
| 吳壽暘 | 虞臣 | 海昌 | 拜經樓 | 用毛泰紙，無格欄。 |
| 鮑廷博 | 以文 | 歙縣 | 知不足齋 | 用毛泰紙，無格欄。 |
| 汪遠孫 | 小米 | 錢塘 | 振綺堂 | 用毛泰紙，無格欄。 |
| 何元錫 | 夢華 | 錢塘 | 夢華館 | |
| 金檀 | 星軺 | 桐鄉 | 文瑞樓 | |
| 王宗炎 | 以除 | 蕭山 | 十萬卷樓 | |
| 丁丙 | 松生 | 錢塘 | 八千卷樓 | |
| 顧苓 | 芸美 | 長洲 | 雲陽草亭 | 有「塔影園客」朱色印。 |
| 錢熙祚 | 雪枝 | 金山 | 守山閣 | 用十二行綠格，格外有「守山閣抄本」五字。 |
| 姚覲元 | 彥侍 | 歸安 | 咫進齋 | 用十三行綠格，版心有「咫進齋」三字。 |
| 厲鶚 | 太鴻 | 錢塘 | 樊榭山房 | 用八行墨格。 |
| 鈕樹玉 | 匪石 | 吳縣 | | 用十行綠格。 |

**(2)精抄本** 凡抄本之書法工整而精緻者，稱爲精抄本。如丁丙「善本書室讀書志」中所載之精抄本：錢塘陳起編「增廣聖宋高僧詩選」五卷，汲古閣精抄本閑閑老人「滏水文集」二十卷，卽是其例。

**(3)影寫本** 藏書家摹寫宋元時代舊版書籍，字體點畫，行格款識，樣樣依照原式不差分毫者，稱爲影寫本。如毛氏汲古閣影抄宋紹興壬戌寧化縣學刻的「群經音辨」，清陽湖孫氏平津館影抄宋寫本「歷代鐘鼎彝器款識」，皆是其例。

**(4)稿本和手稿本** 凡已經寫定尙未付印的書稿，稱爲稿本。其爲著書人親手自書的稿本，稱爲手稿本。如清洪亮吉手寫的「卷施閣近詩」，桂馥手自訂的「晚學集」等，皆爲手稿本，亦稱爲手定稿本。

**(5)清稿本** 凡稿本經他人代爲繕寫後，又經著書人親手校定一番，稱爲清稿本。例如清代沈炳巽的「續唐詩話稿本」，卽是清稿本。

**(6)烏絲欄抄本和朱絲欄抄本** 凡在紙或絹的上面所畫的界格，都稱爲欄。用墨畫的，稱爲烏絲欄，用硃畫的，稱爲朱絲欄。用烏絲欄紙所抄的書，稱爲烏絲欄抄本，用朱絲欄紙所抄的書，稱爲朱絲欄抄本。按唐代有李肇的「國史補」載：「宋毫間有絹織成界道者，謂之烏絲欄。」是知烏絲欄之名，由來甚久。

**(7)影宋抄本** 藏書家遇宋版書籍，爲世人所稀見而不易購得者，往往選有名的寫手，用優良紙墨，照式影抄，務使和原本不差分毫。這樣的抄本，稱爲影宋抄本。

按影宋抄本，頗堪珍視。因爲有了這種抄本，不但藏書家可資鑒賞，卽宋版書之僅存於今世的，亦可借以流傳於後代。所以「天祿琳琅書目」特闢影宋抄本爲一類，其位置僅次於宋版而居元版之前，亦不爲無因。古今藏書家以明汲古閣毛氏影宋抄本最爲著名。孫從添「藏書紀要」說：「汲古閣影宋抄本，古今絕作。」

**(8)內府寫本和進呈本**　清代宮廷所修的書，如列朝實錄、列朝本紀、黃紅玉牒等，向不發刻，概用朱絲界格，工楷繕寫。這一類的東西，稱爲內府寫本。其他如所謂「御製」「勅編」「勅纂」「欽定」諸書，在刻本之外，均另備寫本，仍用朱絲界格（亦有用烏絲界格的），工楷繕寫。這一類的寫本，稱爲進呈本。

**(9)搨本**　凡摹搨金石、碑碣、印譜之本，稱爲搨本。其用墨色搨印的，稱爲墨搨本。用朱色搨印的，稱爲朱搨本。而最初摹搨的稱爲初搨本，初搨本字迹清朗，人以爲貴。關於這一類的書，其數頗多。金石方面的如貞松堂「古琴物銘」，碑碣方面的如漢「熹平石經」、唐「開元石經」、清「石經」等，印譜方面的如「西泠八家印選」、「昔則印存」等，都是搨本中之一例。

按搨本有兩種搨法。據葉氏（昌熾）「語石」說：用白宣紙蘸濃墨重搨，搨後砑光，黑可鑒人，稱爲烏金搨。用極薄紙蘸淡墨輕搨，望之如淡雲籠月，稱爲蟬翼搨。

⑽**影印本**　近代印刷技術進步，凡遇古版佳刻，欲廣泛流通，而不令失其本眞者，因而有影印之法。其法：先以原書逐葉照相，用所照的玻璃版晒印在黃膠紙上，再把黃膠紙上的像落到石版上，然後用普通石印方法印行。用這種印法所印的書，稱爲影印本。例如商務印書館所印出的「四部叢刋」，雙鑒樓所印出的百衲本「資治通鑑」等等，全是影印本。

⑾**石印本**　用石材製版所印的書，稱爲石印本。其法：用富於膠著性的藥墨，寫原稿於特製的藥紙上。待稍乾後，將藥紙複鋪於石面上。揭去藥紙，用水拂拭，趁水未乾，滾上油墨。石面因有水的阻力，不著油墨；其有字畫之處，則著油墨。鋪紙壓之，卽印成書。

按石印術爲奧人施納費爾特所發明（一七九六），我國之有石印術，始於淸光緒二年（一八七六），法人翁相公，在上海設上山灣印刷所，專印敎會用的宣傳文件。至於用石印術印行其他應用書籍，則以英人美查在上海所設之點石齋爲最先。其開創之初，第一獲利之書爲「康熙字典」，先後共印十萬部，均不數月立盡。因其法簡利厚，於是有廣東人徐鴻復等，於光緒七年（一八八一），先後開設同文書局及拜石山房，專事翻印古書，如「二十四史」、「康熙字典」、「佩文齋書畫譜」等，出品均極精美。當時三家石印書局鼎立，爲我國石印術之最早者。

⑿**鉛印本**　此處所擧之鉛印本，是指用新法鉛印術而言。我國之採用新法鉛印術雖遠在十八世紀之初葉，但當時所有之印刷廠多委西人經營。其最早之漢文鉛字本，爲淸咸豐七年（一八五七）上海墨海書館出版之「六合叢談」。

**⒀珂羅版印本（玻璃版印本）** 珂羅版的製法，先用矽酸鈉滾液塗於毛玻璃上，用水洗之，乾後再塗以珂羅丁和重鉻酸鉀混合液，使與照相之乾片密接，於日光下晒之，則相留在玻璃版上。印刷時，先用水浸玻璃版，拂去濕氣，再用膠棒滾上顏色，每版可印數百張，與原象分毫不差。世人稱爲珂羅版印本，亦稱爲玻璃版印本。

**⒁銅版印本** 此處所舉之「銅版印本」，也是指用新法銅版印刷而言，與宋岳珂「九經三傳沿革例」中所說的「銅版」和「宋史」所載的明道三年（一〇三四）「發內府金收換會子（紙幣），收『銅版』勿造」之銅版不同。古時之銅版的製法，今已失傳。此處所說的新法印刷術的銅版，概有三種，一爲雕刻銅版，二爲照象銅版，三爲電鍍銅版。三種之中，以雕刻銅版之應用爲最廣。其技術自清代康熙年間（約當十七世紀），卽已開始傳入我國，但最初尚掌握在歐人之手。至乾隆時（約當十八世紀），所印的圓明園圖，方是國人自刻的銅版。以後，光緒十五年（一八八九）王肇鋐游學日本，又從日本傳習，輸入我國，這才應用愈廣。

以上所述之各種版本，無論是雕刻木版，排置活字，或用銅、鉛、石等材料鑄版所印刷的，統稱爲製版印本。此外，尚有一種用謄寫印刷技術所印之書，名爲謄寫版本。

這種謄寫印刷術，是近五十年來由日本輸入中國的。其印刷方法有兩種。一是油印法，卽「毛筆謄寫版」。一是鋼印法，卽「鋼筆謄寫版」。最初，僅在學校中用以印刷講義，機關中用以印刷公文，以及各報館、通信社用以印刷通訊、簡報等。因其用具簡單繕寫省工，印刷便利，故頗流行。至於施之印刷書籍，其用油印法的，當以孫師鄭所印的「四朝詩史」；用鋼印法的，當以北京著涒吟社、寒山詩社等所印的「詩詞課卷」為最著名。

（錄自「古籍版本淺說」第二章，民國四十六年出版）

# 談善本書

昌彼得

（本文係東海大學廿週年校慶昌教授應中文歷史四所系學術演講經昌教授校訂之紀錄）

我們在目錄書中常常見到，或是聽到「善本」這個名詞，但究竟什麼樣的書才能稱爲善本？一般青年學子對其概念還很模糊。「善本，」顧名思義，是指美好的書本，但怎樣才算美好呢？要了解這一名詞的含義，須先清楚它的意義在歷史上的演變。「善本」這個名詞的起源並不太古，它是在印刷術發明並普及以後，大約在北宋時期才出現的。北宋末年有一位學者葉夢得（石林）在所著石林燕語卷八中說：

唐以前，凡書籍皆寫本，未有模印之法，人以藏書爲貴，書不多有，而藏者精於讐對，故往往皆有善本。

另外南宋初期有一學者叫朱弁的，他在曲洧舊聞卷四云：

宋次道（敏求）家藏書，皆校讐三五遍，世之蓄書，以次道家爲善本。

這兩個例子說明凡是經過審愼校勘的書本可以稱爲善本。這是宋代所謂善本的定義之一。

朱弁曲洧舊聞卷四又云：

穆修在本朝爲初好學古文者，始得韓、柳單本，欲二家集行於世，乃自鏤版，鬻於相國寺。

穆修根據唐代的本子將韓柳集雕印出版，對古文的提倡有很大的貢獻。又高宗翰墨志云：「淳化帖、大觀帖，當時以晉唐善本，及江南所收帖，擇善者刻之」。這兩個例子說明了晉唐的古本可以稱爲善本，這是宋代所謂善本的定義之二。

洪邁容齋四筆卷十，東坡題潭州帖云：

潭州石刻法帖十卷，蓋錢希白所鐫，最爲善本。

又現在通行的通鑑紀事本末前有元陳良弼的序文，他說：

趙與𢡟以爲嚴陵（刻本）字小且訛，於是精加讎校，易爲大字，成爲天下之善本。

這兩個例子是把近代所校刻很精的本子也稱爲善本。這是所謂善本的定義之三。

另外宋紹興年間，有一位名叫董棻的，他跋世說新語說：「世說三十六篇，世所傳者釐爲十卷，或作四十五篇，而末卷但重出前九卷所載。余家舊藏，蓋得自王原叔（洙）家，始得晏元獻（殊）手自校本，盡去重複，其注亦小加剪裁，最爲善本」。現在通行的世說，卽自晏殊校本出，與敦煌所出唐代寫本頗有差異。這是以經過精校而無重複且注文精當的本子稱爲善本。又在宋會要稿第五十五册中有一段資料云：

宣和七年四月九日，提舉秘書省言：取索到王闡、張宿等家藏書，與三舘秘閣現管帳目比對到所無書六百五十八部、二千四百一十七卷。及集秘書省官校勘，并係善本。

這是以流傳稀少的書稱爲善本。

由以上所擧我們可以歸納宋朝人對善本書所下的定義，凡是經過精校的，及精刻的，精注的，流傳稀少的，或舊本等五類書本皆可稱爲善本。此一定義，元明兩朝一直沿用。清光緒初張之洞在所著的輶軒語語學篇中論善本書說：「善本非紙白版新之謂，謂其爲前輩通人用古刻數本，精校細勘，不譌不缺之本也。」於是他對善本書下了三個定義：

一、**足本**——沒有缺卷，未經刪削的本子。

二、**精本**——凡精校的、精注的書皆屬之。

三、**舊本**——凡舊刻、舊抄皆是。

他的這三點意見實際是從宋朝以來所謂的善本歸納得來的。而他所說的善本，也就是一般讀書人所稱的善本。

惟是我國自明末淸初以後，一般人所認爲的善本書，其意義與前面所述的略有差異，藏書家所稱的善本，完全視書本是否古舊而定。凡是舊刻、舊抄的因爲存世較少，他們認爲應該特別予以珍藏，妥爲保存。有些書雖然校刻的很精，編注的很好，但若是通行的本子，藏書家就不將它列入善本書中，故藏書家所謂的善本，實是指的珍本書而言，與讀書人的觀點不同。

中國雕版印刷起源甚早，約在七世紀末，至遲八世紀初就已發明了。到了宋代，印刷術已相當的進步並普及，雕版印書也流傳甚廣，然而元明兩代的藏書家，初並未特別重視宋版書，宋版書之被認爲可貴是始於明中葉以後。當時有些學者對通行的一些書讀起來發生疑問，於是尋覓舊本來作校勘訂正，因此宋版書成爲藏書家蒐訪的對象，覆刻宋元本書成爲風氣，宋元舊本乃大受重視。玆舉一個故事來說明。據淸吳翌鳳遜志堂雜鈔記載：

嘉靖中，有朱吉士大韶者，性好藏書，尤愛宋時鏤板。訪得吳門故家藏有宋槧袁宏後漢紀，係陸放翁、劉須溪、謝疊山三先生手評，飾以古錦玉籤。遂以一美婢易之，蓋非此不能得也。婢臨行題詩於壁曰：「無端割愛出深閨，猶勝前人換馬時，他日相逢莫惆悵，春風吹盡道旁枝」。吉士見詩惋惜，未幾捐舘。

像這種以人來交換書，眞是佞宋之癖，入於膏肓。又譬如明隆萬間的一位大史學家王世貞（弇州），爲了要得到一部宋版漢書，不惜出售在太倉的一座田莊才購得。可以想見當時珍重宋版書風氣之一斑。到了明淸之際，像毛晉、錢謙益、季振宜等人，皆極力覓求宋元版。此一時期雖然大家重視宋元版，但他們並未只以宋元版爲善本，只是特別珍貴而已。在這種風氣影響下，到了淸代中期，蘇州的黃丕烈，海寧的吳騫，一個以收藏宋版豐富炫耀，一個以集藏元刻多來標榜，百宋千元，傳爲書林的佳話。但在此時期，也還沒有認爲除了宋元版以外就無善本。就是到了光緒初年，歸安的陸心源，將家中的許多宋元版及一些名家手抄或批校的書貯放在皕宋樓，明以後的刻本則藏在守光閣，但以舊本與非舊本書分置，也並未以善本與普通本對稱。

專將舊本視作善本的，是開始於淸末杭州的藏書家丁丙、丁申兄弟。他們於光緒十四年在嘉惠堂內闢了一間屋子署名善本書室，專放置舊本書，廿七年並編印了一部目錄——善本書室藏書志，善本之名，自是始專歸之舊本書。稍後，宣統年間繆荃孫編印學部圖書舘善本書目，善本之名，遂爲後來藏書家所沿用。所指者，卽張之洞所言的舊本而已，足本，精本皆未包括在內。故今日一般習稱的善本僅是指的珍本，並非學者所認爲的善本，已失去了它原來的意義了。至於舊的標準如何？這亦隨時代而異。明淸之際大家所搜訪的偏重宋元版以宋元版本爲舊。淸乾隆年間于敏中、及嘉慶初元瑞先後奉勅編輯天祿琳琅書目及續編，所著錄的，除了宋元版以外，將明朝精刻或覆宋刻本書也酌歸入舊本。這一標準，爲後來藏書家所沿用，大抵以明代初年以前刻本爲舊。至淸末，標準又略降低，丁丙善本書室中所貯，除了宋元及明嘉靖以前刻本外，萬曆以後的刻本傳世較稀少的，亦歸入善本之列。所以他出版的善本書室藏書志編輯略例說明著錄的標準有四：一、舊刻，指宋元古本；二、精本，指明嘉靖以前刻本及萬曆以後罕見的版本；三、舊抄，指明及近代影抄精本；四、舊校，指名家批校本。這一善本的標準，一直沿用到民國初年。民國廿二年，國立北平圖書舘出版的善本書目卽依照此標準。並又編印善本書目乙編，以著錄明萬曆以後的刻本及淸初所刻而較罕見的版本。卅六年江蘇省立國學圖書舘出版的書目，在書名下分別注明甲或乙或不注，注甲字者是依丁丙的善本標準，注乙字者則與北平圖書舘善目乙編的標準略同，不注者是普通本。四十五年國立中央圖書舘出版的善本書目亦沿其例分成甲乙兩編。到了五十七年，台灣所出版的各大圖書舘藏善本聯合目錄所採的標準又降低了些，不再分爲甲乙，凡是明亡一六四四年以前的刻本皆列入善本，再加上淸初所刻而傳世較少的版本。蓋舊本書傳世日漸稀少的緣故，不得不特別予以珍藏。所以俗謂的善本也者，在實質上只是傳世較少的珍本，也就是一般收藏家所說的舊本。但在我們做學問的人應該將範圍看廣一點，應以張文襄所說的舊本、足本、精校精注本作爲衡量善本的標準才是。

舊本書既爲藏書家所珍貴，那麼舊本書到底有什麼價値呢？收藏家之所以特別寶貴與重視舊本書，也並非完全將舊本書視作古董，而是因爲它確具有學術上的價値。清道光年間，洪亮吉的北江詩話將當時的藏書家分成考訂、校讐、收藏、賞鑑、掠販五等。其中的賞鑑、掠販兩家中，固然或有將宋元版視作古董的，至於考訂、校讐、收藏三家，則是以所藏的善本作學術的研究，或蒐集文獻以供他人來作研究。

我國是一個文明古國，圖書的歷史悠久，就是從印刷術發明到現在也有一千二百多年了。古籍經過了若干次的繙刻，而因校刻的人的學識高下而有優劣之分，倘若讀者不選擇善本，往往可能發生關係重大的影響。現在我講兩則故事，作爲例子來說明：一、宋朱彧萍州可談中記載，在北宋哲宗元祐年間，杭州府學有位教授姚祐先生，某次考試生徒的易經，出題：「乾爲金，坤又爲金，何也」？參加考試的學生見到試題後，相覰詫然，無從措筆。因爲易經的原文本是「乾爲金、坤爲釜」，國子監刻本不作坤爲金。於是有生徒懷著監本，上前請教教官是否依據福建麻沙刻本而有錯誤？蓋監本不如此。姚祐檢核了監本及所讀的周易，果然是自己的麻沙本刻錯了。將釜字上面漏了兩點，變成了金字，而鬧了一場大笑話，遂坦承錯誤認罰改題而止。二、明正德嘉靖間陸深金臺紀聞記載，明代初年金華有一位名醫戴原禮，嘗因事去南京，寓住旅邸，見對過有一醫生診所，每日前往求診的病人很多，心想一定是一位神醫，遂去其門前察看，見其所處方，並無什麼特異之處。一天，偶見有一位病人拿著藥方已走出門外，那醫生匆匆追出來，告許病家，煎藥時要放錫一塊作爲引。原禮在旁聽了，甚感奇怪，從未聞有以錫作引的藥方，遂上前請教醫生。醫生說：這是依據古方。原禮要求一閱原書，原來是餳字之誤，餳卽是糖，醫生藏本將食旁誤刻成金旁，易字又少了一筆，乃變成了錫。於是告訴他急爲改正。由於醫生不講求版本，沿用不好的本子開方，幾乎要釀成人命。可見雖是一個字的誤錯，其影響也可能是很大的。

以上所講的是古代的事例，我再談一個現代的例子。諸位可能還記得，在民國五十五年臺北市高中聯考國文時，有一道改錯題，由於所引據的本子不同，發生了所謂篷蓬之爭，而一時喧騰報端。此題是出自唐李白的別友人詩：「青山橫北郭，白水繞東城，此地一爲別，孤蓬萬里征」來改其中的錯字。標準答案應將蓬字改成竹頭篷字，因而引起了以草頭蓬字不誤未改的學生家長們之不滿，紛紛投書報紙指摘。當時國立編譯館公開答覆說，根據明嘉靖年間吳郡郭雲鵬覆宋刻善本（卽四部叢刊初編影印本），應作竹頭「篷」字。姑不說「孤蓬」一詞，在文選中屢見不鮮，喻作小草。就從版本來談，他們的依據也未盡當。郭氏刻本並非覆刻宋本，也並不是眞正的善本。宋楊齊賢注、元蕭士贇補注的李太白詩現在存世最早也最善的版本，是元至大間余氏勤有堂刻本，其次有明正德間安正書堂刻本，都作蓬字，不作篷字。編譯館不去查考較早的版本，而但據未必佳的嘉靖本，致引起軒然大波。所以我們讀書做學問，應當特別注意版本，才能避免製造笑話。宋黃朝英著的靖康緗素雜記，在卷十中記載說：

韓愈之子名昶，嘗爲集賢校理，史傳中有說金根處，皆臆斷之，曰：「豈其誤與？必金銀車也」。悉改根字爲銀字（按金根、車名，殷名乘根，秦改曰金根。金根者，以金爲飾）。

韓昶不懂古代制度，乃有亂改古書的毛病。所以我們讀書時，如發生了疑問，不妨從版本方面來探究，也許可以獲得解決。近代西洋學者研究中國學問，如遭逢問題時，往往從版本方面來研究而找到了解答。

講求版本，並不一定是說舊本都是善本，沒有錯誤的。清初有一位校勘名家陸勅光（貽典）曾說：「古今書籍，宋版不必盡是，時刻未必盡非。然較是非以爲常，則宋刻之非者居二三，時刻之是者無六七」。眞是可謂經驗之談。是前人也並不一定偏重宋版，不過舊本書中的確有它的佳善之處。清中葉以後有許多校勘學家做了不少的校勘工作，像盧文弨的群書拾補卅八卷，蔣光煦的斠補隅錄廿四卷，陸心源的群書校補四十卷，用他們所蒐得的舊本來校勘當時通行本，將傳本脫漏謬誤的地方，一一校出記錄下來，對讀書人有很大的貢獻。

爲什麼我國獨獨會有版本的問題發生呢？我們要清楚這個問題，必須先要明瞭版本的意義。在紙未發明以前，古人利用竹或木削成狹長片來寫書，單指一根稱爲簡，將若干根簡編連起來稱作一册或一篇。除了簡册以外，另有一種寫字的工具名爲方或版的，其形制據古書的記載，是以木製成的長方形板，上面大約可以書寫五至九行，一百字以內。「版」本來是古代圖書形制之一種，主要供官府記錄錢糧土地戶籍。到後來紙發明了，而廢用竹木，「版」字則在歷史上消失了一段時期。唐代發明了雕板印刷術，由於雕板的板與古代的方版形狀相似，所以沿用舊稱，將雕板稱為「版」。「本」字，根據說文解字曰：「木下曰本，從丅」。卽樹木的根，爲根本之意。譬如別錄云：「讎者，一人持本，一人讀書」。劉向校書，盡取中外所藏的書本。顏氏家訓書證篇中常引江南書本，以別於江北的書本。都是說明各書的本根來源。「版」是橫的，有時間地域的區別，譬如宋版、元版、明版、杭刻、蜀刻、閩刻等，可稱爲緯。「本」則是縱的，是經，沒有時代地區性。「版」雖有不同，其「本」則可能是相同的，譬如宋版書及後代覆刻或影印該宋版，版雖不同，其本則不殊。版本學就是研究圖書的這種經緯縱橫關係，它所包含的範圍較廣，並非單指雕板，就是手抄本、批校本，也都在版本學研究的範圍之內。

中國版本學之所以會產生，乃是因爲印刷的歷史久長，歷代雕印書的人的學識有高下，以及其刻書的目的有所不同，於是印刷成的書本也就有了優劣。在宋朝時，印刷術已是非常的發達，當時雕印的中心地區有三：

一、以杭州爲中心的浙江地區，卽所謂的浙刻本。

二、以眉山爲中心的成都地區，卽所謂的蜀刻本。

三、以建陽建安爲中心的福建地區，卽所謂的閩刻本。

在這三個出版業中心，以杭州所刻最爲著名。兩宋國子監及江南地區的官刻，絕大部分是在杭州雕版的，故杭州校勘寫雕印刷的專業人才較多，所出版的書亦最精。四川刻書也相當的不錯，此地自唐以來，印刷業卽甚爲發達，而且文化水準相當高，故所刻之書也很精美。建陽建安則爲福建書坊薈萃的地方，著名的麻沙書坊卽在建陽縣境，出版最多。不過書坊以贏利爲目的，故所刻較遜。宋代杭州刻書多是請書法名手來繕寫上版，用棗或梨樹木版來雕鐫。棗梨木料堅實耐久，可以保存繼續刷印達幾百年。其所有印刷的紙大都以桑麻爲主要原料造成。桑皮紙甚爲厚實，具有韌性，國子監刻書多用此種紙刷印。麻紙雖較薄，但韌性也不錯。四川印書除了用麻紙外，另也有用籐皮纖維爲主要原料造成的籐紙。上述的幾種紙皆可以耐久，不容易磨損脆裂。至於福建刻書因爲多出自書坊，以圖利爲主，爲了使銷行廣，必須售價廉，故力求減低成本，選用廉價的材料。譬如以榕樹木代替棗梨來雕版，榕樹，福建生產甚多，故價廉。而且其木料質地粗鬆，易於施刀，自然也就省工了。在用紙方面則多以竹製的紙，竹紙價低，但其缺點爲無韌性，放久後，易於脆裂。所以福建雕印的書，在品質上雖遠不及杭蜀兩地刻本，惟因售價低，銷行反而較廣，遍於全國。

此外，在校勘方面，閩版也沒有浙本蜀本矜愼。我國雕版印書的過程，是先寫樣本，經過校勘，然後請書家繕寫在薄紙上，再經過校勘，如無錯誤，則反貼到木版上，由雕刻工刋雕，雕竣，初用朱色刷印數部，再送請校勘，蓋恐怕雕字工人將原來的字劃雕錯了，無誤後，才正式印刷裝訂成書。杭蜀二地刻書校勘審愼，經過多次的校勘，故錯字較少。福建刻書爲了省工，而校勘的次數少，而且比較馬虎，故缺筆漏字的情形較多。像前面所講到「乾爲金，坤又爲金」一類的笑話，在宋人筆記中屢見不鮮，批評也最多。然而閩本售價低，流傳反而較廣。現今傳世的宋版書，閩版書幾乎佔了一大半。

到了明代，情形又有改變，在書賈方面，尙大抵一如往昔，偸工減料，據嘉隆間郎瑛七修類稿中記載說：福建的書坊如果發現某一書的銷路好，馬上僱工予以翻刻。爲了搶時間、搶生意，往往將原書中的篇第暗中删減，使人不覺。造成了卷數雖相同而內容卻有很大的差異。然而因爲便宜，一部書只售半部的價錢，而爲人所爭購。這尙只是造成版本異同的原因之一，而明代末季的人還有一個更壞的習慣，喜歡改篡書。王陽明的致良知之說，講求頓悟，本來並不錯。但是經過再傳以後，其末流流入狂禪學派，讀書不求解，只要閉室面壁幾天，自謂道理想通，可以一以貫之，卽自以爲是聖人。這類人校刻古籍，遇有不能通解之處，卽予以篡改，以使符合自己的意思，正好像唐代韓昶改金根車爲金銀車的情形一樣。所以清人常說：「明人刻書而書亡」。這句話並不是說明朝人刻其書後，該書沒有了，而是該書失去了它本來的面目，等於原書亡了一樣。清代樸學之所以興起，正是明末學風所激促成的。清人崇漢學，講名物訓詁，特重校勘學，蒐求宋元版，都是因明末之任意篡改古籍所造成。另外還有一種書因版本不同而內容發生差異的原因，則是屬於政治型，有意的改篡。清乾隆中纂修四庫全書就是一個實例。淸高宗爲了消弭民間反淸復明的思想，假修書徵書之名，達到焚禁圖書之實。遇有流傳已久的書而無法禁毁，則將其中他認爲有違礙的內容，加以篡改。不僅對明朝人的著作如此，宋人書中凡有不利於金人的記載，也予以删改。我再舉一個例子：南宋莊綽寫了一部書名雞肋編，其中原有一篇孔子宅，敍述金兵南侵時，經過山東曲阜孔子的老家，指著孔子宅大駡，說：這就是曾說「夷狄之有君，不如諸夏之無」的人，於是放火焚毁孔子老家，文中記載金兵的暴行甚酷。修四庫時，大概因此篇文字無法部份纂改，於是將全篇删去，而另杜撰一篇敍述孔子世系的文章以補其位。所幸此書元人抄本還存世，可使我們得睹其書的原貌。至於對明人的著作，因涉及清開國的歷史，删改的更多。就是清人本身修纂的史書，也因時代的不同，遞有纂改。譬如現在通行的清實錄，其中清開國及初期的幾期，是乾隆朝纂修頒行的。假如拿故宮所藏清順治年間初纂的太祖、太宗兩朝實錄來校勘，內容就有很大的差異，若干史實的眞象，重纂時予以隱沒了，所以我們做研究利用某書資料時，首先應當將該書的版本源流約略了解，才能靈活的運用。做研究工作的人，倘若具備有一些版本學的知識，則可得心應手，對研究當有不少的助益。

最後來談談善本的鑑別。這個問題包括如何鑒定版本，及怎樣知道其本的優劣。鑒定版本是版本學上較難的一個課題，必須多看，多作比較的研究，正如孫從添藏書紀要中所說：「必須眼力精熟，考究確切」。假若不浸淫其中若干年，是很難鑒別無失的。因爲自明末假造宋元本的風氣卽很盛，技術也不斷的進步。如果眼力不能精熟，卽易受其愚弄。當然，一個收藏家或圖書館的採訪人員，必需具有很精的鑒別眼力，才不致上當吃虧。但在做學問的人而言，只要具有基本的鑒別知識，知道某書是宋是元，或是否好版本卽足。現在我簡略的談談鑑別善本書的幾項原則，也就是必須有的幾項基本知識。

**一、要略懂我國版刻的歷史，知道歷代雕版的優劣情形。**

一般而言，宋元版是善本，明中葉以後刻本較差，清康雍以後刻本校勘矜愼。然而宋代有浙蜀閩版之分，同一地區刻本，又有公私之別。也有宋元版明代修補印行的，其間差異頗大。明季刻本，固多改纂，也不乏覆宋精刻的。清代刻本，固多校勘精審，但也只限於收藏名家的刻本，不宜一概而論。至於同是手抄本，其中有著名藏書樓或名家的抄本，也有鄉間塾師或生徒抄本，其優劣則有天淵之別。如果瞭解版刻及圖書的歷史，對鑒別善本有很大的幫助。

**二、需要略具版本學的常識，而知道區別宋元版或名家批校鈔本。**

精於鑒定版本固然不是一件簡單的事，但一見其本卽可約略區別它是宋元版或明清刻本，則並不是一件太難的事。因爲一個時代有一個時代的風格，只要能了解各時代的風格，而知道其上限，就能約略推斷出該版本可能最早的時代。我約略的談談鑒定的幾個最基本的常識。

**甲、版式** 所謂版式，就是一塊書版的格式。書版的四周圍有墨線稱作版匡，也名爲邊欄。四周一道墨線的稱爲單欄，兩道墨線的稱爲雙欄，通常的上下一道墨線，左右兩道墨線的稱爲左右雙欄。版的中央部位留有一條不刻正文的部位叫做版心，因爲宋元時代通行蝴蝶裝，文字向裡對摺，此部位在中心故名；明初以後改行包背及線裝，文字摺向外面，此部位也變成向外部份，故又名版口。版心的上下各有一道橫線，從此橫線至上下邊欄形成上下各一個空格，叫做象鼻。象鼻中空白的稱爲白口，中間有一道墨線的稱爲小黑口或線口。若爲粗黑線或全黑的稱爲大黑口或濶黑口。如果上象鼻之之中刻有書名，通常稱爲花口，在上橫線之下及下橫線之上，通常各刻有一似魚尾形的墨文稱做魚尾，係供摺紙的準線。也有僅上面有而下面無的名單魚尾，也有多至三個四個的。上下魚尾之間係供刻記書名、卷數及葉次。宋版書多是白口單邊，版心上方記本版字數，下象鼻中記刻工姓名或單記一字。而記字數的情形源起稍晚，大抵起於南宋光宗以後，而南宋以後通行左右雙欄。至於書名並不全刻只用兩字或三字。自南宋末年又開始有版心上下作黑口者，至元及明初乃通行。明正德嘉靖間覆刻宋版漸多，故版心又變爲通行白口，不過罕有記載字數及刻工的。嘉靖間又有開始將書名改刻在上象鼻內，而書名全刻，形成花口，萬曆以後成爲定式。又宋代通行每卷前載列該卷的卷目，下連屬正文，因爲係沿襲唐代卷子本的欵式，但刻宋人著作用此式的則不多。以上所談只是大概的情形，而且不能斷其下限。譬如見到版心上下記有字數刻工的，不能即認爲它是宋版，因爲元代及明中葉以後仿宋覆宋刻本也有此式的；見到黑口本不能必說它是元版或明初本，嘉靖以後也偶有刻作黑口的。不過可以定其上限，版心上方刻有書名的，絕不會是明正德以前的版本，黑口本也不容易僞充宋版。

乙、行款　所謂行款，是指其版每葉若干行，每行有若干字。清江標嘗撰宋元行格表，以爲宋版書的行字有一定的規式，卽每葉若干行，每行的字數，必與行數相同。固然，如南宋國子監刻九行大字本諸史，每葉十八行，行十八字，浙東茶鹽司刻群經注疏合刻，每葉十六行，行十六字等，誠如江氏所說，但此並不能完全概括所有宋版。從傳世的宋元版觀之，行字之間並沒有一定的關係。不過某家所刻各書，大都有他一定的行款。如宋元刋附釋音群經注疏，皆每葉廿行，行十八字；宋刻十行本諸史，皆每葉二十行，行十九字；臨安陳氏書籍舖所刻唐宋詩集，均每葉廿行，行十八字，蜀刻唐人文集，率每葉廿四行，行廿一字等等，也可以供我們作鑑定的參考。

**丙、字體** 書畫詩文等藝事，各時代有各時代的風氣，精於鑒賞者，一望即可知。圖書版刻的字體也是如此，且雕版工匠一時有一時的習尙，其或翻刻摹印，貌雖似而神已離。故審察字體實爲鑒別最主要的方法，不過這需要博覽多識，非初習者所能。但能略識梗概，也足供初步鑒別的參考。

宋本書中常見的有三種字體，一仿歐陽詢體，字畫規整端方，通行於江浙等地雕版書。一種爲福建刻本所常見的，字體在顏柳之間。另一種亦近柳體，但與閩刻不同，其橫畫落筆處，帶有瘦金體的韻味，是爲蜀刻的字體。元刻字體，初期亦因襲自南宋，中葉以後則通行趙孟頫的松雪體，圓潤秀逸。此種氣習下至明代弘治正德年間，沿而不改，只有工拙之分。正德以後，覆刻宋版的風氣漸盛，尤以覆刻南宋陳氏書棚本唐人詩集最多，陳氏書棚本仿歐陽率更體，覆刻時因仿其字體及版式，影響所及，故嘉靖以後刻書字體及版式的習氣一變。惟寫刻未精，工匠爲便於施刀，漸變成橫輕豎重，板滯不靈的匠體字，即現在我們通稱爲宋體字者。此類字體起於嘉靖，變於隆慶，成於萬曆，大抵每三五十年一變，愈趨愈方板。清代除通行宋體字外，另外尙流行一種軟體字者，即正楷書，這兩種字體一直沿用至今，我們可以從字體約略鑒定其雕版的時代。

**丁、刻工** 宋元版書中大都記有刻工，這是研究版本學很重要的資料。研究刻工是比較晚起，近幾十年來對刻工的研究漸有成績，最早是民國廿三年日本長澤規矩也先生在日本書誌學上發表了宋元刻工表初稿，對於研究刻工的人有很大的方便，風氣所及，後來編寫善本書志圖錄的，對於刻工皆加以詳細記載。近年對刻工已作有系統的整理予以斷代及分地區研究。故可從刻工來考出該書大概刻於何時何地。不過應注意的，明清覆刻宋元版，有並刻工照樣翻刻不改易的。故鑑定版本須各方面均要配合，光憑刻工一項是不夠的。

**戊、諱字**　宋清兩朝對於皇帝的御名，須要避諱，或缺最後一筆，或用其他同義字代替，如清代以元代玄、正代禎、允代胤等。宋代不僅避皇帝御名，即若干同音字，也須缺末筆。如高宗名構，須兼避勾、鉤、溝、遘等字。有時不作缺筆，而空其字，其字地位代以「今上御名」或「太上御名」等字樣。元以蒙古入主中華，不用漢俗，故不避諱。明人沿元習俗，也不避諱。但在天啟年間又恢復避諱，譬如熹宗名由校，校字避諱改作挍字，又改作較字。由書中避諱的情形可以看出該書刻在何時。如近年漢華公司影印的宋本中興舘閣錄，其書於寧宗廟諱「擴」字，代以「今上御名」，可知其本刻在寧宗時。又如四部叢刋景宋本豫章黃先生集，書中於構字注曰「太上御名」，可知其本刻在孝宗時。故宋清刻本，審察書中的避諱字，及於那一位皇帝，則可以考出其本的刋刻時代。不過宋代私家刻書，避諱不甚謹嚴，明代覆刻本，也與原本同樣作缺筆，故尚需審定其他方面，光據避諱字，尚不是絕對的鑒別法，何況元明並不避諱。

此外紙張的情形，也可供鑒別的參考。總之，鑒定版本，不宜執著，分開來論，絕不能單憑一兩項特徵而推斷其版刻的時代，必須綜合各種情況均相符合，才能下斷語。至於鑒別抄本的優劣，須先熟習前代收藏名家的生平及抄書情形，大抵各名家抄書都備有專用的紙。名家所抄的書必是罕見的書或傳錄好的版本，故必爲善本。如非名家抄本且未鈐有名藏家的收藏印記，其價値較低。關於抄本批校本的情形，因涉及較廣，限於時間不多談。

## 三、需要略具目錄學的常識。

張文襄書目答問略例云：「讀書不知要領，勞而無功。知某書宜讀，而不得其精校精注本，事倍功半」。要如何才能事半功倍？這就需要目錄學來爲之指引。目錄學的意義是把繁雜的圖書，依照學術的分類，部次得井井有條，使讀者能卽類以知學，因學以求書。故前代的讀書人莫不具有目錄學的知識，以備開啓研究學術之門。自明季社會重宋元版風氣所及，於是有專重圖書版本的目錄書出現，也就是所謂的賞鑑書志。從淸初常熟錢曾撰讀書敏求記開其端，乾嘉以後逐漸成爲中國目錄學的主流。藏書家將他們珍藏的舊本，撰寫書志，介紹於人。因爲他們收藏豐富，同一書藏有若干不同的版本，便於互相勘對，校其異同，使讀者能知傳本的優劣。假如我們具備了這方面的知識，明瞭各家書目的內容性質，遇有問題時，一檢各家書志，卽可對某書版本是否珍善，作一抉擇。

以上所談，均屬個人淺見，卑之無甚高論，而且殊爲拉雜，躭誤了諸位許多寶貴的時間，謝謝。

（原載「東海學報」第十七卷，私立東海大學，民國六十五年六月）

# 寫本、稿本和校本

## ——在國立中央圖書館展覽會演講稿

屈萬里

國立中央圖書館收藏的善本圖書，共有十二萬多册；其中單是寫本就近乎二千六百部，稿本有四百八十多部，批校本也有四百多部。對於研究中國文史方面的人們來說，這眞是一個寶庫。這次展覽，陳列了歷代的刻本、寫本、稿本、和批校本。關於刻本部分，昌彼得先生已經介紹過了。玆承館長蔣慰堂先生之命，對於寫本、稿本、和批校本，再向諸位先生作一個簡單的敍述。以下將分五節來說：

### 卷子本

卷子本是繼承了帛書的系統的。在我國古書裏，常看到竹帛的字樣。竹，是指簡册說；帛，是綢子。簡册和綢子，都是古人用以寫書的工具。不過綢子的價値太貴，不是一般人所能常用的；因而古代的書籍，用簡册寫的最多。古代的帛，長約四丈，寬約二尺二寸。如果用它寫書，寫完後把它捲起來，就成了一捲。這一捲，古人叫作一卷；卷，就是捲的意思。

到東漢時代，蔡倫發明了紙；於是人們就用紙來寫書，簡册和帛書，才漸漸地廢掉了。紙的長度，雖然比綢子短得多；但人們可以用漿糊把它們一張一張的連接起來，結果它的長度也相當於一匹綢子，或者更長一些。寫成書後，也是把它捲起來，成爲一卷，和帛書一樣。

中央圖書館收藏的卷子本有一百五十多卷，大部分是敦煌石室出來的。其中最早的，是六朝時代的人所寫的；寫書的時候，到現在約有一千四五百年了。它們的紙張，都是黃色，這是用黃蘗樹汁染成的；因爲用黃蘗汁染過後，就可以避免蠹魚的蛀蝕。古人形容夜讀，常用「黃卷青燈」一語。我們看了這些黃色的卷子，一定會格外地感到這句話的親切。我們又常聽說：「雌黃」這個名詞。雌黃是一種黃顏色的礦物。古人寫書時，如果寫錯了字，就用雌黃把錯字塗掉，然後再把要改正的字寫在雌黃上；正像我們畫水彩畫，畫錯了塗上鉛粉，然後另畫一樣。晉代的王衍，在談話時隨口引書，引錯了就隨口改正，當時的人說他「口中雌黃」。我們現在形容人隨便亂說，說他是「信口雌黃」。這話的意思，雖然和古人有點不同；但追究它的根源，却是從用雌黃校書來的。

用長紙捲成卷，必需用軸。軸，一般都是木做的。講究的人，有的用玉裝在軸的兩端。一卷，也叫做一軸，就是這個原因。

大體說來，唐代晚年以前的書，除了簡册之外，都是卷子本。從唐末以來，圖書有了葉子本和旋風裝，宋代有了蝴蝶裝，卷子本才漸漸的被淘汰。到我們現在，只有裱字畫的，還有卷子本，再沒有人用卷子本寫書了。

**著名的寫本**

我國圖書最著名的寫本，要算唐代吳彩鸞女士所寫的書了。據傳說，吳彩鸞是吳猛的女兒，他在路上遇到一位名文簫的青年，就嫁給了他。但文簫家裏很窮，沒辦法生活；彩鸞於是就寫唐韻來賣。據說她寫得很快，每天可以寫一部，每部可以賣到五千銅錢。她繼續寫了一年，後來就和他的丈夫隱居在新越王山。於是後人就說她們夫婦都成仙了。她所寫的唐韻，流傳頗多，從宋代到清代，常見於各家的記載。現在故宮博物院裏，還藏有一部。

明清兩代著名的鈔本，據葉德輝書林清話所記載的約有五十家左右。其中特別著名的，如無錫的姚舜咨（咨），吳縣的柳大中（僉）、錢叔寶（穀）、陸勅先（貽典），山陰祁承㸁的淡生堂，常熟毛晉的汲古閣，同邑的馮己蒼（舒）定遠（班）兄弟，以及錢曾的述古堂，蘇州黃丕烈的士禮居，海昌的吳槎客（騫），歙縣的鮑廷博（以文），昭文張蓉鏡夫婦的小娘嬛仙館，清初某親王的穴硯齋。以上各家的鈔本，中央圖書館都有收藏。

除了卷子本以外，中央圖書館此次所陳列的最古的抄本，是宋理宗時館閣寫的宋太宗皇帝寶錄；最著名的抄本，是明嘉靖隆慶間內府重寫的永樂大典，和清乾隆間寫的文瀾閣本四庫全書（此次陳列奇器圖說及江南經略二種）；最有學術資料價值的，是舊抄本的家世舊聞（詳下）；最精緻的，是汲古閣的影宋抄本。試看這次所陳列的汲古閣影宋抄本盤洲樂章一書，不但文字的筆畫，和宋本沒有絲毫不同；就連邊闌也畫得一筆不苟。尤其是那潔白的紙張像玉一樣，一開卷就使人心目俱爽。眞可以說是書中的尤物了。

## 稿本

前面說過，中央圖書館所藏的稿本，共計四百八十多部。它們大部分是明淸兩代的著作。稿本是最原始的資料，後來的抄本和刻本，總不免有抄錯或刻錯的字句，都應當取正於稿本，這是人所共知的事。何況，有些稿本，根本沒有傳抄過或傳刻過，世界上只有這一個孤本，它在學術資料上的價值可知。又：有些稿本，雖然另有抄本或刻本，但那抄本或刻本，只有原稿的一部分，並沒有全部傳鈔或傳刻。因而這稿本在學術資料上的價值來說，是僅次於孤本的。中央圖書館所藏的稿本之中，有許多是沒有傳抄或傳刻過的，也有許多是被傳抄或傳刻過一部分的，這自然是從事研究工作者的絕好資料。何況，一個著名的學者，經過數百年後，我們還能看到他的手蹟，還能看到他著書時改訂推敲的情形，這也是後代讀書人的一大快事。所以收藏家們更看重稿本。

這次所陳列的稿本雖然不多；但是，像明代王穉登的手稿南有堂集，王思任的手稿王季重詩文稿，文俶女士彩繪的金石昆蟲草木狀，清代錢謙益和季振宜合編的唐詩，翁方綱的手稿復初齋文稿，焦循的手稿雕菰樓經學叢書；這些，除了學術的價值以外，還兼有美術的價值。尤其是以書法著名的翁覃溪，他手寫的復初齋文稿計二十卷，詩稿六十七卷，筆記稿十五卷、札記稿不分卷，總計達一百三十八册之多。堆積起來，豈止盈尺？這眞可以說是洋洋大觀了。

**校本**

把自己的意見，寫在所讀的書上，叫做批；把別本不同的字句，過錄在所讀的本子上，叫做校。讀名家的批本，既可以看到他們（名家們）的手蹟，又可以見到他們沒發表過的見解。讀交本，則可以證知各種版本的優劣。照圖書流傳的情形看來，是校本比批本流傳得多；照學術的價值來說，校本也往往比批本的價值爲大。此次所陳列的都是校本，以下單就校本來說。

抱朴子說：「書三寫，魯爲魚，虛爲虎。」孔子家語也載有「晉師伐秦，三豕渡河」，子夏說三豕是己亥之訛的故事。所以我們常用魯魚亥豕來形容書中的錯字。寫本書流傳得不廣，如有錯誤，它的影響還比較小些。自從圖書有了刻本之後，一個版子，可以印千萬部書；所以，書版如果有了錯字，它的影響就大了。大體上說，宋版書除了麻沙本校勘稍微粗疎些外，其他的本子，校刻得都很仔細。元代到明代初年的刻本，也還不太馬虎。明代中葉以後的刻本，就有些胡鬧了，錯誤的字句常常可以見到，這還不說；甚至把原書任意刪節。像這種惡劣的本子，如果不給它們校正，則謬種流傳，眞是貽害無窮。由此可知藏書家所以重視校本的緣故了。

中央圖書館收藏的名家批校本，共有四百多部。這次陳列的則有：明唐寅手校、清黃丕烈手跋的宦游紀聞（宋張世南撰），馮舒手校的封氏聞見記（唐封演撰），淸盧文弨手校的鬼谷子、和契丹國志（宋葉隆禮撰），孫星衍和嚴可均合校的春秋分紀（宋程公說撰）。此外，如惠棟（呂氏春秋等），錢大昕（皇元聖武親征錄等），黃丕烈（南唐書等），顧廣圻（劉賓客文集等），孔繼涵（舊五代史等），鮑廷博（帝範等）等各名家的校本，這次都沒有陳列出來。我們看了這些批校本，卽使不論它們在校讐學上的價值；單從校勘的精細來看，古人那種讀書不茍的精神，也很值得我們景仰了。

## 寫本、稿本、和校本的重要

大體上說，寫本、稿本、和校本的功用，都是在校勘方面；不過，寫本和稿本的功用，還不止此。因爲前面已經說過，有些稿本，根本沒經過傳刻或傳寫；或雖有鈔本和刻本，而鈔的和刻的只是原稿的一部分，像這類的稿本，天壤間只有這一份，其可貴自不用說。又如：有些書雖然曾有刻本；但後來刻本都失傳了，只賸下一個孤伶伶的寫本；自然這寫本也和孤本的稿本，同樣可貴。以下，隨便舉個例子來說明寫本、稿本、和校本的重要。

先就寫本來說，譬如衆所週知的永樂大典，在清乾隆年間編四庫全書時，從它裏邊輯出來四百九十二種已經失傳的古書；後人陸續蒐輯，又輯出來很多佚書。又如此次所陳列的明抄本國朝典故（明朱常㴐編）、和萬曆邸抄，都是沒有刻本流傳的。宋陸游作的家世舊聞，說郛和五朝小說大觀雖曾刻印過，但只收了七條；明人所刻的宋人百家，雖有其目，而實際上所刻的乃是二程子的家世舊事。此次所陳列的舊鈔本，却有一百餘條之多。從事研究工作的人，對於這些稀見的本子，又怎能不視爲至寶呢？至於寫本在校勘方面的價值，我們且舉永樂大典本的水經注爲例：戴東原用永樂大典所引的水經注來校對明刻本，結果，補了明刻本所脫漏的字計二千一百二十八個，删掉妄加的字計一千四百八十個，糾正妄改的字計三千七百一十五個。一部書中，錯誤的字竟有七千多個。如果沒有抄本的永樂大典來校對刻本，這水經注就簡直地使人不堪卒讀了。

其次，再說稿本。譬如人人都讀過的崔顥的黃鶴樓詩，開頭四句是：「昔人已乘黃鶴去，此地空餘黃鶴樓。黃鶴一去不復返，白雲千載空悠悠。」但是，宋人的某一筆記，曾說見到崔顥的手稿，標題下有句小注，說：「黃鶴，人姓名。」詩的第一句，則作「昔人已乘白雲去」。由此可知，乃是黃鶴乘白雲仙去，所以人們才建了黃鶴樓來紀念他。而且第一句的黃鶴如依照原稿作白雲，則第一句和第四句呼應，第三句和第二句銜接，才顯出原詩結構的美妙。而通行的本子，不但開頭二句都有黃鶴字樣，顯得疊床架屋；而且第四句的「白雲」二字，也上無所承。可見相傳黃鶴樓得名之故，或說因費褘仙去，又乘鶴返此；或說仙人王子安曾駕鶴過此。這些話恐怕都有問題。這是校勘方面的例子。

就此次展覽的書說，像王稺登的南有堂集，孫承澤的元朝人物略，似乎都沒有刻本流傳。翁覃溪的集子，雖有刻本；但中央圖書館所藏的這一百三十八册的稿本，其中有很多詩文是沒有刻過的。這自然都是從事研究工作者的珍貴資料了。

最後，再說校本。校本的重要，由上面所舉戴東原校水經注的例子，就可以知道。一般說來，刻本的字句之誤，它的影響已經夠大了。而有些刻本，只把原書刻了一部分，就冒充全本。又有些書脫掉了若干葉，後人據以重刻，就永遠成了缺葉的書。譬如宋人王楙所著的野客叢書，商濬的稗海本，和陳繼儒的寶顏堂秘笈本，都只有十二卷；而中央圖書館所藏的明嘉靖間王穀祥的刻本，則有三十卷。如果不經過校勘工作，就不知道商陳兩家的刻本還不夠原書的一半。又如汲古閣刻的北齊書，在文宣帝紀裏，和李繪傳裏，各缺了一葉，共計六百多個字；又把高隆之傳的文字，摻入了李繪傳。不但史實殘缺，而且張冠李戴。如果不經過校勘工作，眞是誤人不淺。由此就可以知道藏書家所以珍視校本的原因了。

（原載「中美月刊」第十卷第三期，民國五十四年三月）

# 我國版本學上幾個有待研究的課題

昌彼得

「版本」這一個名辭，通常一般人都用來形容某一書的雕版時代，實則並不盡然。「版本」是一個代表兩種意義的連合名辭，「版」是雕版，「本」是指的書本。「版」本來是我國古代圖書的一種，又名作「方」，用木做成，形狀爲長方形，長短約與竹簡相似，只是比竹簡要寬，上面可以書寫從五行到九行，大約可容百字，故古人多用來作戶籍冊。唐代發明了雕版印刷術，刻書的版與之相似，故借用來專指雕版。「本」，許愼說文解字云：「木下曰本，從丅」，是根本的意義。漢成帝時劉向校書中秘，所依據的有內府所藏、太史所藏、大中大夫卜圭所藏、射聲校尉立所藏、巨富參所藏等各種不同的書本。北齊顏之推顏氏家訓書證篇中所常引的江南書本，以別於江北書本，都是說明各書本根的不同。「版」因刋雕有先後，所以有時代地域的區別，而「本」則沒有。譬如後代覆刻或影印宋元古本，時代雖與原刻有早晚的不同，而書本則與原版無殊。所以「版本學」也者，正確的說，是研究版刻的鑒別與歷史及書本的源流的一門學問。

我國圖書之開始有雕印，到現在至少有一千二百年的歷史，而版本之成爲一門專門學問，使得人來研究它，還不過是近五六十年的事。我國印刷術肇始於唐代，歷宋元兩朝雕版印書的事已經非常普遍，但還談不上有版本之學。到了明代，版本學才漸萌芽，入清以後方始昌盛，雖然有版本的書，還沒有研究版本學的專門著作。因爲前人都是依據他豐富的收藏，來比勘考校，完全憑他的經驗來鑒別及著述。至於其所以然之故，大抵是心領神會，未嘗明白的寫出來以敎示於人，所以還沒有步入科學的領域。清宣統三年葉德輝發表了他所著的書林清話十卷，是我國第一部研究版本的專著。在這部書中對我國雕版的起源及歷代公私刻書的情形、書林的掌故，都有相當詳細的考述。民國以來，又經過中外學者不斷的研討，才奠定了版本學的基礎，成爲人們研究的一項專門學科。版本學上的知識，我們所知道的，比起清人來，固然要豐富得多，但終究歷史還淺，有許多問題，還有待我們來繼續研究。現在我且提出幾個比較重要的課題來商榷，以供有興趣的同道來共同研討。

清孫從添藏書紀要說：「夫藏書而不知鑒別，猶瞽之辨色，聾之聽音。雖其心未嘗不好，而才不足以濟之，徒爲有識者所笑，甚無謂也。如某書係何朝何地著作？刻於何時？何人翻刻？何人抄錄？何人底本？何人收藏？如何爲宋元刻本？刻於南北朝何時何地？如何爲宋元精舊鈔本？必須眼力精熟，考究確切」。誠如孫氏所說的，鑒別是研究版本的一個基本手段。假如我們不能鑒別，不僅是爲識者所笑而已，而我們所獲得的知識卽不可靠。我國版本鑒別之成爲一個重要的課題，始於明代末葉。在兩宋人的筆記中雖常有提到監刻、及蜀、閩本之有不同，但只是文字校勘上的區別。宋尤袤遂初堂書目及相臺岳氏九經三傳沿革例（此書自來相傳是宋岳珂撰，近友人翁同文先生始考訂爲元荆溪岳德操所作），始臚列當時流傳的各種不同版本，是我國記載版本最早的兩部目錄書。前人刻書，都有序跋或牌記，敍述刻書的原委及記載雕版的年代地域，只要一加翻閱，就可以知道該書是何時何地何人所刻印的，所以在宋元兩朝沒有鑒別版本的問題發生。明代中葉以後，民間覆刻宋版的風氣很盛，一般的收藏家也都珍視宋版，像嘉靖時江陰朱大韶用所寵愛的美妾向人掉換一部宋版後漢紀。萬曆時蘇州王世貞賣了一個田莊，僅爲了收購一套宋版前後漢書。明末的常熟毛子晉，甚至出高價徵求，在大門口張貼告白說：有拿宋版來賣的，計葉付錢。所以當時民間流傳有：「三百六十行生意，不如鬻書於毛氏」的諺語。入清以後，錢牧齋、季滄葦等復倡之於前，乾嘉時黃蕘圃、吳兔牀等人更推波逐瀾於後，於是有佞宋、寶宋的名稱出現。不僅寶宋，而且珍元。降及清季，藏書之家幾乎沒有不以所藏宋元本來炫耀於人的，而他們的身價也全憑所藏的多寡來定高下。然而宋元刻本，歷時幾百年，屢經兵燹水火蟲蠹之災，傳世的究屬有限。徵求的既多，販鬻的自然無以爲供，於是坊估遂不惜僞造來欺騙購藏者，以獲暴利。據明萬曆年間高濂燕閒清賞錄、屠隆考槃餘事等書的記載，當時坊估作僞的方法，已經是千奇百怪。愈後作僞的技術也愈進步，不僅用明刻來充宋元，甚至有拿清代覆本來冒宋本的。只要書一入書估之手，無論是宋元原刻或明清覆本，鮮有不改頭換面的。原有的序跋牌記往往被拆除，移眞綴假，以假作眞，以致面目全非。明清兩代的藏書家重視宋元，固然使得許多的孤本秘笈，得以復出老屋，重顯於世。也促成了我國舊本書的混淆不清，增加了後世鑒別的困難。

書估造假的風氣既盛，藏書家不能不謀求鑒別的方法，以防上當。然而在有清三百年還沒有一部討論鑒別版刻的專著，只有在孫從添的藏書紀要，及清人隨筆與藏書志間有論及，僅提出了幾個鑒別的原則。淸代人鑒別的方法，不外是從書刻的字體、版式、行款、紙張、避諱字等五項來鑒定。書刻的字體，固然是各時代有其特殊的風格，然而欲精於此，非多見眞本，了悟其風神，則不足以言鑒別。若但執着顏、柳、歐、趙諸體字來區別宋元，則未免失之泥。如遇虎賁中郎，更眞贗莫辨了。何況淸人區分宋元字體，僅憑其經驗，並非經過比較研究後所得的結論。至於版式行款，各朝代並無一定的規格。而且後代覆刻的版式行款與原本無異，實難以作爲鑒別的根據。從紙張來鑒別，因各時代造紙的技術與原料成分各有不同，不失爲一比較科學的方法。但我國於各時代造紙的技術與原料尚乏詳細的記載，若光靠經驗用手觸摸來鑒定，則並不完全可靠。從紙張來鑒定古物時代，在西洋往往作化學分析其成份，或用放射元素來測定，雖然比較科學，然而對於我國的雕版書並不完全適用。因爲西洋印書用活字版，僅印一次，印畢後版卽撤除，不像我國的雕版，刻成刷印所需要的部數後，版尚可貯存，歷時數十年乃至數百年，遇有需用時，仍可隨時印刷。故刷印的時代雖有早晚的不同，而其版則一。譬如南宋初年所刻的南北朝七史書版，在明初還相當完整，我們不能因爲它用明代的紙所印成，而否認它是宋版。從避諱字來鑒別宋刻，雖是比較可靠的一種方法，但若遇書中沒有見到宋朝皇帝的諱嫌字，或私家坊刻避諱不謹嚴，甚至不避諱，則就無法鑒別。綜觀淸代的藏書家所提供的幾種鑒別方法，對於版本學的研究，雖然頗有貢獻，但終究不是完全可靠的方法。姑不論那些方法無法鑒別出某書刻於何時何地，就是用來僅斷定爲宋爲元，也往往有錯誤。觀淸代各家藏書志著錄的所謂宋元版，其中卽不乏贗品。雖以淸內府收藏之富，翰林侍從者鑒賞力之高，在天祿琳琅書目所載的宋元版，據葉德輝書林清話所指出，及近人張允亮所考編的故宮善本書目，其中就有不少是元充宋，或明清刻本以僞宋元的，更可見鑒別的不易了。

民國以來，藏書家的鑒賞力比較清人又有進步，一則是受西洋印刷術傳入我國的影響，宋元舊本用西法影印流傳的衆多，聞見上比前人要廣些。再者是在清人鑒別方法以外又知道利用雕刻工來作考訂。原來在宋元版心的下方，往往刻有一個字至三個字不等，這幾個字就是刻工的姓名，或單有姓或名。刻工在他們所雕的版片中心私自簽刻下姓名，不過是爲了便於統計各人所刻版片的數量來計算工資用的。版心有刻工在宋元本中除了少數的坊間刻本以外，頗爲普遍。明代中葉以後的刻本也間有記刻工的，只是不如宋元的普遍。清代的學者雖已注意到刻工，但只認爲是宋版書的特徵之一，而罕有利用來作考訂的。近四五十年來學者始注意及此，如傅沅叔、張菊生、胡適之、傅孟眞諸先生，往往從刻工來考訂版刻的時代。因爲古代印刷雕字工匠是一種專業，凡公私有雕印書的，多僱募這些專門技術雕刻工來從事。故在同一時代與同一地區雕版的許多書，它們的刻工往往相同，所以從刻工不僅可以考訂出書刻的時代，甚至於可以考出雕版的地域。例如傳世的九行本南北朝七史，自來以爲是在四川眉山雕版的，趙萬里先生根據其書的刻工，考出多見於南宋初年浙江刻本各書，因知七史是紹興年間在杭州雕版的。又如國立中央圖書館所藏的宋刻小字本歐陽修五代史記，前人或以爲北宋刻，或以爲南宋刻，莫衷一是。我曾根據它的刻工考出來是北宋末年浙江原刻而在南宋初年修補印行的。再參稽記載，知道此書就是徽宗時湖州思溪王氏所刻，其版在高宗南渡後取入國子監，修補印行的所謂監本。所以近代所編撰的書志，如寶禮堂宋本書錄、文祿堂訪書記等書，對於所著錄宋元版的刻工，都有詳細的記載，以供稽考。

刻工的確是版本鑒別上的一項重要參考資料，我們若要整理我國的宋元舊本，改正前人鑒定的錯誤，考出那些失去刻書序跋牌記宋元本的刻時刻地，也只有先從刻工的研究入手不可。只是一書的刻工少則數人，多以百計，而現存的宋元本數量又不少，查考起來非常困難費時。三十多年前日本長澤規矩也曾根據我國故宮博物院、及日本靜嘉堂、宮內省圖書寮、金澤文庫、足利學校等所收藏的宋元本的刻工，編了一個索引，名爲「宋元刋本刻工名表初稿」，初刋載書誌學第二卷第二、四兩期，我國鄧衍林將之譯載於圖書館學季刋第八卷第三期。這篇刻工名表是依刻工姓氏的筆劃爲序，下注所見載的書號。從某一刻工可以查檢出他曾刻過了那些書，在那些書中只要有一部存有原來序跋，知道它的刋刻年代及地方，就可以類考出凡有該刻工的書爲何時何地所刋雕。雖然長澤氏所採用的宋本僅一百一十餘種，元本六十餘種，數量不多，原來所鑒定的版本，有些也難免有點問題，但他的這項工作的確給予人的方便不少，值得贊揚。我覺得像這樣的刻工表極值得我們有志研究版本學的來重編，而且也有此必要。近幾十年來宋元本經過影印的很多，而私家的藏書也大都收歸公有，很容易見到，不像在私人手中，扃禁秘藏，不輕示人。而近人所編著的題記書志也大都詳載刻工，所以我們所能見到的資料，比長澤氏的時代不知要豐富多少倍。這個刻工表編成後，可以便於查考，但還只是研究版本的初步基礎。我們可以再進而甄別整理，來比較研究各時代各地域書刻的字體及版式，歸納出一個法則，才能談得上是科學的鑒別方法，再來鑒定那些沒有刻工的宋元版。如此則可以眞僞立辨，到那時書估再也無從施展他們造假的伎倆了。

印刷術是我國發明，這是中外學者所無異辭的。但發明於什麼時候，則歷史上沒有記載。我國現存最早的雕印品，是英國斯坦因在敦煌千佛洞石室所發現的唐懿宗咸通九年（西元八六八年）王玠所刻的金剛般若波羅密經，現藏於倫敦大英博物館。這卷佛經雕印的相當精美，可以推知必需經過一段相當長的時間，才能演進到那種技術。現今存世最早的印刷品是日本稱德天皇時代所印的百萬塔陀羅尼咒。稱德天皇在天平寶字八年（西元七六四年）討平惠美押勝之亂後，爲了酬謝佛恩，乃發宏願，下令造三重小塔一百萬基，廣印陀羅尼咒，在每一塔內放置印本陀羅尼咒一卷，一直到他崩的那一年——神護景雲四年（西元七七〇年）才畢工。在第八世紀時代，正是日本銳意吸收我國文化的時代，那時的京都奈良完全模倣唐朝長安的格式來建造。稱德天皇時代主持印造百萬塔陀羅尼咒的東宮學士吉備眞備，吉備曾在我國留學十九年，他的建議用印刷來代替抄寫，顯然的是受我國的影響。由此可以推知我國在唐代宗以前，就已經知道印刷的方法了。然而我國現存的實物固然沒有早到第八世紀的，就是目下在前人的載籍中，所能覓到可以確認爲有關印刷的記載，也要比百萬塔陀羅尼咒晚五十多年。因之我國印刷術究竟起源於何時，成爲中外學者多年來研究的對象。近來有些學者發現了在明代邵經邦所著的宏簡錄中，有一條記載說：唐太宗曾下令梓行長孫皇后所撰的女則十篇。又在唐劉知幾史通中有太宗朝所修的五代紀傳，於「太宗崩後，刋勒始成」的話，又舊唐書褚无量傳說：玄宗卽位，无量奏請將內庫所藏的舊書「繕寫刋校」，以證明在唐太宗及玄宗時，也就是第七世紀後期或八世紀初就已有印刷的事。然而這幾條資料的來源都有點問題，邵氏所說唐太宗命梓行女則十篇，在新舊唐書及資治通鑑中均沒有記載。邵氏生後幾百年，不可能見到歐陽修司馬光他們所未見到的文獻，故其說實未可據。後兩條記載所說的「刋」字，根據文義是「著作」與「刋削」的意思，並非如後代所指的雕版。雖然根據其他的跡象來推測，在唐玄宗時代，甚至在太宗時代，已知道雕版印刷，並非不可能的事，只是還沒有明確的證據而已。我國印刷術發明的時期問題，目下還沒有得到結論，仍有待我們來繼續研究。

我認為我國印刷術的發明，似以受佛教的影響比較大。六朝以來，我國佛教昌盛，信徒們為了積功德，往往雕刻佛像或抄寫佛經來施捨於人。據當時的高僧傳記中記載，那時的人抄寫相同的佛經動輒以千百份計，在這樣的情形下，自然很容易想到如何能用複製的方法來代替重複抄寫。雲仙雜記引僧園逸錄說：玄奘法師用回鋒紙，印普賢像，施於四衆，每歲五馱無餘。雖然雲仙雜記一書是宋人所偽作託之於唐馮贄撰的，但玄奘以像送人的事，在續高僧傳及宋高僧傳中都有記載。他所施贈的佛像，數以百萬或千萬計，不可能是雕刻或手繪，當然只有出之印刷的一途。不過印佛像只是用木刻劃佛像在紙上鈐蓋，有類於蓋印章，還不能說是雕版印刷。然而這種複印的方法，予人的啓示作用很大，很容易轉變成雕版印刷，來複印佛經。我相信在初唐或盛唐時期佛教的典籍中，可能有這類的資料存在，只是有待我們去發掘。還有近幾十年在敦煌及新疆考古發現的遺物中有許多佛教印刷品，沒有記載刋版的年代，如日本中村不折收藏有一卷吐魯番所發現的古刻本妙法蓮華經殘卷，文中雜用武則天所造的異體字，可能是距武后不久所刻的。像這一類無刋印年代的古刻本，也需要我們來研究考訂它們的年代，其中可能有最早期的印刷品。

從明萬曆以後到清朝初年這約一百年之間，是我國書坊刻書最盛行的時期。若從純藝術的觀點來衡量，也是我國雕版印刷技術最精美的時代。在這一時期中的蘇州、杭州、以及南京等地書坊林立，他們彼此間為了爭奇鬪勝，多以重金聘請繪雕的名工。當時的官私刻書，很多可能是由他們承包雕印的。書中附刻插圖，以這一時期的印品最生動精美，顏色套印也以這一時期最普遍，由朱墨兩色遞增至四色五色套印，像崇禎時金陵十竹齋彩色套印的十竹齋畫譜，可以稱得上曠絕古今。雖然這一時代書刻字體通常用匠體字，呆滯不靈，不如宋元本的生動，然也有不少精美的印品，如勾吳袁氏書種堂的楷體字刻書，歙縣程君苑墨苑中所摹刻各家的手蹟，也未嘗不可作法帖觀。這一時期應該是我國版刻史上相當重要的一頁，然而在葉德輝的書林清話中却沒有考述，近代撰中國雕版源流史的也都從略。固然是明末坊刻不受清代藏書家的重視，也是他們所刻的以傳奇雜劇、章回小說為主，在乾嘉以來樸學氣氛籠罩下，而鮮流傳，葉氏所見資料不多的緣故。近幾十年來雜劇小說的研究考證蔚成風氣，而明代刻本也成為公私購藏的對象，往日所不為人知的書，多重顯於世。近人也有研究的，如陶湘之專研套版，鄭某之整理版畫，但為數究不多。他們的研究，也還有近年新發現的資料可以補充。其他如那時書坊的情形，各書坊間關係（常有此家所刻的書版，後又改由他家來印行），繪雕工中何以多為安徽人，他們在當時藝術界的地位如何以及他們的生平等問題，則前人還沒有研究過。這一頁歷史，尚有待我們來補寫。

多年來常有朋友及出版界與我談起某某書以那些版本比較好，以我國古代圖書的浩瀚，而每一書流傳的本子又衆多，我相信這一個問題不是任何一位版本目錄學家或校勘學家所能完全解答的。我國關於概述各書的內容及著者生平像四庫全書總目一類解題的書，前人著作的比較多。而對於論析各書流傳版本的源流與異同這一類的參考書，則罕有纂述。像邵懿辰的四庫簡目標注、莫友芝的郘亭知見傳本書目、張之洞的書目答問、葉德輝的四庫全書版本考等著作，雖然在各書下縷列許多所流傳的版本，但都沒有條析流傳各本的淵源如何，及究竟這些本子有無異同。讀書之必需選擇版本，這個道理，差不多凡是讀書的人都知道。因爲一部書因本子的不同，其內容往往有很大的差異，我試舉幾個例子來說明一下。在上個月曾因某市初中聯考入學試題所引起而喧騰一時的「蓬」「篷」之爭，據報紙披載說教科書主編機構曾召集專家開會討論，最後決定以商務印書館四部叢刊所影印元刊古本所載的「蓬」字爲正。這首李白別友人詩之應作「蓬」字，在古人的詩文中如蕭統文選所收的詩賦，就可以找出好些例子來證明，主編機構不去考證它的本源，僅引既非最古亦不最善的四部叢刊本爲正，實在未免有點那個。四部叢刊所影印的是明嘉靖時東吳郭雲鵬寶善堂刻本，並不是元刻。現存宋楊齊賢注、元蕭士贇補注李太白詩集最早的雕版是元代建安余氏勤有堂刊本，今故宮博物院還收藏有一部。郭雲鵬雖說是從元本翻刻，可是這個人刻書的態度太不謹嚴了，他把楊齊賢及蕭士贇的注文删削去了好多。

喜歡刪削改竄，這也是一般明朝人刻書的最壞習氣。所以他的刻本固然不及元刻之善，也不如在他前後正德萬曆年間的各刻本可信。宋魏泰臨漢隱居詩話這部書，據邵亭書目等目記載，現在流傳的有明刻說郛、學海類編、歷代詩話、知不足齋叢書、湖北先正遺書等叢刻本，都是一卷，僅從各本的卷帙是分辨不出它們有什麼不同的。但若一加比勘，則內容有很大的出入。明刻說郛本凡錄三十五條，學海類編及歷代詩話卽出說郛本，只是歷代詩話本又少一條，只有三十四條。知不足齋叢書本是根據明洪武時華亭孫道明寫本來翻刻的，共有六十九條。不僅條數要比說郛本多出一倍，各條的文句也比說郛等本爲詳，湖北先正遺書卽從知不足齋本刻。宋羅大經鶴林玉露，現今國內流傳的有明南京舊刋本、王叔承刋本、萬曆謝天瑞刋本、以及稗海、叢書集成等本，都是十六卷，四庫全書也根據此十六卷本著錄。此書在日本曾經翻刻過，日本寬文二年刻本，分爲天地人三集，每集六卷，共十八卷。其本比十六卷本多出四十一條，有的幾條文字要比十六卷本多出幾十字至二百餘字不等。寬文本是從明萬曆三年黃貞升本翻刻的，黃本則出之元代抄本。黃本現今已無存者，尙幸有日本翻本，才能使我們見到此書的本來面目。

清顧千里嘗說：「書以彌古爲彌善」。書每經過一次翻刻，或因校勘不愼，而致錯誤，或因故意的改竄，自然沒有早期的刻本好。但這也不能一槪而論。有的書雖然刻印的時代比較後，但他所根據的本子要比流傳的刻本更早而好，所以這個刻本也往往勝過比它早的刻本。如世說新語，現今存世最早的刻本是宋寶慶本，稍後是元代坊刻本，然此書最善的本子却是明嘉靖時吳郡袁褧嘉趣堂刻本。因爲現存的宋元刻本將劉孝標的注文有些删節，而嘉趣堂本是從宋陸游本覆刻，注文未删的緣故。如水經注一書，清代的武英殿聚珍本，及全祖望、趙一清等校刋本，都要比明朝的幾次刻本好，因爲他們曾經根據永樂大典校勘，補脫、删妄、正誤了七千多字。清代的學者對於校勘學的貢獻很大，所以有些書清代的刻本，往往要勝過元明本。假如我們不了解傳本內容的異同、翻雕的源流，是無法來抉擇好壞的。

六年前，我撰寫說郛考，將說郛所收的幾百種書，曾取流傳的各種本子來對勘，並參考各家的書志，撰成說郛書目考，縷述每書的源流及傳本的異同。這個工作，有些朋友認爲還有點參考的價值。因此使我想到假如能將這項工作推廣，將四庫所著錄的書或明以前人的著作，都仿這種方式而更加詳的敍述傳本的源流與異同，這樣的一部參考書，對於作研究工作者，一定有很大的幫助。就是出版界翻印古籍，也知所選擇版本，不致於再有謬種流傳了。當然，像這樣一部鉅製的編纂，不是一件簡單的事，但假如同道們認爲有這個需要，有決心，再能獲得學術團體的協助，我深信終可以完成的。

書目季刋主編，不以不才，來向我索稿，使我得有一個機會將我多年來蘊藉於心中，想研究而苦無暇時的幾個構想，借本刋的一角提出來公開商榷。倘能引起同道們對這些問題發生研究的興趣，那更使我感到欣慰了。

五五、八、卅一夜脫稿

（原載「書目季刊」創刊號，民國五十五年九月）

# 記東海大學圖書館鎮庫之寶——宋本陶叔獻「西漢文類」

吳福助

私立東海大學創辦之初，爲配合教學與研究之需要，並保存中國傳統文化，嘗銳意搜購線裝古籍，所得凡四萬餘冊。其間不乏珍貴善本，（註一）而以北宋時代陶叔獻所編「西漢文類」版本爲最早。該書曾蒙屈萬里先生推許爲「鎮庫之寶」。東海大學圖書館前館長沈寶環教授述其經過云：

> 我們列爲珍藏之一的西漢文類，就是在私人藏書家半賣半送情形之下獲得的。西漢文類的編者是宋陶叔獻。本館藏本爲南宋高宗紹興十年刊本，依西曆計算爲公元一一四〇年。……我們購得此書後，曾請名版本家現任國立中央圖書館館長屈萬里先生考證。屈先生的考證結果，使我們興奮不已。他覆函說：「宋本『西漢文類』一書，甚爲罕見。以弟所知，僅（張金吾）愛日精廬藏書志著錄殘本五卷。原書凡四十卷，宋陶叔獻編，宋紹興十年刊本。愛日精廬藏本爲卷三十六至四十。貴校所藏，卷數如亦爲三十六至四十，則必爲愛日精廬藏本無疑；卷數如不相同，亦必原爲一部書而後分散者，因愛日精廬藏本亦有清遠堂印也。此書雖無特殊材料，然但就版本之珍秘言之，亦足爲鎮庫之寶矣。」由此看來，我們收藏散佚的苦心，總算有了一點報償。（註二）

東海大學圖書館對於此書，卽依屈先生之言，視爲鎮庫秘寶，備加護愛，特與明隆慶五年（一五七一）

夫容館仿宋刻初印本楚辭及清鮑廷博知不足齋抄巴西文集一書，並扃鎖於高足雕花玻璃櫃中，長年陳列於芳衞廉夫人紀念室，供人參觀。近爲管理方便，已移古籍室中收藏。

「西漢文類」一書，南宋私人收藏書目及類書均有著錄。始見於晁公武郡齋讀書志卷四下云：「西漢文類，唐柳宗直撰。其兄宗元嘗爲之序。至皇朝其書亡，陶氏者重編纂成之。」（註三）再見於尤袤遂初堂書目總集類，僅錄其書名而已。三見於章俊卿羣書考索卷十九云：「西漢文類，皇朝陶叔獻所撰也。類次西漢書中詔命、書疏、奏記、策對、下說、檄難、詩箴、頌賦、贊序。先是唐柳宗直爲西漢文類，其兄宗元敍之甚詳。叔獻惜此書不見於世，因論次爲四十卷。」（註四）四見於陳振孫直齋書錄解題卷十五云：「西漢文類四十卷，唐柳宗元之弟宗直嘗輯此書，宗元爲之序，亦四十卷，唐書藝文志有之，其書不傳。今書陶叔獻元之所編次，未詳何人，梅堯臣爲之序。」五見於王應麟玉海卷五十四引新唐書藝文志云：「柳宗直西漢文類四十卷。」注云：「宗元序之，其書不傳。宋朝陶叔獻類次爲四十卷，梅堯臣序。」其後則見於元脫脫等修宋史藝文志卷八及馬端臨文獻通考卷二四八。文獻通考係襲錄晁、陳二氏。降及晚清，藏書家之著錄，先有張金吾愛日精廬藏書志卷三十五云：「西漢文類殘本五卷，宋陶叔獻編。唐柳宗直有西漢文類二十卷。宋時其書失傳，叔獻重加編纂，原四十卷，今存卷三十六至末五卷，後有『紹興十年四月□日臨安府雕印』一條，每頁紙面俱有『清遠堂』印記，字畫清朗，紙色瑩潔，蓋宋刋宋印本也。」其後見於瞿鏞鐵琴銅劍樓藏書目錄卷二十三云：「西漢文類五卷（宋刋殘本），題陶叔獻編。是書晁氏讀書志著錄作『二十卷』。此本原書四十卷，今存卷第三十六至四十。卷末有『紹興十年四月日臨安府雕印』一行。每半葉十三行，行二十四字，分注二十五至三十字不等。『敬、竟、殷、匡、貞、徵、裋、桓、完』等字減筆。紙面鈐『清遠堂』三字朱記，當是南宋時紙舖號也。舊藏愛日精廬張氏。」鐵琴銅劍樓書影識語卷四又云：「舊爲邑中席玉照藏書，後歸愛日精廬，已殘闕。今二十卷以下轉入初園，他日當謀延津之合也。（註五）（卷首有『虞山席鑑玉照氏收藏』朱記）」以上爲余所見歷代書目關於陶叔獻西漢文類之所有記錄。據此可知此書在南宋尙屬流行，著錄者衆，其後則頗爲罕見矣。

東海大學圖書館所藏西漢文類爲殘本，僅存卷二十至卷三十五，凡八冊。據愛日精廬藏書志，張金吾所藏則爲卷三十六至卷四十。至於卷一至卷十九，及陳振孫直齋書錄解題所說梅堯臣序，則未見有藏書家著錄。今傳梅堯臣宛陵集亦無此序。豈已湮滅不存於人間耶？東海館藏卷二十及卷二十九首葉，並有「席鑑之印」、「席氏玉照」二朱方印，卷二十八及卷三十五末葉，又有「臣鑑」、「萸山珍本」、「桃原衣冠」三朱方印，知其原爲清蘇州名收藏家席鑑掃葉山房所有（註六）。瞿鏞鐵琴銅劍樓書影識語云：「今二十卷以下轉入初園。」則其後又轉爲初園所有也。初園未詳何人。檢閱數種人名別號室名索引，均無所獲。今席鑑印下，尙有「坤厚所藏」、「文學掾」二朱方印，「坤厚」或是滿人，「文學掾」則爲官印也。至於張金吾愛日精廬所藏五卷，據瞿鏞鐵琴銅劍樓藏書目錄，後乃歸瞿氏所有。瞿氏云卷首有席鑑收藏朱記，（註七）則其與東海館所藏，原爲一帙，同屬席鑑舊藏，可確知矣。潘宗周寶禮堂宋本書錄集部引朱錫庚曰：「按宋陶叔獻西漢文類四十卷，近時昭文張金吾家尙存宋紹興十年所刋殘本五卷，頗自矜重。」自張金吾之「頗自矜重」觀之，此書在清代早已成爲海內奇珍。今鐵琴銅劍樓所藏五卷有影抄本，見國立北平圖書館善本書目乙編續目卷四。（註八）至於瞿氏所謂「他日當謀延津之合」，則未見有成書也。東海館所藏八册，其夾板內浮貼介紹辭一張，謂：「此書刋刻年代久遠，實爲普世難獲之秘寶。」余嘗遍查東海圖書館藏各種古今中外書目，除以上所引述者外，未有其他收藏記載。此書爲罕覯難得之希世至寶，蓋可信矣。

西漢文類版式，東海館藏及鐵琴銅劍樓書影並爲每半葉十三行，行二十四字。至於分注，鐵琴銅劍樓書目謂二十五至三十字不等，余實計東海館藏，則爲二十四至三十三字不等，而以三十字左右爲多。兩者俱爲白口，上下單欄，左右雙欄。單魚尾，其下記書名及卷第數目。東海館藏板匡高二十三公分，寬十七公分。每葉版心下方，記刻工姓名。一百四十八葉中，僅四葉爲例。除少數不易辨識者外，刻工姓名俱全者有三十人，依次爲：王固、孫格、于昌、周浩、徐彥、米常、劉仲、范興、陳乙、朱禮、包正、孫源、陳錫、劉益、宋道、沈紹、余集、雇仲、王因、朱祥、江政、潁忠、胡杏、江器、李牧、江盛、李攸、江用、吳邵、閻志。（註九）此書重加襯裝，保護完好，絕少蟲蝕痕跡。尤其是雕槧極精，字體仿顏眞卿，而微雜以歐陽詢，厚朴古拙，穆然可愛。麻紙堅白，薄如蟬翼，字畫纖朗，墨氣香淡，倍極瑩緻。張金吾所謂「字畫清朗，紙色瑩潔」，洵不誣也。又避諱甚嚴，宋高宗以前之廟諱御名，如：匡、胤、玄、弦、朗、縣、敬、竟、境、鏡、弘、紭、殷、貞、徵、懲、豎、樹、裋、讓、勗、旭、桓、完、覯、遘等字，皆缺末筆以避諱。張金吾謂此書末有「紹興十年四月□日臨安府雕印」一條，今東海館藏卷二十及卷二十九首葉邊欄右上角亦有

「趙宋本」朱文圓印，蓋已經前代藏書家審定，其爲南宋高宗紹興十年地方官刋本，無可疑者。又張金吾云：「每頁紙面俱有『清遠堂』印記。」今東海館藏亦多有之，每在板心左右，高下不一，余詳加計算，恰有一百個。瞿鏞謂此三字朱記「當是南宋時紙舖號」。今諦審之，此印記俱在墨字之下，足證瞿氏之說不誤。東海圖書館介紹辭乃據別署居處名通檢一書，認定是明歸安龐太元之室名，因謂此書屬龐太元舊藏。此蓋誤會也。

西漢文類編者陶叔獻，直齋書錄解題云「未詳何人」，似其聲名在宋代不甚顯著。其生平資料僅一見於沈遘西溪文集卷十陶叔獻墓誌銘，曰：

廬江陶叔獻，字元之。其先自晉大司馬侃以來，世爲廬江大族。自其父方左侍禁杭州巡檢卒官，始家於杭。是時君始冠矣。家甚貧。奉母夫人孫氏，以孝稱。好學明經，能文，吳越學者多從之。皇祐元年（一〇四九）春三月登進士第，四月乙酉病卒於京師，年三十六。君俶儻有大節，仁於宗族，信於朋友，善議論，通古今，所至公卿大夫皆爲之體，且謂其必用於時而不可量者也。豈謂其亟已者也。嗚呼！其命矣！初君之卒，諸朋友賓客旣相與斂賻，殯君于國東門外。其妻唐氏則攜其二男一女，歸江陵外家。孫夫人老無所歸，遂養於其外孫戴顯甫，以壽終。顯甫者，秀州人，舉進士，有名，今年被選爲亳州永城尉，遂載君之喪歸。以十二月壬午，與君之考妣，序葬於月輪山之東原，嘉祐八年也。唐氏先已亡，三子者，不知其所矣。嗚呼！益可悲夫！君所爲文章皆散亡，獨所撰西漢文類行於世。予與君皆皇祐進士，昔哭其死，今見其葬，非予孰爲銘者？銘曰：「嗚呼元之！世皆有死，奚甚可悲？獨子之身，生死百罹。沒而冥冥，一歸于己。使其昭昭，子恨多矣。吳山之陽，大江洪洪。高岡茂林，是惟新宮。親安于前，子從于後。得其歸哉，妻子何有！」（註一〇）

據此可知陶叔獻生於宋眞宗大中祥符七年（一〇一四），卒於仁宗皇祐元年（一〇四九）。

陶叔獻此書，晁公武、章俊卿並云乃因惜唐柳宗直「西漢文類」之亡失，而加以重編者。柳宗直爲宗元從父弟，柳河東集卷十二志從父弟宗直殯曰：「從父弟宗直，生剛健好氣，自字曰正夫。聞人善，立以爲己師。聞惡若己讎。見佞色諂笑者，不忍與坐語。善操觚牘，得師法甚備，融液屈折，奇峭博麗，知之者以爲工。作文辭淡泊尙古，謹聲律，切事類。譔漢書文章爲四十卷，歌謠、言議，纖悉備具，連累貫統，好文者以爲工。」又謂其讀書不廢，早夜以專，故得上氣病。年三十三不舉，藝益工，病益牢。元和十年隨宗元至柳州而卒。陶叔獻與柳宗直相繼編纂「西漢文類」，兩人之器識人品，並有可觀，足令後人歎慕懷思；奈何天妬俊才，先後皆窮愁潦倒，英年早逝，未能建功立業，有更卓著之貢獻，良可歎也。

陶叔獻編纂「西漢文類」之旨趣，因梅堯臣之序言未見，無由詳知。然其書既繼柳宗直而作，則可由柳宗元爲宗直所作序文窺探之。柳河東集卷二十一柳宗直西漢文類序曰：

文之近古而尤壯麗，莫若漢之西京；班固漢書傳之。吾嘗病其畔散不屬，無以考其變，欲采比義。會年長疾作，駑墮愈日甚，未能勝也。幸吾弟宗直，愛古書，樂而成之。搜討磔裂，攟摭融結，離而同之，與類推移。不易時月，而咸得從其條貫。森然炳然，若開羣玉之府。指揮聯累圭璋琮璜之狀，各有列位，不失其序。雖第其價可也。以文觀之，則賦頌、詩歌、書奏、詔策、議論之辭畢具。以語觀之，則右史記言，尚書、戰國策，成敗興壞之說大備，無不苞也。噫！是可以爲學者之端耶！

柳宗元又節錄其弟宗直之序言，曰：

殷周之前，其文簡而野。魏晉以降，則盪而靡。得其中者漢氏。漢氏之東，則既衰矣。當文帝時，始得賈生明儒術，武帝尤好焉；而公孫弘、董仲舒、司馬遷、相如之徒作，風雅益盛，敷施天下，自天子至公卿大夫庶人咸通焉。於是宣於詔策，達於奏議，諷於辭賦，傳於歌謠，由高帝訖于哀、平、王莽之誅，四方之文章蓋爛然矣。史臣班孟堅修其書，拔其尤者，充于簡册，則二百三十年間，列辟之達道，名臣之大範，賢能之志業，黔黎之風美列焉。若乃合其英精，離其變通，論次其叙位，必俟學古者興行之。唐興用文理，貞元間文章特盛，本之三代，挾于漢氏，與之相準。於是有能者取孟堅書，類其文，次其先後爲四十卷。

據此知「西漢文類」乃因漢書採錄西漢文章甚多，唯皆融裁散佈於全書之中，後人欲檢讀彙觀，殊有不便。遂擷取菁英，刪汰冗碎，將其分門別類，編纂成書，以免讀者之倦勞；亦使屬辭之士，含英咀華，以爲著作之驪淵而取則焉。其用意誠善。尤以西漢文章，去古未遠，氣脈雄健，盛麗可觀，遠非後世所可及。故此書之編纂，實頗具意義。柳宗直既創製於前，陶叔獻復補作於後。今查明人范欽天一閣目，猶載有明右侍郎大庾劉節「西漢文類」三十五卷。（註一一）豈劉節因未見陶氏之書，疑以爲亡佚，而續加補作耶？同一書，前後歷經數百年，而複續編纂者竟至三人，亦足徵學術界需求之殷也。至於明代，文崇秦漢，編纂秦漢文選以供摹誦之風，蔚然稱盛。如顧錫疇秦漢鴻文、陳繼儒秦漢文膾、馮有翼秦漢文鈔、倪元璐秦漢文尤（以上見四庫全書總集類存目三），胡纘宗秦漢文、張煜如秦漢文歸、鍾惺秦漢文懷、焦竑西漢萃寶評林、鍾惺西漢文歸、陳仁錫西漢文定（以上國立中央圖書館藏），及楊起元秦漢拔奇、衞勳兩漢文選、楊守勤秦漢文選、閔邁德秦漢文鈔、張采兩漢文選、童養正西漢文統、許捷秦漢文準、陳淏子兩漢文歸（以上美國普林斯敦大學藏）（註一二），並皆「西漢文類」之流亞。是陶叔獻此書導揚先路之功，誠不可沒。

陶編「西漢文類」之體製，前引章俊卿羣書考索云：「類次詔命、書疏、奏記、策對、下說、檄難、詩箴、頌賦、贊序。」今東海館藏部分，則分爲：論辯、游獵、檄難、文學、封禪、辨說、舉薦、官職、宮闈、陵寢、奸邪、瑞慶、叛亂、敕戒、樂歌、游觀、賦，凡十七種。其卷三十二錄司馬相如子虛、上林二賦，而無類名，疑屬苑囿之類而誤脫也。茲錄其詳目如下：

卷二十

論辯

張敞乞令民入粟贖罪書一首

陳豪桀說陳涉辭一首

酈食其張良撓楚權辭一首

隨何說黥布辭一首

酈食其說韓信辭一首

賈山至言一首

會稽鄭朋奏記蕭望之一首
杜欽訟馮奉世前功疏一首
谷永擧薛宣疏一首
張敞與朱邑書一首

卷二十四

擧薦（下）

長安令楊興薦匡衡辭一首
大司空何武尙書令唐林薦傅喜書一首
丙吉奏記霍光一首
蔡義上疏一首

官職

何武乞建三公官一首
大司空朱博乞復置御史大夫奏一首
大司空何武丞相翟方進乞罷州牧置刺史奏一首
貢禹乞罷光祿大夫書一首
彭宣乞罷大司空書一首
石慶上書乞罷丞相書一首

卷二十五

宮闈

孝成許皇后乞不依竟寧故事疏一首（並答）

陵寢（上）

劉尙諫起昌陵疏一首
平當奏復太上皇寢廟書一首

卷二十六

陵寢（下）

韋玄成奏罷郡國廟詔文共四首
劉歆毀武帝廟議一首
祁侯與楊王孫報答書二首
御史中丞劾奏薛況一首
翟方進陳慶相劾一首
谷永爲鄭寬中卒上疏一首

師丹爲共皇立廟議一首

卷二十七

奸邪

孔光乞遣傅遷歸郡一首

翟方進奏東郡太守陳咸疏一首

又奏紅陽侯立黨友一首

王嘉賈延言董賢封事一首

王鳳乞骸骨疏一首

張匡對王商事一首

瑞慶

終軍獲麟對一首

兒寬封泰山一首

吾丘壽王汾陰得寶鼎對一首

兒寬上壽辭一首

東方朔上壽辭一首

卷二十八

叛亂

吳王濞遺諸侯書一首

伍被諫淮南王辭一首

息夫躬絕命辭一首

舅張博遺宣帝子憲王書一首

張敞乞治膠東盜賊書一首

班彪答隗囂對一首

卷二十九

敕戒

杜欽說王鳳辭一首

重戒王鳳辭一首

復說王鳳辭二首

杜業上書言王氏一首

杜鄴說王音辭一首

丙吉予魏相書一首

吾丘壽王禁民挾弓弩辭一首

歌淮南王一首

卷三十

樂歌（上）

安世房中歌十七章

郊祀歌十九章

卷三十一

樂歌（下）

韋孟諫楚王戊詩一首

又在鄒詩一首

韋玄成自責詩一首

又著戒子孫詩一首

王褒聖主得賢臣對頌一首

揚雄酒箴一首

項羽與美人虞氏歌一首

趙幽王痛諸呂歌一首

李延年起舞歌一首

卷三十二

司馬相如子虛賦

又上林賦

卷三十三

游觀（上）

司馬相如大人賦

又過宜春宮賦

揚雄甘泉賦

卷三十四

游觀（下）

揚雄羽獵賦

又長楊賦

又河東賦

卷三十五

賦

賈誼弔屈原賦

又服鳥賦

漢武悼李夫人賦

班婕妤自傷賦

班固幽通賦

至於鐵琴銅劍樓所藏五卷，今所見僅書影一葉，爲卷三十七。目錄有「論」類，收東方朔非有先生論一首、班彪王命論一首，又「表」類收八表敍八首。案與陶叔獻「西漢文類」性質相近之書，在宋代有陳鑑「西漢文鑑」二十一卷。（註一三）其書不錄帝王詔令，但錄羣臣奏疏，係依人物時代之先後而編，分：高祖朝（卷一）、文帝朝（卷二至五）、景帝朝（卷五）、武帝朝（卷六至十二）、宣帝朝（卷十三至十六）、成帝朝（卷十七至十九）、哀帝朝（卷二十至二十一）、平帝朝（卷二十一）。又有應氏類編「西漢文章」十八卷。（註一四）其書依文體分類，卷一爲賦、騷辭，卷二爲頌、論辯，卷三爲詔書，卷四爲璽書、策書、檄語，卷五爲策，卷六、七、八爲書，卷九、十爲疏，卷十一爲封事，卷十二爲對，卷十三爲奏，卷十四爲議狀，卷十五、六爲志，卷十七爲序，卷十八爲贊。其後，明梅鼎祚西漢文紀及清嚴可均全漢文，蒐羅西漢文章最稱浩博，其編法大抵類似陳鑑西漢文鑑，先列諸帝、后、王，次列諸臣，並依人物時代之先後排列。上引明人所編秦漢文選，亦多屬此類。至如陶叔獻西漢文類，既依文章內容性質，復兼顧及文體，析類標目如此之細膩者，竟未之有也。是此書在類次文章之方法上，實有其不可忽視之貢獻，不獨鑑裁精審，去取謹嚴而已也。

「西漢文類」既係纂錄漢書中西漢人之文章以成書，其所依據之漢書究屬何種板本，此自爲極重要之問題。案宋代國子監刻漢書，始淳化五年孫何張佖等校定本，次景德二年刁衎晁迥等覆校本，次景祐二年余靖王洙重校定本，次熙寧二年刊進，嘉祐中陳繹重校歐陽修看詳本，次宣和六年重修本，次紹興二十一年重刊本。陶叔獻生當眞宗仁宗之間，其所依據之漢書，自當與淳化、景德、景祐三本有關。淳化、景德本原刻已佚，今傳世惟有南宋福唐郡庠及明正統翻刻淳化本。景祐本原刻嘗爲淸黃丕烈百宋一廛史部之冠，後歸瞿鏞鐵琴銅劍樓所有。玆取仁壽本二十五史影印南宋福唐郡庠重刊淳化本，及商務印書館四部叢刊影印景祐本，與西漢文類校對一過，知西漢文類係全依景祐本，而與淳化本微異。如淳化本終軍白麟奇木對：「東甌內外，閒王伏辜」，「外」爲「附」之誤，「閒」爲「閩」之誤；朱雲傳匡衡謂華陰守丞「欲以匹大徒步之人而超九卿之石」，「大」爲「夫」之誤，「石」爲「右」之誤。此淳化本之顯誤，景祐本已加校正；西漢文類皆承景祐本不誤者也。又如司馬相如喩巴蜀檄：「今奉幣使至南夷」，「使」字西漢文類、景祐本作「役」，與宋祁所見越本合。王念孫讀書雜志云：「『奉幣役』謂奉幣之役，卽上文所云『發巴蜀之士各五百人以奉幣』者也。發役奉幣以衞使者，則當云『奉幣役』，不當言『奉幣使』也。『役』字古文作『伇』，與『使』相似而誤。」此淳化本難辨之誤，西漢文類因從景祐本而不誤者也。又如東方朔傳：「年十三學書，三冬文史足用。」西漢文類、景祐本無「書」字。王先謙補注：「『文』者各書之體，『史』者史籀所作世之通俗文字諷誦在口者也。足用者，言足用以應試。」「書」指「文」「史」而言，有「書」字勝。此則淳化本未必全非，不可偏廢，西漢文類承景祐本而不必皆是者也。景祐本係由淳化本出，其讎校旣較淳化本爲精，闕葉又不若淳化本之多，且字畫纖朗，刻印俱佳，不若淳化本之多有損壞漫漶，是其價值在淳化覆刻之上。今西漢文類亦精校愼刻，節删史文及顏師古注謹嚴有法，其較嚴重之脫誤，僅卷二十六劉歆毀武帝廟議但有引言而闕錄全文一處而已，其餘訛奪絕少，堪謂爲景祐本最佳之副本。清顧廣圻手跋景祐本云：「顏注班書行世諸刻，大約源於南宋槧本，文句或用三劉、宋子京（祁）之說，或校刊者用意添改，往往致譌，而剩字尤多，此以後人文理讀前人書之病也。惟是刻乃景祐二年監本，獨存北宋時面目，惜補版及剜損處無從取正。然據是可以求其添改之跡，誠今世希世寶笈也。後之讀者，幸知而珍重之。」試取西漢文類以與王先謙補注本漢書對勘，其間異文多與景祐本及補注所引殿本異文合，蓋殿本係由景祐本出，與王本之沿用汲古閣本系統不同故也。此類異文頗有可補訂汲古閣本之訛謬者。（註十五）景祐本誠爲當今見存最古善本。如此作爲副本之西漢文類，其聲價自可知矣。

陶叔獻著作，上引沈遘所作墓誌銘謂皆已散亡，獨西漢文類行於世。惟據晁公武郡齋讀書志，陶叔獻另編有「唐文類」三十卷、「漢唐策要」十卷。唐文類已佚。今傳「兩漢策要」十二卷，有景祐二年丹陽從事阮逸序，知爲陶氏早年之著作。此書專錄時策，文章醇茂，有裨於明體達用，足爲人臣靖獻之資。金常彥修嘗加校訂，增添兩卷。元名手（或謂趙孟頫）復手鈔之，大字行書，流麗娟秀，恍如法帖，以故昔賢特重之。清乾隆間贛郡守如皐張朝樂因摹刻以傳世，余別有專文詳記之。陶叔獻篤志苦學，兩種著作歷經千年厄劫，終皆巍然獨存，洵至爲藝林瓌寶，沾漑後學無窮，乃知宇內靈奇，固不容埋沒也。後之學者潛心撰述，但求義蘊燦然有足傳者卽可，自不必慮其著作之行將覆瓿淪亡矣。

註　一　詳見東海大學善本書目，東海大學編印，民國五十七年八月初版。

註　二　沈寶環撰「東海大學圖書館簡介」，書和人第五十九期，民國五十六年九月。又四庫全書收有北宋林虙所編「西漢詔令」，徽宗大觀三年（一一〇九）程俱序謂：虙以舊傳西漢文類所載詔令濶略，乃采括紀傳，得西漢詔令四百一章，纂而成書。所謂「舊傳西漢文類」，當係指陶叔獻此書。沈遘所撰陶叔獻墓誌銘亦曰：「君所爲文章皆散亡，獨所撰西漢文類行於世。」是此書在北宋當早已有刻本流傳，惜未之見。

註　三　晁公武郡齋讀書志宋淳祐袁州刊本不著「西漢文類」卷數，清王先謙校刻衢本則作二十卷。案柳宗直及陶叔獻所編並爲四十卷，作二十卷顯係傳寫致誤。

註　四　羣書考索列此條於書目門，近人趙士煒據此將西漢文類輯入中興館閣書目。

註　五　「延津之合」，意謂將初園與瞿鏞兩人所藏離散之西漢文類殘卷，歸併成合璧也。晉書張華傳：「華聞豫章人雷煥妙達緯象。……補煥爲豐城令。煥到縣，掘獄屋基，入地四丈餘，得一石函，光氣非常，中有雙劍，並刻題，一曰『龍泉』，一曰『太阿』。……遣使送一劍……與華，留一自佩。……華誅，失劍所在。煥卒，子華爲州從事，持劍行經延平津（今福建省南平縣），劍忽於腰間躍出墮水。使人沒水取之，不見劍，但見兩龍各長數丈，蟠縈有文章。沒者懼而反。須臾光彩照水，波浪驚沸，於是失劍。華歎曰：『先君化去之言，張公終合之論，此其驗乎？』」

註　六　席鑑、張金吾、瞿鏞，並爲清虞山（常熟）名藏書家，詳見葉昌熾「藏書紀事詩」。

註　七　瞿鏞所謂卷首席鑑收藏朱記，蓋指卷三六。本文所附書影爲卷三七首葉，有「鐵琴銅劍樓」、「古里瞿氏」二朱文長方印。

註　八　該書目「陶叔獻」誤作「陶叔顯」。

註　九　刻工爲考定古刊本刊行年代資料之一。此書刻工有或但記姓，或但記名者，除數處不易辨識者外，似皆已包括於三十人之中，故不複錄。又續古逸叢書有宋紹興九年三月雕印「漢官儀」，與「西漢文類」同屬臨安府官刊本，而時間相隔一年，所列刻工八人，其間「宋道」一人與「西漢文類」相同。

註一〇　宋元學案補遺別附（世界書局影印四明叢書約園刊本），列有陶叔獻傳略，係全依沈遘所撰墓誌銘。沈遘西溪文集，收沈氏三先生文集中，民國二十四年上海商務印書館四部叢刊三編影印本。

註一一　天一閣書目十卷，明范欽藏，清嘉慶十三年揚州阮氏文選樓刊本。此書著錄劉節編輯「西漢文類」三五卷、「東漢文類三六卷，並緜紙紅絲闌鈔本。又近人馮貞羣編范氏天一閣書目（民國二十六年寧波重修天一閣委員會鉛印本）著錄「西漢文類」凡三部，一部朱絲闌明鈔本，存二十八卷（卷五至十四、卷十八至三五）目錄二卷。其餘兩部爲藍絲闌明鈔本，並僅存目錄二卷，其一注明「腐敗」，是劉節之書已殘缺矣。

註一二　見普林斯敦大學葛思德東方圖書館中文善本書志，屈萬里先生編，民國六十四年藝文印書館排印本。

註一三　陳鑑「兩漢文鑑」包括西漢文二十一卷，東漢文十九卷。陳鑑，宋史無傳，自署爲建安人，自序作於宋理宗端平元年（西元一二三四年）。此書國立中央圖書館藏有明福建建陽劉弘毅愼獨齋刊鈔配本。

註一四　應氏名字時代里居均不詳，其書鐫刻極精，詳見潘宗周寶禮堂宋本書錄。

註一五　毛晉汲古閣本漢書，有「審定宋本」木記，知其亦係據宋本重刊，惟未詳出自何本。

（本文辱承國立故宮博物院圖書文獻處處長昌彼得先生審閱誨正，特此誌謝。）

（原載「書和人」第四一五期，國語日報副刊，民國七十年五月十六日）

# 西漢文類卷第二十

陶叔獻 編

## 論辯



以誅暴秦復立楚社稷功德宜爲

西漢文類卷第三十七　　　陶叔獻　編

論



表



## 非有先生論

東方朔　前漢三十五

非有先生仕於吳進不稱往古以厲主意退不能揚君美以顯其功默然無言者三年矣吳王恠而問之曰寡人獲先人之功寄於衆賢之上夙興夜寐未甞敢怠也今先生率然高舉遠集吳地（師古曰率然猶颯然）將以輔治寡人誠竊嘉之體不安席食不甘味目

吳福助編

# 國學方法論文集

下冊

文史哲出版社印行

# 國學方法論文集

編　者：吳　福　助
出版者：文史哲出版社
登記證字號：行政院新聞局局版臺業字〇七五五號
發行所：文史哲出版社
台北市羅斯福路一段七十二巷四號
郵撥〇五一二八八一二彭正雄帳戶
電話：三五一一〇二八
印刷者：文史哲出版社
精裝一冊新台幣四六〇〇元
平裝二冊新台幣四〇〇〇元
中華民國七十三年十月初版
中華民國七十九年八月再版



ISBN 957-547-009-5（精裝）
ISBN 957-547-010-9（平裝）

# 國學方法論文集目次

吳福助編

## 下册

# 第四輯　校勘學類

## 論書籍何以必須斠讎

阮廷焯

顏氏家訓勉學篇：

江南有一權貴，讀誤本蜀都賦注，解「蹲鴟，芋也」，乃爲「羊」字。人饋羊肉，答書云：「損惠蹲鴟。」舉朝驚駭，不解事義，久後尋迹，方知如此。元氏之世，在洛京時，有一才學重臣，新得史記音，而頗紕繆，誤反「顓頊」字，頊當爲許錄反，錯作許緣反，遂謂朝士言：「從來謬音專旭，當音專翾爾。」此人先有高名，翕然信行，朞年之後，更有碩儒，苦相究討，方知誤焉。

此言讀書而从誤本之失也。羊肉之爲蹲鴟，顓頊之讀專翾，其義其音，相去奚翅千里。讀書而从誤本，固如顏氏所譏。書本初由竹簡易爲卷帛，繼由卷帛易爲摺本，復由摺本易爲墨版。墨版又有宋元舊本、明清近刻之不同。其間展轉遞變，或出於衍奪，或由於改乙，致失本來面目。今日所讀之書，衍奪改乙，又甚於顏氏當時，故篤信舊本，不事斠讎，則習非成是，穿鑿附會之失，斷乎不免。

論語鄉黨篇：

色斯舉矣，翔而後集。

王引之云：

色斯者，狀鳥舉之疾也。與翔而後集，意正相反。色斯，猶色然，驚飛貌也。呂氏春秋審應篇曰：「蓋聞君子猶鳥也，駭則舉。」哀六年公羊傳曰：「諸大夫見之，皆色然而駭。」何注曰：「色然，驚駭貌。」義與此相近也。漢人多以色斯二子連讀。論衡定賢篇曰：「大賢之涉世也，翔而有集，色斯而舉。」議郎元賓碑曰：「翻翥色斯」。竹邑侯相張壽碑曰：「君常懷色斯，遂用高逝。」堂邑令費鳳碑曰：「色斯輕翔，翻然高潔。」費鳳別碑曰：「功成事就，色斯高舉。」（經傳釋詞卷八）

色斯連文，文甚不詞。高笏之師云：

縉以爲色是危之形譌。夫子稱此鳥之德，以爲見危則飛，勇於退也。欲棲先翔，審於進也。危譌爲色，必是古論出壁時之磨損（色斯舉矣考）。

案師說是也。「危斯舉矣」，與先進篇「聞斯行之」，文正一律。集解引馬融云：「見顏色之不善，則去之。」則去之三字，正釋斯舉矣而言。公羊哀公六年傳釋文云：「色然，本又作垝，居委反，驚駭貌，又或作危。」據此，色然舊作危然（與垝然同）。色然，無驚駭之義，何注云：「色然，驚駭貌。」疑所見本正作危然，故注以驚駭貌釋之，卽其明證。（色然與歊然同。玄應一切經音義五引埤蒼云「歊，恐懼也。」）色斯之譌文，幸有釋文所載舊本，猶可參證。至如漢人以二字連讀，則沿譌已久。王氏篤信舊本，不免習非成是之失矣。

孟子公孫丑篇：

必有事焉而勿正心，心勿忘，勿助長也。

趙注：

言人行仁義之事，必有福在其中，而勿正，但以爲福，故爲仁義也。但心勿忘其爲福，而亦勿汲汲助長其福也。

孫疏：

言人之所行，不可必待有事，而後乃正其心而應之也。惟在其常存而不忘，又不在汲汲求助益之而已。故曰必有事焉而勿正心，其言勿忘、勿助長則同意。

趙注、孫疏釋此文，各憑臆爲說，而句讀竝異，孫疏雖得其讀，然猶不知此文之有訛誤。顧炎武云：倪文節謂：當作「必有事焉而勿忘，勿忘，勿助長也。」傳寫之誤，以忘字作正心二字。言養浩然之氣，必當有事而勿忘，旣已勿忘，又當勿助長也。疊二「勿忘」作文法也。按書無逸篇曰：「自時厥後立王，生則逸，生則逸，不知稼穡之艱難。」亦是疊一句，而文愈有致。今人發言，亦多有重說一句者。禮記祭義：「見聞以俠甒」。鄭氏曰：「見閒當爲覸」。史記蔡澤傳：「吾持粱刺齒肥」。索隱曰：「刺齒肥，當爲齧肥。」論語：「五十以學易」。朱子以爲五十當作卒。此皆古書一字誤爲二字之證(日知錄卷七)。

案倪說是也。忘字上半作亡，與止形近。列子仲尼篇：「亡變亂於心慮」。釋文：「亡，一本作止。」止又與正形近。荀子宥坐篇：「文王誅潘止」。家語始誅篇止作正。是亡止、止正，形近易混之證。顧氏學證古書一字誤分之例，允矣。孟子梁惠王篇：「七十者衣帛食肉」。七十二字乃老字之訛(詳拙著孟子拾補)。告子篇：「以紂爲兄之子且以爲君，而有微子啓，王子比干。」之子二字卽弟字之誤(俞樾孟子平議有說)。竝可參證。注疏不事斠讐，不免穿鑿附會之失矣。

讀書而篤信舊本，不事斠讐，其失固如此。德清俞樾云：

自竹簡而縑素而紙，其爲變也屢矣，執今日傳刻之書，而以爲是古人之眞本，譬如聞人言筍可食，歸而煎其簀也(古書疑義舉例序)。

聞筍可食，歸煎其簀，本可笑之事。然學者習非成是，穿鑿附會，則非徒可笑，亦可悲矣。

北史邢邵傳：

有書甚多，而不甚讐校，見人校書，常笑曰：「何愚之甚！天下書至死讀不可遍，焉能始復校此？且誤書思之，更是一適。」妻弟李季節，才學之士，謂子才曰：「世間人多不聰明，思誤書何由能得？」子才曰：「若思而不能得，便不勞讀書。」

子才不甚斠讐，而日思誤書，更有所適，此以不校校之也(見藏書紀事詩卷六引顧廣圻思適齋圖自記)。不校校書，尙得思適之樂，況从事於斠讐者乎。故能从事斠讐，復有二善，茲分別證之。

一曰啓發新知。史記封禪書：

羨門高爲方僊道，形解銷化，依於鬼神之事。

索隱：

羨門高者，秦始皇使盧生求羨門子高，是也。

考證：

諸本門下有子字，索隱本無，與漢（書郊祀）志合，今从之。

案諸本門下有子字，是也。秦始皇本紀：「三十二年，始皇使燕人盧生求羨門、高誓。」索隱之文，卽本於此，而曰羨門子高者，明紀文之羨門，與此實爲一人。索隱本無，蓋偶脫耳。漢書郊祀志：「求僊人羨門之屬」。注引應劭云：「羨門，名子高，古仙人也。」應劭之文，當本於史文，卽其塙證矣。古人二字之名，得省稱一字。漢書司馬相如傳：「厮征伯僑而役羨門」。注引張揖云：「羨門，碣石山上仙人羨門高也。」羨門高，卽子高也。（漢書郊祀志作羨門高，亦係省稱。）文選阮嗣宗咏懷詩：「乃悮羨門子，噭噭今自蚩。」羨門子，亦子高也。二字之名，任舉一字，得从省稱。本書（封禪書）上文之正伯僑，文選揚子雲甘泉賦作征僑，征正字通，征僑，卽伯僑也。亦二字之名，省稱一字，其例正同。考證妄刪，失之。

荀子堯問篇：

我文王之爲子，武王之爲弟，成王之爲叔父。

楊注：

周公先成王薨，未宜知成王之謚，此云成王，乃後人所加耳。

劉師培云：

此之字與以字同，之字訓之，于古甚鮮，此足補王氏釋詞之缺。

案之猶則也，本書多此例。此謂我於文王則爲子，武王則爲弟，成王則爲叔父耳。劉氏詁之爲以，似未若解之爲則之允。金文如成王、穆王、龏王、懿王，均生稱謚號（說詳于省吾荀子新證）。故周公得言成王之謚，楊注說謬。成王，尙書大傳大語篇作今王，則後人未審此義而妄改也。

以上二端，皆从事斠讐，得諸辭例之新知也。新會梁啓超云：「夫校其文，必尋其義，尋其義，則新理解出矣。」（淸代學術槪論）所謂新理解出，豈非啓發新知之事乎。

**一曰解決宿疑。**意林卷一隨巢子：

執無鬼者曰越蘭，問隨巢子曰：「鬼神之智，何如聖人？」曰：「聖也。」

孫詒讓云：

疑當作「賢於聖也」。（隨巢子輯本）

案孫說是也。惟也上當更有人字。羣書備考載隨巢子之言云：「鬼神賢於聖人」。卽本於此。說郛本正作「賢於聖人也」，是其塙證。

荀子君道篇：

今人主有六患。

俞樾云：

下文：「使賢者爲之，則與不肖者規之。使知者慮之，則與愚者論之。使脩士行之，則與汙邪之人疑之。」止可云三患，不可云六患。六疑大字之誤，學者誤以下文一句爲一患，故臆改爲六，不知合二句方成一患。若止是賢者爲之，知者慮之，脩士行之，非患也。

案俞說是也。經濟類編一引今人主有六患，正作「今人主有大患」，足徵六爲大之訛。此从事斠讐，可印證舊說，解決宿疑之一也。

大戴禮記曾子立事篇：

臨懼之，而觀其不恐也。

王樹枏云：

臨字疑衍。亦是校書者注於懼字之旁，後人因誤入於正文也。

案臨字不衍，臨下當有事字。上文：「臨事而不敬」，下文：「臨事而栗者」，皆以臨事連文。大典二千九百七十八引臨下正有事字，卽其塙證。

墨子非命上篇：

吾當未鹽數天下之良書，不可盡計數。

畢沅云：

鹽，盡字之譌。

張純一云：

　鹽字當從畢校作盡，下文天下之良書，不可盡計數。

案未鹽當作米鹽，字之誤也。史記天官書：「凌雜米鹽」。正義：「米鹽，細碎也。」漢書黃霸傳：「米鹽靡密」。顏注：「米鹽，雜而且細也。」咸宣傳：「其治米鹽」。顏注：「米鹽，細雜也。」則米鹽者，繁碎之義。（俞正燮癸巳存稿、胡玉縉許廎學林皆有說。）癸巳存稿七引逕改未鹽爲米鹽，即其證矣。此謂吾嘗米鹽數天下之良書（此當句），不可盡計數也，畢說未塙。張氏未能是正，且失其讀，失之矣。此从事斠讐，可匡正舊聞，解決宿疑之二也。

以上二端，或即證舊說，或匡正舊聞，得以解決宿疑者也。新會梁啓超云：「諸所校者，往往有前此不可索解之語句，一旦昭若發曚。」（清代學術概論）所謂昭若發曚，豈非解決宿疑之事乎。

从事斠讐，得以啓發新知，解決宿疑，既如上述。今夏（乙未）嘗以一日之力，斠畢說鄂本意林，日落屋壁，意興未盡，因疊選堂師南海唱和詩原韻成詩一首云：

　守拙以閒居，校書輒終日。南村存斯槧，佳字垂數十。篇卷猶三軸，奇文天壤出。握管辨纖毫，鈎勒盈紙隙。疑牾始滌蕩，心懷異夙昔。纂錄竭吾勤，陳義堪奪席。意倦目未瞑，落日照屋壁。

此詩於斠讐之旨趣，自謂頗能傳達。陳義堪奪席，則啓發新知之事也。心懷異夙昔，則解決宿疑之事也。不辭剪陋，附錄於此，亦所以明甘苦之所在耳。

# 校勘學方法論

## ——序陳垣先生的元典章校補釋例——

胡　適

陳援菴先生(垣)在這二十多年之中,搜集了幾種很可寶貴的元典章鈔本;民國十四年故宮發現了元刻本,他和他的門人曾在民國十九年夏天用元刻本對校沈家本刻本,後來又用諸本互校,前後費時半年多,校得沈刻本譌誤衍脫顚倒之處凡一萬二千餘條,寫成元典章校補六卷,又補闕文三卷,改訂表格一卷(民國二十年北京大學研究所國學門刋行)。校補刋行之後,援菴先生又從這一萬二千多條錯誤之中,挑出一千多條,各依其所以致誤之由,分別類例,寫成元典章校補釋例六卷。我和援菴先生做了幾年的鄰舍,得讀釋例最早,得益也最多。他知道我愛讀他的書,所以要我寫一篇釋例的序。我也因爲他這部書是中國校勘學的一部最重要的方法論,所以也不敢推辭。

*　　*　　*　　*

校堪之學起於文件傳寫的不易避免錯誤。文件越古,傳寫的次數越多,錯誤的機會也越多。校勘學的任務是要改正這些傳寫的錯誤,恢復一個文件的本來面目,或使他和原本相差最微。校勘學的工作有三個主要的成分:一是發見錯誤,二是改正,三是證明所改不誤。

發見錯誤有主觀的，有客觀的。我們讀一個文件，到不可解之處，或可疑之處，因此認爲文字有錯誤：這是主觀的發見錯誤。因幾種「本子」的異同，而發見某種本子有錯誤：這是客觀的。主觀的疑難往往可以引起「本子」的搜索與比較；但讀者去作者的時代旣遠，偶然的不解也許是由于後人不能理會作者的原意而未必眞由于傳本的錯誤。況且錯誤之處未必都可以引起疑難，若必待疑難而後發見錯誤，而後搜求善本，正誤的機會就太少了。況且傳寫的本子，往往經「通人」整理過；若非重要經籍，往往經人憑己意增删改削，成爲文從字順的本子了。不學的寫手的本子的錯誤是容易發見的，「通人」整理過的傳本的錯誤是不容易發見的，試舉一個例子爲證。坊間石印聊齋文集附有張元所作「柳泉蒲先生墓表」，其中記蒲松齡「卒年八十六」。這是「卒年七十六」之誤，有國朝山左詩鈔所引墓表，及原刻碑文可證。但我們若單讀「卒年八十六」之文，而無善本可比較，決不能引起疑難，也決不能發見錯誤。又山左詩鈔引這篇墓表，字句多被删節，如云：

〔先生〕少與同邑李希梅及余從父歷友結郢中詩社。

此處無可引起疑難；但清末國學扶輪社鉛印本聊齋文集載墓表全文，此句乃作：

與同邑李希梅及余從伯父歷視友，旋結爲郢中詩社。（甲本）

依此文，「歷視」爲從父之名，「友」爲動詞，「旋」爲「結」之副詞，文理也可通。石印本聊齋文集卽從扶輪社本出來，但此本的編校者熟知聊齋志異的掌故，知道「張歷友」是當時詩人，故石印本墓表此句改成下式：

與同邑李希梅及余從伯父歷友親，旋結爲郢中詩社。（乙本）

最近我得墓表的拓本，此句原文是：

與同邑李希梅及余從伯父歷友視旋諸先生結爲郢中詩社。（丙本）

視旋是張履慶，爲張歷友（篤慶）之弟，其詩見山左詩鈔卷四十四。他的詩名不大，人多不知道「視旋」是他的表字；而「視旋」二字出于周易履卦「視履考祥，其旋元吉」，很少人用這樣罕見的表字。甲本校者竟連張歷友也不認得，就妄倒「友視」二字，而刪「諸先生」三字，是爲第一次的整理。乙本校者知識更高了，他認得「張歷友」，而不認得「視旋」，所以他把「視友」二字倒回來，而妄改「視」爲「親」，用作動詞，是爲第二次的整理。此兩本文理都可通，雖少有疑難，都可用主觀的論斷來解決。倘我們終不得見此碑拓本，我們終不能發見甲乙兩本的眞錯誤。這個小例子可以說明校勘學的性質。校勘的需要起于發見錯誤，而錯誤的發見必須倚靠不同本子的比較。古人稱此學爲「校讐」，劉向別錄說：「一人讀書，校其上下得謬誤，爲校；一人持本，一人讀書，若怨家相對，爲讐」。其實單讀一個本子，「校其上下」，所得謬誤是很有限的；必須用不同的本子對勘，「若怨家相對」，一字不放過，然後可以「得謬誤」。

改正錯誤是最難的工作。主觀的改定，無論如何工巧，終不能完全服人之心。大學開端「在親民」，朱子改「親」爲「新」，七百年來，雖有政府功令的主持，終不能塞反對者之口。校勘學所許可的改正，必須是在幾個不同的本子之中，選定一個最可靠或最有理的讀法。這是審查評判的工作。我所謂

「最可靠」的讀法，當然是最古底本的讀法。如上文所引張元的聊齋墓表，乙本出于甲本，而甲本又出于丙本，丙本爲原刻碑文，刻於作文之年，故最可靠。我所謂「最有理」的讀法，問題就不能這樣簡單了。原底本既不可得，或所得原底本仍有某種無心之誤（如韓非說的郢人寫書而多寫了「舉燭」二字，如今日報館編輯室每日收到的草稿），或所得本子都有傳寫之誤，或竟無別本可供校勘，——在這種情形之下，改正謬誤沒有萬全的方法。約而言之，最好的方法是排比異同各本，考定其傳寫的先後，取其最古而又最近理的讀法，標明各種異讀，並揣測其所以致誤的原因。其次是無異本可互勘，或有別本而無法定其傳授的次第，不得已而假定一個校者認爲最近理的讀法，而標明原作某，一作某，今定作某是根據何種理由。如此校改，雖不能必定恢復原文，而保守傳本的眞相以待後人的論定，也可以無大過了。

改定一個文件的文字，無論如何有理，必須在可能的範圍之內提出證實。凡未經證實的改讀，都只是假定而已，臆測而已。證實之法，最可靠的是根據最初底本，其次是最古傳本，其次是最古引用本文的書。萬一這三項都不可得，而本書自有義例可尋，前後互證，往往也可以定其是非，這也可算是一種證實。此外，雖有巧妙可喜的改讀，只是校者某人的改讀，足備一說，而不足成爲定論。例如上文所舉張元墓表之兩處誤字的改正，有原刻碑文爲證，這是第一等的證實。又如道藏本淮南內篇原道訓：「是故鞭噬狗，策蹏馬，而欲教之，雖伊尹造父弗能化。欲寅之心亡於中，則飢虎可尾，何況狗馬之類乎？」這裏「欲寅」各本皆作「欲害」。王念孫校改爲「欲宍」。他因爲明劉績本注云「古肉字」，所以推知劉本原作「宍」字；只因草書「害」字與「宍」相似，世人多見「害」，少見「宍」，故誤寫爲「害」。這是指出所以致誤之由，還算不得證實。他又舉二證：⑴吳越春秋勾踐陰謀外傳「斷竹續竹，飛土逐宍」，今本宍作害；⑵論衡感虛編「廚門木象生肉足」，今本風俗通義肉作害，害亦宍之誤。這都是類推的論證，因論衡與吳越春秋的「宍」誤作「害」，可以類推淮南書也可以有同類的誤寫。類推之法由彼例此，可以推知某種致誤的可能，而終不能斷定此誤必同于彼誤。直到顧廣圻校得宋本果作「欲宍」，然後王念孫得一古本作證，他的改讀就更有力了。因爲我們終不能得最初底本，又因爲在義理上「欲害」之讀並不遜於「欲肉」之讀（文子道原篇作「欲害之心忘乎中」），所以這種證實只是第二等的，不能得到十分之見。又如淮南同篇：「上游於霄雿之野，下出於無垠之門」，王念孫校，「無垠」下有「鄂」字。他舉三證：⑴文選西京賦「前後無有垠鄂」的李善注：「淮南子曰，出於無垠鄂之門。許愼曰，垠鄂，端崖也」。⑵文選七命的李善注同。⑶太平御覽地部二十：「淮南子曰，下出乎無垠鄂之門。高誘曰，無垠鄂，無形之貌也。」這種證實，雖不得西漢底本，而可以證明許愼高誘的底本如此讀，這就可算是第一等的證實了。

所以校勘之學無處不靠善本：必須有善本互校，方才可知謬誤；必須依據善本，方才可以改正謬誤；必須有古本的依據，方才可以證實所改的是非。凡沒有古本的依據，而僅僅推測某字與某字「形似而誤」，某字「涉上下文而誤」的，都是不科學的校勘。以上三步工夫，是中國與西洋校勘學者共同遵守的方法，運用有精有疏，有巧有拙，校勘學的方法終不能跳出這三步工作的範圍之外。援菴先生對我說，他這部書是用「土法」的。我對他說：在校勘學上，「土法」和海外新法並沒有多大的分別，所不同者，西洋印書術起於十五世紀，比中國晚了六七百年，所以西洋古書的古寫本保存的多，有古本可供校勘，是一長。歐洲名著往往譯成各國文字，古譯本也可供校勘，是二長。歐洲很早就有大學和圖書館，古本的保存比較容易，校書的人借用古本也比較容易，所以校勘之學比較普及，只算是治學的人一種不可少的工具，而不成為一二傑出的人的專門事業。這是三長。在中國則刻印書流行以後，寫本多被拋棄了；四方鄰國偶有古本的流傳，而無古書的古譯本；大學與公家藏書又都不發達，私家學者收藏有限，故工具不夠用，所以一千年來，夠得上科學的校勘學者，不過兩三人而已。

中國校勘之學起源很早，而發達很遲。呂氏春秋所記「三豕涉河」的故事，已具有校勘學的基本成分。劉向劉歆父子校書，能用政府所藏各種本互勘，就開校讎學的風氣。漢儒訓註古書，往往注明異讀，是一大進步。經典釋文廣收異本，徧舉各家異讀，可算是集古校勘學之大成。晚唐以後，刻印的書多了，古書有了定本，一般讀書人往往過信刻板書，校勘之學幾乎完全消滅了。十二世紀晚期，朱子斤斤爭論程氏遺書刻本的是非；十三世紀之初，周必大校刻文苑英華一千卷，在自序中痛論「以印本易舊書，是非相亂」之失，又略論他校書的方法；彭叔夏作文苑英華辨證十卷，詳舉他們校讎的方法，清代校勘學者顧廣圻稱為「校讎之楷模」。彭叔夏在自序中引周必大的話：

校書之法，實事是正，多聞闕疑。

他自己也說：

叔夏年十二三時，手鈔太祖皇帝實錄，其間云：「興衰治亂之源」闕一字，意謂必是「治亂」。後得善本，乃作「治忽」。三折肱爲良醫，信知書不可以意輕改。

這都是最扼要的校勘方法論。所以我們可以說，十二三世紀之間是校勘學的復興時代。

但後世校書的人，多不能有周必大那樣一個退休宰相的勢力來「徧求別本」，也沒有他那種「實事是正，多聞闕疑」的精神，所以十三世紀以後，校勘學又衰歇了。直到十七世紀方以智顧炎武諸人起來，方才有考訂古書的新風氣。三百年中，校勘之學成爲考證學的一個重要工具。然而治此學者雖多，其中眞能有自覺的方法，把這門學問建築在一個穩固的基礎之上的，也不過寥寥幾個人而已。

縱觀中國古來的校勘學所以不如西洋，甚至於不如日本，其原因我已說過，都因爲刻書太早，古寫本保存太少；又因爲藏書不公開，又多經劫火，連古刻本都不容易保存。古本太缺乏了，科學的校勘學自不易發達。王念孫段玉裁用他們過人的天才與功力，其最大成就只是一種推理的校勘學而已。推理之最精者，往往也可以補版本的不足。但校讐的本義在於用本子互勘，離開本子的搜求而費精力於推敲，終不是校勘學的正軌。我們試看日本佛教徒所印的弘教書院的大藏經及近年的大正新修大藏經的校勘工作，就可以明白推理的校勘不過是校勘學的一個支流，其用力甚勤而所得終甚微細。

* * * * *

陳援菴先生校元典章的工作，可以說是中國校勘學的第一偉大工作，也可以說是中國校勘學的第一次走上科學的路。前乎此者，只有周必大彭叔夏的校勘文苑英華差可比儗。我要指出援菴先生的元典章校補及釋例有可以永久作校勘學的模範者三事：第一，他先搜求善本，最後得了元刻本，然後用元人的刻本來校元人的書；他拼得用極笨的死工夫，所以能有絕大的成績。第二，他先用最古刻本對校，標出了所有的異文，然後用諸本互校，廣求證據，定其是非，使我們得一個最好的，最近于祖本的定本。第三，他先求得了古本的根據，然後推求今本所以致誤之由，作爲「誤例」四十二條，所以他的「例」都是已證實的通例，是校後歸納所得的說明，不是校前所假定的依據。此三事都足以前無古人，而下開來者，故我分開詳說如下：

第一，援菴先生是依據同時代的刻本的校勘，所以是科學的校勘，而不是推理的校勘。沈刻元典章的底本，乃是間接的傳鈔本，沈家本跋原鈔本說，「此本紙色分新舊：舊者每半頁十五行，當是影鈔元刻本；新者每半頁十行，當是補鈔者，蓋別一本。」但他在跋尾又說：「吾友董綬金赴日本，見是書，據稱從武林丁氏假鈔者。」若是從丁氏假鈔的，如何可說是「影鈔元刻本」呢？這樣一部大書，底本既是間接又間接的了，其中又往往有整幾十頁的闕文，校勘的工作必須從搜求古本入手。援菴先生在這許多年中，先後得見此書的各種本子，連沈刻共有六本。我依他的記載，參以沈家本原跋，作成此書底本源流表：

- 祖本
  - (甲)元刻（半頁十八行？）
    - (甲一)（故宮藏本）── 吳鈔本前集（丁上）→ 丁藏鈔本一部分（庚）（與丁上同）↓
    - (甲二)（？）── 孔藏鈔本新集（丁下）
  - (乙)元刻（？）（半頁十行）── 方藏鈔本（戊）→ 彭本（己）→ 丁藏鈔本一部分（辛）（與戊己同）↓
  - (丙)元刻（？）（半頁十五行？）── 丁藏鈔本一部分（壬）（不與各本同）↓
- → 沈刻（癸）

援菴先生的校補，全用故宮元刻本（甲一）作根據，用孔本（丁下）補其所闕祭祀門，又用各本互校，以補這兩本的不足。因爲他用一個最初的元刻本來校一部元朝的書，所以能校得一萬二千條的錯誤，又能補得闕文一百零二頁之多！試用這樣偉大的成績比較他二十年前「無他本可校」時所「確知爲譌誤者若干條」，其成績的懸絕何止百倍？他在本書第四十三章裏，稱此法爲「對校法」，他很謙遜的說：

此法最簡便，最穩當，純屬機械法；其主旨在校異同，不校是非，故其短處在不負責任；雖祖本或別本有訛，亦照式錄之。而其長處則在不參己見；得此校本，可知祖本或別本之本來面目。

故凡校一書，均須先用對校法，然後再用其他校法。

他又指出這個法子的兩大功用：

一，有非對校不知其誤者，以其表面上無誤可疑也。例如：

元關本錢二十定　元刻作　二千定

大德三年三月　元刻作　五月

二，有知其誤，非對校無以知爲何誤者。例如：

每月五十五日　元刻作　每五月十五日

此外，這個對校法還有許多功用，如闕文，如錯簡，如倒葉，如不經見的人名地名或不經見的古字俗字，均非對校無從猜想。故用善本對校是校勘學的靈魂，是校勘學的唯一途徑。向來學者無力求善本，又往往不屑作此種「機械」的笨工作，所以校勘學至今不曾走上科學的軌道。援菴先生和他的幾位朋友費了八十日的苦工，從那機械的對校裏得着空前的大收穫，使人知道校書「必須先用對校法」，這是他奠定新校勘學的第一大功。

第二，他用無數最具體的例子來教我們一個校勘學的根本方法，就是：先求得底本的異同，然後考定其是非。是非是異文的是非，沒有異文，那有是非？向來中國校勘學者，往往先舉改讀之文，次推想其致誤之由，最後始舉古本或古書引文爲證。這是不很忠實的記載，並且可以迷誤後學。其實眞正校書的人往往是先見古書的異文，然後定其是非，他們偏要倒果爲因，先列己說，然後引古本異文爲證，好像是先有了巧妙的猜測，而忽得古本作印證似的！所以初學的人，看慣了這樣的推理，也就以爲校勘之事是應該先去猜想而後去求印證的了！所以我們可以說，古來許多校勘學者的著作，其最高者如王念孫王引之的，也只是教人推理的法門，而不是校書的正軌；其下焉者，只能引學者走上捨版本而空談校勘的迷途而已。校勘學的不發達，這種迷誤至少要負一部分的責任。援菴先生的校補，完全不用這種方法，他只根據最古本，正其誤，補其闕；其元刻誤而沈刻不誤者，一概不校；其有是非不易決定者，姑仍共舊。他的目的在於恢復這書的元刻本來面目，而不在於炫示他的推理的精巧。至於如何定其是非，那是無從說起的。他的一部釋例，只是對我們說：要懂得元朝的書，必須多懂得元朝的特殊的制度、習俗、語言、文字。這就是說：要懂得一個時代的書，必須多懂得那個時代的制度、習俗、語言、文字。那是個人的學問知識的問題，不是校勘學本身的問題，校勘的工作只是嚴密的依據古本，充分的用我們所用的知識學問來決定那些偶有疑問的異文的是非，要使校定的新本子至少可以比得上原來的本子，甚至於比原來的刻本還更好一點。如此而已！援菴先生的工作，不但使我們得見元典章的元刻的本來面目，還參酌各本，用他的淵博的元史知識，使我們得着一部比元刻本更完好的元典章。這是新校堪學的第一大貢獻。

第三，援菴先生的四十二條「例」，也是新校勘學的工具，而不是舊校勘學的校例。校勘學的「例」只是最普通的致誤之由。校書所以能有通例，是因爲文件的誤寫都由寫人的無心之誤，或有心之誤；無心之誤起于感官（尤其是視官）的錯覺；有心之誤起于有意改善一個本子而學識不夠，就以不誤爲誤。這都是心理的現象，都可以有心理的普通解釋，所以往往可以歸納成一些普通致誤的原因，如「形似而誤」，「涉上文而誤」，「兩字誤爲一字」，「一字誤分作兩字」，「誤收旁注文」等等。彭叔夏作文苑英華辨證，已開校例之端。王念孫讀淮南內篇的第廿二卷，是他的自序，「推其致誤之由」，列舉普通誤例四十四條，又因誤而失韻之例十八條，逐條引淮南子的誤文作例子。後來兪樾作古書疑義擧例，其末三卷裏也有三十多條校勘的誤例，逐條引古書的誤文作例子。兪樾在校勘學上的成績本來不很高明，所以他的「誤例」頗有些是靠不住的，而他擧的例子也往往是很不可靠的。例如他的第一條「兩字義同而衍例」，就不成一條通例，因爲寫者偶收旁注同義之字，因而誤衍，或者有之；而無故誤衍同義之字，是很少見的。他擧的例子，如硬删周易履六三「跛能履，不足以與行也」的「以」字；如硬删左傳隱元年「有文在其手曰爲魯夫人」的「曰」字；如硬删老子六十八章「是謂配天古之極」的「天」字，都毫無底本的根據，硬斷爲「兩字義同而衍」，都是臆改古書，不足爲校勘學的誤例。王念孫的六十多條「誤例」，比兪樾的高明多了。他先校正了淮南子九百餘條，然後從他們歸納出六十幾條通例，故大體上都還站得住。但王念孫的誤例，分類太細碎，是一可議；淮南是古書，古本太少，王氏所校頗多推理的校勘，而不全有古書引文的依據，是二可議；論字則草書隸書篆文雜用，論韻則所謂「古韻部」本不是嚴格的依據，是三可議。校勘的依據太薄弱了，歸納出來的「誤例」也就不能完全得人的信仰。

所謂「誤例」，不過是指出一些容易致誤的路子，可以幫助解釋某字何以譌成某字，而絕對不夠

證明某字必須改作某字，

前人校書，往往引一個同類的例子，稱爲「例證」，是大錯誤。兪樾自序古書疑義擧例，說：「使童蒙之子習知其例，有所據依，或亦讀書之一助乎！」這正是舊日校勘家的大病。例不是證，不夠用作「據依」。而淺人校書隨意改字，全無版本的根據，開口卽是「形似而誤」，「聲近而誤」，「涉上文而誤」，好像這些通常誤例就可證實他們的臆改似的！中國校勘學所以不上軌道，多由於校勘學者不明「例」的性質，誤認一個個體的事例爲有普遍必然性的律例，所以他們不肯去搜求版本的眞依據，而僅僅會濫用「誤例」的假依據。

援菴先生的釋例所以超前人，約有四端：第一，他的校改是依據最古刻本的，誤是眞誤，故他的「誤例」是已證實了的誤例。第二，他是用最古本校書，而不是用「誤例」校書；他的「誤例」是用來「疏釋」已校改的謬誤的。第三，他明明白白的說他的校法只有四個，此外別無用何種「誤例」來校書的懶法子。第四，他明說這些「誤例」不過是用來指示「一代語言特例」，並古籍竄亂通弊」。他所擧的古書竄亂通弊不過那最普通的七條（十二至十八），而全書的絕大部分，自第十九例以下，全是元代語言特例，最可以提醒我們，使我們深刻的了解一代有一代的語言習慣，不可憑藉私見淺識來妄解或妄改古書。他這部書的教訓，依我看來，只是要我們明白校勘學的最可靠的依據全在最古的底本；凡版本不能完全解決的疑難，只有最淵博的史識可以幫助解決，書中論「他校法」一條所擧「納失失」及「竹忽」兩例是最可以供我們玩味的。

我們慶賀援菴先生校補元典章的大工作的完成，因爲我們承認他這件工作是「土法」校書的最大成功，就是新的中國校勘學的最大成功。

胡適。廿三，十，八。

（註）元典章校補釋例六卷，新會陳垣著，中央研究院歷史語言研究所專刊之一。

（原載「國學季刊」第四卷第三號，國立北京大學，民國二十三年）

# 論校古書之方法及態度

王叔岷

顏氏家訓勉學篇云：『校定書籍，亦何容易，觀天下書未徧，不得妄下雌黃。』此非過甚之辭，實最見甘苦之言也。博覽羣籍，然後能深究本原；本原既得，然後能明辨是非。一慮偶疏，失之千里，校書豈易言哉！天下書讀不可徧，初學之士，非先得基本之方法，秉持謹嚴之態度，此道門徑，恐未易入也。因就方法、態度二事，分別疏論，一得之見，粗定梗概，盡其要眇，則在善用規矩者耳。

## 甲、方　法

校書甚難，何從著手？欲明此道，須重方法。方法之要，厥有數端。

### 一　底本古

欲校一書，須先選擇底本以爲依據，底本當選較古而完整者。如欲校定莊子，則當據續古逸叢書影宋刋本爲底本，此書逍遙遊篇至至樂篇爲南宋本；達生篇至天下篇爲北宋本，爲莊子古本中之最完善者（此外，岷所見尚有江安傅沅叔先生所藏南宋蜀本，已歸國立中央研究院歷史語言研究所，此本雖刋於南宋初，惜讓王篇缺十四至十七四葉）。校書之目的，在復其本來面目，所據底本愈古，則愈接近其本來面目。底本既定，然後以他本輔之，此校書最基本之條件，惜每爲人所忽。如郭慶藩莊子集釋，所據蓋古逸叢書覆宋本，惟郭氏閒有改竄，已失覆宋本之眞；且其書頗有訛字，實不足據，而近人治莊子，每多依據郭本，卽劉師培亦不免有此失。如天道篇：鼠壤有餘蔬，而棄妹之者，不仁也。

劉師培校補云：『釋文本作「棄妹不仁。」云：「一本作：妹之老。」是之者二字，舊係衍文，者又老訛。』

案釋文：『妹，一本作：妹之者。』非謂『一本作：妹之老。』覆宋本妹下有之者二字，與釋文所稱一本合。郭慶藩集釋本所引釋文，誤者爲老，劉氏本之，未加檢覆，反謂者爲老訛，此據郭本之失也。至如劉文典莊子補正，未言所據何本，但闚其內容，知所據亦郭慶藩集釋本。如徐无鬼篇：藜藋柱乎鼪鼬之逕。

碧虛子校引文如海、張君房本藋作藿，乎作宇，典案疏：『唯有藜藿野草，柱塞門庭。』是成本亦作藿。古書多言藜藋，罕言藜藿，文、張、成本較長。

案釋文：『藋，本或作權，同。』本既作權，則藋必非誤字。管子小匡篇：『而蓬蒿藜權並興（今本權誤糴，詳兪樾說），』與此作權之本合。左昭十六年傳：『斬之蓬蒿藜藋，』史記越世家：『披藜藋到門，』並以藜藋連文，此不得因古書多言藜藋，罕言藜藋，遂謂文、張本作藜藿較長，文、張本之作藜藿，或正由古書罕言藜藋而致誤耳。史記仲尼弟子列傳：『排藜藋，』今本藋誤藿（詳王念孫說），卽其例也。道藏本、覆宋本成疏，並作『藜藋野草，柱塞門庭。』惟郭慶藩集釋本作藜藿，郭氏常妄改成疏，劉氏不察，遂以爲成本亦作藜藿矣。此據郭本之失也。

天下篇：名山三百。

兪樾曰：『名山當作名川，字之誤也。』典案兪校是也，御覽六十八引，正作『名川三百。』日本高山寺本同。

案覆宋本本作名川；宋刋本、趙諫議本、道藏各本皆同。白帖一、錦繡萬花谷別集三、玉海小學紺珠二引，亦並作名川。惟元纂圖互注本及世德堂本誤名山。郭慶藩改覆宋本名川爲名山，蓋爲引兪樾『名山當作名川』之說（詳集釋卷十下），不知所據本本作名川，卽於兪說上加『名川某本作名山』句可矣，何必妄改正文邪？此其書之所以不足據也。劉氏據以爲底本，不亦失擇乎？

又如欲校定淮南子，則當據四部叢刋影宋本或道藏本爲底本，而劉文典淮南鴻烈集解所據，乃莊逵吉本。莊本讎校未審，常妄加改竄，實不可據。

如原道篇：約其所守，寡其所求，去其誘慕，除其嗜欲，損其思慮。

案『約其所守，寡其所求』二句，宋本、道藏本皆無，莊本蓋依下文『約其所守則察，寡其所求則得』二句妄增也，不足據。

主術篇：是故得道者，不爲醜飾，不爲僞善。注：不飾爲美，亦不枉爲善也。

王念孫云：『此本作「不僞醜飾，不僞善極」。僞卽爲字也。「不僞醜飾，不僞善極。」相對爲文，故高注云：「不飾爲美，亦不極爲善也。」道藏本、劉本、朱本、茅本，皆如是，莊改

「不極」爲「不枉，」謬甚！』

說山篇：爲魚德者，非挈而入淵；爲蝯賜者，非負而緣木，縱之其所而已。注：『故曰：縱之其所而已。』

王念孫云：『「縱之其所而已，」所下當有利字，淵者魚之所利，木者蝯之所利，故曰：「縱之其所利而已。」高注：「故曰：縱之其利而已也，」利上當有所字，各本正文脫利字，而注文利字尚存，莊本又改利字爲所字，則並注文亦無利字矣。文子上德篇作：「縱之所利而已，」與高注利字合，則正文原有利字明矣。』

類此之例甚多，莊本常改竄原書，王念孫已斥其謬，劉氏集解既引王氏之說，是明知莊本之非，而復據爲底本者矣！不亦惑乎？

## 二　輔本多

夫精於校書者，擧誼塙鑿，輔本固不必多。然輔本多，實有助於判斷。輔本少，難免疏失。或見而未備；或顧此失彼。茲分別證之。

(1)見而未備。

如莊子德充符篇：受命於地，唯松柏獨也，在冬夏青青。受命於天，唯舜獨也正。

俞樾云：『在疑正字之譌，「受命於地，唯松柏獨也正，」與下文「受命於天，唯舜獨也正，」兩文相對。舜爲大聖，其正之義易見，故不煩申說；松柏，則二木耳，其正之義難見，故必著

「多夏青青」一句以明之。莊子行文，錯綜變化，未可以後世之文法繩之也。學者不達，而臆改爲在，失之矣。』

案陳碧虛闕誤引張君房本作：『受命於地，唯松柏獨也正，在冬夏青青。受命於天，唯堯、舜獨也正，在萬物之首。』較今本多七字，審注：『言特受自然之正氣者至希也。下首則唯有松柏，上首則唯有聖人。』疑郭本原有此七字。『受命於地，唯松柏獨也正，在冬夏青青，』與『受命於天，唯堯、舜獨也正，在萬物之首，』相對，文意完好。兪氏謂「受命於地，唯松柏獨也正，」與「受命於天，唯舜獨也正，」兩文相對。』是也。惟疑在爲正之譌，則見而未備矣。『舜爲大聖，其正之義易見，故不煩申說』云云，尤爲臆說。

呂氏春秋審爲篇：君固愁身傷生以憂之戚不得也（戚，今本誤臧，據畢沅校改）。

王念孫云：之字衍，莊子無。

案戚上有之字，不詞。王氏據莊子讓王篇以爲衍文，似塙。但日本高山寺舊鈔卷子本莊子亦有之字，惟『之戚』作『戚之，』是此文之字非衍文，『之戚』乃『戚之』之誤倒耳，王氏蓋見而未備矣。

⑵顧此失彼。

如列子湯問篇：鯱兪、師曠，方夜擿耳俛首而聽之。

元本脫擿字。洪頤煊云：夜耳當作仄耳，即側耳也。仄，古作厄，與夜字形相近，故譌作夜耳。

案盧重元本、北宋本、世德堂本、道藏白文本、林希逸本、高守元本，皆作『方夜擿耳俛首而聽之，』

（道藏江遙本擿作摘，摘、擿古通。）與上『方書拭眥揚眉而望之』對文，惟元本脫擿字（任大椿釋文考異云：『今本擿耳作夜耳。』蓋不知夜下脫擿字也。），洪氏未檢他本，而曲說以通之，豈非顧此失彼乎？

莊子秋水篇：差其時、逆其俗者，謂之篡夫。

劉文典云：碧虛子校引張君房本篡下有之字。典案『篡之夫，』不詞，且與下『義徒』不相對，張本非是。

案之爲語助，『謂之篡之夫，』即『謂之篡夫。』齊物論篇：『麗之姬，艾封人之子也。』『麗之姬』即『麗姬（御覽七百六引無之字），』天地篇：『厲之人，夜半生其子，』『厲之人』即『厲人（白帖七、御覽三八二引，並無之字）。』並與此同例。宋刋本、趙諫議本、元纂圖互注本、世德堂本、道藏各本，下文『謂之義徒，』皆作『謂之義之徒。』與張本此文作『謂之篡之夫，』文正相對。惟覆宋本下文義下無之字，蓋淺人所删也。儻劉氏檢及他本義下皆有之字，當不致以張本爲非矣。此豈非顧此失彼乎？

## 三　繙檢古注類書

古書常因古注、類書之稱引，而存其本來面目。故校定古書而繙檢古注、類書，常可多得佐證，以助判斷；有時古書訛脫處，實無法校出，亦惟有求之於古注、類書中者。茲分別證之。

(1)可多得佐證。

如莊子天地篇：始吾以爲天下一人耳，不知復有夫人也。

案吾以下當有夫子二字，郭注：『謂孔子也（覆宋本作孔丘）。』即爲夫子二字作注。成疏：『昔來稟學宇內，唯夫子一人。』是所見本夫子二字亦未脫。德充符篇：『吾以夫子爲天地（吾上疑脫始字），安知夫子之猶若是也！』應帝王篇：『始吾以夫子之道爲至矣，則又有至焉者矣。』並與此句法同。事文類聚續集九、合璧事類別集二一，引吾以下正有夫子二字，當據補。

淮南子道應篇：輪人斲輪於堂下。

王念孫云：輪人當依莊子天道篇作輪扁，輪扁之名當見於前，不當見於後也。

案王說是也。册府元龜七百四十引輪人正作輪扁。

列子天瑞篇：吾又安知營營而求生非惑邪？

案求生下當有之字，莊子齊物論篇：『予惡乎知說生之非惑邪？』淮南子精神篇：『吾安知乎刺灸而欲生者之非惑也？』並與此句法同。文選鮑明遠行藥至城東橋詩注引求生下正有之字，當據補。

上舉諸例，未得古注、類書之佐證，所下斷語雖亦無差；然得古注、類書之佐證，則所見益塙矣。

⑵無法校出者。

如莊子秋水篇：於是惠子恐，搜於國中，三日三夜。莊子往見之。

案御覽九一五、事文類聚後集四二、合璧事類別集六二，引莊子下並有『伏主人馬棧下』六字。

淮南子天文篇：昔者共工與顓頊爭爲帝，怒而觸不周之山。

案王逸楚辭天問注引帝下有不得二字。

列子楊朱篇：不知天下之有廣厦隩室，綿纊狐貉。

案文選稽叔夜與山巨源絕交書注、事文類聚別集二二，引不知上並有『當爾時』三字。

今上舉諸例，如但據本書，則今本之脫文，實無法校出。求之於古注、類書，則信手而得矣。

## 四　佐證相關書籍

古籍中多展轉鈔襲，故一文每見於此，復見於彼。就其鈔襲處以資比勘，正可尋繹原書之本來面目。鈔襲愈多，關係愈鉅。惟間接相關之書，牽涉太寬，茲僅就直接相關者言之。如與莊子直接相關者，莫如呂氏春秋、淮南子、列子三書，三書鈔襲莊子甚多，關係莊子至鉅。茲舉數例，以發其端。

(1)呂氏春秋與莊子。

如莊子山木篇：昨日山中之木，以不材得終其天年；今主人之鴈，以不材死。

案上文所言木與鴈，皆昨日之事，則『主人之鴈』上，不當有今字，蓋淺人妄加也。文選盧子諒贈劉琨詩註、藝文類聚九一、意林、御覽九一七、事類賦十九禽部二、事文類聚後集四六、合璧事類別集六六引，皆無今字。呂氏春秋必己篇亦無今字，正存莊子之舊；文選注引『以不材死，』作『以不能鳴死。』呂氏春秋舊校亦云：『一作：以不能鳴死。』

莊子讓王篇：事之以皮帛而不受；事之以犬馬而不受；事之以珠玉而不受。

案日本舊鈔卷子本事下並無之字，且無『事之以犬馬而不受』句，御覽四一九引，亦無『事之以犬馬而不受』句。呂氏春秋審爲篇作：『事以皮帛而不受；事以珠玉而不肓。』（詩大雅緜篇正義引莊子下受字亦作肓。）正存莊子之舊。

⑵淮南子與莊子。

如莊子大宗師篇：『顏回曰：「回益矣。」仲尼曰：「何謂也？」曰：「回忘仁義矣。」曰：「可矣，猶未也。」他日復見，曰：「回益矣。」曰：「何謂也？」曰：「回忘禮樂矣。」曰：「可矣，猶未也。」他日復見，曰：「回益矣。」曰：「何謂也？」曰：「回坐忘矣。」』

王元澤南華眞經拾遺云：莊子言顏回忘仁義矣，未能忘禮樂。仁義先忘，而禮樂後忘，是仁義不如禮樂也。此莊子先言忘內而後忘外。仁義，內也，未能忘外；禮樂，外也，內外忘然後能坐忘。此其言之所以不同也。

案王說非也。淮南子道應篇載此文，仁義二字與禮樂二字互錯，卽先言忘禮樂，後言忘仁義。審文意，當從之。老子云：『失道而後德，失德而後仁，失仁而後義，失義而後禮。』（莊子知北遊篇亦有此文。）淮南子本經篇：『知道德，然後知仁義之不足行也。知仁義，然後知禮樂之不足脩也。』（僞文子下德篇亦有此文。）道家以禮樂爲仁義之次，禮樂，外也。仁義，內也。忘外以及內，以至於坐忘。若先言忘仁義，則乖厥旨矣。今本莊子先言忘仁義，後言忘禮樂，明是誤錯，淮南尙存其舊。王氏乃曲爲之說，此豈莊子之本意哉？

莊子知北遊篇：予能有无矣，而未能无无也。及爲无有矣，何從至此哉？

案『无有』當作『无无』。『及爲无无矣，』承『而未能无无也』而言，意甚明白，淮南子俶眞篇、道應篇，並作『無無，』正存莊子之舊。今本作『无有，』蓋涉上文有字而誤。

⑶列子與莊子。

如莊子達生篇：其痀僂丈人之謂乎？

案列子黃帝篇此下更有『丈人曰：汝逢衣徒也，亦何知問是乎？脩汝所以，而後載言其上。』二十四字，殷敬順釋文於『逢衣』下引向秀注云：『逢衣，儒服厚而長大者，』是向本莊子有此文，郭本已脫之矣。幸列子尚存其舊也。

莊子寓言篇：而睢睢盱盱，而誰與居？

案舊鈔卷子本盱盱上有而字，蘇軾莊子祠記、事文類聚別集二四、合璧事類續集四二引並同。此文本爲三句，以睢、盱、居爲韻，今本脫一而字，遂混爲二句矣。列子黃帝篇盱盱上有而字，正存莊子之舊。

## 五　文例熟

一書有一書之文例，其句法必大體一律；時代接近之書，其文例亦多相近。熟悉文例，亦校書之一法也。

如孟子梁惠王篇：民望之，若大旱之望雲霓也。

案民下當有之字，公孫丑篇：『民之悅之，猶解倒懸也。』與此句法同，御覽十四引正有之字。滕文公篇亦作『民之望之。』

孟子萬章篇：『萬章曰：「堯以天下與舜，有諸？」孟子曰：「否。」』

案否下當有不然二字，『否，不然。』乃重駁之之辭。下文：『萬章問曰：「人有言：至於禹而德衰，不傳於賢而傳於子。有諸？」孟子曰：「否，不然也。」』『萬章問曰：「人有言：伊尹以割烹要湯。有諸？」孟子曰：「否，不然。」』『萬章問曰：「或謂：孔子於衞主癰疽，於齊主侍人瘠環。有諸乎？」孟子曰：「否，不然也。」』『萬章問曰：「或曰：百里奚自鬻於秦養牲者，五羊之皮、食牛，以要秦穆公。信乎？」孟子曰：「否，不然。」』皆與此文例同。文選陸士衡答賈長淵一首注引否下正有不然二字。

莊子山木篇：執臣之道，猶若是，而況乎所以待天乎？

案猶上當有而字，德充符篇：『將求名而能自要者，而猶若是，而況官天地，府萬物，直寓六骸，象耳目，一知之所知，而心未嘗死者乎？』達生篇：『彼得全於酒，而猶若是，而況得全於天乎？』列禦寇篇：『其爲利也薄，其爲權也輕，而猶若是，而況於萬乘之主乎？』皆與此文例同。唐寫本猶上正有而字。

莊子讓王篇：其並乎周以塗吾身也，不如避之以絜吾行。

案其上當有與字，『與其』與下文『不如』（或作『不若』）相應。大宗師篇：『與其譽堯而非桀也，不如兩忘而化其道。』外物篇：『與其譽堯而非桀，不如兩忘而閉其所譽。』禮記檀弓：『喪禮，與其哀不足而禮有餘也，不若禮不足而哀有餘也；祭禮，與其敬不足而禮有餘也，不若禮不足而敬有餘也。」皆與此文例同。呂氏春秋誠廉篇其上正有與字。

呂氏春秋貴生篇：今世俗之君子，危身棄生以徇物。

案危身上當有多字，上文：『世之人主，多以富貴驕得道之人。』本生篇：『今世之惑主，多官而反以害生。』『今世之惑者，多以性養物。』勸學篇：『今世之說者，多弗能兌而反說之。』侈樂篇：『世之人主，多以珠玉戈劍爲寶。』振亂篇：『今世之學者，多非乎攻伐。』離謂篇：『今世之人，多欲治其國。』適威篇：『今世之人主，多欲衆之而不知善。』皆與此文例同。莊子讓王篇危身上正有多字。

呂氏春秋愛類篇：公取之代乎？其不與？

案『其不與？』其上當有亡字，亡其，轉語詞。上文：『亡其不得宋且不義猶攻之乎？』莊子外物篇：『亡其略弗及邪？』秦策：『亡其臣者將賤而不足聽邪？』趙策：『亡其力尙能進愛王而不攻乎？』韓策：『亡其行子之術而廢子之謁乎？』皆以亡其連文，與此句法同。本書審爲篇：『君將攫之乎？亡其不與？』尤此文其上脫亡字之塙證也。

## 六　通訓詁

欲治校勘，須通訓詁，訓詁之原，存乎聲音，聲同聲近之字，古多通假，究心本原，則渙然冰釋。強爲解說，則詰詘爲病。

如莊子應帝王篇：吾鄉示之以太沖莫勝。

俞樾云：『勝當讀爲朕，勝本從朕聲，故得通用。莫朕者，無朕也。言無朕兆也。列子黃帝篇正作：向吾示之以太沖莫朕。』

章太炎云：列子黃帝篇莫勝作莫朕。案古音無如莫，勝從朕聲，故假莫勝爲無朕。

劉文典云：莫勝，義不可通，且與太沖不協。列子黃帝篇勝作朕，義較長。

案勝從朕聲，故得通用，俞、章說是也。淮南子兵略篇：『凡物有朕，惟道無朕。』文子自然篇作勝，亦勝、朕通用之證。劉氏謂『莫勝，義不可通。』未達假借之旨。

天運篇：故夫三皇五帝之禮義法度，不矜於同，而矜於治。

劉文典云：『義當爲儀之壞字，疏：「禮樂威儀，不相沿襲。」是成所見本作儀。御覽五百二十三、六百十引，並作儀，唐寫本字亦作儀，下同。』

案義讀爲儀，義、儀古通，厥例甚多，詩小雅楚茨篇：『禮儀卒度，』韓詩作義。周官肆師：『治其禮儀，』鄭注：『故書儀爲義，』禮記樂記：『制之禮義，』漢書禮樂志作儀，本書馬蹄篇：『雖有義臺路寢，無所用之，』藝文類聚九三、御覽八九六引，並作儀，皆其比。作義是故書。劉氏謂成本、唐寫本作儀則可，謂義爲儀之壞字則誤矣。（御覽六百十所引，乃下文。劉氏以爲此文，亦誤。）

說劍篇：劍士皆服斃其處也。

劉文典改服爲伏，云：『伏，舊作服。典案服與斃，義不相稱，呂惠卿注本、日本高山寺本、御覽四百六十四引皇甫謐高士傳、三百四十四、四百六十二引莊子此文，並作伏。今據正。』

案服、伏古通，本書天下篇：『不能服人之心，』白帖九引作伏，秦策：『嫂虵行匍伏，』史記蘇秦傳作蒲服，淮南子原道篇：『海外賓服，』宋、藏本並作伏，皆其比。劉氏妄改服爲伏，何邪？前賢校書，精習訓詁，有時立說，尚可商榷。劉氏疏於此道，不求其本，徒逐其末，故每愈校而古書之眞愈失也。

## 乙、態　度

雖知方法，而所持態度不塙，亦難免疏失。校書態度，可以謹嚴二字括之。細繹之，約有下列數端。

### 一　不輕下斷語

校定書籍，本非易事，或此是彼非；或本同末異。所見偶疏，難免偏執，輕下雌黃，疵謬必多。以乾、嘉大師王念孫、引之父子之博覽，有時尙失之輕率，卽就其精校數載之淮南子，已可證之。如原道篇：動溶無形之域，而翺翔忽區之上。注：忽怳之區上也。

王引之云：『忽區二字，文不成義。區當作芒，隸書芒字作𦫵，與區相似而誤（太平御覽地部二十三引原道篇，已誤作區）。忽芒，卽忽荒也。莊子至樂篇：「芒乎芴乎，而無從出乎！芴乎芒乎，而無有象乎！」釋文：「芒音荒，又呼晃反。芴音忽。」是芒與荒同。上文：「游微霧，騖忽怳，」高注曰：「忽怳，無形之象。」文選七發注引作「騖忽荒。」忽芒乃無形之貌，故曰：「動溶無形之域，而翺翔忽芒之上」也。人間篇曰：「翺翔乎忽荒之上，析惕乎虹蜺之間。」是其明證矣。』

案王說非也。高注既云『忽怳之區上也，』是所見正文，必作忽區。精神篇：『同精於太清之本，而游於忽區之旁。』與此正文相符；注：『忽區，忽恍無形之區旁也（忽區下疑脫之旁二字）。』與此注文亦合，則區字非芒之誤，明矣。忽芒固與忽荒同，而與忽區之義，則各有所取，御覽地部引此作忽區，正存此文之舊也。

氾論篇：直躬其父攘羊，而子證之。尾生與婦人期，而死之（注：尾生，魯人，與婦人期於梁下，水至溺死也）。直而證父，信而溺死，雖有直、信，孰能貴之？

王念孫云『「信而溺死，」本作「信而死女。」言信而爲女死，則信不足貴也。今本「死女」作「溺死」者，涉上注「水至溺死」而誤。「直而證父，信而死女，」相對爲文，且女與父爲韻，若作「溺死，」則文既不對，而韻又不諧矣。文子道德篇正作：信而死女。』

案王說非也。莊子盜跖篇：『直躬證父，尾生溺死，信之患也。』即此文『直而證父，信而溺死』所本，則『溺死』必非誤字，高注『水至溺死，』即本正文之『溺死』而言。古人行文，不必拘於相對，且上下文皆無韻，此二句亦不必有韻。文子之作『信而死女，』必作僞者所改，王氏未檢莊子，但據僞文子爲說，失之率矣。

泰族篇：故因則大，化則細。注：能循則必大也，化而欲作則小矣。

王念孫云：『化字義不可通，化當作作，字之誤也。聖人順民性而條暢之，所謂因也。反是則爲作矣。原道篇曰：「任一人之能，不足以治三畝之宅也。循道理之數，因天地之自然，則六合不足均也。」故曰：「因則大，作則細」矣。高注本作：「能循則必大也，欲作則小矣。」今本「欲作」上有「化而」二字，則後人依已誤之正文加之耳。文子道原篇作：「因卽大，作卽細。」自然篇作：「因卽大，作卽小。」皆其證。呂氏春秋君守篇曰：「作者擾，因者平。」任數篇曰：「爲則擾矣，因則靜矣。」語意略與此同。』

案王說非也。長短經是非篇引孟子云：『天道因則大，化則細。因也者，因人之情也。』羣書治要引愼子因循篇云：『天道因則大，化則細。因也者，因人之情也。人莫不自爲也，化而使之爲我，則莫可得而用矣。』並此文所本，愼子所言『化則細』之意甚明，則化必非誤字，亦非不可通。老子云：『化而欲作，吾將鎭之以無名之樸。』卽高注『化而欲作』四字所本，則『化而』二字，必非後人肊加，高氏旣據老子以釋正文，是所見本之作『化則細』明矣。文子化之作作，乃作僞者所改；呂氏春秋自以作、因，爲、因對文，亦不必與此強同。

孫詒讓札迻自序云：『乾、嘉大師，王氏父子，郅爲精博，凡舉一誼，皆塙鑿不刊。』以上例證之，則亦非盡塙鑿不刊者矣。夫王氏父子固不輕下斷語者，蓋千慮一失，智者難免，後學之士，宜如何審愼邪？

## 二　不穿鑿附會

校書而不通訓詁，則肊說必多。然通訓詁者，又每失之穿鑿附會，雖賢者亦不免焉。如莊子德充符篇：通而不失於兌。

章太炎云：『兌者通之處，老子：「塞其兌。」檀弓亦以兌爲隧。詩大雅傳：「兌，成蹊也。」又轉爲閱，堀閱、容閱皆是也。』

案兌當爲充，字之誤也。充，實也。『通而不失於充，』猶言『外與物化而內不失其情』（淮南子原道篇）耳。淮南子精神篇正作充，高注：『充，實也。』是也。章先生以兌爲通之處，說殊附會，義亦難通，蓋由不知兌是誤字耳。

秋水篇：還虷蟹與科斗。

釋文：『還音旋。司馬云：「顧視也。」虷音寒，一名蜎。』

章太炎云：釋蟲訓蜎爲蠉，則還卽蠉之假借。蠉、虷，一物也。司馬訓顧視，非。

案還下疑脫視字，司馬注：『還，顧視也。』疑本作：『還視，顧視也。』還猶顧也（左昭二十年傳：『無所還忌。』注：『還猶顧也。』）故訓『還視』爲『顧視。』御覽一八九引正文還下正有視字。無視字，則文意不明。章先生以還爲蠉之假借，蓋不知還下有脫文，故穿鑿其說耳。

外物篇：靜然可以補病。

章太炎云：『然，或體作蘸。是古然音同難。此然字當借爲儺，詩衞風傳：儺，行有節度也。』

奚侗云：然係默字之誤，文選江文通雜體詩注引作靜默，當據改。

案文選注引然作默，是也。章先生謂然借爲儺，蓋不知然是誤字，故穿鑿其說耳。

夫邃於訓詁，則易言假借，說之似若可通，覈之乃失其實（如前所舉列子湯問篇「方夜擿耳俛首而聽之，」元本脫擿字，遂不可通，洪頤煊因謂夜耳爲仄耳之誤，亦穿鑿可笑之例）。太炎先生讀破萬卷，治學謹嚴，猶難免穿鑿附會之失，則曲說強通，尤後學之所戒矣。

## 三　愼取舍

校書之旨，乃在存眞。鈔槧流傳，一文數異；類書、古注，稱引各殊。取舍之際，最宜斟酌。

如莊子人間世篇：桂可食，故伐之。漆可用，故割之。疏：桂心辛香，故遭斫伐。漆供器用，所以割之。俱爲才能，夭於斧斤。

劉文典云：「御覽九百五十七引伐上有斧字，疏：「俱爲才能，夭於斧斤。」是成本亦有斧字。七百六十六引割之上有人字。「桂可食，故斧伐之。漆可用，故人割之。」相對爲文，有人字較長。」

案疏：「俱爲才能，夭於斧斤。」乃兼桂、漆而言，非單爲「桂可食，故伐之」作釋，安得謂成本伐上有斧字，以證御覽九百五十七所引邪？御覽七百六十六引伐上、割上並有人字，文意較完，劉氏既檢及七百六十六，則伐上、割上，似當並從所引人字，文乃一律。不當舍所引伐上人字，而取九百五十七所引伐上斧字，斧伐與人割對言，則拙矣。

應帝王篇：萌乎不震不正。

釋文：『不震不正，崔本作：不誫不止。』

俞樾云：『列子黃帝篇作：「罪乎不誫不止。」當從之。罪讀爲嶵，說文山部作𡾁，云：「山貌。」是也。誫卽震之異文，不誫不止者，不動不止也。故以嶵乎形容之，言與山同也。今罪誤作萌，止誤作正，失其義矣。據釋文，則崔本作「不誫不止，」與列子同。可據以訂正。』

案陳碧虛闕誤引江南古藏本不正亦作不止，止與震對言，俞氏謂正爲止之誤，是也。列子萌作罪，義頗難通，必是誤字。張湛注：『罪，或作萌。』（釋文同。）與此文合。作萌者是也。萌有生義（淮南子俶眞篇：『孰知其所萌？』注：『萌，生也。』）『萌乎不震不止，』猶云『生於不動不止』正對上文『子之先生死矣』而言，意甚明白。蓋壺子示以陰靜之象，潛滋暗長，不可端倪，故季咸誤，以爲將死也。俞氏從列子作罪，讀罪爲嶵，說極牽強，且與上文不應，不知列子本亦作萌也（張注引向秀注已作萌）。此所謂取舍失愼者矣。

寓言篇：彼視三釜三千鍾，如觀雀蚊虻相過乎前也。

釋文：『如鸛蚊虻，鸛，本亦作觀。王云：「鸛蚊，取大小相縣，以喩三釜三千鍾之多。」元嘉本作「如鸛蚊，」無虻字。』

俞樾云：『雀字衍文也。釋文云：「元嘉本作：如鸛蚊。無虻字。」則陸氏所據本尚未衍雀字，故元嘉本作「鸛蚊，」陸氏但言其無虻字，不言其無雀字也。惟鸛與蚊虻，一鳥一蟲，取喩不倫，王云：「謂取大小相縣，以喻三釜三千鍾之多少。」此不然也。夫至人之視物，一映而已，豈屑屑於三釜三千鍾之多寡，而必分別其爲鸛爲蚊乎？今案釋文云：「鸛，本作觀。」疑是古本如此，其文蓋曰：「彼視三釜三千鍾，如觀蚊虻相過乎前也。」淮南子俶眞篇：「毀譽之於己，猶蚊虻之一過也。」義與此同。因觀誤爲鸛，則鸛蚊虻三字不倫，乃有刪一虻字，使蚊與鸛兩文相稱者，元嘉本是也；又有增一雀字，使鸛雀與蚊虻兩文相稱者，今本是也。皆非莊子之舊矣。」

案『如觀雀蚊虻，』釋文本作『如鸛蚊虻。』云：『鸛，本亦作觀。元嘉本作「如鸛蚊，」無虻字。』舊鈔卷子本原本亦作『如鸛蚊，』（蚊下後復從欄外增虻字，則與釋文本合。）趙諫議本作『如鸛雀蚊虻，』陳碧虛闕誤引張君房本作『如觀鳥雀蚊虻。』據注：『視榮祿若蚊虻鳥雀之在前而過去耳。』疏：『鳥雀大以諭千鍾，蚊虻小以比三釜。』是正文原以鳥雀蚊虻四字連文，張君房本蓋存莊子之舊也。鸛疑觀鳥二字之誤合，今本惟脫鳥字耳。俞氏從一本鸛作觀，是也。從釋文本謂雀字爲衍文，則未審。取舍之際，不亦難乎！

## 四　不迷信古本

古本不易得，校書而得古本，固有助於比勘，以復原書之舊。然迷信古本，則又校書之所戒也，如莊子唐寫本，不過殘存之十餘篇，自極珍貴。然其中因寫者致誤之例甚多，識者自能辨之。

如刻意篇：爲修而已矣。

劉文典云：燉煌唐寫本無矣字。

案上文『爲亢而已矣，』下文『爲治而已矣，』『无爲而已矣，』『爲壽而已矣，』諸句皆有矣字，與此作『爲修而已矣，』句法一律。唐寫本無矣字，必寫者誤脫也。不足據。

山木篇：而獨與道遊於大莫之國。

劉文典云：唐寫本『而獨與』下有君字。

案『而獨與君道遊於大莫之國，』義不可通，君字必涉上文『吾願去君之累，除君之憂』而衍，不足據。

田子方篇：日夜无隙。注：恒化新也。

唐寫本隙作陳。羅振玉云：今本陳誤作隙，注稱『化恒新，』則作陳者是也。隙乃形近致譌。

案隙，閒也。无隙，謂無閒隙也。日夜無閒隙，故注云：『恒化新。』成疏：『變化日新，泯然而無閒隙。』最得郭注之旨。道藏褚伯秀義海纂微本隙作郤，郤與隙同，知北遊篇：『若白駒之過郤，』釋文：『郤，本亦作隙。』卽其比。德充符篇亦云：『使日夜无郤，』文子守樸篇作隙，尤可證此文隙非誤字。唐寫本作陳，明是隙之形誤，羅氏未達郭注之意，乃以作陳爲是，蓋迷信古本之過也。

古本可以校正今本之處固多，今本可以校正古本之例亦閒有之。上舉三事，皆顯而易辨者，儻忽於推究，曹然迷信古本，則校書反所以害書矣！

## 五　不迷信古注類書

古注、類書稱引古籍，固有助於校讎。然其中亦有訛脫竄亂，未可盡信；且多雷同鈔襲，往往一引作某，皆引作某。一誤作某，皆誤作某。識者自能辨之。

(1)訛脫竄亂者。

如淮南子墬形篇：旁有九井玉橫，維其西北之隅。注：橫猶光也。橫或作彭，彭，受不死藥器也。

劉文典云：『御覽七百五十六引作：「旁有九井玉橫，受不死藥。」又引注云：「橫或作彭，器名也。」今高注亦云：「彭，受不死藥器也。」疑「玉橫」下舊有「受不死藥」四字，而今本脫之。』

案御覽七五六引此文作：『旁有九井玉橫，（橫或作彭，器名也。）受不死藥』『受不死藥』四字，明是注文誤入正文者，蓋此四字本在所引注文彭字下，與『器名也』三字爲一句，今本高注可證。寫者粗疏，乃誤爲正文，至爲明白。劉氏不察，妄疑正文『玉橫』下舊有『受不死藥』四字，如有此四字，則與下『維其西北之隅，』語意隔絕，柰何弗思邪？

覽冥篇：浮游不知所求，魍魎不知所往。

劉文典云：『北堂書鈔十五引作：「浮游不知所來，罔兩不知所往。」來、往對文，於義爲長。』

案此說大謬，莊子在宥篇：『浮游不知所求（注：而自得所求也），猖狂不知所往（注：而自得所往也）。』卽淮南所本。此本爲韻文，浮游與求爲韻，魍魎與往爲韻（莊子以猖狂與往爲韻），書鈔引求作來，來卽求之形誤（古籍中求、來相亂之例甚多，尙書呂刑篇：『惟貨，惟來，』馬融本作求，周書大聚篇：『王若欲求天下民，』玉海二十、六十並引作來，莊子大宗師篇之子來，淮南子精神篇作子求，皆其比），至爲明白，乃以爲作來義長，何邪？

齊俗篇：夫水積則生相食之魚，土積則生自宍（宍，俗肉字，今本誤穴，據王念孫校改）之獸，禮義飾則生僞匿之士（士，今本誤本，據王念孫校改）。

劉文典云：『御覽三百二十三引作：「夫水積則生相食之蟲（注云：言大魚食小魚），土積則生食肉之獸，禮飾則生僞慝之儒。」三句皆以八字爲句，句法一律，今本多一義字，句法遂參差不齊，義字疑衍文也。』

案此說大謬，上文：『今世之爲禮者，恭敬而忮。爲義者，布施而德。君臣以相非，骨肉以生怨，則失禮義之本也，故構而多責。』此文禮義二字，明承上文禮義而言，御覽三百二十三（當作五百二十三）所引，必脫義字，或略義字，安可據哉？柰何拘於句法一律，而不顧上文乎！

(2)雷同鈔襲者。

如莊子齊物論篇：昔者莊周夢爲胡蝶，栩栩然胡蝶也。自喻適志與！不知周也。注：自快得意，悅豫而行。

釋文：『李云：「喻，快也。」崔云：「與，哉。」』

奚侗云：『釋文：「李云：喻，快也。」則字當作愉，說文：「愉，樂也。」廣雅：「愉，喜也；說也。」』

劉文典云：『自喻適志與』五字，隔斷文義，與字同歟，詳其語意，似是後人之注羼入正文，郭氏不知，以『自快得意，悅豫而行』釋之，藝文類聚蟲豸部、御覽九百四十五引，並無此五字。惟三百九十七引有之，蓋唐代猶有無此五字之本也。

案奚氏據李頤注，謂喻當作愉，是也。郭注云云，亦以喻為愉。呂氏春秋異用篇：『文王得朽骨以喻其意，』高注：『喻，說。說民意也。』與此喻字同義。記纂淵海百、事文類聚後集四八、圓機詩學活法全書二四引此文，皆無『自喻適志與』五字，與藝文類聚蟲豸部、御覽九四五所引同。惟類書引書多雷同鈔襲，不可輕信，此蓋由藝文類聚所引略『自喻適志與』五字（類書引書常任意刪略），御覽後出諸類書，遂本之而略此五字耳。至如大方廣佛華嚴經隨疏演義鈔七五、初學記三十引此文，則並存此五字（惟喻並作逾，逾亦借為愉）與御覽三九七引同。郭象、崔譔、李頤皆為此文作注，是所見本皆有此五字，安得據後出之類書，斷為注文羼入正文邪？劉氏僅見郭氏有注，蓋忽略釋文所引李、崔二氏並有注也。且審『自喻適志與』五字，卽承胡蝶之栩栩然而言，意甚明白，何從隔斷文義？劉氏疏於訓詁，蓋誤以喻為比喻字，乃有此說耳。

秋水篇：知窮之有命。

劉文典云：文選辨命論注、御覽四百三十七，引知上並有聖人二字。

案『知窮之有命』下云：『知通之有時，臨大難而不懼者，聖人之勇也。』據此，若『知窮之有命』上更有聖人二字，則與下文複矣。蓋卽涉下文而衍也。上文：『夫水行不避蛟龍者，漁父之勇也；陸行不避兕虎者，獵夫之勇也；白刃交於前，視死若生者，烈士之勇也。』與此文例一律，則知上不當有聖人二字明矣。文選注所引，蓋先衍聖人二字，御覽復雷同鈔襲而誤耳。文選注引下文『臨大難而不懼』下無者字，御覽引亦無者字，其鈔襲之迹甚明，此不足據信也。

庚桑楚篇：若是而萬惡至者，皆天也，而非人也。不足以滑成，不可內於靈臺。

俞樾云：「不可上當有萬惡二字，上文：「若是而萬惡至者，皆天也，而非人也，不足以滑成。」其文已足；「萬惡不可內於靈臺，」則又起下意，下文云：「靈臺者有持，而不知其所持，而不可持者也。」皆承此言之。讀者不詳文義，誤謂「不可內於靈臺，」與「不足以滑成，」兩句相屬，故刪萬惡二字耳。文選廣絕交論李善注引此文，正作：萬惡不可內於靈臺。』

奚侗云：『此言萬惡之至，天而非人，不足以滑我之成，不可內於靈臺以自擾也。俞樾云：「不可上當有萬惡二字，上文云：『若是而萬惡至者，皆天也，而非人也，不足以滑成。』其文已足；『萬惡不可內於靈臺，』則又起下意。」並引文選廣絕交論注「萬惡不可內於靈臺」爲證。不知彼係蒙上「若是而萬惡至者」之文約擧之耳。文選注引古籍，往往截斷本文，說文引經，亦多此例。德充符篇：「故不足以滑和，不可入於靈府。」文義與此相類。可證本文未脫萬惡二字，且非用以起下意也。』

劉文典云：『俞說是也，御覽三百七十六引此文，亦正作「萬惡不可內於靈臺。」尤其塙證。』

案文選注引不可上有萬惡二字，乃約擧上文之詞（古注、類書引書，並多約擧之詞），奚說是也。若不可上復有萬惡二字，則與上文複矣。御覽亦引作『萬惡不可內於靈臺，』卽鈔襲文選注（翻譯名義集六、事文類聚後集二十引，並作『萬惡不可內於靈臺，』亦雷同鈔襲）。劉氏以爲文選注既引作『

萬惡不可內於靈臺，」御覽又引作「萬惡不可內於靈臺，」則不可上有萬惡二字，是必可據，因從俞說，蓋忽於古注、類書引書多雷同鈔襲之故也。

## 六　不迷信相關書籍

相關書籍，一文互見，固有助於校讎。然一書鈔襲某書，亦常有改竄，未必全存某書之舊也。識者自能辨之。

如莊子天地篇：不近貴富。

劉文典云：「不近貴富，」淮南子原道篇作「不貪勢名，」文選東都賦注引作「不尙富貴，」張平子東京賦「藏金於山，抵璧於谷」注，引與今本同。蓋所據本各異耳。

案「不近貴富，」文選東都賦注引作「不尙富貴，」以爲所據本異，說猶近塙；淮南子作「不貪勢名，」亦以爲所據本異，則不然矣。蓋「不貪勢名」下文云：「不以貴爲安，不以賤爲危，」貴、賤對文，決不可易，故改莊子「不近貴富」爲「不貪勢名，」以避與下文貴字複耳。淮南襲用莊子，因上下文之故，加以改易之例頗多，此不可不留意也。

天運篇：蟲，雄鳴於上風，雌應於下風而風化。

劉文典云：「上言白鶂，此不得泛言蟲，蟲當爲螣蛇二字之壞，淮南子泰族篇：『螣蛇，雄鳴於上風，雌鳴於下風，而化成形。精之至也。』劉氏新論類感篇：『螣蛇，雄鳴於上風，雌鳴於下風，而化成形。』是其塙證矣。」

案螣蛇二字，安得壞爲蟲字邪？是可怪矣！淮南子泰族篇云云，雖本於莊子，蓋改蟲爲螣蛇。一泛言蟲，一專言蛇，不必強謂蟲爲壞字。若謂上言白鵙（上文：夫白鶂之相視，眸子不運而風化），則此不得泛言蟲，先秦文字，不致拘泥至此。如德充符篇：『倚樹而吟，據槁梧而瞑。』下言梧，而上泛言樹，卽其例也。劉氏新論襲用淮南子之文頗多，其類感篇云云，乃直襲用淮南子泰族篇之文，至爲明白，雖作騰蛇（藝文類聚九六、天中記五五引淮南，亦並作騰蛇，同。），實與莊子無涉，亦不得據之以改莊子也。

外物篇：『仲尼曰：神龜能見夢於元君，而不能避余且之網；知能七十二鑽而无遺筴，不能避刳腸之患。』

奚侗云：『神下不應有龜字，蓋涉上文神龜而衍。神與知相對，下文：「知有所困；神有所不及。」卽分詮此文，藝文類聚夢部、龜部，引神下並無龜字，可證。』

劉文典云：『唐寫本亦無龜字，惟無龜字，則不知仲尼所言者爲何物。淮南子說山篇：「神龜能見夢元王，而不能自出漁者之籠。」卽襲用此文，正作神龜，未可以唐寫本、藝文類聚引無龜字，遽刪之也。奚說未審。』

案奚氏謂龜字涉上文神龜而衍，其說甚塙。唐寫本無龜字，舊鈔卷子本原本亦無龜字（後又改神能爲神龜，復於龜字下旁注能字，反失原書之舊）。劉子新論言苑篇：『知能知人，不能自知；神能衞人，不能自衞。』卽本此文，亦以神、知對言，可爲旁證。蓋上文既累言龜，則此文神下無龜字，亦知仲尼所言者爲龜，若淮南子說山篇云云，雖本於此文，上文並未言龜，故神下不得不有龜字，否則眞不知所言爲何物矣。此極易辨者。劉氏迷於淮南鈔襲莊子，而不細繹其所以出入之故，遂妄以爲存莊子之舊矣。

（原載「文史哲學報」第三期，國立臺灣大學，民國四十年十二月）

# 論斠讎之方法

阮廷焯

斠讎之法，大率言之，厥有四端，一曰對斠法，一曰本斠法，一曰他斠法，一曰理斠法，（本陳援菴說，見元典章校補釋例）。方法既明，从事斯業，庶可以游刃其間矣。

## 一、對斠法

對斠法者，以同書之底本、輔本相斠，輔本而外，更益以古注類書之徵引，著其異同，正其訛誤。斠理一書，當先選擇底本。底本之選擇，大抵以舊刻（宋元刊本）爲憑據。如欲斠定荀子者，當以北宋呂夏卿本爲底本。此本之善，葉德輝嘗論之云：

至於史子，亦以北宋蜀刻爲精。子如荀子，熙寧呂夏卿刻本，勝於南宋淳熙江西漕司錢佃本。（見書林清話卷六）

案錢佃江西漕司本，即據此本參校鏤板。錢本而外，別有宋台刊本，亦據之翻刻。則此本不惟於宋本中最早，且爲諸本所从出，允爲善本矣。故盧文弨校定荀子，即據北宋呂夏卿本爲底本。惟盧氏所據者爲影鈔本，未見原刻。其後顧千里手錄呂錢二本異同，王念孫取以相斠，復以正影鈔本之失。

又如欲斠理大戴禮記者，當以宋淳熙韓元吉刋本爲底本。此本不僅爲見存最早之本，且爲元明諸本所从出。楊紹和云：

每半葉十行，行二十字。遇宋諱僅匡恆垣等字，間有缺筆。然相其字體版式，的屬宋槧，宋槧固不以避諱之詳略辨眞贗也。是書朱文安公本謂得宋槧開雕。雅雨堂本則以元至正甲午嘉興路儒學刻本校訂。此本與盧氏所稱元本，大段相合，或卽元本所從出耶。（楹書隅錄卷一）

案元至正劉廷幹刋本，與此本行字悉同，而後有韓元吉序，則元本从是本所出，較然明甚。孫星衍云：

（此本）前有淳熙乙未韓元吉序。每葉廿行，行十八字。宋諱俱有缺筆。末卷有嘉靖癸巳吳郡袁氏嘉趣堂重雕十三字。（平津館鑒藏書籍記卷二）

案此卽明嘉靖袁褧嘉趣堂翻宋本也。其行款雖已不同，惟諱字缺筆，悉从宋本，刻工之精，幾可亂眞。清儒之斠理大戴禮記者，始於盧文弨、戴震，然皆未見宋本。其稱宋本最詳者，莫如孔廣森。孔氏云：

今最舊雖宋刋本，已多脫衍譌互，顧尚未大離。凡宋本字誤以別本校改者，注云：宋本譌某。其誤之不顯者，必識云：从某本改。有諸本俱誤，以意正者八處，云今校改剔之。（大戴禮記補注序錄）

據此，則孔氏之讎理大戴禮記，係以宋淳熙韓元吉本爲底本，其法最善矣。惟孔氏所據者，實非宋本。莫伯驥云：

明嘉趣堂翻宋本，上海商務印書館四部叢刋，卽以此影印。孔氏廣森補注所云宋本，卽此本也。

（五十萬卷樓藏書目錄初編卷二）

案孔氏所校，其稱宋本者，皆與袁本合，則孔氏所據者，乃袁翻宋本耳。

斠定一書，其底本當以舊刻爲依據，固無疑矣。盧文弨云：

書之所以貴舊本者，非謂其概無一譌也。即如九經小字本，吾見南宋本已不如北宋本，明之錫山秦氏本又不如南宋本，今之翻刻秦本者更不及焉。以斯知舊本之可貴也。（抱經堂文集卷十二書吳葵里宋本白虎通後）

案舊本之可貴，以其變動較少，能保持本來面目，斯斠勘家所寶也。惟舊刻之難覯，自昔已然。舊刻不世出，豈非徒興掩卷之歎乎。於是後世斠讎之家，遂舍舊本，而取近刻爲底本，亦困於勢也。然其法時有利弊。如畢沅之校刻墨子，刋入經訓堂叢書，自此本出，一時推爲善本。其後孫詒讓復據之斠理，孫氏云：

近代鎭洋畢尚書沅，始爲之注。藤縣蘇孝廉時學，復刋其誤，掓通涂徑，多所諟正。余昔事讎覽，旁摭衆家，擇善而從，於畢本外，又獲見明吳寬寫本、顧千里校道藏本，用相勘覈，別爲寫定。復以王觀察念孫尚書引之父子、洪州倅頤煊、及年丈俞編修樾、亡友戴茂才望所校，參綜考讀。輒就畢本，更爲增定，用遺來學。（墨子閒詁自序）

是孫氏閒詁，乃據畢氏校刻本爲底本。（案此所據乃浙江書局二十二子重刻本，已非經訓堂原刻之舊。說詳李笠墨子閒詁校補。）采摭衆家，踵事增華，視原刻加善矣。故墨子善本，又莫逾於孫氏此本。此則據近刻爲底本之利也。惟前人校刻之本，未盡可信。盧文弨云：

近世本有經校讎者，頗賢於舊本，然專輒妄改者，亦復不少。（抱經堂文集卷十二書吳葵里宋本白虎通後）

所謂專輒妄改，此近刻之通病，類多不免。頃斠定愼子，卽以錢熙祚校刻本爲底本，（愼子無舊本可據，明刻愼懋賞本則係贋品。）幾蒙所欺矣。

因循篇：

祿不厚者，不與入難。

案說郛本、子彙本、愼懋賞本竝作不厚祿者。今本作祿不厚者，乃錢氏據治要乙轉，而校文失載，何邪。錢氏未明言所據之底本，然細勘之，知所據係張海鵬輯刋之墨海金壺本。旣經臆改，而校文失載，儻不覆勘，遂使人誤以原刻如此矣。

又如孫詒讓校定商君書，係據嚴萬里校刋本爲底本，然嚴本每多臆改，尤不足據。

愼法篇：

雖堯爲主，不能以不臣諸所謂不若之國。

孫詒讓云：

明刻本，孫、錢及嚴可均本，謂字竝在所字上，是也。惟嚴萬里本如是，疑臆改。以文義考之，諸謂當爲諸調之誤。（札迻卷五）

案孫校是也。諸調，復辭。爾雅釋詁：「諧，和也」。說文言部：「調，和也」。諧調，猶言諧和。周禮地官調人：「掌萬民之難而諧和之」。或言調和。墨子節葬下篇：「積委多，城郭修，上下調和。」卽其證矣。嚴校不審諸謂卽諸調之誤，遂以意乙改諸謂爲所謂，失之。此臆改而不言，儻據爲底本，何足取信乎。嚴氏校刋本既有臆改，已見斥於孫氏矣。而朱師轍亦知其舛誤，復據爲底本，以致往往煩於駁正，故朱氏於愼法篇下加案語而寄慨云：

> 萬里卽可均，知可均所見本，實作諸謂，後臆改而不言。余發見多處，皆嚴氏改誤，可見校勘之難。改時當注明原作某，以待後人考證。

以是言之，此則據近刻爲底本之弊也。近刻之利弊既如此，儻取爲底本，稍不措意，則蒙其欺，甚至因誤轉誤矣。

底本既定，參以輔本，彼此推勘，正訛補闕，斯斠讎之所有事也。北齊書書文苑傳：

> 天保七年詔令核定羣書，供皇太子。樊遜等同被尙書召，共刋定。遜乃議曰：按漢中壘校尉劉向受詔校書，每一書竟，表上，輒言臣向書，長水校尉臣參書，大夫（夫當作史）公太常博士書，中外書，合若干本以相比較，然後殺青。今所讎校，供擬極重。出自蘭臺，御諸甲館。向之故事，見存府閣。卽欲刋定，必藉衆本。

是斠書之事，宜廣儲輔本，其法始自劉向，而爲後世所遵循。斠讎而不參以輔本，猶之扣槃捫燭，終無得也。廣討輔本，厥善有三。**一曰，輔本悉同者，可助立說。**愼子威德篇：

聖人有德，不憂人之危也。

錢熙祚云：

原刻危作厄，依治要改。

案錢校是也。此言不憂人之危，與下言必取己安焉，危安對言，原刻作厄，（依說文厄當作戹，戶部云：「戹、隘也。」）則失其義矣。說郛本、子彙本、愼懋賞本正作危，與治要合，竝其塙證。

德立篇：

持君而不亂，失君必亂。

錢熙祚云：

原刻必作則，依治要正。

案必則義同，不煩改字。商君書修權篇：「人主失守則危，君臣釋法任私必亂。」上言則危，下言必亂，互文以成義。說郛本、子彙本、愼懋賞本必竝作則，（下文：「持父而不亂矣，失父必亂。」諸本竝同。）卽其證矣。錢校妄改，失之。

**一曰，輔本不同者，可資別擇。**愼子威德篇：

使得美者，不知所以德。使得惡者，不知所以怨。

案此文德字當作美，怨字當作惡，始上下相應。說郛本、子彙本德正作美。德古作悳，與美形近。又子彙本怨正作惡。怨卽惡之形訛。「使得美者，不知所以美」，與「使得惡者，不知以惡」，文正一律，竝其證

矣

德立篇：

立正妻者，不使嬖妾疑焉。

錢熙祚云：

原刻嬖妾作羣妾，依治要改。

案子彙本、愼懋賞本亦作羣妻，說郛本作羣妾。以文義求之，作羣妾者，是也。治要作嬖妾，則又此書異文。申子大體篇：「夫一妻擅夫，（長短經、意林二引無上夫字。羣書治要六、長短經反經引妻竝作婦。）衆婦皆亂。（意林二引婦作妻）」（羣書治要六、長短經反經、意林二引。）正以一妻，衆婦對言。猶此文之以正妻、羣妾對言，卽其比矣。

**一曰，輔本捝誤者，可供推勘。** 意林卷一隨巢子：

乘雲雨潤澤以繁長之。

案乘當作垂，字之誤也。垂雲雨潤澤，與上文爲四時八節，文正一律。說郛本作垂雲而澤，文有譌捝。而字卽雨字之譌，雨下又捝潤字，惟垂字未誤，卽其塙證。馬國翰、孫詒讓隨巢子輯本，竝沿今本之誤，未能是正，失之矣。

墨子兼愛下篇：

譬之猶以水救火也，說將必無可焉。

畢沅云：

一本作火救水。

孫詒讓云：

顧校季本同。

蘇時學云：

火救水是也，當據改。

俞樾云：

以水救火，何不可之有。畢校云一本作火救水，然墨子此譬，本明無以易之之不可，若水火是相反之物，無以水救火，以火救水，皆是有以易之，與設喻之旨不合。疑墨子原文，本作猶以水救水，以火救火也，故曰其說將必無可。今本作水救火，別本作火救水，皆有脫文。

案俞校是也。此由淺人不審以水救水，以火救火之義，遂臆改爲以水救火，以火救水。故今本訛爲水救火，別本訛爲火救水。寶曆本正作以水救水（見于省吾新證引），特脫去以火救火四字耳。莊子人間世篇：「是以火救火，以水救水，名之曰益多，順始无窮。」淮南子兵略篇：「是猶以火救火，以水應水也，何所能制。」設喻之旨，與此正同，卽其塙證。

故从事斠讎，必須廣儲輔本，以勘異同，以正訛誤。盧文弨云：

大凡昔人援引古書，不盡皆如本文，故校正羣籍，自當先從本書相傳舊本爲定。況未有雕板以

前，一書而所傳各異者，殆不可徧舉，今或但據注書家所引之文，便以爲是，疑未可也。（抱經堂文集卷二十與丁小疋論校正方言書）

斠讎一書，當以本書之版本爲憑據。版本而外，更益以古注類書之徵引。亦事有本末，未容倒置者也。古注類書，雖有臆改，難盡取信，惟所徵引往往保存原來面目，足資判斷。故驗檢古注類書，厥善有四。

**一曰，廣得旁證。**墨子公輸篇：

在宋城上而待楚寇矣。

孫詒讓云：

舊本待作侍。蘇（時學）云：侍當作待。是也。今據正。

案孫本是也。御覽三百三十六、史記孟荀列傳集解引正作待。諸宮舊事、葛洪神仙傳同。

荀子非相篇：

故事不揣長，不揳大，不權輕重，亦將志乎爾。

盧文弨云：

宋本作亦將志乎心爾，心字衍。

案盧校是也。事文類聚前集三十九、合璧事類前集五十五引正無心字，與今本合。

大戴禮記子張問入官篇：

情邇暢而極乎遠，察一而關于多。

王引之云：

情邇暢而極乎遠，本作情邇而暢乎造，與察一而關乎多，文正相對。家語曰：「情近而暢乎遠，察一而貫乎多。」本於此篇也。傳寫者以暢乎遠誤作暢而乎遠，後人不得其解，遂於乎遠上加及字耳。孔氏又改爲極，誤矣。

案王校是也。家語之文，見入官篇。慧琳一切經音義三引正作情邇而暢於遠，察一而關乎多。於乎二字，與今本互易，乎猶於也。義同。

**一曰，保存孤證。**荀子榮辱篇：

挂於患而欲謹，則無益矣。

案挂於患而欲謹，文極不辭。記纂淵海五十五引患作罣，文當从之。說文网部：「罣，网也」。挂於罣而欲謹，則無益矣。與上文胠於沙而思水，則無逮矣。文正一律。沙，罣皆對文。（淮南子原道篇：「因江海以爲罟，又何亡魚之有乎。」義可互證。）今本誤罣作患，則失其義。

正名篇：

人之情乎，人之情乎甚不美。

案下乎字疑涉上乎字而衍。路史後紀十一引作人之情乎，人（之）情大不美。正無下乎字。人之情乎，係問之辭。人之情甚不美，乃答之辭。此以問答成文，儻如今本，則辭費矣。

大戴禮記保傅篇：

故同聲則異而相應。

案異而相應，文甚不辭。記纂淵海六十一引異下有類字，是也。異類而相應，與下文未見而相親，相對成文。此當據補。

**一曰考訂篇目。**論語衞靈公篇：

子張問行，子曰：「言忠信，行篤敬，雖蠻貊之邦行矣。言不忠信，行不篤敬，雖州里行乎哉。立則見其參於前也，在輿則見其倚於衡也，夫然後行。」子張書諸紳。

案大方廣佛華嚴經隨疏演義鈔三十三引此章稱論語第七。今本衞靈公第十五，次第與此不同。

論語微子篇：

楚狂接輿，歌而過孔子。

案輔行記五之四引謂論語第九有楚狂接輿。今本微子第十八，次第與此不同。

從上舉二端言之，是唐人所見之本，與今本次第竝有差異。王國維云：

法國伯希和教授於敦煌千佛洞得論語鄭注卷二殘卷存述而泰伯子罕鄉黨四篇，述而篇首闕，餘篇則題泰伯篇第八，子罕篇第九，鄉黨篇第十，篇下皆題孔氏本，鄭氏注。鄉黨篇後有題云：論語卷第二。案何晏論語集解序云：「古論惟博士孔安國爲之訓說，而世不傳，漢末鄭大司農就魯論篇章，考之齊古以爲之注。」經典釋文敍錄云：「鄭元就魯論張包周之篇章，考之齊古爲之注。」又云：「鄭校周之本，以齊古正讀，凡五十事。」隋書經籍志說亦略同。是鄭注用張包周之本，包周皆出張氏，張氏初受魯論，後受齊論，均與孔氏無與也。且皇侃謂古論篇次，鄉黨第二。此本則泰伯第八，子罕第九，鄉黨第十。悉用魯論篇次，尤與孔本不合。此題孔氏本，殊不可解。余謂何陸所說，與此本所題皆是也。鄭氏所據本，固爲自魯論出之張侯論，及以古論校之，則篇章雖仍魯舊，而字句全從古文。然則鄭本文字固全從孔本，與其注他經不同。此本直題爲孔氏本，雖篇章之次不同，固未爲失實也。（觀堂集林卷四書論語鄭氏注殘卷後）

據此，知古論與魯論篇次，容有不同，鄭注殘卷篇次仍魯論，而字句从古文。故鄉黨篇後有題云論語卷第二，以明古論與魯論篇次之異。至其所引見之論語篇次，與今本不同者，疑係从古論之次第，故篇次與今本迥然有殊也。

大戴禮記盛德篇：

明堂者，古有之也。

孔廣森云：

五經異義說明堂之制，引禮戴說盛德記，卽此篇也。未知何時析明堂別爲一篇，故以後篇第錯易，乃有兩七十四，今仍合之，以復古本。（大戴禮記補注序錄）

案詩靈臺疏、通典四十四竝引盛德篇論明堂之說，是唐時尙無明堂篇之稱。自陳祥道禮書四十、朱子文集八十四、玉海十二、九十五（此卷兩引）引始稱明堂篇，知明堂篇之分析，作始於宋人耳。孔氏合之，以復古本之舊，是矣。

一曰，采據佚文。戰國策三：

舊校：千里而一士，是比肩而立。百世而一聖，若隨踵而生。

曾，至一作生。

案申子佚文：「百世有聖人，猶隨踵而生，千里有賢者，是比肩而立也。」（藝文類聚二十、意林二、太平御覽四百一、四百二引）。即此文所本，正作而生，與舊校所見一本合。韓非子難勢篇：「隨踵而生也」。淮南子脩務篇：「猶繼踵而生」。作而生者，於義爲長。

淮南子脩務篇：

禹生於石，契生於卵，史皇產而能書，羿左臂脩而善射。

案禹疑當作啓。淮南之文，蓋以啓、契、史皇、后羿爲四俊，故下文云四俊之才難，即指此而言也。今本誤作禹，則非其類矣。（淮南之文，以堯舜禹湯文王爲五聖。）隨巢子佚文正作「啓生於石」。（藝文類聚六、太平御覽五十一、天中記八、繹史十一引。）即此文所本。又有舊注云：「禹娶塗山氏，治洪水，通轘轅山，化爲熊，謂塗山氏曰：『欲餉，聞鼓聲乃來。』禹跳石，誤中鼓。塗山氏往，見禹作熊，慙而去，至嵩山下，化爲石。禹曰：『歸我子。』石破北方而生啓。」（漢書武帝本紀注引謂事見淮南子。楚辭天問補注、弇州山人四部稿宛委餘編四引竝稱淮南子。繹史十二引作隨巢子文，未詳所據。此不類淮南子之文，孫志祖讀書脞錄卷四疑爲許愼注語，蓋得其實。）當卽此文許注，此正釋啓生於石之事。竝其塙證。

檢驗古注類書，其善如此。故孫星衍稱畢氏所校刋之墨子云：

弇山先生于此書，悉能引據傳注類書，匡正其失。（墨子注後序）

此有得於古注類書之一也。秦恩復稱其所校刋之鬼谷子云：

恩復因剌取唐宋書注所引，校正文字一二。（鬼谷子敍）

此有得於古注類書之二也。僅發其凡於此，餘不勝舉。若乃朱一新旣譏采摭古注類書爲通人之蔽（見無邪堂答問），章太炎又訾爲末流淫濫（見國故論衡明解故），遽否定其價値，固未嘗達於斯旨，不免輕於立說矣。

## 二、本斠法

本斠法者，以同書文字前後互證，以同書注疏上下互勘，著其異同，正其訛誤。

以同書文字互證，其法有三：一曰以文義互證，一曰以常語互證，一曰以文例互證。

墨子尙賢上篇：

雖在農與工肆之人，莫不競勸而尙意。

孫詒讓云：

意，疑當爲悳 形近而譌，悳正字 德假借字

案孫校以意爲悳之譌，字形雖近，惟尙德非墨子之旨。意當是義之誤。耕柱篇：「我是彼奉水之意」。經濟類篇九十五引意作義，是二字互亂之證。天志中篇：「天下有義則治，無義則亂，是以知義之爲善政也。」耕柱篇：「今用義爲政於國家，人民必衆，刑政必治，社稷必安。」此墨子尙義之說也。且競勸而尙義，與上文皆競爲義之文，正相類似。孫氏以意爲悳之譌，未允。

荀子樂論篇：

賤禮義而貴勇力，貧則爲盜，富則爲賊，治世反是也。

案禮義疑舊作禮樂。上文：「故先王貴禮樂而賤邪音」。又云：「禮樂之統，管乎人心矣。」此荀子倡言禮樂之證。且本篇或以禮樂連文，或以禮樂對擧，無言禮義者，今本作禮義，當係傳寫之誤。文選王元長永明十一年策秀才注引正作禮樂，卽其塙證。

以上二端，以同書之文義互證者也。一書有一書之立文，學者苟能探究厥義，斯不難是正訛誤矣。

墨子尙同中篇：

里長既同其里之義，有率其里之萬民以尙同乎鄉長。

案同上當有一字。一同，乃本書常語，分見於尙同上中下三篇。上篇：「鄉長唯能壹同鄉之義」。「天子唯能壹同天下之義」。壹同卽一同也。下篇：「是故天下之欲同一天下之義也」。「然則欲同一天下之義」。同一猶一同也。今本挩去一字，則失其義矣。

荀子儒效篇：

　禮者，人主之所以爲羣臣寸尺尋丈檢式也。

案寸尺，當作尺寸。尺寸尋丈，古人習語。王霸篇：「尺寸尋丈，莫得不循乎制度數量然後行。」管子明法篇：「尺寸尋丈者，所以得長短之情也。」竝以尺寸尋丈連文。太平御覽五百二十三引寸尺正作尺寸，卽其證矣。

　以上二端，以同書之常語互證者也。一書有一書之常語，學者苟能探究厥辭，斯足以是正闕誤矣。

韓非子外儲說左下篇：

　跀危曰：吾斷足也，固吾罪當之，不可奈何。

案吾竝當作臣。此文跀者對子皋自稱，由始至終，皆用臣字，此不當獨異。古者稱臣，蓋示謙卑，上下通行，不特稱於君上之前也。（說詳雲谷雜記補編卷二稱臣呼卿條、日知錄卷二十四對人稱臣條。）本書之例，多以臣字爲自稱之謙辭。愛臣篇：「臣聞千乘之君無備必有百乘之臣在其側」。飾邪篇：「臣故曰：趙龜雖無遠見於燕，且宜近見於秦」。此一人之自稱也。問田篇：「徐渠問田鳩曰：臣聞智士不襲下而遇君，聖人不見功而接上。」又云：「堂谿公謂韓子曰：臣聞服禮辭讓，全之術也。修行退智，遂之道也。」此對人之自稱也。舊本臣誤作吾者，疑涉上文吾字而訛，此當據正。

孔子三朝記四代篇：

　依勿與謀。

孫詒讓云：

此依疑當爲旅。說文㫃部，旅，古文作㞺。云：「古文以爲魯衞之魯。」此亦當讀爲魯，言愚魯之人，勿與之謀事也。依旅形近而譌。

案孫說是也。荀子正論篇：「語曰：愚不足與謀知。」義與此同。本書之例，魯或作依！或作㞺，作旅者叚字，作㞺者古文。此以魯之叚字，誤爲依也。文王官人篇：「困而不知其止，無辨而自愼，曰愚怒者也。」怒卽㞺之訛。此以魯之古文，誤爲怒也。自旅誤爲依，㞺誤爲怒，遂不得其解矣。

以上三者，得諸文例用字之法者也。一書有一書用字之例，學者苟明厥義，不難訂正古書之失矣。

墨子辭過篇：

當蓄私，不可不節。

案私上疑挩爲字。當爲蓄私，不可不節。與上文：「當爲宮室，不可不節。」「當爲衣服，不可不節。」「當爲食飮，不可不節。」「當爲舟車，不可不節。」句法一律，此當據補。

荀子君道篇：

故有社稷者，而不能愛民，不能利民，而求民之親愛己，不可得也。

案親下當有己字。親己、愛己，與上文愛民、利民一律。下文：「民不親不愛，而求其爲己用，爲己死，不可得也。」此云親己、愛己，與彼云爲己用，爲己死，句法相同。韓詩外傳五親下正有己字，卽其證矣。

以上三端，得諸文例構句之法者也。一書有一書構句之例，學者苟明厥義，亦可訂正古書之失矣。

以同書注疏互勘，其法有三：**正文有訛誤，可據注疏之明用正文，明釋正文，渾釋正文，分別推勘，隨文補正。**

孟子公孫丑篇：

孟施舍之所養勇也。

孫疏：

至孟施舍之養勇也，曰視不勝猶勝也。

案所字疑衍，據疏則正無所字。所猶之也，此當涉旁注之字而衍。「孟施舍之養勇也」，與上文「北宮黝之養勇也」，文正一律。

荀子儒效篇：

行忍情性，然後能脩。

楊注：

忍，謂矯其性。

案情字當衍，注文可照。「行忍性，然後能脩」，與上文「志忍私，然後能公」，句法一律。

以上二端，皆注疏之明用正文者也。苟正文與注疏上下不應，而文義可疑，必正文有訛誤，當據注疏以訂正。

孟子萬章篇

曰：卻之卻之爲不恭，何也。

趙注：

萬章問卻不受尊者禮，謂之不恭，何然也。

案次卻字疑涉上卻字而衍。之爲二字互倒。此文本作「卻不「卻之爲之不恭」。注文「卻不受尊者禮」，釋「卻之」二字。「謂之不恭」，謂與爲通，又釋「爲之不恭」四字，卽其證矣。

荀子王霸篇：

之所與爲之者，之人則舉義士也。

楊注：

所與爲政之人，則皆義士，謂若伊呂之比者。

案之人二字，疑涉旁注之字而衍。注文：「所與爲政之人，則皆義士。」正釋正文：「之所與爲之者，則舉義士也。」又無之人二字，與下文：「之所爲以布陳於國家刑法者，則舉義法也。」「之所極然帥羣臣而首鄉之者，則舉義志也。」文正一律。

以上二端，皆注疏之明釋正文者也。苟正文與注疏文句不應，而文義難曉，必正文有訛誤，當據注疏以訂正。

孟子萬章篇：

萬章曰：今有禦人於國門之外者，其交也以道，其餽也以禮，斯可受禦與。

趙注：

以兵禦人而奪之貨，如是以禮，道交接己，斯可受乎。

案下禦字疑衍。據注文斯可受乎，正無禦字。今本下禦字卽涉上禦字而衍。

大戴禮記公冠篇：

達而勿多也。

盧注：

辭多則史，少則不達。

案據注文達上當有辭字，文義始足。後漢書禮儀志注、陳祥道禮書六十四引正有辭字，卽其塙證。

以上二端，皆注疏之混釋正文者也。苟正文與注疏文辭不應，而文義弗明，必明正文有訛誤，當據注疏以訂正。

注疏之有助於斠讎，其效如此。故顧廣圻云：

古書無唐以前人注者，易多脫誤。（重刻晏子春秋後序）

王念孫云：

墨子書舊無注釋，故脫誤不可讀。（墨子雜志序）

猶可循迹發正，以復其舊，此注疏之有效於斠讎也。

## 三、他斠法

他斠法者，以本書與他書相互比勘，著其異同，正其譌誤。本書與他書之關係，不外三端，一曰原出他書，一曰互見他書，一曰襲用他書。茲分別證之。

荀子大略篇：

諸侯相見，卿爲介，以其教士畢行，使仁居守。

楊注：

使仁厚者主後事。穀梁傳曰：智者慮，義者行，仁者守，然後可以會矣。

案居當作者，字之誤也。孔子三朝記虞戴德篇正作使仁者守，（今本挩者字，从拙校增。）即此文所出。審楊注之意，殆正文本作仁者，故注以仁厚者爲釋也。注引穀梁傳，係隱公二年傳文，亦作仁者守，即其證矣。

大戴禮記朝事儀篇：

七歲，屬象胥喻言語，計辭令。

王引之云：

計當爲汁（周禮）。大行人：「協辭令」。鄭注曰：「故書協作汁。鄭司農云：汁當爲叶。」

是周禮故書協作汁，此記蓋本於故書也。汁與計草書相似，故汁譌爲計。

案王校是也。此文本於周禮，計爲汁訛，汁與協同。令，周禮大行人作命，甲文金文命令同字。諸侯釁廟篇：「請令以釁某廟」。令卽命也。孔廣森改令爲命，失之。周禮令作命，義當从之。

凡本書之文，出於他書，因襲之迹，顯然可尋，故本書雖誤，猶可據他書爲之勘正。此時代在前之書，往往有助於斠讎也。

墨子非儒篇：

孔某窮於蔡陳之間。

案蔡陳當作陳蔡。莊子讓王篇、荀子宥坐篇、呂氏春秋愼人篇、任數篇、風俗通義窮通篇竝載此事，正作陳蔡，藝文類聚九十四、太平御覽四百八十六、八百五十九、八百六十三、九百三、天中記五十四引竝同。下文：「何其與陳蔡反也」。亦作陳蔡，卽其證矣。

荀子不苟篇：

故懷負石而赴河，是行之難爲者也，而申徒狄能之。

劉師培云：

雜志云故字乃總冒下文之詞，懷負石而赴河者，謂抱石而赴河也，其說近塙。惟懷疑後人旁注之字，以懷釋負，非正文亦有懷字也。淮南子說山訓云：「申徒狄負石自沈於淵」。鶡冠子備知篇曰：「申徒狄以爲世溷濁不可居，故負石自投於河。」言負石，不言懷負，均其證。

案劉校是也。記纂淵海四十九引亦無懷字。楊注：「申徒狄恨道不行，發憤而負石自沈於河。」竝可爲證。莊子盜跖篇：「申徒狄諫而不聽，負石自投於河」正作負石，卽其證矣。

凡本書之文，互見他書，雖非有意因襲，而文多相類，故本書雖誤，猶可據他書爲之勘正。此時代不同之書，往往有助於斠讎也。

荀子子道篇：

孔子曰：志之，吾語女。

案上文：「子路趨而出，改服而入，蓋猶若也。」上有由字。楊注：

告之畢，又呼其名，丁寧之也。

兪樾云：

楊注非是。下文：「孔子曰：志之，吾語女。」此由字，當在孔子曰之下，由志之，三字連文。上文：「孔子曰：由志之，吾語女。」亦以由志之三字連文，可證孔子曰下必當有由字也。韓詩外傳正作「孔子曰：由志之，吾語汝。」

案兪校是也。說苑雜言篇亦作「孔子曰：由記之，吾語若。」家語三恕篇作「（孔）子曰：由志之，吾告汝。」文雖小異，竝可證「由志之」三字之必當連文也。今本錯置，則失其義矣。

大戴禮記盛德篇：

無德法而專以刑法御民，民必走。

孔廣森云：

必，宋本譌心，从元本改。

案家語執轡篇「民必走」，作「民必流」。必字未譌，與元刻合。

凡本書之文，襲自他書，因襲之迹，較然可驗，故本書雖誤，猶可據他書爲之勘正。此時代在後之書，往往有助於斠讎也。

以本書與他書互勘，其善如此。故孫詒讓云：

每得一佳本，晨夕目誦，遇有鉤棘難通者，疑悟參積，鬱轖不怡，或窮思博討，不見耑倪，偶涉它編，迺獲塙證，曠然昭寤，宿疑冰釋，則又欣然獨笑。（札迻序）

一書文字之訛誤衍挩，考之本書而不得，迺於他書得之，斯則可喜也。本書與他書之關係，或有全同者，或有偶同者，故必須熟通羣籍，始得左右采擇，相互引證之樂。

## 四、理校法

理校法者，遇本書無本證可憑，而文有訛誤，或有本證，而輒相違異，則當廣徵博取，反覆推尋，明其是非，匡其闕謬。玆舉例以明之。

商君書徠民篇：

齊人有東郭敞者，猶多願，願有萬金。

朱師轍云：

　　猶多願，謂更多願望。

案朱說非也。猶乃獨之誤，此謂齊人有東郭敞者，獨多願，願有萬金耳。農戰篇：「雖有詩書，鄉一束，家一員，獨無益於治也。」獨卽猶之訛（詳陶鴻慶校）。是猶、獨二字互亂之證。今本作猶，則義不可通。

孔子三朝記小辨篇：

　　多與我言忠信，而不可以入患。

盧注：

　　備與我言忠信，而使不入於患。

案入患，疑舊作𠔁患。入𠔁形近易訛。說文八部：「𠔁、分也。从重八。孝經說云：故上下有別。」又丫部：「𠔁、古文別」。今考甲文亦有𠔁字，（前弍四八，新一零八。）與許書从重八正合。𠔁患，卽別患也，猶言辨患。謂祇言忠信而不可以識患。下文：「若動而無備，患而弗知，安與知忠信」，卽承此言之，卽其明證。盧注不得其義，蓋由所據之本已誤矣。

此無本證可憑，而文有訛誤者也。荀子賦篇：

　　喜溼而惡雨。

王念孫云：

蠶性惡溼，不得言喜溼，太平御覽資產部五引作疾溼而惡雨，是也。惡雨與疾溼同意。楊云：

「溼，謂浴其種。」乃曲為之說耳。

俞樾云：

楊說甚得，荀子之意，蓋此句與上文夏生而惡暑相對。生於夏，宜不惡暑矣，而蠶則惡暑，其種必浴，有似喜溼者，宜不惡雨矣，而蠶則惡雨，此兩而字，正明其性之異也。太平御覽資產部引作疾溼而惡雨，蓋人疑蠶性惡溼，不得言喜溼，故妄改之。言疾溼，又言惡雨，辭複而意淺，非荀子原文也。王氏反據御覽以訂荀子，誤矣。

案蠶性不喜溼，禮記祭義鄭注：「蠶性惡溼」。是其證矣。此云喜溼，文必有誤。合璧事類前集五十二、廣文選七引竝作「喜溫而惡雨」，是也。此謂蠶生於夏，既惡暑而喜溫，性又惡溼，以明其性之複雜。且喜溫與惡雨，義正相對，記纂淵海八十引作喜晴而悲雨，喜晴亦與喜溫義近。太平御覽引作疾溼，義是而文非矣。

大戴禮記公冠：

使王近於民，遠於年。

案後漢書禮儀志注、通典五十六、陳祥道禮書六十四、山堂考索前集四十二引此下竝有「遠於佞，近於義」六字。「遠於佞」即「遠於年」之重出。（洪頤煊云：「左氏襄三十年經，天王殺其弟佞夫，公羊作年夫。年佞同聲假借字。遠於年即遠於佞也。」）後人見重出「遠於佞」三字，遂加「近於義」三字以相配，此六字實不當有也。今本「近於民」與「遠於年」，義不相屬，蓋有訛誤，與「遠於民」，當作「遠於佞」矣。

典五十六引作「近於人」，此即「近於仁」之訛。（儀禮士冠禮疏引作「近於人，遠於天」，則又改「遠於年」爲「遠於天」，此與「近於人」相麗。）訛爲近於人之後，又轉訛爲「近於民」耳。山堂考索前集四十二引正作「近於仁」，猶存古本之舊。「近於仁」，「遠於佞」，相對成文。論語公冶長篇：「雍也仁而不佞」。淮南子人間篇：「聞倫爲人，佞而不仁。」竝以仁佞對擧，是其證矣。

此有本證可憑，而輒相違異者也。若斯之類，儻不廣徵博取，反覆推尋，斷難有得。段玉裁論校書之難云：

校書之難，非照本改字不譌不漏之難也，定其是非之難也。（經韻樓集卷十二與諸同志書論校書之難）

故欲定其是非，舍此奚屬。熟精茲法，自能解除轇轕，粗通塗徑矣。

（原載「大陸雜誌」第三十四卷第四、五期，民國五十六年二、三月）

# 校勘材料之鑑別

李笠

校勘古籍，材料尚焉；材料之品類紛繁，眞僞虛實，各殊情態，鑒別之事，容可忽諸？校書材料大別有二：一曰古物，二曰書本。古物之刻辭，在校勘上雖有驚人之奇績，（說詳余所著校勘材料價値論）然非材料之正者；且古物如金石陶瓷……之有款識者，大率可於書本中求之；茲姑從略，專就書本論之。

書本之眞僞有二：一曰著作之眞僞，二曰版本之眞僞，分述如次：

**A 著作** 顧炎武云：「漢人好以自作之書託爲古人，張霸百一尙書衞宏詩序是也，晉以下則有以他人之書竊爲己作者，郭象莊子注何法盛晉中興書之類是也」。（日知錄）晉以下固多竊人著作，（九九消夏錄六有竊人著述條可參看）而以己書託名於人者亦不尠，如魏泰著碧雲騢託名梅舜俞，王至作龍城錄託名柳宗元，作雲仙雜記託名馮贄，作杜詩注東坡詩注託名李歜，張萱著疑耀託名李贄，（詳見九九消夏錄六著書姓名不眞條）或託古人或託時人，其用意蓋不一也。此外更有撰作詩文，託名古人，或以穿插故事，或以戲弄詞翰；跡近稗官，名難徵實，如不加察，懵然引用，豈不令人齒冷；茲擧俞樾所述數則如次，俾資省覽焉。

衡波傳載孔子見採桑娘，有「南枝窈窕北枝長」之句，東家雜記載孔子過臧文仲將壇，有「將軍戰馬今何在」之句，竟使吾夫子作唐人七言絕句，作僞者不特妄甚，抑亦陋甚。乃明人洪化昭作周易獨坐談，所引古事有周公作歌招夷齊及夷齊答歌不經之談，竟以說經，明人之陋甚矣！（九九消夏錄六僞撰古人詩文條）

元楊維楨史義拾遺中有子思薦苟變書，孫臏答龐涓文，梁惠王送衞鞅還秦文，毛遂上平原君書，如此之類，皆以文爲戲而已。（仝前）

國朝吳定璋纂七十二峯足徵集，蒐輯歷代文人之生於太湖者，錄其所作彙爲此編，內有吳季札之孫濮婪所作高山詩三章。濮婪之名不見載記，高山之詩亦自古未聞，不知何處得之；殆亦僞撰歟？（仝前）

世傳漢鼂錯與友人尺牘云：「日外入芳囿，知騎氣南游，抱恨而反。所謂南山千萬峯，盡是相思情也。吟編久客左右，偶欲檢點，敢請頒下。」西漢人有此筆墨，大奇，明屠赤水收入翰墨選注，更奇。（仝前）

右擧數則，僞跡顯然，兪氏所謂妄而陋者，世人尚受其蒙；苟巧於作僞，綢繆無閒，則受欺豈不更易哉？故學者摭取材料，寗嚴毋濫。

**B 版本**　高濂云：「……宋版遺在元印，或元補欠缺，時人執爲宋刻；元版遺至國初補欠，人亦執爲元刻。然而以元補宋，其去猶未易辨，以國初補元，內有單邊雙邊之異，且字刻迥然別矣。……

近日作假宋版書者神妙莫測；將新刻摹宋版書特抄微黃厚實竹紙，或用川中繭紙，或用糊褙方簾綿紙，或用孩兒面鹿紙，筒捲用搥細細敲過，名之曰刮，以墨浸去臭味印成。或將新刻版中殘缺一二要處，或濕黴三五張破碎重補，或改刻開卷一二序文年號；或貼過今人注刻名氏留空，另刻小印將宋人姓氏扣塡兩頭角處。或用沙石磨去一角，或作一二缺痕，以燈火燎去紙毛，仍用菸草薰黃，儼然古人傷殘舊跡。或置蛀米櫃中，令蟲蝕作透漏蛀孔，或以鐵線燒紅錐書本子委曲成眼，一二轉折，種種與新不同。……」（尊生八箋燕閒淸賞牋論書）葉德輝云：「自宋本日希收藏家爭相寶貴，於是坊估射利，往往作僞欺人，變幻莫測。總之不出以明翻宋版宛補改換之一途。或抽去重刊書序，或改補校刋姓名，或僞造收藏家圖記，鈐滿卷中，或移綴眞本跋尾題籤掩其贋跡。……」（書林淸話十坊估宋元刻之作僞條）僞造版本既有利可乘，故其風氣僞著爲盛；惟元修宋版，明補元刻，初非有意作僞，學者留意版刻之沿革，及墨紙之氣色，不難辨也。此外更有爲好奇而造作未有印刷術以前之古本者，學者不察，倘與敦煌遺書並論，則受古人之欺已！茲舉俞樾之言爲例：

> 儒家有古文尚書，有古論語，有古孝經，皆後出之書。以古文而駕舉世通行之本之上，於是其風流入方外：終南山說經臺有篆書古老子，末有夷門天樂道人李道謙跋云：「魯之大儒高翿文舉，善古篆書，爲會眞官提點張志偉壽符書道德五千言，筆法精妙，古今罕有。至元庚寅承命祀香嶽瀆，駐於終南山萬壽宮，遂摹諸經臺，垂之永久」，詳見石墨鐫華，……此老子有古本也。明楊升庵稱南方掘地得石函，有古文參同契上中下三篇，叙一篇，徐景休箋注亦三篇，後序一

篇，合為十一篇，與舊傳止三篇者不合，餘姚蔣一彪為作集解，此參同契者古本也。殆儒家諸古文有以啓發之乎？（九九消夏錄五僞古本條）

書本之有作僞之資格者，必其地位比較珍異者也，故應用珍異之材料，得其眞則效益顯；得其僞則險亦益大；故材料愈希，審辨亦應愈密也。

書本之鑒別，不惟明其眞僞，亦須審其同異；眞僞之辨，校勘學者不能負其全責，蓋事有越於比對範圍者，（說又詳余所著校勘之界義篇）吾人應用時，依專家考訂以為取捨之標準可也。異同之分，則校勘學者不能卸責於人，蓋異同者屬於文學範圍，非如眞僞之關乎整個問題也。異同性質之不辨，則材料愈多，糾紛滋甚，是非倒置，亦或難免，故辨異急於辨僞也。書本之辨異有三事：一曰合刻與單行之異，二曰書鈔與原著之異，三曰引書與本文之異，分述如次：

**A合刻與單行之異**　前人以筆札煩難，劂剞非易，故各家之注既自單行，注與疏亦不相合也。注書之本且恆取原書文字，斷割句讀以省事功，觀今日之單注單疏本，如經典釋文論語疏等可知也。南宋紹熙間三山黃唐跋尚書注疏云：「六經疏義，自京監蜀本皆省正文及注，又篇章散亂，覽者病焉。本司舊刊易書周禮正經注疏，萃見一書，便於披繹，它經獨缺。紹興辛亥仲多，唐備員司庾，遂取毛詩禮記疏如前三經編彙，精加讎正，用鋟諸木，庶廣前人之所未備。……」（日本森立之經藉訪古志宋槧尚書注疏條引）是合刻羣經注疏始於南北宋間，其他書注之合刻當復後是。「獨立注疏」所據本文各有不同，合刻則勢難歧出，此化異為同，合刻之異於單行者一也；各家注釋，彼此單行，難免不謀而合，合刻者恆刪雷同之處，以避累贅，此去同存異，合刻之異於單行者二也。葉德輝曰：「……宋本亦有不盡可據者，經如四書朱注本，不合於單注單疏也」。（書林清話六宋刻書字句不盡同古本）今案不惟宋本爲然，不惟羣經爲然；明震澤王氏及清乾隆間校刋史記集解索隱正義三注合刻本，其索隱文字與汲古閣刻單行索隱本比對，頗多出入，尤以與正義相同字句刪削尤甚，逮張文虎校刋金陵官局三家注本，始據單本釐正，然正義無單本流傳，無從勘定矣。此皆合刻與單行本不同之事實也。

**B 書鈔與原著之異**　文選朱浮與彭寵書注云：「後漢書載此書，東觀漢記亦載此書，大義雖同，詞旨全別，蓋錄事取舍有詳略矣」。俞正燮曰：『錄有取舍，選亦必有取舍，校者詳其異同，以見古人之趣，非有彼此是非之見，凡書皆然，況其爲文辭選集本也？史記司馬相如列傳云：「子虛上林言上林雲夢所有甚衆，故刪取其要」。西漢錄賦，已刪取如此』。（癸巳存稿十二文選自校本跋）案俞氏存稿論選家改易原著頗詳，茲分四點節錄如次：

1. 增益文字　西都賦視漢書多「衆流之隈，汧流其西」，東都賦詩視漢書多「嘉祥阜兮集皇都」，司馬子長報任少卿書視漢書多「太史公牛馬走司馬遷再拜言」十二字，東方朔答客難視漢書多「傳曰天下無害災」二十七字，蓋昭明得他本增入者。

2. 刪削文字　景福殿賦注引薛綜東京賦注曰「高昌建成，二觀名也」，有注而賦文無此觀；今所得後漢宮殿圖亦無此二觀，則賦文昭明刪之。九章涉江刪去「亂曰」以下五十三字。鍾士季檄蜀文，魏志「亦無及已。其詳擇利害，自求多福」。今文選「亦無及也」，刪「其詳擇」九字。任彥昇爲褚蓁讓代兄襲封表注云：「此表與集詳略有不同，疑是稿本詞多冗長」。奏彈劉整注云：「昭明刪此文太略，故詳引之，今與彈當應也」。是以昭明刪之而李崇賢復補。……

3.移易文字　其中本爲昭明所移易者，曹子建與吳質書注引別題言『昭明移『墨翟不好伎』置『和氏無貴矣』下，與季重之書相應也」。

4.依他人增改本入選　其增改字者：據注則顏延年宋文皇后哀策文，依用宋文帝加八字；陸佐公石闕銘，依用梁武帝改十四字；刻漏銘梁武帝改一字，沈約改二字；然則文選不當以拘牽原稿評說是非也。

俞氏所述諸點之外，更有彼此相涉，張冠李戴，混二書於一處，以自耀其選家之權威者，尤不可不辨也。茲以張文虎之言示例：

陳明卿古文奇賞本，有韓信說漢王定三秦篇，合兩韓信爲一韓信，自篇首至決策東鄉爭權天下，此韓王信語也，見高帝本紀。自請言項王爲人以下，此淮陰侯信語也，見淮陰侯傳。史記甚明。班固作漢書，於高帝本紀韓王，亦作淮陰侯，然猶各爲詞句，不襲司馬原文。今賞奇本既全錄史記，而仍誤兩爲一，無此理矣。（螺江日記六韓信說漢王定三秦條）

說漢王實止淮陰侯一人，漢書是也，然撰家既錄史記文，則當從史記耳。（仝前）

昭明刪改篇什，除另有依據外，大抵爲好奇好美心所遺使，文人結習往往如是，小德出入與著作本身影響尚淺；若陳氏奇賞，直是毀滅著作個性，假令史記書佚，將毋以爲班馬一貫歟？惟此種謬妄，選家亦極少耳。

**C引書與本文之異**　應用寄生材料，雖爲校書者出奇制勝之一途，然引書之文，性質至爲複雜，苟不審愼鑒別，鮮有不崩事者。朱一新云：「古人同述一事，同引一書，字句多有異。非如今之校勘家一字不敢竄易也。今人動以此例彼，專輒改訂，使古書皆失眞面目。」（無邪堂答問三）此論引書性質及校勘末流之弊諒已！章炳麟氏更闡其旨云「……及其末流淫濫，熹依治要書鈔御覽諸書以定異字，治要以下其書亦在木，非無譌亂，據以爲質，此一蔽也。前世引書，或以傳注異讀改正文；經典古今文既異，今文有齊魯之學，古文有南北之師，不得悉依一讀；凌雜用之，此二蔽也」。（國故論衡明解故上）章氏評謫書鈔類書之失當矣，惟以在木爲病，則豈徒治要諸書爲然？即金石古物亦寧無誤？言嫌含混，茲姑勿論。其以異讀改文與殊源異讀，亦不足以盡引書之弊，茲綜覈諸家所言，申述如次：

1.因求約而刪改　郎瑛云：「孟子曰『牛羊茁壯長而已矣』。韓子曰『牛羊遂而已矣』，王臨川曰：『牛羊審而已矣』，文雖三出，義一而已。」（七修類稿，二十五孟文三變）此用其意而略其文，古書如此者甚多：書太誓「受有億兆夷人，離心離德；予有亂臣十人，同心同德」。管子法禁篇引太誓曰：「紂有臣億萬人，亦有億萬之心；武王有臣三千而一心」；左傳引之則曰：「太誓所謂商兆民離，周十人同者，衆也」。太誓雖僞書，而管子左傳所引當有依據，而差異如此，亦可見古人引書主意不尙辭矣。他如淮南子「舜釣於河濱，期年而漁者爭處湍瀨，以曲隈深潭相與」。爾雅

注引之則曰:「漁者不爭隈」,尤爲約省原文之顯著者。(上述略據古書疑義舉例三古人引書每有增減例)

2.因求明而迻譯 此例在史記書中尤爲慣見:如尚書「庶績咸熙」,史記夏本紀引作「衆功皆興」;庶、衆也,績、功也,咸、皆也,熙、興也,皆見釋詁。此全句以訓詁替代者。亦有替代一二字者,如五帝紀譯「寅賓」作「敬道」,「滔天」作「漫天」之類是也。更有一字譯作二字,以合後世語氣者:如書「試可用乃已」,五帝紀引作「試不可用而已」,蓋古人語急以「可」爲「不可」,雖爲增字,實則詮言也。書「疇若予工」,五帝紀引作「誰能訓予工」,錢大昕云:「『馴』與『順』同……書作『若』而史公作『馴』者,『若』訓『順』,而史公以訓詁字代之也」。(廿二史考異卷一)今案史記此語,不惟以「訓」代「若」,又以「誰能」代「疇」,疇同誰,書急言省「能」字,猶以「可」爲「不可」之比也。古字音近則義通,如五帝紀之譯「方鳩」爲「旁聚」,「便秩」爲「便程」,「方」與「旁」,「秩」「與「程」,聲俱相近,(旁從方聲。秩卽說文「𢧢」字,𢧢從「𢦏」,𢦏從呈聲,與程從呈同,說詳史記考異。)可云義譯,亦可云音譯也。人名地名音譯之例尤多:晉世家「示眯明」,左傳作「提彌明」,公羊作「祈彌明」;「呂省」左傳國語並作「呂甥」;此關於人名者也。吳世家「將舍於宿」,左傳「宿」作「戚」,張儀傳「大敗秦軍李伯之下」,國策「伯」作「帛」,此關於地名者一也。

3.因求詳而旁及 古人引書,更有嫌於辭旨不達,或以己意足成之,或連注語而同述之者:例如云：「一出口，駟不及舌」，論語無「一出口」三字；此皆以意演繹原文也。史記仲尼弟子列傳「卜商字子夏」，集解引家語云「衞人」；「樊須字子遲」，集解引鄭玄曰「齊人」；而邢昺論語正義引史記，並以「衞人」「齊人」併入正文，（說詳余所著史記訂補弟子傳及敘例中）此又以注語補充原文也。

4. 因求美而變文　孫弈云「謝靈運述祖德詩有『弦高犒晉師』之語。案宋氏春秋鄭賈人弦高實犒秦師也」。（示兒編卷十三事誤條）盧文弨注云「文選『弦高犒秦師』，下句爲『仲連卻秦軍』，兩句豈可皆用『秦』字」。引用典故，既可因避複而變文；則引用文辭，亦何遽不能因求美而易字哉？求美之範圍甚廣，一切修辭問題俱屬之，不必限於避複也。例如孟子「由今之道，無變今之俗，雖與之天下不能一朝居」，鹽鐵論文學引云「居今之朝，不易其俗而成千乘之勢，不能一朝居」（據示兒編十三引經誤條）變易原文本相，蓋欲調勻上下文辭氣語調，亦求美之一例也。

5. 因注書而遷就　說文「瘱，靜也。從心㾜聲」。文選神女賦「澹清靜其愔嫕兮」，李善注引說文云「妍，靜也」。錢大昕云『五臣本『嫕』作『㥷』，『㥷』即『瘱』之譌，後人又增女旁耳。……或據李善神女賦注欲改說文『瘱』爲『嫕』，云當從心嫛省聲，此則近於專擅。且李善注選引用古書改本文以就選體者，往往有之，未可執爲定也」。（十駕齋養新錄）今案改書以就所注之文，古人確有其例：詩「新臺有泚」，說文於玼字引詩「泚」作「玼」；易「服牛乘馬」，說文於犕字引易「服」作「犕」，此類雖或據本不同，而有意配合所疏證之主文則爲不可掩之事實，是以同引一書而有互文：（說又詳十駕齋養新錄四說文引經異文）如逑字引書曰「旁逑孱功」，而於他處又作「方鳩僝功。」

6.因疏闊而省併　俞樾云：「說文引詩，往往有合兩句爲一句者：如齊風雞鳴篇『東方明矣，朝既昌矣』，日部引作『東方昌矣』；大雅緜篇『混夷駾矣，經其喙矣』，口部引作『犬夷呬矣』；皆是也。……」（古書疑義舉例三古人引書每有增減例）今案此或一時疏忽或有意求約，莫得而詳，惟如有意求約，則「東方」下當時宜有特別符號如省文符之比，否則不幾以「昌」代「明」歟？誠然，則此爲機械式之省文，前第(1)節所述者，爲精義式之約辭耳。

7.因異本而參差　孫弈云「……古之治經者，各有師承，各尊其師之所傳而成一家之學，故字有不同者，各因其所傳之本而已。許氏說文所引，乃雜擧諸家之本，故用字有不同。……」（示兒編二十一卷）錢大昕曰「說文序云『其稱易孟氏書孔氏詩毛詩春秋左氏，皆古文也』，乃有同稱一經而文異者：如易『以往吝』，又作『以往遴』；『需有衣絮』，又作『繻有衣』；……蓋漢儒雖同習一家，而師讀相承，文字不無互異；如周禮杜子春鄭大夫鄭司農三家，與故書讀法各異，而文字因以改變，此其證也」。（養新錄四說文引經異文）孫氏錢氏所言，可與章說參看。余意古人承學，雖守師讀，但引經說事，則須隨宜而施，故不拘於一家讀也。

矯復古化，在於陛下」。楊樹達云「禹引魯昭公語，見昭二十五年公羊傳；大夫僭諸侯云云，亦本傳文子家駒語。今本公羊傳云『子家駒曰：諸侯僭於天子，大夫僭於諸侯，久矣』！無『天子過天道』之文，然鄭注周禮考工記引子家駒曰：『天子僭天』，賈疏引公羊傳文爲證，是唐時公羊傳本有『天子僭天』之語。……公羊傳文作『天子僭天』，禹語全本傳文，其他二句皆承用原文，而於此語則改爲『天子過天道』者，以己對天子陳言，有所忌諱耳」。（古書疑義舉例續補一稱引傳記以忌諱而删改例）又漢書司馬遷傳太史公曰「余聞之董生，……孔子知時之不用道之不行也，是非二百四十二年之中，以爲天下儀表：貶諸侯，討大夫，以達王事而已矣」。楊云「太史公自序作『貶天子，退諸侯，討大夫』，班用史公原文作傳，乃節去『天子退』三字，……時代愈近，則忌諱愈深，亦可以知矣」。（仝上）專制時代，刻書校書者，既以諱忌而改原書；則鈔書引書者，亦自不能不因諱忌而改原文。上述嫌忌之外，因避君父名號而改字者，更爲普通。總之，網愈密，則書之亂也亦益甚焉。

9.因誤解而增改　胡鳴玉云「史記貨殖傳『天下熙熙，皆爲利來；天下壤壤，皆爲利往』。『熙熙』和樂也，『壤壤』和緩貌，今用作天下『攘攘』、『穰穰』，皆與原文背戾」。（訂譌雜錄十雜字首義）又云「漢鄭當時傳『其推轂士及官屬丞吏，誠有味其言也』。師古曰『推轂言薦舉人，如車轂之運轉也。有味者，其言甚美也。』今人引用，作「味乎其言之」，增一「乎」字「之」字，便失其解」。（訂譌雜錄六有味其言）今案此種誤會原因，或以誤讀，或以斷章取義，致與原義違異。其更改文字處，貌似假音；其增竄文字處，貌似詮言，而實則非也。

10.因誤記而出入　引書不必翻檢原文，偶一疏忽，難免歧誤：晉書律歷志楊偉云「孟軻所謂『方寸之基，可使高於岑樓』者也」。孟子原文「基」作「木」，此一字出入，蓋非異本及有意驚異也。詩歌韻語，傳誦愈易，致誤亦愈便；陸以湉云「雪浪齋日記，以李太白詩『人煙寒橘柚，秋色老梧桐』屬之歐陽公；特以「晚」易「人」。以王灣詩『海日生殘夜，江春入舊年』，屬之靈澈，特以『月』易「日」，以『暮』易『舊』。」（冷廬雜識四傳述易誤條）此不惟變易文字，且誤易著作人，出於記憶不眞，至明顯也。其專屬於人名或書名誤記者，經典尤多，玆以孫弈與兪樾之言示例；孫云「……『致遠恐泥』，子夏之言也，班固以爲出孔子。『其進銳者，其退速，』孟子之言也，李固以爲出老子。孟子以孔子所謂『生事之以禮，死葬之以禮，祭之以禮』爲曾子。唐史以曾子所謂『以能問於不能，以多問於寡』，爲孔子。……」（示兒編十三行引經誤）兪云「趙宧光作說文長箋引孟子『虎兕出於柙』，日知錄譏其未讀論語，然文苑英華所載杜牧請追尊號表，以高宗伐鬼方爲出尙書，豈其未讀周易歟？一時筆誤，恐未足深譏。周禮鬯人鄭注引檀弓曰『臨諸侯畛於鬼神，曰：有天王某甫』，實曲禮文也。射人注引樂記曰『明乎其節之志，不失其事，則功成而德行』，實射義之文也。孔疏皆爲訂正。……」（九九消夏錄三誤引經文）觀此，可知人名書名之舛訛，視文

11.因誤據而戾繆　東觀餘論云「小宋太一宮詩『瑞木千尋聳，仙圖幾弔開』，注云『眞誥謂一卷爲一弔』。殊不知眞誥所謂弓即卷字，蓋從省文，眞誥音亦爾，非弔字也」。（示兒編卷二十一字說集字一引）今案此詩與注或據弓之誤文，或爲不識文字而誤用誤注，尙難驟定；惟引誤本爲引書不可免之事實，則不以此懷疑。石林燕語言：「有教官出題：『乾爲金，坤亦爲金何也』？檢福建本易經果有『坤爲金』，蓋脫『釜』上二點，乃爲金也」。（癸巳存稿十二校文選李注讖語引）愼重從事之試題乃亦誤據，其他可知矣。

12.因誤涉而易誤　史記項羽本紀「收其貨寶美人」，漢書項籍傳「貨寶」作「寶貨」；高祖紀「醉臥」，漢書紀作「欲臥」，「珍怪」漢作「奇怪」；史漢文字出入，原不足異，而太平御覽引史記上列諸語，文並同於漢書，因彼此誤涉，遂致文詞易位，亦引書之蔽也。（說又詳張文虎史記札記及余所著史記訂補項羽本紀）

右列十二事，或出有意，或出無意，或似有意似無意，雖不獲詳盡，亦可知其辜較矣。吾人校書，偶獲新奇之寄生材料，當快意時，據此事例，嚴刻審查，庶可以稍寡其過耳。

右文一篇，係余所著校勘學第五章之一部分。余撰校勘學始於民國十八年，牽於人事，六年於玆，尙未成書，今以此篇發表，將以求正鴻碩，且誌蹉跎之感！二十五年清明後三日書於河大西二齋。

原載（「文瀾學報」第二卷第二期，民國二十五年六月）。

# 論檢驗古注類書與斠定古書之關係

王叔岷

斠定古書，須廣求材料以資質證。古注、類書稱引古書至多，爲斠定古書最豐富之直接材料。前賢及近人斠定古書，已知取材於古注、類書，然於古注、類書之所以必須檢驗，則未加以申述；或又以爲古注、類書頗有譌誤，不可盡信，然於不可盡信之故，亦未加以剖析。初學之士，何所適從？區區此論，正欲爲留心此問題者獻其所得耳。

## 壹、古注類書必須檢驗

宋王應麟困學紀聞十云：

〔莊子〕天運篇：『孔子見老聃，歸，三日不談。弟子問曰：「夫子見老聃，亦將何規哉？」孔子曰：「吾乃今於是乎見龍。龍，合而成體，散而成章，乘乎雲氣，而養乎陰陽。予口張而不能嗋，予又何規老聃哉！」』太平御覽引『莊子曰』云云，『孔子曰：「吾與汝處於魯之時，人用意如飛鴻者，吾走狗而逐之；用意如井魚者，吾爲鉤繳以投之。」』『吾今見龍』云云，『余口張不能嗋，舌出不能縮，又何規哉！』與今本異。

王氏所稱太平御覽，見卷六一七。王氏又云：

「支離疏鼓筴播精。」文選注作「播糈。」

案「支離疏鼓筴播精，」見莊子人閒世篇。文選注，見夏侯孝若東方朔畫象贊注。王氏復輯存莊子逸文三十九條，云：

漢七略所錄，若齊論之問王、知道，孟子之外書四篇，今皆亡傳。莊子逸篇十有九，淮南鴻烈多襲其語，唐世司馬彪注猶存。後漢書、文選、世說注、藝文類聚、太平御覽閒引之。斷圭碎璧，亦足爲篋櫝之珍，博識君子，或有取焉。

王氏討治故籍，而知取材於古注、類書，最爲有識！此對後人有極大之啓示。清乾、嘉諸儒，斠讎羣籍，於古注、類書之檢驗甚勤。尤以高郵王氏念孫、引之父子，喜據古注、類書以助判斷，往往十中其九。降及德清俞樾，著書太多，或由無暇檢驗古注、類書，立說多憑臆斷，其中者十之三四而已。至近人鹽城陶鴻慶之讀諸子札記，幾全爲臆說，其中者十之一二亦難！古書常因古注、類書之稱引，而存其本來面目，欲訂正古書，則必須檢驗古注、類書，玆分四事證之。

(1)可多得佐證。

夫精於斠讎者，但憑經驗立說，往往可復原書之舊，固不必檢驗古注、類書。然，檢驗古注、類書，常可多得佐證，以助判斷。如晏子春秋內篇雜下第六：

晏子相齊，衣十升之布，脫粟之食。

王念孫雜志云：

『脫粟』上當有食字，後第二十六云：『食脫粟之食。』卽其證。今本脫食字，則文義不明；且與上句不對。後漢書章帝紀注、北堂書鈔酒食部三、初學記器物部、太平御覽飲食部八，引此竝云：『晏子相齊，食脫粟之飯。』

張純一校注云：

御覽八百四十九、又八百六十七引此，『脫粟』上並有食字。

案王說是也。白帖十六引此作『食免粟飯。』二八引此作『食脫粟飯。』亦並有食字。御覽八四九、八六七所引雖有食字，乃後第二十六章之文，張氏失考。

莊子天地篇：

始吾以爲天下一人耳，不知復有夫人也！

案『吾以』下當有『夫子』二字，文意乃明。郭象注：『謂孔子也。』（覆宋本作孔丘。）卽爲『夫子』二字作注；成玄英疏：『昔來稟學宇內，唯夫子一人。』卽本正文之『夫子』而言。德充符篇：『吾以夫子爲天地，安知夫子之猶若是也！』（吾上疑脫始字。）應帝王篇：『始吾以夫子之道爲至矣，則又有至焉者矣！』並與此句法同。事文類聚續集九、合璧事類別集二一，引『吾以』下正有『夫子』二字，當據補。

淮南子道應篇：

〔齊〕桓公讀書於堂，輪人斲輪於堂下，釋其椎鑿而問桓公曰：『君之所讀者何書也？』桓公曰：「聖人之書。」輪扁曰：「其人在焉？」許愼注：「輪扁，人名。」

王念孫雜志云：

輪人，當依莊子天道篇作輪扁，輪扁之名，當見於前，不當見於後也。高注：「輪扁，人名。」四字，本在此句之下，因扁誤爲人，後人遂移置於下文「輪扁曰」云云之下耳。

案王說是也。册府元龜七百四十引此，輪人正作輪扁。惟此篇乃許愼注，王氏以爲高（誘）注，誤。

⑵斠而難當者。

斠書但憑經驗，而不求證於古注、類書，所下斷語，往往失原書之舊，雖賢者亦不免焉。如管子大匡篇：

耕者農農用力；應於父兄；事賢多。

王念孫雜志云：

「耕者農農用力，」此文內多一農字，後人所加也。「耕者農用力，」此農字非謂農夫，廣雅曰：「農，勉也。」言耕者勉用力也。下文云：「耕者用力不農，」亦謂用力不勉也。呂刑曰：「稷降播種，農殖嘉穀。」言勉殖嘉穀也。（說見經義述聞。）襄十三年左傳曰：「君子上能而讓其下，小人農力以事其上。」言勉力以事其上也。（農力，猶努力，語之轉耳。）後人不知農訓爲勉，而誤以爲農夫之農，故又加一農字，不知耕者卽是農夫，無煩更言農也。（上文云：「士處靖；敬老與貴；交不失禮。行此三者爲上擧；得二爲次；得一爲下。」下文云：「

工賈應於父兄；事長養老；承事敬。行此三者爲上舉；得二爲次；得一爲下。」此云：「耕者農用力；應於父兄；事賢多。行此三者爲上舉；得二爲次；得一爲下。」「耕者」二字，上與士對；下與工賈對。是「耕者」即農夫，而「農用力」之農，自訓爲勉，非謂農夫也。

案「耕者農農用力，」即「耕者勉農用力，」非後人多加一農字也。下文本作「耕者出入不應於父兄；用力不農農；不事賢。」與此文相應。「不農農，」即「不勉農，」惟今本脫一農字，影宋本御覽八二三所引尚存其舊。（鮑崇城刻本御覽作「不農事，」事字涉下句「不事賢」而誤。）王氏不知，因誤謂此文多一農字耳。

韓非子說林上篇：

紹績昧醉寐而亡其裘，宋君曰：「醉足以亡裘乎？」對曰：「桀以醉亡天下，而康誥曰「毋彝酒。」」

盧文弨拾補云：

「而康誥曰，」而字，孫〔詒穀？〕云：衍。

案而非衍文，而下蓋有脫文也。御覽四九七引此作「紂以酒亡天下，而況裘亡乎？」「裘亡」乃「亡裘」之誤倒，今本而下脫「況亡裘乎」四字，當補。金樓子立言下篇作「桀醉亡天下，而況裘乎？」亦可證此有脫文。

文子精誠篇：

故精誠內，形氣動於天。

顧觀光札記云：

「精誠」下脫「感於」二字，當依〈淮南子〉泰族訓補。

案文選曹大家東征賦注引此，「精誠」下有「通於」二字，則不必從淮南子作「感於」矣。

⑶無從斠定者。

有時古書訛脫處，憑經驗實無從斠定，求之於古注、類書，則信手而得矣。如韓非子顯學篇：

故善毛嬙、西施之美，無益吾面。用脂澤粉黛，則倍其初；言先王之仁義，無益於治。明吾法度，必吾賞罰者，亦國之脂澤粉黛也。

案「必吾賞罰者，」御覽六二四引者上更有「則國富而治。法度賞罰」九字，當據補。（藝文類聚五二引者上有「則國治。賞罰法度」七字，治上蓋脫「富而」二字。）今本有脫文，文意不完。「明吾法度，必吾賞罰，則國富而治。」與上文「用脂澤粉黛，則倍其初」對言；「法度賞罰者，」又緊承「明吾法度，必吾賞罰」言之。意林引此云：「法度賞罰，國之脂澤粉黛也。」雖未引上文，而尚存「法度賞罰」四字，亦可證今本之有脫文。

文子微明篇：

治國若不足，亡國困倉虛。

案此有脫文，御覽四七二引作「治國若不足，亂國若有餘。存國困倉實，亡國困倉虛。」上下二句各相對成義，當從之。脫去『亂國若有餘。存國困倉實』十字，則文意不完矣。

列子楊朱篇：

昔者，宋國有田夫，常衣縕黂，僅以過冬，曁春東作，自曝於日，不知天下之有廣厦隩室，綿纊狐貉。

案文選嵇叔夜與山巨源絕交書注、事文類聚別集二三，引此『不知』上並有『當爾時』三字。（『當爾時，』爲六朝習用語，頗有助於考證此文之時代。）

⑷**收輯逸文**。

古書展轉流傳，或遭散失，或經刪削者多矣。幸賴古注、類書之稱引，往往尚有逸文可徵。王應麟據後漢書注、文選注、世說新語注、藝文類聚、太平御覽輯存莊子逸文三十九條，取材雖未廣，其影響於後人者則極大。岷斠讎古書，亦留意逸文之收輯，以莊子逸文輯存最多，凡一百五十餘條。（詳拙著莊子校釋附錄一，中央研究院歷史語言研究所專刋之二十六。）昔年寫淮南子斠證時，亦輯存逸文四條，未附於斠證後，其中三條見於古注、類書中，茲記於次，以供治淮南子者之參考焉。

文選曹子建求通親親表注、江文通詣建平王上書注，並引淮南子逸文云：

鄒衍盡忠於燕惠王，惠王信譖而繫之。鄒子仰天而哭，正夏而天爲之降霜。（白孔六帖二引作『鄒衍事燕惠王，盡其忠貞。王弃衍。衍仰天而哭，感霜降。』疑是覽冥篇之文。清孫志祖讀書脞錄四，載後漢書劉瑜傳注、袁紹傳注、初學記二所引淮南子逸文略同。）

藝文類聚八八引淮南子逸文云：

直木先伐，甘井先竭。（事文類聚後集二三亦引首句。淮南子多因襲莊子之文，此二句又見莊子山木篇。文子又多因襲淮南子之文，符言篇有此二句，惟作『甘泉必竭，（御覽五九引必作先。）直木必伐。』）

御覽九五四、爾雅翼十一、記纂淵海九五、事文類聚後集二三、天中記五一，並引淮南子逸文云：

槐之生也，入季春五日而兎目，十日而鼠耳，更旬而始規，二旬而葉成。（疑是時則篇之文。）

由古注、類書稱引之逸文，復引出一重要問題：古書多相因襲，此書因襲某書，某書如有散失、刪削，則此書因襲之迹，不可備考。儻於古注、類書中輯存某書之逸文，以與此書印證，則其因襲之迹愈著矣。王應麟云：『莊子逸篇十有九，淮南鴻烈多襲其語。』（詳前。）卽由古注、類書中得其印證者也。所謂『莊子逸篇十有九，』雖言之太過；而『淮南鴻烈多襲其語，』則塙鑿可據。茲證成其說如次。

呂氏春秋節喪篇高誘注引莊子逸文云：

生，寄也。死，歸也。

案淮南子精神篇：『生，寄也。死，歸也。』卽本莊子。

淮南子俶眞篇高誘注引莊子逸文云：

生乃徭役，死乃休息也。（又見列子天瑞篇張湛注、文選班孟堅幽通賦注，乃並作爲。）

案淮南子精神篇：「或者生乃徭役也，而死乃休息也。」卽本莊子。

列子天瑞篇：

　生物者不生，化物者不化。張湛注：莊子亦有此言。

案此乃莊子逸文，淮南子俶眞篇：「夫生生者不死，而化物者不化。」（「生生」今本誤「化生，」據文子守眞正。）精神篇：「化物者未嘗化也。」並本莊子。

文選左太沖魏都賦注、王元長三月三日曲水詩序注，並引莊子逸文云：

　尹需（一作儒。）學御，三年而無所得。夜夢受秋駕於其師。明日往朝其師，其師望而謂之曰：吾非獨愛道也，恐子之未可與也。今將敎子以秋駕。

案淮南子道應篇：「尹需學御，三年而無得焉。私自痛苦，常寢想之。中夜夢受秋駕於師。明日往朝師，師望而謂之（今本脫師字），而誤之，據文選注引莊子補正。王念孫雜志亦有說。）曰：「吾非愛道於子也，恐子不可予也。今日將敎子以秋駕。」尹需反走，北面再拜，曰：「臣有天幸，今夕固夢受之。」」卽本莊子。

後漢書文苑邊讓傳注引莊子逸文云：

　函牛之鼎沸，蟻不得措一足。（又見御覽九四七，「措一足，」作「置一足焉。」）

案淮南子詮言篇：「夫函牛之鼎沸，而蠅蚋弗敢入。」（後漢書劉陶傳注引「而蠅蚋弗敢入，」作「則蛾不得置一足焉。」與御覽引莊子合。）卽本莊子。

藝文類聚九一引莊子逸文云：

嫗雞搏狸。

案淮南子說林篇：『伏雞之搏狸也。』卽本莊子。

御覽三、記纂淵海五八，並引莊子逸文云：

陽燧見日則燃爲火。

案淮南子天文篇：『陽燧見日則燃而爲火。』卽本莊子。

御覽三六四引莊子逸文云：

亡羊而得牛，斷指而得頭。

案淮南子說山篇：『亡羊而得牛，則莫不利失也。斷指而免頭，則莫不利爲也。』卽本莊子。

御覽三六九引莊子逸文云：

盧敖見若士，深目鳶肩。

案淮南子道應篇：『盧敖游乎北海，經乎太陰，入乎玄闕，至於蒙轂之上，見一士焉：深目而玄鬢，渠頸而鳶肩，(今本『渠頸』誤『淚注，』王念孫有說。)豐上而殺下，軒軒然方迎風而舞。顧見盧敖，慢然下其臂，遯逃乎碑下。(今本脫下字，王念孫有說。)盧敖就而視之，方倦龜殼而食蛤梨。盧敖與之語曰：「唯敖爲背羣離黨，窮觀於六合之外者，非敖而已乎！敖幼而好游，至長不渝解，(今本脫解字，王念孫有說。)周行四極，唯北陰之未闚。今卒睹夫子之於是，子殆可與敖爲友乎？」若士者齤然而笑曰：「嘻！子中州之民，寧肯遠而至此？此猶光乎日月而列載星，陰陽之所行，四時之所生，其比夫不名之地，猶窔奧也。若我南游乎罔㝗之野，（今本罔誤岡，據論衡道虛篇及楚辭遠游補注、事類賦注六、事文類聚前集三四、合璧事類前集五十引正。）北息乎沈墨之鄉，西窮窅冥之黨，東關鴻濛之光，（今本關誤開，王念孫有說。）此其下無地而上無天，聽焉無聞，視焉則眴，（今本則誤無，王念孫有說。）此其外猶有汰沃之氾，其餘一舉而千萬里，吾猶未之能至，今子游始於此，乃語窮觀，豈不遠哉！然子處矣，吾與汗漫期於九垓之上，（今本上誤外，王念孫有說。）吾不可以久駐。」若士舉臂而竦身，遂入雲中。盧敖仰而視之，弗見，乃止駕。心柸治，（今本心誤止，王念孫有說。）悖若有喪也。曰：「吾比夫子，猶黃鵠之與壤蟲也。終日行不離咫尺，而自以爲遠，豈不悲哉！」』卽本莊子。若無御覽所引莊子，則不知淮南子此文所從出矣。御覽所引僅九字，淮南子則詳載之，最可貴也。惟此類莊子之文，時代既晚，（許慎注：盧敖，燕人，秦始皇召以爲博士，使求神仙，亡而不返也。）自是後人附益者。

御覽四三七引莊子逸文云：

大勇不鬬。

案淮南子說林篇：『大勇不鬬』。卽本莊子。

事類賦注八引莊子逸文云：

老槐生火，久血爲燐，人弗怪也。

案淮南子氾論篇：「老槐生火，久血爲燐，人弗怪也」。卽本莊子。

藝本類聚八八、初學記二八，並引莊子逸文云：

槐之生也，入季春五日而兎目，十日而鼠耳。（困學紀聞十引此下更有「更旬而始規，二旬而葉成。」十字。）

案御覽九五四、爾雅翼十一、記纂淵海九五、事文類聚後集二三、天中記五一，並引淮南子云：「槐之生也，入季春五日而兎目，十日而鼠耳，更旬而始規，二旬而葉成。」（與困學紀聞引莊子同。）卽本莊子。惟此文又莊子、淮南子所並逸者矣。

## 貳、古注類書不可盡信

斠定古書，必須檢驗古注、類書，已如上述。然，近儒頗有不信類書之說，其著者，如清朱一新無邪堂荅問二云：

王文肅、文簡之治經，（中略。）往往據類書以改本書，則通人之蔽。若北堂書鈔、太平御覽之類，世無善本；又其書初非爲經訓而作，事作衆手，其來歷已不可恃，而以改數千年諸儒斷斷考定之本，不亦愼乎！然，王氏猶必據有數證而後敢改，不失愼重之意；若徒求異前人，單文孤證，務爲穿鑿，則經學之蠹矣！

案高郵王氏治經傳子史，往往據類書（兼據古注）以訂正本文，其可信者，單文孤證亦必援據。非「

必據數而後敢改」也。類書固當求善本，儻善本不可得，則求其次，亦非全不可信；又類書事出衆手，其來歷固不可盡信，然亦非皆不可信。朱氏於類書未詳加檢驗，而立說如此，眞所謂「通人之蔽」邪？

章太炎國故論衡明解故上云：

> 末流淫濫，熹依治要、書鈔、御覽諸書以定異字。治要以下，其書亦在木，非無譌亂，據以爲質，此一蔽也。

類書既經鈔、刻，自不能無譌亂。然，因有譌亂，遂不「據以爲質，」譬猶因噎廢食，此亦「通人之蔽」也！岷謂類書，多存古籍之舊觀，不可不信；惟不可盡信，古注亦然。茲詳述古注、類書不可盡信之由如次。

**(1)或有譌誤。**

如商君書更法篇：

> 湯、武之王也，不循古而興。

嚴萬里校本「循古」作「脩古，」云：

> 諸本及史記（商君列傳）作「循古，」今據司馬貞索隱改。

案史記司馬貞索隱引此文「循古」作「脩古，」脩乃循之誤。脩，隸書作循。循，隸書作脩，兩形相近，故致誤耳。「循古」猶「隨古、」「順古」，（淮南子原道篇：「循天者，與道游者也。」氾論篇：「常故不可循，」「而循俗未足多也。」高誘注並云：「循，隨也。」本經篇：「五星循軌而不失其行。』注：「循，順也。」）循誤爲脩，則失其旨矣。淮南子氾論篇：『不知法治之源，雖循古終亂。』與此作『循古』同。嚴氏未審文義，而改循爲脩，朱師轍解詁本從之，非也。

韓非子外儲說左上篇：

一曰：『好微巧。衞人曰：「能以棘刺之端爲母猴」』。

王先愼集解本『好微巧，』作『燕王徵巧術人。』『衞人曰：「能以棘刺之端爲母猴，」』作『衞人請以棘刺之端爲母猴。』云：

微卽徵字形近而誤，藝文類聚九十五、御覽九百十引，正作『燕王徵巧術人。』是其證。今據改。御覽五百三十引作『燕王欲攻衞，』白孔六帖八十三引作『燕王好徵巧，』九十七引作『燕王好微巧，』並誤，然皆有燕王二字。『曰能以』三字，藝文類聚、御覽引，並作『請以』二字，今據改。

案『好微巧，』當從文選魏都賦注及白孔六帖九七引作『燕王好微巧』爲是。藝文類聚九五、御覽九百十引此文並作『燕王徵巧，術人請以棘刺之端爲母猴。』徵卽微之形誤，（影宋本御覽微字不誤。）術卽衞之形誤，非『衞人』上更有『術人』二字也。御覽五百三十引作『燕王欲攻，衞人請以棘刺之端爲猴。』攻乃巧之形誤，（影宋本御覽巧字不誤。）衞字當屬下讀。白孔六帖八三引『好微巧，』作『燕王好徵巧，』徵亦微之形誤。下文『諸微物，必以削削之。』（文選注引『微物』作『微巧。』）正與此微字相應。則微非徵之誤明矣。王氏據譌亂之類書妄改本文，謬甚！（又案『能以棘刺之端爲母猴，」文選注引能上有臣字。如從文選注補臣字，則『曰能以』三字，不必從藝文類聚、御覽改爲『請以』二字。）

淮南子齊俗篇：

從城上視牛如羊，視羊如豕。

劉文典集解云：

羊與豕大小不甚相遠，視牛如羊，視羊不得如豕大也。此疑本作『從城上視牛如羊、如豕。』御覽八百九十九引此文，卽無『視羊』二字。

案豕當爲豚，說文：『豚，小豕也。』治要、長短經忠疑篇引此並作『視羊如豚。』今本豚作豕，卽豚之壞字。呂氏春秋壅塞篇：『夫登山而視牛若羊，視羊若豚。』卽此文所本。御覽引此無『視羊』二字，蓋誤脫也。不足據。

類此之例，卽不當輕信古注、類書，而忽其有譌誤者也。

(2)或有改竄。

如管子霸形篇：

今彼鴻鵠，有時而南，有時而北，有時而往，有時而來，四方無遠，所欲至而至焉。非唯有羽翼之故，是以能通其意於天下乎！

洪頤煊義證云：

『非唯有羽翼之故，』案文義，不應有非字。藝文類聚（九六）、太平御覽（九一六）引，俱無非字。

案『非唯有羽翼之故，是以能通其意於天下乎！』意卽謂『唯有羽翼之故，是以能通其意於天下也。』非字不當無。藝文類聚、御覽引此俱無非字，蓋淺人所刪耳。不足據。說苑雜言篇：『非唯下流衆川之多乎！』（又見孔子家語三恕篇。荀子子道篇唯作維，同。）與此句法同。

韓非子外儲說左篇：

梁車新爲鄴令，其姊往看之，暮而後門閉，因踰郭而入。

盧文弨拾補云：

『暮而後門閉，』閉字後人所增，當刪去。蓋『後門，』卽是門已閉也。

王先愼集解本『暮而後門閉，』作『暮而後至，閉門。』云：

據白孔六帖（十九）增改。御覽四百九十二、五百一十七引作『暮而門閉。』

案盧氏謂『閉字後人所增，』是也。呂氏春秋長利篇：『天大寒而後門，』與此句法同。高誘注：『後門，日夕，門已閉也。』卽盧說所本。白孔六帖所引，乃妄增改；御覽所引，乃妄刪削，並不足據。又案御覽五一七引作『暮郭門閉，』（非作『暮而門閉，』王氏失檢。）亦由不知閉字爲後人所增，而妄改『後門』爲『郭門』耳。

淮南子人閒篇：

故樹黍者不獲穫。樹怨者無報德。

劉文典集解云：

御覽八百四十二引作「故樹黍者無不穫穫。樹恩者無不報德。」宋本獲亦作穫。

案「樹黍者不獲穫，」御覽引不上有無字，義不可通。蓋由所引下句怨誤爲恩，寫者因於無下臆加不字；復於上句不上妄加無字，使二句相耦，而不知其不可通也。文子上德篇獲亦作穫，古字通用。

類此之例，卽不當輕信類書，而忽其有改竄者也。

(3)誤引古書。

如明陳懋仁庶物異名疏二四引淮南子云：

其爲鳥也，翂翂翐翐，而似無能，引援而飛，迫脅而棲。

案此乃莊子山木篇之文也。

御覽四百二引文子云：

虎豹之駒未成，而有食牛之氣；鴻鵠之意未合，而有四海之心，賢者之生亦然也。

案此乃尸子之文也。（詳淸汪繼培所輯尸子卷下，蕭山陳氏湖海樓栞。）

同卷引文子云：

國之所以不治者三：不知用賢，此其一也。或求賢而不得，此其二也。雖得弗能盡，此其三也。

此乃尸子發蒙篇之文也。

六二六引文子云：

楚人擔山雞，路人問曰：『何鳥也？』欺之曰：『鳳凰也。』路人請十金，弗與；倍，乃與之。將獻楚王，經宿鳥死。路人不惜其金，唯恨不得獻。國人傳之，咸以爲眞鳳，遂聞楚王。王感其貴買欲獻於己，厚賜之，過於買鳥之金十倍。

案此乃尹文子大道上篇之文也。

八百五引文子云：

鄭人謂玉未理者璞。周人謂鼠未臘者璞。周人懷璞，問鄭賈曰：『欲之乎？』出其璞，視之，乃鼠璞。

此乃尹文子大道下篇之文也。（尹文子、文子、尸子三書，書名易溷，故援引往往致誤。）

記纂淵海六二引列子云：

言語在口，譬含鋒刃，不可動。故天有卷舌之星，人有緘口之名。

案此乃北齊劉晝劉子愼言篇之文也。

六五引列子云：

嬰兒傷人，而被傷者不以爲怨。侏儒嘲人，而獲嘲者不以爲辱。

七三引列子云：

評人好醜，雖言得其實，彼必嫌怨；及其自照明鏡，摹倒其容，醜狀旣露，則內慚而不怨。向之評者，與鏡無殊，然而向怨而今慚之者，鏡無情而人有心也。

此並劉子去情篇之文也。

七十引列子云：

霜鴈託於秋風，以成輕舉之勢。

此乃劉子託附篇之文也。翰苑新書七十亦誤引爲列子文。

事文類聚別集二八引列子云：

聽之於未聞，察之於未形，而鑒其神智，識其才能，可謂知人。若功成事遂，然後知之者，何異耳聞雷霆，而稱爲聰；目見日月，而謂之明乎！

此乃劉子知人篇之文也。（劉，俗作刘，與列形近，故劉子往往誤引爲列子也。）

後集十五引列子云：

老萊子逃世，耕於蒙山之陽，楚王駕至其門，曰：『守國之孤，願見先生。』老萊子曰：『諾。』老妻曰：『妾聞之：「居亂世，爲人所制。」能免於患乎？妾不能爲人所制者。』委畚而去。老萊子乃隨而隱。

案此乃劉向古列女傳二之文也。（又見晉皇甫謐高士傳上。）

合璧事類前集二一引列子云：

越姬，楚昭王之姬，越王句踐女也。昭王讌遊，越姬從，謂姬曰：『樂乎？』對曰：『樂則樂矣，而不可久也！」王曰：『願與子生死若此。』姬曰：『君之樂遊，要妾以死，不敢聞命。』

此乃古列女傳五之文也。

前集二六引列子云：

魯漆室邑之女，過時未適人，倚柱而嘯，鄰婦曰：『子欲嫁乎？』曰：『非也。予憂者：魯君老，太子幼。』鄰婦曰：『此丈夫之憂也。』女曰：『不然，昔有客，適係馬園中，馬逸，踐吾葵，使吾終歲不飽葵。吾聞：「河潤九里，漸洳三百步。」今魯國有患，君臣父子被其辱，婦女獨安所避乎！』

此乃古列女傳三之文也。（列女傳易聯想及列子，故列女傳往往誤引為列子也。）

類此之例，皆徵引之誤，儻不經別白，或將誤為所引某書之逸文矣。

⑷雷同抄襲。

如莊子齊物論篇：

昔者莊周夢為胡蝶，栩栩然胡蝶也。自喻適志與！不知周也。

郭象注：

自快得意，悅豫而行。

釋文引李頤注：

喻，快也。

又引崔譔注：

與，哉。

奚侗補注云：

釋文：「李云：喻，快也。」則字當作愉，說文：「愉，樂也。」廣雅：「愉，喜也，悅也。」

劉文典補正云：

「自喻適志與」五字，隔斷文義。與字同歟，詳其語意，似是後人之注羼入正文，郭氏不知，以「自快得意，悅豫而行」釋之，藝文類聚蟲豸部、御覽九百四十五引，竝無此五字，惟三百九十七引有之，蓋唐代猶有無此五字之本也。

案奚氏據李頤注，謂喻當作愉，是也。郭注云云，亦以喻為愉。呂氏春秋異用篇：「文王得朽骨以喻其意，」高誘注：「喻，說。說民意也。」與此喻字義同。記纂淵海一百一事文類聚後集四八、明王世貞圓機詩學活法全書二四引此文，皆無「自喻適志與」五字，與藝文類聚蟲豸部、御覽九四五所引同。惟類書引書多雷同鈔襲，不可輕信，此蓋由藝文類聚所引略「自喻適志與」五字，（類書引書常有刪略。）御覽後出諸類書，遂本之而略此五字耳。至如唐釋澄觀大方廣佛華嚴經隨疏演義鈔七五、初學記三十引此文，則並存此五字，（惟喻並作逾，逾亦借為愉。）與御覽三九七引同。郭象、李頤、崔譔皆為此文作注，是所見本皆有此五字，安得據後出之類書，斷為注文羼入正文邪！劉氏僅見郭氏有注，蓋忽略釋文所引李、崔二氏並有注也。且審「自喻適志與」五字，卽承胡蝶之栩栩然而言，意甚明白，何從隔斷文義？劉氏疏於訓詁，蓋誤以喻爲譬喻字，乃有此說耳。

秋水篇：

　　知窮之有命，知通之有時，臨大難而不懼者，聖人之勇也。

劉文典云：

　　「知窮之有命，」文選辯命論注、御覽四百三十七引知上有「聖人」二字。

案「知窮之有命」上，更有「聖人」二字，則與下文「聖人之勇也」複。蓋卽涉下文而衍也。上文：「夫水行不避蛟龍者，漁父之勇也。陸行不避兕虎者，獵夫之勇也。白刃交於前，視死若生者，烈士之勇也。」與此文例一律。則知上不當有「聖人」二字明矣。文選注所引，蓋先衍「聖人」二字，御覽復雷同鈔襲而誤耳。文選注引，「臨大難而不懼」下無者字，御覽引亦無者字，其鈔襲之迹甚明，此不足據信也。

庚桑楚篇：

　　若是而萬惡至者，皆天也，而非人也。不足以滑成，不可內於靈臺。

俞樾平議云：

　　「不可內於靈臺，」「不可」上當有「萬惡」二字，上文云：「若是而萬惡至者，皆天也，而非人也。不足以滑成。」其文已足；「萬惡不可內於靈臺，」則又起下意，下文云：「靈臺者有持，而不知其所持，而不可持者也。」皆承此言之。讀者不詳文義，誤謂「不可內於靈臺，」

與『不足以滑成，』兩句相屬，故刪『萬惡』二字耳。文選廣絕交論李善注引此文，正作『萬惡不可內於靈臺。』

奚侗云：

此言萬惡之至，天而非人，不足以滑我之成，不可內於靈臺以自擾也。俞樾云：『「不可」上當有「萬惡」二字，上文云：「若是而萬惡至者，皆天也，而非人也。不足以滑成。」其文已足；「萬惡不可內於靈臺，」則又起下意。』並引文選廣絕交論注『萬惡不可內於靈臺。』爲證。不知彼係蒙上『若是而萬惡至者』之文約舉之耳。文選注引古籍，往往截斷本文；說文引經，亦多此例。德充符篇：『故不足以滑和，不可入於靈府。』文義與此相類，可證本文未脫『萬惡』二字；且非用以起下意也。

劉文典云：

俞說是也。御覽三百七十六引此文，亦正作『萬惡不可內於靈臺。』尤爲塙證。

案文選注引『不可』上有『萬惡』二字，乃約舉上文之詞，（古注、類書引書，並多約舉之詞）。奚說是也。若『不可』上復有『萬惡』二字，則與上文複矣。御覽亦引作『萬惡不可內於靈臺，』即鈔襲文選注。（宋釋法雲翻譯名義集六、事文類聚後集二十引，並作『萬惡不可內於靈臺，』亦雷同鈔襲。）劉氏以爲文選注既引作『萬惡不可內於靈臺，』御覽又引作『萬惡不可內於靈臺，』則『不可』上有『萬惡』二字，是必可據，因從俞說，蓋忽於古注、類書引書多雷同鈔襲之故也。

類此之例，一引作某，皆引作某，儻不知其雷同鈔襲，則以爲必可據矣。

⑸據注文改竄正文。

如莊子天地篇：

夫聖人鶉居而鷇食，鳥行而無彰。郭象注：率性而動，非常迹也。

馬其昶莊子故云：

『無彰，』藝文類聚（二十）引作『無迹，』是也。食、迹爲韻。

奚侗補注云：

藝文類聚聖部（卽卷二十）引彰作迹，郭注：『率性而動，非常迹也。』是郭本彰亦作迹。後人改迹爲彰，欲與下文昌、閒、僊、鄕、殃叶韵，不知本文迹、食相叶，第一部與第十部合韵也。

案馬、奚說並未審，藝文類聚引彰作迹，乃據郭注改正文，非正文彰原作迹也。郭注：『非常迹也。』乃以迹釋彰，非郭本彰亦作迹也。騈拇篇郭注：『夫「鶉居而鷇食，鳥行而無章」者，何惜而不殉哉？』卽用此文，可證郭本作彰不作迹。治要、御覽八、八十、四百一引此，彰並作章，與騈拇篇注合。章、彰古通，作章是故書。御覽八又引注云：『章，迹。』此蓋郭注，本在『率性而動』上，今本脫去；兼以藝文類聚引彰作迹，馬、奚二氏遂誤以爲彰本作迹耳。作彰自與下文叶韵，固不必作迹與食叶韵也。成玄英疏：『彰，文迹也。』亦可證正文本作彰。

呂氏春秋本味篇：

有侁氏女子採桑。高誘注：侁讀曰莘。

案列子天瑞篇張湛注、藝文類聚八八引侁並作莘，蓋據注文改之也。

淮南子齊俗篇：

望我而笑，是攓也。許愼注：攓，慢也。

劉文典集解云：

意林及御覽四百五引攓並作慢，蓋許、高本之異也。

案意林及御覽引攓作慢，乃據注文改之也。劉氏以爲許、高本之異，大謬！類書引書往往據注文改正文，如覽冥篇：「城郭不關。」高誘注：「關，閉也。」藝文類聚十一引關作閉。本經篇：「傒人之子女。」高注：「傒，繫囚之繫。」治要引傒作繫。繆稱篇：「猨狖之捷來措。」許注：「措，刺也。」意林引措作刺。氾論篇：「苟周於事，不必循舊。」高注：「舊，常也。」意林引舊作常。厥例甚多，此不可不知者也。

說山篇：

嫁女於病消者，夫死，則後難復處也。高注：以女爲妨夫，後人不敢娶，故難復嫁處也。

劉文典云：

「夫死則」下，舊有「言女妨」三字，而今本脫之。故注「以女爲妨夫，」遂無所指。意林引正作「嫁女於消渴者，夫死，則言夫妨。」

案注「以女爲妨夫，後人不敢娶，」乃申正文「後難復處」之義。若正文本作「夫死，則言女妨。」則何待注乎？意林引「夫死則」下有「言女妨」三字，蓋據注文所增耳。類書引書，往往據注文增字，不可輕信也。

類此之例，皆據注文改竄正文，儻以爲正文之舊，則誤矣。類書中意林據注文改竄正文之例特多，推其改竄之由，蓋求其易了耳。

* * * * *

古注、類書稱引古書，其可信者多，其不可信者少。其必須檢驗之由，已就實例加以申述；其不可盡信之故，亦就實例加以剖析。儻能別其瑕瑜，愼爲取舍，自可據以斠定古書矣。茲附錄主要之古注、類書於後，以便初學之參考。

古注：

十三經注、疏。（其中漢、晉舊注，固當翻檢；唐孔穎達、楊士勛、徐彥及宋邢昺等之疏，徵引詳贍，關係於斠讎者尤大。）

漢高誘戰國策、呂氏春秋、淮南子注。（戰國策兼檢宋鮑彪注、元吳師道校注。）

漢王逸楚辭注。（兼檢宋洪興祖補注。）

晉郭璞山海經、穆天子傳注。

晉張湛列子注。（兼檢唐殷敬順釋文。）
宋裴松之三國志注。
史記三家注。（宋裴駰集解、唐司馬貞索隱、張守節正義。）
北魏酈道元水經注。
梁劉孝標世說新語注。
北周盧辯大戴禮記注。
唐顏師古漢書注。
唐李賢後漢書注。
唐楊倞荀子注。
唐李善文選注。（兼檢日本景印舊鈔本文選集注。）
唐陸德明經典釋文。
唐釋慧琳一切經音義。
南唐徐鍇說文繫傳。
宋吳淑事類賦注。
宋陸佃鶡冠子注。
宋羅願爾雅翼。

宋章樵古文苑注。

宋蔡夢弼杜工部草堂詩箋。

類書：

唐虞世南北堂書鈔。

唐魏徵等羣書治要。

唐歐陽詢藝文類聚。

唐徐堅等初學記。

唐馬總意林。

唐白居易、宋孔傳白孔六帖。

宋李昉等太平御覽、太平廣記。

宋王欽若、楊億等册府元龜。

宋章如愚山堂考索。

宋潘自牧記纂淵海。

宋王應麟玉海。

宋葉廷珪海錄碎事。

宋祝穆事文類聚。

宋謝維新合壁事類。

宋人錦繡萬花谷。

宋人翰苑新書。

明陳耀文天中記。（此書雖晚出，其來源甚早，取材亦精。）

明徐元太喩林。（此書雖晚出，而稱引各書，皆標擧篇名，最便初學翻檢。）

五十年一月二十六日，於國文系研究室。

## 補記

北宋龔鼎臣東原錄云：

嘉祐中，予在國子監與監長錢象先進學官校定李軌注揚子法言，後數年，因於唐人類書中見『如玉加瑩』一義，惜其未改正也。『或問：「屈原智乎？」曰：「如玉加瑩，爰見丹靑。」』軌注云：「夫智者達天命，如玉加瑩，磨而不磷。」往日不知其誤，遂改軌注以就文義爾。

案俞樾諸子平議卷三十四揚子法言吾子篇，曾引龔說以訂正今作『如玉如瑩』之誤。龔說爲據類書以斠定古書甚早之資料，最爲可貴。承陳槃庵兄檢示，特補記於此。

五十年五月九日。

（原載「文史哲學報」第十期，國立臺灣大學，民國五十年八月）

# 校讎通例

王叔岷

淮南子精神篇云：「藏詩書，修文學，而不知至論之旨，則拊盆叩瓴之徒也。」治學固當以大義爲重，校讎之業，每爲翰墨之士所輕，如邢邵見人校書，輒笑曰：「何愚之甚！天下書至死讀不可徧，焉能始復校此？」（北史邢邵傳。）然校書雖爲愚事，此實治學之本也。何以明之？我國古籍，秦火以後，代有散亡，卽或求而復出，得之先後不同，存者多寡亦異，雖經先儒整理，又難免改文從意，其間錯雜竄亂，曷可勝紀！卽未經散亡之書，亦以鈔槧流傳，展轉致訛，如篆、隸、正、艸、俗書之相亂，六朝、隋、唐寫本之不同，宋、元、明刻本之各殊。淄、澠並泛，準的無依。鼠、璞同呼，名實相悖。夫研讀古籍，必先復其本來面目。欲復其本來面目，必先從校讎入手。昔人有謂盧文弨者曰：「他人讀書，受書之益；子讀書，則書受子之益。」已失其本來面目之書，經校讎而復其舊觀，豈非使書受其益哉？書受其益，然後可以進而明至論之旨，治學當有本末，求之有漸，字句未正，是非未定，惡足以言至論之旨哉！徵諸載籍，正考父校商之名頌十二篇於周大師（見魯語），已開校書之端；孔子知伯于陽爲公子陽生之誤（見昭十二年公羊傳），子夏知三豕爲己亥之訛，（見呂氏春秋察傳篇及家語弟子解），更啓校書之法；降及漢儒，劉向父子，專司厥職；晉、唐沿襲，益廣其學；清儒專工，遂極其則；餘風所播，日本士流，亦步亦趨矣。時運漸移，好古者稀，習尚既殊，斯道寖微！卽有一二好學之士，又苦無門徑可尋，今避亂孤島，講習之暇，聊本所見，粗擬通例九十事，惜行篋乏書，幾等空弮，所舉例證，僅據拙著孟子校補、莊子校釋、呂氏春秋校補、淮南子校補、列子補正數種，偶有未備，再搜檢前賢成說。自度譾疏，未窺閫恉，尋行數墨之得，覬被採於初學耳。

## 一、形　誤

列子天瑞篇：

而欲恆其生，盡其終，惑於數也。注：盡，亡也。

案釋文本盡作畫，云：『計策也，一本作盡，於義不長。』道藏林希逸本、元本、世德堂本，皆作畫；元本、世德堂本注、亦作畫，盡卽畫之形誤，林希逸云：『畫，止也。畫其終，欲止而不終也。』俞樾說同，並云：『張注曰：「畫，亡也。」疑本作「畫，止也。」以形似而誤。』其說甚塙。釋文訓畫爲計策，非是。

呂氏春秋去尤篇：

相其谷而得其鈇。

案畢沅校本據列子說符篇改相爲扣，是也，相卽扣之形誤（異用篇：『周文王使人扣池，』意林引扣誤作相，與此同例）。治要、長短經忠疑篇，引扣並作掘，扣卽古掘字。舊校云：『一作：拙其舌而得其鈇。」『拑其舌』亦『拑其谷』之誤。

形誤之例至多，古文、籀文、篆文、隸書、艸書、俗書，亦常相亂，茲附舉六例，以發其端：

①古文形近之誤。

莊子天道篇：

審乎无假，而不與利遷。

奚侗云：「利當作物。利，古文作𥝢，與物形似易誤，德充符篇：「審乎无假，而不與物遷」可證。下文：「極物之眞，能守其本。」正說「不與物遷」之義。」

案奚說是也。淮南子精神篇：『審乎無瑕，而不與物糅。』文子守樸篇：『審於無假，不與物遷。』亦並可證此文利字之誤。

②籀文形近之誤。

莊子山木篇：

舜之將死，眞泠禹曰。

王引之云：「釋文曰：『眞，司馬本作直。泠音零。司馬云：「泠，曉也。謂以直道曉禹也。」』泠，或作命，又作令，命猶敎也。」案直當作卤。 ，籀文乃字。隸書作迺。卤形似直，故訛作直，又訛作眞。命與令古字通，作命作令者是也。「卤令禹」者，「乃命禹」也。」

案籀文乃字訛作直，又訛作眞，王說至塙。唐寫本，覆宋本泠並作命，是也。

③篆文形近之誤。

列子湯問篇：

內則肝、膽、心、肺、脾、腎、腸、胃。

釋文本肺作胏。案胏乃𩚁之重文，說文「𩚁，食所遺也。」作胏，義不可通。胏卽肺之誤。胏篆作[illegible]，與肺形近，故致誤耳。

④隸書形近之誤。

莊子秋水篇：

鴟鵂夜撮蚤，察豪末；晝出瞋目而不見丘山。

釋文：瞋，本或作瞑。

案御覽九二七、記纂淵海五七、天中記五九，引瞋皆作瞑，與釋文所稱一本同。但作瞑，義不可通，說文：「瞋，張目也。」「瞑，翕目也。」翕目卽合目（爾雅釋詁：翕，合也），鴟鵂夜眼明，故能撮蚤，察豪末；晝則眼暗，故雖張目而不見丘山。合目而不見丘山，何待言邪？（郭慶藩集釋以作瞑爲是，大謬。）瞑卽瞋之誤，隸書眞或作真，冥或作寘，兩形相近，故致誤耳。本書說劍篇：「瞋目而語難，」藝文類聚六十引誤瞑，與此同例。

⑤艸書形近之誤。

莊子天地篇：

「執留之狗成思。」

釋文：「一云：執留之狗，謂有能，故被留係成愁思也。」應帝王篇作：「虎豹之文來田。」奚侗云：「執留之狗」當作「虎豹之文。」「成思」爲「來田」之誤，來、成草書極相似。

案奚氏據應帝王篇，謂「成思」爲「來田」之誤，是也。釋文引一說，釋「成思」爲「成愁思，」（成玄英疏同。）蓋不知其誤而強爲之說耳。來、成艸書形近，故來誤爲成。淮南子繆稱篇、說林篇，並作：「虎豹之文來射，」詮言篇作：「虎豹之彊來射，」咸可證此文成字之誤。

⑥俗書形近之誤。

莊子山木篇：

虞人逐而誶之。注：誶，問之也。

案爾雅釋詁：「誶，告也。」（今本誶誤訊。）說文：「誶，讓也，國語曰：誶申胥。」（今本國語吳語誶誤訊。）誶無問義，蓋訊之誤，釋文：「誶，本又作訊，音信。問也。」作訊者是也，說文：「訊，問也。」唐寫本誶正作訊，注同。六朝俗書卒作卆，與卂形近，故訊、誶常相亂，本書徐无鬼篇：「察士无淩誶之事則不樂，」成疏作訊，亦其比。

## 二、聲　誤

呂氏春秋重己篇：

其爲宮室臺樹也，足以辟燥溼而已矣。注：燥謂陽炎，溼謂雨露，故曰足以備之而已。

案舊校云：「辟，一作備。」與注「足以備之而已」合。俗讀辟、備聲相亂，故二字多互訛，本書節喪篇：「慈親孝子避之者，得葬之情矣。善棺椁，所以避螻蟻蛇蟲也。」舊校云：「避，一作備。」淮南子主術篇：「闔門重襲，以避姦賊。」文選張平子西京賦注引作備，脩務篇：「銜蘆而翔，以備矰弋。」六帖九四引作避，（辟、避，古、今字。）皆其比。

淮南子說山篇：

始調弓矯矢，未發，而蝯擁柱號矣。

王念孫云：擁柱當爲擁樹，聲之誤也。文選幽通賦注引此作抱樹，太平御覽兵部八十一引作擁樹。

案王說是也。類林殘卷九引此作抱樹，（六帖九七亦作抱樹，惟未言引何書。）與文選注引同；事文類聚後集三七引作擁樹，與御覽引同。御覽三百五十、事類賦十三引韓子有此文，亦並作擁樹，咸可證柱爲樹之聲誤。

## 三、涉上下文而誤

列子說符篇：

身也者，影也。

案身當作行，下文：『愼爾行，將有隨之。』卽承此言，今本作身，涉上文『身長則影長，身短則影短』而誤。御覽四百三十引尸子作：『行者，影也。』可爲旁證。

呂氏春秋適音篇：

觀其音而知其俗矣。觀其政而知其主矣。

案上觀字當作聽，淮南子主術篇：『聽其音則知其俗，』（文子精誠篇作：聽其音則知其風。）卽本此文，字正作聽。今本作觀，蓋涉下觀字而誤。先初篇：『是故聞其聲而知其風（注：風，俗），』聞猶聽也，可爲旁證。

## 四、涉注文而誤

莊子知北遊篇：

大馬之捶鉤者，年八十矣，而不失豪芒。注：拈捶鉤之輕重，而無豪芒之差也。

案唐寫本豪芒作鉤芒，淮南子道應篇同（注：捶，鍛擊也。鉤，釣鉤也）。當從之。鉤芒，鉤之鋒芒也。今本作豪芒，蓋涉注『而無豪芒之差』而誤。

列子仲尼篇：

於外无難，故名不出其一道。注：道至功玄，故其名不彰也。

案道藏白文本、林希逸本，『其一道』並作『於一家，』其猶於也（湯問篇：『內得於中心，』六帖三二引作其，卽其比）。道藏江遹本、高守元本、元本、世德堂本，『一道』亦並作『一家，』釋文本同。云：『一本作「一道，」於義不長。』王重民校釋云：『北宋本家作道，近是，張注：「道至功玄」云云，可證。』盧重元本家亦作道，注：『是以得之於一心，成之於一家。』是所見本道原作家。『名不出其一家，』與下『名聞於諸侯』對言，意甚明白。作道者，卽涉張注道字而誤，王說非也。注所謂『道至功玄，故其名不彰。』正以釋『名不出其一家』之故耳。

## 五、涉上下文而衍

孟子梁惠王篇：

天下之欲疾其君者，皆欲赴愬於王。

俞樾云：『兩欲字異義，上欲字猶好也。孟子書每以欲惡對言，離婁篇：「所欲與之聚之，所惡勿施爾也。」告子篇：「所欲有甚於生者，所惡有甚於死者。」所欲所惡，卽所好所惡也。中論夭壽篇引孟子「所欲有甚於生者，」正作所好，是好與欲同義。此文欲疾二字平列，欲其君者，謂好其君者也；疾其君者，謂惡其君者也。天下之好惡其君者，莫不來告，故曰：「皆欲赴愬於王。」』

案俞說未審，天下之所以『皆欲赴愬於王，』正由疾（惡）其君也。欲（好）其君者，尙何必赴愬於王邪？上欲字蓋涉上文「皆欲」或涉下文「皆欲」而衍，不必強爲之說。

莊子寓言篇：

終身言，未嘗不言。注：雖出吾口，皆彼言耳。

案不字涉下文「未嘗不言」而衍。日本高山寺舊鈔卷子本、道藏成玄英疏、林希逸口義、褚伯秀義海纂微、羅勉道循本諸本，皆無不字，文選孫興公遊天臺山賦注引同，當據刪。「終身言，未嘗言，」與下文「終身不言，未嘗不言」對言，意甚明白，審注：「雖出吾口，皆彼言耳。」是郭本原無不字，徐无鬼篇注：「則雖終身言，故爲未嘗言耳。」卽用此文，尤其明證。（焦竑莊子翼、王夫之莊子解、宣穎南華眞經解，所據本亦皆無不字。）

## 六、涉注文而衍

莊子德充符篇：

計子之德，不足以自反邪？注：計子之德，故不足以補形殘之過。

案不字疑涉注：「故不足以補形殘之過」而衍，「足以自反邪？」意卽謂其不足以自反也。若有不字，則文不成義。陳碧虛闕誤引文如海、成玄英、李氏、張君房諸本，皆無不字，當據刪。

淮南子脩務篇：

禹沐浴霪雨，櫛扶風。注：禹勞力天下，不避風雨，以久雨爲沐浴。扶風，疾風，以疾風爲梳檐也。

王念孫云：『沐下本無浴字，此涉高注沐浴而誤衍也。「沐霪雨，櫛扶風，」相對爲文，多一浴字，則句法參差矣（劉本又於櫛上加梳字，以對沐浴，尤非）。藝文類聚帝王部一、太平御覽皇王部七、文選謝朓和王著作八公山詩注，引此皆無浴字。莊子天下篇：「禹沐甚雨，櫛疾雨。」此卽淮南所本。』

案王說是也。劉子新論知人篇：『禹櫛奔風，沐驟雨。』（又見僞愼子外篇。）路史夏后氏紀：『禹纚長風，沐甚雨。』文並相對，亦可證此文浴字涉高注而衍。

## 七、涉偏旁而誤

莊子天下篇：

常反人，不聚觀。

案舊鈔卷子本聚作取，取、聚古通，周易萃象傳：『聚以正也。』釋文引荀本作取，本書天運篇：『取弟子遊居寢臥其下。』覆宋本作聚，並其比。釋文本、元纂圖互注本、世德堂本，聚並作見，不詞，蓋涉觀字而誤也。（淮南子人間篇：『夫狐之捕雉也，必先卑體弭毛，』今本毛作耳，王念孫云：『毛字因弭字而誤爲耳。』亦同此例。）

## 八、涉偏旁而衍

御覽五百三十引莊子云：

游島（當作梟）問雄黃曰：『今逐疫出魅，擊鼓呼噪，何也？』雄黃曰：『黔首多疾，黃帝氏立巫咸，使黔首沐浴齋戒，以通九竅；鳴鼓振鐸，以動其心；勞形趨步，以發陰陽之氣；飲酒茹葱，以通五藏。夫擊鼓呼噪，逐疫出魅鬼，黔首不知，以爲魅祟也。』

案『逐疫出魅鬼』句，鬼字涉魅字而衍，上文可照。玉燭寶典一引正無鬼字。

## 九、因偏旁而誤加

莊子外物篇：

魚不畏網，而畏鵜鶘。

案鶘當作胡，此因鵜字而誤加鳥旁也。六帖九八引無鶘字，劉子新論去情篇：『魚不畏網，而畏鵜。』即用此文，亦無鶘字。唐寫本鵜鶘作鵜胡，此鳥本單呼鵜，以其頷下胡大能抒水（詳詩曹風候人正義引陸璣疏），故又名鵜胡，則作鵜鶘者，非也。舊鈔卷子本原亦作鵜胡，後又將胡字塗去，而改爲鶘，反失古本之舊矣。（淮南子道應篇：『臣有所與共儋纆（當作纆）采薪者九方堙。』今本共作供，王念孫云：『供當爲共，此因儋字而誤加人旁也。』亦同此例。）

## 十、由誤而衍

莊子天運篇：

仁義，先王之蘧廬也。止可以一宿，而不可久處。

案『止可以一宿，』不類莊子語，亦不類先秦語，止字蓋卽也字之誤而衍者也。唐寫本正無止字，御覽四一九引同。

徐无鬼篇：

是以一人之斷制利天下。

案斷制下有利字，不詞，蓋卽制字之誤而衍者也。唐寫本正無利字。注：『則其斷制不止乎一人。』疏：『恣其鴆毒，斷制天下。』是正文原無利字明矣。

## 十一、旣衍且誤

莊子盜跖篇：

申子不自理。疏：申子，晉獻公太子申生也。遭麗姬之難，枉被讒謗，不自申理，自縊而死矣。釋文本作『勝子自理。』云：『一本理作俚，本又作：「申子自埋。」或云「謂申徒狄抱甕之可也。』一本作：「申子不自理，」謂申生也。』

案釋文：『一本作：「申子不自理，」謂申生也。』與成疏合。但審文意，當作『申子自埋』爲長，埋猶沈也，謂申徒狄抱甕之河者是也。『申子自埋，』與上句『鮑子立乾，』文旣相耦，事亦相類，皆下文所謂『廉之害也。』若以爲申生，則是孝也，非廉也。道藏王元澤新傳本、元纂圖互注本、世德堂本，申並作勝，與釋文本同。勝、申古通，史記酷吏周陽由傳索隱引風俗通義云：『勝屠卽申屠也。』（又見潛夫論志氏姓篇。）卽其證。申子下有不字者，蓋涉下文『孔子不見母，匡子不見父』而衍，理、俚，並埋之形誤。

## 十二、後人妄改

莊子秋水篇：

井鼃不可以語於海者，拘於虛也。

王引之云：『鼃本作魚，後人改之也。太平御覽時序部七、鱗介部七、蟲豸部一，引此並云：「井魚不可以語於海，」則舊本作魚可知；且釋文於此句不出鼃字，直至下文「陷井之鼃，」始云：「鼃，本又作蛙，戶蝸反。」引司馬注云：「鼃，水蟲，形似蝦蟇。」則此句作魚，不作鼃，明矣。若作鼃，則「戶蝸」之音，「水蟲」之注，當先見於此，不應至下文始見也。再以二證明之，鴻烈原道篇：「夫井魚不可與語大，拘於隘也。」梁張綰文：「井魚之不識巨海，夏蟲之不見冬冰。」（水經贛水注云：聊記奇聞，以廣井魚之聽。）皆用莊子之文，則莊子之作井魚益明矣。井九三：「井谷射鮒，」鄭注曰：「所生魚，無大魚，但多鮒魚耳。」（見劉逵吳都賦注。）困學紀聞（卷十）引御覽所載莊子曰：「用意若井魚者，吾爲鉤繳以投之。」呂氏春秋諭大篇曰：「井中之無大魚也。」此皆井魚之證。後人以此篇有「陷井之鼃」之語，而荀子亦云：「坎井之鼃，不可與語東海之樂。」（見正論篇。）遂改井魚爲井鼃，不知井自有魚，無煩改作鼃也。自有此改，世遂動稱井鼃、夏蟲，不復知有井魚之喩矣。』

案王說是也。惟御覽蟲豸部一引此作井蛙（蛙卽鼃之俗），王氏以爲井魚，失檢。天中記五六引莊子云：『用意若井魚者，吾鉤繳以投之。』與困學紀聞引御覽所載莊子合，並莊書稱井魚之證。大日經疏演奧鈔三云：『其猶井坎之魚，爭知東海之深廣也？』蓋用下文，而誤以井鼃爲井魚，與此文相溷，亦此文本作井魚之一證也。

## 十三、不明文義而妄改

莊子山木篇：

王獨不見夫騰猿乎？其得柟梓豫章也，攬蔓其枝，而王長其間。注：遭時得地，則申其長技。

釋文：『王，往況反。司馬本作往。長，丁亮反。本又作張，音同。司馬直良反，云：「兩枝相去長遠也。」』

俞樾云：『郭注曰：「遭時得地，則申其長技。」是讀長爲長短之長，然於本文之義，殊爲未合；司馬云：「兩枝相去長遠也。」則就樹木言，義更非矣。此當就猿而言，謂猿得聃梓豫章，則率其屬居其上，而自爲君長也。故曰：「王長其間。」釋文：「王，往況反。長，丁亮反。」頗得其讀。」

案俞樾是也。德充符篇：『彼兀者也，而王先生。』釋文引崔譔云：『王，君長也。』此文王長，猶言君長耳。釋文：『王，司馬本作往。長，本又作張。』唐寫本長亦作張。藝文類聚八九、御覽九五七、記纂淵海九八，引王並作生。蓋皆不明王長之義而妄改耳。

## 十四、不審上下文而妄改

莊子讓王篇伯夷、叔齊往觀文王章：

今天下闇，周德衰。

陳碧虛闕誤引江南古藏本周作殷。劉文典云：江南古藏本是也。伯夷、叔齊試往觀周之時，不當言『周德衰。』

案劉說非也。『周德衰，』對上文『周之興』而言，『周之興，』謂文王有道之時；文王既歿，武王伐紂，推周之亂以易殷之暴，故曰『周德衰，』也。周之興，殷德已衰，此何待言『殷德衰』乎？呂氏春秋誠廉篇亦作『周德衰。』江南古藏本周作殷，蓋不審上文而妄改也。褚伯秀已誤以作殷爲是。

天下篇論關尹、老聃章：

可謂至極。關尹、老聃乎，古之博大眞人哉！

案「可謂至極，」舊鈔卷子本作「雖未至於極，」審文意，當從之。下章莊子自述其道術，實超關尹、老聃而上之，乃可謂至於極也。陳碧虛闕誤引江南李氏本、文如海本，「可謂」亦並作「雖未。」今本作「可謂，」蓋後人不審下文而妄改也。

## 十五、不識假借字而妄改

列子楊朱篇：

賓客在庭者日百往。

釋文本、元本、世德堂本，百往並作百住。俞樾云：『住當爲數，聲之誤也。黃帝篇：「漚鳥之至者，百住而不止。」張注曰：「住當作數。」是其證矣。此篇盧重元本作往，則是誤字。』案列子書多假借字，黃帝篇及此文之『百住，』皆借住爲數（黃帝篇釋文：『住音數。』是也。藝文類聚九二、御覽九二五、爾雅翼十七、容齋四筆十四、記纂淵海五六、事文類聚後集四六、合璧事類別集六九、韻府羣玉八、天中記五九，引住皆作數），非聲誤也。北宋本、道藏各本此文，住皆作往，蓋後人不識假借字而妄改耳。記纂淵海九七引黃帝篇，亦妄改住爲往。

## 十六、因誤而妄改

莊子天地篇：

若然者，豈兄堯、舜之敎民，溟涬然弟之哉？注：溟涬，甚貴之謂也。不肯多謝堯、舜，而推之爲兄也。

釋文：豈兄，元嘉本作豈足。

孫詒讓云：『兄當讀爲況（古況字多作兄，詩小雅桑柔篇：『倉兄塡兮，』釋文云：『兄，本亦作況。』），謂比況也。弟當爲夷，形近而誤（易渙：『匪夷所思，』釋文云：『夷，荀本作弟。』）。左昭十七年傳云：「五雉爲五工正，利器用，正度量，夷民者也。」杜注云：「夷，平也。」正義云：「雉聲近夷。」此云：「溟涬然夷之，」溟涬，亦平等之義。前在宥篇云：「大同乎悻溟。」注云：「與物無際。」釋文引司馬彪云：「悻溟，自然氣也。」論衡談天篇云：「溟涬濛澒，氣未分之貌也。」此溟涬與彼義略同，郭本譌夷爲弟，遂釋「兄堯、舜」爲「推之爲兄，」又以溟涬爲「甚貴之謂，」殆所謂郢書燕說矣。』

案章太炎、奚侗，並從孫說，余謂弟爲夷之誤，誠是。惟兄當從元嘉本作足，於義爲長，兄蓋足之形誤，或由足誤爲兄，淺人乃妄改夷爲弟耳。

## 十七、因脫而妄改

淮南子時則篇：

若或失時，行罪無疑。

案呂氏春秋仲秋紀作：『無或失時，行罪無疑。』月令作：『毋或失時，其有失時，行罪無疑。』此文『若或失時，』當作『無或失時，』時下更當有『其有失時』四字，蓋由後人不知時下有脫文，乃妄改無爲若耳。呂氏春秋無字不誤，亦脫『其有失時』四字。（說互詳呂氏春秋校補。）

## 十八、依他書改

淮南子原道篇：

故橘，樹之江北，則化而爲枳。注：見於周禮。

王念孫云：『枳，本作橙，此後人依考工記改之也。不知彼言「橘踰淮而北爲枳，」此言「樹之江北則爲橙，」義各不同，注言「見周禮」者，約舉之詞，非必句句皆同也。埤雅引此作：「化而爲枳，」則所見本已誤。文選潘岳爲賈謐贈陸機詩：「在南稱甘，度北則橙，」李善注引淮南曰：「江南橘，樹之江北，化而爲橙。」藝文類聚、太平御覽果部橘下，並引考工記曰，「橘踰淮而北爲枳，」又引淮南曰：「夫橘，樹之江北，化而爲橙。」（御覽橙下引淮南同。）然則考工作枳，而淮南作橙，明矣。晉王子升甘橘贊曰：「異分南域，北則枳橙。」此兼用考工與淮南也。』

案王說是也，記纂淵海九二引枳亦作橙。

## 十九、據注文改

呂氏春秋去尤篇：

魯有惡者，其父出而見商咄。注：惡，醜。

案意林引惡作醜，蓋據注文改正文也。

長利篇：

戎夷違齊如魯。注：違，去。

案意林引違作去，蓋據注文改正文也。

## 二十、因避諱改

①避君諱改。

莊子在宥篇：

聞在宥天下，不聞治天下也。

案白帖十三、初學記二十，引治並作理，蓋唐人避高宗諱改。

呂氏春秋有度篇：

通意之悖。

案通本作徹，此漢人避武帝諱所改也。莊子庚桑楚篇正作徹。

②避親諱改。

淮南子原道篇：

　　至無而供其求，時騁而要其宿，小大脩短，各有其具。

案脩短本作長短，淮南父諱長，故改長爲脩，莊子天地篇正作長。

　　天地之永，登丘不可爲脩，居卑不可爲短。

案脩本作長，淮南避父諱所改也。莊子徐无鬼篇脩正作長。

③避孔子諱改。

莊子田子方篇：

　　孔子出，以告顏回曰：丘之於道也，其猶醯雞與？

案御覽三九五、九四五，引丘並作某，蓋避孔子諱也。

列子湯問篇：

　　孔子不能決也。兩小兒笑曰：孰爲汝多智乎？

案意林、事類賦一天部一、天中記一，引孰上並有丘字，當從之。御覽三引孰上有某字，易丘爲某，避孔子諱也。

避諱字最難分辨者，莫如唐人所改。唐人避諱所改之字，往往無定，如唐高祖諱淵，有時以川代淵

（如莊子天地篇：『藏珠於淵，』白帖二、御覽八百三，引淵並作川）；有時以泉代淵（如莊子外物篇：『予自宰路之淵，』文選郭景純江賦注引淵作泉）。唐太宗諱世民，有時以君代世（如莊子馬蹄篇：『故至德之世，』御覽九二八引世作君）；有時以時代世（如莊子胠篋篇：『子獨不知至德之世乎？』文選干寶晉紀總論注、路史前紀六，引世並作時）；有時以俗代世（如莊子天地篇：『千歲厭世，』初學記一引世作俗）。唐高宗諱治，有時以理代治（如上所舉莊子在宥篇之例）；有時以調代治（如莊子馬蹄篇：『我善治馬，』文選司馬相如上諫獵書注引治作調）。此初學所當留意者也。

## 二一、後人妄加

莊子達生篇：

　知忘是非，心之適也。

案知字，後人所加也。『忘是非，心之適也。』與上文：『忘足，履之適也。忘要，帶之適也。』句法一律，義亦較長。陳碧虛闕誤引張君房本、文如海本，並無知字，當據刪。

淮南子俶眞篇：

　水之性眞清，而土汩之。人性安靜，而嗜欲亂之。

王念孫云：『眞字於義無取，疑後人所加，太平御覽方術部一引此作：「夫水之性清，而土汩之。人之性安，而欲亂之。」於義爲長。呂氏春秋本生篇云：「夫水之性清，土者抇之，故不得清。人之性壽，物者抇之，故不得壽。』抇與汩同。

案王說是也。孔叢子抗志篇：『夫水之性清，而土壤汩之。人之性安，而嗜欲亂之。』劉子新論防慾篇：『水之性清，所以濁者，土渾之也。人之性貞，所以邪者，慾眩之也。』亢倉子全道篇：『水之性清，土者滑之，故不得清。人之性壽，物者滑之，故不得壽。』咸可證此文貞字爲後人妄加。

## 二二、不明文義而妄加

莊子胠篋篇：

夫妄意室中之藏，聖也。

案『妄意室中之藏，』呂氏春秋當務篇作：『妄意關內中藏，』淮南子道應篇作：『意而中藏。』意與億同，中卽億中之中（論語先進：億則屢中）。此文中上室字，中下之字，疑皆淺人妄加，抱朴子辨問篇引作：『妄意而知人之藏，』亦卽『妄意中藏』之意。

列禦寇篇：

夫漿人特爲食羹之貨，多餘之贏。

奚侗云：『多餘上挩無字：「無多餘之贏，」言利薄也。列子黃帝篇多餘上有無字，闕誤江南李氏本、張君房本，並作：「無多餘之贏。」當據補。

案疏：『所盈之物，蓋亦不多。』疑成本多餘上亦有無字。但審文意，『多餘之贏，』卽薄利也，下文：『其爲利也薄，』承此而言，意甚明白，則多餘上有無字，必淺人妄加矣。盧重元本、北宋本、道藏高守元本列子，皆無無字，御覽八六一、事文類聚續集一七、合璧事類外集四三引，並同。（張湛注：『所貨者羹食，所利者盈餘而已。』是所見本原無無字。）奚氏失檢。

## 二三、不審上下文而妄加

莊子山木篇：

昨日山中之木，以不材得終其天年；今主人之鴈，以不材死。

案上文所言木與鴈，皆昨日之事，則『主人之鴈』上，不當有今字，蓋淺人妄加也。（大方廣佛華嚴經隨疏演義鈔二十、記纂淵海九七引，並作『今日主人之鴈，』於今下更妄加日字，尤非。）文選盧子諒贈劉琨詩注、藝文類聚九一、意林、御覽九一七、事類賦十九禽部二、事文類聚後集四六、合璧事類別集六六引，皆無今字。呂氏春秋必已篇同。當據刪。

## 二四、不識假借字而妄加

莊子讓王篇：

上謀而下行貨，阻兵而保威。

王念孫云：『「上謀而下行貨，」下字，後人所加也。上與尚同，「上謀而行貨，阻兵而保威，」

句法正相對。後人誤讀上爲上下之上，故加下字耳。呂氏春秋誠廉篇正作：「上謀而行貨，阻兵而保威。」」

案王說是也，舊鈔卷子本正無下字。

列子力命篇：

其爲人也，上忘而下不叛。注：居高而自忘，則不憂下之離散。

案『上忘而下不叛，』管子戒篇作：『上識而下問，』呂氏春秋貴公篇作：『上志而下求（注：志上世賢人而模之也。求猶問也），』識與志同。此文忘字，乃志之形誤。不字，乃淺人誤以叛爲背叛字而妄加。莊子徐无鬼篇作：『上忘而下畔，』忘亦志之誤。畔、叛並借爲判，判與辨通，秋官朝士：『凡有責者有判書，以治則聽。』鄭注：『故書判爲辨。』卽其證。易乾卦：『問以辨之，』辨卽辨問之意，與管子作問，呂氏春秋作求，其義並同。（說本奚侗莊子補註。）張注云云，蓋不知此文原作『上志而下叛，』而強爲之說耳。

## 二五、因誤而妄加

莊子則陽篇：

不馮其子，靈公奪而埋之。

案元纂圖互注本、世德堂本，埋並作里。但『奪而里之，』不詞。釋文本埋亦作里，里下無之字，云：

『而，汝也。里，居處也。』據注：『靈公將奪汝處也，』是郭本原作『靈公奪而里。』此爲銘辭，里與上文子爲韻，里誤爲埋，後人乃於埋下妄加之字以足其義耳。博物志七作：『不逢箕子，靈公奪我里。』可爲旁證。

列子黃帝篇：

子之先生坐不齋。注：『或無坐字。向秀曰：無往不平，混然一之，以管窺天者，莫見其崖，故似不齊也。』

案注謂『或無坐字，』釋文本齋作齊，酉陽雜俎續集四引，正作『子之先生不齊。』莊子應帝王篇同。當從之。無迹可相，謂故不齊。（說互詳莊子校釋。）蓋由齊誤爲齋，淺人因更於不齋上妄加坐字耳。莊子郭注作齊，與向注同。道藏本、元本、世德堂本向注，齊亦並誤齋。

## 二六、因脫而妄加

莊子至樂篇：

吾安能弃南面王樂，而復爲人間之勞乎？

案陳碧虛闕誤引張君房本，人間作生人，據上文『諸子所言，皆生人之累也。』則作生人者是也。疏：『誰能復爲生人之勞，而弃南面王之樂邪？』是成本亦作生人。（御覽三六七引作人生，蓋生人之誤到。）今本作人間，蓋由人上脫生字，後人乃於人下妄加間字耳。

## 二七、依他書加

淮南子覽冥篇：

以治日月之行，律治陰陽之氣。

陳昌齊云：『律下本無治字，「律陰陽之氣，」與上下相對爲文，讀者誤以律字上屬爲句，則「陰陽之氣」四字，文不成義，故又加治字耳。』

王念孫云：『文子精誠篇作：「調日月之行，治陰陽之氣。」此用淮南而改其文也。後人不知律字之下屬爲句，故依文子加治字耳。』

案陳氏知律下治字爲後人所加，而不知從何而加，王氏以爲依文子所加，是也。天中記六引律下正無治字。

列子天瑞篇：

望其壙，睪如也，宰如也，墳如也，鬲如也。注：見其墳壤鬲異，則知息之有所。釋文：『睪音皐。』案荀子大略篇睪正作皐，墳作嵮，注：『皐當爲宰。宰，冢也。嵮與墳同，謂土墳塞也。鬲謂隔絕於上。列子作：宰如，墳如。』楊倞所見此文，蓋無『睪如也』三字，『睪如也』即『宰如也，』不當重擧。家語困誓篇作：『自望其廣，則睪如也。視其高，則墳如也。察其從，則隔如也。』今本此文之有『睪如也』三字，疑後人依家語妄加也。家語鬲作隔，注：『言其隔而不得復相從也。」荀子楊注及此文張注，亦以鬲爲隔，並誤。鬲當爲鼎鬲字，釋文：「鬲音歷，形如鼎。又音隔。」謂「音歷，形如鼎，」是也。「音隔，」蓋以爲隔絕字，亦誤。

## 二八、據注文加

莊子達生篇：

善游者數能。注：言物雖有性，亦須數習而後能耳。

案白帖三、合璧事類外集五八引，並作：「善游者數習而後能。」「習而後」三字，疑據郭注所加。注釋正文「數能」爲「數習而後能，」若正文本作「數習而後能，」則何待釋云？列子黃帝篇亦作：「善游者數能。」注引向秀云：「其數自能也，其道數必能不懼舟也。」是向所見本正文與郭本同。據下文：「善游者數能，忘水也。」亦可證白帖、合璧事類所引，乃據注文加。（昔岷於校釋三，謂郭本數下原有「習而後」三字，未審。）

山木篇：

執彈而留之。

釋文：「留之，司馬云：宿留伺其便也。」

案御覽九四六引留上有宿字，疑據司馬注所加。（校釋三云：「疑司馬本原有宿字，」恐非。）

## 二九、後人妄刪

莊子至樂篇：

　而皆曰樂者，吾未之樂也，亦未之不樂也。

陳碧虛闕誤引江南古藏本兩未字下並有知字。案江南古藏本是也。今本無兩知字者，後人妄删之也。『吾未知之樂也，亦未知之不樂也。』即『吾未知其樂也，亦未知其不樂也。』之猶其也，河上公本老子：『何以知天下之然哉？』敦煌本之作其，呂氏春秋知度篇：『譬之若夏至之日，而欲夜之長也。』說苑尊賢篇作譬其，本書駢拇篇：『彼其所殉仁義也，則俗謂之君子。』道藏林希逸本、羅勉道本之並作其，皆其比。本篇上文：『何之苦也！』之亦其也。

## 三十、不明文義而妄刪

淮南子道應篇：

　得其精而忘其粗，在內而忘其外。

　王念孫云：『在下本有其字，後人以意删之也。爾雅曰：「在，察也。」察其內，即得其精也。忘其外，即忘其粗也。後人不知在之訓爲察，故删去其字耳。蜀志郤正傳注引此，正作：「在其內而忘其外。」列子同。白帖引作：「見其內而忘其外，」雖改在爲見，而其字尚存。』

案王說是也，北山錄四宗師議第七注引在下亦有其字，翻譯名義集二引作「見其內而忘其外」（

錦繡萬花谷前集三七引同，惟誤爲列子文。）與白帖同。

## 三一、不識假借字而妄删

呂氏春秋重言篇：

荆莊王立三年。

王念孫云：立與涖同，新序雜事二作涖政，今本無政字者，後人不知立字之義而妄删之也。

案王說是也，韓子喻老篇作「莅政三年，」莅亦與涖同，本字作埭，說文：埭，臨也。

## 三二、因誤而妄删

莊子田子方篇：

吾固告子矣，中國之民，明乎禮義，而陋於知人心。

案『中國之民，』唐寫本作『中國之君子，』與上文『吾聞中國之君子』一律，當從之，今本君子作民，蓋由君誤爲民，後人因妄删子字耳。

## 三三、因脫而妄删

莊子天道篇：

廣廣乎其无不容也。淵乎其不可測也。

案道藏褚伯秀義海纂微本廣字不疊，與下句作『淵乎』相耦。陳碧虛闕誤引江南古藏本疊淵字，與上句作『廣廣乎』相耦，江南古藏本是也，褚本蓋不知下句脫一淵字，乃於上句妄刪一廣字耳。

三四、依他書刪

史記刺客列傳：

故嘗事范、中行氏。

王念孫云：『「范、中行氏，」本作「范氏及中行氏。」今本無「氏及」二字者，後人依趙策刪之也。不知古人屬文，或繁或省，不得據彼以刪此；下文言「范、中行氏」者，前詳而後略耳，亦不得據後以刪前。索隱本出「事范氏及中行氏」七字，解云：「范氏，謂范昭子吉射也。中行氏，中行文子荀寅也。」則有「氏及」二字明矣。羣書治要引此，亦作「范氏及中行氏」。』

案王說是也，瀧川龜太郎會注考證引楓山本、三條本，亦並作『范氏及中行氏。』

三五、後人妄乙

莊子列禦寇篇：

凡人心險於山川　難於知天。

案文選劉孝標廣絕交論注、長短經知人篇、白帖九、御覽三七六，引「難於知天，」並作「難知於天。」（事文類聚後集二十引作「莫知於天，」莫乃難之誤。）疏：「人心難知，甚於山川，過於蒼冥。」是成本亦以難知連文，今本「知於」作「於知，」後人妄乙也。劉子新論心隱篇：「凡人之心，險於山川，難知於天。」卽本此文；意林引魯連子亦云：「人心難知於天。」並以難知連文。

## 三六、不識假借字而妄乙

呂氏春秋愛類篇：

且有不義。

案且有當作有且，有讀爲又，淮南子脩務篇作：「又且爲不義，」是其塙證。本書觀世篇：「有且以人言，」壅塞篇：「有且先夫死者死，」並與此同例。今本作且有，蓋淺人不知有與又同，而妄乙之耳。

## 三七、因誤而妄乙

列子力命篇：

臣奚憂焉？

王重民云：『吉府本臣作詎，疑本作「奚巨憂焉？」奚巨複詞，讀者不達其義，遂以意移於奚字之上也。』

案道藏白文本臣亦作詎。林希逸本作巨，云：『巨與詎同，』是也。奚巨誤爲奚臣，後人乃妄乙爲臣奚耳。

## 三八、依他書妄乙

呂氏春秋觀世篇：

此吾所以不受也。其卒，民果作難殺子陽。受人之養，而不死其難，則不義。死其難，則死無道也。死無道，逆也。

案『其卒民果作難殺子陽』九字，當在下文『死無道，逆也』下，『受人之養』云云，正承上文『此吾所以不受也』而言，仍是列子之辭，新序作：『此吾所以不受也。且受人之養，不死其難，不義也。死其難，是死無道之人，豈義也哉？（也字據册府元龜八百五引補。）其後民果作難殺子陽。』是其明證。今本『其卒民果作難殺子陽』九字，錯在『此吾所以不受也』下，疑後人據莊子、列子、高士傳諸書所妄乙，不知莊子、列子、高士傳諸書，本無『受人之養』以下之文也。

## 三九、轉寫誤字

列子天瑞篇：

易无形呼。

案呼當作哷，字之誤也。釋文本正作哷，云：『淮南子作形埒，謂兆朕也。乾鑿度作畔。今從乎者，轉謂誤也（轉謂疑轉寫之誤）。』其說是也。哷與埒同。盧重元本、世德堂本、道藏白文本、林希逸本、宋徽宗本、高守元本，皆作埒，與淮南子合（淮南原道、俶眞、精神、繆稱、兵略、要略諸篇，皆作形埒。繆稱篇高注：『形埒，兆朕也。』）即釋文所本）。道藏江遹本作畔，御覽一引同，與乾鑿度合。（淮南子俶眞篇：『重九埊。』今本埊作㷊（注同），王念孫云：『㷊當爲埊，字之誤也。玉篇：「埊，古文垠字。」』亦同此例。）

## 四十、因誤而易字

莊子天地篇：

且若是，則其自爲遽，危其觀臺。

案注：『此皆自處高顯，若臺觀之可覩也。』疏：『猶如臺觀峻聳，處置危縣。』是郭、成本遽並作處，趙諫議本、覆宋本、世德堂本、道藏各本，皆作處。處俗作䖏，䖏誤爲遽，因易爲遽耳。

天下篇：

以操爲驗。

案釋文本、道藏王元澤本、趙諫議本、元纂圖互注本、世德堂本，操並作參，集韻平聲三引同。作參義長，韓子備內篇：『偶參伍之驗，』顯俗篇：『無參驗而必之者，愚也。』並可爲旁證。參、喿，隸並作叅，參誤爲喿，因易爲操耳。

## 四一、兩字誤合爲一字

莊子徐无鬼篇：

委蛇攫採，見巧乎王。

奚侗云：『採當作搔，說文：「搔，刮也。刮，掊杷也。」搔與抓同義，廣雅：「抓，搔也。」漢書枚乘傳：「足可搔而絕，」師古注：『搔謂抓也。』疑古本莊子作搔，亦或有作抓者，後人傳寫，遂誤合爲採耳。

案奚說是也，釋文：『採，本又作搔。』陳碧虛音義本亦作搔，御覽九百十、事文類聚後集三七、天中記六十引，並同。道藏王元澤本、元纂圖互注本、世德堂本，並作抓。採卽搔、抓二字之誤合也。（淮南子說林篇：『賊心亡也。』今本『亡也』今本『亡也』二字誤合爲㐌，陳昌齊云：『㐌字當爲亡也二字之譌。』亦同此例。）

## 四二、兩字誤合入一句

呂氏春秋忠廉篇：

摯執妻子。

案此當作「摯其妻子，」或作「執其妻子。」摯、執古通，今本作「摯執妻子，」葢一本摯作執，寫者誤合之，又奪其字耳。文選鄒陽獄中上書注引，正作「執其妻子。」（莊子說劒篇：「待命令設戲請夫子。」古本無令字，葢一本命作令，亦寫者誤合入一句之例也。）

## 四三、兩字誤竄入一句

呂氏春秋審己篇：

君之賂以欲岑鼎也，以免國也。

兪樾云：此當作「君之賂以岑鼎也，欲以免國也。」欲字誤移在上句，則文不成義。

案兪說未審，舊校云：「賂，一作欲。」新序節士篇亦作欲。疑此文本作「君之賂以岑鼎也，以免國也。」因賂一作欲，寫者遂誤竄欲字於「賂以」下耳。

## 四四、一字誤分爲兩字

孟子公孫丑篇：

必有事焉而勿正，心勿忘，勿助長也。

日知錄七引倪文節(原注:思)云:『當作:「必有事焉而勿忘。勿忘,勿助長也。」傳寫之誤,以忘字作正心二字。言養浩然之氣,必當有事而勿忘。既已勿忘,又當勿助長也,疊二勿忘作文法也。』

案倪氏謂忘字誤爲正心二字,其說至塙(亡、正形近易誤,淮南子精神篇:『若然者,亡肝膽,遺耳目。』今本亡誤正,猶此文忘字上半誤爲正也)。告子篇:『以紂爲兄弟,且以爲君,而有微子啓、王子比干。』今本弟字誤爲之子二字(詳俞樾說),亦孟子中一字誤爲兩字之證。

## 四五、傳寫誤錯

莊子秋水篇:

於是逡巡而却,告之海曰:夫千里之遠,不足以舉其大;千仞之高,不足以極其深。

俞樾云:海字當在曰夫二字之下。

案俞說是也,藝文類聚八、御覽六十、九三二、事類賦六地部一、天中記九,引海字並在曰夫二字之下,今本誤錯在曰夫二字上,不詞。

呂氏春秋貴生篇:

惟不以天下害其生者也,可以託天下。

案御覽八十引無也字,僞愼子外篇同。也字當在下句『天下』下,今本誤錯在上句,不詞,莊子讓王篇作：「惟无以天下爲者，可以託天下也。」是其明證。

## 四六、傳寫誤脱

①誤脱一字。

孟子盡心篇：

善政不如善敎之得民也。

注：善政使民不違上，善敎使民尙仁義，心易得也。

正義：善政使民不違上，又不若善敎之得民易也。

案得民下疑原有易字，注及正義可證。『善政不如善敎之得民易也，』與上文『仁言不如仁聲之入人深也』對言，今本誤脱，當補。

莊子列禦寇篇：

子見夫犧牛乎？

案見上當有不字，逍遙遊篇：『子獨不見狸狌乎？』天運篇：『且子獨不見夫桔槔者乎？』秋水篇：『子不見夫唾者乎？』山木篇：『王獨不見夫騰猿乎？』皆與此句法同。白帖二九、御覽八一五，引見上正有不字，史記莊子本傳、高士傳並同。今本誤脱，當補。

②誤脱數字。

莊子天地篇：

夫道，覆載萬物者也。

案古書無言「道，覆載萬物」者，鶡冠子學問篇注引覆載下有天地二字，大宗師篇言至道「覆載天地」（又見天道篇。）淮南子原道篇亦云：「夫道，覆天載地。」疑此文本作：「夫道，覆載天地，化生萬物者也。」疏：「虛通之道，包羅無外，二儀待之以覆載，萬物待之以化生。」是其明證。今本脫「天地化生」四字，則文不成義矣。

呂氏春秋博志篇：

荊庭嘗有神白猿，荊之善射者莫之能中。荊王請養由基射之，養由基矯弓操矢而往，未之射，而括中之矣。發之，則猿應矢而下。則養由基有先中中之者矣。孫志祖云：「藝文類聚引：「荊王有神白猿，王自射之，則搏樹而嬉。使養由基射之，始調弓矯矢，未發，猿擁樹而號。」與此不同。疑誤以淮南說山爲呂也。然文亦小異。」

案天中記六十引此文，與類聚同。疑今本「荊王請養由基射之」句，荊王下脫「自射之則搏樹而嬉」八字。御覽三百五十引韓子云：「楚王有白猿，王自射之，則搏矢而熙。使養由基射之，始調弓矯矢，未發，而猿擁樹號矣。」（事類賦十三亦引此文，熙作嬉，無始字。）淮南子說山篇同（今本擁樹誤擁柱）。並言「王自射之，則搏矢而熙。」則此文荊王下有脫文，明矣。楚史檮杌云：「楚庭嘗有神白猿，楚之善射者莫能中，莊王自射之，搏矢而熙。使養由基射之，矯弓操矢而往，未之發，猿擁樹而號矣。發之，則應矢而下，王大悅。」（天中記四一引淮南子同。）與此文較合，尤可證今本荊王下有脫文也。

③誤脫數十字。

莊子天運篇：

孔子曰：吾乃今於是乎見龍。

案藝文類聚九十引曰下有「人如飛鴻者，吾必矰繳而射之」十二字；九六引有「人用意如飛鴻者，為弓弩射之。如遊鹿者，走狗而逐之。若游魚者，鉤繳以投之」三十字；御覽六一七引有「吾與汝處於魯之時，人用意如飛鴻者，吾走狗而逐之。用意如井魚者，吾為鉤繳以投之」三十四字；天中記五六引有「吾與汝處於魯之時，人用意如飛鴻者，吾為弓弩射之。如游鹿者，吾走狗而逐之。用意若井魚者，吾鉤繳以投之」四十三字。據諸書所引，今本「孔子曰」下，蓋脫「吾與汝處於魯之時，人用意如飛鴻者，吾為弓弩而射之。用意如遊鹿者，吾為走狗而逐之。用意如井魚者，吾為鉤繳以投之」四十八字。神仙傳一載此文作：「孔子曰：吾見人之用意如飛鳥者，吾飾意以為弓弩而射之，未嘗不及而加之也。人之用意如麋鹿者，吾飾意以為走狗而逐之，未嘗不銜而頓之也。人之用意如淵魚者，吾飾意以為鉤緡而投之，未嘗不鉤而致之也。」當有增改。淮南子兵略篇：「是故為麋鹿者，則可以罝罘設也。為魚鼈者，則可以網罟取也。為鴻鵠者，則可以矰繳加也。」史記老子列傳：「孔子去，謂弟子曰：鳥吾知其能飛，魚吾知其能游，獸吾知其能走。走者可以為罔，游者可以為綸，飛者可以為贈。至於龍，吾不知其乘雲而上天。吾今日見老子，其猶龍邪？』（又見論衡龍虛、知實二篇。）並本此文，咸可證今本『孔子曰』下有脫文。

## 四七、旣錯且脫

莊子天地篇：

厲之人，夜半生其子，遽取火而視之，汲汲然唯恐其似己也。

案『夜半生其子，』元纂圖互注本無其字，記纂淵海五十引同，有其字不詞。白帖七、御覽三八二引，亦並無其字，子下有其父二字，屬下讀，當從之。今本其字誤錯在子字上，又脫父字也。

淮南子人間篇：

游俠相隨而行樓下，博上者射朋張中，反兩而笑。

案列子說符篇作『俠客相隨而行樓下（今本脫樓下二字，說詳補正四），樓上博者射，明瓊張中，反兩榻魚而笑。』此文『博上者，』當作『樓上博者。』今本上字錯在博字下，又脫樓字，則文不成義。金樓子雜記下篇作：『樓下俠客相隨而行，樓上博奕者爭采而笑。』可爲旁證。

## 四八、旣誤且脫

莊子秋水篇：

顧以竟內累矣。

案文選潘安仁秋興賦注、藝文類聚九六、御覽九三一、事類賦二八鱗介部一，引『累矣』並作『累子。』疑『累矣』本作『累夫子，』今本夫旣誤爲矣，又脫子字，文意遂不完矣。御覽八三四引，正作『累夫子。』（世說新語言語篇注引作『累莊子。』蓋易『夫子』爲『莊子』耳。）

呂氏春秋察今篇：

嘗一脬肉，而知一鑊之味，一鼎之調。

畢沅本改一脬爲一脟，云：『一脟，舊本作一脬，訛。脟與臠同，意林及北堂書鈔百四十五、御覽八百六十三，皆作一臠。』

案畢本改脬爲脟，是也。淮南說山篇、說林篇，脟並作臠。意林引肉上有之字，當補。脟誤爲脬，旣失其義；肉下脫之字，又與上文文例不一律矣。

## 四九、旣衍且脫

孟子離婁篇：

今有同室之人鬭者，救之，雖被髮纓冠而救之，可也。

兪樾云：『阮校勘記曰：「考文古本而下有往字。」愚案往字宜補，救之二字衍文也。上有救之字，此不必更言救之矣。本作：「今有同室之人鬭者，救之，雖被髮纓冠而往，可也。」涉下文「被髮纓冠而往救之」句，誤衍救之二字，考文古本是也；校者不删救之二字，而誤删往字，今各本是也。」

案此文本作「今有同室之人鬭者，雖被髮纓冠而往救之，可也。」與下文「鄉鄰有鬭者，被髮纓冠而往救之，則惑也」對言，句法亦一律。今本上救之二字，卽涉下文而衍，而下又脫往字。俞氏從考文古本補往字，是也。但以下救之二字爲衍文，則未審。

## 五十、誤　倒

莊子秋水篇：

予動吾脊脅而行，則有似也。

奚侗云：「似借爲以，邶風：「不我屑以，」鄭箋：「以，用也。」言予之行，必動吾脊脅，則是有所用也。以，似古通，易明夷：「箕子以之，」鄭、荀、向本，以皆作似，是其證。」

案「則有似也，」當作「則似有也，」與下文「而似无有」對言，意甚明白，今本似有二字誤倒，則義難通，奚氏強爲之說，非也。

淮南子人間篇：

家富良馬。

王念孫云：良馬本作馬良，與家富相對爲文，漢書後漢書注、藝文類聚、太平御覽引此，並作

「家富馬良。」

案王校是也，記纂淵海九八、事文類聚後集三八、天中記五五引，亦並作『家富馬良。』今本馬良二字誤倒。

## 五一、互誤

莊子大宗師篇：

故曰：天之小人，人之君子。人之君子，天之小人也。

奚侗云：此文四句義複，下二句人字、天字互誤。

案奚說是也，舊鈔本文選江文通雜體詩注引下二句正作：『天之君子，民之小人。』今本民作人，唐人避太宗諱改。

山木篇：

尊則議。有爲則虧。

俞樾云：『議當讀爲俄，詩賓之初筵篇：「側弁之俄，」鄭箋云：「俄，傾貌。」尊則俄，謂崇高必傾側也。古書俄字，或以義字爲之，說見王氏經義述聞尚書立政篇；亦或以議爲之，管子法禁篇：「法制不議，則民不相私。」議亦俄也，謂法制不傾衺也；又或以儀爲之，荀子成相篇：「君法儀，禁不爲。」儀亦俄也，謂君法傾衺，則當禁使不爲也。』

奚侗云：『尊則議』一語，理不可通，俞樾以爲俄之借字，非是。案此文當作：『尊則虧，有爲則議。』謂尊貴則遭虧損，有爲則被疑議也。呂氏春秋必己篇上句，正作『尊則虧。』淮南子說林篇：『有爲則議，』卽用此文下句，是其塙證。今本虧字、議字互誤。俞氏不知，乃曲爲之說；奚氏雖知俞氏之非，然亦未能正此文之誤也。

## 五二、誤疊

莊子繕性篇：

繕性於俗俗學，以求復其初。滑欲於俗思，以求致其明。

案陳碧虛闕誤引張君房本俗字不疊，章太炎、奚侗並云：『此耦語也，俗學之俗是膹字。』是也。道藏羅勉道本、焦竑本，並刪一俗字。

達生篇：

不幸遇餓虎餓虎殺而食之。

案文選班孟堅幽通賦注、江文通雜體詩注、白帖二六、御覽七百二十、北山錄八論業理第十三注，引餓虎二字皆不疊，疏：『忽遭餓虎所食，』是成本亦不疊餓虎二字。今本誤疊，當刪。淮南子人間篇作：『卒而遇飢虎殺而食之，』可爲旁證。

## 五三、誤不疊

呂氏春秋審爲篇：

不能自勝則縱之，神無惡乎！

畢沅云：縱之下當再疊縱之二字，文子下德篇、淮南子道應篇俱疊作『從之從之。』

案畢氏謂縱之二字當疊，是也。注：『言人不能自勝其情欲則放之，放之，神無所憎惡。』以放詁縱，而疊放之二字，則正文本疊縱之二字明矣。文子作：『猶不能自勝卽縱之，神無所害也。』不疊從之二字，畢氏失檢。莊子作：『不能自勝則從，神無惡乎！』從下脫『之從之』三字，並當據淮南子補。

列子天瑞篇：

不化者往復，其際不可終。

盧文弨云：『下句當疊往復二字。』

陶鴻慶云：『張注云：「代謝無間，形氣轉續。」正釋往復之義，是其所見本未誤。』

王重民云：吉府本疊往復二字。

案諸說並是，『往復，其際不可終。』與下文『疑獨，其道不可窮』對言，今本不疊往復二字，文既不耦，意亦不完矣。盧重元注：『四時變化，不可終也。』『四時變化，』正以釋往復之義，是所見本未誤。宋徽宗義解：『汎應而不窮，故不化者往復。往復，其際不可終。蓋莫知其端倪也。』所見本疊往復二字，尤爲明白。

## 五四、壞字

莊子人間世篇：

時其飢飽，達其怒心。

案淮南子主術篇心作恚，當從之，怒恚與飢飽對言，此文作心，卽恚之壞字。（列子黃帝篇亦壞作心）

呂氏春秋愼人篇：

今丘也，拘仁義之道，以遭亂世之患。

畢沅云：拘，莊子、風俗通並作抱。

案册府元龜八九五引拘亦作抱，拘卽抱之壞字。淮南子本經篇：「含德懷道，抱無窮之智，」今本抱壞爲拘，與此同例。

## 五五、因壞而誤爲他字

呂氏春秋君守篇：

故曰天無形，而萬物以成。

兪樾云：曰乃昦字之誤，昦字闕壞，止存上半之日，因誤爲曰矣。

案俞說是也，治要引曰天正作昊天，昊卽昦之俗。

列子湯問篇：

碧樹而冬生。

王重民云：「生當作青，字之誤也。蓋青字闕壞爲主，因誤爲生。齊民要術十引作「碧樹而冬青生，」雖衍一生字，而青字尙不誤。類聚八七、御覽九七三並引，正作冬青，可證。」

案王說是也，記纂淵海九二引生亦作青。

## 五六、因壞而妄加他字

莊子山木篇：

此木以不材得終其天年。夫子出於山。

釋文本無子字，云：夫者，夫子。謂莊子也。本或卽作夫子。

案今本並作夫子。藝文類聚九一、意林、御覽九一七、事類賦十九禽部二、天中記五八引，並無夫子二字。釋文本無子字，是也。惟夫乃矣之壞字，當屬上絕句，「此木以不材得終其天年」下，御覽九五二引有矣字，是其明證。因矣壞爲夫，後人遂於夫下妄加子字，以之屬下讀矣。（大方廣佛華嚴經隨疏演義鈔二一、韻府羣玉一五，引夫子並作莊子，愈失此文之舊。）呂氏春秋必己篇正作：「此以不材得終其天年矣（此下疑脫木字）。出於山。」當據正。

## 五七、既壞且衍

呂氏春秋誠廉篇：

阻丘而保威也。

畢沅云：阻丘疑是阻兵。

梁玉繩云：莊子讓王政作阻兵。

案册府元龜八百五引此文亦作阻兵，丘卽兵之壞字。也字疑衍，『阻兵而保威，』與上下文句法一律，文意一貫，莊子正無也字，上文多也字，故此句誤衍也字耳。

## 五八、既壞且脫

莊子山木篇：

逆旅人，有妾二人。

案陳碧虛闕誤引劉得一本上人字作之，『逆旅之，』文意不完，疑逆旅下本有之字，之人當作之父，下文『逆旅小子』韓子說林上篇作『逆旅之父，』可爲旁證。今本作『逆旅人，』人乃父之壞字，又脫之字也。

## 五九、錯　簡

莊子齊物論篇：

化聲之相待，若其不相待，和之以天倪，因之以曼衍，所以窮年也。

褚伯秀義海纂微引呂惠卿注後附說云：『「化聲之相待」至「所以窮年也，」合在「何謂和之以天倪」之上，簡編脫略，誤次於此，觀文意可知。』

案此二十五字，與上下文意似不相屬，呂說是也。宣穎南華眞經解直迻此二十五字於上文『何謂和之以天倪』上，王先謙集解亦從之。

知北遊篇：

夫知者不言，言者不知，故聖人行不言之敎。道不可致，德不可至，仁可爲也，義可虧也，禮相僞也。故曰：『失道而後德，失德而後仁，失仁而後義，失義而後禮。禮者，道之華，而亂之首也。』故曰：『爲道者日損，損之又損之，以至於无爲。无爲而无不爲也。』今已爲物也，欲復歸根，不亦難乎？其易也，其唯大人乎？生也死之徒，死也生之始，孰知其紀？人之生，氣之聚也，聚則爲生，散則爲死，若死生爲徒，吾又何患？故萬物一也，是其所美者爲神奇，其所惡者爲臭腐，臭腐復化爲神奇，神奇復化爲臭腐，故曰：『通天下一氣耳。』聖人故貴一。

案此一百九十九字，與上下文似不相涉，疑本在下文『狂屈聞之，以黃帝爲知言』下，簡編脫略，誤錯於此，審文意可知。

## 六十、脫　簡

莊子秋水篇：

爲大勝者，唯聖人能之。

案上文：「夔憐蚿；蚿憐蛇；蛇憐風；風憐目；目憐心。」共舉五事，而所述夔、蚿之問荅；蚿、蛇之問荅；蛇、風之問荅，僅及其三。此下疑尚有風、目之問荅及目、心之問荅，簡編脫略，其文已不可考矣。

## 六一、注疏誤入正文

呂氏春秋貴信篇：

丹漆染色不貞。

孫鏘鳴云：以上皆四字爲句，有韻之文。染色二字當是注文，轉寫者誤入正文耳。

案孫說是也，御覽四百三十引，正無染色二字。

莊子天運篇：

夫至樂者，先應之以人事，順之以天理，行之以五德，應之以自然；然後調理四時，太和萬物。

案唐寫本、趙諫議本、道藏成玄英本、王元澤本、林希逸本，皆無此三十五字，乃疏文誤入正文者也（見道藏本成疏「故曰：汝近自然也」下）。上文「吾奏之以人，徵之以天，行之以禮義，建之以太清，」與下文「四時迭起，萬物循生，一盛一衰，文武倫經」云云，本爲韻文，意亦一貫。書鈔一百五、玉海一百三引，亦並無此三十五字，宣穎本删之，是也。

## 六二、既脱且有注文誤入

呂氏春秋審時篇：

莖相若，稱之得時者重。粟之多。

案此文當作「量莖相若，而稱之得時者重粟。」與下文「量粟相若，而舂之得時者多米；量米相若，而食之得時者忍饑。」句法一律。量粟，緊承重粟而言；量米，緊承多米而言，文理粲然明白。今本莖上脱量字，稱上脱而字，重下脱粟字，當補。「粟之多」三字，蓋「重粟」二字之注誤入正文者，當正。

## 六三、正文誤入注文

莊子徐无鬼篇：

匠石運斤成風，聽而斲之。注：瞑目恣手。

案陳碧虛闕誤引江南李氏本以『瞑目恣手』四字爲正文，陳氏音義從之，云：『舊本作郭象注，非是。』今本亦並誤作郭注。

## 六四、既脫且有誤入注文

呂氏春秋疑似篇：

故墨子見岐道而哭之。注：爲其可以南，可以北。言乖別也。

陳昌齊云：『淮南說林篇云：「楊子見逵路而哭之，爲其可以南，可以北。墨子見練絲而泣之，爲其可以黃，可以黑。」此墨子下，當是脫「見練絲而泣之，爲其可以黃，可以黑。楊子」十六字，而又以「爲其可以南，可以北」八字混入注內，當據增正。本書當染篇亦有「墨子見素絲而歎」之語。』

案陳說是也，墨子所染篇：『子墨子見染絲者而歎，』荀子王霸篇：『楊朱哭衢涂（注：衢涂，岐路也），』論衡率性篇：『是故楊子哭岐道，墨子哭練絲也，』藝增篇：『墨子哭於練絲，楊子哭於岐道，』咸可證此墨子下有脫文；孔德璋北山移文：『豈期終始參差，蒼黃翻覆，淚翟子之悲，慟朱公之哭。』亦謂墨翟悲練絲，楊朱哭岐道也；劉子新論傷讒篇：『墨子所以悲素絲，楊朱所以泣岐路，以其變爲青黃，廻成左右也。』『以其變爲青黃，廻成左右，』猶此言『爲其可以黃，可以黑，』及『爲其可以南，可以北』耳；今本高注：『爲其可以南，可以北。言乖別也。』僅『言乖別也』四字是注，『爲其可以南，可以北，』原爲正文，淮南子說林篇『爲其可以南，可以北』下注云：『閔其別也，』猶此文『爲其可以南，可以北』下注云：『言乖別也。』

## 六五、後人旁記字誤入正文

莊子逍遙篇：

之二蟲又何知？

陳碧虛闕誤引文如海本之上有彼字。案之猶彼也，之上復有彼字，不詞（之訓是亦通，知北遊篇：『知以之言也問乎狂屈，』釋文引司馬云：『之，是也。』徐无鬼篇：『之狙也，伐其巧、恃其便以敖予，』釋文：『之猶是也，本或作是。』本篇下文：『之人也，之德也，』田子方篇：『每見之客也，必入而歎，何邪？』之並與是同義。惟此文之訓是，上有彼字，亦不詞），疑後人以之義同彼，因記彼字於之字旁，傳寫遂誤入正文耳。

## 六六、後人據他書旁記字誤入正文

呂氏春秋誠廉篇：

今周見殷之僻亂也，而遽爲之正與治。

案亂字衍，莊子讓王篇作：『今周見殷之亂，而遽爲政。』疑後人據之記亂字於僻字旁，傳寫遂誤入正文耳。册府元龜八百五引，正無亂字。

列子黃帝篇：

覆却萬物方陳乎前，而不得入其舍。

案莊子達生篇方上無物字，疑此文本無方字，後人據莊子記方字於物字旁，傳寫遂誤入正文耳。莊子作萬方，此文作萬物，義並可通。莊子山木篇：『化其萬物，而不知其禪之者。』唐寫本作萬方，與此同例。（俞樾謂莊子萬下脫物字，大謬。）

## 六七、後人據注旁記字誤入正文

淮南子覽冥篇：

服駕應龍，驂青虬。注：駕應德之龍，在中爲服，在旁爲驂。

王念孫云：「『服應龍，驂青虬，』相對爲文，故高注曰：『在中爲服，在旁爲驂。』服下不當有駕字，此後人據高注旁記駕字，因誤入正文也。不知高注『駕應德之龍，』是解『服應龍』三字，非正文內有駕字也。一切經音義一、太平御覽鱗介部二及爾雅疏引此，俱無駕字。」

案王說是也。海錄碎事十上引，亦無駕字。

## 六八、不達文意而失句讀

莊子德充符篇：

彼爲已以其知（注：嫌王駘未能忘知而自存），得其心以其心（注：嫌未能遺心而自得），得其常心，物何爲最之哉（注：夫得其常心，平往者也。嫌其不能平往而與物遇，故常使物就之）？

俞樾云：『「以其知得其心」句，「以其心得其常心」句，兩句相對。「彼爲已」三字，總冒此兩句，郭讀「彼爲已以其知」爲句，「得其心以其心」爲句，而以「得其常心」四字屬下讀，失之。』

案俞說是也，褚伯秀義海纂微引呂惠卿斷句已如此，羅勉道本同。

大宗師篇：

以善處喪蓋魯國，固有无其實而得其名者乎？

成疏從『以善處喪』絕句，『蓋魯國』三字屬下讀，以蓋爲發語辭。李楨云：『「以善處喪」絕句，文義未完，且嫌於不辭。下「蓋魯國」三字，當屬上爲句，不當連下「固有」云云爲句，蓋與應帝王篇「功蓋天下」義同，言孟孫才以善處喪名蓋魯國。爾雅釋言：「弇，蓋也。」小爾雅廣詁：「蓋，覆也。」釋名釋言語：「蓋，加也。」並有高出其上之意，即此蓋字義也。』

案李說是也，天地篇：『於于以蓋衆。』亦與此蓋字同義。

## 六九、因字誤而失句讀

莊子應帝王篇：

以已出經式義，度人孰敢不聽而化諸？

釋文：「出經」絕句，司馬云：「出，行也。經，常也。」崔云：「出典法也。」「式義度人」絕句，式，法也。崔云：「式，用也。用仁義以法度人也。」』

王念孫云：『釋文曰：「出經絕句，式義度人絕句。」引諸說皆未協。案此當以「以已出經式義度」爲句，「人孰敢不聽而化諸」爲句。義讀爲儀，義、儀古字通。儀，法也。「經式儀度」皆謂法度也。解者失之。』

案王元澤、呂惠卿、陳詳道、羅勉道，皆從『出經』絕句，『式義度人』絕句，與釋文說合；林疑獨、趙以夫，並從度字絕句（褚伯秀從之），或卽王說所本。諸讀似皆未協，陳碧虛闕誤引張君房本度人作庶民，則當從義字絕句，疏：『必須出智以經論，用仁義以導俗，則四方氓庶，誰不聽從？』是成本亦作庶民，正從義字絕句。（陳碧虛照張本，亦從義字絕句。）度蓋庶之形誤，民之作人，乃唐人避太宗諱所改（藝文類聚九七、御覽九四五，引人並作民，與成、張本合），庶誤爲度，遂失其句讀矣。

天道篇：

世雖貴之哉？猶不足貴也。

案覆宋本哉作我，屬下讀，疏：『故雖貴之，我猶不足貴者，』是成本哉原作我。我與世對言，文意較長，作哉者形誤。（外物篇：『我且南遊吳、越之王，』元纂圖互注本、世德堂本我並誤哉，與此同例。）我誤爲哉，因屬上絕句矣。

## 七十、因字脫而失句讀

莊子人間世篇：

願以所聞思其則，庶幾其國有瘳乎？

釋文：『「思其則」絕句，崔、李云：「則，法也。」』

案疏：『是以述昔所聞，思其稟受法言。』是成本亦從『思其則』絕句，陳碧虛闕誤引李氏本『思其』下有『所行』二字，則字屬下讀，『思其所行』絕句，『則庶幾其國有瘳乎』絕句，較他本完好，疑存莊書之舊。『思其』下脫『所行』二字，則字乃誤屬上絕句耳。

讓王篇：

不能自勝則從，神无惡乎！

釋文：『「不能自勝則從」絕句，一讀至神字絕句。』

俞樾云：『釋文曰：「不能自勝則從絕句。」此讀是也；又曰：「一讀至神字絕句。」則失之。呂氏春秋審爲篇亦載此事，作「不能自勝則縱之，神無惡乎！」文子下德篇、淮南子道應篇，並疊從之二字，作「從之，從之，」則「從神」之不當連讀，明矣。』

案疏：『若不勝於情欲，則宜從順心神。』是成本亦讀至神字絕句，俞氏謂「從神」不當連讀，是也。惟讀至從字絕句，文意亦不完，淮南子道應篇作：『不能自勝則從之。從之，神無怨乎！』句讀明白，文意完好，此文從下蓋脫『之從之』三字，遂失其句讀耳。（文子下德篇作：『猶不能自勝即從之，神無所害也。』俞氏謂疊從之二字，失檢。惟從之二字當疊耳。呂氏春秋審爲篇縱之二字亦當疊，說已見前。）

## 七一、因妄加字而失句讀

莊子山木篇：

親而行之，无須臾離居，然不免於患，吾是以憂。

釋文：无須臾離絕句。崔本無離字。

俞樾云：『崔譔本無離字，而以居字連上句讀，當從之，呂覽愼人篇：「胼胝不居，」高誘訓居爲止，「無須臾居」者，無須臾止也。正與上句行字，相對成義。學者不達居字之旨，而習於中庸「不可須臾離」之文，遂妄加離字，而居字屬下讀，失之矣。』

案俞說是也，褚伯秀本亦誤從離字絕句，而以居字屬下讀，『居然不免於患，』豈類莊子文邪？

## 七二、因誤疊而失句讀

莊子天運篇：

故西施病心而矉，其里其里之醜人見而美之，歸亦捧心而矉，其里其里之富人見之，堅閉門而不出；貧人見之，挈妻子而去之走。

釋文：而矉其里絕句。

俞樾云：「兩「其里」字，皆不當疊，「病心而矉，」「捧心而矉，」文義甚明，若作「矉其里，」則不可通矣。皆涉下句而衍。」

案俞說是也，唐寫本上『其里』字不疊，御覽三九二、七四一、記纂淵海五五、事文類聚前集一二、別集二四、合璧事類續集四四、錦繡萬花谷後集一五，引兩『其里』字皆不疊，釋文謂『而矉其里』絕句，蓋所據本已誤疊兩『其里』字，故失其句讀耳。

## 七三、誤斷句而失韻

莊子山木篇：

道流而不明（注：昧然而自行耳），居得行而不名處（注：彼皆居然自得此行耳，非由名而後處之）。

奚侗云：「郭以「居得行」連讀，而釋居爲居然，非是。此當斷「道流而不明居」爲句，「得行而不名處」爲句，居與處相對，說文：「凥，處也。」（凥，今皆作居。）得與德通，易升象傳：「君子以順德，」釋文：「德，姚本作得。」名與明同，釋名：「名，明也。」此言道之流行而不顯然居之，德之流行而不顯然處之，兩句正相耦也。」

案奚說是也，呂惠卿、林疑獨、褚伯秀已並從居、從處絕句。此文上下文皆韻文，此亦以居、處爲韻，郭氏以居字屬下讀，既失其義，又失其韻矣。

## 七四、因字壞而失韻

列子黃帝篇：

至人潛行不空，蹈火不熱，行乎萬物之上而不慄。

俞樾云：『張注曰：「不空者，實有也。至人動止，不以實有爲閡者也。」其說甚爲迂曲。釋文曰：「空，一本作窒。」當從之，莊子達生篇正作「不窒。」』

案俞說是也，空蓋窒之壞字，道藏江遹本、宋徽宗本並作窒，窒與下文慄爲韻，窒壞爲空，則失其韻矣。成玄英莊子疏亦云：『窒，本亦作空字。』蓋一本窒亦壞爲空也。

## 七五、因字誤而失韻

莊子天道篇：

休則虛，虛則實，實則倫矣；虛則靜，靜則動，動則得矣；靜則无爲，无爲也，則任事者責矣。

案『實則倫矣，』注：『倫，理也。』疏：『眞實之道，則自然之理也。』說並牽強。倫當作備，字之誤也。備與下文得、責爲韻，陳碧虛闕誤引江南古藏本正作備。『實則備矣，』文義明白，備誤爲倫，義既難通，又失其韻矣。

淮南子人間篇：

故禍之所從生者，始於雞定。及其大也，至於亡社稷。

莊逵吉云：本或作『雞足，』或作『雞距，』唯藏本作定，定，題也。疑藏本是。

王念孫云：『雞定，當依劉本作雞足，字之誤也。上文云：「季氏與郈氏鬭雞，爲之金距。」故曰「禍始於雞足。」且足與稷爲韻（泰族篇：「獄訟止而衣食足，」亦與息、德爲韻。老子：「禍莫大於不知足，」與得爲韻），若作定，則失其韻矣。莊伯鴻以定爲「麟之定」之定，大誤。』

案王說是也，天中記五八引定亦作足。

## 七六、因字脫而失韻

莊子至樂篇：

天无爲以之淸，地无爲以之寧，故兩无爲相合，萬物皆化。

案陳碧虛闕誤引江南古藏本化下有生字，當從之，疏：『而萬物化生，』是成本亦有生字，生與上文清、寧爲韻，今本脫生字，則失其韻矣。

## 七七、誤倒而失韻

莊子山木篇：

純純常常，乃比於狂。削迹捐勢，不爲功名。

案功名當作名功，功（古音讀如岡）與上文常、狂爲韻，今本誤倒，遂失其韻矣。唐寫本正作「不爲名功。」（庚桑楚篇：「衞生之經，能抱一乎？能勿失乎？能无卜筮而知凶吉乎？」今本凶吉二字誤倒，王念孫云：「吉凶當爲凶吉，一、失、吉爲韻。」亦同此例。）

## 七八、互誤而失韻

莊子馬蹄篇：

夫赫胥氏之時，民，居不知所爲，行不知所之，含哺而熙，鼓腹而遊。

案「含哺而熙，鼓腹而遊，」當作「含哺而遊，鼓腹而熙。」熙與上文時、爲、之爲韻，今本遊、熙二字互誤，遂失其韻矣。淮南子俶眞篇正作「含哺而游，鼓腹而熙。」（游、遊，古、今字。又案淮南子詮言篇：「大寒地坼水凝，火弗爲衰其熱；大暑爍石流金，火弗爲益其烈。」今本熱、暑二字互誤，王引之云：「暑當爲熱，熱當爲暑，熱與烈爲韻。」亦同此例。）

## 七九、改字而失韻

莊子應帝王篇：

至人之用心若鏡，不將不迎。

案元纂圖互注本、世德堂本迎並作逆，天中記二三引同。逆亦迎也，說文：「逆，迎也。」但迎與上文鏡爲韻，作逆，則失其韻矣。蓋後人不知此爲韻文而妄改也。

列子說符篇：

爵高者，人妒之。官大者，主惡之。祿厚者，怨逮之。

俞樾云：「淮南子道應篇作『祿厚者，怨處之。』是也。『怨處之，』謂怨讎之所處也。猶曰：爲怨府也。處與妒、惡爲韻，若作逮，則失其韻矣。蓋由淺人不達處字之義而臆改。」

王重民云：「俞說是也，御覽四百五十九引逮正作處。意林引作：祿厚者，人怨之。」

案冊府元龜七八八引韓詩外傳、藝文類聚三五引文子，亦並作『祿厚者，怨處之。』今本外傳七處作歸；文子符言篇『怨處之』作『人怨之，』愼子外篇同，與意林引此文合。蓋皆淺人所改也。

## 八十、妄乙而失韻

莊子山木篇：

一上二下，以和爲量。

俞樾云：『此本作「二下一上，以和爲量。」上與量爲韻，今本作「一上二下，」失其韻矣。古書往往倒文以協韻，後人不知而誤改者甚多，秋水篇：「無東無西，始於玄冥，反於大通。」亦後人所改，莊子原文本作「無西無東，」與通爲韻也。王氏念孫已訂正矣。』

案俞說是也。今本呂氏春秋必己篇亦作『一上二下，』亦後人不知倒文協韻，而將下、上二字妄乙者。

## 八一、據他書妄刪而失韻

淮南子說山篇：

見一葉落，而知歲之將暮。睹瓶中之冰，而知天下之寒。

俞樾云：『寒下當有暑字，兵略篇曰：「是故處堂上之陰，而知日月之次序。見瓶中之冰，而知天下之寒暑。」彼以暑與序爲韻，此以暑與暮爲韻，今刪暑字，則失其韻矣。上文曰：「嘗一臠肉，知一鑊之味。縣羽與炭，而知燥濕之氣。」味、氣爲韻，則此文亦必有韻可知，當據兵略篇補。』

案俞說疑是，呂氏春秋察今篇：『見瓶水之冰，而知天下之寒，魚鱉之藏也。』此文寒下無暑字，或後人據呂氏春秋妄刪也。

## 八二、據他篇妄改而失韻

淮南子精神篇：

故曰：其生也天行，其死也物化，靜則與陰俱閉，動則與陽俱開。

王念孫云：『「與陰俱閉，與陽俱開，」本作「與陰合德，與陽同波。」後人以原道篇云：「與陰俱閉，與陽俱開。」故據彼以改此也。不知波與化爲韻，若如後人所改，則失其韻矣。文子九守篇：「靜卽與陰合德，動卽與陽同波。」卽用淮南之文；莊子天道篇：「其生也天行，其死也物化，靜而與陰同德，動而與陽同波（刻意篇同）。」又淮南所本也。

案王說是也，僞子華子北宮意問篇：『靜與陰同閉，動與陽同開。』蓋襲用後人妄改之淮南文也。

## 八三、據他書妄改而失韻

淮南子詮言篇：

故不爲善，不避醜，遵天之道。

王念孫云：『善當爲好，「不爲好，不避醜，遵天之道。」猶洪範言「無有作好，遵王之道」也。今作「不爲善」者，後人據文子符言篇改之耳。好、醜、道爲韻，若作善，則失其韻矣。』

案王說是也。僞文子鈔襲此文，改好爲善，以善、醜相對，似亦本於淮南，主術篇：『是故得道者，不僞醜飾，不僞善極。』（僞與爲同，今本作『不爲醜飾，不爲僞善。』乃後人妄改，詳王念孫說。）即其證也。惟此文自以好、醜相對，若從文子改好爲善，義雖無差，韻則失矣。

## 八四、注文誤入正文而失韻

淮南子俶眞篇：

所謂有始者，繁憤未發，萌兆牙蘖，未有形埒垠堮。

王念孫云：『覽冥篇：「不見朕垠，」高注：「朕，兆朕也，垠，形狀也。」繆稱篇：「道之有篇章形埒者，」高注：「形埒，兆朕也。」是垠堮與形埒同義，既言形埒，無庸更言垠堮，疑垠堮是形埒之注，而今本誤入正文也。且此三句，以發、蘖、埒爲韻，若加垠堮二字，則失其韻矣。』

案王氏以垠堮二字爲注文誤入正文者，是也。惟本書高注，無以垠堮注形埒者，此或爲許愼注與？

## 八五、既誤倒且脫而失韻

莊子山木篇：

功成者隳，名成者虧，孰能去功與名，而還與衆人？

奚侗云：『管子白心篇：「功成者隳，名成者虧，孰能去名與功，而還與衆人同？」房玄齡注：

「君弃功名，則與衆不異。」管子以㮚、虧爲韻，功、同爲韻，本書功、名二字誤倒，人下又挩同字，既失其義，又失其韻矣。當據管子訂補。」

案奚說是也。

## 八六、既互誤又妄改而失韻

莊子徐无鬼篇：

故无所甚親，无所甚疏，抱德煬和，以順天下，此謂眞人。

案淮南子精神篇作：「是故無所甚疏，而無所甚親，抱德煬和，以順于天，」（又見文子守虛篇。）此文本以親、天、人爲韻，今本疏、親二字互誤，「以順于天，」又改爲「以順天下，」遂失其韻矣。唐寫本作：「故无所甚親，抱德煬和，以順天，此謂眞人。」韻尚未失，惟「无所甚親」上，脫「无所甚疏」四字，天上脫于字耳。

## 八七、習見字之誤

淮南子道應篇：

臣有所與供儋纆采薪者九方堙。注：纆，索也。

王念孫云：「纆字之義，諸書或訓爲繞（說文）；或訓爲束（廣雅），無訓爲索者。纆當爲纏，字之誤也。說文作纆，云：「索也。」字或作纆，坎上六：「係用徽纆，」馬融曰：「徽纆，索也。」劉表曰：「三股曰徽，兩股曰纆。」故高注云：「纆，索也。」若作儃纆，則義不可通矣。列子及蜀志郤正傳注、白帖九十六，纆字亦誤作纏，蓋世人多見纏，少見纆，故傳寫多誤耳。唯道藏本列子釋文作纆，音墨。足證今本之誤。

案王說是也，翻譯名義集二引纆作纏，纏卽纆之誤。北宋本列子亦不誤。

## 八八、習見連文之誤

淮南子覽冥篇：

鳳凰之翔至德也，雷霆不作，風雨不興，川谷不澹，草木不搖。而燕雀佼之，以爲不能與之爭於宇宙之間。注：「宇，屋簷也。宙，棟梁也。易曰：上棟下宇。」

案宇宙當作宇棟，高注本作「宇，屋簷也。棟，梁也。易曰：上棟下宇。」釋宇棟之義後，又引易以證之也。世人習見宇宙連文，罕見宇棟連文，傳寫遂誤爲宇宙，又於注文棟上妄加宙字耳。燕雀所適，在於宇棟，故輕侮鳳皇，以爲不能與之爭於宇棟之間也。若作宇宙，則不倫矣。

## 八九、習見人名之誤

淮南子原道篇：

是故鞭噬狗，策蹶馬，而欲教之，雖伊尹、造父弗能化。注：伊尹，名摯。殷湯之賢相也。造父，周穆王之臣也。而善御。雖此二人，不能化之。

俞樾云：『伊尹不聞以善御名，何得與造父並稱？伊尹疑當作尹儒，呂氏春秋博志篇：「尹儒學御，三年，夢受秋駕於其師。」卽其人也。傳寫脫儒字，後人臆補伊字於尹字之上耳。道應篇作尹需。』

案俞說是也，文選左太冲魏都賦注、王元長三月三日曲水詩序注，並引莊子云：『尹需（一作儒）學御三年，而無所得，夜夢受秋駕於其師。明日往朝其師，其師望而謂之曰：「吾非獨愛道也，恐子之未可與也。今將教子以秋駕。」』卽呂氏春秋博志篇及淮南子道應篇所本，道應篇作尹需，此文疑原亦作尹需，世人習見伊尹，罕見尹需，傳寫遂誤爲伊尹耳。高注云云，是所見本已誤矣。

## 九十、聯想之誤

莊子胠篋篇：

塞瞽曠之耳。

案此與下文『膠離朱之目』對言。但本書無瞽曠與離朱對言之例，下文『彼曾、史、楊、墨、師曠、工倕、離朱者』云云，所謂師曠，卽批此言，則瞽曠必師曠之誤。（駢拇篇兩以師曠、離朱對言，可爲旁證。）疑寫者因聯想師曠之瞽，遂誤書師曠爲瞽曠耳。鶡冠子泰鴻篇注引，正作『塞師曠之耳。』

讓王篇：

吳軍入郢，說畏難而避寇，非故隨大王也。

案道藏王元澤本、元纂圖互注本、世德堂本，說並作越，說乃屠羊說自稱其名，作越，則不可通，蓋寫者因聯想上文吳軍字，而誤書爲越耳。

（原載「國立中央研究院歷史語言研究所集刊」第二十三本，民國四十一年七月）

# 第五輯　辨僞學類

## 辨僞及考證年代的必要

梁啓超

書籍有假，各國所同，不祇中國爲然。文化發達愈久，好古的心事愈强，代遠年湮，自然有許多後人僞造古書以應當時的需要。這也許是人類的通性，免不了的；不過中國人造僞的本事特別大而且發現得特別早。無論那門學問都有許多僞書，經學有經學的僞書，史學有史學的僞書，佛學有佛學的僞書，文學有文學的僞書，到處都可以遇見。

因爲有許多僞書，足令從事研究的人，擾亂迷惑，許多好古深思之士，往往爲僞書所誤。研究的基礎，先不穩固，往後的推論結論，更不用說了。即如研究歷史，當然憑藉事實，考求他的原因結果，假使根本沒有這回事實，考求的工夫，豈非枉用？或者事實是有的，而眞相則不然，考求的工夫，亦屬枉用。幾千年來，許多學問，都在模糊影響之中，不能得忠實的科學根據。固然旁的另有關係，而爲僞書所誤，實爲最大原因。所以要先講辨僞及考證年代之必要，約可分三方面觀察。

## 甲、史蹟方法

研究歷史，最主要的對象專在史蹟方面。因爲書籍參雜，遂令史蹟發生下列四種不良現象，很難一一改正，把研究的人，弄得頭昏。

**一、進化系統紊亂**　我們打開馬驌繹史一看，裏面講遠古的事蹟很多，材料亦搜得異常豐富，假使馬驌所根據那些無窮資料，全是眞的。那末，中國在盤古時代，業已有文明的曙光，下至天皇、地皇、人皇、伏羲、神農、軒轅，典章文物，燦然大備，衣服器物，應有盡有，文化眞是發達極了，許比別的古代文明，還高得多。

不說繹史，就打開最可靠的漢書藝文志，裏面載神農黃帝時代的著作，不知道有多少，至於伊尹太公的著作，更是指不勝屈。要是那些書都是眞的，則中國文明與世界文明的進化原則，剛剛相反；所謂「黃金時代」，他人在近世，我們在遠古；中國文明，萬年前是黃金，千年前是銀，以後是銅，漸漸地變成爲白鐵。若相信神農黃帝許多著作，則殷墟甲骨，全屬假造，不然，就是中國文明特別的往後退化；否則爲什麼神農黃帝時代已經典章文物，燦然大備，到商朝乃如彼簡陋低下呢？

繹史所根據各書，與漢志所載神農黃帝著作，皆本無其書，由後人僞造假託。諸君在小學中學所唸中國歷史教科書，裏面所載神農黃帝的事很多，（最近出版的教科書，許改變了。）其時程度極高，世界所有文物，大體俱已齊備。我們覺得眞可以自豪了。不過古代那樣發達，爲什麼老不長進？旁人天天進步，自己天天後退，我們又覺得非常慚愧，其實原本不是這回事，是書籍參雜，把進化系統紊亂了。

姑且放下古書不講。稍近點的如周禮，向來的人，都說是周公所作，不過其中所講地理民情，全爲戰國時、秦漢間的事物。如果相信周禮，則周朝聲敎所及，與戰國及秦漢差不多，然事實不如此。民族是慢慢地漲，起初佔據一小部分，後來擴充得很寬，造周禮的人，看見當時文化如此，依傍現實的社會，構成理想的社會，所以把一千年後的戰國或秦漢同一千年前的周公時代，弄成一樣。如果周禮是眞，周朝八百年，可謂毫無進步，自春秋經戰國及秦到西漢，中間一千多年，一點亦沒有進步。然事實不如此。因書籍年代不分明，歷史進化系統全擾亂了。我們讀史的人，得這種不正確的觀念，對於民族的努力上，大有妨害。

**二、社會背景混淆** 這一條與前一條所講，內容差不多，稍微有點不同。我們讀古書，不單看人看事，還要看時代背景。一般的社會狀況，究竟是怎麼樣，因爲書籍是假的，讀書的人，往往把社會背景弄錯了。卽如西京雜記，分明是晉人葛洪所作，後人誤認爲西漢時劉歆所作，葛洪同劉歆，相距三百多年，葛講東晉時事，劉講西漢時事；若以西京雜記，作爲東晉時的資料，那就非常正確；若以此書，作爲西漢時的資料，說西京卽是長安，那便大錯特錯了。

又有一部小品小說，名爲雜事秘辛，此書疑卽晚明時楊愼用修所作。楊老先生文章很好，手脚有脚有點不乾淨，喜歡造假。據他說：由一處舊書攤中得來，內容講東漢時梁冀家事。其時皇帝選妃，看中了梁大將軍的小姐，由皇太后派一個保姆，去檢查梁小姐的身體，文章描寫得異常優美，但是全非事實，係楊老先生自掩筆墨，假託爲漢人作品。

假如楊用修坦白地承認是自己作的，明人小說，已曾能夠有此著作，在文學界，價值不小，但是他不肯吐露眞相，偏要說是漢人作的，後來的人，不知底細，把他當作寶貝，以爲研究漢代風俗典禮衣服首飾的絕好資料，那就錯了。我自己許多年前，曾上這個當，把他當作漢代野史看待，其中有講纒脚的地方，本是作者自不檢點，所留下來的破綻。明時纒脚，因而想到漢人纒脚，若相信這部書是漢人作品，因而斷定纒脚起自漢朝，不起自五代，豈非笑話？

**三、事實是非倒置**　現存的，有兩部書，因爲其中有假，很足以淆亂是非，一部是涑水記聞，一部是幸存錄，都是野史。涑水記聞，向稱宋時司馬光作，原書雖是眞的，許是未定稿，後代的人，因爲司馬光聲名大，易於欺世駭俗，於是抽些出來，加些進去，以爲攻擊造謠的工具。其中對王安石，造謠特別多，攻擊得特別利害，平常人罵王安石，無足重輕，若是司馬光罵王安石，那就很有力量了。實則光書雖有，已非原物，光之孫司馬伋，曾上奏書，稱非其祖父所作，其故可以想見。現存的涑水記聞，攻擊陰私之處頗多，司馬光與王安石，政見雖不相合，最少他的人格，不會攻人陰私，這是我們可以當保的。後人利用他的聲名，把攻人陰私的話硬派到他身上，這就是因爲造假，使得是非錯亂。

幸存錄，一向都說是明末夏允彝作，夏是東林黨人，人格極其高尚，我們看他不會作幸存錄那種作品。書中一面罵魏忠賢，一面罵東林黨，造僞的人，手段很好，使人看去，覺得公道。忠賢固非，東林亦未必是，還是自家人，出來說公道話。黃宗羲曾講過，幸存錄眞是「不幸存錄」，並且說原書非夏允彝作，夏不會說那種話。雖然如此，幸存錄至今尙在。我們要研究明末政治，不能不以此書作爲參考。假使是栽贓，並不是夏作，亦許早佚，亦許無人過問。因爲尊重這個人，遂保存了這部書，這是史蹟上，最可痛恨的事情。

**四、由事實影響於道德及政治** 有許多史蹟，本無其事，因爲僞託的人物偉大，遂留下很多不良的影響。譬如孔子誅少正卯，何嘗有這回事？但是孔子家語，言之綦詳；家語以前的著作，及周秦諸子，亦有一部分講這件事，稱孔子與少正卯，同時招生講學，二人相距不遠，好像燕大和清華一樣，孔子的學生，都跑到少正卯那兒去了，孔子異常生氣，得政後三天，就把少正卯捉來殺了。後來儒家矜矜樂道，以爲孔子有手段，通權達變，還有許多人想去學他。

我們看誅少正卯的罪名是「言僞而辯，行僻而堅，潤澤而非，記醜而博」四句話。這分明出於戰國末年，刻薄寡恩的法家，他們想厲行專制政體，就替孔子揑造事實，以爲不祇法家刻薄，儒家的老祖宗，早就如此呢！其實孔子生在春秋時代，完全是貴族政治，殺一貴族，很不容易，孔子是大夫，少正卯亦大夫，又安能以大夫殺大夫？最妙是那個時代前後三事，完全一樣。最早是齊太公殺華士，其次是鄭子產殺鄧析，又後才是魯孔子誅少正卯，都是執政後三天殺人。同一題目，同一罪名，同一手段，天下萬無幾百年間，同樣事實，前後三見，一點不改之理！這明是戰國末年的法家，依附孔子，揑造事實，後代佩服孔子的人，以爲有手腕，攻擊孔子的人，以爲太專制，其實眞相不然，若冒昧相信，豈不誤事？

家語是僞書，且不用說。論語算是最可靠了，但依崔東壁的考證，眞的佔十之八九，最後幾篇，還是有假。陽貨第十七說：「公山弗擾以費畔，召，子欲往，子路不悅曰：『末之也已，何必公山氏之之也？』子曰：『夫召我者，而豈徒哉！如有用我者，吾其爲東周乎！』」下面一段，又說：「佛肸召，子欲往，子路曰：『昔者，由也聞諸夫子曰：「親於其身爲不善者，君子不入也。」佛肸以中牟畔，子之往也，如之何？』子曰：『然，有是言也。不曰堅乎，磨而不磷；不曰白乎？涅而不緇』。」公山弗擾佛肸兩人先後造反，都請孔子去幫忙，孔子都欣然欲往，卒以門人之諫而止。恭維孔子的人，以爲通權達變，愛國憂民；罵孔子的人，就說他官迷，出處不愼。其實公山弗擾，乃季氏手下家臣，費又是季氏采邑，孔子當時作魯司寇，公山弗擾好像北京的大興縣知事一樣，孔子好比司法總長，豈有大興縣知事造反，司法總長跑去幫忙的道理？這個話，無論如何說不通。關於公山弗擾以費畔的事蹟，左傳中言之極詳，可以不辯；至於佛肸以中牟畔時，孔子已經死了十餘年，佛肸雖愚，萬不會請死人幫忙，孔子縱想作官，亦不會從墳墓中跳出來，親於其身爲不善。這件事，說苑中考證得很淸楚，亦用不着辯。上面兩段話，因爲在論語中，大家不敢懷疑，一般腐儒，故意曲爲辯護，尤爲可笑。事情的眞相紊亂了，使硏究歷史的人，頭痛眼花，無從索解，還是小事；乃至大家尊重孔子，就從而模倣他的行爲，或作了壞事，用他作護符，於世道人心，關係極大。

這種揑造的事實，不僅影響於道德而已，於政治亦有極大影響。譬如周禮職官，名目繁瑣，邦畿千里之內，平均起來不到十里，卽有一個官，好像學校之內，不到十個學生，卽有一個教員，豈非一件極可笑的事情？後代冗官之多，全由於此。又如太監制度，在歷史上，劣跡甚多，但是因爲周禮都有太監，後世人有所藉口，明知其壞，仍然一代一代的實行。漢代的王莽，宋代的王安石，都是相信周禮，把政治弄得一場糊塗。從好的方面說來，祇是過信；從壞的方面說來，便是利用。本來沒有那種制度，自欺欺人，結果個人固然上當，全國政治亦糟到不可收拾了。

## 乙、思想方面

書籍是古代先哲遺留下來的東西，我們靠他，以硏究思想之發展及進步。如果有僞書參雜在裏邊，一則可以使時代思想紊亂，再則可以把學術源流混淆，三則令個人主張矛盾，四則害學者枉費精神。

**一、時代思想紊亂** 管仲是春秋初年的人，管子是戰國時代的作品。管子之中，有批評兼愛、非攻、息兵的話；這分明是戰國初年，墨家興起之後，才會成爲問題。若認管子是管仲作的，則春秋初年，卽有人講兼愛非攻等問題，時代豈非紊亂？又如老子大家以爲是老聃所作，老聃乃孔子先輩，其思想學說，應在孔子之前，但老子中，批評仁同仁義的地方很多。仁是孔子的口號，仁義並講，是孟子的口號，以前還無人道及。老子說：「失德而後仁，失仁而後義。」又說：「大道廢，有仁義。」這全是爲孔孟而發，從思想系統看來，應當在孔孟之後。

黑格爾（Hegel）論哲學的發達，要一正，一反，一和，思想然後進步。一人作正面的主張，如墨子的非攻、兼愛，一人作反面的攻擊，如管子對於非攻、兼愛，批評得很厲害，一人提出幾個問題，如儒家的仁和仁義，一人根本不贊成仁和仁義的價値，然後代的人，又從而折衝調和之。學術自然一天天的發達了。沒有墨家的主張，管子的意見無所附麗；沒有儒家的見解，老子的批評，也就是無的放矢。如果說管子在墨家之前，老子在儒家之前，是反乎思想進步的常軌。

**二、學術源流混淆**　前面講管子老子，雖非全僞，但是時代不同，稍爲顚倒，便可以發生毛病。有一種書，完全是假的，其毛病更大，學術源流，都給弄亂了。譬如列子，乃東晉時張湛，——卽列子注的作者，——採集道家之言，湊合而成。眞列子有八篇，漢書藝文志，尙存其目，後佚。張湛依八篇之目，假造成書，並載劉向一序，大家以爲劉向曾經見過，當然不會錯了。按理，列禦寇是莊周的前輩，其學說當然不帶後代色彩；但列子中，多講兩晉間之佛教思想，並雜以許多佛家神話，顯係後人僞託無疑。可是後人不知底細，以爲佛家思想，何足爲奇，中國兩千多年，早有人說過了。誇大狂，是人類共同的弱點。我們自己亦然。有可以吹牛的地方，樂得瞎吹一頓。張湛生當兩晉，遍讀佛教經典，所以能融化佛家的思想，連神話一並用上。若不知其然，誤以爲眞屬列禦寇所作，而且根據來講莊列異同，說列子比莊子更精深，這個笑話，可就大了。

列子尙有可說，時代較早，文章亦很優美，比旁的僞書都强。還有關尹子，時代更近，中間所講，全是佛教思想，卽名詞亦全取自佛經。如受想行識，眼耳鼻舌心意，都不是中國固有的話。文章則四字一句，同楞嚴經一樣。史記稱關尹子名喜，守函谷，是老子後輩。老子出關，他請老子作書，莊子天下篇，亦把老聃關尹並列，說他們是古之博大眞人。這樣看來，關尹這個人，生得很早，但是關尹子這部書，則出得很晚，看其文章，純似唐人翻譯佛經的筆墨，至少當在唐代以後。

這類的書，是怎樣一個來歷呢？大致六朝隋唐以後，道教與佛教爭風，故意造出許多假書，以爲自己裝門面；一面又抬出老子，作爲教主，尊稱之曰「太上老君」。又說老聃除作老子以外，還作了許多書，其中有一部叫老子化胡經，尤爲荒誕，現尙存道藏中。因爲史記有老子西出函谷的話，後人附會起來，說他到印度傳教去了，教出來的弟子，就是釋迦牟尼。佛教之所以發生，還很沾我們中國人的光呢！老子與釋迦，本來沒有一點關係，這樣輾轉附會，豈不把思想源流混淆？

**三、個人主張矛盾**　單就一個學者講，因爲有僞書的關係，可以使思想前後錯亂矛盾。譬如易經繫詞，究係何人所著，我們不敢確說。前人稱孔子所作，我始終不敢相信。因爲裏邊有許多與論語衝突的話，孰爲眞孔，頗不易知。依論語所謂「未能事人，焉能事鬼？」「未知生，焉知死？」孔子是個現實主義者，不帶宗教色彩。依繫詞所謂：「精氣爲物，遊魂爲變，是故知鬼神之情狀。」孔子又是一個宗教家，到底那幾句才眞是孔子說的，這就成問題了。如果兩書皆眞，豈不是孔子自相矛盾？

繫詞又說：「寂然不動，感而遂通」這個話，從哲學的意義看來，雖然很好，可是確因受道家的影響以後，才發生的，論語中就沒有這類話。若兩書全信，則是自相矛盾；如單信一種，又不知何者爲是，何者爲非。依我看來，論語言辭簡樸，來歷分明，當然最爲可靠；繫詞言辭玄妙，來歷較晦，最多祇能認爲儒家後學，或進步，或分化的，推演而出。說儒家有此思想可以，若認爲全屬孔作，則不可。

又如墨子，大部分是眞的，然起首七篇，辭義閃爍可疑。墨子根本反對儒家，處處與儒家立於對抗的地位。然墨經前七篇，有許多儒家的話，當然不是墨家眞相，許多人都懷疑它，墨子閒詁的作者孫仲容，以爲是當時儒家勢大，墨家很受壓迫，爲保護此書起見，故意在前幾章，說些迎合儒家的話，好像偷關瞞稅的人，故意在私運貨物上，蓋上許多稻草，同一用意。因爲如此，使得研究墨子的人迷惑，看他起初是一種口胳，後來又換一種態度，錯認墨子首尾兩端，反爲失了他的眞相。

**四、學者枉費精神**　佛教有一部最通行最有名的書，叫做楞嚴經。此書歷宋元明清，直到現在，在佛學中，勢力還是很大。其中論佛理精闢之處，固不少，但是與佛理矛盾衝突的地方，亦是很多。如神仙之說，是道家的主張，佛教本主無神論，然楞嚴經中，不少談及神仙的話，遂令道佛界線，弄得不清楚了。

楞嚴經，到現在還沒有人根本否認它，說它是後人假造的。我想作一篇辨僞考，材料倒搜集得不少了，可惜還沒有作成；認眞研究佛教，應當用辨僞書的方法，考求此書的眞僞。如果屬僞，就可以把它燒了。全書文章極美，四字一句，可惜思想混淆，把粗淺卑劣的道家言，和片段支離的宋儒學說，參雜下去，便弄糟了。若不辨別清楚，作爲佛教寶典，仔細研究，或混合儒釋道三種思想，冶爲一爐，還說佛家眞相如此，豈不枉費氣力？

## 丙、文學方面

大凡讀一種書籍，除研究義理外，還要誦讀文章；至於文學的書，可以供我們的欣賞，更不用說。若對於書的眞假，或相傳的時代，不弄淸楚，亦有前面所述，時代思想紊亂，進化源流混淆，個人價值矛盾，學者枉費精神，幾種毛病。

**一、時代思想紊亂，進化源流混淆**　現在所唱的國歌：「卿雲爛兮，糾縵縵兮；日月光華，旦復旦兮；日月光華，旦復旦兮。」相傳爲帝堯或帝舜時所作。好歹另是一個問題。但是唐虞時代，便有此種作品，而詩經三百篇，應該春秋時代的詩歌，亦不過爾爾，則夏商周三代的人，皆應當打板子，爲什麼幾百年乃至千年之間，老不長進呢？所以按進化公例看來，卿雲歌，不會是唐虞時代所作。

又如僞古文尙書，有一篇五子之歌，說是太康有五弟，太康被滅，其五個兄弟，因思大禹之戒，感而作此。開首幾句說：「皇祖有訓，民可近，不可下，民惟邦本，本固邦寧。……」以下全篇文體大略都是如此。我們看這首歌，文從字順，此刻雖令小孩子讀之，亦能看懂，可見當時文章明顯極了。但是我們試讀讀周誥殷盤看，便覺得詰屈聱牙，異常難讀，何以夏朝在前容易明白，殷周在後，反爲難曉呢？不惟周誥殷盤難讀，就是殷墟所發現的文字，亦復難於索解。如果五子之歌屬眞，則中國文學演進的步驟，眞是奇怪極了。

古詩十九首，如「行行重行行，與君生別離。相去萬餘里，各在天一涯。道路阻且長，會面安可知？胡馬依北風，越鳥巢南枝。相去日已遠，衣帶日已緩。浮雲蔽白日，遊子不顧返。思君令人老，歲月忽已晚。棄捐勿復道，努力加餐飯。」（錄一，餘從略。）我們看，何等風華典雅，眞可以說一字千金。據玉臺新詠所說，十九首中有八首，爲枚乘所作。枚乘是漢景帝武帝間的人，已經作有如此好詩，他死後百餘年間，何以無人能作？直到東漢時，才有幾篇五言詩，有一篇爲大文學家班固所作，音韻既不調和，詞旨亦很平淡。直到東漢末出了一個蔡文姬，三國時，出了一個曹子建，他們的詩，倒與十九首差不多。如十九首眞有些是枚乘所作，則西漢至三國，中間毫無進步，實在無法解釋，在年代未考清楚以前，文學史無從作起。

再如詞人之祖，相傳爲李太白，太白有兩首詞，據說是後代詞曲的起原，一首菩薩蠻：「平林漠漠煙如織，寒山一帶傷心碧。暝色入高樓，有人樓上愁。玉階空佇立，宿鳥歸飛急。何處是歸程，長亭連短亭！」還有一首憶秦娥：「簫聲咽，秦娥夢斷秦樓月。秦樓月，年年柳色，灞陵傷別。樂遊原上清秋節，咸陽古道音塵絕。音塵絕，西風殘照，漢家陵闕。」這兩首詞，神氣高邁，大家以爲非太白不能作此；但是太白詞，最初祇有兩首，後來樽前集，增至十餘首；旁的選本，又多至幾十首。唐時的詞，已經如此好了，爲什麼五代的花間集，亦不過爾爾？再說花間集中，雙調的詞很少，縱有之，字句亦一樣；但李白的詞，都是雙調，而且字句一樣，這亦可疑。盛唐有詞，中唐百餘年間，無人作詞；直到晚唐，才有一個溫庭筠。按進化原理看來，不當如此，若太白之詞爲眞，則文學史很難作。若由各方面考證其僞，則文學史的局面，又當大大不同。

二、個人價值矛盾、學者枉費精神　再就個人言，有名人的作品，作品很多，名氣愈大，假得愈厲害。即如李太白集，嚴格考起來，其中有四分之一是假的。有一首題目叫做「笑矣乎」，內容惡劣，文格亦卑下；顯非太白所作。此外類此者尚多，留心研究太白的人，不可不加以辨正。若不辨正，眞令人「笑矣乎」了！為什麼假，盛名之下，最易盜竊，傳抄的人，輾轉加入，於是愈假愈多，愈多愈假了。

晚唐時，有一個李赤，處處模仿李白，自稱為李白之兄，並且說他的詩文，比李白還作得好。唐文粹中，還有他的傳，天天吃酒賦詩，後來發瘋，墮在茅廁裏淹死了。一個「白化」，一個「赤化」；一個死在水中，一個死在茅坑裏，無獨有偶，倒是一件很有趣的事情。這件事情，究竟眞否，雖不可知，但是他想學李白，而作了許多如「笑矣乎」一類的詩，許是有的，若沒有考清楚，則李白本人，自相矛盾，詞作得那麼好，詩作得這麼醜，若拿「笑矣乎」來考試，簡直是不及格，而且該打。東坡集，其中亦有假，據清代紀昀所考訂，假的有好幾十首。作假的原因，與太白集中假詩正同。因為慕名而混入的，造出假詩，誣衊作家，眞是可恨。若從作品研究作者人格，李白李赤，相去何啻天淵？以李赤的詩，斷定太白人格；以後人假詩，斷定東坡人格，一則誤事，而且白費功夫。

再要舉例，還有許多可講，不過已經可以說明大意，用不着辭費了。總之，中國書籍，許多全是假的，有些一部分假，一部分眞，有些年代弄錯，研究中國學問，尤其是研究歷史，先要考訂資料，後再辨別時代，有了標準，功夫才不枉用，我所以把古書眞偽及其年代作為一門功課講，其用意在此。

好在前人考訂出來了的，已經很多，尚有徯徑可尋，不大費事。諸君旁的課忙，不能每一部書，都作考證，但是研究學問，又不能不把資料弄清楚，最好有這樣一種講演，把前人已經定案了的，或前人未定案而可疑的，一一搜集考核出來，隨後研究本國書籍，才不會走錯，不會上當。

（錄自「古書眞僞及其年代」第一章，原爲民國十六年北京燕京大學講義，民國六十七年臺北中華書局臺六版）

# 辨別僞書及考證年代的方法

梁啓超

四部正譌的最後，論辨僞之法有八：

「凡覈僞書之道，覈之七略，以觀其源；覈之群志，以觀其緒；覈之並世之言，以觀其稱；覈之異世之言，以觀其述；覈之文，以觀其體；覈之事，以觀其時；覈之撰者，以觀其托；覈之傳者，以觀其人；覈玆八者，而古今贋籍，無隱情矣。」

這段話，發明了辨僞的幾個大原則，大概都很對。我現在所講的略用他的方法，而歸納爲兩個系統：

甲、就傳授統緒上辨別。

乙、就文義內容上辨別。

一則注重書的來源，一則注重書的本身。前者和四部正譌的第一、第二、第七、第八，四個方法相近；後者和四部正譌的第三、第四、第五、第六，四個方法相近；而詳略重輕，卻各不同。

## 甲、從傳授統緒上辨別

這有八種看法：

一、從舊志不著錄，而定其僞或可疑　最古的志，——最古的書目，是西漢末劉歆的七略和東漢初班固的漢書藝文志（略稱漢志）。漢志，是依傍七略做的，相距的時代很近，所以七略雖亡，漢志儘可代他的功用。我們想研究古書，在秦始皇以前的情形和數目，是沒有法子考證的。因爲古書的大半，都給秦始皇楚覇王燒掉了。西漢一代，勤求古書，民間藏匿的書，都跑到皇帝的內府——中秘——去了。劉歆編校中秘之書，著於七略。他認爲假的而不忍割愛的則有之，有這部書而不著錄的却沒有。我們想找三代先秦的書看，除了信漢志以外，別無可信。所以凡劉歆所不見而數百年後忽又出現，萬無此理。這個大原則的唯一的例外，便是晉朝在汲郡魏襄王冢所發現的書，的確是劉歆等所未看見。漢志所未著錄的，我們除汲冢書以外，無論拿著一部什麼古書，只要是在西漢以前的，應該以漢志有沒有這部書名，做第一個標準；若是沒有，便是僞書，或可疑之書。

譬如子夏易傳，漢志沒有，隋書經籍志（略稱隋志）忽有；漢人看不見的書，如何六朝人能見之？又如子貢詩傳，漢志隋志和宋朝的崇文總目都沒有，明末忽然出現，從前藏在何處？又如連山歸藏，漢志都沒有，隋志忽有歸藏，唐志忽有連山。假使夏商果有此二書，爲甚麼漢志不著錄？又如僞古文尚書，孔安國傳，漢志和史記漢書的列傳，都沒有說，東漢末的馬融鄭玄，晉初的杜預都沒有見；假使孔安國果然著了此書，爲甚麼從同時的人起一直到晉初的人止，都不見，而東晉人反得見？又如鬼谷子，漢志無，隋志有；亢倉子，漢志隋志都無，崇文總目忽有。這都是最初不錄，後來忽出，當然須懷疑，而辨其僞。

**二、從前志著錄，後志已佚，而定其僞，或可疑**　如關尹子，漢志著錄，說有九篇，隋志沒有，漢志雖然有之，眞僞尚是問題；六朝亡了，所以隋志未錄，而後來唐末宋初，忽然又有一部出現。如果原書未亡佚，那麼，隋朝牛弘，能見萬種書而不能見關尹子；唐朝數百年，沒有人見關尹子；到了宋初，又才發現，誰能相信？這種當然是僞書。

**三、從今本和舊志說的卷數篇數不同，而定其僞，或可疑**　這有二種：一是減少的，一是增多的。減少的，如漢志有家語二十七卷，到了唐書藝文志（略稱唐志），却有王肅注的家語十卷。所以顏師古注漢志說，非今所有家語，可見王注絕非漢志原物。又如漢志已定鬻子二十二篇，爲後人假託，而今本鬻子，才一卷十四篇。又說公孫龍子有十四篇，而今才六篇；又說愼子有二十四篇，而唐志說有十卷，崇文總目說有三十七篇，而今本才五篇。這都是時代愈近，篇數愈少，這還可以說也許是後來亡佚了。又有一種，時代愈後，篇數愈多的。這可沒有法子辯說他不是僞書。如鶡冠子，漢志才一篇，唐朝韓愈看見的，已多至十九篇。宋朝崇文總目著錄的，却有三十篇。其實漢志已明說鶡冠子是後人假託的書。韓愈讀的，又已非漢志錄的，已是僞中僞，崇文總目著錄的，又非韓愈讀的，更是僞中的僞又出僞了。又如文子，漢志說有九篇，馬總意林，卻說有十三篇，這種或增或減，篇數已異，內容必變，可以決定是僞書，最少也要懷疑，再從別種方法，定其眞僞。

**四、從舊志無著者姓名而定後人隨便附上去的姓名是僞**　如文子，漢志沒有著者姓名，馬總意林說是春秋末，范蠡的老師計然做的，而且說計然姓章，漢人所不知，唐人反能知之；其實文子本身，已是僞書，竊取淮南子的唾餘而成，何況憑空添上一個不相干的人名呢？

**五、從舊志或注家已明言是僞書，而信其說**　如漢志已有很多注明依託，他所謂依託的，至少已辨別是假。那種書大半不存，存的必僞。又如顏師古注漢志孔子家語說：「非今所有家語。」他們必有所見，才說這個話，我們當然不能信他所疑的僞書。又如隋衆經目錄，編大乘起信論於疑惑類，說「徧查眞諦錄，無此書」。法經著隋衆經目錄時，距眞諦死，不過三十年，最少可以證明這書不是眞的。

**六、後人說某書出現於某時，而那時人並未看見那書，從這上可斷定那書是僞**　如僞古文尚書十六篇，說是西漢武帝時發現的，孔安國曾經作傳，東漢末馬融鄭玄，又曾經作注。其實我們看西漢人引尚書的話，都不在僞古文十六篇之內；而馬融尚書注雖然佚了，現在也還保留一點，並沒有注那十六篇。他們常引佚書，在今本僞古文十六篇之內，可見馬鄭以前的人，並沒有看見今本僞古文尚書，一定是三國以後的人假造的。不但如此，杜預是晉初的人，他注左傳也常引佚書，而不言尚書，可見僞古文尚書，還在他以後才出的。而造假的，偏想騙人，說是西漢出現的眞書，誰肯相信呢？

**七、書初出現，已發生許多問題或有人證明是僞造，我們當然不能相信**　如張覇僞造的百兩尚書，不久卽知其僞，尙書泰誓篇，從河間女子得來，馬融當時便已懷疑，這種書若還未佚，我們應當注意。

**八、從書的來歷曖昧不明，而定其僞**　所謂來歷曖昧不明，可分二種：一是出現的，二是傳授的。

前者如古文尚書，說是出於壁中，這個壁不知是誰的壁，有人說秦始皇焚書，伏生藏書壁中；到了漢朝，除藏書之禁，打開壁，取出書來，卻已少了許多了。有人說孔子自己先知將來有一個秦始皇會焚他的書，預藏壁中，到了漢魯共王，拆壞孔子的屋子，在壁間發現了古文尚書禮記論語孝經等書。這二說都出於漢書，究竟那說可信呢？像這類出現的，來歷不明的很多，如尙書的舜典，說是從大航頭找得，其實不過把堯典下半篇，分出來，加上二十八字，而另成一篇。又如張湛注列子，前面有一篇敍，說是當五胡亂華時，從他的外祖王家得來的孤本，後來南渡長江，失了五篇，後又從一個姓王的得來三篇，後來又怎樣得來二篇，眞是像煞有介事，若眞列子果是眞書，怎麼西晉人都不知道有這樣一部書？像這種奇離的出現，我們不可不細細的審查根究，而且還可以徑從其奇離，而斷定爲作僞之確證。

至於傳授的曖昧，這類也很多。如毛詩小序的傳授，便有種種的異說。有的說子夏五傳至毛公；有的說子夏八傳至毛公；有的說是由衞宏傳出的。我們從這統緒紛紜上，可以看出裏面必有毛病。這種傳授時，和出現的曖昧，都可以給我們以讀書得間的機會；由此追究，可以辨別書的眞僞。

## 乙、從文義内容上辨別

上面講的注重書的來歷，現在講的注重書的本身。從書的本身上辨別，最須用很麻煩的科學方法。方法有五：

一、**從字句罅漏處辨別**　作僞的人常常不知不覺的漏出其僞跡於字句之間，我們從此等小處著眼，常有重大的發現；其年代錯題者，也可從這些地方考出。這又可分三種看法：

㈠**從人的稱謂上辨別**　這又可分三種：

(A)書中引述某人語，則必非某人作。若書是某人做的，必無「某某曰」之詞。例如繫辭文言，說是孔子做的，但其中有許多「子曰」。若眞是孔子做的，便不應如此。若「子曰」眞是孔子說，繫辭文言便非孔子所能專有。又如孝經，有人說是曾子做的，有人直以爲孔子做的；其實起首「仲尼居，曾子侍」，二句便已講不通。若是孔子做的，便不應稱弟子爲曾子，若是曾子做的，更不應自稱爲子而呼師之字。我們更從別的方法可以考定孝經乃是漢初的人所做，至少也是戰國末的人所做，和孔曾那有什麼關係呢？

(B)書中稱諡的人出於作者之後，可知是書非作者自著。人死始稱諡，生人不能稱諡，是周初以後的通例。管仲死在齊桓公之前，自然不知齊桓公的諡，但管子說是管仲做的，却稱齊桓公，不稱齊君齊侯，誰相信？商鞅在秦孝公死後卽逃亡被殺，自然無暇著書，若著書在孝公生時，便不知孝公的諡，但商君書說是商鞅做的，卻大稱其秦孝公，究竟是在孝公生前著的呢，還是在孝公死後著的？

(C)說是甲朝人的書，卻避乙朝皇帝的諱，可知一定是乙朝人做的。漢以後的書對於本朝皇帝必避諱，如晉書是唐人修的，所以避李淵李虎的諱，改陶淵明爲陶泉明，改石虎爲石季龍。假使不是唐人書，自然不必避唐帝的諱。元經却很奇怪，說是隋朝王通做的，却也稱戴淵爲戴若思，石虎爲季龍，是什麼道理？又如漢文帝名恆，所以漢人著書，改恆山爲常山，改陳恆爲陳常。現在莊子裏面却也有陳常之稱，這個字若非漢人抄寫時擅改，一定這一篇或這一段爲漢人所竄補的了。

**㈣用後代的人名地名朝代名**　這也可分三種：

(A)用後代人名　例如爾雅，一部分是叔孫通做的，一部分是漢初諸儒做的，大部分到了西漢末才出現，而漢學家推尊爲周公的書。那書裏有「張仲孝友」的話，張仲分明是周宣王時人，周公怎麼能知道他呢？又如管子有西施的事，西施分明是吳王夫差時人，管仲怎麼能知道她呢？又如商君書有魏襄王的事，魏襄王的卽位在商鞅死後四十餘年，怎麼能夠讓商鞅知道他的謚法呢？由這三條，便可證明爾雅非周公所作；管子非管仲所作；商君書非商鞅所作。

(B)用後代地名　例如山海經說是大禹伯益做的，而其中有許多秦漢後的郡縣名，如長沙城都之類，可見此書至少有一部分是漢人所做或添補的。我們又可從地名間接來觀察左傳講的分野，那十二度分野的說法，完全是戰國時的思想。因其以國爲界，把戰國時大國如魏趙韓燕齊秦楚越等分配給天上的星宿，說某宿屬某國，可知是戰國時的產品。當春秋時，趙魏韓還未成國，越燕還很小，怎麼可當星宿的分野呢？我們從左傳講分野這點，可以說左傳不是和孔子同時的左丘明做的，至少也可以說，左傳卽使是左丘明做的，而講分野這部分，一定是後人添上去的。

(C)用後代朝代名　我國以一姓興亡爲朝代，前代人必不能預知後代名。但是堯典却有「蠻夷猾夏」的話，夏乃大禹有天下之號。固然，秦以前的外民族號本民族爲夏，漢以後的外族稱本族爲漢，唐以後的外族稱本族爲唐。我們現在還是自稱漢人，華僑現在還是自稱唐人，但都是後代人稱前代名，沒有前代人稱後代名的。堯典卻很可笑，卻預知本族可稱夏，這不是和宋版康熙字典同一樣笑話嗎？我們看那篇首不是分明說了「曰若稽古帝堯」麼？加以現在這層證據，可知一定是夏商以後，孔子以前的人追述的，而後人卻說堯典等篇，非堯舜的史官不能做到這樣好，豈非笑話？

**㈢用後代的事實或法制**　這可分二種：

(A)用後代的事實　這又可分三種：

(a)事實顯然在後的　如商君書有長平之戰，乃商鞅死後七十八年之事，可知是書是長平之戰以後的人做的。又如莊子說過「田成子殺其君，十二世而有齊國」的話，自陳恆到秦滅齊，恰是十二世，到莊周時代不過七八世，莊周怎麼能知陳氏會有齊十二世呢？這可知那篇一定是秦漢間的人做的；否則不致那麼巧，又可知莊子雖然是眞的，外篇卻很多假的，必須細細考證一番。

(b)預言將來的事顯露僞跡的　這類左傳最多，左傳好言卜卦，卜卦之辭沒有不靈驗的。如陳敬仲奔齊，懿仲欲妻以女，占曰：「……有嬀之後，將育於姜；五世其昌，並於正卿；八世之後，莫之與京。」和後來的事實一一相符，卽使有先見之明，也斷斷不致如此靈驗。這分明是在陳恆八世孫以後的人從後附會的，那裏是眞事？又如季札觀樂上國，批評政治的好壞，斷定人事的興衰，沒有一句不靈驗的。當時晉六卿還是全盛，他卻說三家將分晉，當時齊田氏有齊以後的人追記其事時，樂得說好些以顯其離奇靈驗。我們正可以離奇靈驗的記載做標準，而斷定這些話之靠不住。

(C)僞造事實的　例如文中子中說把隋唐濶人都拉在他——王通——門下，說仁壽二年曾見李德林又曾遇關朗。其實李德林之死，在仁壽二年之前九年，關朗乃早百二十餘年的人，何能看見王通？此外如房玄齡杜如晦李靖……都說是王通的弟子，而他書一無可考。從各方面觀察，可知文中子中說是僞書，若眞是王通做的，則王通是一錢不值的人。若是別人爲王通捧場而做的，則技倆未免太拙了。

以上三種：(a)是與事實不符，(b)是假託預言，(c)是純造謠言。只要我們稍爲留心，便可識破僞跡。

(B)用後代的法制　例如亢倉子說「衰世以文章取士」，以文章取士，乃六朝以前所無，唐後始有。亢倉子是莊周的友，戰國時人，怎麼知有考八股的事呢？從此，可知一定是唐以後的人做的。又如六韜有「帝避正殿」之事，避正殿乃先秦以前所無，漢後始有，六韜說是周初的書，周朝那有此種制度呢？從此，可知是漢以後的人做的。凡是朝廷的制度法律，社會的風俗習慣，都可以此例做標準，去考書的眞僞和年代。

## 二、從抄襲舊文處辨別

這可分三種：

(子)古代書聚斂而成的　戰國時有許多書籍並非有意作僞，不過貪圖篇幅多些，或者本是類書，所以往往聚斂別人做的文章在一處，這可分二種：

(A)全篇抄自他書的　例如大戴禮記有十篇說是曾子做的，而曾子立身篇卻完全從荀子的修身大略兩篇湊成。我們已經知道荀子書是很少僞雜的，修身大略的見解尤其確乎是荀子的；那麼，曾子立身篇一定是編大戴禮記的人抄自荀子無疑。又如韓非子初見秦篇，完全和戰國策秦策一的第四段相同，只是這裏說是韓非的話，那兒又說是張儀的話，有點差異，其實韓非是韓的諸公子，不致說初見秦篇那種昧心話，去和敵國設計滅祖國。我們看那篇後的存韓篇，極力想保存韓國，便知韓非決不致有這樣矛盾的主張，那篇一定是編書的人抄自他書的；但戰國策本身和類書一樣，他把那篇嫁往張儀身上，其實篇中已有張儀死後四十九年的事，張儀怎麼能領受呢？大概初見秦篇本是單篇流行的無名氏游說辭，因為文章做得好，編戰國策和韓非子的人，便都把它收入去了。此外又如鶡冠子分明是偽書，據韓愈所分，前三卷，中三卷，後二卷，而前卷完全自墨子抄來，實在太不客氣了。

(B)一部分抄自他書的　此類極多，例如商君書弱民篇「楚國之民齊疾而均速」以下一段又見於荀子議兵篇，批評各國的國民性；但荀子是眞書，而且議兵篇是荀子和趙臨武君對談的話，口氣很順，商君書本身已有些部分可疑，而弱民篇又不似著述的體裁，我們可從此斷定是編商君書的人抄襲荀子的一段。此外也不多舉例了。

㈩**專心作偽的書剽竊前文的**　有意作偽的人想別人相信他，非多引古書來攙雜不可。例如偽古文尚書是東晉時人做的，因當時逸書很多，而造偽者只要有一點資料可採，便不肯放過，採花釀蜜似的，幾無痕跡可見。清儒有追尋偽古文出處的，也幾乎都能找到他的老祖宗。自宋儒程朱以來，所認最可寶貴的十六字「人心惟危，道心惟微，惟精惟一，允執厥中。」據他們說，眞是五千年前，唯一的文化淵源了。但我們若尋他的出處，便知是從荀子解蔽篇論語堯曰篇的幾句話湊綴而成。解蔽篇引道經曰：「人心之危，道心之微。」堯曰篇述堯命舜之言曰：「允執其中。」偽造者把二處的話聯綴一處，把之字改爲惟字，加上一句，「惟精惟一」，便成了十六字傳心秘訣。其實那裏眞有這回事呢？又如列子有十之三四和莊子相同，並且有全段無異的。列子雖似是莊子的先輩，但莊子敍述列子，是否和敍述混沌忽儵一般的是寓言，已是問題。假使眞有列子其人，則莊子是盜竊先輩的書，而莊子決不致如此。莊子是創作家，文章思想都很好，我們看列子莊子大同小異處，列子或改或添總是不通；唐以後的古文家，說列子的文章比莊子還更離奇，其實所謂離奇處正是不通處。我們從這上便正可以證明是列子抄莊子，而非莊子抄列子了。

還有一個最奇怪的例，文子完全剽竊淮南子，差不多沒有一篇一段不是淮南子的原文，只把篇目改頭換面。如淮南子第一篇是原道，他却改爲道原，眞是無聊極了。像這類的書，沒有一點價值可說，焚燬也不足惜。

**(寅)已見晚出的書而剿襲的** 例如焦氏易林，說是焦延壽做的。焦延壽是漢昭帝宣帝時人，那時左傳未立學官，普通人都看不見。現在易林引了左傳許多話，其實左傳到漢成帝時，才由劉歆在中秘發見，焦延壽怎麼能看見左傳呢？這分明是東漢以後的人，見了那晚出的左傳才假造的。又如列子周穆王篇完全和穆天子傳相同，前人疑列子是假書，四庫全書提要因這層便說似是眞書。其實我們卻正可因這層說他必僞無疑，因爲穆天子傳至晉太康二年才出土，僞造列子的張湛剛好生在其後不久，張湛見了穆天子傳，才造周穆王篇；和東漢後人見了左傳，才造易林，有什麼不同呢？

**三、從佚文上辨別** 有些書因年載久遠而佚散了，後人假造一部來冒替。我們可以用眞的佚文和假的全書比較，看兩者的有無同異，來斷定書的眞僞。現在分二種講：

**(子)從前已說是佚文的，現在反有全部的書，可知書是假冒**　例如僞古文尚書每篇都有許多話在馬融鄭玄杜預時已說佚文的；馬鄭在東漢且不能見全書，怎麼東晉梅賾反能看見呢？只此消極的理由，便可證明那書是西晉人假造的了。

**(丑)在甲書未佚以前，乙書引用了些，至今猶存；而甲書的今本卻沒有或不同於乙書所引的話，可知甲書今本是假的**　例如竹書紀年，是晉太康二年在汲郡魏冢發現的。晉書束晳傳記其書和舊說不同的有夏年多殷，啟殺伯益，太甲殺伊尹，文丁殺季歷等事。當時很有人因此疑竹書爲僞，殊不知造僞者必不造違反舊思想之說，姑且勿論。今本卻因其事違反舊說而完全刪改，一點痕迹找不着了。可知今本竹書紀年必不是晉時所發現的。又如孔子家語，從前已說過，顏師古注漢書已說「非今所有家語」，古本眞僞，已不能確考。但左傳正義引觀周篇，說是沈文炳嚴氏春秋引的，杜佑通典六十九亦引了崔凱所引的，那些話都是今本所沒有，可知今本是假的；而造僞的王肅已不曾見到古本。像這類古本雖佚，尚存一二佚文於他書，我們便可引來和今本比較，便考定今本的眞僞了。

**四、從文章上辨別**　這可分四項：

**(子)名詞**　從書名或書內的名詞可以知道書的眞僞。例如孝經，大家說是曾子做的，甚至說是孔子做好而傳給曾子的。姚際恆辨之曰：「諸經古不係以經字，惟曰易曰詩曰書，其經字乃俗所加也。自名孝經，自可知其非古，若去經字，又非如易書詩之可以一字名者矣。班固似亦知之，曰：『夫孝，天之經，地之義，民之行也；擧大者，故曰孝經。』此曲說也。安有取『天之經』經字，配孝字以名書，而遺去天字，且遺去『地之義』諸句之字者乎？」我們單根據這條，便可知孝經決不和孔子曾子有直接的關係了。

還有個可笑的例。釋迦牟尼講佛法，都由他的十大弟子傳出，所以佛經起首多引十大弟子的一人說：「如是我聞，一時佛在……與大弟子某某俱……」十大弟子有一個叫做優波離，和婆羅門教的哲學書優波尼沙只差一字。現在有一部楞嚴經起首就說「如是我聞優波尼沙說」，竟把反對佛教的書名當做佛弟子的人名了。這種人名書名的分別，只要稍讀佛經者便可知道，而僞造楞嚴經者竟混而爲一，豈非笑話？

**㈩文體**　這是辨僞書最主要的標準。因爲每一時代的文體各有不同，只要稍加留心便可分別，即使甲時代的人模仿乙時代的文章，在行的人終可看出。譬如碑帖，多見多臨的人一看便知是某時代的產物；譬如詩詞，多讀多做的人一看便知是某時代的作品，造僞的人無論怎樣模仿，都不能逃眞知灼見者的眼睛。

這種用文體辨眞僞或年代的工作，在辨僞學中很發達。漢書藝文志「大禹三十七篇」下，班固自注云：「傳言禹所作，其文似後世語。」這類從文章辨說書的假冒，不止一條。後漢趙岐刪削孟子外篇四篇，說「其文不能閎深，不與內篇相似。」晉郭象刪削莊子許多篇，也從文體斷定不是莊子做的。僞古文尚書最初何以有人動疑，也因爲大誥、洛誥、多士、多方，太詰屈聱牙，而五子之歌、大禹謨却可歌可誦，二者太懸殊了。如果後者確是夏初的作品，這樣文從字順；而前者是商周的作品反爲難讀，未免太奇怪了。固然也有些人喜用古字古句，如樊宗師章太炎的文章，雖是近代而也很難讀，但我們最少可以看出是清朝人的文章，若指爲漢文，則終不似；而除這些人以外，大多數人的文章總是時代越近越易懂，僞古文尙書便違反了這個原則。那幾篇說是夏商的，反較商周的爲易懂，所以不能不令人懷疑而辨僞了。

此外又如蘇軾說馬蹄篇和莊子他篇不似而以爲僞，固未必是；但莊子內篇和外篇文體不同，可知必非一人所作。又如孝經、鬻子、子華子、亢倉子，一望而知爲秦漢之文，非秦漢人不能做到那樣流麗；關尹子更可笑，竟把六朝人翻譯佛經的文體僞託先秦。所以我們從文體觀察，可使僞書沒有遁形，眞妙的很。

上面辨的是關於思想方面的書。若從文體辨文學作品的眞僞，則越加容易。例如古詩十九首，前人說是西漢枚乘做的，若依我的觀察，十九首的詩風完全和建安七子相同，和西漢可靠的五言詩絕異。西漢鐃歌如十八章音節腔調絕對不似十九首，東漢前期的作品亦不相類。十九首中如古洛、東門、北邙等名詞，都是東漢以後才習用，也可作一證。卽以文體而論，亦可知不特非西漢作品，且非東漢前期作品也。又如詞的起源，中唐劉禹錫、白居易始漸漸增減詩句而爲之，字語參差，只有單調，到了晚唐才有雙調。李白生在中唐却能做菩薩蠻憶秦娥那樣工整的雙調詞，豈不可怪？倘使李白的詞是眞的，怎麼中唐至唐末百餘年間沒有一人能做他那樣的詞，一直到溫庭筠才試做，還沒有十分成熟呢？

眞的講，像這種從文體辨僞書的方法，眞妙的很，却難以言傳；但這個原則是顚撲不破的。如看字看畫看人的相貌，有天才或經驗的人暗中自有個標準。用這標準來分別眞僞年代或種類，這標準十分可靠；但亦不可言說，只有多經驗，經驗豐富時，自然能用。我自己對於碑帖便有這種本領，無論那碑帖怎樣的毫無證據可供我們考其年代，我總可從字體上斷定是何時代的產品，是何代前期的或後期的，無論造僞碑帖的人怎樣假冒前代，和眞的混雜一起，我總可以分別他孰眞孰僞。辨古書的眞僞和年代，我也慣用此法。

**(寅)文法** 凡造僞的不能不抄襲舊文。我們觀察他的文法，便知從何處抄來。例如中庸說是子思做的，子思是孟子的先生，中庸似在孟子之前；但依崔述的考證，中庸却在孟子之後。證據很多，文法上的也有一個。崔述把中庸孟子相同的「在下位不獲乎上……」一章比較字句的異同，文法的好歹，說孟子「措語較有分寸，……首尾分明，章法甚明。」中庸所用虛字「亦不若孟子之妥適」。可見「是中庸襲孟子，非孟子襲中庸」。又如莊子和列子相同的，前人說是莊子抄列子。前文已講過莊子不是抄書的人，現在又可從文法再來證明。莊子應帝王篇曾引壺子說：「……是殆見吾衡氣機也，鯢桓之審爲淵，止水之審爲淵，流水之審爲淵，淵有九名，此處三焉。」大約因衡氣機很難形容，拿這三淵做象徵，但有三淵便儘夠了。僞造列子的因爲爾雅有九淵之名，想表示他的博學，在黃帝篇便說：「……是殆見吾衡氣機也，鯢旋之潘爲淵，止水之潘爲淵，流水之潘爲淵，濫水之潘爲淵，沃水之潘爲淵，氿水之潘爲淵，雍水之潘爲淵，汧水之潘爲淵，肥水之潘爲淵，是爲九淵焉。」竟把引書的原意失掉了。眞是弄巧反拙，誰能相信列子在莊子之前呢？又如賈誼新書早已佚了。今本十之七八是從漢書賈誼傳抄來的。賈誼傳的事實言論，新書拿來分做十數篇，各有篇名，前人說漢書採各篇成傳。其實如賈誼傳的治安疏全篇文章首尾相顧，自然是賈誼的作品。而新書也分做幾篇，章法凌亂，文氣不接，割裂的痕迹顯然，賈誼必不致割裂一疏以為多篇，亦不致湊合多篇以爲一疏。若是眞的新書還存在，一定有許多好文章，不致如今本的疏陋，今本是後人分析賈誼傳而成，我們可以無疑了。

㈣音韻　歷代語言的變遷，從書本還可考見。先秦所用的韻和廣韻有種種的不同，那不同的原則都已確定了。例如「爲」「離」，今在「支」韻，古在歌韻；三百篇、易象辭都不以「爲」「離」叶「支」，「爲」必讀做「譌」「禾」，「離」必讀做「羅」。以「爲」「離」叶「支」韻的，戰國末年才有。九歌少司命以「離」和「辭」「旗」「知」叶，離騷東君以「蛇」和「雷」「懷」「歸」叶；韓非子揚搉篇以「離」和「知」「爲」叶。這些證據不能不令我們承認這個原則。我們翻回來看老子却覺得奇怪了。那第九章，「明白四達，能無知乎？」竟把「知」字叶上文的「離」「兒」「疵」「爲」「雌」。我素來不相信老子是老子的作品。這個證據亦很重要。從此可斷定老子必定是戰國末年的人做的。若是老子確是和孔子同時的老聃做的，便不應如此叶韻。可惜我們對於古語的變遷不能夠多知道，若多知道些，則辨僞的證據越加更多。現在單擧一例，做個嚆矢罷了。

## 五、從思想上辨別

這法亦很主要，前人較少用。我們却看做很好的標準，可分做四層講：

㈠從思想系統和傳授家法辨別　這必看定某人有某書最可信，他的思想要點如何，才可以因他書的思想和可信的書所涵的思想矛盾，而斷定其爲僞。如孔子的書以論語爲最可信，則不能信繫辭。前面已講過，孔子是現實主義者，絕無談玄的氣味，而繫辭却有很深的玄學氣味，和論語正相反。我們旣然相信論語，最少也認繫辭不是孔子自己做的；否則孔子是主張不一貫而自相矛盾的人。這又於思想系統上說不過去了。

又如柳宗元辨晏子春秋，是最好的從思想上辨別的例。雖不很精，但已定晏子春秋是齊人治墨學者所假託。因書中有許多是墨者之言，而晏子是墨子前輩，如何能聞墨子之敎？那自然不是晏子自做的書。

又如老子，說就是老聃做的，到底是否孔子問禮的老聃，有沒有老聃這個人，且不問；假使我們相信有這人，孔子果眞問過禮，那末，禮記曾子問所記孔子老子問答的話也不能認爲眞；若認爲眞，那麼，那些話根本和老子五千言不相容。曾子問的老聃是講究禮儀小節的人，決不配做五千言的老子；做五千言的人，方且說「夫禮者忠信之薄而亂之首也」，那有工夫和孔子言禮？老子五千言到底是誰做的，我們不能知道；但從此可知決非孔子問禮的老聃做的。

又如尹文子思想很好而絕對不是尹文子做的。莊子天下篇以尹文子和宋鈃對擧，說他「……上說下敎，雖天下不取，強聒而不舍也。……不爲苛察，不以身假物，以爲無益於天下者，明之不如已也。以禁攻寢兵爲外，以情欲寡淺爲內。」可知他很有基督敎的精神，標出一二語而推衍出去，不欲逐物苛察，決不似名家。但後人都認他爲名家，今本尹文子亦是名家言。我們相信天下篇的，便不能相信今本尹文子是尹文子的作品，因爲書上的思想顯然和天下篇說的不同。

以上是先秦各書的例。以下舉二個佛經的例。前面已講過起信論楞嚴經是假的，種種方面都可證明，而最主要的還在思想上根本和佛經不相容。起信論講「無明」的起源，說「忽然念起，而有『無明』。」佛教教理便不容有此。因爲佛教最主要的十二因緣，無論何派都不能違背這個原理。十二因緣互相對待，種種現象由此而起，沒有無因無緣忽然而起的事物。主觀和客觀對待，離則不存，一切法都由因緣而生。起信論「忽然念起，而有『無明』」的思想，根本和佛理違反，當然不是佛教的書。楞嚴經可笑的思想更多，充滿了「長生」「神仙」的謊誕話頭，顯然是受了道教的暗示，剽竊佛教的皮毛而成。因爲十種仙人，長生不老，都是道教的最高企冀，佛教却看輕神仙、靈魂、生命，二者是絕對不相容的。眞正佛經並沒有楞嚴經一類的話，可知楞嚴經是假書。

從傳授家法上也可以辨別書的眞僞。漢朝諸儒家法很嚴，各家不相混淆，申培是傳魯詩的人，劉向是他的後起者。假使申培詩說未亡，一定和劉向的見解相同，和齊詩韓詩殊異，和毛詩更不知相差幾千里；而今本申培詩說却十分之九是抄襲毛詩。毛詩和魯詩相反，申培如何會幫助毛詩說話？我們更從別方面，已證明今本申培詩說是明人假造的，這也是個證據。

㈤**從思想和時代的關係辨別**　思想必進化，日新月異，卽使退化，也必有時代的關係。甲時代和乙時代的思想必有關聯影響，相反相成，不能無理由的發生。乙時代有某種思想，一定有他的生成原因和條件；若沒有，便不生。倘使甲時代在乙時代之前，又並沒發生某種思想之原因和條件，卻有涵某種思想的書，說是甲時代的，那部書必僞。例如列子講了許多佛經，當然是見了佛經的人才能做；列子是戰國人，佛經到東漢才入中國，列子如何得見佛經？從前有人說：「佛教何足奇，我們戰國時已有列子講此理呢！」其實那裏有這回事！我們只從思想突然的發生這層已足證明列子是假造的了。固然也許有些思想，中外哲人不約而同的偶然默合；但佛教的發生於印度，創造於釋迦牟尼，自有其發生之原因和條件。戰國時代的中國，完全和當時的印度不同，並沒有發生佛理的條件和原因，列子生在這種環境，如何能發生和佛理相同的思想呢？

又如陰陽家的思想乃鄒衍所創。鄒衍以前從沒有專講陰陽的，書、詩、論語、孟子和易的卦辭爻辭絕對不講，易的彖辭象辭也只是泰否二卦提及了這二字，繫辭文言卻滿紙都是講陰陽了。從前的陰陽二字只表示相反，並無哲學的意味，繫辭文言卻拿來做哲學上的專名了。這分明告訴我們，卦辭爻辭是一個時代的產品，彖辭象辭是一個時代的產品，繫辭文言是一個時代的產品，並不是同一時代的。這又分明告訴我們，繫辭文言受了鄒衍的影響很深，也許是陰陽家——儒家的齊派——做的，時期在戰國後期，因爲思想的發生是有一定的次序的。

又如管子非難「兼愛」「非攻」之說，也是一件很有趣味的問題。「兼愛」「非攻」完全是墨家的重要口號，墨家的發生，在管仲死後百餘年，管仲除非沒有做管子，否則怎麼能知道墨家的口號呢？這可知管子不是管仲做的，他的成書一定在墨家盛行之後。

又如老子拚命攻擊仁義，更有意思。孔子以前，無人注意「仁」的重要，自孔子始以「仁」爲人格最高的標準，和「智」「勇」對舉。孟子以前，無人同時言「仁義」，自孟子始以「義」和「仁」同等的看待，做人格的標準。孔子最大的功勞就在發明仁字，孟子最大的功勞就在發明義字。自此以後，一般人始知仁義的重要。老子倘使是孔子前輩老聃做的，那時孔子也許還未提倡仁字，孟子還沒有出世，「義」字也還沒有人稱用，那麼老子攻擊仁義，不是「無的放矢」麼？從這上，我們可以斷定，老子不但出孔子之後，而且更在孟子後。還有，老子有句「不尙賢，使民不爭」的話，「尙賢」乃是墨家的口號。墨家發生在孔子之後，這也是老子晚出的小小證據，和上例同一理由。說到仁義二字，又想起繫辭曾說：「立人之道，曰仁與義。」仁義對舉，始自孟子，前面已講過。那麼，繫辭是孟子以後的人做的，也可以由此斷定。從上面諸例，可知我們注意思想時代的關係，去辨古書的眞僞和年代，常有重要的發現和濃厚的趣味。

**㈢從專門術語和思想的關係辨別**　例如今本鄧析子第一篇是無厚，有人說鄧析爲「無厚」之說，到底鄧析著了書沒有，本是問題。許是戰國時人著書託名鄧析，亦未可知。「無厚」是戰國學者的特別術語。墨經：「端體之無厚而最前者也。」莊子人間世：「以無厚入有間。」（編者按：應是養生主）無厚的意義，墨經說解做幾何學上的「點」。無面積的可言。莊子譬做極薄的刀鋒，無微不入，只是一種象徵。戰國名家很喜歡討論這點，這無厚的意義也是學者所俱知的。鄧析子旣號稱是名家的書，對於這點，應該不致誤解。不料今本卻很使人失望，無厚篇開頭便說：「天於人，無厚也。君於民，無厚也。父於子，無厚也。……」竟把厚字當作實際的具體的道德名詞看，把無厚當做刻薄解。這種淺薄的思想，連專門術語也誤解誤用，虧他竟想假託古書。從這點看，鄧析子既不是鄧析的書，也不是戰國人所僞造，完全是後世不學無術的人嚮壁虛造的。像這類不通的書比較的少，現在也不多學例了。

**(卯)從襲用後代學說辨別** 這雖和思想無大關係，但也可以辨眞僞。如子華子是僞書無疑，作僞的不是漢人，不是唐人，乃是宋人，不是南宋人，乃是北宋人。怎麼知道？因爲那書裏有許多抄襲王安石字說的地方，字說到南宋已不行於世了，所以晁公武郡齋讀書志斷定他是北宋末年的人假造的。又如申培詩說，前面已講過是僞書，他又抄襲朱熹毛詩集傳之說，可知一定是南宋以後的人所僞造。又如孔叢子「禋於六宗」之說，完全和僞古文尚書孔安國傳及僞孔子家語相同，可見也是西晉以後的僞書。

以上講的是辨眞僞考年代的五大法門，我們拿來使用，對於古書才有明瞭的認識。這是我們最須記住的一章。

（錄自「古書眞僞及其年代」第四章，原爲民國十六年北京燕京大學講義，民國六十七年臺北中華書局臺六版）

（大綱）

（原載「古書真偽及其年代」第四章，原為民國十六年在燕京大學講稿，民國六十年台灣中華書局版）

[illegible]的一章。

以上十講的[illegible]，[illegible]大[illegible]，我們拿來[illegible]，[illegible]古書中有明[illegible]，這是我們[illegible]著有

[illegible]「二十二篇」、「大宗」[illegible]，完全[illegible]古文[illegible]孔安國[illegible]，[illegible]相同。[illegible]

[illegible]前面已[illegible]，由文[illegible]宋[illegible]以後的人[illegible]，又加上

[illegible]已不行於世了。所以[illegible]是北宋末年的人[illegible]。又如中

[illegible]人，不是[illegible]人，乃是宋人，不是南宋人，乃是北宋人。[illegible]

[illegible]大關係，但也可以[illegible]。[illegible]的不是

[illegible]國人[illegible]，完全[illegible]不[illegible]的人[illegible]。[illegible]也不[illegible]了。

[illegible]的[illegible]古書。[illegible]不是[illegible]的書，但不是

# 「僞書通考」總論

張心澂

## 一、辨僞之緣由

吾人爲何而須辨別僞書？梁啟超在清華大學講演古書眞僞及其年代言之甚詳。本書亦毋庸另行撰述，致與之雷同，即將其所言之大綱敍述如左：

不辨別僞書，則有下列結果：（甲）史蹟方面：（一）進化系統紊亂，（二）社會背景混淆，（三）事實是非倒置，（四）由事實影響於道德及政治；（乙）思想方面：（一）時代思想紊亂，（二）學術源流混淆，（三）個人主張矛盾，（四）學者枉費精神；（丙）文學方面：（一）時代思想紊亂，進化源流混淆，（二）個人價值矛盾，學者枉費精神。

此辨別僞書之所以爲必要也。至辨僞之歷史，則古書眞僞及其年代中總論第三章辨僞學的發達，及古史辨第二册中曹養吾所撰之辨僞學史，言之已詳，故本書亦毋須敍述，祇將關於辨僞應知者，分敍如下各節。

## 二、僞之程度

㈠全僞者　如連山、歸藏、子夏易傳、三墳、六韜、七緯、關尹子、子華子、素書、洞極眞經、李靖問答、麻衣心法、武侯諸策、王通諸經皆全部爲僞作者。

㈡眞雜以僞者　如莊子中有僞篇爲後人所羼入，韓非載李斯駁議爲後學所綴輯，列子乃自莊子書中取列禦寇之思想行事雜錯以他文而成，司馬法、通玄經亦眞雜以僞者。

㈢僞雜以眞者　如鶡冠子爲僞作，而賈誼之鵩賦爲眞。黃石公、燕丹子亦此類，皆雜取他書之文，易其名號而成。

㈣眞僞雜者　如管子、晏子、文中子皆有其本人之言行思想，後人附會增益以成書。

㈤眞僞疑者　如潛虛爲後人贗補而成，其中孰眞孰僞，相雜而在疑似之間。元包、孔叢亦此類也。

㈥僞中僞者　如乾坤鑿度及諸緯本僞書，人補之而益僞。

## 三、僞書之來歷

㈠託古人之名　如陰符經李筌謂爲黃帝作，洞靈眞經本王士元所補，而以僞亢倉，西京雜記本葛洪作，而以僞劉歆。

㈡竊古書之名　如汲冢所發之書有師春，此書亡，後人用其名而僞作。孟子謂楚史有檮杌，而後人即用此名以僞作楚史。

㈢傳古人之名　如孟子有伊尹負鼎以要湯之說，後人遂造湯液一書以爲伊尹作。甯戚有飯牛之事，遂有相經爲作戚作之附會。

㈣掇古人之事　如家語有孔子遇程子傾蓋而語，莊子有子華子見韓昭僖侯，後人遂著子華子一書，謂程本撰。史記有老子出關，關尹喜强爲著書之事，後人遂造關尹子一書。

㈤挾古人之文　如東漢人據伍子胥書潤飾增補爲越絕書，如好事者取賈誼之鵩賦雜以黃老刑名之言以造鶡冠子。

㈥竊取成作　如郭象竊向秀所注之莊子，點定之以爲己作，宋齊丘竊譚峭之化書序而傳之，何德盛竊郗紹之晉中興書。

㈦無撰人而僞託　本無撰人，後人因其近似而僞託，如山海經稱禹作之類。

㈧亡撰人而僞題　本有撰人，後人因其亡逸，而僞題者，如正訓稱陸機之類。又撰者嫌於求譽，不著姓名，因而眞名莫辨，如越絕之類，後人亦得而僞題某人所撰。

㈨誤認撰人　如亢倉子本王士元取莊子庚桑篇而補者，人誤認爲庚桑楚自作，管子、晏子等本非自作，爲門人或後人所輯，人誤認爲本人自作，因而辨其僞。又如劉節之廣文選以宋王微之詠賦誤作宋玉之微詠賦，以訛傳訛，成爲宋玉之僞品。

## 四、作僞之原因

㈠憚於自名　如魏秦作志怪集、括異志、倦游錄以誣衊前人，故不敢自名。如作補江總白猿傳以謗歐陽詢者，亦不敢自名。

㈡恥於自名　如和凝少時作香奩集，後貴盛故嫁名韓偓。

㈢假重於人　如王銍之龍城錄嫁名柳宗元，杜解假重蘇軾之名。

㈣惡其人僞以禍之　如李德裕門人僞撰周秦行紀以搆牛奇章。

㈤惡其人僞以誣之　如魏泰假名張師正作志怪集、括異志、倦游錄，私喜怒以誣衊前人；假梅聖兪名作碧雲騢議及范仲淹。

㈥爲爭勝　如王肅爲求勝鄭玄之說，僞造家語以爲根據。

㈦爲牟利貪賞　如張霸之百兩篇、劉炫之連山、梅賾之古文尙書，應詔入獻，以求祿利也。

㈧因好事而故作　如張湛之造列子，並造其書之由來。明豐坊、姚士粦專好造僞書。

㈨爲求名　以上八種，皆以己作爲人作。如郭象、宋齊丘、何德盛竊人作爲己作，則爲一己求名也。

## 五、僞書之發現

㈠僞作於前代而世率知之者　如風后之握奇經、歧伯之素問，其書出世甚早，假託風后、歧伯，世率知其不然，但亦不以此而廢其書也。

㈡僞作於近代而世反惑之者　如子夏易傳及毛漸所造之連山，在書出時頗有人信之。

㈢傳誦多年始經發現者　如古文尙書經傳自晉僞造以來，作爲眞經傳傳誦，直至宋世始有人致疑，至清初閻若璩之考證，其僞始成定案。

㈣當時發現者　如張霸之百兩篇，上書時卽被識破。

㈤當時知其僞而後世弗傳者　如劉炫之魯史，當時卽發現其僞，然亦因之弗傳於世。

㈥當時記其僞而後人弗悟者　如司馬光之潛虛，朱子語錄及黃東發日鈔均曾謂光屬草未成，後人贋補行世，乃後人仍視爲光所作。

## 六、辨僞律

僞書亂眞，固屬可厭，有辨僞者別僞明眞，固屬可喜；然辨者不循正軌，對於眞書任意掊擊，以之爲僞，使眞者湮沒，亦爲可恨；辨者愈多，此眞彼僞，疑僞疑眞，使人目迷五色，不知所從矣。玆定一辨僞律，如守此律，庶幾其無失乎？

㈠不可別有目的　辨僞書應以求眞爲目的，卽爲辨僞而辨僞，不可存有其他目的。如爲衞聖道而辨僞，凡不合於我所謂聖道之書卽斷其爲僞，則彼所謂僞者，實際上未必僞也。假如以堯舜爲聖人，遇說堯舜好處之記載則認爲眞，說堯舜不好者均認爲僞，實則非有確切之證明，未可遽如此斷定也。崔述之辨僞書，其成績固佳，其實抱有衞聖道之目的，尙不合於僞之律也。又如專以破壞爲目的，或以矜奇好異爲目的，務求多發現僞書，以推翻破壞古人之說，或炫自己之能；如此則必多方周納，以斷其爲僞。一人唱之，衆人不加深究而盲從，則積非成是，眞者含寃矣。此雖亦近乎爲辨僞而辨僞，然非脚踏實地，爲之太過，成虛僞之辨僞，非眞實之辨僞。除上二例而外，其他目的概不可有。別有目的者，其結果固亦可發現僞書，然究非辨僞之正軌，而危險甚多也。

㈡不可存成見　辨僞雖無如上所述之目的，然辨者預存有成見，亦易陷於錯誤。例如有門戶或派別之見者，辨僞時雖不存打倒彼派之目的，然自己主觀之見解不能破除，隱然有先入爲主之見存於胸中，卽自己或亦不覺；於是凡遇與吾派不相合或有礙之書，雖眞者不免多方挑剔以爲僞，與吾派相合或有利者雖僞者不免多方曲解以爲眞。或有意或無意湮沒於此書爲眞有利之證據，而多舉其不利之證據。或雖不至如此之甚，但預有成見，終不免先傾向於眞或僞之一方面。傾向之態度與假定者不同：如爲論證之故，先假定此書爲眞或爲僞，然後一一列舉其論證以判其然否，此假定爲論理上之所可有；傾向則不免向於一方面進行，致失公平之判斷也。

㈢不可以一斑概全體　不可因書中一部份之僞，或一句數句之言或所用之名詞與著者之時代不合，因而斷定此書之全體爲僞。因一部份容有後人竄入，字句間容有因傳寫之訛而相沿，或後人之所改也。例如清代所刻之古書，其中玄弘等字皆作玄弘以避清朝之諱，不可因此斷爲淸代之僞作。漢唐所刋之書，有因避諱而改字者，亦不可遽斷爲漢唐之僞作也。總之不能以孤證定是非，尚須參以他種證據，方能定也。

㈣書之價値爲另一問題　辨僞祇是辨明某書確非某人所作，更進一步辨明此書全部或某部份爲某時代某人所作，以還其眞相；並非謂確係某人所作，此書爲眞，則有價値，否則無價値也。蓋書之價値爲另一問題，雖大多數僞作不及眞，然儘有書爲眞而無甚價値者：如王安石以孔子之春秋爲斷爛朝報，其意謂春秋雖眞孔子所作，亦無價値也。亦有書爲僞而有其相當價値者；如張湛僞造列子，可用以考察晉人之思想；本草雖假名神農，素問雖假名黃帝，在醫學上自有用，而有甚高之價値也。

㈤書中所述之眞僞爲另一問題　書中所敍事實之眞僞，或理之眞僞，亦爲另一問題。不得以其書爲眞，即認其所敍事實皆確，所說之道理皆正當：例如春秋爲孔子之眞書，號稱信史，而魯君之被弑者皆書卒，書眞而事有不眞焉。

㈥不可因其僞而遽削之　辨僞祇是求其眞相，其目的非欲將僞書完全燒燬消滅。辨僞與書之取捨問題無關，既不可以眞僞爲價値之標準，亦不可以眞僞爲取捨之標準，故不可因其僞而遽刪削之，使後人不得見也。一因僞書儘有其本身之價値，二因定一書爲僞，恐不免爲一時或一人或少數人之偏見，或他日可別有新證可證其非僞也。如敗訴者尙有一再上訴之機會，不可一經審判而遽執行死刑也。況書之僞者非絕對不可存，不過其價値須另行估定耳。若遽棄之，使無恢復之機會，且並其本身應有價値亦併奪之，豈不寃曲？故雖僞寧存，以待他人及後人之評論。至書之眞者，如誨淫誨盜之類，似雖眞亦在所必去；孔子刪詩，不廢鄭、衞之聲，水滸迹近誨盜，然其筆墨構造在文學上頗有價值，皆可以爲考察當時社會情況及思想舉動之用，亦聽其自存可也。

## 七、辨僞方法

胡應麟覈僞書之八法如下：

㈠覈之七略以觀其源。

㈡覈之羣志以觀其緒。

㈢覈之並世之言以觀其稱。

㈣覈之異世之言以觀其述。

㈤覈之文以觀其體。

㈥覈之事以觀其時。

㈦覈之撰者以觀其託。

㈧覈之傳者以觀其人（四部正譌。）

胡適撰中國哲學史大綱，所言審定史料之法，亦可用之以覈僞書。其法：凡審定史料的眞僞，須有證據。其證據大概可分五種如下：

㈠史事　書中之史事是否與作書人之年代相符，如不相符，卽可證此書或此篇爲假。

㈡文字　一時代有一時代之文字，不致亂用，作僞書者多不知此理，故往往露作僞之迹。

㈢文體　不但文字可作證，文體亦可作證。

㈣思想　凡能著書立說成一家言者，其思想學說皆有一系統可尋，決不致有大相矛盾衝突之處；故觀一書內之學說是否能連絡貫串，亦可藉以證明是書之眞僞。

㈤旁證　以上四證皆可謂之內證，因其皆從本書所尋得；尚有證據從他書尋出者，故名旁證。旁證之重要，有時竟與內證相等。

以上五證所舉之例詳見原書。

梁啟超撰中國歷史研究法，所言鑑別僞書之公例如下：

㈠其書前代從未著錄，或絕無人徵引，而忽然出現者，什有九皆僞。

㈡其書雖前代有著錄，然久經散佚，乃忽有一異本突出，篇數及內容等與舊書本完全不同者，什有九皆僞。

㈢其書不問有無舊本，但今本來歷不明者，卽不可輕信。

㈣其書流傳之緒，從他方面可以考見，而因以證明今本題某人舊撰爲不確者。

㈤眞書原本經前人稱引，確有左證，而今本與之歧異者，則今本必僞。

㈥其書題某人撰，而書中所載事蹟在本人後者，則其書或全僞或一部份僞。

㈦其書雖眞，然一部份經後人竄亂之跡既確鑿有據，則對於其書之全體須愼加鑑別。

(八)書中所言確與事實相反者，則其書必僞。

(九)兩書同載一事，絕對矛盾者，則必有一僞或兩俱僞。

以上九例，皆據具體的反證而施鑑別也。尙有可以據抽象的反證而施鑑別者：

(十)各時代之文體，蓋有天然界畫，多讀書者自能知之，故後人僞作之書，有不必從字句求枝葉之反證，但一望文體卽能斷其僞者。

(十一)各時代之社會狀態，吾儕據各方面之資料，總可以推見崖略；若某書中所言其時代之狀態與情理相去懸絕者，卽可斷爲僞。

(十二)各時代之思想，其進化階段自有一定，若某書中所表現之思想，與其時代不相銜接者，卽可斷爲僞。

以上各條所舉例證，詳見原書。

梁啟超在清華大學講演古書之眞僞及其年代，其所講辨僞方法更爲詳密，茲錄其綱領如下，其詳見原書。

(甲)就傳授統緒上辨別：

(一)從舊志不著錄，而定其僞或可疑。

(二)從前志著錄，後志已佚，而定其僞或可疑。

(三)從今本與舊志所說之卷數篇數不同，而定其僞或可疑。

㈣從舊志無著者姓名，而定後人所題姓名爲僞。
㈤從舊志或注家已明言爲僞書，而信其說。
㈥後人謂某書出現於某時，而彼時人未見此書，可斷其爲僞。
㈦書初出現時已生問題，或有人證明爲僞造，則不能信其眞。
㈧從書之來歷曖昧不明，而定其僞。
(乙)從文義內容上辨別：
㈠從字句罅漏處辨別：
(子)人之稱謂：
(A)書中引述某人語，則必非某人作，若書是某人作，必無某某曰之詞。
(B)書中稱諡者，出於作者之後，可知是書非作者自著。
(C)甲朝人之書卻避乙朝之帝諱，可知是乙朝人作。
(丑)用後代之人名地名朝代名。
(寅)用後代之事實或法制：
(A)用後代之事實：
(a)事實顯然在後。
(b)預言將來之事，顯露僞迹。

(C)僞造事實。

(B)用後代之法制

(二)從抄襲舊文處辨別：

(子)由古書聚斂而成：

(A)全篇抄自他書。

(B)一部份抄自他書。

(丑)剽竊前文。

(寅)抄襲晚出之書。

(三)從佚文上辨別：

(子)前已爲佚文，現反有全書，可知是僞。

(丑)在甲書未佚之前乙書有引用，而甲書今本卻無乙書所引之文，可知今本爲僞。

(四)從文章上辨別：

(子)名詞。

(丑)文體。

(寅)文法。

(卯)音韻。

㈤從思想上辨別：

㈠從思想系統及傳授家法辨別。

㈡從思想系統與時代的關係辨別。

㈢從專門術語與思想的關係辨別。

㈣從襲用後代學說辨別。

瑞典人高本漢（Bernhard Karlgren 卽著左傳眞僞考者。在左傳眞僞考譯其名爲珂羅倔倫）著中國古籍辨僞法，（The Authenticity of Ancient Chinese Texts）提出我國所慣用之考證方法研究之。今摘錄其大旨如下，其詳見原著。（北强雜誌第一卷第三期。）

㈠書中所述之史事與作者之年代不符，則此書之一部或全部必爲僞作。此法僅能證明一段文之時代錯誤，而非全書之問題。如只一處有時代不符，或爲後人所羼入；如有多處如此卽屬僞作之鐵證。

㈡其他古書所引此書之原文，爲今本所無，則今本必爲作僞。但書籍有脫落之可能，所引佚文或正爲今本脫落之部份，則考證不能認爲正確無誤。

㈢內容淺陋，必爲僞作。但此法常引起意見衝突，可摒諸辨僞學之外。

㈣文體不古，必爲僞作。但不當以個人之印象而武斷之，應指出所決定之文體之特點。此種武斷之考據，雖甚通行，亦可置於辨僞學之外。

㈤後世之編者與注者所述此書之「作者」云云，與事實不符，則此書必爲僞作。考證關於作者之傳說錯誤，與本書無關，此法如何而可以辨正某書爲僞作，殊難明瞭也。

㈥各書之著錄每有不同，彙集一處，便可見某書是否僞作。運用此法，須特別留意。一人之精力有限，而書籍甚多，未免偶有遺漏。

㈦各書著錄之篇數卷數不同，則此書必爲後人割裂增改或僞作者。此法常不可靠，只能用於純粹特殊的情形。

㈧書中援引已證明爲僞書之文句，則此書必爲僞作。難免僞書作者不以僞書之語羼入眞書，以爲僞書之根據。

㈨書中所載各事亦見於其他各古書中，則此書必爲後人輯各書中事複雜以僞作而成者。作者援引古書之法不外三種：㈤援引原書，不加更改：㈠所引文句與本書的體例句法很不相同，使人一見便知係由他書引來；㈡所引文句與本書的體例句法並無明顯區別，則兩書比較不能判其孰先孰後。㈦援引原書，稍加修改俾合於本書，則僅比較兩書，不能判其孰先孰後。㈧援引原書，只採其意，而更其辭，將罕見難識之字改成通俗，冗長晦澀之句改成簡明，則易判其孰先孰後。以上各項，只甲項子款及丙項可作辨僞之法，甲項丑款及乙項在辨僞學中則無價值。

以上九項，爲高氏對於我國學者辨僞方法之意見，至其作左傳眞僞考所用之方法如下：

每一書文法組織都有其特點，如此書保有出乎後世作僞者想像與模擬之外的特點，則此書不僞。伊用此法，發見左傳所用之虛字和代詞，與其他古書不同，與魯國其他各書亦不同，因左傳係用一種方言，而魯國其他書籍所用又屬另一種方言也。故認爲左傳非孔子作，亦非孔門弟子作，亦非司馬遷所謂魯君子作；因其所用非魯語，當係另一人或同一學派中同鄉者數人所作。（詳見左傳眞僞考。）

## 八、辨僞手續

上文所述各氏之辨僞方法，已甚詳備，毋庸再爲分析條列，玆就辨僞之手續論之：

㈠須有豐富之書籍。工欲善其事，必先利其器，欲辨僞書不可專執所欲辨之書爲研究之資料，須參證他種甚多之書籍。就他書所引者用之，不如逕閱原書，且須善本方兗錯誤。在富於藏書者，固甚便，否則須利用圖書館。

㈡須有學問之修養。欲辨僞書非可貿然從事，須有平日學問上之修養。對於本書須有深切之認識，更須有普通之科學知識及國學之知識。能應用甚多之書籍。文理通暢，無辭不達意或奧晦難明之弊。

㈢須知前人之成說。僞書有經前人辨別，其僞已成鐵案者，或證據甚多辨別詳明者，或證明前人之說不然而書不僞者，如概不過問，則硏究之結果，能有超越前人之說固善，或適與前人之說相同，或祇及前人所證明者之一部份，他人不笑其抄襲，則笑其孤陋寡聞，豈不枉費心思乎？故前人之成說應盡知之。本書之編纂，則供此需要者也。

㈣用銳利之眼光。有上三者，則從事辨別，充分用吾人所有之理智，具銳利之眼光，使應用之資料無隱遁而悉集於手下，作僞之點及前人所說之錯誤能發現之而不爲所矇蔽。

㈤用公平之態度。照辨僞律爲辨僞而辨僞，不含其他目的，不存成見；如法官之判案，根據事實，照法律判斷，不偏袒於原告或被告之一方；如會計師之算帳，根據帳款，結算清楚，不使債權或債務者一方吃虧或便宜。

㈥用科學之方法。以科學之方法，充分利用以上之辨僞方法。措詞須合於論理學。辨證須有條理。

## 九、辨僞事之發生

因有造僞書之人，故發生辨僞書之事。然亦有自相紛擾，因不明古時情狀，昧於古書之來源，以令人著書之法例之，由誤會揣測，而某書於是在某種情勢之下，遂躋於僞書之列。致發生辨僞之事。茲分述如左：

㈠古人不自著書。古人寫字用簡册刀錐，及進而用竹帛毛筆漆書，均不若今之紙墨之便，更不如印刷術發明後流傳之廣，古人之言辭議論亦頗簡單，不如今人隨時任意發抒空論，故古人幾可謂無著書之事。在政治界或學術界重要之人，其口說及行事，往往由其門人或後人記之，孔子所謂「述而不作」是也。卽唐、宋時在本人生前刻集行世者尚少，多死後由其家人或門人或友人集而梓行，猶承古代之遺風也。如論語爲孔子之門人所記，管子則亦後人所記，故有管子死後之事。降至戰國，始有自書其言於簡册者，亦不過記錄備忘而已，非有意於著作也。死後其門人集其言行者，以其自書者冠於前，如莊子一書之類，故亦記莊子之死及死後之事。後人望名生義，見論語內多「子曰，」知非孔子自著；見管子、莊子之名，以爲管、莊自著，遂題撰者管夷吾、莊周之名，相沿成爲完全管、莊自著之書，因而發生眞僞問題矣。其實就書名而論，名曰管子、莊子，已表示係記述管子、莊子之言行，及與其學派有關或相類之事之書，非管、莊自著而自稱子，著者不知誰何，亦不主於一人一時也。題爲管夷吾所著，則成僞書矣。謂爲管子一派之人所作，則不僞。莊子內篇可謂由莊子自記之簡册傳來，可認爲自著，不僞；其外篇、雜篇則不然，若稱爲莊著，則有僞矣。

㈡古人著書不自出名。章學誠曰：「古人之言，所以爲公也，未嘗矜於文辭而私據爲己有也。」（文史通義言公上。）故在孔子以前本無自行著書之事，卽偶有所言，或係受前人之語，或係一己之思想，筆之於簡册，亦以備忘，無所謂書之體例。其簡册傳於他人或後人，卽以其所言者應用。嗣後復展轉相傳，連經傳者自己之思想偶筆之於簡册者，亦一併相傳。書爲應用而設，不爲傳名而設，故簡册流傳，其著者姓名既不自著於册，亦往往湮沒弗彰。玆得展轉相傳爲公之簡册，必欲求其主名而不知，則揣測爲其最始之一人或某著名之人，於是文王作，周公作，孔子作，曾子作，一人題名，遂成定案，致使後人翻案，發生辨僞之事。

㈢古書世傳非成於一手。最古祇官家有簡册，卽巫與史所掌，皆傳子及孫以世其家者。（漢初司馬談、司馬遷父子相繼爲太史，西漢末劉向、劉歆相繼典祕書，猶古之遺風也。）故巫史所傳之簡册，在後世成爲書者，頗難辨爲某代某人之所記。其非傳子孫者，則本派之門弟子相傳。如公羊氏之春秋傳五世相傳，至胡毋生始筆之於書。西漢、東漢師弟傳經，其系統猶有可考者。公羊傳亦難定何詞爲何代人之語也。如左邱明與孔子同時或較早，而史記謂其傳春秋，傳春秋之左氏，是否邱明，已成疑問。孔子所引左邱明，如史佚遲任之類，皆孔子以前之人，左氏當是在魯以史世其官者，則作左氏春秋或左氏國語者，當是邱明之後人，亦承前代之簡册，繼續增纂而成。史遷以其左氏中之著名者邱明爲其著者之主名，因生後人之辨焉。

㈣書名非著者之名。如管子乃書名，非卽管子所自著。如黃帝陰符經乃後人託言黃帝所傳之道，故名黃帝陰符經，並非謂黃帝自作，及李筌一人誤稱黃帝作，相沿卽以爲黃帝作，嗣後遂發生眞僞問題。黃帝素問、神農本草亦此類也。此皆因書之標題上有人名，卽誤以爲其人之所著，辨僞之事因而發生也。

以上四種原因不明，致辨僞之事益多。大抵戰國及戰國以後之僞書，由於後人之僞造者居多，其過多在作僞者；戰國及戰國以前之僞書，有由於讀書者之誤會，其過或在於讀者，此又辨僞者所宜知也。

（錄自「僞書通考」，商務印書館，民國二十八年二月）

# 辨別僞書問題

屈萬里

讀書之目的在求眞；所讀者如爲僞書，卽不能得眞實之知識：此義前文旣言之矣。茲擧一二事爲例，以見僞書影響之大。

「人心惟危，道心惟微。惟精惟一，允執厥中。」此眞西山所謂十六字心傳，「堯舜禹傳授心法，萬世聖學之淵」者也。而此十六字者，出於僞古文尙書大禹謨篇。大禹謨篇乃東晋人所僞作，其「人心惟危，道心惟微」二語，襲自荀子解蔽篇，實與堯舜禹無涉。「允執厥中」一語，襲自論語（論語「厥」作「其」）。作僞古文尙書者，拼湊論語及荀子之文，而又杜撰「惟精惟一」之語。以此爲「堯舜禹傳授心法」，豈非厚誣古人？然而元明以來儒者，咸信此說。閻百詩尙書古文疏證一書著成後，古文尙書之僞，已成鐵案；然淸儒乃至今人，尙不乏甘受其欺而猶堅信眞氏之說者。吾國古史資料，類此者甚多。吾人從事學術研究，豈可不明辨之哉！

卽以近代之書而論：蘇過所著斜川集，世無傳本。淸乾隆間徵求是書，作僞者乃鈔劉過龍洲集並雜以謝邁之詩文（謝書名謝幼槃集）以當之；坊間遂刻梓以傳。故今日所見之刋本斜川集，大率皆雜有謝邁詩文之劉過龍洲集也。（惟知不足齋叢書本，乃周永年自永樂大典中輯出者，爲眞斜川集。）

吾人如據僞本斜川集以研究蘇過之生平及作品風格，焉得不謬以千里乎？

僞書之類別，前文曾略述及，玆更舉例言之：

一、作者意在述古事，本無心作僞；而後人不知作者姓名，遂誤以所述之人爲作者、或誤以所述古史之時代爲作者之時代。此類圖書，先秦甚多；前者如管子、晏子，後者如尚書中之堯典、皐陶謨、禹貢……等篇，皆是也。若此類者本非僞書，乃由於後世學者之誤認。而誤認之結果，其在學術上之作用，遂與僞書等，故或有以僞書視之者。惟「僞」之責任，不應由作者負之耳。

二、本無其書，而鑿空杜撰者；如所謂子貢詩傳之類是也。錢謙益列朝詩集謂豐坊：「子貢詩傳，卽其僞作。」姚際恒古今僞書考云：「從未聞有子貢詩傳，徒以孔子有『可與言詩』一語，遂附會爲此，其誕妄固不必言。……坊又僞造魏正始石經大學，武林張氏訂刻陶九成說郛，名曰大學古本，列之卷首。」似此憑空杜撰之書，故籍中亦多。漢書藝文志中所著錄託名神農、黃帝、大禹等時代之著作，大率皆此類也。

三、原書已佚，後人僞作以充原書者：此類僞書，傳世者尤夥。書習見者，如劉炫之連山，豐坊之申培詩說，姚士粦之孟子外書，以及流行最廣之竹書紀年（今本），與前述之斜川集皆是也。

四、攘竊他人作品以爲己有者：如郭象竊向秀莊子注、宋齊丘竊譚峭之化書等是也。

五、眞僞參半者：如東晋以來所傳之五十八篇本尙書，其中二十五篇爲僞作。又如墨子、莊子等，各有若干篇爲墨子、莊子以後之人所作；惟若此類者，乃編集墨子及莊子之人，將後出之資料，與原書彙合而成，本非有意作僞耳。

僞書之類別，略如上述。其無意作僞而爲後人誤認作者如第一例所述者無論矣。至於有意作僞者，其作僞之動機，則或因假古人之名以使己書見重於世（如神農本草、黃帝內經之類），或爲個人之學說造證據（如王肅孔子家語），或爲牟利祿（如劉炫之連山），或爲貪名（如郭象竊向秀莊子注）。動機多端，蓋難盡述。然其爲害於學術則一也。

孟子云：「盡信書，則不如無書。吾於武成，取二三策而已。」太史公作史記，以爲「學者載籍極博，猶考信於六藝。」（見伯夷列傳）是選擇史科，自先秦以來，卽爲學人所注意。選擇史料與辨別僞書，雖屬兩事，而實相關。就今日所能見之文獻言，由於治目錄學之立場而辨僞書者，則始於漢書藝文志。藝文志著錄之書，班氏疑爲依託或後人增益者，約近二十種。如文子九篇，班氏自注云：「老子弟子，與孔子並時；而稱周平王問。似依託者也。」又如大禹三十七篇，班氏自注云：「傳言禹所作，其文似後世語。」漢志因襲七略爲之。則班氏自注之語，究竟出於劉向歆父子？抑出於班氏？雖難斷言。要之，辨僞書之事，至遲於西元第一世紀時，吾國學者卽已注意及之矣。

漢志而後，辨僞書者，時有所聞；而最著稱者，於唐則有柳宗元。所著辨列子、辨文子、辨鬼谷子、辨晏子春秋、辨亢倉子、辨鶡冠子諸文，頗多卓見。至宋代而辨僞書之風氣益盛，如朱子語錄、葉適習學記言、陳振孫直齋書錄解題、晁公武郡齋讀書志、高似孫子略、黃震黃氏日鈔、王應麟漢書藝文志考證等書，均多辨僞書之語。而歐陽修易童子問，論周易繫辭，文言、說卦、序卦、雜卦，皆非孔子所作；吳棫及朱子，竝疑尙書古文，尤見其有膽有識，非常人所能及也。

明初，宋濂作諸子辨，列擧子部書四十種，其中被判爲「僞」或「後人依託」及可疑者，凡二十四種。其後胡應麟作四部正譌，所擧古籍百又四種，被定爲「僞」或「眞僞相雜」或「疑」者，都九十三種。且列擧辨僞方法八點。專辨僞書而又能示人以辨僞之方者，此其最早者矣。

清初學者，多知辨別僞書。而專辨僞書之作，則有姚際恒之古今僞書考。是書列擧僞書或眞雜以僞之古籍九十一種，經、史、子三部書皆有之。此四部正譌之後之又一名著也。晚明至清代，以一書爲對象而從事辨僞工作者，則以梅鷟之尙書考異、閻若璩之尙書古文疏證、孫志祖之家語疏證，最爲著名。

民國以來，辨僞之風尤盛。顧實有重考古今僞書考，梁啟超有古書眞僞及其年代，古史辨有專册辨諸子：此皆學林所熟知者。張心澂之僞書通考最後出（民國二十六年出版），蒐羅辨僞之說最爲詳備。故有此一書，則以前辨僞之作，雖不讀亦無不可也。

前文言四部正譌一書，首言辨僞書之方。所論辨僞方法，共爲八點。其言云：

凡覈僞書之道：覈之七略以觀其源；覈之羣志以觀其緒；覈之並世之言，以觀其稱；覈之異世之言，以觀其述；覈之文以觀其體；覈之事以觀其時；覈之撰者以觀其託；覈之傳者以觀其人。覈玆八者，而古今贋籍亡隱情矣。

胡適之先生所著中國哲學史大綱上卷（後改名中國古代哲學史），所論審定史料之方，實亦辨僞書之方。梁啟超著中國歷史研究法，曾列述鑑別僞書之公例十二點。瑞典高本漢（Bernhard Kar-lgren）著中國古籍辨僞法（The Authenticity of Ancient Chinese Texts。譯文見北强雜誌第一卷第三期；僞書通考總論中，曾節述之。又：王靜如節譯本，見中央研究院歷史語言研究所集刊第二本。）亦舉辨僞方法十例。然除高本漢所舉第十例外，諸家所論，要皆不出四部正譌所舉八事之範圍。惟梁氏後著古書眞僞及其年代，論辨僞方法，雖多本四部正譌之說，而推闡益加詳密。玆錄其要點如次：

甲、從傳授統緒上辨別：

一、從舊志不著錄，而定其僞或可疑；

二、從前志著錄，後志已佚，而定其僞或可疑；

三、從今本和舊志說的卷數篇數不同，而定其僞或可疑；

四、從舊志無著者姓名，而定後人隨便附上去的姓名是僞；

五、從舊志或注家已明言是僞書，而信其說；

六、後人說某書出現於某時，而那時人並未看見那書；從這上可斷定那書是僞；

七、書初出現，已發生許多問題，或有人證明是僞造，我們當然不能相信；

八、從書的來歷暧昧不明，而定其僞。

乙、從文義內容上辨別：

一、從字句罅漏處辨別：

(子)、從人的稱謂上辨別：

A、書中引述某人語，則必非某人作，若是某人作的，必無『某某曰』之詞；

B、書中稱謚的人，出於作者之後，可知是書非作者自著；

C、說是甲朝人的書，卻避乙朝皇帝的諱，可知一定是乙朝人做的。

(丑)、用後代的人名地名朝代名：

A、用後代人名；

B、用後代地名；

C、用後代朝代名。

(寅)、用後代的事實或法制：

A、用後代的事實：

a事實顯然在後的；

b豫言將來的事顯露僞跡的；

c僞造事實的。

B、用後代的法制。

二、從抄襲舊文處辨別：

㈠、古代書聚斂而成的：

A、全篇抄自他書的；

B、一部份抄自他書的。

㈡、專心作僞的書剽竊前文的；

㈢、已見晚出的書而勦襲的。

三、從佚文上辨別：

㈠、從前已說是佚文的，現在反有全部的書，可知書是假冒；

㈡、在甲書未佚以前，乙書引用了些，至今猶存；而甲書的今本卻沒有或不同於乙書所引的話，可知甲書今本是假的。

四、從文章上辨別：

㈠、名詞；

㈡、文體；

㈢、文法；

㈣、音韻。

五、從思想上辨別：

㈠、從思想系統和傳授家法辨別；

(丑)、從思想和時代的關係辨別；
(寅)、從專門術語和思想的關係辨別；
(卯)、從襲用後代學說辨別。

右梁氏所定辨別僞書方法，可謂周至。（前文稱高本漢所論辨僞方法第十例，係就語言方面辨別。而梁氏之乙項四目中所列四點，已可以概之。）至於各部中僞書多寡情形，四部正譌云：「凡四部書之僞者，子爲盛，經次之，史又次之，集差寡。凡經之僞，易爲盛，緯候次之。凡史之僞，雜傳記爲盛，瓆說次之。凡子之僞，道爲盛，兵及諸家次之。凡集，全僞者寡，而單篇別什借名竄匿甚衆。」此各部僞書之大要也。

僞書通考所辨及之書，都凡一〇五九部。可見吾國古籍中有問題者之多。玆取最習見之書五十餘種（書雖不僞，而爲後人誤題著作人者，亦列入。），列目並簡單說明如次：

**連山**

周禮春官：「太卜……掌三易之法：一曰連山。……」是連山爲易之一種。或謂其爲伏羲氏易（杜子春說，見周禮鄭注引。）或謂爲夏后氏易（鄭玄說，見周易正義所引易贊及易論。）皆不足信。桓譚新論云：「連山八萬言。」桓氏所言者，是否卽周禮所稱之連山？抑爲秦漢人所僞託？今已難知。而漢書藝文志未著錄是書，尤爲可疑。北史劉炫傳：「時牛宏購求天下遺逸之書，炫遂僞造百餘卷，題爲連山易、魯史記等，錄上送官，取賞而去。」則是隋時劉炫又有僞作之本。今所見之輯本，蓋卽劉炫所作之殘文也。

## 歸藏

歸藏亦易之一，亦始見於周禮春官。或謂爲黃帝易，或謂爲殷易，亦皆不足信。桓譚新論謂歸藏四千三百言。所言者亦未必卽周禮所稱之歸藏。且亦不見於漢志：其情形與連山同。隋書經籍志著錄歸藏十三卷，云晉薛貞注。宋史藝文志則著錄三卷，云薛貞注。蓋薛氏自作而自注者，又非桓譚所稱之本矣。其書久佚；今所見之輯本，卽薛書之孑遺也。

## 子夏易傳

梁阮孝緖七錄，著有子夏易六卷（見唐會要所載劉知幾說）。隋書經籍志則著錄二卷，以爲卜子夏所作。據唐會要引王儉七志所引七略，知實韓嬰所作；隋志誤也。原書已佚。宋代有十卷本，或以爲唐張弧僞作。今傳者則爲十一卷本，刻入漢魏叢書及通志堂經解者是也。然宋人引述子夏易傳之語，皆不見於今本。是今本又非宋人所見之本矣。

## 三墳書

相傳三皇之書爲三墳。漢志未著錄此書，至宋毛漸始得而傳之（見三墳書毛氏序）。按左傳謂楚左史倚相，「能讀三墳五典八索九丘」。三墳是否爲書名，殊難定。此三墳書，則因左傳語而僞託也。今漢魏叢書本三墳書，題爲晉阮咸注；四庫提要謂爲「僞中之僞，益不足信」。

## 子貢詩傳

舊題周端木賜撰，實明豐坊僞作。說見前。

## 申培詩說

舊題漢申培撰，亦豐坊所僞。說見前。

## 儀禮

相傳儀禮爲周公所作。今通行本十七篇，乃漢初魯高堂生所傳也。按：是書於樂歌周南、召南，而二南之時，皆成於周宣王以後（說見本書下編）；於器物則言敦及洗，似皆戰國以來情狀。則所謂周公作者，非也。禮記雜記云：「恤由之喪，哀公使孺悲學士喪禮於孔子，士喪禮於是乎書。」則士喪禮蓋孺悲所記。喪服舊題子夏傳；是否眞出子夏手，亦難遽定。要之，十七篇經文，早者或及春秋末年，遲者約當戰國之世。其記與傳，或可能有遲至漢初者。

## 孝經

史記仲尼弟子列傳云：「曾參少孔子四十六歲，孔子以爲能通孝道，故授之業，作孝經。」孝經緯鉤命決、援神契、中契、漢書藝文志、僞孔子家語等，亦皆謂此書爲孔子所作。然是書開首云：「仲尼居，曾子侍。」顯非孔子語氣。又：三才、聖治、事君等章，多襲左傳。故自宋以來，學者多疑之；朱子致疑尤甚。四庫全書總目提要云：「蔡邕明堂論引魏文侯孝經傳；呂覽審微篇，亦引孝經諸侯章。……要爲七十子徒之遺書。」按：魏文侯孝經傳，疑後人所依託。而呂覽旣引孝經，則此書當成於先秦；惟未必出諸七十子之手耳。

## 孟子正義

舊題宋孫奭撰。十四卷。卽今十三經注疏本也。朱子語錄云：「孟子疏乃邵武士人假作，蔡季通識其人。」四庫全書總目提要云：「今考宋史邢昺傳，稱昺於咸平二年受詔，與杜鎬、舒雅、孫奭、李慕淸、崔偓佺等，校定周禮、儀禮、公羊、穀梁、春秋傳、孝經、論語、爾雅義疏，不云有孟子正義。涑水紀聞載奭所定著，有論語、孝經、爾雅正義，亦不云有孟子正義。其不出奭手，確然可信。」

## 爾雅

相傳爲周公所作。西京雜記引郭威說，以其書有「張仲孝友」之文，謂其非周公之制。張揖上廣雅表，謂爾雅乃「魯人叔孫通撰置禮記」。是爾雅舊爲禮記之一篇。四庫全書總目提要，以爲其書當成於漢武帝之前。康有爲則以爲劉歆僞作。梁啟超謂：「劉歆徵募能通爾雅者千餘人，令各記字廷中；」因以爲「爾雅離禮記而變成龐然大物，或在此時。」然是書究著成於何時，尙無定論。

以上經部

## 竹書紀年

紀年十二篇，於晉太康二年，出汲郡魏王墓中；其書已佚。今通行之本，如徐文靖、陳逢衡、雷學淇諸家箋注者，是爲今本。四庫全書總目提要歷述宋以前人所引紀年之文，皆與今本不合；因疑今本紀年乃明人抄合諸書爲之。其說是也。輯述古本者，則有淸朱右曾之汲冢紀年存眞二卷，近人王國維之古本竹書紀年輯校一卷。王書後出，較朱本爲勝。今人范某又有古本竹書紀年輯校訂補一書，於王書頗有諟正及補充。

## 晉史乘

## 楚檮杌

書前序文，題吾邱衍作。云：「晉史乘於劉向校讎時未之聞，近年與楚史檮杌併得之。」四庫全書總目提要云：「考王褘集有吾子行傳，記衍所著各書甚悉。中有晉文春秋、楚史檮杌二書之名。張習孔雲谷臥餘續，亦云衍作：俱未嘗言衍得此二書。然則衍特捃摭舊事，偶補二書之闕，原非作僞。傳其書者，欲以新異炫俗，因改晉文春秋爲晉乘，以合孟子所述之名，併僞撰序文冠之耳。序文淺陋，亦決不出衍手也。」按：陶宗儀輟耕錄記衍之著作，亦有晉文春秋、楚史檮杌二書。四庫提要之說，蓋可信也。

## 越絕書

凡十五卷。或云子貢撰，或云伍子胥撰，皆非是。書中吳地傳稱：「勾踐徙瑯琊，到建武二十八年，凡五百六十七年。」是作者至早當爲東漢初年人。古今僞書考云：「據篇末云：『以去爲姓，得衣乃成。厥名有米，覆之以庚。』乃隱爲袁康字也。（里按：楊愼已有此說，見四部正譌引。）又曰：『文辭屬定，自於邦賢。以口承天，屈原同名。』云云，隱爲吳平字。康與吳平共著此書也。」四庫全書總目提要因謂此書爲袁康所作，吳平所定。是說確當不易。

## 晏子春秋

舊題周晏嬰撰。八卷。按：是書外篇八云：「晏子沒十有七年，景公飲諸大夫酒。」書中又稱盆成适。其非晏嬰所著可知。柳宗元辨晏子春秋云：「吾疑其墨子之徒爲齊人者爲之。……且其旨多尙同、兼愛、非樂、節用、非厚葬久喪者，是皆出墨子。又非孔子，好言鬼事。非儒明鬼，又出墨子。……又往往言墨子聞其道而稱之。……蓋非齊人不能具其事，非墨子之徒則其言不若是。」所論深中肯綮。然史記管晏列傳，已稱「其書世多有之」。是太史公時，是書流傳已廣。惟史公所見之本，未必全同今本耳（今本爲劉向所編定）。梁任公謂此書著成年代，「或不在戰國而在漢初。」（見漢書藝文志諸子略考釋）然否尙待論定。

以上史部

## 孔子家語

漢書藝文志著錄孔子家語二十七卷，顏師古注云：「非今所有家語也。」今本十卷，魏王肅注。有僞孔安國後序，謂此書爲孔門弟子所記。宋王柏已疑其爲王肅所作（經義考引）。淸人范家相撰家語證僞十卷，孫志祖撰家語疏證十卷，更疏通證明之。其爲王肅所作，已成定讞。

## 孔叢子

七卷。隋書經籍志始著錄此書，注云：「陳勝博士孔鮒撰。」宋洪邁謂其文「略無楚漢間氣骨」，因疑爲齊粱以來好事者所作（見容齋隨筆）。今人顧實（重考古今僞書考）、羅根澤（孔叢子探源、見古史辨第四册），並以爲王肅僞造。

**忠經**

一卷。宋崇文總目始著錄此書，以爲馬融撰，鄭玄注。然馬融著作，具載於後漢書本傳；鄭玄著作，具見鄭志目錄，皆無此書。且其書經注如出一手（以上諸語，本四庫提要），可知非馬鄭之書。四庫全書總目提要，證其爲宋人海鵬所作（海鵬爲字，失其姓名）。丁晏尚書餘論，謂此書引僞古文尚書五處（里案：惠棟古文尚書考，已有此說。）且避唐諱，因定爲唐馬融撰。而所謂唐馬融者，實是馬雄。丁氏之誤，近人余嘉錫已辨正之（見四庫提要辨證子部一）。然則作者當爲海鵬，而海鵬乃唐人也。

**文中子**

一名中說，十卷。舊題隋王通撰。宋阮逸注其書，以爲乃文中子之門人對問之書，薛收姚義集而名之。晁公武郡齋讀書志，謂通以開皇四年生，李德林以開皇十一年卒，時通方八歲，而書中有「德林請見」之語。又關朗以太和丁巳見魏孝文帝，至開皇四年通生，已相隔一百七年。所言史事，乖舛如此，因疑其書爲後人所僞託。邵氏聞見後錄（卷四）載司馬光所作文中子補傳，並載其評曰：「中說……雖云門人薛收姚義所記，然予觀其書，竊疑唐室既興，凝與福畤輩，並依時事從而附益之。」余嘉錫以其說爲定論（見四庫提要辨證子部一），章炳麟則以爲王勃所作（見檢論）。

**六韜**

六卷。隋書經籍志始著錄此書，云：「周文王師姜望撰」。宋人陳振孫、葉適、黃震、及王應麟皆疑爲僞託。四庫全書總目提要謂其書：「中間如『避正殿』，乃戰國以後之事；『將軍』二字始見左傳，周初亦無此名。」因云：「其僞託之迹，灼然可驗。」清梁玉繩（古今人表考），沈濤（銅熨斗齋隨筆）皆謂漢志著錄太公二百三十七篇，六韜當在其內。四庫提要辨證則謂：「六弢豹韜之名，見於莊子淮南，則是戰國秦漢之間，本有其書，漢人僅有所附益，而非純出於僞造。」其說蓋是。

## 吳子

舊題周吳起撰。漢志著錄四十八篇，今本則一卷六篇。姚鼐云：「魏晋以後，乃以笳笛爲軍樂，彼吳起安得云『夜以金鼓笳笛爲節』乎？」（見惜抱軒文集）章炳麟亦因「書中所載器物，多非當時所有」，以爲六朝人所依託。其說尙待論定。

## 素書

一卷六篇。舊題漢黃石公撰。宋張商英注。商英序謂：「晉亂，有盜發子房塚，玉枕中獲此書。」胡應麟以其書襲用仙經佛典之說，而商英喜講禪理，因斷爲商英所僞。後人多從其說。

## 心書

說郛作新書；明宏治間劉讓刋本，始改名心書。題漢諸葛亮撰。此書蜀志諸葛亮傳及隋唐諸志、宋人書目俱不載。四庫全書總目提要謂其書：「大都竊取孫子書，而附以迂陋之言。」以爲妄人所僞作。

**管子**

二十四卷。舊題周管夷吾撰。其書多言管仲卒後事，顯非管仲自作。然韓非子五蠹篇言：「藏管商之法者家有之。」是戰國時已有此書；惟篇目則未必悉同今本。胡適之先生以爲乃後人將戰國末年法家議論與儒家議論、道家議論，並其他之語，併爲一書；又僞造桓公與管仲問答諸篇，雜湊紀管仲功業幾篇，遂附會爲管仲所作（見中國哲學史大綱上卷）。梁啟超（諸子略考釋）、羅根澤（管子探源）皆以爲其書乃戰國至西漢時人之作品。

**商子**

一名商君書，五卷。舊題周商鞅撰。胡適之先生以其徠民篇稱「魏襄以來」，又稱「長平之勝」。而魏襄王之歿，在商君卒後四十二年；長平之戰，在商君卒後七十八年。因斷其書爲商君以後之人所作（中國哲學史大綱上卷）。顧實（漢書藝文志講疏）亦云：「弱民篇曰：『秦師至，鄢郢舉，若振槁。……』此皆秦昭王時事，非商君所及見。」然韓非子既稱及此書；史記商君列傳，亦言：「余嘗讀商君開塞、耕戰書，」是此書先秦時已有之。

**愼子**

一卷。史記孟荀列傳，謂：「愼到，趙人。學黃老道德之術，故著十二論。」漢書藝文志，著錄愼子四十二篇。其書已佚。今傳明萬曆間愼懋賞刻本，乃僞書；羅根澤有文辨之。

**本草**

三卷。相傳神農撰。漢志未著錄。梁陶宏景本草序，北齊顏之推顏氏家訓，皆因此書所載有漢代地名，疑爲後人所羼入。梁啟云：「此書在東漢三國間蓋已有之，至宋齊間則已成立規模矣。著者之姓名，雖不能確指；著者之年代，則不出東漢末訖宋齊之間。」（見古書眞僞及其年代）

**素問**

相傳以爲黃帝撰。唐王砅注，二十四卷。四庫全書總目提要云：「漢書藝文志載黃帝內經十八篇，無素問之名。後漢張機傷寒論引之，始稱素問。晉皇甫謐甲乙經序稱鍼經九卷、素問九卷，皆爲內經，與漢志十八篇之數合。則素問之名，起於漢晉間矣。」崔述謂：「黃帝之時，尚無史冊，安得有書傳於後世！」（補上古考信錄）梁啟超以其書言陰陽五行，謂其當出於鄒衍之後（中國歷史研究法）。又謂：「大抵素問爲西漢以前書，其是否卽漢志中內經，無從證明。」（諸子略考釋附錄）

**靈樞**

十二卷。相傳亦黃帝撰。靈樞之名，不見於漢隋唐諸志；宋紹興中史崧始云：「家藏舊本靈樞九卷。」四庫全書總目提要，因謂其書不如素問之古。崔述以其語多淺近，疑爲戰國秦漢間人所作（補上古考信錄），梁啟超以爲魏晉後之作品（諸子略考釋附錄）。杭世駿則以爲唐王砅所僞託。四庫提要辨證（子部二），據玉海所引中興館閣書目及陸心源儀鄭堂題跋，證知靈樞實卽皇甫謐所稱之鍼經。然則崔述之說，蓋近是也。

**難經**

此書始見於隋書經籍志，相傳爲周秦越人（卽扁鵲）撰。今通行本爲元滑壽注難經本義二卷。四庫全書總目提要以吳太醫令呂廣嘗注此書，因謂：「其文當出三國前。」姚際恒（古今僞書考）、廖平（難經釋補證），皆判爲六朝人所作。四庫提要辨證，謂其「與素問靈樞，同爲張仲景作傷寒論時所采用。」然其書究成於何時，尙無定論。

**周髀算經**

二卷；音義一卷。相傳爲周公所作。漢志未著錄，隋志始有之。其書題趙君卿注，甄鸞重述。君卿，未詳何時人；甄鸞，則後周時人。然則，其書或出於東漢魏晋間歟？待考。

**九章算術**

九卷。相傳亦周公所作。四庫全書總目提要云：「書內有長安上林之名。上林苑在武帝時，……知述是書者，在西漢中葉以後矣。」其原本已亡；今所傳本，乃自永樂大典中輯出者。

**易林**

十六卷。舊題漢焦延壽撰。四庫總目提要云：「『長城旣立，四夷賓服，交和結好，昭君是福』四句，則事在元帝竟寧元年，名字炳然，顯爲延壽以後語。」清牟廷相（見翟云升易林校略序）、今人余嘉錫（四庫提要辨證）、及胡適之先生（見易林判歸崔篆的判決書，中央研究院歷史語言研究所集刊第二十本），皆定爲崔篆所著。

**墨子**

十五卷。舊題周墨翟撰。四庫全書總目提要云：「書中多稱子墨子，則門人之言，非所自著。」梁啟超以爲經上爲墨子所自著；經下則或爲墨子自著，或出諸弟子之手。餘篇則或爲門弟子所述，或爲後人遞相增益（梁任公近著第一輯，讀墨經餘記）。朱希祖則以備城門以下十一篇，多言漢代官名及制度，以爲出於漢人（清華週刊三十卷九期）。

**子華子**

十卷。舊題周程本撰。漢志及隋唐志，皆未著錄。晁氏郡齋讀書志，以其書既稱子華子與趙簡子同時，又稱子華子於秦襄公時入秦，相去幾二百年。且多用字說。以爲「殆元豐以後舉子所爲。」四庫全書總目提要云：「程本之名，見於家語；子華子之名，見於列子：本非一人。……今觀其書，多採掇黃老之言，而參以術數之說。」因疑其書爲北宋人僞作。錢穆從其說（先秦諸子繫年）。

**於陵子**

一卷。題周陳仲子撰。王士禎（居易錄）、姚際恒（古今僞書考），均以爲明姚士粦僞作。四庫總目提要云：「前有元鄧文原題詞，稱前代藝文志、崇文總目所無，惟石廷尉熙明家藏。又稱得之道流。其說自相矛盾。又有王鏊一引一跋，鏊集均無其文。其僞可驗。」則此書爲姚士粦僞作，殆無可疑。

**鬼谷子**

一卷。舊題周鬼谷子撰。唐柳宗元已疑之。清姚際恒以其書始見於隋志，判爲六朝人所作。近人顧實則疑爲漢志載蘇子三十一篇中之一部分（重考古今僞書考）。故其書究出於何時，尚待論定。

**天祿閣外史**

八卷。舊題漢黃憲撰。王譞跋此書，謂黃憲卒於漢安帝延光元年，而此書言及董卓之亂，且盛毀王允；以爲其繆妄不待攻而自破。明李詡（戒庵漫筆）清姚際恒皆謂此書爲明王逢年僞作。按四庫總目提要引朱國禎所著湧幢小品，載徐應雷黃叔度二誣辨云：「入明嘉靖之季，崑山王舜華名逢年，有高才奇癖，著天祿閣外史，託於叔度以自鳴。舜華爲吾友孟肅諸大父行，余猶及見其人，知其著外史甚確。」是此書爲王逢年作無疑。

**趙飛燕外傳**

一卷。舊題漢伶玄撰。四庫全書總目提要據明王懋紘白田雜著（漢火德考節），以爲王莽劉歆以前，未有以漢爲火德者。因謂：「淖方成在莽歆之前，安得預有滅火之說？其爲後人依託，即此二語，亦可以見。」然資治通鑑已引用其書，知其著成時代，當在北宋以前。

**雜事秘辛**

一卷；述漢桓帝選后事。託爲漢人所撰；而文體不類。明以前諸志及書目未見著錄。楊愼跋其書，謂得於安寧州。姚際恒以爲明王世貞作。沈德符（敝帚軒賸語）、梁啟超（古書眞僞及其年代）、張心澂（僞書通考），皆以爲楊愼僞作。

**西京雜記**

六卷。隋書經籍志載此書二卷，不著撰人名氏。舊唐書經籍志，則題葛洪撰。後人或以爲漢劉歆撰，或以爲梁吳均撰，皆難徵信。友人勞榦先生考其書當成於齊梁之間（見中央研究院歷史語言研究所集刊第三十三本、論西京雜記之作者及成書時代）；其說較長。

**山海經**

十八卷。相傳爲夏禹及伯益所作。今通行本爲晉郭璞注。四庫全書總目提要云：「觀書中載夏后啟、周文王、及秦漢長沙、象郡、餘暨、下巂諸地名，斷不作於三代以上。殆周秦間人所述，而後來好異者又附益之歟？」

**鬻子**

一卷。舊題周鬻熊撰。漢書藝文志道家著錄鬻子二十二篇，小說家又載鬻子說十九篇，其書皆不傳。今傳鬻子一卷，明王世貞、楊愼、胡應麟等皆疑之。四庫全書總目提要以爲唐以來好事者所爲。

**老子**

二卷。舊題周李耳（或題老聃）撰。宋葉適（習學記言）已疑著道德經之老子，非教孔子之老聃。汪中老子考異（見述學），以爲孔子問禮者爲老聃，著五千言者爲曾見秦獻公之周太史儋。近人討論老子著成之時代者尤多。要之：老子五千言，當著成於戰國之世。

**老子河上公注**

舊題河上公注。二卷。漢志無，隋志始著錄。史記樂毅列傳稱河上丈人通老子。葛洪神仙傳則謂河上公於漢文帝時居河之濱，文帝親詣河上問老子。蓋河上公卽河上丈人，而傳說異辭耳。今傳老子河上公注二卷，唐劉知幾已疑之（見唐書及唐會要）。四庫全書總目提要云：「詳其詞旨，不類漢人；殆道流之所依託歟？」

**關尹子**

一卷。舊題周關令尹喜撰。陳振孫書錄解題云：「按：漢志有關尹子九篇，而隋唐及國史志皆不著錄，其書亡久矣。徐藏子禮，得於永嘉孫定。……未知孫定從何傳授，殆皆依託也。」宋濂諸子辨以其書「多法釋氏及神仙方技家」，因疑孫定所爲。四庫全書總目提要云：「宋濂疑孫定所爲。然定爲南宋人；而墨莊漫錄載黃庭堅詩：『尋師訪道魚千里』句，已稱用關尹子語，則其書未必出於定。」因謂爲「或唐五代間方士解文章者所爲」。

**文子**

漢志著錄文子九篇，不言著者姓名。云：「老子弟子，與孔子並時；而稱周平王問，似依託者也。」至北魏李暹作文子注，始謂本書著者「姓辛，葵丘濮上人，號曰計然，范蠡師事之」。四庫全書總目提要，以馬總意林列文子十二卷，注曰：「周平王時人，師老君。」又列范子十三卷，注曰：「計然者，葵丘濮上人，姓辛，名文子，其兄晉國公子也。其書皆范蠡問而計然答。」因以爲文子、范子，實截然兩書，遲乃移甲爲乙。（按：提要之說，略本洪邁容齊隨筆。）至今傳之文子十二卷，章炳麟（葑漢微言）以其文多襲淮南子，疑爲張湛所僞造。然否尙待論定。

**列子**

舊題周列禦寇撰。漢志著錄八篇。柳宗元以其書所言史事多在鄭穆公之後，疑其「多增竄非其實」。近人馬叙倫曾列擧二十事，以證其爲僞書（見天馬山房叢書、列子僞書考）。梁啟超謂漢志所著錄之列子，已佚；今本八卷，多兩晉間之佛教思想，並雜以佛家神話，因定爲張湛僞作（古書眞僞及其年代）。近人論此書者頗多，或以爲僞，或以爲眞。按：今本列子之僞，可無疑義。至其出於何時何人？尙待進一步之探究。

**莊子**

舊題周莊周撰。漢志著錄五十二篇；今本三十三篇（十卷），則郭象編次本也。是書胠篋篇言田成子十二世有齊國，盜跖篇有「今謂宰相曰」之語，故自宋以來，學者多疑其不盡出於莊周手筆；近人疑之者尤多。胡適之先生以爲內七篇大致可信，但有後人加入之成份；外雜篇則不可信（中國哲學史大綱上卷）。或謂其書乃戰國秦漢間論道之人所作單篇文字之總集（古史辨第一册）。總之：莊子三十三篇，非一人一時所作。

**莊子郭象注**

十卷。世說新語（文學）：「初，注莊子者數十家，莫能究其旨要。向秀於舊注外爲解義，妙析奇致，大暢玄風。惟秋水、至樂兩篇未竟，而秀卒。秀子幼，義遂零落；然猶有別本。郭象者，爲人薄行，有儁才，見秀義不傳於世，遂竊以爲己注。乃自注秋水至樂二篇，又易馬蹄一篇；其餘衆篇，或點定文句而已。後秀義別本出，故今有向郭二莊，其義一也。」四庫全書總目提要，據經典釋文所載向秀注，與所謂郭象注核校，證知郭注實竊向義；惟秋水、至樂、馬蹄三篇之外，郭氏於向注，亦頗多刪改耳。

**亢倉子**

二卷。舊題周庚桑楚撰。漢志隋志，均未著錄。唐韋滔孟浩然集序云：「宜城王士源者，……著亢倉子數篇，傳之於代。」劉肅大唐新語，亦謂此書爲王士源作。宋晁公武，亦有此說，而源字作元（見郡齋讀書志）。宋濂（諸子辨）謂其「勦老莊文列及諸家言而成之」。又其書有「危代以文章取士」語；且以「人」易「民」，以「代」易「世」。因亦斷爲王士元作。惟源字晁宋二氏皆作元，未詳其故。

**鶡冠子**

三卷。舊題周鶡冠子撰。柳宗元（辨鶡冠子）以其襲賈誼鵩賦，判爲好事者所僞作。按：漢志著錄是書僅一篇，唐韓愈（讀鶡冠子）所見本爲十六篇，宋四庫書目著錄本爲三十六篇，晁公武所見本則爲八卷五十一篇。世代愈後，篇數愈多，其僞迹甚顯。晁氏郡齋讀書志云：「今書乃八卷，前三卷十三篇，與今所傳墨子書同；中三卷十九篇，愈所稱兩篇皆在（里按：謂博選、學問兩篇。）宗元非之者篇名世兵，亦在。後兩卷有十九論，多稱引漢以後事，皆後人雜亂附益之。今削去前後五卷，止存十九篇，庶得其眞。」今傳本卽鼎氏所删定之三卷十九篇，雖非漢志之舊，然較爲近古。

以上子部

**諸葛丞相集**

題蜀諸葛亮撰。清朱璘編。四卷（末卷乃璘及其子瑞圖之詩文）。四庫全書總目提要謂其中諸葛亮遺文一卷、心書五十條，及八陣圖、分野等，皆不足信。其說甚諦。

**香奩集**

舊題唐韓偓撰。今傳本或一卷或三卷。沈括夢溪筆談云：「和魯公有艷詞一編，名香奩集。凝後貴，乃嫁其名爲韓偓。今世傳韓偓香奩集，乃凝所爲也。」方虛谷則以爲實韓氏所作。待考。

**斜川集**

十卷。題宋蘇過撰。四庫全書總目提要云：「文獻通考作十卷，世無傳本。……此集乃近時坊間所刋。……然考鼎說之所作蘇過墓誌，過卒於宣和五年。此集中所稱乃嘉泰開禧諸年號，以及周必大、姜堯章、韓侂胄諸人；過何從見之？其中所指時事，亦皆在南渡以後；尤爲乖刺。案：劉過龍洲集中所載之詩，與此盡同；蓋作僞者因二人同名爲過，而鈔出冒題爲斜川集，刋以漁利耳。」清乾隆間吳長元得舊鈔殘本斜川集，又從諸書中輯過所作詩文，合爲一編。阮元重加釐定，分爲六卷，進呈內府：卽宛委別藏本也。周永年亦從永樂大典中輯出六卷，卽刊入知不足齋叢書之本。又趙懷玉亦有輯本（見書林清話卷九），法式善復從大典中輯出補遺二卷（補周本之遺。見郘亭知見傳本書目。）

**明詩歸**

十卷；補遺一卷。題明鍾惺、譚元春編。四庫全書總目提要云：「所錄如錢秉鐙南從紀事詩，首稱『皇帝十四載，仲冬月上弦』，是崇禎辛巳歲也。考鍾惺歿於天啟乙丑，元春亦以崇禎辛未旅卒，何從得秉鐙辛巳之詩而評之？」王士禎以爲託名竟陵（池北偶談），信不誣也。又名媛詩歸一書，題鍾惺編。王士禎（居易錄）亦以爲坊賈託名爲之。說亦可信。

**全唐詩話**

十卷。舊題宋尤袤撰。四庫全書總目提要云：「袤爲紹興二十一年進士，以光宗時卒。而自序年月，乃題咸淳，時代殊不相及。校驗其文，皆與計有功唐詩紀事相同。……則其爲後人剌取影撰，更無疑義。」提要復據周密齊東野語載賈似道所著書中，有此書名，因定此書爲賈似道假手廖瑩中爲之。

**詩話總龜**

題宋阮閱撰。前集四十八卷，後集五十卷。按：詩話總龜六十卷，宋褚斗南撰，傳本甚少（中央圖書館有明影宋鈔本）。明嘉靖間月窗道人所刻增修詩話總龜，則爲九十八卷，題阮一閱撰。誤阮閱爲阮一閱，四庫總目提要，曾斥其「尤爲疎舛」。而阮書本名詩總。月窗道人取褚氏之書名，而著者則題阮氏，又從而增改變亂其內容，遂令人莫由辨識原書之眞面目矣。

以上集部

（錄自「古籍導讀」，臺灣開明書店，民國五十三年九月）

# 中國文學史上的僞作擬作與其影響

梁子美

## 一、僞書概觀

我國從古到現在，有多少僞書，是很難答覆的。僞書因爲僞作者的能力技巧和機緣不同，命運也大不相同。有的一出來就被人識破，例如漢成帝時候，東萊人張覇，僞造百二篇尚書獻上，經當時的學者們，和中央的藏書，一加勘對，立刻發現，張覇幾乎以大不敬治了死罪（註一）。他的僞書自然也就無人注意。又如隋文帝時候，景城人劉炫，僞造連山易魯史記等書一百多卷，送上政府，領到賞金。很快被人揭穿，劉炫被拘捕，經赦免死，除名歸於家。僞造的書也連帶消滅（註二）。有的僞書因爲技巧高，機會好，越來越流行，成爲家弦戶誦的書。例如王肅的僞古文尙書，在晉朝是因爲政治關係（王肅是晉武帝的外祖父），沒有人敢揭穿。南朝因爲流傳已久，習焉不察。唐人列於學官，直到現在印十三經注疏的，還是和二十八篇眞書印在一起。雖然閻若璩、惠棟、丁晏等已經辨證到鐵案如山，盲信僞書的，還有其人。僞書跟隨時代的演進加多，辨僞的書和文章也加多。唐朝顏師古、劉知幾、司馬貞、啖助、趙匡、柳宗元等已經注意到不少僞書。南宋大儒朱熹，考定過的僞書尤其多，審辨的方法很周密，眼光也非常銳敏。最近有人輯錄朱熹的辨僞書語爲一卷書，所論在五十種書以上。元末宋濂作諸子辨，成書於至正十八年（西元一三五八年），共辨子部書四十種。明胡應麟著四部正譌三卷，是辨僞的第一部專書，廣泛涉及經史子集，末講辨僞方法，應用工具，經過歷程，並歸納出辨僞書的重要原理原則，首尾完備，條理整齊，所以梁任公先生推許爲「有辨僞學以來的第一部著作。我們也可以說，辨僞學到了此時，才成爲一種學問」（註三）。清代考訂學發達，僞古文尚書的定案，使疑古的風氣廣泛展開。四庫全書總目提要就指出了許多僞書。姚際恒作古今僞書考，共考書九十二種（註四）。最近張心澂著僞書通考，共考書一〇五九部，內容爲一總論，二分論：經七十三部，史九十三部，子三百十七部，集一百二十九部，道藏三十一部，佛藏四百十六部。蒐羅古今中外辨僞書的文字，以時代爲次排列，是極便檢查的一部書（註五）。

分析僞書的性質，可以歸納爲以下各種：

1本無其書，書名作者時代內容，均由僞作者杜撰。如齊梁人作西京雜記，託之漢劉歆（註六）；梁蕭繹作洞冥記，託之漢郭憲（註七）；宋王銍作雲仙雜錄，託之唐馮贄；明楊愼作雜事祕辛，託之漢人是（註八）。

2古有其書，佚亡已久，由後人僞作，詐稱原書發現。如魏王肅僞造古文尚書、孔子家語、孔叢子；晉張湛僞造列子；明姚士粦僞造孟子外書、於陵子；豐坊僞造申培詩說是。此種僞書常將各書引用原作的殘文斷章，鎔鑄聯綴，泯滅痕迹，所以比較易於矇混。

3.原著佚亡一部或大部，後人將其同派類似模擬作品附加編錄，仍題原著者名。如管子、莊子、任昉文章緣起、漢騎都尉李陵集、唐李太白集等是。

4.原作本有主名，後人無知，妄改著者。或書賈爲便於銷行，改署著者。如孫臏作孫子十三篇，今本改署爲孫武子；廖瑩中爲賈似道作全唐詩話，今本改署爲尤袤作；元進士張伯成作杜律注，今本誤署爲虞集著；明張萱作疑耀，流傳本誤題爲李卓吾著是。

5.創作時無意作僞，作品成無人注意，因而假託有名作家，以譁世取寵。此種情實，極易爲人發現。如漢慶虬之作清思賦，時人不之貴，乃託之司馬相如，遂大見重於世（註九）；魏曹冏作六代論，因陳思王名重，遂託其名以流傳，晉武帝問曹植子志，核對曹植著作目錄，始正其名（註十）；晉陸喜作西州清論，借稱諸葛孔明以行其書（註一一）；北齊劉晝作劉子（一名新論），不爲魏收、溫子昇等所重，乃改署劉勰，傳於江南，遂知名於世（註一二）；宋王銍作龍城錄，託之於唐柳宗元，也屬於此類。

6.雕刻印刷術流行後，書籍商品化，賈人鈔撮割裂前人著作，妄署名人，或倩人代撰叢殘小書，託之名家。雖不足以欺識者，而亦常可以流行一時。如金針詩格、文苑詩格署白居易；二南密旨署賈島；續金針詩格署梅堯臣；詩法家數署楊載；諸子彙函、文章指南署歸有光；評註八代文選署袁黃；明詩歸、名媛詩歸署鍾惺；三蘇文範、詞林萬選署楊慎；讀升菴集署李卓吾都是。新刊增補古今名家韻學淵海一書，至於署李攀龍撰，唐順之校，使作風主張全不相同的人，合著一書，更是可笑了（註一三）。兒女英雄傳續篇，上海石印本聊齋詩集也是這種性質的書（註一四）。

7.由於同情或好事，自動或被動爲古人或同時人撰著文字，如原委不明，亦成爲名實不符的作品。例如漢武帝時柏梁臺七言聯句詩，出於三秦記，官名人名時間都不對，顯然出於後人的擬作（註一五）。李陵答蘇武書，諸葛亮的後出師表，虞美人答項王垓下歌，唐琬和陸游釵頭鳳，都出於好事者之手（註一六）。此外文臣代皇帝作詩文：如司馬相如代漢武帝答淮南王書，柳䛒代隋煬帝作詩文，沈德潛代清乾隆帝作詩。門客幕僚代主官家主：如陳琳代袁紹，阮瑀代曹操，丘遲代陳伯之，吳汝綸代李鴻章作文，都是有名的事。陳琳代曹洪與魏文帝書（見文選卷四十一）明言「琳頃多事，故自竭老夫之思」，其實正是陳的代筆。龔自珍集有代阮元作涿州盧公神道碑，歸震川文集後附王錫爵作墓志，見於唐叔達集，知爲唐代作（註一七）。歸莊簡堂集序謂「余觀簡堂集，代名公卿作者，十居六七。」可見馬元調的作品，已散在許多人名下。袁枚晚年的文字，有一部分由他的外甥陸應宿（篠雲）代筆，見於汪世泰的篠雲詩集序和袁通的陸小雲傳（註一八）。這種例子，舉不勝擧。有時代筆的和被代的都諱言其事，就不易弄明白了。

8.誣陷栽贓，以誹毀爲目的作書署他人名，如唐韋瓘爲李德裕門客，作周秦行紀，詐稱牛僧孺作，欲使以謗辱君主獲罪，結果爲文宗識破（註一九）。宋魏泰作碧雲騢，歷詆名賢，諉之梅堯臣，以激反感，其技倆亦不久爲人識破（註二十）。五代和凝作香奩集，語多側艷，恐被人譏爲猥褻，乃嫁名爲韓偓著（註二一）。明人作幸存錄，指責東林黨，而託名於夏允彝。黃宗羲以爲決非夏作，殆接近閹黨者之僞裝攻詰書（註二二）。

僞書雖有種種起源與方式，其中最易於混淆耳目者，爲飽學文士摹擬改編之作。

## 二、摹擬古人與同時名家之作

先秦諸子喜歡託古改制，儒家託於堯舜，墨家託於大禹，道家託於黃帝，農家託於神農，因而把洪荒原始的古代美化理想化。梁任公先生說：

我們看，漢書藝文志，所載那許多僞書，大半由於引古人以自重的動機而出。書之著成，亦多半在戰國時代。因爲戰國末年，社會變動很大，思想極其自由，有人借寓言發表，有人借神話發表。開宗大師，都引一個古人作護身符，才足以使人動聽。他們的學生，變本加厲，於是大造僞書。學術所以隆盛在此，僞書所以充斥亦在此。始皇焚書以前，春秋戰國間的僞書，大概都祇有這一個動機（註二三）。

這種風氣，流衍爲倣古擬古的傾向，越古越好，越古越引人注意。古雅、古奥、古茂、古勁、古香古色，古風古調，都成爲極好的評語。昭明文選不選詩經的詩，卻選了晉束晳補亡詩六首；雜擬上下所收有陸機、張載、陶潛、謝靈運、袁淑、劉鑠、王僧達、鮑照、范彥龍、江淹等十個人的作品。劉向編楚辭，把漢朝人摹倣楚辭的賈誼、淮南小山、東方朔、嚴忌、王褒等人的作品，都蒐羅在內。朱熹作楚辭集注，更附楚辭後語，下收到張橫渠、呂大臨的倣作。近人饒宗頤作楚辭書錄，擬騷一目收漢揚雄、班彪，到清洪亮吉、王詒壽等共四十六人的作品。單是倣九章之作，就有宋玉的九辯，漢王褒的九懷，劉向的九歎，王逸的九思，服虔的九憤，蔡邕的九惟，三國曹植的九詠，晉陸雲的九愍，唐皮日休的九諷，金趙秉文的九昭，明劉基的九歎，王褘的九誦，夏完淳的九哀，清王夫之的九昭，王詒壽的九昭等作（註二四）。李白集中有擬恨賦，蘇軾集中有擬侯公說項羽辭、擬孫權答曹操書。連這些最有創作力的大家，都不能不努力於此。明史楊愼傳記載他十二歲就學作擬弔古戰場文，擬過秦論。楊愼以名宰相之子，狀元及第，記誦之博，著作之富，推明人第一。喜歡作僞書欺人，如完整石鼓文，稱出於蘇軾，雜事祕辛，託之漢人，修文殿御覽李陵詩，王建宮詞佚文七首，都出於大膽擬作。

古人的作品，既可以擬作亂眞，則當代名人的詩文當然更可以擬作。蘇東坡答劉沔都曹書說：

> 然世之蓄軾詩文者多矣，率眞僞相半。又多爲俗子所改竄，讀之使人不平。然亦不足怪，識眞者少，蓋從古所病（註二五）。

隨園詩話卷九：

> 陶貞白云：「仙人九障，名居一焉。」余不幸負虛名。丁丑（一七五七）過書肆，見有作金陵懷古詩者，姓王名顚客，假余序文。詩既不佳，序亦相稱，余一笑置之。後三年再過書肆，見清溪唱酬集一本，載上海彭金度、碭山汪元琛、太倉畢瀧等共三十餘人，前駢體序亦假我姓名。詩序俱佳，不能無訝，因買歸示程魚門。程笑曰：「名之累人如此」。雖然，如魚門之名，求其一假尚未可得。後十年，集中王陸禔、曹錫辰、徐德諒、范雲鵬四人都來相見，而諸君子則

終未謀面。

蘇軾袁枚都是負大名於天下的人，在生前文章已經爲人所亂造，至於無法申辨。隨園詩話補遺卷七記：

郭頻伽（名麐，吳江貢生，著有靈芬館集）秀才，寄小照求詩。憐余衰老，代作二詩來，教余書之，余欣然從命，並札謝云：「使老人握管，必不能如此之佳」。渠又以此例求姚姬傳先生，姚怒其無禮，擲還其圖，移書嗔責……

假使沒有這段文字，後人只見袁枚親自書寫簽名的題詩，絕不會懷疑有人代作。名家的集子經當時人後人一再擬作附益，眞僞雜糅，遂至於不可究詰。蘇東坡集卷六李赤詩條說：

過姑熟堂下，讀李白十詠，疑其語淺陋，不類太白。孫邈云，聞之王安國，此李赤詩。秘閣下有李赤集，此詩在焉，白集中無此。赤見子厚集，自比李白，故名赤，卒爲厠鬼所惑而死。今觀此詩，止如此而以比太白，則其人必心疾已久，非厠鬼之罪也。

李赤爲江湖浪人，精神病患者，陷厠中以死。柳宗元曾爲作傳（見柳先生集卷十七），去太白時代不遠，專事僞造太白作品。自謂善爲歌詩類李白，而太白集又無自定或子弟門人所編定本，遂與僞作者以有利機緣。龔自珍定盦文集補編卷三最錄李白集說：

李白集十之五六僞也。有唐人僞者，有五代十國人僞者，有宋人僞者。李陽冰曰：「當時著述，十喪其九。今所存者，得之他人焉。」陽冰已爲此言矣。韓愈曰：「惜哉傳於今，泰山一毫芒。」愈已爲此言矣。劉全白云：「李君文集家有之而無定卷。」全白貞元時人，又爲此言矣。蘇軾、黃庭堅、蕭士贇皆非無目之士。蘇黃皆嘗指某篇爲僞作。蕭所指有七篇。善乎三君子之發之耑也。宋人各出其家藏，愈出愈多，補綴成今本。宋人皆自言之。委巷童子不窺見白之眞，以白詩爲易效。是故效杜甫韓愈者少，效白者多。予以道光戊子（一八二八）夏，費再旬日之力，用朱墨別眞僞，定李白眞詩百二十二篇。於是最錄其指意曰：「莊屈實二，不可以幷，幷之以爲心自白始。儒仙俠實三，不可以合，合之以爲氣，又自白始也。其斯以爲白之眞原也已。次第依明許自昌本。」

龔定庵所鑑別的是否全得眞相，本自難說，所以他的本子並不流行。流行的還是劉全白蕭士贇等所編的舊本。至於他認爲少爲後人所效法的杜甫集，也不是沒有僞作。金王若虛滹南遺老集卷三十八詩話上云：

世所傳千家註杜詩，其間有曰新添者四十餘篇。吾舅周君德卿嘗辨之云，唯瞿唐懷古、呀鶻行、送劉僕射、惜別行，爲杜無疑。其餘皆非眞本，蓋後人依倣而作，欲竊盜以欺世者。或又妄撰其所從得，誣引名士以爲助，皆不足信也。東坡嘗謂太白集中，往往雜入他人詩。蓋其雄放不擇，故得容僞，於少陵決不能。豈意小人無忌憚如此。其詩大抵鄙俗狂瞽，殊不可讀。蓋學步邯鄲，失其故態，求居中下且不得，而欲以爲少陵，眞可憫笑。王直方詩話，既有所取，而鮑文虎杜時可間爲注說，徐居仁復加編次，甚矣世之識眞者少也。其中一二雖稍平易，亦不免蹉跌。至於逃難、解憂、送崔都水、聞惠子過東溪、巴西觀漲、及呈竇使君等，尤爲無狀。洎餘篇大似出於一手，其不可亂眞也，如糞丸之在隨珠，不待選擇而後知，然猶不能辨焉。世間似是而相奪者，又何可勝數哉。予所以發憤而極論者，不獨爲此詩也。吾舅自幼爲詩，便祖工部，其敎人亦必先此。嘗與予語及新添之詩，則嚬蹙曰：人才之不同，如其面焉。耳目鼻口相去亦無幾矣，然諦視之，未有不差殊者。詩至少陵，他人豈得而亂之哉。公之持論如此，其中必有所深得者，顧我輩未之見耳。表而出之，以俟明眼君子云。

蘇東坡死時，弟轍，子邁、過等均健在。蘇過尤其能讀父書。僞作雖多，應當不容易流傳。朱熹跋章國華所集注杜詩文集卷八十四說：

章國華過予山間，出所集注杜詩示予。其用力勤矣。然其所引東坡事實者，非蘇公作。聞之長老，乃閩中鄭昂（尙明）僞爲之。所引事，皆無根據，反用杜詩成句增減爲文，而傳其前人名字，託爲其語，至有時世先後顚倒失次者。舊嘗考之，知其決非蘇公書也。况杜詩佳處，有在用事造語之外者，唯其虛心諷詠，乃能見之，國華更以予言求之，雖以讀三百篇可也。

陳善捫蝨新話說：

葉嘉傳乃其邑人陳元規作；和賀方回青玉案詞，乃華亭姚晉作。集中如睡鄉醉鄉記，鄙俚淺近，決非坡作。今書肆往往增添改換，以求速售，而官不之禁。

明焦竑序東坡外集說：

世傳東坡集，多亂以他人之作。如老蘇水官九日上魏公送僧智能三詩，叔黨颶風、思子臺二賦，人知其謬。……虛飄飄三首，公與黃秦唱和，見少游集；睡鄉記擬無功醉鄉記而作，今並屬子瞻。代滕甫辨謗，王銍謂為其父作，四六話備載其文。大率紀次無倫，眞贋相雜。

四庫書目提要卷一五四（查愼行）補注東坡編年詩云：

至於所補諸篇，如怪石詩，指為遭憂時作，不知朱子語類謂二蘇居喪無詩文。鼠鬚筆詩，本軾子過作，而乃不信宋文鑑……雙井白龍詩，冷齋詩話明言非東坡作，乃反云據以補入。甚至李白山中日夕忽然有懷詩，亦成為軾作，尤失於檢校。如此之類，皆不免炫博貪多……。

看以上所說，有意無意嫁名於東坡的作品，還是不少。

擬作做作的詩文，隨時可以去掉擬做字樣，和原著混在一起。漢騎都尉李陵集裏，除了見於漢書的別歌以外，幾乎全是代筆。今傳諸葛亮集，後出師表為陳壽所未見；黃陵廟記為陸游、袁說友等南宋人所未見。曹子建集三國志本傳稱所著賦頌詩銘雜論凡百餘篇，隋志著錄三十卷，唐志作二十卷，今本殘缺不全，僅有十卷，篇目乃反增至二百二十篇（賦四十四，詩七十四，雜文九十二），可見有許多擬作代筆在內。

蘇軾的擬侯公說項羽釋太公（劉邦父）辭，如果編入史記，和蒯通、陸賈等的作品很接近。擬孫權答曹操書，和文選所載阮瑀代曹公作書與孫權，針鋒相對，文體接近。吳汝綸的擬陳伯之答丘遲書，如果印入文選，過一時期以後，也會有人認為是南朝的名作。

## 三、前人作品的改竄增刪

國家的公文書，爲了愼密，春秋時代就有草創、討論、修飾、潤色的程序。文臣爲帝王代作或改文章，秘書爲主官代作或改文章是常有的事。修正潤色，得了本人的同意，不屬於僞作性質。以個人私意，假託古本，竄亂成書，任意增刪，使原作面目全非，就接近僞作的性質了。

康有爲、崔適等均以爲左傳、國語曾經劉歆、杜預等有計劃竄亂改編，不過竄亂的方式和程度，還待論定。王肅竄亂尙書，割裂篇目，改編孔子家語，以爲自己的學說張目，已爲學術界公認的事實（註二六）。今本涑水記聞不是司馬光的原書，書中醜詆王安石的話大部由於元祐黨人的增附，所以司馬光的曾孫伋就曾否認過，上章乞毁版，可是改竄本還是流傳至今。

小說和民間文藝，作者常常不署名，傳鈔印刷的人，遂可以放膽增刪，修正改編。漢書藝文志、隋書經籍志所著錄的小說短書，大都分不存在的原因，常常因爲後出同性質的書，呑併了以前的書。名義上存在的書，也常經後人自由附益，如張華博物志、干寶搜神記、殷芸小說、任昉述異記、吳均續齊諧記之類都是。宋以後的講史公案烟粉白話小說，更成爲集體編改的局面。大小說家羅貫中編有三國志演義、隋唐演義、五代演義、三遂平妖傳、水滸傳等書。書全存在，也全不存在，因爲沒有一種保持原來面目。他所根據的底本，也不能明確指出。明代的短篇小說集成三言兩拍（喩世名言、警世通言、醒世恒言，拍案驚奇初二刻），共收平話約二百篇，實在是宋以後陸續寫成，卻都經過許多次修改，考證每篇的作者和時代，非常困難。

民間文學自由流傳修改的例，可以舉孔雀東南飛。孔雀東南飛說是建安時代或稍後（三世紀中葉）的作品。經三百多年之久，到梁徐陵編玉臺新詠，才有固定的文字。可是「賤妾留空房，相見常日稀」兩句，是明刻本添入的。藝文類聚卷三十二，樂府詩集卷七十三，宋本玉臺新詠都沒有。「新婦初來時，小姑始扶床，今日被驅逐，小姑如我長。」這是唐顧況的棄婦詞，蘭雪堂活字本玉臺新詠才加入。宋本玉臺新詠也沒有（註二七）。這是隨意增加的例。明楊愼的選本，以爲太絮叨，以己意節去了二百多字（全詩三五三句，一七八五字）。淸李元度編小學弦歌，就採取了楊升庵的删節本，可見這首詩直到明淸，還在由文人自由增删。

純粹從文章觀點，竄改古人的作品，如文心雕龍的指瑕、史通的點煩，可以開啟聰明，供給參考。金王若虛的改史記，淸方苞的改蘇洵、柳宗元文，屈復的改杜詩、楚辭，存心與古人爭勝，所見又不一定卓越，聊備一說，很少人過問。有名的選本，如昭明文選、玉臺新詠、唐文粹等選文時略有點定，其影響卻可以取原文而代之。文選所選史記、漢書、三國志、後漢書中的文章，字句常有不同，可以推想爲當時所根據的本子不同，也可以想像爲蕭統和高齋十學士等有所潤色。姚鼐編古文辭類纂，史漢等古書所有的文章，常常取史漢原文而不取文選，這固然是有意立異，也原於古文家和駢文家的欣賞觀點不同。東坡志林曰：「近世人輕以意改書。鄙淺之人，好惡多同，故從而和之者衆。遂使古書日就訛舛，深可忿疾。」明人善造僞書。校印古書，尤喜擅改，故有印書而書亡之誚。晚明選家，尤多誣妄竄亂之習。日知錄卷二十改書條說：

萬曆間人，多好改竄古書。人心之邪，風氣之變，自此而始。且如駱賓王爲徐敬業討武氏檄，本出舊唐書。其曰僞臨朝武氏者，敬業起兵在光宅元年九月，武氏但臨朝而未革命也。近刻古文改作僞周武氏，不察檄中所云包藏禍心，睥睨神器，乃是未篡之時，故有是言（越六年天授元年九月，始改國號曰周）。其時廢中宗爲廬陵王，而立相王爲皇帝。故曰君之愛子，幽之於別宮也。不知其人，不論其世，而輒改其文，繆種流傳，至今未已。又近日盛行詩歸（鍾惺譚友夏評選）一書，尤爲妄誕。魏文帝短歌行，長吟永嘆，思我聖考。聖考謂其父武帝也，改爲聖老。評之曰，聖老字奇。舊唐書李泌對肅宗言，天后有四子，長曰太子弘，監國神明孝悌。天后方圖稱制，乃鴆殺之，以雍王賢爲太子。賢自知不免，與二弟日侍於父母之側，不敢明言，乃作黃臺瓜辭，會樂工歌之，冀天后悟而哀愍。其辭曰：「種瓜黃臺下，瓜熟子離離，一摘使瓜好，再摘使瓜稀。三摘猶尚可，四摘抱蔓歸。」而太子賢終爲天后所逐，死於黔中。其言四摘者，以況四子也。以爲非四之所能盡，而改爲摘絕。此皆不考古而肆臆之說，豈非小人而無忌憚哉？

鍾惺是萬曆進士，著有隱秀軒集。譚元春是天啟解元，著有嶽歸堂集。他們的文章，以幽深孤峭，纖仄詭僻知名，稱爲竟陵派。無論如何，總還是以作家改作家的文章。更荒唐的是歸有光的兒子，改其父文。錢謙益列朝詩集小傳丁集中震川先生歸有光條說：

熙甫歿，其子子寧輯其遺文，妄加改竄。賈人童氏夢熙甫趣之曰：亟成之，少稽緩，塗乙盡矣。刻既成，賈人爲文祭熙甫，具言所夢，今載集後。季子子慕，字季思，以鄉舉追贈待詔。冢孫昌世，字文休，與余共定熙甫全集者也。

熙甫曾孫歸莊書先太僕全集後說：

先太僕府君文集，先伯祖某，刻於崑山。其人不知文而自用，擅自去取，止刻三百五十餘篇，而又妄加删改。府君示夢於梓人，梓人以爲言，乃止。故今書序二體中，往往有與藏本異者。

這種竄改，幸而遇到梓人的謠諫停止，更幸而有錢謙益、歸莊及早揭穿，不然歸震川集的面目會全非。一般無鑑賞力的人，也許奉歸子寧的改本爲震川晚年定稿了。

最近改竄古今人文章的風氣，變本加厲。我在談改文章一文裏說過：

第一是排字先生改，大改小，長改短，將無作有，變二成三，遷就字架，變化莫測。其次是編輯先生改，改題目，改結論，删幾段，加幾句，配合版式，絕對自由（許多雜誌的徵文辦法標明編者有自由删改權）。更偉大的是選文章的先生改，冤親平等，古今一如，筆則筆，削則削，藐爾作者，其奈我何哉！（註二八）

我見過一個國文選本，把朱自清的「背影」短文，改了八處，弄到遍體創傷，啼笑皆非。

## 四、僞作擬作改作的影響

### 1 文學史演進規迹不明，形成退化觀念。

從託古的風氣，把古代文學實際狀況理想化美化。不認爲文學是由許多天才創作累積改良成的，認爲「道沿聖以垂文，聖因文而明道」（文心雕龍原道中語），先聖取則自然以爲文，所以「義既極乎性情，辭亦匠於文理」（文心雕龍宗經），所以經是文學的最高峯，學文章應當「稟經以製式，酌雅以富言」（文心宗經），「鎔式經誥，方規儒門」（文心體性）。從漢代的作家起，「子政（劉向）論文，必徵於聖；稚圭（匡衡）勸學，必宗於經」（文心徵聖）。揚雄以「大文」「鴻文」形容聖人之詞。晉摯虞文章流別說：「雅言之韻，四言爲正，其餘雖備曲折之體，而非言之正也。」這等於說，詩經以外，都不是正體詩。劉勰辨騷說：「楚辭者……乃雅頌之博徒，而詞賦之英傑也。」這是說楚辭比詩經次一等。唐司空圖詩品說：「詩之品有九，曰高曰古。」宋嚴羽滄浪詩話說：「以漢魏晉盛唐爲師，不作開元天寶以下人物。」「工夫須從上做下，不可從下做上。先須熟讀楚辭，朝夕諷誦，以爲之本。」嚴羽的下手，當然倒退了不少，工夫從上做下，卻是傳統的定論。這種越古越好的看法，從自然淘汰的形勢看，是大有道理的。一種作品，經了幾千年，還有大量讀者，燒也燒不完，禁也禁不住，如詩經自然有他的眞美在。就是經了五百年一千年而仍膾炙人口的作品，也一定有他的相當價値。僞作的加入，助長了這種看法和理論。虞舜的時候，出現了卿雲歌、南風歌，夏朝的時候，出現了五子之歌，「聖人之雅麗，固銜華而佩實」更可以得到證明了。王肅梅賾的僞古文尚書和眞本二十八篇混在一起讀，尚書時代的文體，就沒有一定面目。雜事秘辛要出現在漢朝，六朝志怪小說、唐人傳奇都黯然無色了。從另外一方面看，王肅楊愼等造假古董的人，都是極博學有個性，有創作天才的人，在宗經徵聖的大空氣下，沒法跳出古人的圈套，取得社會一般人喝采，就出於詭譎的技倆，玩弄讀書文化界，跳到經聖乃至歷代大作家以前，以滿足個人的優越感創造慾。有人這樣作成了功，於是效之者蠭起，大僞小僞種種方式的僞書都出現，辨不勝辨了。王若虛、屈復、方苞等修改古名家的作品，和作僞書的人心理一樣。作了五子之歌，就爬到詩經以上，能改杜甫柳宗元詩文，也就超過了他們，爲社會刮目相視了。能擬作弔古戰場文，也可以一躍而與李華齊名。這種僞書不澄清，就不能產生正確可信有啟示性的文學史。

**2擬古風氣對於文學創作的影響。**　擬古倣古阻遏破壞了文人的創作力、想像力、發展力。顧亭林論之最明快。日知錄卷廿一文人摹倣之病說：

> 近代文章之病，全在摹倣。卽使逼肖古人，已非極詣。況遺其神理，而得其皮毛者乎？且古人作文，時有利鈍。梁簡文與湘東王書云，今人有效謝康樂、裴鴻臚文者。學謝則不屆其精華，但得其冗長；學裴則蔑棄其所長，惟得其所短。宋蘇子瞻云，今人學杜甫詩，得其粗俗而已。金元裕之詩云，「少陵自有連城璧，爭奈微之識碔砆。」文章一道，猶儒者之末事，乃欲如陸士衡所謂「謝朝華於已披，啟夕秀于未振」者，今且未見其人，進此而窺著述之林，益難之矣！效楚辭者必不如楚辭，效七發者必不如七發。蓋其意中先有一人在前，既恐失之，而其筆力復不能自遂。此壽陵餘子學步邯鄲之說也。

洪氏容齋隨筆曰，枚乘作七發，創意造端，麗詞腴旨，上薄騷些，故爲可喜。其後繼之者，如傅毅七激、張衡七辨、崔駰七依、馬融七廣、曹植七略、王粲七釋、張協七命之類，規倣太切，了無新意。傅玄又集之以爲七林，使人讀未終篇，往往棄諸几格。柳子厚晉問，乃用其體，而超然別立機杼，激越淸壯，漢晉諸文士之弊，於是一洗矣。東方朔答客難，自是文中傑出。揚雄擬之爲解嘲，尙有馳騁自得之妙。至於崔駰達旨、班固賓戲、張衡應閒，皆章摹句寫，其病與七林同。及韓退之進學解出，於是一洗矣。其言甚當。然此以辭之工拙論爾。若其意則總不能出於古人範圍之外也。

過去的文人，以對於前人句摹字倣爲能事，袁枚曾歷舉各種實例，隨園隨筆卷二十五古文摹倣說：

古人作文，摹倣痕迹未化，雖韓柳不免。退之「送窮文」倣揚雄「逐貧賦」。毛穎傳「以管城封公」，倣南朝驢九錫文「以驢封大蘭王」。諱辨「父名仁子不得爲人」，倣北齊顏之推云，「桓公名白，傳有五皓之稱，厲王名長，琴有修短之目，不聞改布帛爲布皓，改腎腸爲腎修也」。祭十二郎文「汝病吾不知時，汝死吾不知日」，用宇文護與母書「我寒不得汝衣，我飢不得汝食也」。與崔立之書與曹子建與楊德祖書意境相似。柳子厚作記，與漢馬第伯封禪儀記句調相似。爲太夫人作祔志「已矣，窮天下之聲，無以舒其哀矣，盡天下之詞，無以傳其酷矣。」連用矣字，倣禮記問喪篇「亡矣喪矣，不可復見已矣，哭泣辟踊，盡哀而止矣」。毀象祠記「苟離於正，雖千載之遠，吾得而更之，況今茲乎。」用董仲舒高廟災對「苟違於禮，雖尊如高廟，吾猶災之，況其他乎。」賀進士王參元失火書，倣說苑公子成父賀魏文侯御廩災，兼倣叔向賀范宣子憂貧也。河間婦人傳，先貞後亂，倣游俠傳原涉曰，寡婦一朝被汚，從此放縱荒淫也。游黃溪記「其間名山水而州者以百數，永最善。名山水而村者以百數，黃溪最善」。倣漢書西南夷傳「其西靡莫之屬以十數，滇最大。自滇以北君長以十數，邛都最大。」李習之高愍女碑，「天下爲父母者莫不欲愍女之爲其子也，爲夫者莫不欲愍女之爲其室家也。」倣國策陳軫曰，「孝己愛其親，天下欲以爲子。子胥忠於君，天下欲以爲臣。」祖君彥檄煬帝文「罄南山之竹，書罪無窮；決東海之波，流惡難盡。」倣漢書公孫賀傳朱安世云，「南山之竹，不足受我詞；斜谷之木，不足爲我械。」獨孤及仙掌銘，「日而月之，星而辰之。」倣莊子庚桑楚篇，「社而稷之，尸而祝之。」王右軍蘭亭序，「後之視今，亦猶今之視昔。」用京房傳語，「臣恐後之視今，猶今之視前也。」曹子建求自試表，「慈父不能愛無益之子，仁君不能畜無用之臣」，全用墨子語也。羊祜讓開府表，「德未爲人服而受高爵，則才臣不進」，全用管子語也。相如大人賦，全用屈平遠遊篇。崔駰達旨，全用子雲解嘲。杜牧阿房宮賦起句三字用韻，「六王畢……蜀山兀……」，倣陸傪長城賦「干城絕，長城列」也。後連用也字「開妝鏡也，棄脂水也」，用邊孝先博塞賦「分陰陽也，象日月也」。皇甫湜答李生第一書「虎豹之文，不得不炳於犬羊。鸞鳳之音，不得不鏘於烏鵲。非有意先之，乃自然也。」用三國志秦宓曰，「虎生而文炳，鳳生而五色，豈以自飾哉，天性自然也。」孫樵諫復羣髠疏，「夫以十家給一髠，是編民百七十萬困於羣髠也」，用貢禹封事「以上農計之，是七十萬人受其飢也」。丘遲與陳伯之書「見故國之旗鼓，感平生於疇昔」，用臧洪與袁紹書「見主人之旗鼓，感故友之周旋」。歐公醉翁亭記連用也字，倣周易雜卦傳篇，倣孫武子，又倣昌黎之銘張徹也。安重誨傳先立四柱，而下分應之，倣國策蘇子謂薛公一段。老泉木假山記「二峯者雖其勢服於中峯，而無阿附意」，倣楊敬之華山賦「似乎賢人守位，北面而受成也。」劉禹錫許州文宣王碑銘，學退之平淮西碑。新唐書之李懷仙傳，杜牧之譚忠傳，全學國策。劉伯溫賣柑者說，全倣柳子鞭賈一篇。歐公豐樂亭記「仰而觀山，俯而聽泉」，用白香山廬山草堂記「仰觀山，俯聽泉」。漢宋訓詁雖本爾雅，亦全學國語叔向解夙夜基命宥密之詩曰，夙夜恭也基始也；又學左氏參和爲仁德正應和曰莫也。宋書沈慶之出遊騎馬，以馬與影爲三人，李白襲之曰「舉杯邀明月，對影成三人。」賈島曰「但愛杉倚月，我倚杉爲三」，是又襲太白矣。老泉仲兄文甫字說「風行水上渙，天下之至文也」，本伐檀詩毛氏傳云「風行水成文曰漣」。張文潛又襲之，以爲文論。東坡鍾子翼哀詞，四言間七言，學荀子成相篇。韓文「春與猿吟兮秋鶴與飛」，學論語「迅雷風烈」，又學楚詞「吉日兮辰良」。劉夢得嘆牛云「員能覇吳屬鏤賜，斯旣帝秦五刑具」，倣漢書蒯通傳贊「豎牛奔仲叔孫卒，郈伯毀季昭公逐」也。漢書朱買臣榮歸會稽一段，全倣須賈見范雎。退之南山詩多用或字，倣小雅或燕燕居息等句。唐楊妃謠「生男勿喜女勿悲，今看生女作門楣」，倣漢衞子夫歌云「生男無喜女無怒，獨不見衞子夫覇天下」。三國志諸葛恪傳先序災咎，後序禍患，倣漢書霍光傳，霍禹族誅，先見凶異也。王勃滕王閣序「落霞與孤鶩齊飛，秋水共長天一色」，本庾信三月三日華林園馬射賦「落花與芝蓋齊飛，楊柳共春旗一色」。駱賓王爲徐敬業討武曌檄云「暗嗚則山岳崩頹，叱咤則風雲變色。以此制敵，何敵不摧；以此圖功，何功不克。」本祖君彥爲李密討煬帝檄之「呼吸則河渭絕流，叱咤則嵩華自拔。以此攻城，何城不陷；以此擊陣，何陣不摧」。

這實在是變象的襲取。十駕齋養新錄卷十八詩文盜竊條說：

皎然詩式著偷語偷勢之例，三者雖巧拙攸分，其爲偷一也。後代詩文家能免於三偷者寡矣。唐張懷慶好偷竊名士文章，時人爲之語曰，活剝張昌齡，生吞郭正一。今之舉業文字，大率生吞活剝，其詞必己出者，百無一二。士習之不端，於作文見之矣。

黃庭堅高倡「文章切忌隨人後」。又同時主張「不易其意而造其語，謂之換骨法。規模其意而形容之，謂之脫胎法。」（野老紀聞）王若虛滹南詩話：「魯直論詩，有脫胎換骨，點鐵成金之喻，世以爲名言，以予觀之，特剽竊之黠者耳。」高青邱謂古人作詩，今人描詩。描摹抄襲，成了風氣，所以用思想形式定型化的八股文考試全國士子，明清數百年不以爲異。受了長期八股訓練的文人，自然談不到創新立異了。謝无量中國大文學史以秦以前爲創造文學，秦以後爲模擬文學，是很可注意的劃分(註二九)。

**3.人無定評，文無定評，破壞文學鑑賞力。**　一個作家的著作裏，包含有僞作，思想個性風格工拙，都難一致。把千年後僞造的經書，認爲孔子手定。曾經聖人手，議論安敢到，又奉爲審查後來作品的標準，還有什麼文學批評可言。根據李赤的詩，談李白的作風；根據王銍的書，考柳宗元的爲人；根據曹丕附益的孔北流集，論孔融對曹氏的觀感；根據張儼僞造的後出師表，論諸葛亮的軍政宣傳；或更根據黃陵廟記，論諸葛亮的散文，不僅是在混沙上築樓閣，簡直是海市蜃樓，全無現實性了。許多僞書構成的劉伯溫面影，和明史列傳誠意伯集所表現的劉伯溫，全然是兩種面目。香奩集也許整個歪曲了韓致堯的爲人。

用列子作例，唐柳宗元的批評說：「列子較莊尤質厚。」宋洪邁說：「列子書事，簡勁宏妙，多出莊子之右。」明宋濂說：「列子書簡勁宏妙，似勝於周。」王世貞說：「列子與莊子同敘事，而簡勁有力。」清姚際恒說：「莊子之書，洸洋自恣，獨有千古，豈蹈襲人作者。其爲文舒徐曼衍中仍寓拗折奇變，不可方物。列子則明媚近人，氣脈降矣。又莊子之敍事，廻環鬱勃，不即了了，故爲眞古文；列子敍事，簡淨有法，是名作家耳。」近人顧實說：「其文致亦不一致，有溫厚者，瑰麗者，而又有淺俗者，近易者。」一部列子，有這樣複雜全不相同的批評，因爲對這書的時代作者來歷不同觀念，無形之中支配着讀者的眼光。

明楊愼僞作的雜事秘辛，姚士粦跋說：「予始讀漢雜事，目賦情搖，謂非漢人不能作。及見孝轅（胡震宇）跋語，駭引詳駁，牴牾灼然，乃更發書檢校，復得可疑者數則……余因念作僞者必非不讀漢書，何至自開釁竇如此？且審識一段，描寫精瑩，若有生氣，似非假託可到。」沈士龍說：「自古以文字類寫娟麗……未有摩畫幽隱，言人所不忍言，如秘辛之探人心目也……此嫗率率口創，有後來含毫所不敢望者。何得橫索同異相與疑之？叔祥孝轅證據博矣，然非所以語於文章之妙也。」他們先有了「描寫精瑩，非漢人不能作」的成見，所以任何僞證都可以看過去。近人曾毅作的中國文學史更說：「雜事秘辛記桓帝選后之事，文辭奇豔，妙極細微，而過於穢褻，後世淫書，發端於此。予謂漢代好尙，在於驕奢，於文章長於叙事，於辭賦宣傳現世快樂主義之禍，然則飛燕外傳、雜事秘辛以描寫肉體之美感，相踵而出，何足怪乎？」（註三十）所以曲予解說，也是原於發端的一定是奇豔的一個觀念。僞書淆亂了文藝演進的觀念，這種錯誤的退化觀念，更助長僞書的流行。

## 五、辨僞的歧途

學術如走上求眞求是求客觀的路子，僞書一定會陸續揭穿，並且無論如何狡獪的書，也不難發現的。王肅的僞書所以行於西晉，因爲他是司馬昭的岳父，晉武帝齊王攸的外祖父，有些人明知而不便或不敢駁詰。東晉兵馬蒼黃，文獻淪亡，政治大環境也未變，所以年深月久，習非成是。明朝豐坊楊愼大造僞書，本來有些變態心理。他們都受了嘉靖皇帝的無理暴橫，廢放蹂躪，社會上一部分人無形中對他們有同情優容的傾向，所以容易接受，或存而不論。這都是政治影響於辨僞的。鄭所南鐵函心史的發現，人時地灼然，內容也毫無問題。陳宗之林茂之顧炎武等的文字，更確定他的眞實性。但是到了清朝，徐乾學的通鑑後編考異，首倡邪說，誣爲海鹽姚士粦所僞託。乾學顧亭林外孫，對於此書性質，非無所知，只因獻媚淸人，迎合統治者，不惜背舅造謠，顚倒是非。四庫提要卷一七四採其說，因紀昀委蛇迎合，用心與乾學相同。袁枚隨園隨筆卷二十三，與徐紀桴鼓相應，亦出於環境使然。這種言論多了，三人市虎，使張心澂的僞書考也以心史爲疑僞。這是政治力量使眞書化僞的例。分辨僞書應當把一切政治問題撇開，實事求是，不要把政治教育上的短時目的，影響學術上的永久的不變的眞實。

社會的風尙，士大夫的好惡，也可以影響到作品眞僞的判斷，就是希望有的事，就想其爲眞，不希望有的事，就容易斷其爲僞。雲麓漫鈔卷十四載李淸照投中書舍人綦崇禮啟，依照這篇啟事，她曾「以桑榆之晚節，配玆駔儈之下才。」「友凶横者十旬，居囹圄者九日」，和李心傳建炎以來繫年要錄載其與後夫構訟事，可以互相印證，與苕溪漁隱叢話前集卷六十後集卷四十記事亦相合。明末毛晉汲古閣輯印漱玉詞，末附易安軼事逸文，不收雲麓漫鈔之文，蓋已有爲才女諱之意（註三一）。淸俞正燮作易安居士事輯說：

讀雲麓漫鈔所載謝綦崇禮啟，文筆劣下，中雜有佳語，定是改竄本⋯余素惡易安改嫁張汝舟之說，以情度易安不當有此事。及見李心傳建炎以來繫年要錄，采鄙惡小說，比其事爲文，尤惡之⋯⋯不甘小人言語，使才人下配駔儈⋯⋯紹興十一年五月十三日綦崇禮壻陽夏謝伋，寓家台州，自序四六談麈時，易安年已六十，伋稱趙令人李。⋯⋯又下至淳祐元年，時及百年，張端義作貴耳集，亦稱易安居士趙明誠妻，易安爲嫠行迹，章章可據。⋯⋯小人改易易安謝啟，以飛卿玉壺爲汝舟玉壺，用輕薄之詞，作善謔之報，而不悟牽連君父，誣衊廟堂，則小人之不善於立言也⋯⋯（註三二）。

俞氏舉了些宋人造謠誣枉善良的例，以證小人改竄易安文之可能，但並不能找出宋人否定胡仔、趙彥衞、李心傳記事的任何證據。也不能解釋這三個人爲什麼不約而同的造謠言。同時袁枚、顧太淸等爲易安辨，也只是空話。淸末周壽昌編宮閨文選，收入謝綦崇禮啟，把四百多字的信，删去了三分之二，差不多是照了俞理初的論旨，删去涉及改嫁訴離等事。謝无量編中國婦女文學史，照錄了周氏的節本說：「宮閨文選，於此啟獨有裁削，荇農博洽，不知他有所據否，或其原文如此也（註三三）。」謝氏是支持俞正燮的觀點的，所以希望周壽昌有根據，可惜他也不能替他找出根據，只好以周節本作根據了。陳寅恪氏論再生緣一文說：

（趙）日照之名，僅附見於吳興詩話及兩浙輶軒錄蘋南小傳中，夫以妻傳，如駔儈下材之於易安居士者，可謂幸矣。寅恪頗信建炎以來繫年要錄所載，而以後人翻案之文字爲無歷史常識。乾隆官本樓鑰攻媿集中，凡涉及婦人之改嫁者，皆加竄易，爲之隱諱。以此心理推之，則易安居士固可再醮於生前趙宋之日，而不許改嫁於死後金淸之時，又何足怪哉！至顧太淸之主易安年老未改嫁之事者，則又因奕繪嫡室之子，於太淸有所非議，固不得不藉此以自表白……

陳先生可以作這種翻案論斷，自然也原於他所處的時代社會，和金淸大不相同。他不曾找出證成李心傳說法的新有力證據，他的支援，也就難成爲決定性的結論了。我們希望根據客觀史料來判斷作品的眞僞，不要把社會意識、主觀感情、個人希望，混在一起。爲了某種目的，湮沒證據、修改證據、僞造證據，更是要不得的了。

從崔述考信錄、康有為新學僞經考、崔適史記探原、顧頡剛古史辨等書流行以來，辨僞的書和文章大增加，使許多僞書都呈現了本來面目，這是可喜的現象。然而也出現了不少憑了一知半解，單文孤證，想入非非，僞所不當僞的文章，攻所不當攻的事實。或更出於立異駭俗、炫博鳴高的企圖，濫用假定，逞意幻想。如印度人作山海經，匈奴人作穆天子傳之類，實在和明季人造作僞書的動機，極爲類似，於求眞求是之途，相去遠了。古人說：「奔者東走，追者亦東走，東走雖同，東走之用心不同」。以辨僞爲名，行譁世取寵之實，那眞是考證學的歧途末路了。

## 【附註】

註一　漢書卷八十八儒林傳古文尚書下，論衡佚文篇。

註二　隋書卷七十五劉炫傳。

註三　臺北世界書局輯印僞書考五種，內容爲唐人辨僞集證一卷，朱熹辨僞書語一卷，宋濂諸子辨一卷，胡應麟四部正譌一卷，姚際恒古今僞書考一卷，姚名達宋胡姚三家所論列古書對照表一卷，民國四十九年十二月初版。梁啓超講古書眞僞及其年代，吳其昌筆記，民國二十五年四月飲冰室合集本，臺北中華書局四十五年十月單行本。

註四　姚書近年盛行，除上舉世界本外，有金受申古今僞書考考，民國十三年北平中華印書局鉛印本，顧頡剛校點古今僞書考（北平景山書社辨僞叢刊本），顧實重考古今僞書考，民國十五年上海大東書局本，黃雲眉古今僞書考補證，民國二十年南京金陵大學中國文化研究所鉛印本，附原著補正異同對照表，程大璋古今僞書考書後一卷，民國十九年鉛印本。

註五　僞書通考二册，張心澂著，民國二十八年二月上海商務印書館出版。

註　六　勞榦論西京雜記之作者及成書時代，見中央研究院歷史語言研究所集刊第三十三本（民國五十一年二月臺北版）。

註　七　余家錫四庫提要辨證子部九（一一三〇頁）蘇時學爻山筆話卷七。

註　八　三書均見僞書通考子部小說家。下舉各例，均見此書。

註　九　西京雜記卷上。

註一〇　晉書卷五十八曹志傳，六代論見文選卷五十二。

註一一　晉書斠註卷五十四陸機傳。

註一二　余家錫四庫提要辨證子部。王叔岷劉子集證自序，歷史語言研究所集刊第三十三本。

註一三　均見僞書通考。

註一四　孫楷第中國通俗小說書目卷四（一五一頁），胡適辨僞擧例蒲松齡生年考（胡適文存四集卷三）。

註一五　顧炎武日知錄卷二十二柏梁臺詩僞。

註一六　袁枚黃以周均有文辨後出師表之僞，見盧弼三國志集解卷三十五諸葛亮傳注。虞姬和歌似唐人絕句，出現甚晚。唐婉和放翁釵頭鳳見御選歷代詩餘、林下詞選、香東漫筆。

註一七　錢大昕十駕齋養新錄卷十六。

註一八　隨園三十六種本第四十四册簎雲詩選卷首。

註一九　晁公武郡齋讀書志胡應麟四部正譌。

註二〇　李燾、陳振孫、胡應麟皆有辨正，見僞書通考八九四頁。

註二一　沈括、晁公武、葉夢得、胡應麟皆持此說，見僞書通考八九四頁。

註二二　古書眞僞及其時代五頁。幸存錄一卷續一卷，見明季稗史彙編十六種中。

註二三　古書眞僞及其時代十九頁。

註二四　饒宗頤楚辭書錄，選堂叢書之一，一九五六年正月，香港印本。

註二五　蘇東坡全集卷二十六，經進東坡文集卷四十六。

註二六　閻若璩古文尚書疏證，惠棟古文尚書考，丁晏尚書餘論，孫志祖孔子家語疏證，范家相家語證譌等書，已論定此案。

註二七　丁福保全漢三國晉南北朝詩緒言。

註二八　容若散文集談改文章（四十六年三月臺北開明書店版）。

註二九　謝氏中國大文學史第一篇第三章古今文學之大勢（三十五頁），謝書民國七年中華書局出版。

註三〇　曾毅中國文學史第三篇第八章（七十一頁），民國四年九月上海泰東圖書局出版。

註三一　四庫總目提要卷一九八詞曲一漱玉詞條。

註三二　癸巳類稿卷十五。

註三三　中國婦女文學史第三編第二章（二十一頁），上海中華書局版。

（原載「東海學報」六卷一期，東海大學，民國五十三年六月）

# 第六輯　輯佚學類

## 關於搜輯佚書的問題

張舜徽

### 一、古書為什麼散佚了的

我國古代歷史書籍，不傳於後世的卻已不少。誠如馬端臨在文獻通考經籍考序中所說：「漢、隋、唐、宋之史，俱有藝文志。然漢志所載之書，以隋志考之，十已亡其六七；以宋志考之隋、唐，亦復如是。」書籍的散亡率有這樣大，究竟是什麼原因？過去學者們談到這個問題，總認為是歷代「兵燹」、「禍亂」所造成的災害。例如隋書卷四十九牛弘傳，記載弘在開皇初年做祕書監時，曾經上表請開獻書之路，表中指出古今書籍經過了五次大的災厄。大意以為秦始皇下令焚書，是第一次；西漢末年赤眉入關，是第二次；東漢末年董卓移都，是第三次；西晉末年「劉、石亂華」，是第四次；南朝蕭梁時，周師入郢，元帝（蕭繹）自焚藏書，是第五次。後來胡應麟在少室山房筆叢卷一，談到古書的散亡，認爲牛弘所論，都是隋代以前事實。從隋唐以至宋末，又經過了五次大的災厄。大意以爲隋大業十四年（公元六一八年），煬帝在江都被殺，一時大亂，圖書被焚，是第一次；唐天寶十五載（公元七五六年），安祿山入關，玄宗奔蜀，書籍損失殆盡，是第二次；廣明元年（公元八八〇年），黃巢入長安，僖宗出走，書籍焚燬不少，是第三次；北宋一代，政府藏書本來很多，靖康二年（公元一一二七年），金人入汴，圖書散佚無算，是第四次；南宋德祐二年（公元一二七六年。胡氏原文以爲「紹定」，失考。）伯顏南下，軍入臨安，圖書禮器，運走一空，是第五次。連牛弘所舉的五厄，總共便有了十厄。

但是他們所提出的所謂「十厄」，多半是就歷代王朝兵敗國破時，圖書遭到的重大損失而言。其實變起倉皇，一時集中在政府圖書館內的書籍雖免不了散失或焚燬；但以中國疆土之大，民間藏書，總不會完全根絕的。歷代史籍中每敍述到戰爭以後圖書遭受的損失情況，而有「俱成灰燼」、「掃地無餘」這一類的話，自然不免過於誇大。牛弘、胡應麟，只根據史書的記載，便把古籍的散亡，歸結到「兵燹」、「禍亂」所造成的災害，顯然是和事實不甚符合的。

即以秦始皇焚書而論，當日明令不燒的，是「醫藥、卜筮、種樹之書」。但是事實恰巧相反，這一類的書，反沒有保留下來，而那些焚燬了的經典，經過漢代學者陸續採訪、修補，反而一部分恢復了舊觀。可知書籍的存亡，又不是任何統治者專憑主觀好惡所能決定的。

然則古書的散佚，究竟是什麼原因？要弄清楚這一問題，最好從書籍本身發生、發展、變化的情況來加以分析，比較有線索可尋。首先，我們知道當雕板印刷術沒有發明以前，一切書籍，都要手寫，學者傳鈔一書，已感不易；用功博覽的人，還要鈔錄羣書，是多麼艱難的事！於是對性質相近、作用相同的許多寫作中，不可避免地有所別擇去取。每每從很多內容相似的書籍裏面，挑選一種能夠以簡馭繁、卷帙較少的本子來鈔。加以古代社會的士大夫們，又十分注意每部著作的文學水平，這也是鈔書過程中的挑選標準。於是輾轉傳鈔之後，另一部分書便沒有人過問了，無形中加速了它們的亡佚，這是由於當時傳播書籍的方法和工具所引起的一種後果。現在舉後漢書和晉書爲例，足以說明這一問題。

公元三世紀到六世紀之間（漢末至梁）學者們整理後漢一代史實從事編述的，頗不乏人。就卷帙較大的幾部寫作來說，有後漢劉珍等所修東觀漢記一百四十三卷；三國時有吳人謝承後漢書一百三十卷；晉代有薛瑩後漢記一百卷，司馬彪續漢書八十三卷，華嶠後漢書九十七卷，謝忱後漢書一百二十二卷，張瑩後漢南記五十五卷，袁山松後漢書一百卷，袁宏後漢紀三十卷，張璠後漢紀三十卷；宋代有范曄後漢書九十七卷（此據隋志）；梁代有蕭子顯後漢書一百卷。這十二種書，都是著錄在隋書經籍志的。現在只有范氏後漢書和袁宏後漢紀還存在。其餘各書，散佚很早，雖多有後人輯本，已無由窺其全豹。范曄的寫作，所以受到當時學者普遍歡迎的原因，一則由於范氏文筆很高，時人喜歡傳鈔；二則由於范書但有紀傳而沒有表志，易於誦習。大家都爭先傳鈔這個本子，而其他諸家之書皆廢。袁宏後漢紀，因體例不同，學者們還保存着它，並行不廢。

公元四世紀到六世紀之間（東晉至梁），學者整理晉代史實寫成專著的，較過去任何時期都要多。唐初詔修晉書，已有「前後晉史十有八家」的話，今天根據晉書列傳和隋書經籍志、唐書藝文志所載，可以考見唐以前修晉書的多至二十餘家。其中尤以南齊臧榮緒晉書一百一十卷爲最備。王鳴盛十七史商榷卷四十三云：「觀榮緒卷數，較以上諸家或倍之，或參倍之；則知爲東、西晉之全史。」唐初重修之一百三十卷的晉書，仍是以臧氏晉書爲藍本，參考諸家而寫成的。唐代學者稱唐初重修之晉書爲新晉書（見史通題目、暗惑二篇），當然是對舊晉書而得名。史通正史篇在談到唐初重修晉書時便說：「自是言晉史者，皆棄其舊本，競從新撰。」可知諸家舊史之漸就湮廢，完全是受了新書的影響。唐初重修的晉書，短處很多，趕不上舊史，但是由於唐太宗自己在宣帝（司馬懿）、武帝（司馬炎）兩篇本紀，和陸機、王羲之兩篇傳的後面發了四段議論，於是稱這書爲「御撰」，臣下尊信唯謹，這也是新編盛行于世的另一原因。

由上面所舉後漢和晉兩個時期史實撰述的發展變化情況來看，足以說明同內容的書籍，儘管發展到了日益增多的階段；一旦出現了集長去短，合乎客觀需要的本子的時候，每每新的代替了舊的，而舊的便漸由湮廢以至于亡佚。這差不多在中國歷史上成了一般書籍發展的必然趨勢，也就是古書散失的重大原因之一。

其次，在歷史上每當羣雄割據或各族混戰的時期，沒有統一的中央政治機構，各自爲政，各有各的歷史紀錄。名目繁多，並行於世。等到社會起了大的變化，已經由分裂發展爲統一的局面的時候，便有人重新做一番綜合整理的工作，把零散的舊史料編成綜合體的新書。從這種新書通行于世以後，那些原有的許多片面記載，漸漸被人們揚棄了，這自然又要散失一部分書籍。

例如公元三世紀當漢末三國鼎立的時期，各國都有歷史記載，寫作很多。到晉初陳壽作三國志，才把它們綜合起來寫爲一書。其後裴松之作三國志注時，又博采有關三國時期的零散材料多至百數十種，可說是來了一次大的綜合，足以彌補陳壽的缺遺。後人合陳、裴兩家所綜合的材料來研究三國時期的史實，比較詳盡了，不再滿意于那些零散的舊史料，是極其自然的事。

又如公元三〇四年到四三九年（晉惠帝永興元年，劉淵自立爲漢王，至宋文帝元嘉十六年，拓跋魏滅北涼），經歷了一百三十五年的長時期內，西北各族，在北中國佔據了不同的地區，先後建立了十幾個國家，歷史上稱之爲「五胡十六國」。在這將近一個半世紀的年代裏，北中國處於混戰擾亂的狀態，社會變化劇烈，事實極其紛雜。根據隋書經籍志所著錄和史通所談到的各國史籍，多至數十家。有了這樣多的零散記載，便替編述綜合體的史書提供了有利條件，於是後魏崔鴻，憑藉這些資料，寫爲一百卷的十六國春秋。這書既行于世，而其他「國別爲書」的單行本史籍盡歸散亡，也是必然的趨勢。（崔氏書，從北宋以後，便已失傳，今通行本的十六國春秋，係明人僞造。）

由上面所舉三國和所謂「五胡十六國」兩個時期史實撰述的發展變化情況來看，足以說明分散的記錄，雖至繁多；一旦出現了綜合性的寫作時，又往往以整體的記錄代替局部的記錄。這種事例，卻也數不盡。正如大家所熟悉的：唐以前撰述南北朝時期史實的書很多，從李延壽的南北史出，然後各朝專史，漸致無人過問。我們只看今本宋、南齊、魏、北齊、周五史殘闕不完，便是一個明證。它們得免于亡佚，可算是僥倖萬分了。

總之，事物是不斷前進的，有發展必有揚棄。況且用文字記錄而成的書籍，由于爲傳播的方法和工具所限，不容易傳之久遠。唐以前，書皆手寫，易致散亡，這在前面已經談過了。唐以後，雖雕板印刷之術已漸推廣到史書，但是卷帙較多的書籍，付之木刻，也很艱難。因無力開雕以致原書亡佚的當不在少數。特別是古代社會的所謂「正史」，多由政府官修合刻付印，他們對敍述同一時代兩部史書如果有所偏重，也直接影響到書籍的存亡。例如薛居正的五代史所以不傳于世，是由于南宋以來的統治者偏重歐陽修的新五代史，而削去薛書。所以元九路分刋十七史，明南北監兩刋二十一史，也都不刻薛書了，這便使薛氏五代史自元明以來，傳本日稀，終歸湮沒了。

由此可見，書籍散佚的原因雖多；而在古代，由於傳播艱難，以致亡失的，自然居絕大多數。

## 二、輯佚工作的展開和取材的依據

古代書籍，既存在着嚴重的散佚現象；往往前代藝文志或經籍志已著錄了的書，過了一個時期便找不到了。於是有些好學博覽之士，爲着滿足自己求知的慾望，特別是對於已經散佚了的古代名流學者的寫作，寄與無窮的歆慕和追求，想盡方法，希望通過其他書籍中引用的材料，重新搜輯、整理出來，企圖恢復作者原書的面貌，或者恢復它的一部分，這便是「輯佚」。這一工作，是從宋代學者開始動手的。章學誠校讎通義補鄭篇說過：

昔王應麟以易學獨傳王弼，尙書止存僞孔傳，乃采鄭玄易注、書注之見於羣書者，爲鄭氏周易、鄭氏尙書注。又以四家之詩，獨毛傳不亡，乃采三家詩說之見於羣書者，爲三家詩考。嗣後好古之士，踵其法，往往綴輯逸文，搜羅略徧。

章氏明明認定搜輯佚書的工作，是從南宋學者王應麟開始的。以後學者們談到這一問題，大半無異辭。獨葉德輝書林淸話卷八，有「輯刻古書不始於王應麟」一條，着重指出：

古書散佚，復從他書所引搜輯成書，世皆以爲自宋末王應麟輯三家詩始，不知其前卽已有之。宋黃伯思東觀餘論中，有跋愼漢公所藏相鶴經後云：「按隋經籍志、唐藝文志，相鶴經皆一卷。今完書逸矣，特馬總意林及李善文選注、鮑照舞鶴賦鈔出大略，今眞靜陳尊師所書卽此也。而流俗誤錄著故相國舒王集中，且多舛午。今此本旣精善，又筆勢婉雅，有昔賢風概，殊可珍也。」據此，則輯佚之書，當以此經爲鼻祖。

葉氏對過去學者們的說法加以反駁，認爲不是從王應麟才開始輯佚。近人劉咸炘對葉氏的說法猶有不滿，認爲「實不止此」。劉氏在所著目錄學上編存佚篇中說過：

宋世所傳唐人小說，及唐以上人文集，卷數多與原書不合。校以他書所引，往往遺而未錄。蓋皆出於宋人掇拾而成，此卽輯佚之事也。

總之，這幾家的見解雖各不同，但輯佚的工作，畢竟是宋代學者開其端，這是大家所公認了的。我們今天也不必再糾纏於開始于哪一個人、哪一部書，作些不必要的爭論了。宋代學者不獨已經動手搜輯佚書，並且還對這一工作，提出了指導性的理論。鄭樵通志校讎略，有「書有名亡實不亡論」一篇。其中有云：

書有亡者，有雖亡而不亡者，有不可以不求者，有不可求者。文言略例雖亡，而周易具在；漢魏吳晉鼓吹曲雖亡，而樂府具在；三禮目錄雖亡，可取諸三禮；十三代史目錄雖亡，可取諸十三代史。……凡此之類，名雖亡實不亡者也。

這段言論，在八百年前的南宋初年學術界，誠然是一種創見！無異於替當時學者指出了一條輯佚的路。但是另一方面，鄭氏說話，不免失之輕率，把問題看得太容易。所以章學誠校讎通義補鄭篇，提出了不同的意見：

鄭樵論書，有「名亡實不亡」，其見甚卓。然亦有發言太易者，如云：「鄭玄三禮目錄雖亡，可取諸三禮」，則今按以三禮正義，其援引鄭氏目錄，多與劉向篇次不同，是當日必有說矣，而今不得見也，豈可曰取之三禮乎？又曰：「十三代史目雖亡，可取諸十三代史」；考藝文所載十三代史目，有唐宗諫及殷仲茂兩家。宗諫之書凡十卷，仲茂之書止三卷，詳略不同如此，其中亦必有說，豈可曰取之十三代史而已乎？其餘所論，多不出此。若求之於古而不得，無可如何，而旁求於今有之書則可矣。如云古書雖亡而實不亡，談何容易耶！

本來，鄭樵那段話的缺點，在於太籠統而不細緻。眞正從事搜輯佚書，便應該十分審愼精密。經過章氏加以詰難，更說明了搜輯佚書不是一件太輕鬆的工作。但是這一工作，畢竟是需要去做的。鄭樵所提出的方法，從原則上看，不能說是錯誤。後世學者談到輯佚的具體方法時，也不過本着鄭樵那段話的精神進一步具體化罷了。明人祁承㸁澹生堂藏書約，談到「購書」便說過：

書有亡於漢者，漢人之引經多據之；亡於唐者，唐人之著述尙有之；亡於宋者，宋人之纂集多存之。卽從其書各爲錄出，不但吉光片羽，自足珍重；所謂舉馬之一體，而馬未嘗不立於前也。

祁氏雖僅是一位有名的藏書家，此言專爲找書而發；但仔細研究一下，這段話無疑是滲透了鄭樵之言的精神的。其實運用到輯佚方面去，也不能離開這些原則。明代學者像孫瑴從羣書中輯錄緯書佚文，編爲古微書，雖範圍很局隘，體例也不很好，仍然是沿着宋代學者開闢的途徑努力去做的。到了清代，這一工作隨着樸學家們實事求是的治學風氣，用的方法比較過去精密多了。於是「輯佚」便成爲當時學術界中心工作之一，取得的成果也特別顯著。

清代學術界輯佚工作的能夠普遍展開，和乾隆年間的修四庫全書，有着很密切的聯繫。儘管在修四庫全書以前，有不少私人輯佚的作品，但是大規模的搜輯佚書，還是直接受了修四庫全書的影響向前推動的。當公元一七七三年（乾隆三十八年），安徽學政朱筠奏請開四庫館的時候，便以搜輯佚書爲迫不可緩，朱氏笥河文集卷一謹陳管見開館校書摺子有云：

臣在翰林，常繙閱前明永樂大典，其書編次少倫，或分割諸書以從其類。然古書之全而世不恆覯者，輒具在焉。臣請敕擇取其中古書完者若干部，分別繕寫，各自爲書，以備著錄。書亡復存，藝林幸甚。

這是朱筠當日對清高宗乾隆所上條陳之一。清高宗採納了他的建議，當即派員校覈永樂大典，並編定四庫全書。當時修書一開始便是和輯佚緊密結合着的。先後從永樂大典中輯出之書錄入四庫全書和登記在四庫全書存目中的，計經部六十六種，史部四十一種，子部一百三種，集部一百七十五種，共三百八十五種，四千九百二十六卷。今四庫全書總目中標明「永樂大典本」的書，都是已佚而重新輯出的。這是中國歷史上空前的大規模的搜輯佚書的成果！

在這次所輯出的佚書中，有不少價值極高、久已失傳的名著。即以歷史書籍而論，如五百二十卷的李燾續資治通鑑長編，一百五十卷薛居正五代史，九十卷的郝經續後漢書，都是卷帙浩繁的大書。又如東觀漢記一書，可以補正范曄後漢書的闕失之處頗不少。其書久佚，這次也從大典中輯出二十四卷。這對歷史研究工作者來說，已經提供了不少寶貴資料。至於所輯宋元人文集可供考證史實者尤多。我們談到這裏，不得不感謝前人替我們所投下的辛勤勞動和留給我們的豐富遺產。誰說輯佚不是重要的工作？

但是必須指出：我國大部分古書，在宋元時散佚最多。而明初編集永樂大典時，只是就當時現存的書，按字分編，散隸各韵。其實有不少古書，在明初已經不可得見了。所以輯佚的來源，應該多方發掘，不可局限於少數書或一部書。特別是搜輯唐以前的古書，更非依據比較早的書籍不可。大抵輯佚工作者用力的途徑和方法，又有下列幾方面：

一、取之唐宋類書，以輯羣書；

二、取之子史及漢人箋注，以輯周秦古書；

三、取之唐人義疏，以輯漢魏經師遺說；

四、取之諸史及總集（如文苑英華之類）以輯歷代遺文；

五、取之一切經音義（以慧琳音義爲大宗）以輯小學訓詁書。

這些，都是輯佚的資料來源。古注中，以裴松之三國志注、酈道元水經注、劉孝標世說新語注、李善文選注、慧琳一切經音義爲最重要。類書中，以北堂書鈔、藝文類聚、初學記、太平御覽、册府元龜爲最重要。這些書，都是一切佚書的倉庫。淸代學者們從這裏面仔細淸檢和整理出來了很多好東西，值得我們珍重。有如馬國翰的玉函山房輯佚書，多至五百八十餘種；王謨的漢魏遺書鈔，多至四百餘種；黃奭的漢學堂叢書，多至二百五十餘種。都是洋洋巨觀，遍及四部。雖在取材方面，有時不很審愼精密；但我們對前人搜輯的成果，可以有別擇地加以利用。

## 三、過去學者在輯佚工作中所犯的錯誤，和我們今後應有的認識

近人劉咸炘說過：「輯書，非易事也。非通校讎、精目錄，則譌舛百出。」（語載目錄學上編。）這話是比較通達的。劉氏早年寫過一部輯佚書糾繆，（劉氏此書序例見目錄學。）指出了輯書的四大弊病：

第一是漏。

第二是濫（又分三端：一、臆斷；二、本非書文）。

第三是誤（又分二端：一、不審時代；二、據誤本俗本）。

第四是陋（又分三端：一、不審體例；二、不考源流；三、臆定次序）。

這些，都切中了輯佚家的通病。我認爲從事輯佚工作，不但應該通校讎、精目錄，對古書體例、學術流別有個了解；卽古人寫作的編排形式，也應該注意照顧每一時代的習慣和常例。不然，便容易把作者原書錯誤地鈔輯在一塊，離開本來面目既遠，便替原書帶來了損失。例如修四庫全書時，從永樂大典中輯出的宋人文集爲最多。其中如劉敞的公是集，便輯成五十四卷。集中有古詩、有律詩。原書並將他人倡和之作，收錄在內，這是唐宋人編定文集的常例。乾隆年間四庫館中輯錄這書時，在編排詩篇的過程中，顚倒了原書次序。當時校勘學家盧文弨便深致不滿。抱經堂文集卷十三劉公是集跋有云：

唐人詩集中附見他人倡和之作，舊本皆一例平寫，無高下之別。或他人倡而己和，則置他人之作於前；或他人和己，則置他人之作於後。近代則不然，凡附見者皆置後，且低一字以別之。公是集尙有古法，而鈔集者不察，或誤以他人之作爲原父作。七言近體中有其弟貢父先寄詩而原父和之，遂誤以在前者屬原父，而和詩反低一格，從附見之例。余與歷城周太史書昌言之，當改正也。

這是一種極有價値的意見，對當時四庫館中埋頭伏案專事輯佚的先生們，都有很大的幫助和提高。假若盧氏沒有通過長期校書的實踐、掌握了古書編排形式的通例，是不容易發現這些錯誤的。

其次，以他書所引用的材料作爲輯佚的根據，如果審核不精，辨識不密，便容易誤以他書爲古書，妄加鈔輯，和原書毫不相符。所引起的問題，更爲嚴重。例如西漢末年由劉向寫成的別錄，由劉歆編定的七略，是我國歷史上第一次出現的圖書目錄，也就是辨章學術、考鏡原流的重要依據。可惜這兩部書早就亡佚了，別錄中的文字，現在只保存八篇；七略的義例，只可從漢書藝文志中考見其大體。學者們對這兩部書自然是想通過輯佚來恢復它們的舊觀。清代嘉道年間的學者們輯成別錄、七略的有嚴可均的輯本（在全漢文編內），有馬國翰的輯本（在玉函山房叢書內）。我曾經仔細鑽研，發現這兩個輯本中的不少錯誤。最嚴重的，可歸納爲兩方面：

一、錯誤地把古書上面的文字，看成劉向別錄。例如水經「河水又東過砥柱間」注云：「劉向敍晏子春秋稱古冶子曰：吾嘗濟於河，黿銜左驂以入砥柱之流。當是時也，從而殺之。視之，乃黿也。」這是二桃殺三士的故事，見晏子春秋內篇第二卷。明明是晏子春秋的原文，馬國翰誤認爲劉向所作晏子春秋敍錄，加以採輯了。馬國翰所以弄錯了的原因，便由於誤解了水經注中「劉向敍晏子春秋」的「敍」字，把它當作「敍錄」看。其實這個「敍」字，是整理的意思。水經注中稱「劉向敍晏子春秋」，意思是指經過劉向整理過的晏子春秋。馬國翰當日如果仔細推敲了水經注的文意，再繙檢了晏子春秋的原書，可以避免這些錯誤。

二、錯誤地把標題相近的書籍，看成劉歆七略。例如史記正義引阮孝緒七錄，通行本往往誤爲

「七略」。有的地方，並且明云「阮孝緒七略」，這便是寫刻錯誤的明證。嚴可均、馬國翰兩家七略輯本，晏子七篇，列在儒家；管子十八篇，列在法家；這是他們根據史記正義泛引七錄的話採輯的。至於七略原文，保存在漢書藝文志中，晏子八篇在儒家，管子八十六篇在道家。和七錄不同很清楚，他們也沒有注意到。

上面所舉列的錯誤實例，到清末姚振宗輯別錄、七略時都糾正了。從知考證之書，後出者勝。我們在利用前人輯佚成果時，如果發現一部古書有幾個輯本，最好採用最後寫成的本子，比較可靠。

此外還有一個必須注意的問題，便是我國古代的文字和語言是否統一的問題。無疑的，古人最初說出來的，是簡單樸素的語言；經過史家們記錄下來，加以潤色，變成了有修辭技術的文詞，這種文詞，斷不是原來說話的人所能矢口而出的，我們便不應該看成原來說話的人的作品。例如左傳記載鄭莊公和他母親發誓的話：

不及黃泉，無相見也。

這難道當日鄭莊公和他母親吵嘴發誓時，只說了這八個字？必然是經過左傳的作者刪去了很多閒話，節取了莊公發願不到死後不再見面的意思，加以文飾，變爲這八個字的誓言。又如史記記載趙朔妻置兒絝中，有幾句祝語道：

趙宗滅乎！若號；卽不滅，若無聲。

這十二字，也分明是修史者潤色之辭。趙氏之妻，縱能說出這樣的話；必不能簡煉成這樣的文句。嚴可均都把這些錄入全上古三代文，並各標名氏，認定爲說話人的作品，未必恰當。

由此類推，那末，當秦始皇吩咐羣臣共議帝號的時候，丞相王綰說了很多話；廷尉李斯又建議焚燒詩書。司馬遷在秦始皇本紀中敍述得比較眞實而生動，文章也寫得極其靈活。這種文詞，無疑不是發言人自己作的。嚴氏也把這段文字錄入了全秦文，並各爲標目，作爲王綰、李斯的寫作來處理。這和實際惟況，是不相符合的。

從這些具體事實，足以說明輯佚必須有識，才能避免一些不必有的錯誤。談到進行這一工作，又牽涉到許多方面。不獨學術流別、著述體例，必須有所了解；連古人引用舊文的義例，古人撰述舊事的辭氣，都應該分別淸楚。不然，便容易誣枉古人，遺誤來學。過去學者們所犯的錯誤，自然是我們應該記住的敎訓。而另一方面，我們在運用前人輯佚成果時，更有必要仔細較量，審愼處理。

大凡讀書有本末，有先後，有緩急，有輕重。斷不可陵節躐等，自亂步驟。需要閱讀的書太多了，必以先讀常見書爲急。將人人必讀之書讀遍以後，再逐類以求不易得見之書讀之，自然包括已佚之書也在探究之列。所以搜輯佚書的工作，和對佚書進一步的鑽研，都必須在某一門學問已經取得基本知識以後，才能向這方面用功。不然，便容易流于舍近圖遠，不切實際，很難取得成就。鄭樵通志校讎略說的很好：

後世不明經者，皆歸之秦火，使學者不覩全書。然則易固爲全書矣，何嘗見後世有明全易之人哉！

這幾句話，眞足以發人深省。兩千年間的學者們，總是慨歎秦火之後，書缺簡脫，究竟確能對於現存的幾部常見書讀得比較精熟的人，還不算太多。但是這些人，偏偏對于搜輯佚書有着很濃厚的興趣。清代乾嘉學者中，一部分人是以輯佚爲終身工作的。把常見的書，擱在一邊；而專力從事于補苴壁績，窮老不休。當時章學誠便深致不滿，有所譏斥。文史通義博約中篇說過：

> 今之俗儒，逐於時趨，誤以襞績補苴，謂足盡天地之能事。幸而生後世也。如生秦火以前，典籍具存，無事補輯，彼將無所用其學矣。

這對當時專以輯佚爲業的先生們，無異當頭一棒。也就可以從而喚醒一部分人，使知除輯佚外，還有許多現存的書，等待我們去讀；還有許多學術工作，等待我們去做；不要把寶貴光陰，全部投在這裏面去了。乾嘉學者們大部分都在鑽研經學，他們治經，推尊漢代鄭玄。於是對鄭氏遺著已經散佚了的若干種，都努力搜輯。像黃奭所輯高密遺書十四種、孔廣林所輯通德遺書十七種、袁鈞所輯鄭氏佚書二十一種，都是集鄭學之成的作品。其他輯成零種的，更不可勝數。當時焦循，也對這種風氣，不以爲然。雕菰集卷十二勘倭本鄭注孝經議有云：

> 世人賤目而貴耳，疏存而念亡。禮注、詩箋，通者甚鮮；而易、書、論語等注，則爭相掇拾之不倦。

雕菰集卷十六禹貢鄭注釋自序又云：

> 近之學者，不求其端，不訊其末，惟鄭之欲聞。乃鄭氏之書見存者，不耐討索；而散而求之殘

缺廢棄之餘。於是不辨其是非眞僞，務以一句之獲、一字之綴爲工。及其以贋爲眞，又不復考其矛盾齟齬之故，甚而拘守僞文，轉強眞文以謬與之合。削足以適履，鍛頭以便冠，而鄭氏之本義，汩沒於尊鄭之人。使鄭氏受不白之枉，伊誰之咎耶？

這都是比較通達的見解。其實當時學者們從事輯佚工作，替古書帶來的災害以及漠視現存書籍的傾向，何止對於鄭氏遺著是如此？焦循不過聊舉此以示例。這一風氣既已形成，後來發展到日益嚴重的階段。梁啟超中國近三百年學術史，敍述到「輯佚書」，便有這樣一段話：

總而論之，清儒所做輯佚事業甚勤苦，其成績可供後此專家研究資料者亦不少。然畢竟一鈔書匠之能事耳。末流以此相矜尚，治經者：現成的三禮鄭注不讀，而專講些什麼尚書、論語鄭注；治史者：現成的後漢書、三國志不讀，而專講些什麼謝承、華嶠、臧榮緒、何法盛；治諸子者：現成幾部子書不讀，而專講些什麼佚文和什麼僞妄的鬻子、燕丹子。若此之徒，眞可謂本末倒置，大惑不解。

梁氏所指出的這些偏弊，應該是初學的人所當首先注意的問題。卽以研究中國歷史而論，今天使我們最感遺憾的，便是公元一世紀初到三世紀初的兩百年間史實。由於范曄的後漢書成書太晚，又很簡略，許多材料被刪汰了，范氏以前的各家後漢書，都早佚不傳于世，便很難考見後漢一代史蹟的全貌。於是後漢書的搜補工作，便成爲輯佚家們的重要題材。清代學者姚之駰，有後漢書補逸二十一卷，輯錄了東觀漢記和謝承、薛瑩、張璠、華嶠、謝沈、袁山松、司馬彪諸家遺文。汪文臺也有七家後漢書二一十一卷。這些輯本，應該說是有些材料可以補范書之缺，訂范書之誤，有它的價值和作用。但是就初學言，仍必就現存的范書，精讀一遍以後，才有可能去參考那些已佚的殘文斷簡。否則舍近求遠，好奇貪博，不獨對於自己積累知識沒有什麼好處，並且也不是做學問所應有的步驟。由此類推，我們閱讀其他專業書籍，都應辨明哪些是基本讀物和必須先做的工夫，哪些是參考資料和可以稍緩的工夫。老老實實，脚踏實地，好好地讀幾部書，才於自己有益。所以就讀書的次第來說，前人輯佚的成果雖多，初學用力，似乎可以擺在第二步。

至於自己動手搜輯佚書，更是學問成熟以後的事。因爲讀書不多，見聞不廣，雖對這方面有興趣，很難免挂一漏萬。加以這種工作，做起來很費時間，就誤了讀書的歲月，尤爲可惜。初學似不必在這裏面投下太多的勞動，等到業務基礎打好以後，再談此事，比較容易着手。

（錄自「中國古代史籍校讀法」，中華書局，民國五十一年）

# 第七輯　語言學類

## 中國語言學的過去現在和未來

周法高

### 一、解　題

所謂「中國語言學」，有廣義和狹義的分別。廣義的「中國語言學」包括中國境內各種語言；狹義的則專指「漢語語言學」而言。這裏，我是專指「漢語語言學」而言。

過去我們不用「中國語言學」這個名稱，而把研究中國語言文字的學問叫做「小學」。習慣上以「字」爲研究的單位。「小學」的內容，包括字形、字音、字義三方面；或者可以說是包括文字、音韻、訓詁三方面。民國以來有人把「小學」改稱「文字學」，例如北京大學就有「文字學音篇」、「文字學形義篇」的講義。不過這個名稱也有含混的地方，因爲也有的大學把「文字學」專指講字形的學問，例如一九四〇年左右對日抗戰時，在昆明的西南聯合大學裏便開有「文字學」、「古文字學」

的課程。這樣說來，「中國文字學」也具有廣狹二義。

有人認爲：傳統的「小學」或「文字學」只是屬於 philology（譯作「語文學」）的範圍，和 linguistics（譯作「語言學」）的性質不同。例如王力的中國語言學史的「前言」中說：

「大家知道，語文學（philology）和語言學（linguistics）是有分別的。前者是文字或書面語言的研究，特別着重在文獻資料的考證和故訓的尋求，這種研究比較零碎，缺乏系統性；後者的研究對象則是語言的本身，研究的結果可以得出科學的、系統的、細緻的、全面的語言理論。中國在『五四』以前所作的語言研究，大致是屬于語文學範圍的。」（中國語文一九六三年頁二三二）

可是，他的「中國語言學史」却把二千年來「語文學」的研究都包括在內，由此可見：他所謂「語文學」和「語言學」的劃分，有時也相當含混。我在這裏講到過去的中國語言學，也是採取比較寬的標準的。

不過，有一點我得提出來請大家注意的就是：文字只不過是語言的代用品，我們過去所謂「小學」或「文字學」，除了研究文字形體一方面的是屬於文字的範圍而外，其音韻、訓詁兩方面研究的對象是語言，而不是文字本身。我們只是通過文字的媒介而研究語言罷了。我們把研究語音、語義的學問歸到文字學裏是不妥當的，而且和單講字形的文字學也容易相混，似乎用「小學」或「中國語文學」的名稱要好一點。

還有一點需要聲明的：所謂「中國語言學」，研究者並不限於中國人，我們在討論中國語言學的過去和現在時，要把眼光放遠大一點，不能只注意到中國人自己的研究，而忽略了外國人的研究。

此外，我的題目雖然和中國語言學史很有關係，可是我在這裏，由於時間的限制，只能講一個粗枝大葉，而不能作細節的討論。關於中國語言學的未來，我也不是預言家，不能未卜先知，我只不過把我所認爲今後語言學界應該做的工作提出一些來，供大家的參考罷了。

## 二、傳統的中國語言學的特點

我在這裏將講到五四運動以前傳統的中國語言學研究的一些特點。

第一個特點是重實用。從歷史上看，中國民族喜歡解決實際的問題，而不大長於做純理論的研究。這一點在語言學方面也不例外，研究小學的目的是爲了通經，通經是爲了致用，至於那些字書、韻書、韻圖之類是爲了實用的目的，那是自不待言了。有人指出，漢以前的思想家如荀子雖然有一些觸及到語言學方面的理論，可是並不是專門討論語言的。漢末劉熙的釋名想用聲音相近的字來解釋事物得名的起源，例如開頭第一條便說：「天，豫司兗冀以舌腹言之，天顯也，在上高顯也；青徐以舌頭言之，天坦也，坦然高而遠也。」（釋天）這種純粹主觀的解釋法，雖然也構成一套系統，可是有很多是不可靠的。反而不如荀子正名篇的話：「名無固宜，約之以命。約定俗成謂之宜，異于約則謂之不宜。名無固實，約之以命。約定俗成謂之實名」，合乎現代語言學的理論。（註一）不過，二千年來，荀

子的語言理論不大爲人所注意，而聲訓家的說法卻流行在傳統的語言學界中。（註二）

第二個特點是重視對古代的研究。研究小學的目的既然是爲了通經，因而小學成爲經學的附庸，而重視對古代的研究。（註三）假如我們統計一下歷代小學的著作，便可以看出多數的著作是考究古代的。就拿音韻學來說罷，清儒對周秦古音的研究可以說是如日中天，盛極一時，對於研究唐宋的韻書的卻叫做「今音」；（註四）可是對於研究當代方音的卻是寥若晨星。研究當時方言俗語的，往往着重語源的推求，例如清翟灝的通俗編，錢大昕的恒言錄，以及章炳麟的新方言等，都是屬於這一類的。要想像漢代揚雄方言那樣記錄當時的方言的可以說是鳳毛麟角了，反而流傳在民間的一些不登大雅之堂的方音韻書，如廣州的千字同音、汕頭的潮聲十五音、漳州的十五音、泉州的彙音妙悟、福州的戚林八音和正音通俗表、徐州一帶的十三韻、徽州的鄉音字彙等等，（註五）這些書都是爲了民間實用的目的而編寫的，爲舊日的士大夫所不取。

第三個特點是重視文字。由於中國語言是單音節性的分析的（缺少語形變化），所以中國文字發展到了諧聲的階段，便不能進一步走上併音文字的途徑；而西方卻由象形文字變成了併音文字。這一個發展是適合中國語言的特性的，（註六）由於此一特殊的發展，便決定了二千年來中國語言學研究重視文字的特點。「小學」是研究字形字音字義的學問，我們可以用今日各種不同的方音誦讀二千年前的古籍，說各種不同方言的人卻可以用同一的文字來表達意思，由於文字的統一而促成了國家的統一，這不能不算是一種方便，可是缺點就由此而發生了，在接受西洋的拼音方法以前，我們沒有一個簡單而正確的標音的方法。反切也不能給我們一個正確的標音，因爲我們讀字的音是隨方音而異的，這樣，使我們對中國語音史的研究便發生了很多困難。在研究語義方面，也往往爲文字所拘束。清代小學家的成就所以能夠超越前代，便是由于他們能夠脫離文字的束縛。（註七）不過，有時也不免濫言通假而發生了好些錯誤。

第四個特點是善於吸收外來文化的優點而加以融會貫通。在中國語言學史上，曾經有兩次大規模的接受了外來的影響：

A第一次是印度佛教的影響，西域和印度用的是併音文字，特別是印度的梵文字母也隨佛教而傳入了中國。漢末反切的興起和佛教的傳入可能有關係，（註八）南朝文士所提倡的聲律論也可能和佛經轉讀有關，（註九）隋陸法言的切韻和唐玄應的一切經音義（註十）審音的精細，也可能間接受了和尙們的影響。至於唐守溫的字母和後來的三十六字母，以及宋以後的等韻圖，那更確切的是受了佛教影響後的產物了。（註一一）

B第二次是西洋的影響。從明朝末年（十七世紀）耶穌會士用羅馬字來拼中國語；十九世紀以來，西洋的傳教士和外交家們更不斷地研究中國語言。五四運動（一九一九年）以後，更接受了西方現代語言學的影響，而有了歷史語言學和描寫語言學的研究。另一方面淸代著名的小學研究，從江永戴震這一派開始發揚光大起來，而江戴天算之學都受了西洋的影響。此外還有錢大昕、阮元等，有人認爲這可能影響到他們治學的精神和態度，也不能說是完全沒有根據的（註一二）。直到淸末民初的國學大師章炳麟，其語言學方面的研究更接受了外來的影響，看他解釋六書中轉注可知。許愼說文解字序云：「轉注者建類一首，同意相受，考老是也。」他說：「類謂聲類……首者今所謂語基」（國故論衡上卷轉注假借說），他所謂「語基」，現在叫做「語根」，相當于英文的 root。他又著了一部文始，更發揮「語根」的學說，他所著的語言緣起說（國故論衡上卷）更利用「語根」的說法來推測語言的緣起。這種學說分明是接受了十九世紀西洋語言學的影響（註一三）。此外他在駁中國改用萬國新語說一文（見太炎文錄別錄卷二）裏定的「紐文」和「韻文」雖然是採用篆文，實際上是受了日本「假名」的影響的。民國元年（一九一二年）教育部召集讀音統一會，次年正式開會，採用章炳麟所擬的「取古文篆籀逕省之形」的原則，製定三十九個注音字母（註一四）。由此看來中國語言學研究善於接受外來的影響，而加以融會貫通，從章炳麟的學風也可以看得出來。

以上舉出傳統的中國語言學的四個特點，以下將討論到中國語言學史的分期和各期的概況。

## 三、中國語言學史的分期及各期概況

現在將中國語言學史分爲下列數期：

1、上古期，先秦到漢末（公元前三世紀左右至公元後三世紀初）；

2、中古期，漢末到五代（公元三世紀初至十世紀末）；

3、近古期，宋到明末（公元十世紀末至十七世紀初）；

4、近代期，明末到民國初年五四運動時期（公元十七世紀初至二十世紀頭二十年）；

5、現代期（一九二〇年左右至今）。

現在將各期的概況分述如下：

1、上古期。漢以前的一些思想家（特別是荀子）對語言有一些零碎的意見，可是還不夠成爲完整的系統。到了漢代經學昌明起來，便出現了好些重要的小學書，其中以西漢初年的爾雅，西漢末年揚雄的方言，東漢初年許愼的說文解字和東漢末年劉熙的釋名爲最重要。爾雅、方言和釋名，公認爲訓詁學方面的重要的三部寶典，而說文解字則是中國最早的一部完整的字典，公認爲研究中國文字最重要的寶典。爾雅一書收集古書中的訓詁，羽翼六經；方言則開創了中國方言學的新紀元；而釋名，則是主觀地解釋事物得名的來源。至於說文一書，本不限於文字形體方面，其諧聲系統爲研究周秦古音最重要的材料；在訓詁學方面也有崇高的地位，其有功於經學更是不必細說了。

2、中古期。自從漢末發明了反切的方法，用兩個漢字來標音，上一字代表聲母，下一字代表韻母。這種方法代替了過去直音和譬況爲音的辦法，實在是一大進步。從曹魏以後更出現了一系列的韻書。到了隋陸法言的切韻，更是集其大成。在字書方面也有晉呂忱的字林和梁顧野王的玉篇。在訓詁方面，也有魏張揖的廣雅等書以及唐陸德明的經典釋文。而和尙們也寫了好些佛經的音義，最著名的有唐朝玄應的一切經音義和慧琳的一切經音義。在唐末更出現了守溫的字母。（註一五）

3、近古期。這一期的等韻圖非常發達，相當於現代的拼音字表。在韻書方面也出現了大宋重修廣韻和集韻等書。是繼承切韻的系統的。此外，還有金代韓道昭的五音集韻、元代黃公紹的韻會、明初的洪武正韻等書，最突出的一部描寫元大都（今北平）的方音的是元朝周德清的中原音韻。此外，在文字學、古文字學、古音學、訓詁學諸方面，也有不少的貢獻（詳見下節）。

4、近代期。這一時期的發展可分兩方面來說：

A、清代經學復興，小學的研究也突飛猛進，超越前代。周秦古音方面，明末的陳第（毛詩古音考成書於萬曆三十四年，一六〇六年）、清初的顧炎武，中間經過江永、戴震、段玉裁、孔廣森、王念孫、江有誥等，直到民國初年的章炳麟、黃侃，都有不少的貢獻。在隋唐韻書的研究方面，以陳澧的切韻考貢獻最大。在訓詁學方面：以高郵王氏父子、郝懿行和俞樾、章炳麟等的貢獻爲最大。王念孫著有廣雅疏證、讀書雜志；他的兒子王引之著有經義述聞、經傳釋詞。郝懿行著有爾雅義疏，俞樾著有羣經平議、諸子平議、古書疑義舉例；他的弟子章炳麟著有文始、新方言。在文字學方面：說文研究，最著名的有段玉裁、桂馥、朱駿聲、王筠等，在丁福保的說文解字詁林裏就收了二百多家。在古文字學方面：金文之學如阮元、徐同柏、方濬益、吳大澂、劉心源、孫詒讓、羅振玉、王國維等都各有貢獻。甲骨文從一八九九年發現了以後，孫詒讓、羅振、王國維等都作了開山的工作。

B、另一方面，從明朝末年起，西學東漸，西洋的傳教士和外交家寫了不少研究中國語言的著作，（這一切將留在下一節去敘述。）到了一八九八年，馬建忠受了拉丁文法的影響，寫成了一部馬氏文通，爲第一部中國人寫的有系統的文法書。

5、現代期，從五四運動以後，中國語言學便走上了一條新的途徑，現在分門別類的敍述在下面：

A、歷史音韻學。法國的馬伯樂（H.Maspero）在一九二〇年發表了唐代長安方音一篇長文（載河內遠東法文學校學報B.E.F.E.O.第二十期），瑞典的高本漢（Bernhard Karlgren）從一九一五年到一九二六年，出版了他的巨著中國音韻學研究（E´tudes surla phonologie Chin.），有趙元任、李方桂、羅常培中譯本（一九四〇年）。以高氏的貢獻爲最大。他參用反切、韻表和現代方言三種材料交互證明，對於切韻的語音有很詳細的構擬。關於「重紐」問題，那格爾 p.Nagel（文見通報一九四一年）、董同龢和周法高（二人文見史語所集刊第十三本）都對高氏的構擬有所修正。高本漢進一步又根據切韻音和清人的成績構擬周秦古音，著有詩經研究（一九三三年）等文。西門華（W.Simon）（文見Mitt. Sem. Or.Spr.30 一九二七年）和李方桂（文見史語所集刊第三本第五本，一九三一——一九三五年）又加以修正。董同龢著有上古音韻表稿（史語所集刊第十八本，一九四八年）和中國語音史（一九五四年），羅常培和周祖謨著有漢魏六朝韻部演變研究（第一册兩漢部分）。在音韻學的資料方面，劉復編有十韻彙編（一九三七年）。

B、文法學方面。黎錦熙著有國語文法，楊樹達著有高等國文法，受了外國文法教科書的影響。呂叔湘著有中國文法要略（一九四二年），採用了葉斯卜孫（Otto Jespersen）的學說；王力著有中國現代語法（一九四三年）、中國語法理論（一九四四年），採用了葉斯卜孫和布倫菲爾特（Leonard Bloomfield）的學說；高名凱著有漢語語法論（一九四八年），趙元任著有國語入門導論（一九四八年），又著有中國口語文法（一九六五年加州大學出版），是一部劃時代的描寫現代國語的巨著。周法高著有中國古代語法三卷（一九五九——一九六二年），是一部講古代漢語（上古到隋）的歷史語法。杜百勝（W.A.C.H.Dobson）著有晚周語法（Late Archaic Chinese1959）和周初語法（Early Archaic Chin. 1962）是兩部描寫的上古語法；哈里廸（M.A.K.Halliday）著有元朝祕史語法一書（The Language of the Chin."Secret History of the Mongols" 1959）是一部描寫的元代官話語法。

C、方言學。第一次大規模的調查一系的方言的著作是開始於趙元任現代吳語的研究（一九二八年），中央研究院歷史語言研究所在一九二八年成立以後，進行大規模的方言調查。羅常培著有廈門音系（一九三〇年）、臨川音系（一九四〇年）；趙元任著有鍾祥方言記（一九三九年）、台山語料（史語所集刊第二十三本，一九五一年）；董同龢著有華陽涼水井客家話記音（史語所集刊第十九本，一九四八年）、四個閩南方言（史語所集刊第三十一本，一九五九年）。又趙元任等著有湖北方言調查報告（一九四八年）。研究古代方音的有羅常培的唐五代西北方音（一九三三年）。（註一六）此外研究方言的實驗語音學的有劉復的四聲實驗錄（法文，一九二四年巴黎出版），王力的博白方音實驗錄（法文的，一九三二年巴黎出版），白滌洲的關中聲調實驗錄（史語所集刊第四本，一九三四年）等。高本漢中國音韻學研究後面附有方言字彙（一九二八年），列了二十六處的方言；北京大學語言學教研室編有漢語方音字彙（一九六二年）列了八個方言區的十七處方言；又編有漢語方言詞彙

（一九六四年），列了十八處方言。總論漢語方言的有袁家驊等的漢語方言概要。

D、訓詁學。高本漢著有漢語詞類（Word families in Chiness,1934），張世祿有中譯本（一九三七年）。沈兼士著有右文說在訓詁學上之沿革及其推闡（見慶祝蔡元培先生六十五歲論文集，一九三五年）。都是探究中國古代語源的文章。楊樹達著有積微居小學金石論叢、詞詮。

E、古文字學。關於說文方面丁福保編有說文解字詁林（一九二八年）和補遺（一九三二年）滙集了清代研究說文的成績。在金文研究方面，有羅振玉、王國維、容庚、于省吾、唐蘭、楊樹達、陳夢家等；甲骨文方面，有羅振玉、王國維、董作賓、于省吾、唐蘭、陳夢家、胡厚宣、屈萬里、張秉權、饒宗頤等，日本的島邦男、貝塚茂樹、白川靜等。編字書的有容庚（金文），商承祚、孫海波、金祥恆、李孝定等（以上甲骨文）。通論的有唐蘭的古文字學導論。

F、總類。高本漢著有中國語與中國文（Sound and Symbol in Chinese,1923）（一九六二年香港大學重印；有張世祿中譯本），中國語言學研究（Philology and Ancient China,一九二六；有賀昌羣中譯本），中國語之性質及其歷史（The chinese Language,1949 有杜其容中譯本），漢文典（Grammata Serica,1940），修正漢文典（Grammata Serica Recensa，1957）；法里斯特（R.A.D.Forrest）著有中國語言通論（The Chinese Language,1948）；周法高著有中國語文研究（一九五五年）；王力著有中國語文概論（一九三九）、漢語史稿（一九五七年——一九五八年）、中國語言學史（中國語文一九六三年第三期——一九六四年第二期）。

## 四、關於中國語言學史分期的討論

關於中國語言學史的分期，王力曾有所討論。他說：

「我們把中國語言學分為四個時期，其中只有兩個階段：第一階段從漢代到一八九八年，……第二階段從一八九九年到一九四九年，……這兩個階段在學術的觀點方法上是那樣迥然不同，所以二者之間的界限是黑白分明的。」（中國語文一九六四年頁一〇四）

他把第一個時期叫做「訓詁為主的時期」，包括漢代，附帶也討論到先秦；第二個時期叫做「韻書為主的時期」，從漢末到明末；第三個時期叫做「文字、聲韻、訓詁全面發展時期」，從清初到一八九八年；第四個時期叫做「西學東漸時期」，從一八九九年到一九四九年。

這種分期法是有缺點的，我們首先得注意中國語言學史是中國文化史的一環；其分期雖然不一定要和中國歷史的分期一致，但是，在必要的時候也要顧到其相關性。第二，假如沒有甚麼特別的理由，我們不應該把其中的任何一期分得太長，以免有輕重失調的毛病。

王力的分期，有下列幾項缺點：

第一，第二期分得太長，和中國史的分期也不合，他忽視了宋代在語言學史上的地位，而把它和唐代以前混在一起，攏統的舉出第二期為「韻書為主的時期」。他說：

「第二時期是佛學與理學時期，在這一時期，經義雖也還算重要，但是主要不在于字義的辨析，

而在于章句的闡述，于是語言學的重點移到音韻學上，跟文學上的聲律、哲學上的佛教相配合。」（中國語文一九六四年頁一〇四）

他明明知道宋元明是理學興盛的時期，和唐以前迥然不同，爲甚麼不把宋元明單獨劃成一期呢？在語言學史方面，宋代學者的研究也是劃時代的。

首先，在古音學方面有吳棫的韻補，朱熹詩集傳間取其說爲叶韻之說（註一七）。此外，鄭庠又有古音辨一書，開始把古韻分爲六部；近代正式分列古音的韻部的，應當推始於鄭庠。（註一八）

其次，在等韻方面，現存的重要的韻圖也是宋元明代的產物，如韻鏡和鄭樵的七音略（十二世紀以前）；四聲等子、切韻指掌圖和元代劉鑑的切韻指南等（十二世紀到十四世紀之間）；還有明代梅膺祚的字彙後面所附的韻法直圖和韻法橫圖（十六世紀）。（註一九）

復次，在訓詁學方面，有北宋王子韶（與王安石同時）的右文說（註二〇），後來推衍其說有南宋王觀國（宋高宗時人）、戴侗（理宗時人）。（註二一）這種理論，到了清代才發揚光大起來。

又次，在文字學方面，說文之學也是到宋代才復興起來的。北宋徐鉉的說文解字校定本完成於雍熙三年（九八六年）；徐鍇的說文解字繫傳，成書更在大徐本說文之前。有了這兩部著作，清代盛極一時的說文之學才有了依據。古文字學的研究也是從宋代才開始的，北宋劉敞輯所得十一器做先秦古器記，器形銘釋均完備；歐陽修把銘和釋全收在集古錄裏。繼劉、歐而起的有呂大臨的考古圖和趙明誠的金石錄。後來有王黼等編的博古圖錄和王俅的嘯堂集古錄，薛尚功的歷代鐘鼎彝器款識法帖，王

厚之鐘鼎款識。（註二二）

從上面所說，可知宋代確實在語言學的各方面都有驚人的成績而王力都給忽略了。原來語言學史是離開不了文化史的，而宋代在中國史上無疑的是開創了一個新的時代。

王力的第二個缺點就是他認爲每一個時代只能具備一個特點，而不能同時具備兩個表面上不相關的特點，例如他說：

「古文字學的極盛時期在清亡以後；我們之所以不放在最後一章敍述，因爲最後一章講的是西學東漸，而古文字學則主要是中國原來的學問，沒有受到（至少是沒有明顯地受到）西洋學術的影響。」（中國語文一九六三年頁五〇七）

因之他把民國以來對古文字學的研究都放在前一章去敍述。這種辨法是不正確的，因爲在西學東漸時代不可能全部的語言學研究都受了西學的影響；另一方面，研究古文字學在實質上雖然沒有受到西方的影響，而間接也可能在觀點和方法上受到了一些影響。在我看來，五四運動以來的語言學的成果與其說是西學東漸時代的產品，無寧說是由于新觀點、新方法、新材料所促成的。這樣，既然可以包括甲骨文、金文的研究，也可以包括歷史語言學、描寫語言學的研究，而不必像王力那樣把甲骨文、金文的研究放在前一時期去敍述了。

此外，王書還有一個缺點。他把中國語言學史分成兩個階段，前一個階段是一八九八年以前，後一個階段是一八九八年以後，二者間主要的區別是：後一個階段直接受到西洋的影響，而前一個階段則否。因爲一八九八年馬建忠寫成了他的馬氏文通，這部書是受了拉丁文法的影響的，（同時在一八九九年甲骨文被發現了）這便是他劃分爲兩個階段的主要根據。

我覺得王力的兩個階段的劃分是抹殺了史實的。遠在明朝末年，意大利的利馬竇（Matteo Ricci，一五五二——一六一〇）著有西字奇蹟，載程氏墨苑中；金尼閣（N.Trigault）著有西儒耳目資，明天啟六年（一六二五年）作成。都是用羅馬字母分析中國語音的。西儒耳目資刋行以後，在中國方面，像方以智的切韻聲原，楊選杞的聲韻同然集，劉獻廷的新韻譜都受了它很大的影響；在西洋方面，像威妥瑪（T.Wade）的語言自邇集（一八六七年），馬提爾（C.W.Mateer）的官話類編（Mandarin Lessons）以及傳教士們所作的講漢語拼音的書，都直接或間接受了它許多的影響。（註二三）

根據上面的敍述，我們知道明朝末年西學已經逐漸東傳，所以我們不妨把明末到清代定爲經學復興和西學東漸的時代，這樣更把中、西兩方面學者對中國語言學的研究都可顧到。馬建忠的馬氏文通雖然是第一部中國人受了西洋文法影響而寫成的著作，可是在他之前已經有不少西洋人寫的中國文法書了，例如一六八二年已有西文的中國文法出現（註二四）。以後又有馬士曼（J.Marshman）的中國言法（Elements of Chinese Grammar,1814），雷慕沙（A.Remusat）的漢文啟蒙（Elemens de la grammaire chinoise,1822），儒蓮（S.Julien）的漢文指南（Syntaxe nouvelle de la langue chinoise,1866），甲柏連孜（Georg von der Gabelentz）的漢文經緯（

Chinesische Grammatik, 1881）等，都是西人中國文法的名著。其中漢文經緯（一九六〇年有重印本）一書到現在仍然是中國古代文法的名著，甲柏連孜並且對普通語言學理論也有貢獻；他對中國文法所作的研究，在文法理論上曾經影響了二十世紀的大語言學家葉斯卜孫（O. Jespersen）。（註二五）

在歷史音韻學方面，馬士曼著有論漢語的文字與聲音（Dissertation on the Characters and Sounds of the Chinese Language, 1809）；武爾披齊利（Z. Volpicelli）著有中國音韻學（Chinese Phonology, 1896）；商克（S.H.Schaank）著有古代漢語發音學（Ancient Chinese Phonetics, 載通報 1900），較前人的成績爲佳；馬伯樂（Maspero）著有安南語音史研究（載河內遠東法文學校學報 BEFEO, 1912），對切韻音更有所修正。（註二六）

此外，在中國方言研究方面，西洋人在民國以前也有不少有價值的著作，現在將一些好的列在下面：

描寫廣州話有艾德爾（E.J.Eitel）的廣州方言字典（A Chinese Dict. in the Cant. dialect, H.K. 1877）。

客家話有雷氏（Ch. Rey）的漢法客話字典（Dictionnaire Chinois Francais, dialecte hacka, Hong kong 1901）。

陸豐話有商克（S.H.Schaank）的陸豐方言（Het Loehfoeng dialect, Leyden 1897）。

福州話有麥克萊（R.S.Maclay）跟白爾德文（C.C.Baldwin）的福州話字典（An alphabetic dict. of the Chinese Language in the Foochow dialect, Foochow 1870）。

廈門話有杜哥拉士（Douglas）的廈門土話字典（Chinese-English dict. of the Vernacular of Amoy, London 1873）。

汕頭話有季布孫（Gibson）的衞三畏漢文字典的汕頭話索引（A Swatow indes to the syllabic dictionary of Chinese, dy S. W. Williams etc., Swatow 1886）。

上海話有艾約瑟（J.Edkins）的中國上海土話文法（A Grammar of Colloquial Chinese as Exhibited in the Shanghai Dialect, 1853）。大維（D.H.Davis）跟奚爾斯比（J.A. Silsby）的漢英上海土話字典（Shanghai Vernacular Chinese-English Dictionary. Shanghai 1900）。

溫州話有蒙哥馬利（Montgomery）的溫州方言導論（Introduction to the Wenchow dialect, 1893）。

南京話有何美齡（K.Hemeling）的南京官話（The Nanking Kuanhua, Leipzig, 1907）。

四川話有川北一個教會裏幾個教士所作的漢法中國西部官話字典（Dictionnaire Chinois—Francais de la langue mandarine parle's dans l'ouest de la Chine, Hong Kong,

1893）。

以上所舉的是研究中國方言的較好的著作，而不是最早的。西洋的傳教士、外交家們往往化費半生的精力編一部詞典，其貢獻是不可磨滅的。

我在前面已經說過，研究中國語言學是不能限定國籍的，王力並不是不知道從明末以來中國語言學已經受到了西洋的影響，他所以不提到耶穌會士在音韻學上的貢獻，恐怕是由於他的看法不同罷。（註二八）不過王力的中國語言學史，是第一次對這門學問作全面的敘述，其貢獻自是不可磨滅的。其缺點也是值得我們原諒的。

## 五、中國語言學研究的展望

根據上面所敘述的傳統的中國語言學的特點，中國語言學史的分期和各期的概況，我們可以推測今後中國語言學研究發展的途徑是應該怎樣呢？以下只是就我個人的意見提出一些來：

第一，中國語言學具有其普遍性與特殊性。它必須合乎普通語言學發展的潮流，同時由於中國語言的特殊，卻又要具有其特殊性。傳統的中國語言學誠然具有其獨特的性質，可是有些觀念和方法卻和現代語言學格格不入。現代期的中國語言學雖然合乎世界的潮流，可是卻沒有創造出獨有的理論。我們看：二十世紀初葉有梭須爾（F. de Saussure）房德里耶斯（J. Vendryes）葉卜孫（Otto Jespersen）薩披爾（E. Sapir）諸家的語言學理論，在中國都發生過影響。以後又有了結構語言學（structural linguistics），在美國有美國學派（American School），在歐洲有布拉格學派（Prague School）、哥本哈根學派（Copenhagen School）和倫敦學派（London School）都是講結構語言學的。中國語言學受了以布倫菲爾特（L.Bloomfield）爲首的美國學派的影響最大，中國的語言學家如趙元任、李方桂（李爲薩披爾之高足弟子）在美國教書，都成爲國際知名的學者。一九五〇年後，美國又興起了轉換語言學（transformational linguistics），以康橋的麻省理工學院教授瓊姆斯基（Noam Chomsky）爲首，又稱康橋學派（Cambridge School），中國學者在這一派中也有人才和中國語言學的著作。在普通語言學的理論方面，中國學者不能說沒有一點貢獻。例如趙元任著有音位標音法的多能性（英文）（載史語所集刊第四本，一九三四年；重印在Readings in Linguistics,1957），在音位學理論上是一篇重要的文獻。他又寫了聲調符號的系統（A System of Tone Letters，載語音師雜誌Le Maitre Phonetique, 1930），首創字母式聲調符號（tone letters），又寫了中國「字」的邏輯的結構（The Logical structure of Chinese Words, 載語言雜誌Language 1946）一文，具有理論上的價值。今後，中國的語言學者如果想進一步在國際的語言學理論方面佔有較重要的地位，必須自己有一套理論，構成所謂「中國學派」才行。

第二，傳統的中國語言學，可能給我們很多的啟示。例如中國的反切法，把一個音節分成聲母和韻母；而西洋人則分成輔音和元音。董同龢在中國音韻學中音節的二分法一文（Bipartite Division of Syllables in Chinese Phonology，載 Proceedings of the Ninth International Congress of Linguists,1964）中，替這種二分法從語言學理論上加以說明，這便是一個例子。又如趙元任著有方言記錄中漢字的功用一文（載中央研究院院刊第一輯，一九五四年），說明了在調查中國方言時漢字具有相當的功用。此外，由於中國文字的特殊，不但使中國文字學的研究在世界上放出異彩，而且影響了中國音韻學和訓詁學的研究。今後我們應該怎麼樣利用傳統的中國語言學的遺產來發揚光大，這是中國語言學家的責任。不過有一點需要聲明的，我們在承繼遺產時，必須要具有現代的眼光加以批判；這樣才不致於使我們的研究孤立起來。

第三，過去我們研究中國語言學，還有不少的缺點。例如，我們在調查方言時，喜歡同廣韻來比較，著重單個的字音，而忽略了整段整句的話。比利時的賀登崧神父（W.A.Grootaers）就曾加以批評，（註二九）羅常培也指出過去的方言調查重視語音忽略詞彙的現象。（註三〇）我覺得研究方言，除了語音、詞彙而外，還需要注意到語法；而我們在方言語法方法的工作做得太少了。又如中國語言學研究雖然利用了歷史的研究法和描寫的研究法，但過去的擬測古音，大部分仍是根據文獻上的材料，現代方言只是用來幫助音值的考訂，並沒有能充分使用比較的研究法。照說應該根據現代各系的方言，個別的擬測出較早的階段（如早期官話、早期吳語、早期閩語、早期奧語等），再進一步擬測出他們的共同母語，這才是使用比較方法的正當途徑。（註三一）還有，古文字學的研究雖然已達到了相當的水準；可是利用古文字學研究的成果來研究上古語言的成效却不大。例如我們缺少一部載有成語用法的甲骨文詞典和金文詞典，而現有的甲骨文編和金文編對語源和用法也沒有甚麼詳細的解釋。至於我們缺少一部像牛津大字典那樣規模的中國大詞典，那是自不待言了。

第四，過去在對日抗戰時（一九四〇年左右）語言學家在中國西南（雲南、四川等省）作了很多的語言調查，特別是少數民族的語言。可見語言學研究要能就地取材才好。今後我們在香港應該從事研究廣東省的方言，如粵方言、潮汕方言和客家方言。中央研究院歷史語言研究所在一九二八年至一九二九年曾經在廣東、廣西調查方言，可是結果沒有完全發表（註三二）。今後我們似乎在這一方面要加點勁才行。此外，在語言教學方面，我們該著重國語的推廣，比較粵語和國語的異同，來增進學生的了解。在音韻方面，粵語實在反映出不少隋唐時代切韻的特點。如果我們在講授音韻學時，比較粵語和切韻的音系，可能會增進學生對音韻學的興趣和了解。

## 【附註】

註一　趙元任語言問題（一九五九年臺灣大學出版）頁三說：「語言跟語言所表達的事物的關係，完全是任意的，完全是約定俗成的關係；這是已然的事實，而沒有天然、必然的關係。」他用荀子的「約定俗成」四個字來說明語言的性質，是合乎荀子的意思的。

註二　章炳麟國故論衡上卷語言緣起說云：「語言者，不馮虛起，呼馬而馬，呼牛而牛，此必非恣意妄稱也。……何以言馬？馬者武也。何以言牛？牛者事也。」便是一例。

註　三　清王念孫說文解字注序說：「訓詁聲音明而小學明，小學明而經學明。」張之洞說文解字義證序說：「治經貴通大義，然求通義理，必自音訓始；欲通音訓，必自說文始。」

註　四　清江永古韻標準例言：「古韻既無書，不得不借今韻離合以求古音。」

註　五　參羅常培漢語方音研究小史，見羅常培語言學論文選集（一九六三年）頁一五二。

註　六　參高本漢中國言語學研究中譯本頁三二；周法高中國語文研究頁一一九。

註　七　王念孫廣雅疏證自序：「今則就古音以求古義，引伸觸類，不限形體。」

註　八　參周法高佛教東傳對中國音韻學之影響（一九五六年發表），見中國語文論叢（一九六三年）頁三一——三五；王力中國語言學史第六節，見中國語文一九六三年頁三一九——三二二。

註　九　參陳寅恪四聲三問，見清華學報第九卷第二期。

註一〇　參周法高玄應反切考，中央研究院歷史語言研究所集刊第二十本上册（一九四八年），頁三五九——四四四。

註一一　參周法高佛教東傳對中國音韻學之影響，中國之語文論叢頁四二——四六。

註一二　王力中國語言學的繼承和發展（見中國語文一九六二年頁四三七）說：「自徐光啓把西洋的天文曆算介紹到中國以後，許多經學家都精於此道，最值得注意的是江永、戴震、錢大昕、阮元等。據張之洞書目答問所載，江永在天算中屬於西法，戴震、錢大昕、阮元屬於中西法。（原註：孔廣森也著有少廣正負術內外篇……朱駿聲也精於天文曆算。）江戴等人經過近代科學的天文曆算的訓練，逐漸養成了縝密的思維和絲毫不苟的精神，無形中也養成了一套科學方法。拿這些應用在經學和小學上，自然跟從前的經生大不相同了。」

註一三　兪敏論古韻合帖屑沒曷五部之通轉（燕京學報第三十四期頁三十）說：「章氏造文始，自言讀大徐所得（菿漢微言），夷考其淵源所自，實出於德人牟拉（Max Muller）之言語學講義（Lectures on the Science of Language，一八七一）。持國故論衡之語言緣起說後半以與牟書第二篇中論語根之言相較，承沿之迹宛然。其檢論訂文篇附錄正名雜義云：「馬格斯牟拉以神話爲語言之瘿疣」，亦卽牟書中語也。牟氏常取印歐語之根，歷數其各語系中之變形，章氏取之。其說轉注云：『類謂聲類，首謂語基』是也。」

註一四　參黎錦熙國語運動史綱卷二頁七五——九三；張世祿中國音韻學史（一九六三年香港版）頁三三五。

註一五　參羅常培敦煌寫本守溫韻學殘卷跋，見歷史語言研究所集刊第三本第二分，一九三一年；重印在羅常培語言學論文選集頁二〇〇——二〇八。

註一六　上面所舉，爲篇幅的關係，只限於歷史語言研究所出版的。至於其他機關以及外國人對中國方言的研究，參看羅常培的漢語方音研究小史，羅常培語言學論文選集頁一五五——一五六；董同龢的中國語音學和音韻學的最近研究（董同龢近三十年來的中國語言學，學術季刊一卷四期，一九五三年）；Recent Studies on Phonetics and Phonology in China 載 Phonetica 第六卷一九六一年頁二一六——二二一。

註一七　清錢大昕韻補跋云：「世謂叶音出於吳才老，非也。才老博考古音，以補今韻之闕，雖未能盡得六書諧聲之原本，而後儒因是知援詩、易、楚辭以求古音之正，其功已不細。古人依聲寓義，唐人久失其傳，而才老獨知之；可謂好學深思者矣。朱文公詩集傳間取才老之補音，而加以叶字；才老書初不云叶也。」

註一八　參張世祿中國音韻學史頁二六四——二六七。（一九六三年香港重印本）。

註一九　參王力中國語言學史第九節，中國語文一九六三年頁四一七。

註二〇　宋沈括夢溪筆談十四：「王聖美治字學，演其義爲右文。古之字書，皆從左文。凡字，其類在左，其義在右。如木類，其左皆從木。所謂右文者，如戔，小也。水之小者曰淺，金之小者曰錢，歹而小者曰殘，貝之小者曰賤，如此之類，皆以戔爲義也。」

註二一　參沈兼士右文說在訓詁學上之沿革及其推闡，慶祝蔡元培先生六十五歲論文集（一九三五年）頁七八四——七八五。

註二二　參唐蘭古文字學導論上編第一章丁節。

註二三　參羅常培中國音韻學的外來影響，東方雜誌第三十二卷第十四號（一九三五年）頁三七—三八；又參同人耶穌會士在音韻學上的貢獻，見歷史語言研究所集刊第一本三分（一九三〇）。

註二四　參高廸（H. Cordier）的中國書目（Bibliotheca Sinica）（一九〇四—〇八年）Col. 一六五〇以下。

註二五　見O. Jespersen, Philosophy of Grammar，（一九二四）頁三九；周法高中國古代語法造句編上（一九六一年）自序頁十四。

註二六　參羅常培中國音韻學的外來影響，東方雜誌第三十二卷第十四號頁四一—四二。

註二七　參高本漢中國音韻學研究中譯本頁七—八；頁五四一；羅常培漢語方音研究小史第三節，見羅常培語言學論文選集頁一五二—一五三。

註二八　語言研究所編的羅常培語言學論文選集（一九六三年出版）中恰巧就沒有收我上面所引的那兩篇文章，而那兩篇文章却是他的重要的論文。此外趙遐秋、曾慶瑞在中國語言學史讀後一文（見中國語文一九六四年頁四七一）中，提出了下列的分期法：

1.周秦時期（公元前三世紀左右）；
2.兩漢時期（公元前三世紀至公元三世紀）；
3.魏晉南北朝隋唐宋時期（公元三世紀至十三世紀）；
4.元明至清朝鴉片戰爭時期（公元十三世紀至十九世紀四十年代）；
5.鴉片戰爭至五四運動時期（公元十九世紀四十年代至二十世紀頭二十年）；
6.現代時期（公元一九二〇年以後）。

把第四期從元朝開始，第五期從鴉片戰爭開始，在中國語言學史方面是沒有甚麼根據的。

註二九　董同龢華陽涼水井客家話記音（史語所集刊第十九本頁八三）引一九四六趙元任云：「Monumenta Serica 上有一篇W.A. Grootaers 寫的文章，談近年中國語言研究。他批評咱們的工作像 Neo-grammarians，就是說太以 Phonetic law 爲主。我覺得他批評得對。不過我們的理由是，如以 Phonetic law 爲主，用極少時間可以得一大批的初步知識。」

註三〇　羅常培漢語方音研究小史（載羅常培語言學論文選集頁一五六）說：「揚雄方言一類的書重視詞彙，忽略語音；近年來的調查重視語音，忽略詞彙；都不免各有偏差。今後必須把這兩個方面結合起來。才能算是漢語方言學的全面的研究。」

註三一　參周法高中國語文研究頁三七。

註三二　羅常培漢語方音研究小史（羅常培語言學論文選集頁一五五）說：「中央研究院歷史語言研究所成立以後，（一九二八年一月到一九二九年二月），在廣東、廣西作初次的方言調查。其範圍東至潮汕，西至南寧，北至樂昌，南至中山。當時就地記音和就近覓人記音的地方，有潮安、東莞、恩陽、廣州、桂林、貴縣、揭陽、中山、樂昌、廉州、南寧、三水、韶州、新會、始興、臺山、文昌、梧州、桂平、江口、梅縣、五華等二十二處。一九三〇年八月在海南島調查了瓊州、海口、文昌、樂會、萬寧、崖縣六處方音。」史語所同人已出版的著作，有關粵方言的，有趙元任的粵語入門（Cantonese Primer，一九四七）、中山方言（史語所集刊第二十本上册，一九四八年）、臺山語科（史語所集刊第二十三本上册，一九五九年）；有關閩南方言的有羅常培的廈門音系（一九三〇年），董同龢的四個閩南方言（史語所集刊第三十本，一九五九年）；有關客家方言的，有羅常培的臨川音系（一九四〇年），董同龢的華陽涼水井客家話記音（史語所集刊第十九本，一九四八年），楊時逢的臺灣桃園客家方言（一九五九年）。

（本文係作者於民國五十四年六月十一日在香港中文大學之演講辭，原載「書和人」第十、十一期，民國五十四年七月）

[illegible]

# 第八輯　漢學類

## 漢學的名義和範疇

高明

外國學者研究中國學問，在西方稱爲 Sinology，中國人過去譯 Sinology 爲「漢學」，例如馬導源先生出過一本「日本漢學研究論文集」（民國四十九年七月中華叢書編審委員會出版），宋晞先生寫過一篇「美國的漢學研究」一文（發表於民國五十一年十二月出版的「思想與時代」第一〇一期中），周法高先生還出了一本「漢學論集」（民國五十三年五月出版），都沿用「漢學」這個名稱。不過馬先生在「日本漢學研究論文集」的凡例裏說：「漢學之涵義，本極晦塞，惟沿用既久，已習慣，考英人之英學、德人之德學、印度人之印度學、斯拉夫人之斯拉夫學，皆未見前例。若易辭以代，又難得一表裏符合之名稱，不得已故仍稱曰漢學，」似乎對「漢學」這一名稱不很滿意，只是不得已而沿用之罷了。不滿意「漢學」這一名稱的，實在不止馬先生一人，他們的理由大概不外下列四種：㈠歐美學者不自稱他們的學術爲英學、德學……而獨稱我們中國的學術爲「漢學」，多少有一點歧視的意思，甚或對我們這古老國家的文化成就還帶有一點輕蔑或驚異的意思。㈡「漢學」這個名稱太籠統，依現代學術分工的細密，應該把中國哲學歸入哲學的範圍，把中國史學歸入史學的範圍，把中國文學歸入文學的範圍，把中國各種科學歸入各種科學的範圍……來作分別的研究，不應該還用這個籠統的名稱。㈢中華民族是合漢、滿、蒙、回、藏爲一體的，用「漢學」這一名稱，似有將滿、蒙、回、藏從中國分割出去的意圖。㈣「漢」也是中國一個朝代的名稱，我們中國人講經學的，就有所謂「漢學」與「宋學」，「漢學」指漢朝人的經學，「宋學」指宋朝人的經學，現在拿研究漢朝人經學的別稱，作爲研究中國學術的總稱，自然容易使人在觀念上發生淆混。因此，有很多人對於「漢學」這個譯名感到很不滿意。但是，由於這個譯名沿用已久，大家也懶得去改了。

外國人研究中國的學問，又有一些別的名稱。如日本人常稱之爲「支那學」，他們有一個學報，就以「支那學」爲名。如韓國人又稱之爲「中國學」，他們組織了一個「中國學會」，還出版了一份「中國學報」。還有一些國家則逕稱爲 Chinese Studies，我們可譯爲「中國研究」，在馬來亞大學和新加坡大學就都有這樣的一個學系。有些歐美學者以爲中國是「東方」或「遠東」的主要國家，又將中國學問的研究擺在「東方研究」（Orientol Studies）或「遠東研究」（Far Eastern Studies）裏。

我們不管外國人給它甚麼名稱，叫它「漢學」也好，叫它「支那學」也好，叫它「中國學」也好，叫它「中國研究」也好，說它是「東方研究」或「遠東研究」的一部分也沒有甚麼不好；但是我們必須記得，那是從外國人的立場，以外國人的眼光，用外國人的方法，來研究有關中國的學術，所定下的一些名稱，雖然那些名稱頗爲紛歧，可是他們研究的對象，都同樣是有關我們中國的學術。

至於我們中國人研究自己國家的學術，則有「國粹」、「國故」、「國學」諸名。清末民初，鄧實、劉師培等辦有國粹學報，就用「國粹」那一個名稱。章太炎先生著有國故論衡，又用「國故」那一個名稱。太炎先生晚年在蘇州辦一個「章氏國學講習會」，講有「國學略說」，而各大學的中文系又大都開有「國學導讀」、「國學概論」一類的課程，「國學」這一名稱已在普遍地使用了。張曉峯先生交卸教育部長職務以後，創辦了「中華學術院」，曾召開過一次「國際華學會議」，並發行一種華學月刊，於是「華學」這一名稱又在漸漸地流行了。儘管我們中國人使用「國粹」、「國故」、「國學」、「華學」這幾個不同的名稱，但是從中國人的立場，以中國人的眼光，用中國人的方法，來研究我們中國自己的學術，則是相同的。

在現代，由於交通的發達，世界上國與國之間，人與人之間，往來已經十分地頻繁，彼此相互的影響自是不能避免的。研究中國的學術，又何獨不然？外國研究「漢學」的學者，所發現的新資料，所運用的新方法，可以供我們中國人參考、採擇的很多，我們沒有理由拒絕，事實上也無從拒絕，即如斯坦因、伯希和所發現的敦煌千佛洞裏那些新資料，我們那能把它一筆抹殺，置之不理？又如高本漢運用現代語音學的方法，研究中國聲韻學，我們又那能把他一筆抹殺，置之不理？但是我們必須仔細地審察，那些外國漢學家的學養是否夠格？動機是否純良？觀點是否正確？論斷是否完善？我們也不能盲目地接受，更不能以爲「月亮只是外國的圓」，無條件地跟在他們的後面，而以做他們的尾巴爲榮。我們必須知道，我們中國人研究本國的學術，是具有無比的優越的條件的。我們生於斯，長於斯，我們對於自己的語言文字的了解，我們對於自己的歷史文化的體認，我們對於自己的精神和物質兩方面的感受，這都是外國人所無法比擬的，所以我們的「國學」（或是「華學」）可以匡正外國人「漢學」的錯誤，開悟外國人「漢學」的迷惑的，不知有多少。嚴格地說來，外國的漢學家，有的能說中國話而不能讀中國書，有的能讀中國書而不能說中國話，有的能說能讀而理解不深刻，體會不切至，有的更是歪曲附會，別有用心；其中程度能夠趕上我們中國國學家的，只有極少數的人，可以說是寥若晨星了！在這種情況下，我們如果說，研究中國學術的中心應該設在中國，實在不是過分的話，或者我們說，研究有關中國的學術，應該由我們中國來領導，這也是理所當然的。如果我們要給予外國漢學家的方便，讓他們到中國來研究中國的學術，使他們對我們的語言文字更有所了解，對我們的歷史文化更有所體認，對我們的精神和物質兩方面更有所應受，則在我們國內設立一個「世界漢學研究中心」，自然也是很需要的。

所謂「漢學」和「國學」（或「華學」）都是以我們中國學術的整體作爲研究的對象。只是外國人研究它，就叫它做「漢學」；我們中國人研究它，就叫它做「國學」（或「華學」）；分別只是在此。外國人所以叫它做「漢學」，是由於他們感覺到中國學術的目標、基礎、精神和內涵，與他們自己的有顯著的不同，是一種別成體系的學術，所以纔在「logy」上另加一個「Sino」，以示區別。至於中國人研究本國的學術，而以「漢學家」（Sinologist）自居，那就大可不必了。如果我們自己還保有一點民族意識，把自己置身於外國人之列，也並沒有甚麼光榮！不過「漢學」這一譯名和「華學」這一名稱却頗爲近似，以「漢」來代表中國，和以「華」來代表中國，亦只是「唯」之與「阿」，相去幾何？若從我們民族文化的淵源來說，如說我們的祖先曾活動於華山區域，我們可稱爲「華族」；如說我們的祖先曾活動於漢水流域，我們也可稱爲「漢族」；再說我們中華民族百分之九十以上的人屬於漢族，以「漢」來代表中國，也未始不可；「漢」雖是中國歷史中一個朝代名，但這一朝代是中國國力最强盛的時代，以這一朝代來代表中國，也並不給中國丟人；所以用「漢學」來做 Sinology 的譯名，我認爲也無不可。只是有一些人喜歡在「漢學」、「國學」、「華學」這些名稱上爭高下，我總覺得是不必要的。

無論是外國人的「漢學」也是，中國人的「國學」或是「華學」也好，都是研究中國的學術。從中國學術的整體來說，它自具一種特殊的體系，和一般國家的學術不盡相同。我在拙著「中華學術的體系」裏，曾經說過：中國學術的目標是「志於道」，就是要追尋、把握、適應、踐履那個天、地、人應該遵循著走的道路。中國學術的基礎是「據於德」，就是依據德性與德行，做到「內得於己而外得於人」，使得人類社會和世界宇宙都成一大和諧體，而實現「天人合德」的境界。中國學術的精神是「依於仁」，就是無論何時何地都流露著仁愛的精神，要造成人與人相愛的愉快的溫暖的社會，更進而發揮仁愛的心，去愛宇宙萬物，使得宇宙間瀰漫著愛的氣氛。中國學術的內涵是「游於藝」，就是在各種學術（中國人舊稱爲「藝」）的研究中，要能沈潛涵泳，優游有得，憑藉著智慧的發揮，從事於人格的陶冶。中國人把學術分爲四大類，也可以說是四種範疇，那就是「考據之學」、「義理之學」、「經世之學」和「詞章之學」（實應稱「文藝之學」）。「考據之學」裏有語言學、文字學、聲韻學、訓詁學等，是考語文的學問，而語言學裏又可分出方言學、語彙學、語音學、語法學……等，文字學（研究字形的結構與變遷的學問）又可分出說文學、古文字學、字樣學、俗文字學……等，聲韻學（研究字音的結構與變遷的學問）又可分出等韻學、古音學、韻書學、國音學、方音學……等，訓詁學（研究字義的種類與變遷的學問）又可分出羣雅學、釋名學、釋詞學……等。「考據之學」裏又有目錄學、版本學、校勘學、辨僞學、輯佚學等，是考書籍的學問；還有考古學、金石學、甲骨學、簡策學、敦煌學、庫檔學等，是考文物的學問。這許多考據的學問，可說是「接受智識」的學問；接受智識，必須要求所接受的智識正確無訛，它們所追求的是「止於至眞」。「義理之學」裏有經學、子學、玄學（附道教思想）、佛學、理學、新哲學等，而經學又可分周易、尙書、詩經、三禮（包括儀禮、周禮、禮記）、春秋三傳（包括左傳、公羊傳、穀梁傳）、論語、孝經……等學，子學又可分儒、道、墨、法、名、陰陽、雜……諸家之學，佛學又可分成實、俱舍、律、禪、密、法華、華嚴、唯識、三論、淨土諸宗之學，理學又可分濂、洛、關、閩、湘、浙、贛、崇仁、白沙、河東、姚江……等派之學，而新哲學又有融會先秦諸子、融會儒釋、融會中西……各種區別。「經世之學」有天文學、地理學、曆算學、博物學……等，是屬於今日所謂「自然科學」的；又有氏族學、史學、兵學（包括今日所謂「戰爭學」、「國防學」……等）、政學（包括今日所謂「政治學」、「行政學」……等）、財用學（今日稱爲「財政學」）、食貨學（今日稱爲「經濟學」）、法學、縱橫學（今日稱爲「外交學」）、教育學、禮俗學（今屬「社會學」）……等，是屬於今日所謂「社會科學」的；又有農桑學、水利學、工藝學、醫藥學、術數學……等，除了術數學，多屬今日所謂「應用科學」。這些學術都是經世濟民用的，所以稱爲「經世之學」，研究中國現狀的學問，也都包括在「經世之學」裏面。義理之學與經世之學有密切的關係，依中國人的看法，義理之學是「體」，經世之學是「用」；「體」是理論，「用」是實際；「體」是思想，「用」是施行。理論與實際、思想與施行是不能分開的。有「體」而無「用」，只是一些空洞的理論而不切於實際，只是一些虛幻的思想而不便於施行；有「用」而無「體」，只是一些紛亂的實際，而沒有理論的指導，只是一些盲動的施行而沒有思想的主宰。有「體」而無「用」，必然流於玄虛；有「用」而無「體」，必然困於紛擾。中國人講究的是有「體」有「用」之學，這種有「體」有「用」之學，可說是「造福人羣」之學。造福人羣之學的最高境界，就是莊子天下篇所說的「內聖」和「外王」，「內聖」是「修己」的極致，「外王」是「安人」的極致，「修己而安人」，是孔子答覆子路問君子的話，見「論語」憲問篇，中國歷史上多少聖賢豪傑都是拿這話做「爲學」的南針。「修己」就是「禮記」大學裏所講的「明明德」，「安人」就是禮記大學裏所講的「親民」（這裏用大學的古本，我覺得程、朱改爲「新民」，不如古本好，說見拙著「大學辨」），「明明德」而「止於至善」就是「內聖」，「親民」而「止於至善」就是「外王」。造福人羣之學，就是要人人做到「明明德」、「親民」而「止於至善」，以實現「內聖」、「外王」的理想。「詞章之學」（或

「文藝之學」）有文章學（或稱「散文學」，包括有「駢文學」、「古文學」……等）、文法學、修辭學、詩學、詞學、散曲學、戲劇學、小說學、文學批評和其他一些俗文學（如變文、寶卷、彈詞、鼓書……等），我們今日統稱爲「文學」；又有音樂學、書畫學、舞蹈學、雕塑學、刺繡學……等，我們今日統稱爲「藝術」。這許多文藝的學問，可說是「發抒情意」的學問。發抒情意，無論用文字、用聲音、用動作、用形象、用色彩，都要美妙，纔能使自己獲得滿足，使別人受到感染。文學與藝術是以美爲生命的，離開了美，便沒有文學、藝術可言。我們可以說，發抒情意之學所追求的，是「止於至美」。接受智識之學是由外而內的，發抒情意之學是由內而外的，造福人羣之學則是內外兼顧的。接受智識，爲的明理養識、經世致用，以造福於人羣；而造福人羣，又須彼此情意溝通，有賴於美化。雖說接受智識之學追求的是「止於至眞」，造福人羣之學追求的是「止於至善」，發抒情意之學追求的是「止於至美」，但由於三者相互關係的密切，「眞」、「善」、「美」三者實在也是密不可分的，而是中國學術所共同追求的境界。

許多外國的「漢學家」（包括那些自視爲外國人的「漢學家」）和本國的所謂「國學家」，多半不曉得中國學術的全體大用是怎樣，中國學術的體系和範疇是怎樣，而只「以其有爲不可加」、「得一察焉以自好」（語並見「莊子」天下篇）；往往是只見其細，不見其大；只見其偏，不見其全；只見其糟粕，不見其菁華；只見其表面，不見其底蘊。有些人以爲「漢學」只是研究中國的歷史（尤其是殷史、宋史、近代史）、語言（除漢語外，還有滿、蒙、回、藏、苗、傜、僮、黎、擺夷、倮倮、麼些……等少數人的語言）、大陸現狀，或者再加上外國人現在喜歡研究的禪學、道家與道教之學、敦煌學、中晚唐人的詩歌，這是把「漢學」看小了、看偏代；「漢學」又何嘗止以此爲限？又或以爲「國學」只是研究十三經、四史、先秦諸子、文選、文心雕龍、說文、廣韻、爾雅等典籍，能作些詩、詞、歌、賦，雖然做到這樣也不容易，但是仍然把「國學」看小了、看偏了；「國學」又何嘗止以此爲限？「國學家」常常運用新材料、新觀點、新方法，而有新的創獲，也有能通一種以上的外國語文，能看懂外國書的（清末民初的「國學大師」多半能通日文，現在的新科「文學博士」於英文外，還要通一種第二外國文），這並不算甚麼稀奇的事。只是能把考據之學中最基本的要籍（說文、廣韻、爾雅）、義理之學中最基本的要籍（十三經、先秦諸子）、經世之學中最基本的要籍（四史）、詞章之學中最基本的要籍（文選、文心雕龍），都讀通了，研究的基礎自然深厚，觸類旁通，就不難了；文、詩、詞、曲都能寫作，不僅發抒情意的基本能力業已具備，而且知道創作的甘苦，鑑賞與研究也纔能深入，不致永作門外漢，儘發一些皮相膚淺的議論了。這樣說來，「國學家」的研究中國學術，在基礎和能力上都比較深厚，是一般外國的漢學家所不能比擬的。當然外國的漢學家也有在中國居住多年，研究中國學術的基礎和能力不下於我國的國學家的，不過那種人究竟是極少數的。我們總不能因爲極少數外國漢學家的成就，而就把「漢學」捧上了天，反而把有基礎、有能力的國學家予以鄙視，甚至把「國學」也一筆抹殺了，這是不公平的。其實，無論是外國的漢學家或是本國的國學家，如果對中國學術的全體大用茫然無知，對中國學術的體系與範疇全不了解，縱有一些成就，只如盲人摸象，得其一體，是不能見到全貌，成爲「通儒」的。講到這裏，我只想提醒大家，對「漢學」和「國學」的名義與範疇是不值得爭論的，我們且携起手來，共同爲發揚中國學術的全體大用而努力罷！

（原載「幼獅學誌」第十三卷第一期，民國六十五年）

# 歐美與日本人的漢學研究

梁子美

## 一 外國人漢學研究概觀

外國人正式地研究中國的古典圖書，日本可以溯源於皇太子稚郎子的讀論語（根據「古世紀」卷中），那是晉武帝太康年間的事。歐洲人最早要算意大利人利瑪竇的繙譯四書，跟法國人金尼閣的試譯五經（根據費賴之的「入華耶穌會士列傳」）。日本人的漢學，到現在可以說已有一千七百年的基礎；歐洲人的漢學也有了三世紀的歷史。日本在應神天皇的時候，阿直歧從百濟南渡，皇子稚郎子跟着他讀中國書。接着王仁到日本，帶去了何晏集解的論語，跟梁朝周興嗣的千字文，教會了稚郎子閱讀。到了隋唐時代，留學生、學問僧一批一批地來；上自皇室貴族，下到一般士大夫，用漢字學漢文，讀中國書，成爲流行的風氣；漢文的著作，像記載日本歷史的「日本書記」，捜集漢詩的「懷風藻」等書，在唐朝時代都已出現。有名的留學僧侶像吉備眞備、粟田眞人、空海，文采茂美，博通典籍，很受唐朝人的重視。晁衡（阿部仲麻呂）久留在中國，作到秘書監，跟詩人李白、王維等相唱和，全唐詩裡也收進他的作品。鎌倉室町時代以後，日本內亂，漢學比較衰微，可是當時的佛教名山大刹，高僧大德，還是蕭然世外，讀漢書，誦經典，作中國詩文。有一部「五山文學全集」，收羅一百多和尙的作品，全是漢詩漢文。實在可以說是宋元佛教文學的延長。元朝中日的關係雖然很陰鬱，可是日本的和尙還有許多來中國留學。有一個叫作邵元的和尙，還留下了四五處漢文的石刻。明朝初年，絕海和尙來華，應制賦詩，曾受到明太祖的讚許，他的專集有國師僧道衍的序文。到了江戶時期，因爲德川幕府尊崇漢學，中國的古典學術更爲流行。當時所謂大儒，如藤原惺窩、荻生徂徠、林道春、伊藤仁齋、中江藤樹等，都設壇講學，有的尊程朱，有的闡揚陸王，有的模仿李攀龍、王世貞等的古文。總而言之，是承受了中國學術。清朝末年，黃遵憲作日本國志，記述日本人解說經書的書有四百多種，大部分是這個時期產生的作品。水戶藩源光圀，叫史臣安積覺等，用漢文修「大日本史」，體例、文章，都是模仿了中國的正史，簡直像一部中國人作的書。因爲安積覺就是朱舜水的弟子，從十幾歲就用漢音讀中國書。江戶時代的古文家，有賴山陽、齋藤有終等。賴山陽的「日本外史」，在甲午以前就有中國的翻刻本；「清史稿藝文志」的作者，至於誤認它是中國人的著作。兪樾編過一部「東瀛詩選」，搜集元和、寶永到明治時代，一百幾十個人的詩四千多首。好的作者像廣瀨旭窓、梁川星岩、服部南郭等，人乎跟中國的詩人不相上下。

明治維新以後，日本接受了世界的文化，漢學的研究也進入一個新時代，國立大學有「中國哲學」「中國文學」「東洋史」的專系，「中國語言」、「中國佛教」的講座。學術團體有斯文會、東洋協會學術調查部、東方文化研究院，及各大學的漢學會、東洋史學會的成立。代表日本學術的「帝國學士院」（相當於中國的中央研究院），從成立就有研究中國學術的許多學者參加。根據一九五一年的朝日年鑑，學士院第一部的會員，一共五十七人，專研究中國史學、文學、哲學的就有羽田亨、池內宏、武內義雄、鈴木虎雄、小島祐馬、津田左右吉等六人。日本有些以收藏漢籍著名的圖書館，如宮內省圖書寮、內閣文庫、帝室博物館、東洋文庫、靜嘉堂文庫等，都有驚人的珍秘文獻。從清末以後，以研究中國學術爲目的來華旅行、考察、留學的人也很多。如鹽谷溫是葉德輝的弟子，青木正兒深深受了王國維的影響都是。羽田亨的研究敦煌學，是受了法國人的影響。大谷光瑞、橘瑞超等考古新疆西域，是受了英國跟德國人的刺激。研究中國的專著，更是門類繁多，包含種種方面。關於佛教、美術、建築、音樂等研究，尤其有使人驚羨的成就。就雜誌說，過去有「東方文庫」的「論叢」，東京、京都的「東方學報」，東洋學會的「東洋學報」，京都支那學社的「支那學」，東京帝大的「漢學會雜誌」，東京文理科大學的「漢文學會會報」，斯文學會的「斯文月刊」，都是關於漢學的綜合雜誌。至於研究史學的，有東京帝大的「史學雜誌」，京都帝大的「史林」、「東洋史研究」，九州大學的「史潮」，早稻田大學的「史觀」，應應大學的「史學」，立敎大學的「史苑」，東京文理科大學的「史潮」，廣島文理科大學的「史學研究」等刊物，中國史研究的論文，也佔主要成分。此外，研究書法、美術，有「書畫古董雜誌」、「南畫鑑賞」、「書苑」、「書道」等月刊，都是印刷精美，流行的範圍也相當大。研究佛敎史的有「佛敎史學季刋」，研究圖書目錄的有「書誌學」。一九三三年燕京大學于式玉氏曾輯日本的定期刊物三十八種中，東方學論文篇目爲一書。一九四〇年復輯百七十五種日本期刊中東方學論文篇目。由這兩本書，可以看出抗戰以前日本漢學研究的範圍，分工的情形，作者的人數，研討的問題。戰爭期間，關於漢學研究的大部圖書的印行，雖然頗受限制，一部分雜誌也因爲紙張缺乏而停刊，可是，許多主要研究中國學術的學者，並未改業。在佔領中的今日公私立大學的中國史學、文學、哲學的科目講座，照樣存在，平野義太郎等主持的「中國研究所」，以搜集中國研究資料爲主要目的的「東方文庫」，都受過政府大量資金的協助。

歐洲人的研究中國學術，起源於明末。最初以耶穌會士來華的人爲中心，繙譯中國的經典，編纂中國的歷史。到了清朝初年，經部的主要書，中國歷代的歷史，以及中國政治、社會、文化、藝術的大略情形，已經都有人向歐洲介紹過。鴉片戰爭以後，中國的門戶洞開，各國的外交領事人員，久住在中國，很有會說中國話，能讀中國書的；進一步要研究歷史文化，作成著述。住在歐洲的學者，受了他們所作的書的影響，也有埋頭在圖書館，死記字典在國內成名爲漢學研究者的。巴黎的法蘭西大學，於西元一八一五年（清嘉慶二十年）就有漢學講座的創立。俄國彼得堡大學的漢學講座，始於一八五五年（清咸豐四年）。次年荷蘭在萊頓大學設立漢學講座。英國的牛津大學，在一八七六年（光緒一年），劍橋大學在一八八八年（光緒十四年）先後設立漢學講座。德國的柏林大學，到了一九一二年（民國元年）才有專任的漢學教授，可是早在以前，就有加倍楞斯（Gabelentz）和葛魯貝（W.Gruber），都是以語言學教授兼治滿漢文。柏林圖書館的大量搜羅中國書，始於道光年間挪曼（K.F.Neumann）的遊歷遠東。德國的漢學者克拉普羅特（H.J.Klaproth）博讀漢籍，著作等身，跟法國巴黎大學的首任漢學教授雷牟薩（A.Remusat）正是同時的人。到了現在，英美法俄義荷蘭瑞典等國的有名大學，大半有漢學（Sinologic）或中國學（China Rumle）的講座。英國的皇家亞細亞學會，成立於道光三年（一八二三），法國的亞細亞學會，成立於道光二年（一八二二），都曾經發行刋物，從事東方學術的研究。雖然不限於中國，可是中國實在是主要的研究對象。巴黎、柏林、倫敦，都設有東方語言學校，立華語專科，是外交人員或商業人才的養成所。漢學者也常常胚胎於此地。此外，德國在法蘭克福，俄國在莫斯科，都有中國學院，是專門研究中國學術的。法國在安南的河內設有遠東研究院。英國過去在上海設有亞細亞學會分會。美國在中國辦了許多教會學校，例如北平的燕京大學，南京的金陵大學，山東的齊魯大學，廣東的嶺南大學，成都的華西大學。一方面傳佈近代科學與中國人，同時美國人有志於中國學術的，也以這些學校為據點；燕京大學更跟哈佛大學合作，組織過哈佛燕京社，搜羅圖書，出版刋物，編輯「引得」，引起多方面的注意。北平的輔仁大學、中德學會，過去是德國漢學者研究中國學術的中心。俄國在海參威設有東亞書院，是研究滿州蒙古的中心機構。這些在遠東的研究機關，跟它在國內的漢學者相呼應，作他們的耳目，幫助搜集材料，解決問題。從清朝中葉以後，俄、德、法、英、美、瑞典等國的考古學者，探險我國的邊疆跟內地，發掘地下的史蹟，得到許多古代的器物、簡冊、藝術品。加上許多次侵華戰爭，軍隊的擄掠，富豪的採購，名貴的古物，少見的圖書，散在各國的圖書館、博物館，也給歐美的漢學者以重大便利。我國的學生到外國留學，一方面研究西洋學術，同時也常常作了他們研究中國學術的顧問或助手。外國的傳教士、外交官，久住在我國內地，也常常以餘力研究我國的學術，有相當的成就。

西洋人研究中國學術的成績，法國人考狄（Henri Cordier）曾經輯了一部「中國圖書誌」（Bibliotheca Sinica）五册，刋於一九〇四年至一九一五年；三十多年以前的著作，完全搜集在這部目錄裡。日本人青木富太郎也作了一部「歐美漢學研究文獻目錄」，分通史、斷代史、地理經濟史、政治史、社會史，文化史等項，包含許多有價値的著作跟論文。最有名的漢學雜誌，像「通報」（Toung Pao），創刋於光緖十六年（一八九〇），連續出到半世紀以上，網羅各國作家，用英、德、法三種文字刋行，是國際漢學刋物的權威。此外，美國有哈佛亞洲學報，英國有亞洲學會華北分會學報，法國有遠東研究院院刋，德國有過東亞雜誌、漢學雜誌，都是研究中國學術的重要刋物。

比較歐美各國研究漢學的成績跟歷史，法國人實在是中堅。路易十四派了許多傳教士，跟清朝政府交好，完成中國全國的地圖實測，雷孝思（Jean Regis）的「皇輿全覽圖」到現在還是中國地圖的基礎。此外如杜哈爾德（J.B.Du.Halde）的「中華帝國志」，馮秉正（De Mailla）的「中國通史」，顧賽芬（S.Couvreur）的繙譯經書，沙畹（E.Chavannes）的繙譯史記，都是偉大的成就。一直到近年，伯希和（Paul Pelliot）跟馬斯伯羅（Henri Maspero）還是西方漢學者的代表大家。德國人對遠東的興味，跟學者的堅毅努力，並不次於法國人，不過經了幾次混亂、敗戰，德籍的漢學者在國內不能生活的時候，常常爲他國雇用，例如克拉普羅特在俄國，古滋拉夫（K.F.Gutzlaff）、愛德爾（E.Eitel）爲英國雇用，夏德（F.Hirth）、勞斐（B.Laufer）都終老在美國。德國人在中國哲學、美術史、跟吐魯蕃的考古研究上，都有貢獻。衞禮賢（R.Wilhelm）繙譯經書，福蘭克（Otto Franke）研究歷史，佛爾克（A.Forke）研究諸子，並立為三大師。英國人尙概念，重實用，注意商業，它的漢學者也喜歡作通俗的商業的書，可是像理雅格（J.Legge）的繙譯「東方聖典」，翟利斯（A.Giles）著英華大辭典，規模的宏偉，內容的精富，卻不愧為一個大國的作風。西域考古、西藏的地理研究，英國人尤其注意。美國人的研究漢學，比歐洲人晚得多，它的研究指導人物，大部分聘自他國，不過因為資力雄厚，圖書資料的搜集特別注意，又能充分利用中國的留學生、學者，為歐洲人所不及。照現在研究遠東學術的人與機構之多，工作的努力，不久一定可以超過歐洲人。新近的學者，像顧立雅（Creel）、拉脫雷特（Latourette）等的著書，也很可觀。俄羅斯人以列寧格勒的科學院東方部研討中國史，莫斯科的中國學院研究現代中國，以海參威為中心研究中國東北邊疆考古，跟滿蒙的人種語言調査。知名的學者，有伊鳳閣（A.L.Ivanov）、阿里克塞夫（Alexeif）、哥洛托克夫（Korotkov）等。其他像比利時有戴哈里斯（C.De Harlez）繙譯中國古典。瑞典有高本漢（Bernhard Karlgren）專研究中國語音，雖然出於個人的興趣，可是造詣極高，成就卓越，也是不能不提到的人物。

外國的漢學者，自創天地，一無憑藉，白手成家的人固然有，可是大多數是幾輩子研究，積存漢籍，父子兄弟走同一路線，成為漢學世家的很多。例如英國的翟利斯父子，德國的福蘭克福爾康父子，衞禮賢衞德明父子，美國的威三畏（Samuel Wells Williams）父子，法國的馬斯伯樂兄弟都是。日本從古代的東文（王仁的子孫）西文（王辰爾的子孫）兩家，世傳儒學，專作教授；以後菅原、大江兩家，專講紀傳；中原、清原兩家，專講外記。到了德川時代，林道春的子孫，輩輩作幕府的儒官，講朱子的學術，傳唐宋的古文，跟德川氏相終始。當代的漢學者，像鹽谷溫一家，安井衡一家，都是三四世從事於中國學術的研究，很有點兒像孔氏的傳經，班門的著史。

## 二　外國人漢學研究的優點

談到我國人對於外國漢學研究成績的評價，可以有兩個極端：有的專注意他們比較精深的專門成就，以爲不能讀高本漢的書，就不配研究中國音韵學；沒有見過夏德、桑原騭藏、伯希和等考訂東西交通的論文，就不能講東西交通史，好像中國國學研究的基礎，都要建立在外國人的成就上。另有一部分人專喜歡指責他們的疏忽錯誤的，比如英國的翟利斯編中國文學史，沒有講到庾信、陸游、辛棄疾；美國的賈德納（Charles S.Gardner）作「中國舊史學」，沒有談到「史通」跟「文史通義」；日本的東洋史學家，甚至於把張翼趙翼都分不清；說到外國人的漢學，就像中國厨子作的西菜，不過有那麼一回事就是了。其實這兩種看法，都是不正確的。外國人的漢學者包含有許多時代、許多人；所作的書，所著的論文，所研討的問題，千差百異；所用的有種種文字；讀者對象，作書目的，更有許多差別。哪裡能夠輕易地講它的是非得失？現在就着他們的治學精神與方法，研究的機構憑藉，跟我國的國學研究，大略作個比較，說他一點兒觀感，雖然是一個人的私見，可是大體是根據事實所產生的結論。

說到外國漢學的研究的優點，我以爲有七項可以指出：

**一　採用了科學的實證法**　他們超過了根據古書考訂歷史的階段。要想知道漢代尺子的長度，就考驗發掘的古尺，跟古綵；要想知道漢代一里的長度，就根據漢書之所載各地名的今日位置，實測其距離，平均歸納，知道漢代一里約四百米。又如三十年是一世，打算決定這種說法的是非，德國人夏德，日本人桑原隲藏，均取決於歷史統計學，把帝王名人的世系，精密推算，產生結論。美國人勞佛爾（R.Laufer）論到東西文化，考訂名物，日本人關野貞研究中國建築史，常盤大定研究中國佛教史，鳥居龍藏研究中國人類學，都以搜集實物，踏查遺迹，觀察現狀，作基本工作。他們深入苗傜的洞窟，遠征荒涼的邊疆沙漠，探索幽秘，觀察隱微，眞有徐霞客、顧亭林等所作不到的地方。又如日本的朝鮮總督府研討漢代的朝鮮經營，就發掘樂浪郡的遺塚；內藤虎次郎考究明初的東北經營，就訪求永寧寺碑在黑龍江口。研究古代彝器的人，有的分析古器的化學成分，和合金的性質技術，以推定時代；比較殷周彝器的體制、花紋，以論列文化。這都不是玩弄文字考訂，在古書裡兜圈子所能產生的結論。近代的歷史科學化了，中國歷史的研究也跟着科學化了。

**二　輔助學科的發達**　現代學術的分科日細，可是各科相互的關係也愈多，不博大也就不能精深。漢學研究需要他種科學相助益彰的地方很多。求史料於地下，要有地質考古的修養；研究邊疆史地，要以中國典籍與安南、日本、朝鮮、滿、蒙、藏、以至粟特、康居、西夏的古文典籍相印證；考佛教東來，要兼讀印度典籍跟中央亞細亞的古文；研究元代歷史，要遠證伊兒汗、波斯史家拉斯特的著述。他如南海交通，盜屠廣府，有阿拉伯人阿布賽得的記事；蒙古驛制，和林盛況，有羅馬使節羅伯魯的報告。守一經固然不能通一經，讀完了中國書，也還是講不明中國史。馮承鈞氏所作的沙畹摩尼教流行中國考序說：

「陳援庵之摩尼教入中國考，其搜集材料，用力頗勤。以之與沙畹伯希和二氏所輯之中文史料相對照，亦多相類。二氏之疏解摩尼教殘經，固在陳君之前，（一九一一年一九一三年亞洲報）然予敢信陳君未見二氏之文。顧其成績之相類，與一九二二年日本學者羽田亨在東洋學報研究波斯教殘經，得與沙畹伯希和二氏相類之成績無異。可見用科學方法研究者，終不難殊途而同歸也。惟比較陳君與沙畹伯希和二氏之撰述，陳君之範圍較小，此乃環境使然，非研究之差等也。蓋彼方有多數之德法俄英比荷義匈等國學者研究之成績，互相參考。又有波斯文、康居文、突厥文、梵文等語言專家以相輔助，此皆我國所缺乏者也。」

他所講的輔助學科的重要，可以說剴切著明。飯島忠夫、新城新藏考訂中國古代天文史，多以近代天文學的知識爲基礎。葛蘭言（Marcel Granet）論中國古代神話傳說、歌謠風俗，也多以近代的社會學爲憑藉。高本漢的論中國語文，依據發音學與其他國家語言文字的比較的地方也很多。有名的漢學家如勞佛爾、伯希和、白鳥庫吉等，都能夠博習方言，旁通多學。所考訂或許是一名一物，但是淵貫東西，出入群籍，不是抱殘守缺、一知半解的經生所能作得到的。

**三　特殊資料的保持應用**　敦煌的逸書，散在巴黎倫敦；殷墟的甲骨，日本人英國人都有收藏。代表唐代石刻精華的昭陵六駿，有兩匹在美國費城，最古的絹畫——晉朝顧愷之的女史箴圖，只有在倫敦的大英博物館可以見到。明朝永樂大典的殘本，分散在全世界。新疆發現的流沙墜簡，也在英國。有了資料才有學術。德國的吐魯蕃研究，俄國的西夏文研究，日本的滿蒙文研究，法國的敦煌學，都是因爲他們保留了新資料，才發展成新學術。從鴉片戰爭以後，經過許多的內憂外患，文物散失，國寶流亡，給外國的漢學研究者無限便利。加以政治嬗變，焚書禁書的事常常有，流行的典籍，沒有多少年，有的澌滅無存，有的竄亂失實，佚書原本，反倒存在海外。如摩尼敎的經典，道士作的化胡經，明季的野史，太平天國的政書，許多小說原本都是。羅振玉、王國維二氏，疏釋流沙墜簡，考訂證史的精確，非沙畹所及。然而講到古簡的研究，仍然溯源沙畹，因爲沙畹的書不出來，羅王就無所措手。日本山井鼎的七經孟子考文，沾溉阮元，因爲足利的古本經書多半是中土所無。最近吉川幸次郎等作「尙書定本」，也還是以蒐羅古本異文見長。至於「高麗實錄」，安南、日本的記事，耶穌會敎士的書牘記述，戈登文書，都是講國史所必須參證的，可是必須求之國外。外國人有了我們所沒有的資料，也就容易產生我們所沒有的研究結果。

## 四　冷僻問題的注意

中國的學者從來看重正經正史，忽視雜書；就研究歷史說，喜歡討論朝章國故，忽視民間的社會的生活。至於中國與外國的交通，商業的關係，宗敎的變化，工藝農業上的發明發現，大多數人不很注意。外國人研究中國學術，恰好跟我們正統的學風相反，因爲歐洲人研究世界史，視線從西向東，由近東的埃及、波斯，到印度、中央亞細亞，再到遠東的中國。日本人研究東洋史，從東向西，由朝鮮、滿洲、蒙古，擴大到大陸跟西北。他們注意邊疆問題，比內地早，所以二十四史的四夷傳，文獻通考的蠻夷考，我國人讀歷史不很注意的部門，他們特別推敲得仔細。法顯、玄奘、義靜、慧超、邱處機的遊記，張騫、王玄策、鄭和的功業，注意的人特別多，考訂得特別詳細。大唐景教碑的發現，震動了歐洲人，因爲宗教史特別爲他們所注重。火藥、印刷術、羅盤針的發明，論到的人很多，因爲這些發明跟歐洲的近代文化有密切關係。日本人喜歡研究佛教的遺蹟，考究古代音樂、建築、美術的沿革，因爲這些跟日本文化有親屬關係，到現在還是他們國民精神生活的一部分。法國人喜歡研究越南跟中國的關係史，俄國人喜歡研究蒙古的歷史跟社會組織，英國人關於西藏民族跟喇嘛教有許多著述，這些是我國的學者所忽略的，也就是外國的漢學者所專精的。

## 五　公開合作的精神

我國的學者都喜歡冥往孤索，以求旁人的幫助爲耻。碩學畸士，寧肯把他的著作藏之名山，等待知己於後世，不願以干當代的公卿。忍受資料的缺乏，社會的冷遇，而不以爲異。就是求助於朋友同道，也多半找研究方法範圍之相近的，側重相互的獎借鼓勵，忽略切磋補正的作用。外國人的風氣不是這樣，他們研究的題目與計劃，多半率先公布，社會的協助學者，不一定在他成名以後。研究學術需要物質的鼓勵，大家認爲是當然的事。斯坦因（Aurel Stein）是匈牙利人，他到中央亞細亞考古，是得到印度政府的資遣；克拉布羅特（Klaproth）是德國人，他研究滿蒙問題，是得到帝俄的獎勵；布勒士奈得（E. W. Bretschneider）以俄國人而任法國地理學會的會員；洛克希爾（W. Rockhill）以美國人而受英國地理學會的獎章。有的集合各國的學者，共同研究一部書，例如德國人夏德，跟美國人洛布希爾，共同翻譯趙汝适的諸蕃志；法國人列維（Sylvain Livi）與日本學者合編法寶義林；美國人德效騫（H.Dubs）翻譯漢書，荷蘭人戴文達（J.Duyvendak）給他潤色；英國人亨利玉爾（Henry Yule）譯注馬可孛羅遊記，法國人考狄爲之補訂。一九二五年美國哥倫比亞大學出版的「中國印刷術之發明及其西傳」一書，是由卡德（T.Carter）跟法國人伯希和、匈牙利人斯坦因、德國人勒考（Le Cog）等共同作成的。一本書的研究是這樣的，廣範圍的研究也是這樣。日本人的研究滿蒙史，法國人的研究中越關係，都是集中許多人的力量，以系統計劃的組織去作。大規模的辭書、索引、發掘、考察，都成了集團的活動；刊物的合編，資料的交換，問題的討論，研究報告的審查，都表示一種公開合作的精神。

**六 研究機構的確立** 大學是補充基本知識，訓練研究能力，指示研究方法的機關。打算求學術的進步，一定要有專設的研究機構。各國的學士院相當於我國的中央研究院，是國家學術的代表機關。法、德、日本等國的學士院中，都有漢學大師任會員。講到專研究漢學的機構，法國在巴黎大學有漢學研究所，在河內有遠東研究院；日本的大學院，有關於中國文學、哲學、東洋史的研究生，東方文化研究所，及其他公私設立的中國研究機關，都擁有大量的分科研究人員。各國在中國的基督教會及學校，星羅棋布，也從事於搜羅圖書資料，資助傳教士的中國研究。一個研究員，在大學畢業以後，才擇定範圍，追隨名師，從事於資料的搜集與論定，按照他的需要，除了本國的資料以外，還可以遠遊海外，留學中國，集中精力，從容奮勉，才能有所成就。學術研究就是他的終身職業，社會承認他的價值，公家保障他的生活，個人確信他的貢獻，他們有點兒成就，實在不是偶然的。

**七　印刷出版的便利**　印刷事業關係於文化的進步極大，沒有雕板術的發明，就沒有宋代的新興學術。近代的印刷事業更是直接影響學術的進步。講到歷史文獻的研究，古書的複製，古藝術品的影寫，都需要較高的技術，耗費至鉅，不能夠取償於市場。越是專門的書報，學術的價值雖然高，可是印刷銷行都很困難。以前西洋人作的漢學書，印刷很難，例如馮秉正的「中國通史」，成書四十年以後才能刋行；馬若瑟（Joseph Premare）的「中國語箚記」，在他死後九十多年才能問世。不過今日的情勢跟以前不一樣了。沙畹的「華北考古圖譜」，勒考的「中亞後期佛敎美術」。都是堂皇的巨著，印刷很難，可是書一編成立刻就能印出。日本人近年在印刷事業上貢獻尤偉，如東方文庫、東方文化研究院都影印許多古書，大正大藏經的刋行，古代書畫、彝器、陶瓷等美術品的影寫，都給漢學研究者以極大便利。一般的書店也把插入圖版看作家常便飯。有些賠錢的漢學研究刋物能夠如期刋行，也因爲有漢學研究機關支持，脫離了商業的營利主義的緣故。

## 三　外國人漢學研究的缺點

講到外國人漢學研究的缺點，事實上也很多，現在簡單舉幾項如下：

**一　博雅不容易**　外國人研究漢學的最大困難，是求書讀書都不容易。古代日本的遺唐使船，要幾十年才到中國一次，得到一部「白香山集」，當作珍秘。五代以後，日本的學問僧、商人，雖然來中國的較多，可是中國流行的典籍與學風，大概要幾十年或一百年才復現在日本。近年日本人買中國書容易多了。可是東京、京都也只有幾家較大的中文書店。私家刋本，新書雜誌，在大都會也不容易買到，更不必說較偏僻的地方了。歐洲人因爲遠隔重洋，搜求並艱，公家庋藏，過去大概若干年才作一次大量的補充。例如巴黎國民圖書館的漢籍，雄視全歐。然自一九〇九年伯希和擧敦煌秘籍及在華所購數萬卷補充之後，還沒有作過第二次的大量搜求。王禮錫氏作的「旅歐二年」，記載大英博物館缺少五四以後的書，他在一九三四年參觀列寧格勒的蘇俄科學院，一九二七年以後的中國新書也很少。如法國人羅道爾（R.D.Rotours）氏擁有漢籍四十萬卷，逐年搜求，在歐洲可以說絕無僅有。所以哥羅特（J.De.Groot）當年在德國見不到道藏，伯希和在法國見不到地學雜誌。日本的歷史家像那珂通世、內籐虎次郎等，一直到淸季，才知道有崔述的「東壁遺書」。

西文與漢文，性質相去很遠。要他們讀通中國書，本不容易；要想一目十行，淵貫經史，涉獵百家，旁通當代撰著，實在是奢望。日本人以和訓讀漢文，廻環顚倒，於讀書的速率，意義的瞭解，音韻的欣賞，都有不利；至於學中國語言，讀通俗的書，困難跟歐美人完全一樣。我們看當年號稱水戶儒臣，向朱舜水問難的問題，有許多都是膚淺的字義字音。一七一九年，英國的名士把「好逑傳」翻成英文，可是說「好逑」是個人名兒。這些過去的笑話，且不必說，就是當代的大師，名滿國際，如德國衞禮賢博士著「中國文學史」，說「玉嬌棃」是短篇小說；日本鹽谷溫博士評論唐詩，把明朝高棅「唐詩品彙」的分期，弄成了高啟的主張，在東京帝大、北京大學，幾次講演、寫文章，都不能發現自己的錯誤；法國馬斯伯羅以考訂古史著名，可是沒有讀過崔述的書；美國賈德納（C.Gardner）君作了一部「中國舊史學」（一九三八年刊），沒有講到劉知幾跟章學誠的著作。「觀天下書未遍，不得妄下雌黃」，對於外國的漢學者，是不容易說的。

**二　選題的偏僻**　外國人沒有國人的傳統觀念，研究中國學術也沒有客觀的選擇標準。他們漢學研究的範圍、方向、題材的決定，多半看主觀的感情，偶然的因緣，理解的難易。就大勢說起來，治史者多，窮經者少。就研究歷史來說，重視邊疆，忽略本部。就時代說，詳於先秦，元代與清末以後，忽視其他時期。就哲學說，重視儒家，忽略諸子。就文學說，重視小說，忽略散文、詩歌與戲曲。就小說講，重視短篇，忽略長篇。就藝術說，重視雕塑繪畫，忽視音樂。翻譯唐詩的，多取白香山，而少讀李白杜甫。講文字學的，詳於龜甲鐘鼎，而疏於說文爾雅。「好逑傳」早就風行在歐洲，而「西遊記」、「紅樓夢」到現在還沒有很好的翻譯。「灰闌記」演於舞台，而洪昇、孔尚任的傑作反很少人講到。讀過「屯戍遺簡」的人，不一定詳細念過漢書。見到韋莊的逸詩，才訪求他的全集。這種人到處都是。葛魯貝與勞佛爾，以第一流的學者，合力研究燈影戲；雷芒（Reymond）教授費了三年的工夫，把「平鬼傳」翻成德文；山本直治郎教授考證晁衡（阿部仲麻呂）的傳記，作了一篇幾十萬言，刋載四年的文章；遠藤實夫研究白香山「長恨歌」一首詩，據說費了七年，還沒有闡發盡致；諸橋轍次、山口察常諸教授，編譯「論語講座」，至於根據江希張的白話譯文；美國有一位研究中國建築的名人，旅行調查中國許多省，費力好幾年，研究的題目，僅僅是中國舊式窗格子的構造與變化。「採燕石而偶遺美玉，察毫末而不見邱山」，這種流弊是很平常的。

**三　爲環境見聞所蔽**　外國人生活在全然另外的一種環境裏，根據漢籍的一部分知識，或者在華一時的見聞刺激，想要論定千古，常如隔霧看花，難求其情眞理得。根據歐洲的封建制度來想像中國，根據中古的基督教權威以擬議孔子，越比附越支離。或更亂於一時的恩怨，動於內政外交的企圖，政談與學術交流，史實與空想混淆，把偶然的相似作爲因襲，湮沒彰明的史蹟爲了自己國家的利益，這一類的事也不少。李明（Le Comte）白進（Joachim Bouvet）等人，見康乾時代的盛況，震驚於中國政教的優越，並且想藉記述中國的事，來譏彈當時法國思想制度的腐敗，他們所作的書裡，對於中國所作的虛譽誇飾，有時超過事實。伯希和、斯坦因等，有的庚子時代曾經被包圍在北平的公使館，有的因爲考古發掘，被指斥爲雅盜，他們對於中國的情感就大不同於前人了。福蘭克、衞禮賢等，曾經任職於中國的公使館、國立學校，又親眼看見自己國家狹義民族主義的流毒，因而贊歎謳歌儒教大同思想的可貴。日本的一部分漢學者，在清末被禮聘優待，到民國先後被解職，因而造成他們眷戀滿淸，反對革命的思想的傾向。這種偏見跟成見，使他們對於中國文化歷史的認識，增加許多障礙。以前，馬可孛羅留華十七年，足跡遍全國，見當時南人之不競，斷定「蠻子」永無服兵役的資格，好像全不知道這是漢唐的子孫，更不料有明初的復興。日本桑原騭藏博士，博極群書，精硏史學，因爲高麗安市城的久圍，譏刺李勣的不武，好像忘掉他是功高百戰，以八十多歲的高齡，底定高麗的名將。荀子說：「萬物異則莫不相爲蔽」，「虛壹而靜，謂之大淸明」，這實在不是一件容易的事。

**四 與中國學者的隔離** 中日交通二千年，然而名僧的東渡多，碩儒的桴海少。鑑眞、隱元都是第一流的和尚，可是朱舜水、陳元贇都是平常的書生，朱陳的影響及於日本全國，大名傳到現在，毋寧說是意外的事。乾隆中，長崎的漢學者渡邊忠藏，卑禮厚幣，打算呈詩文於沈德潛，請求教益，到了兒也沒達到目的。清季以後，中國的學者如黎庶昌、楊守敬、王國維、羅振玉等，僑寓東瀛，裨益頗多。日本人的負笈西來者，也有的執贄名儒，廁身大學。不過中國大師主講東土，除了辜鴻銘以英文在大東文化學社講「春秋」以外，迄無其人。日本公私立大學中或有華語教師，而名位待遇均不足以禮聘學者。西洋人學中國話，雖然向來請中國先生，至於研究中國學術，就多半自己摸索。英國人理雅格翻譯經書，助手是王韜，可是王韜是文士，並不是經生，不是理想的合作者。洪濤生（U.Hundhausen）翻譯「牡丹亭」「西廂記」和陶淵明詩，很得到華人的幫助，不過洪濤生作過北京大學的德文教授，他的環境跟一般的外國漢學者是不一樣的。在八年抗戰裡，美國很吸收了一部分中國學者，幫助他們的漢學研究，像趙元任、林語堂、胡適、陳福田、董作賓諸先生，都曾經在美國講學。這對於兩國學術界的合作是有重大裨益的。至於跟中國關係最密切的日本漢學界，從抗戰時期造成完全的隔離，到現在也沒有恢復關係。

## 四　結　論

總看歐美日本研究中國文化歷史的現狀，其所啟示於中國治國學者，約有數事：

第一、研究中國歷史，探討中國文化，跟尊重中國民族，崇拜東方文化，並不一定是一回事。中國學或漢學，在歐美人看起來，不過和埃及學、伊朗學、印度學是同樣的科學，其研究的目的是歷史的、技術的、知識的，不是崇拜、學習，或是想從中國古代文化，得到現代文化的借鏡。日本有一部分漢學者，事實上是讀的中國書越多，對於中國文化的批評越刻薄，有意的歪曲，荒誕的介紹，隨時隨地可以發現。所以我們不可以聽說有許多外國人研討中國歷史學術，就自我陶醉，以爲中國文化將廣被於世界，更不可以輕率地斷定，研究中國的人就一定同情於中國。忠實地介紹中國的歷史國情於世界，還只能等待我們自己作。

第二、就是研究本國的歷史學術，絕不是抱殘守缺，冥搜罔索所能成功的。有些部門，外國人的研究已經超過了國人，有些資料，只有在國外才能看見，所以他們的書不能不參考，他們的論文不能不過目。外國語對治國學的人，也就有了充分的需要。不能唸高本漢的書，對於研究中國音韻史是一個很大的缺點；不能唸伯希和、勞佛爾、桑原騭藏的書，對於治東西交通史也確有很大不便；甚至於可以說，不能讀日本人的著作，不能充分運用日本的資料，就不能治中國的佛教史、美術史。講到治國學者外國語的重要性，日本文應佔第一位，法俄文次之，英德文又次之，其次才是蒙藏、朝鮮、安南、西夏、突厥、梵文的學習。光復後的北京大學東方語文系，重視伊朗、印度文字，而忽視日本朝鮮文，實在是本末倒置。

第三、現代一切學術的研究，都已國際化、組織化。要知道學問是天下的公器，個人的力量是有限的，要養成虛心坦懷，作合理的分工合作，求國際的協助，集海內的英俊，分門別目，共爭上流，才能有成功的希望。資料並不是學問，把秘本珍鈔收藏在私室，實在是一種罪惡。人羣利在進步，把創見心得，一定要藏之名山，傳之其人，也不免小家氣。外國漢學者的公開合作的精神，原於他們理解小我的能力，人生的本義，在平凡裡作到卓絕，在無我裡完成了時代使命，這是現代的所謂「君子儒」。

第四、把國外的研究資料，用摹製影寫重印的辦法，使它復歸故國，過去國人已經有許多努力，倒如黎庶昌、楊守敬等等刻「古逸叢書」，羅振玉等刋「敦煌遺書」，蕭一山的重印「太平天國史料」，都是很重要的事。外國人關於漢學著書的中譯，也有同樣的作用，現在除法國人的著書由馮承鈞氏譯出一部分以外，日本人的著書翻出來的卻很少，俄德人的書幾乎沒有人問津。學英語的遍中國，可是勞佛爾、夏德的著作，也很少翻爲中文。夏德用英文寫的「中國史」，曾經在全世界流行，他的論點輾轉支配到中國歷史教科書，可是全書有日文的翻譯而無中文的翻譯。馬斯伯羅的「中國古代史」，烏拉吉米索夫（Ulademe1chov）的「蒙古社會制度史」，都是蜚聲世界的名著，也是在日本有譯文而在中國很少人去看。批評、檢討他們研究的成就，這是中國學者應有的責任。知己知彼，學術上跟戰爭上有同等的必要。研究中國歷史文化的學術，如果脫離中國人自成一個世界，實在是最畸形的事！對於我們也是很可恥的事！不重視歷史的民族，像印度人可以把自己的歷史文化委之於歐美人研討考證，而無所容心。以歷史爲生命的中華民族，是不應該懶惰到有如此「雅量」的。

（原載「大陸雜誌」第四卷第一期，民國四十一年一月）

# 談中國學的研究

## ——在大韓民國中國學會演講辭——

高明

外國學者研究中國學問，在西方稱爲Sinology，中國人過去譯Sinology爲「漢學」，現在則多譯爲「華學」（由於「漢」只是一個朝代、一個部族的名稱，不能代表全中國；通常我們說經學有「漢學」和「宋學」兩大派，爲避免與經學裏的「漢學」相混淆，故改譯爲「華學」），日本人或稱爲「支那學」，而 貴國則稱爲「中國學」，即如 貴會就稱爲「中國學會」，我覺得「中國學」這個名稱十分地好，堂堂正正，不會引起人的誤解。

世界上研究「中國學」的一般趨向，我以爲大體上是向四個方面發展：

**第一是「據新資料來研究」**——即如清光緒二十五年（西元一八九九年），在河南省安陽縣小屯村殷代都邑的故墟上，發現大批的龜甲獸骨，上面刻有許多卜辭，後來又繼續發掘，得到的甲骨，據董作賓先生的估計，大約有十萬片之多。這十萬片甲骨，不僅可據以考見殷代的文字，且可據以考見殷代的歷史和文化。這一批新資料，爲研究「中國學」的人所注目，於是「甲骨學」一時成爲顯學。像加拿大的明義士（James Mellon Menzies）、美國的方法斂（Frank H.Chalfant）、白瑞華（Roswell S.Britton）、英國的吉卜生（H.E. Gibson）、日本的林泰輔、原田淑人、梅原末治、島邦男等，都對「甲骨學」發生了濃厚的興趣。又如清光緒二十六年（西元一九〇〇年），在甘肅省敦煌縣鳴沙山莫高窟發現了藏經洞，我們通常稱爲「敦煌石室」，裏面藏有許多唐人的寫本卷子和唐版印本、唐石拓本等。寫本卷子大部分是佛經，其他儒道各家的經典、公私文件以及諸子、史籍、韻書、詩賦、小說、契據、度牒、星曆等，不勝枚舉。這些卷子上的文字，除漢文外，還有西藏文、梵文、于闐文、龜玆文、粟特文和突厥文等。此外，敦煌各窟的雕塑和壁畫，藝術的價値也很高。光緒五年（西元一八七九年）匈牙利地質學家洛齊（Lo'ezy）教授考察地質，經過敦煌，看到了莫高窟，回歐洲後，就盛讚這裏的雕塑和壁畫，爲東方之冠，因而引起英籍匈牙利人斯坦因（Aurel Stein）的注意，光緒三十三年（西元一九〇七年）斯坦因到了敦煌，就拿去了經卷二十四箱、圖書繡品及其他古物等五箱，運到英國倫敦的不列顚博物院。同年，法國的伯希和（Paul Pelliot）也到了敦煌，又取得寫本十餘箱，運回法國，藏在巴黎的國立圖書館。光緒三十四年日本人橘瑞超又取去了一部分寫本卷子。據粗略的統計，敦煌遺書被斯坦因拿去的約七千卷，被伯希和拿去的約二千五百卷（藏文卷不包括在內），流落在日本的約五百卷。宣統元年（西元一九〇九年），清朝的學部將餘存的卷子運到北京，途中又損失了一部分，最後收藏進國立北平圖書館的，約九千卷。現在藏在台北國立中央圖書館的六十六卷，就是把散落在民間的搜集起來的。自從敦煌遺書出現後，於是世界上又湧起了一股研究「敦煌學」的熱潮。像這樣據新資料來研究，自然對「中國學」的研究會有許多新的創獲。

**第二是「用新方法來研究」**——即如瑞典的高本漢(Bernhard Karlgren)用現代語音學的方法,來研究中國的聲韻學,他利用國際音標來擬測中國的字音,他利用現代的方言來印證古時的音讀,他給中國的「等韻學」加以一種嶄新的解釋,他更從韓文、日本文、安南文中探尋漢字的音值,他爲中國聲韻學開了不少的新法門,雖然他的結論未必盡爲人所接受,但是他對研究中國聲韻學的人已發生了深遠的影響,則是無可置疑的。又如英國的李約瑟(Joseph Needham)用現代科學的方法和科學的知識,來研究中國的科學技術史,使得「中國學」裏無科學可言的舊觀念一掃而空。其實中國的科學發展極早,世人所熟知的指南針、印刷術、造紙術、冶金術、火藥等都是中國人首先發明的,他如天文、曆法、數學、醫藥、建築、水利工程等科學技術也無一不領先世界,直到最近三百年,由於滿清統治者的錮塞民智,纔顯出科學技術落後的現象。民國以來,許多中國學者雖已在發掘中國科學技術的寶藏,如高平子的研究中國天文、朱文鑫的研究中國曆法、李儼的研究中國數學、李喬苹的研究中國化學、陳邦賢的研究中國醫學、王庸的研究中國地理學等,都已卓有成就,但他們只是對中國科學技術的一部門有所成就,而不是對中國科學技術作全盤的研究,所以李約瑟研究中國科學技術的全史(實際上也很難全備),就要轟動世界了。總之,用新的科學知識和新的科學方法,來研究「中國學」,對學術上必能有新的貢獻,這是我們可以肯定地說的。

**第三是「採新觀點來研究」**——即如法國的葛蘭言(Marcel Granet)採取杜爾幹(E. Durkheim ）和莫斯（M. Mauss ）兩位社會學家的觀點，來研究中國的學術文化。他寫成中國古代婚俗考（Coutumes Matrimoniales de la Chine antique ）、古中國的節令與歌謠（Fetes et Chansons anciens de la Chine ）、中國古代的媵制（La Polygynie Sororale et le Sor-rorat dans la Chine Feodale ）、中國古代的舞蹈與傳說（Danses et Legendes de la Chine ancienne ）、中國宗教的精神（L'Esprit de la Religion Chinoise ）等文，成爲法國人研究「中國學」的重鎮，做巴黎大學中國學院的校務長，一直到死。他對於西方的「中國學」的影響，決不在伯希和之下。又如德國的福蘭克（Otto Franke ），他是一個歷史學家，對於中國的上古史和現代史都有濃厚的興趣。他在孔教哲學史與中國國教的研究（Studien Zur Gesehichte des Konfuzianischen Dogmas und der Chinesischen Staatsreligion ）一書裏，詳細證明春秋是孔子對歷史事實加以褒貶，寓有政治倫理思想的一部大著作，他對孔子「天下爲公」的大同思想，十分地嚮往。這種看法，在中國人傳統思想裏，認爲是無可置疑的，但在西方研究「中國學」的一羣人裏，卻是一種新觀點。他曾做過漢堡大學和柏林大學的「中國學」講座，退休後，繼續在德國科學研究院裏，爲完成中國通史（Geschichte des Chinesischen Reiches ）而工作。他對於「中國學」的認識，似乎較其他的西方人爲正確，但他的新觀點卻未必能爲西方的中國學者所普遍接納，這是很可惜的。我們知道，同是一件事實，由於觀點不同，得出來的結論可能大異；觀點的正確與否，影響於結論的是非很大，研究「中國學」的人，是應該注意到這一點的。

第四是「為新目的來研究」——過去研究「中國學」的，有的是為滿足好奇的心理，有的是為適應傳教的需要。義大利的馬可波羅（Marco Polo）在中國二十多年，回國後，參加熱那亞（Genoa）戰爭，被俘，在牢獄裏兩年，口述旅行中國的見聞，盛稱中國的繁華富庶，由同囚的夥伴筆錄下來。因此，引起了西方人研究中國的好奇心理，從而建立起所謂「中國學」。有許多西方的「中國學家」（或稱「漢學家」），就是為「滿足好奇的心理」這一目的，來研究「中國學」的。即如法國的茹里安（Stanislas Julien中國又或譯為儒蓮），最初對中國的戲劇小說發生了好奇的心理，他把趙氏孤兒譯為法文，引起了西方人對中國歌劇的興趣，而中國的倫理道德也藉此在西方傳播開來；其後，他又對中國的道教產生了好奇的心理，他曾把太上感應篇譯為法文，於是西方的「中國學家」又一窩蜂地去研究中國的道教；後來好奇心又轉向中國的佛教，譯大唐大慈恩寺三藏法師傳和大唐西域記兩書為法文，因而引起西方學者研究中國西北邊陲、中亞細亞及印度古史地的熱潮；在他翻譯慈恩法師傳和西域記時，每苦由中文推求梵文原文的不易，他撰漢譯梵文推原法（Methode pour dechiffrer et transcrire les noms sanscrits quise rencontrent dans les livres chinois, a laide de re´gles,d´exercices et d´un repertoire de onze cents caracte´res chinois ide´ographiques employe´s alphabe´tiquement）一書，又開創了一個由對譯來研究中國古音的法門；這就是一個為「滿足好奇心」的目的，而來研究「中國學」的顯明的例證。西方傳教士到中國來，為使中國人能夠接受天主教或基督教的思想，不得不學習中國語文、研究中國文化。他們的研究「中國學」，可說是爲的「適應傳教的需要」這一目的。即如法國傳教士金尼閣（Trigault Nicolas）研究中國語文，撰西儒耳目資一書，用字母拼音的方法，來說明中國字的音讀，給外國傳教士學習中國語文的方便。以後西方來華的傳教士相率仿效，於是華音字典、土白聖經這一類的書相繼出版，不下數百種，高本漢官話注音讀本（A Mandarin Phonetic Reader in the Pekinese Dialect）所引據的僅有五種，就包含有英、法、德、俄諸式。可是他們譯音常常依據方言，即如香港譯爲 Hongkong，周姓譯爲 Chou，又或譯爲 Tseu；又因四聲界限不明，山西與陝西的譯音沒有區別；平聲陰陽相混，唐山和湯山的譯音完全相同；用L和i拼在一起，姓黎的和姓李的變成了一家人；拿 ch 和 ang 拼在一起，「昌」和「章」竟變成了一個字；如果有兩個人，一個人姓黎名昌，另一個人姓李名章，從他們譯音的姓名看來，我們竟沒法分辨他們是誰和誰，或竟誤會他們是一個人，那就很容易鬧出笑話來了！漢字不能變爲拼音字，就因爲同音字多，同音異調的字更多，一些主張改漢字爲拼音字的，就常常忽略了這一點。在現代，更有人是爲著侵略的目的而來研究「中國學」的。一部中國近代史是中華民族屢被異族侵略統治的歷史，清代中葉以後，英、日、德、法、俄、葡、義等國陸續侵略中國，割佔土地，開闢租界，攫奪主權……等等花樣層出不窮；溯而上之，明亡於清（滿洲族）的侵略；更溯而上之，宋亡於遼（契丹族）、金（女眞族）、元（蒙古族）的侵略；於是想侵略中國的野心家，就要吸取以前侵略中國的經驗，而研究中國近代史——尤其是研究明史和宋史——就成爲「中國學」中的熱門學問。自國際共產主義興起以後，國際共產組織爲促成中國的赤化，更嗾使其徒黨僞裝研究「中國學」的學者，操縱國際間研究「中國學」的團體，迷惑各國政治、經濟、軍事、文化各界領導人物的耳目與心智，尤其是迷惑各國青年的耳目與心智，不惜歪曲事實，違背眞理，發出許多似是而非的荒謬言論，美國的費正淸（J.K. Fairbank）和拉鐵摩爾（Owen D. Lattimore）就是這一批人的代表分子，首先受到他們禍害的，自然是我們中國、我們中國七億的民衆，但連帶受害的卻是亞洲各國——包括 貴國在內——兵連禍結，天天在共產極權的陰影威脅之下，沒有安寧的一日。講到今日世界上研究「中國學」的現狀，提及這一點，我們眞不痛心疾首！

我們綜觀世界上研究「中國學」的趨向，新資料固然是應該研究的，但舊資料的數量更千百倍於此，我們如何能夠忽略？終生研究「甲骨學」，總跳不出那個殷代的天地！終生研究「敦煌學」，對儒、道、釋三家書的校訂，對隋、唐、五代文學藝術的了解，自然會有許多收穫，但敦煌以外的資料多過於敦煌所藏的，不可勝數。對「敦煌學」儘管作多方面的研究，仍不過是「中國學」裏的一小撮。用新方法來研究「中國學」，固然必定有新收穫，但傳統的舊方法也未必可以盡廢，卽如圈點書、背誦書這種舊至無可再舊的方法，在紮牢做「中國學」的根柢方面，仍是最好的方法。中庸裏所提示的治學方法：「博學之，審問之，愼思之，明辨之，篤行之，」到今天仍然是正確而有效的。中國正統學派主張做學問，要由識字而通經，由通經而致用。更詳盡地說，就是要通文字、聲韻、訓詁之學，纔能正確地認識字形、字音、字義；正確地認識了中國字的形、音、義，纔能讀通羣書；讀通了羣書，纔能夠在修身、齊家、治國、平天下各方面有所表現。世界上決沒有不識字而能讀通羣書的人，也決沒有讀通了羣書而無補修、齊、治、平的事。傳統的治學方法，還是值得研究「中國學」的學者們注意的。至於新觀點，有正確的，也有不正確的。戴著顏色的眼鏡來看，就常常不是正確的。本是白的東西，戴黃色眼鏡看，便都是黃色；戴紅色眼鏡看，便都是紅色。研究「中國學」，而先抱著某一種「史觀」的成見，則研究的成果必爲某一種「史觀」所蒙蔽，而不能到客觀的眞實。這是採取新觀點時，應該有的警覺，新的未必就是對的。爲新的目的而研究「中國學」，如果目的在侵略中國、摧毀中國，那是邪惡的！如果目的在從「中國學」裏吸取一些智慧和經驗，來貢獻於人類，以企求「修、齊、治、平」理想的實現，那是值得贊許的！可惜世界上爲著這種崇高的目的而研究「中國學」的是太少了！爲著邪惡的目的而研究的卻十分地活躍，而大多數研究「中國學」的，則往往無目的地被人牽著鼻子走而不自覺！總之，就世界上研究「中國學」的趨向來說，似乎是：只見其細，不見其大；只見其偏，不見其全；只見其糟粕，不見其菁華；只見表面，不見其精神。換句話說，只見許多零零碎碎的人文科學、社會科學和少許自然科學的資料的整理，而不見整個的中國文化的人文精神的發揮。像德國福蘭克那樣的學者，能夠體認到中國的文化精神和文化價值的，竟是寥若晨星，這是深可歎息的事！中庸裏說：「君子尊德性而道問學，致廣大而盡精微，極高明而道中庸。」今日研究「中國學」的君子們，似乎是：只能「道問學」而未能「尊德性」，只能「盡精微」而未能「致廣大」，只能「道中庸」而未能「極高明」，這在西方的科學世界、唯物社會裏，恐怕是很難避免的趨勢！但在東方，尤其是　貴國，文化根基是那樣的深厚，人文精神是那樣的發揚，對我國的了解又最爲透徹，如果貴我兩國的學者能夠密切的合作，必能將世界上「中國學」的研究，導引入於正軌。這對於　貴我兩國、對於亞洲、對於全世界，都是最有益的事！

（原載「中華學苑」第九期，國立政治大學中國文學研究所，民國六十一年三月）

# 近三十年國際研究「敦煌學」之回顧與前瞻

## ——寫在日本召開之亞洲及北非人文科學國際會議以前

蘇瑩輝

「敦煌學」三字，近三十年來，在國際漢學界和我們國內已不算是一個陌生的名詞。民國六十五年筆者從吉隆坡回國渡假時，在數家日報中，迭見討論「建立漢學中心」問題的專欄刊出，當時執筆者如方杰人、蔣慰堂、屈翼鵬、昌瑞卿、周道濟、張以仁諸先生，就中多為不佞所崇敬的師友，由於他們的高瞻遠矚，大聲疾呼，在短短的五、六年間，朝野上下，不但提高了警覺，重視其事，而且見諸行動，已有具體的表現。舉例來說，大而言之，如國際漢學會議之召開（註一），漢學文獻資料研究及服務中心之創置（註二），次如專刊、論文之出版；有關國學分科會議之舉辦（註三）等等，不一而足。這些措施，不僅是國內學術界的創舉，更是國際漢學界長久以來所渴望的福音！

「敦煌藝術」、「敦煌石室」、「敦煌卷軸」、「敦煌寫經體」等名稱，自從一八七九年莫高窟的繪、塑被匈牙利人洛克齊（Lo´czy）首先注意；一八八九年石室藏書為王道士（圓籙）所發現後，民國初年即已喧騰於中、外。從那時起，經歷了三、四十年的影鈔……流傳……研究，於是由冷門而一度竄熱，終至蔚爲顯學，而有所謂「敦煌學」之稱。本文重點，雖在斯學前瞻，但於初期的刋印流傳，和中期的昇華階段，亦願約略報導。

## 一、敦煌資料之刋印流傳

我國自有清乾嘉學派以來，已開創了治學的新途徑，爾後之所謂中學爲體，新學爲用，以至民初的國故整理、國學商兌等運動，大抵都能夠客觀求證，符合所謂科學的方法。然方法既明，據以求證的資料，尤爲重要。就「敦煌學」來說，亦不例外。玆略述早期學人關於刋印流傳敦煌資料的情形於後。

刋印敦煌文獻資料最多者，首推羅振玉氏，臚列其目如次：

敦煌石室遺書，排印本。

鳴沙石室佚書十六册，民國二年，珂羅版。

鳴沙石室古籍叢殘三十卷，民國五年，影印本。

鳴沙石室佚書續編，民國六年，影印本。

敦煌零拾一卷，民國十三年。

敦煌石室碎金一卷，民國十三年，排印本。

石室秘寶，影印本。

貞松堂西陲秘籍叢殘，一至三集，影印本。

吉石盦叢書，其中影印伯希和等將去之寫本多種。

其早於羅氏者，則有蔣斧沙州文錄及王仁俊之敦煌石室眞蹟錄，係宣統元年石印本，每種且附有考釋或題記，爲早期考訂敦煌文物之作（註四）。稍後有曹元忠（君直）之沙州石室文字記，羅福萇之沙州文錄補遺，劉復之敦煌掇瑣。再後，有陳垣之敦煌刼餘錄（註五），許國霖之敦煌石室寫經題記與敦煌雜錄。胡適之先生爲許書作序云：

敦煌雜錄是繼續蔣斧、羅振玉、羅福葆、劉復、羽田亨諸先生的工作，專抄石室所藏非佛教經典的文件，蔣氏之書最早，三十年來，這類佛教以外的敦煌文件陸續出現，最大的一批是劉復先生從巴黎抄回來的敦煌掇瑣，但這些都是國外的敦煌文件。北平圖書館所藏的經典以外的文件，除了向達先生抄出的幾件長卷之外，差不多全沒有發表。所以外間的學者只知道北平所藏盡是佛經，而不知道這裡面有許多絕可貴的非教典的史料！

此外，如向覺明先生之敦煌叢抄叙錄、倫敦所藏敦煌卷子經眼錄、王有三先生之巴黎倫敦所藏敦煌殘卷叙錄、敦煌曲子詞集、敦煌變文集等，亦皆較早期之作。

至於與羅氏同時或稍後的刋物影印流傳敦煌文獻與藝術品者，則有國學叢刋暨上海廣倉學宭叢書「藝術叢編」第三冊以及商務印書館之涵芬樓秘笈等。

外籍學人關於刋印流傳敦煌資料之著者，有橘瑞超之敦煌將來藏經目錄（一九一四年）、石濱純太郎之敦煌石室之遺書（一九二五年），伯希和、羽田亨共編之敦煌遺書（一九二六年活字本，上海東亞考究會發行）以及神田喜一郎之敦煌秘籍留眞（一九三七年出版）及新編（共二册，於一九四七年在台影印發行）等書。

## 二、敦煌寫本之校勘、輯佚

中國學人之從事石室本古籍校勘者，以羅振玉、王國維、劉師培諸家爲最早亦最多。羅氏校記，多收入雪堂校刋羣書叙錄中。劉氏校記及題跋（經部尤多），則見於敦煌新出唐寫本提要一書。王氏有關敦煌卷軸之校記、題跋、叙錄等，見於觀堂集林及觀堂別集者，已有廿三種之多；其方面（包括繪件、韻書、方技、社會經濟文書等）亦至廣。他如蔣伯斧之跋P．四五〇九顧命寫本，曹君直之跋P．二五二六「修文殿御覽」，王捍鄭（仁俊）之跋顧命、摩尼經、景教經、化胡經、西、沙二州志等篇，則散見於敦煌石室遺書、箋經室遺集、石室眞跡錄中，亦皆早期之作。自玆厥後，海內士林，迭有述作，其裒集菁英，萃爲一編者，首推王有三先生（重民）之敦煌古籍叙錄（一九五八年）一書。其卷首述例稱：

一九〇九、一九一三、一九一七等年內，伯（希和）氏曾送給蔣斧、羅振玉等一些敦煌四部書的影片，以買好我國的學者，……引起了當時學者王、劉、曹、繆（荃蓀）等人極大的注意，作了一些研究，向學術界介紹宣傳。從此，國人愈認識敦煌古籍的重要價值，……一九二〇年以後，敦煌古籍的發現已有二十年了，可是敦煌學的研究者，反因資料缺乏，大有停頓不前之勢！一九二五年，劉半農先生才從巴黎抄回一批資料，北平所藏的佛經中，也有不少的文學資料。因此，從一九二五年以後，我國學者對於唐代俗文學和韻書的研究，有了較多的進步。一九三四年以後，我和向覺明先生分別到英、法攝取了更多的四部書和文學資料照片。但因抗戰不久開始，往日作科學研究工作者，多避地西南，得不到資料，沒有把敦煌學的研究深入下去。……我在法、英爲京館選製古籍影片時，曾寫過一些題記……去年（一九五七），爲了科學研究工作者的需要，曾想彙印這些題記，繼思一九〇九到一九一七年間，諸位老宿對于敦煌四部書所寫的題記；一九二五年以後，各報刊上又有不少的論文發表，都有一定的參考價值。所以我們把這些有關的參考資料，和我們自己的題記，一起彙編成爲「敦煌古籍叙錄」。

按王氏此編分五卷，依經、史、子、集四部分類法排列。凡古宗教書排在子部佛道之後，變文則排在集部詩詞之後。他雖謙稱：「僅對讀者提供一些有關敦煌古籍的參考資料」。其實除了闡述不少外，若干處輯佚之功，殊不可沒。

近二、三十年來，自由中國和海外華裔同胞們關於敦煌遺書的輯佚、校勘工作，亦有可觀。十年前，拙撰「六十年來敦煌寫本之研究」一文（註六），曾分經、史、子、集部與韻書、變文五大類，介紹六十年來國人研究敦煌寫本之業績；就中并揭櫫值得注意者數事：

①敦煌遺書分散海內外者，首尾割裂之現象甚多，經四、五十年來中外學人之彌縫綴合；有若干卷

已能銜接復原，珠還合浦，寧非快事？國人從事卷子綴合復原工作者，繼王重民氏而後，經籍方面，如潘重規氏之綴合英、法所藏毛詩音殘卷，幷定爲劉炫書；陳鐵凡氏之綴合法、英所藏左傳節本，幷認爲與羣書治要中之左傳節本同屬一類，均具卓見。

②法、英所藏隋、唐寫本之詩、毛傳鄭箋諸卷子，如P．二五二九號（單經本）經文旁間註音讀，S．一〇（毛傳鄭箋）及P．二六六九號之註音於卷背（首爲王重民氏發現），可能爲六朝人毛詩音隱之遺迹。

③國立敦煌藝術研究所於民國三十三年發現之毛詩注殘葉，不佞曾據阮刻本校勘，知殘本注語與鄭箋頗有出入，而有與正義所引王肅注相符者，故疑爲王肅注本。

④巴黎藏史記集解殘卷，王重民氏一九三五年卽據諱避定爲武德初年寫本。民四七，喬衍琯氏以此P．二六二七號爲底本，用北宋監本史記、南宋黃善本史記、影刻宋蜀大字本史記、史記集解引正義（金陵書局）合刻本、史記索引（光緒十九年校刋）本、武英殿刋史記、史記會注考證諸本校之，其結論認爲頗有與卷子本脗合者。蓋清儒治史記，時有創獲，而梁玉繩、王念孫、張文虎諸人之記述尤著云。

⑤爲S．六八二五號「想爾老子注」寫本作校箋者，有饒宗頤氏，饒箋於一九五六年出版，早王重民氏跋文（載敦煌古籍敍錄）二年。王氏以爲當是六朝寫本，饒氏及陳世驤氏均定爲唐以前（六世紀）寫本，但二人論點所指不盡相同。

⑥劉子新論（巴黎藏二卷，羅振玉藏一卷），唐志稱梁劉勰撰，宋志作北齊劉晝撰，四庫總目又謂當出貞觀以後，訖莫能定爲誰何；直到王叔岷氏劉子集證一書問世，始知確爲晝書，而非彥和之作。

⑦昔年陳槃先生於所著古讖緯書錄解題附錄二，對法藏瑞應圖殘卷時代（與陳振孫所見者並不相同）加以辨正後，近年復就占雲氣書（有圖）殘卷（舊藏敦煌藺氏）加以考釋，認其內容與通典所引太公占及晉書天文志大半相同，四十年前疑案，眞相漸白。

⑧P・三三九九號「九諫書」殘葉，其奏上時代，王重民氏初以爲在武周萬歲通天中，據陳祚龍氏考訂應在萬歲通天以後，不得早於嗣聖十四年丁酉歲。其校詁刋在台北大陸雜誌廿四卷第八期。

⑨P・四〇九三號爲册葉裝之甘棠集，無前題。一九三八年王重民考爲唐劉鄴所作。吳其昱氏則於一九五九年冬至次年二月間以法文寫成「劉鄴甘棠集及翰苑集之研究」、「兩唐書劉鄴傳研究」二文，一九七六年將兩文合爲一篇，以中文譯出；幷加改訂，補正唐史之處甚多。

⑩巴黎所藏王仲宣登樓賦寫本，一九五八年饒宗頤氏曾爲校記，刋入新亞學報三卷第二期。民五一，更撰「敦煌寫本登樓賦重研」一文，發表於大陸雜誌特刋第二輯，蓋對陳祚龍氏「寫本登樓賦斠證」有所補益耳。

以上各家，分別僑寓（或入籍）於港、臺、馬、星以及美、加、法諸國。

## 三、敦煌藝術品（包括壁畫、彩塑等）之影印流傳

談到敦煌的繪畫和雕塑藝術，主要的當然是莫高、楡林（註七）二窟的壁畫與彩塑，但是石室（藏經洞）流出的紙（絹）本繪件和佛像、畫旛，爲數雖不多，亦有其參考價値，甚至爲作比較研究時的對象之一。自一九二四年以來，除了伯希和的敦煌圖錄、斯坦因的照片和松本榮一的「敦煌畫の研究」之外，國人方面的著述，如邵元沖之西北攬勝、陳萬里之西行日記等書，雖亦附刊圖片，但數量甚少，且無系統可言。直至民國三十七年國立敦煌藝術研究所在京、滬舉行展覽的目錄（附有插圖）問世，和民四七勞榦先生之「敦煌藝術」、民五三拙撰之「敦煌學概要」在台北印行後，才有較多的圖片（包括雕塑和紙、絹本繪件）刋出，不過也還是擧例式的報導而已。

一九六九年十一月，我應聯合國文敎組織（UNESCO）總部的邀請，代表中華民國出席在哥倫坡召開之國際佛敎美術會議，承日本國代表秋山光和敎授以「中國美術」（Arts of China）第二冊見贈，內收敦煌繪塑彩色及黑白照片達六十八幀之多，神采逼眞，除少數外，多係羅吉眉先生提供。羅氏伉儷是昔年敦研所的老同事，抗戰期中，他倆在敦所拍的大小不同的各種照片兩千餘幀，現存普林斯頓大學美術考古系者，凡二六〇〇張。一九七三年，因秋山氏代表東京大學美術系向普大申請，幷得羅氏同意，翻印一全套存於東大研究所。秋山氏利用這些照片，於一九七五年初成「敦煌壁畫研究の新資料」一文，在日本佛敎藝術雜誌第一百期發表。像這樣大規模刋載敦煌繪、塑照片的刋物，

在我們國內（台北和大陸）雖然還沒有，不過，近四、五年來，大陸印行的彩色繪、塑明信片和「敦煌彩塑」特輯，以及台北出版的「敦煌藝術」（沈以正著）、「千佛洞壁畫輯覽」等書，其間均各有特色。

自一九七七年三月至一九八〇年十月，這三年多的時間裡，臺北、東京、巴黎和香港也出版了綜合及專題報導敦煌文物的書刊五種，其目如次：

㈠民國六十六年三月台北藝文印書館編印的「敦煌」（有中、英文及中、日文精裝本）一册，分十七個專題，文字部份佔一二三頁；圖版（彩色、單色兩種）一四七面。

㈡一九七八年四月東京日本放送出版協會出版的「敦煌への道」一册（鄧健吾撰文，石嘉福寫眞），刋布了大小不同的彩色圖片一一〇幅，其精緻的程度，堪與講談社之「中國美術」第二册相伯仲。

㈢一九七八年八月香港出版的新世紀月刋，載有任眞漢氏「敦煌的石窟藝術（彩色插頁）」一文，乃就上述一書（中譯：敦煌之路）摘譯而成。任氏文的圖說，亦迻譯鄧健吾的日文而來。

㈣一九七八年尾，饒宗頤氏撰述的「敦煌白畫」（Peintures Monochromes De Dunhuang）一書，由法國巴黎的遠東學院出版，列爲「考古學叢刋」之一。計一函三册，首册爲戴密微博士序言（法文），次册論說，出饒氏手筆親書，第三册爲巴黎所藏各本白畫。

㈤敦煌文研所編輯的「敦煌藝術寶藏」（精裝一册，收彩色圖片二〇〇幀）（註九），於一九八〇年十月由文物出版社與三聯香港分店出版。全部圖片由彭華士主持拍攝。至於莫高窟概況、記事、圖說部份，則由所員撰述，均尙翔實。惟圖版畫面的若干部份，視秋山氏「中國美術」第二册所收者（卽根據羅氏四十年前所拍之照片）爲遜色。

## 四、敦煌畫藝研究之近貌

二、三十年前的敦煌藝術研究者，初則就莫高窟各朝各期（如初唐、盛唐……）的壁畫、彩塑作比較研究，稍後，遂以莫高窟各朝各期的畫藝與楡林窟（註一〇）同朝同期的畫藝作比較研究。近一、二十年來，漸將視線向東投射；初則注意河西（瓜、沙迤東）、隴東南區的風格演變，繼乃擴展視宇到中原地區（如平城、伊、洛）。最近數年，更將視線轉移於河西魏、晉、十六國的冢墓壁畫方面，作廣泛的比較；探尋其傳承的跡象，這眞是敦煌學界的一大喜事！

在談敦煌畫藝由東方（指近如涼州、永靖、天水，遠至平城、長安、洛陽而言）傳承而來以前，不妨先談石窟寺制度，過去論者，因莫高窟和庫車克孜爾千佛洞皆有近於印度毗訶羅（Vihara）式和支提（Chaitya）式的窟寺，又以印度阿姜陀（Ajanta）石窟寺最早的兩窟，是西曆紀元前（西漢時）開鑿的，遂謂庫車與敦煌的石窟寺皆淵源於印度。此說雖不無理由，但近一、二十年來，由於河西魏晉墓室壁畫的大量出現，若從莫高窟各窟整個窟形（早期的）來看，顯然它是受有敦煌迤東魏晉墓室壁畫的影響，例如：

一九七三年，在甘肅酒泉縣崔家南灣發掘的西晉一號墓葬，其時代亦可能晚到前涼，該墓形制爲三室墓，墓室的前、中室的平面皆爲正方形，四面結頂作覆斗式，後室室頂爲拱卷形，平面爲長方形，墓室砌法爲三平一竪。而莫高窟的早期窟，在兩面開闕形龕，上作覆斗形頂，四角繪獸頭，平面近正方形，四周呈明顯弧壁，這都很像嘉峪關以東（包括嘉峪關牌坊梁壁畫墓，酒泉縣屬石廟子灘、下河清五壩河、崔家南灣一、二號諸墓，及永昌縣雙灣東西溝墓葬）魏、晉壁畫墓室的結構。可以說河西魏晉壁畫墓的連檐闕形龕，是敦煌北魏窟闕形龕的前身。

或謂敦煌石窟的形制，卽使是沿襲河西的魏晉壁畫墓而來，但河西壁畫的時代還在阿美陀石窟寺以後，不足以否定「敦煌石窟淵源印度石窟寺」之說。其實不然，因爲河西地區的壁畫墓雖到魏晉時期才盛行，但中原內郡大量出現的壁畫墓，其時代多屬東漢晚期，我認爲這正和碑文盛行於漢末的情形相應。至於河西地區的繪畫，既源於中原內郡，其演變和改進的速度，自較內地爲遲緩，此所以墓室畫壁的風氣東漢末年雖開始，而河西的墓室畫壁要到魏晉十六國時才流行，這和通都大邑（如紐約、巴黎、香港）風行已久之事態（如服裝、音樂、繪畫等），較落後地區的國家，必須數月甚或數年以後才能依樣效顰，是同樣的道理。何況從三國至南北朝的一個多世紀的時間裏，中原戰亂頻仍，相反的黃河以西地區，卻較爲安定，因此從內郡避居到河西的人士既多，於是中原文化的某些方面在河西得到繼續發展，這對河西魏晉壁畫的長期盛行創造了有利的條件。

關於早期敦煌藝術淵源於東方的問題，試就所知，析論於次。

西域、敦煌石室寫本的時代，現時所知，以西晉元康六年（註一一）及西涼建初元年（西元四〇五年）爲最早，而莫高窟最古壁畫的年代，則在北魏太和年間（註一二），以往一般美術史家對敦煌繪、塑的看法，多數都說它淵源於印度，而少注意到東方。其實北魏時中國的南方往往從廣州運入佛像，雖係事實，而建業、荊州、廣陵一帶的大寺又都向更南的地區去奉求金身供養，其時佛像在南方都起了典型示範的作用，亦係事實。但，自學人們發現庫車所出壁畫，如佛再生說法圖等，既乏意趣，更無印度風格，因而否定了「唐以前敦煌壁畫亦受西域化印度藝術影響」之說後，使我們意識到探尋敦煌藝術的遠源時，更應注目於東方。

十六國時，各方霸主多信佛教，如後趙之石虎、前秦之苻堅，曾先後在鄴城和長安修建了不少佛寺，而著名的道安法師，卽嘗活動於趙、秦境內。當時涼州（今甘肅武威）的佛教最盛，中原若干高僧，率皆來自涼土，苻秦在長安的譯場，雖由道安主持，但由胡轉漢負責爲之傳語者，則係涼州的高僧竺佛念。北涼沮渠氏佔有涼土後，比前涼、前秦更信佛教，且大鑿窟像，以當時涼州佛教鼎盛推之，不如說涼州影響了敦煌更爲合適。自淝水戰後，隴右多聚高僧，河州堂術山和秦州麥積崖，成爲重要的禪居之地，炳靈寺石窟（註一三）曾出現西秦建弘元年（四二〇年）的造像記，麥積山的早期石窟造像風格，也近似莫高的早期魏窟。麥積地近秦州，而秦州（今甘肅天水）適處於長安、涼州之間，五世紀前隱麥積的高僧玄高與曇弘皆來自長安；玄高後曾西遊姑臧，可見麥積佛教與長安、涼州的關係密切，長安、涼州早期佛教遺跡既少存在，若要探討敦煌石窟的東方因素，就不能不注意麥積。自北魏於四三九年滅北涼，遂將涼州工匠掠往平城（註一四），同時還俘虜沙門，曾在堂術山習禪的玄高和後來在雲岡開窟的曇曜，都因此從涼州到平城，故雲岡石窟受到涼州影響是可以肯定的。
雲岡早期的窟像，可謂質量俱豐，且保存亦較完整，遠在麥積、堂術之上，因此，追尋莫高窟發展之因素，不容忽視雲岡的早期諸窟。雲岡石窟始於和平初年（四六〇年），它雖受有涼州影響，但也自有其較濃厚的新風格和內容。由於平城是當時政治、文化、佛教中心，那裏出現的新型的佛像，自然要影響到各地。敦煌現存的早期窟像中，確實有與雲岡相似之處。再證以近一、二十年來，敦煌以東河西走廊與秦隴地區的兩晉、十六國墓室壁畫，甚至中原漢墓（註一五）的大量出土，更可說明莫高窟開鑿的佛窟，必然受到了東方的影響。具體言之，除上述敦煌北魏窟的闕形龕是傳承河西魏晉壁畫墓的連檐闕形龕外，就題材、構圖、和繪畫技法各方面來觀察，也在在可以看出莫高窟的早期畫藝傳承自兩晉壁畫墓的若干跡象（註一六），此種現象，將有專文論之，茲不具述。

## 五、瓜、沙（註一七）史事之研究

自光緒二十五年（一八九九年）敦煌石室藏書發現後，羅振玉氏始將石室寫本「張延綬別傳」影印流通，幷詳考張議潮事蹟附於傳後，不久更旁徵石刻、遺文，因有補唐書張義潮傳之作；凡三易稿而成。民國三年，復據有關文獻與敦煌資料輯成瓜沙曹氏年表，刻入「國學叢刊」中，廿四年後，又增引宋會要等書加以補訂，影印問世，實爲國人研治瓜、沙史事之濫觴。
羅著張義潮傳刋行後十七年，向達氏始有「羅叔言補唐書張義潮傳補正」之作。越十五年，拙撰

「瓜沙史事系年」付梓，於羅、向二氏書亦略有增益。至於羅輯瓜沙曹氏一表，因屬稿時石室遺書（尤其是流入英、法者）多未刋布，不免有脫誤失考之處。故姜亮夫氏於十九年前（壬寅歲）有「瓜沙曹氏年表補正」之作，其全文雖未得寓目，但經友人鈔示姜文弁言，略補：「讀羅氏書，覺可補者至多……至庚子、辛丑間，又得諸家露布之文，補曹氏世譜十數事，使全文裕（豁）然得其環中。寫以告覺民（明），大體以莫高、榆林窟寺中畫壁題銜爲主，參以正史會要諸故籍，以排比經緯，其父子夫婦、家世婚姻，略無遺策」云云。去秋我在香港，得覩賀世哲等「瓜沙曹氏年表補正之補正」一文，擧出七大項目，很謙虛而客觀地對姜文加以訂正，多中肯要，實爲考證曹氏家族世系的佳作。玆將羅氏以降，中外學人董理瓜、沙史事的業績，擧要摘述於後：

王重民「金山國墜事零拾」（載在國立北平圖書館館刋第九卷第六號）

孫楷第「敦煌寫本張義潮變文跋」（圖書季刋第三卷第三期）

「敦煌寫本張淮深變文跋」（中央研究院歷史語言研究所集刋第三本）

向　達「記石室出晉天福十年寫本壽昌縣地境」（國立北平圖書館：圖書季刋新五卷第四期，渝版）

「羅叔言補唐書張義潮傳補正」（民四十，漢學論叢）徵引敦煌碑刻及壁畫供養者題記、石室寫本，補正羅書。

「西征小記」（收入「唐代長安與西域文明」一書，三三七頁）

「莫高、榆林二窟雜考」（同上，三九三頁）

史　岩「敦煌石室畫像題識」（民國卅四年，四川成都出版，石印本）
傅芸子「三十年來中國之敦煌學」（民卅二年，中央亞細亞雜誌第二卷第四號）
王重民「敦煌本暦日之研究」（東方雜誌卅四卷第九號）
蘇瑩輝「敦煌石刻考初稿」（民卅四，未刋本，列爲敦煌藝術研究所叢刋之一）
謝稚柳「敦煌藝術叙錄」（上海出版。該書除述各窟繪、塑佛像及供養者地位外，間及瓜、沙統治者題名，末附三家所編各窟號碼對照表，尤便查考。作者在本書所用窟號，悉採張大千先生舊編號碼。）
賀昌羣「敦煌佛教藝術的系統」（東方雜誌第二十八卷第十號）
蘇瑩輝「從『賜沙州僧政敕』略談唐代告身」（考銓月刋第三十期，民四二，台北）
「陳祚龍著『敦煌寫本洪䛒悟眞等告身校注』斠讀記」（台北「大陸雜誌特刋」第二輯）
方　豪「敦煌學發凡」（民四二，邊疆文化論集第三期，台北）
神田喜一郎「敦煌學五十年初編」（一九五三年，在日本龍谷史壇第三八卷發表，其續編完成於一九五六年；其二編合集，則於一九七一年由東京二玄社出版單行本。）
藤枝晃「沙州歸義軍節度使始末」（載東方學報京都第十二册三、四分及第十三册一、二分，一九四一年，日本京都出版）
「敦煌千佛洞の中興」（東方學報京都三十五册，一九六四年出版）

「敦煌學の展開」(歴史教學第十卷第五期)

李　濟「敦煌學今昔」(自由談雜誌第六期，台北)

潘重規「敦煌學發刋辭」(「敦煌學」雜誌創刋號，一九七四年七月，香港新亞研究所敦煌學會出版)

勞　榦「唐五代沙州張、曹兩姓政權交替之史料」及「附記」(收入蘇著「敦煌學概要」附錄第二種)

「敦煌及敦煌的新史料」(大陸雜誌第一卷第三期，台北)

蘇瑩輝「曹元忠卒年考」(大陸雜誌第七卷第九期)

「張義潮」(台北「學術季刋」第二卷第四期)

「瓜沙史事系年」(收入中國東亞學術研究計畫委員會年報第二期，民五二，台北出版)

「補唐書張淮深傳」(大陸雜誌廿七卷第五期)

「再論唐時敦煌陷蕃的年代」(大陸雜誌廿九卷第七期)仍主張沙州所轄之敦煌、壽昌二縣，并非同時陷落，而是壽昌先陷於建中二年；敦煌後陷於貞元元年。

「論張義潮收復河隴州郡之年代」(新社學報第二期，一九六八，新加坡)

「論索勳、張承奉節度沙州歸義軍之起訖年」(敦煌學第一輯，一九七四，香港)

「張淮深於光啟三年求授旌節辯」(敦煌學第三輯，香港)

「唐僖宗光啟三年求授旌節者爲索勳論」（大陸雜誌第五十七卷第三期）
「莫高窟C・一五五及C・三〇五號窟供養者題名考」（馬來亞大學漢學系「學術論文集」第一輯，一九七七，吉隆坡）
「翟奉達其人其事」（新社學術論文集第一輯，一九七八，新加坡）
「張承奉稱帝年代與曹議金節度使繼承人問題略論」（大陸雜誌第六十二卷第五期）
「唐宣宗尚書左丞崔璪及其先後任左丞諸人之除官年月考」（華岡學報第八期，台北）
「論晚唐統治瓜、沙二州的張、索、李三姓政爭始末」（民六九，在台北中央研究院召開之國際漢學會議席上宣讀者，全文將由該院出版）。
「莫高窟C・一三四窟武周李義碑的正名及其相關問題」（珠海學報第十一期，一九八〇，香港私立珠海大學出版）
「跋饒宗頤先生『論敦煌陷于吐蕃之年代』」（香港大學「東方文化」學報第九卷第一期）
「莫高、榆林二窟供養者題名之有裨考史」（將刊入日本東京大東出版社編印之「敦煌講座」第三、四卷）
「瓜沙曹氏兼事宋、遼顛末」（曾在香港一九八一年珠海文史研究所與新亞研究所合辦之宋史研討會宣讀，並在台北大陸雜誌第六十三卷第六期發表）
羅寄梅「安西榆林窟的壁畫」（中國東亞學術研究計畫委員會年報第三期，台北），此文於各窟壁畫（包括供養人像）部位及題記著錄甚詳。

唐長孺「關於歸義軍節度使的幾種資料跋」（載「中華文史論叢」第一輯）爲文革以前有關瓜、沙史事最有份量的專題研究之一。

石璋如「敦煌千佛洞遺碑及其相關的石窟考」（中央研究院史語所集刊第三十四本）

饒宗頤「論敦煌陷于吐蕃之年代」（香港大學「東方文化」學報第九卷第一期）同意敦煌與壽昌非同時淪陷，但謂敦煌陷蕃應延後二年；即爲貞元三年（七八七）。

常書鴻「敦煌壁畫中的歷代人民生活」（「文物參考資料」一九五六年，第二期）

宿　白「莫高窟記跋」（「文物參考資料」一九五五年，第二期）

「參觀敦煌第二八五號窟札記」（同上，一九五六年，第二期）

夏　鼐「漫談敦煌千佛洞和考古學」（同上，一九五一年，二卷五期）

閻文儒「敦煌史地雜考」（同上）

研究所「莫高窟大事年表」（同上）

研究所「敦煌西千佛洞的初步勘察」（同上，一九五三年，第五、六期）

吳曼公「敦煌石窟臘八燃燈分配窟龕名數」（「文物」一九五九年，第五期）

金維諾「敦煌石窟窟龕名數考」（同上）

（以上八篇論文，我皆尙未寓目）

馬世長「關於藏經洞的幾個問題」(「文物」一九七八年，第十二期)
研究所「莫高窟第二二〇窟新發現的複壁壁畫」(同上)
黃文煥「河西吐蕃文書簡述」(同上)
閻文儒「莫高窟的創建與藏經洞的開鑿及其封閉」(「文物」一九八〇年，第六期)此文對莫高窟的創建時期，有新論證。於殷晴氏「藏經洞因閒于闐將攻西夏而封閉」之說，有所闡釋。
Uray Geza「西域陷蕃時，河西及于闐地區藏文卷子裡有關瓜、沙史事的若干資料」Uray Geza 氏爲匈牙利布達佩斯大學出席一九七九年多國際敦煌、西域文獻第一屆研討會的代表，他所宣讀的這篇論文，內容引述自西元九二〇年(梁貞明六年)曹議金統領歸義軍十五年間的事跡，多係尚未被人援引與研究的第一手資料，極爲珍貴。
黃文煥「跋敦煌三六五窟藏文題記」(「文物」一九八〇年，第七期)
王　堯「藏族翻譯家管・法成對民族文化交流的貢獻」(同上)
姜亮夫「唐五代瓜、沙張、曹兩世家考」(載「中華文史論叢」一九七九年第三輯)其副題爲『補唐書張義潮傳訂補』。姜氏自稱體例視羅氏爲繁，而徵錄庶幾無遺憾矣。其實仍有問題存在，容當另文論之。
賀世哲、孫修身「『瓜、沙曹氏年表補正』之補正」(甘肅師大學報，一九八〇年第一期)
賀世哲「敦煌莫高窟供養人題記校勘」(「中國史研究」季刊，一九八〇年第三期)

陰法魯「敦煌樂舞資料的歷史背景」（同上）

菊池英夫「沙州陷蕃」（爲『隋唐王朝支配期の河西と敦煌』一文第四節，刋入「講座敦煌」第二卷一七九頁，一九八〇年東京出版）支持敦煌與壽昌縣非同時陷蕃說。

蘇瑩輝「試論張義潮收復河隴後遣使獻表長安之年代」（包遵彭先生紀念論文集）

「略論沙州歸義軍節度使領州沿革」（第一屆華學會議論文集，民五七，台北中華學術院出版）「試論杜牧樊川集中河湟諸詩的年代」（新社學報第四期，新加坡出版）

「唐宣宗收復河湟地區與三州七關的年代略論」（載中央研究院民族學研究所集刋第廿九期）

「瓜沙曹氏僭稱敦煌王及受封敦煌郡王考」（史學彙刋第十期，民六九，台北）

近二十年來，中國大陸學人，早期如姜亮夫、唐長孺二氏對瓜、沙張、曹兩世族的事跡論述，閻文儒、宿白諸氏之考索莫高、榆林二窟營建經過與夫藝術風格，皆可謂開風氣之先。後期如段文杰、馬世長、關友惠、施萍亭、舒學、賀世哲、孫修身諸氏之繼武紹述，而賀氏「莫高窟供養人題記校勘」一文，尤多發舊說之覆，足以媲美前修。其補正姜氏「瓜沙曹氏年表補正」之作，亦能令人信服，不僅羅（叔言）、向（覺明）二氏之功臣而已。

## 六、近二十餘年來「敦煌學」研究回顧

上文各節，係就敦煌壁畫卷軸發現以後的影印、流傳與各項研究情形，約略予以追溯報導，玆

再濃縮近二十年來國際敦煌學研究方面的進度，分類加以評述。

資料編目、索引、整理、研究——㈠我國方面：民國四十六年，國立中央圖書館將其自京運臺的敦煌寫本一五三卷目錄，印入館藏善本書目甲編上册（爲中華叢書之一），並由該館出版品國際交換處依照布魯塞爾國際交換協定；分送會員國（含無邦交國家）辦理交換，此爲國際學術界週知中館珍藏文物運抵臺灣之始。（註一九）

一九六二年五月，北平商務印書館編印「敦煌遺書總目索引」一厚册，總目部份，分「北京圖書館藏敦煌遺書簡目」、「斯坦因劫經錄」、「伯希和劫經錄」、「敦煌遺書散錄（收公私藏家目錄凡十九種，包括日本公私藏卷在內）」四大門類。繼以「索引」及「索引補遺」。最後附錄「翟爾士：（英倫）博物館藏敦煌卷子分類總目（係摘取翟氏一九五七年新目的精華部份輯入該目）」、「卷子筆畫檢查目錄」、「斯氏編號和博物館新號對照表」及後記（王重民撰）一篇。全書共計五五二頁。至於民國三十三年在莫高窟前土地祠中發現的北朝寫本六十餘卷（多係殘卷），未能收入遺書總目，王氏後記裏，亦曾提及。

一九七五年十一月，香港新亞研究所敦煌學會編印之「敦煌學」學報第二輯，爲「國立中央圖書館藏敦煌卷子專輯」，除第五篇外，皆係關於中央圖書館所藏卷子者。按中館所藏，漢文佛教典籍雖亦佔絕大多數，但其中除佛經以外固尙有道教經典，以及與釋、道教義無關之僧徒俗講作品；在漢譯佛經以外，亦尙有藏文寫本（以上皆出自敦煌）以及日本古寫經等，俱各有其學術研究上之價値。

一九七七年十二月，敦煌文物研究所始將所藏的敦煌遺書目錄，在「文物資料叢刊」（一）」發表，該目錄所列遺書的來源，主要有二，一爲上述的六十七卷北朝寫本（卽民卅三發現者）。一爲該所成立以後歷年徵集所得的（這一部分，佔該所藏總數的一半以上）。據該目錄末尾所附說明，知這批遺書中，有漢文，還有藏文、梵文、回鶻文的卷子和殘片；有寫本，還有刻本、雕版印刷的佛畫殘片。這次入目的僅是漢文寫（刋）本，其中如唐代奴婢買賣市劵副本，取與英倫所藏S．三四三號卷背抄寫的放婢文和放奴文比觀，卽可反映出唐代佛教思想之注入社會各層面，此實研究思想社會制度的最好的第一好手材料。

晚近私人藏有敦煌文物見於著錄者，以順德張虹（僑寓香港）藏品較豐，卷軸方面，如建衡二年索紞書道德經殘卷，及六朝、唐寫本佛經六種，均尚罕見。繪、塑方面，見於張氏寄傳庵書畫彙記者，有敦煌唐代木雕傅彩僧伽像一座及絹（布）本佛旛與道教畫像六種，其見於寫經卷首的畫像和釋道二教紙本畫像者，又有六種。

民國六十七年（一九七八年）台北石門圖書公司出版「敦煌俗字譜」一厚册（凡四百八十餘頁），係由潘重規先生主編，乃就國立中央圖書館所藏敦煌卷子及神田氏「敦煌祕籍留眞」中之俗字，全部剪印，一一加以辨認歸類，並說明見於某書之葉數、行數，極便讀者檢視參考。

㈡歐洲方面：斯坦因（A. Stein）氏輦去之敦煌卷軸（藏倫敦英國博物院 British Museum 者），繼魏蕾（A. Waley）所編目錄後，小翟爾士（L. Giles）氏新編之「斯氏蒐集的敦煌漢文寫本分類記注目錄」（註一八）於一九五七年在倫敦印行。其西藏文寫本目錄，則於一九六二年始出版。一九六四年秋、冬間，日本京都大學副教授藤枝晃氏遊英倫，曾在布列顛博物院瀏覽敦煌卷軸，他發現沒有列入翟爾士之「敦煌寫本分類記注目錄」者，亦即尚未經整理的殘片，竟達數千點，還堆積於倉庫中，這些資料如經整理研究後，未嘗不能發現其中還有價值的文件。

至於斯坦因從敦煌輦去的繪件（紙、絹本旛畫等），魏蕾氏曾於一九三一年編有「斯坦因所得敦煌繪件（包括紙、絹、麻布等物體）目錄」（A catalogue of paintings Recovered from Tunhuang by Sir Aurel Stein-K.C.I.E.），其中絕大多數（約百分之九十八以上）均歸英倫布列顛博物院庋藏，極少數的零縑斷片，則於斯氏返英經過新德里時，留存於印度博物館內（註二〇）。

伯希和（Paul Pelliot）氏輦去之敦煌卷軸，其中的漢文寫本（自二〇〇一號至二五〇〇號）目錄第一册（法文書名："CATALOGUE DES MANUSCRITS CHINOIS DETOUEN-HOUANG"），於一九七〇年十二月十五日始在巴黎出版，共收寫本五百號（註二一）。至於伯氏所蒐集的西藏文寫本目錄兩册，共著錄了一二八二個卷子，其第三册，亦於一九六一年出版。近讀藤枝晃氏「現階段的敦煌學」一文，曾說：「伯希和所帶回去的寫本，經過一番調查之後，依次提交圖書館，伯氏去世的時候，據說，還未經過整理的部份，尚有幾百點，留在他家裡。目錄之中，有幾百點的缺號就是這些。聽說伯氏的遺孀曾把這些出售，後來被紐約的 Metropolitan 博物館購存」（據黃得時教授譯文）。

一九七九年十月初，當我出席巴黎第一屆國際敦煌西域文獻研討會後，並於六日下午往國家圖書館觀賞爲紀念伯氏誕生百年而舉辦之敦煌文物展覽，其中有小部份是從伯氏家中借來的不經見的稀罕物品，曾寫小文介紹其內容，刊入「傳記文學」第卅五卷第六期，茲不贅述。此外，巴黎國家圖書館館員法籍隋麗玫（Marie-Rose Seguy）女士於一九七四年撰「巴黎國家圖書館藏敦煌寫本題記分年初錄」一文（註二二），雖僅摘錄了有年代的題記五百一十五條，但它給當代治理敦煌文獻者的幫助卻不少，希望續錄能在近年刋出，俾窺全豹，以饜讀者之殷望。又伯氏自中亞輦歸的敦煌繪件，直到一九七六年二月，始由巴黎法國國家印刷廠出版，中譯書名爲『巴黎吉美博物館敦煌幡幢及其圖畫之研究（圖版專册）』；亦卽「伯希和中亞考古發掘探險文物研究專刋」（已出XIII,XIV,XV三巨册，皆法文）之第XV册，印製精美，得未曾有。

敦煌石室流出的寫（刋）本卷軸的總數，過去都以爲只有兩三萬卷，甚或以爲兩萬餘卷而已。自從蘇聯所藏的敦煌卷子目錄問世後，我們才知道敦煌藏書的數量，至少有八千多卷現存於列寧格勒，而石室散出的寫（刻）本總數，應在三萬五千卷以上。俄人之掠取敦煌經卷，雖較斯坦因、伯希和二氏爲同時稍後，但其封鎖藏經的消息，竟達五十五年之久。因此，世人只知海外庋藏敦煌卷軸最多者，爲倫敦英國博物院和巴黎法國國立圖書館，直到一九六三、六七年蘇藏敦煌卷目兩册先後出版時（註二三），始知列城東洋學研究分所的藏卷，遠在英、法兩京所藏敦煌文件的數量之上。

其他歐洲國家值得一提的，莫如德國，遠在一九一〇年前後，德籍學者 A. Von le cog 及 Grünwedel 二氏，曾數次東來甘、新考古（註二四），彼等所得敦煌寫本，卽存於西柏林的人類考古學博物館（V"Ölkerkunde Museum," Berlin-Dahlem）內。其次，是東柏林所收藏的吐魯番寫本，一九七四年八月印行的「漢文佛典斷片目錄」第一卷，其序文題目為『吐魯番寫本總論』，雖由德國學者執筆，但日本敦煌學權威藤枝晃氏亦曾提供若干意見。這裡所謂的吐魯番寫本，是和敦煌寫本並行製作的，故敦煌寫本之通則，亦可通用於吐魯番寫本。

㈢美國方面：如紐約市的都城藝術博物館、芝加哥大學遠東圖書館、芝城自然歷史博物館、哥倫比亞大學圖書館等，均有少數敦煌寫本的庋藏。其印入藏目者，則有華盛頓國會圖書館（Library of Congress, Washington, D.C.）所藏之敦煌卷子七卷（多係殘卷）；個別書題，已見該館出版之「國會圖書館藏中國善本書錄」（A Descriptive Catalog of Rare Chinese Books is the Libray of Congress）著錄。

㈣澳洲方面：一九七四年四月，澳京坎培拉史學界為澳人Fitz Gerald 氏籌印祝壽紀念論文集前夕，即計劃編纂「中國史料解題集」（Essays on the Source for Chinese History, Canberra 1973），該集序論與分論的摘要部份，皆由藤枝晃教授所撰寫（註二五）；該集第十三章為"The Tun-huang Manuscripts," 雖只短短的九頁，却係藤枝氏的精心結撰。此一細節，可從兩方面觀察，一方面顯示澳人之重視敦煌資料，另一方面，雖覺中國史料之解題而由日人越俎操觚，不無尷尬，然亦未嘗不是替亞洲人增光，同時，應加警惕的，卻是中國的敦煌學者。

㈤亞洲方面：當一九〇七年斯坦因氏離華赴英途中，經過印度時，僅將一部份的佛像繪件和其他發掘物存放在新德里圖書館，而大宗的敦煌寫本，則送歸倫敦大英圖書館（舊名大英博物館）庋藏（註二六）。直至七十年代初期，北平圖書館始將所藏敦煌寫本的全部卷片（依據該館的黑白負（陰）片所印製的正（陽）片）送給印度的佛敎學者拉古・慰拉氏和英國的劍橋大學。這些北平所藏敦煌寫經的正片拷貝，在日本至少已被四、五座學府所擁有，就中大谷大學的一套，即從印度的拷貝複製而經由書商出售的。至於印度公立圖書館（India Office Library）所藏于闐文文獻紙背的斷簡，自一九六二年榎一雄氏首先於其知見書目中加以介紹後，按着便是仁井田陞氏發表「敦煌唐律てとに捕亡律斷簡」一文，以相印證。

斯坦因第二次到敦煌輦走的文物，其寫（刻）本漢、藏文卷軸，全歸英倫，而佛書與其他文物，則留存印度，這些宗敎性的繪件，包括綉像和紙本、麻布等質地，其大幅的絹畫和有題識的供養者像，雖皆入藏英國布列顛博物院，但，作比較研究敦煌繪、塑藝術時，正不必因其爲紙本或零星碎片而不予重視，何況紙本的持久性，還超過絹本呢？

十八年前，據政大韓籍敎授李元植兄見告，韓國漢城大學所藏奎章閣圖書中，亦有敦煌卷子，但不悉其詳。近年潘重規敎授接受嶺南大學名譽文學博士返台後，承函告該校及漢城大學均藏有敦煌寫經各一卷，可見遺書散佚尚多云。

日本近四十年來，爲亞洲地區對敦煌學研究最積極的國家，這多年來，日本學者研究敦煌社會、經濟文書的輝煌成就，可以說被國際漢學家們所公認，姑就日人在這一方面的業績，舉例言之，如：

日本學者研究法典殘卷的熾盛期，是在一九三〇年代，雖爲衆所周知的事實，但當二十世紀初葉，如無羅叔言、內藤湖南、董授經、王靜安、狩野君山之發軔於前，以及大谷勝眞、瀧川政次郎、仁井田陞諸賢之相繼恢弘，又曷克臻此？

世界二次大戰後，由於顯微膠片的發達，導致各科學術在研究方法上的改變，日本學人承受這項技能的恩惠，似較我國爲早。然而首將此種恩惠施諸敦煌文件者，卻爲東洋文庫專務理事兼東京大學名譽教授的榎一雄氏，氏於一九五三年計畫將英京的敦煌遺書，全部用微捲拍攝，旋邀英倫博物院合作；並獲日方學術界的支持，終於次年告成。而我國中研院歷史語言研究所一九五八年入藏的斯坦因蒐集品全部 Microfillm 複製本（據 Microfillm 製成的印刷品），卽係經由東洋文庫洽購者。依據榎一雄氏自英攜回的微捲，在東洋文庫沖洗後，並加精密研究而完成的論文，是仁井田陞的「唐の律令および格の新資料—スタイソ敦煌文獻」一文。根據此文而新介紹的殘卷有開元賊盜律疏斷簡、永徽職員令殘卷、開元戶部格殘卷、神龍散頒刑部格殘卷等，此爲彼邦「敦煌學」之一環—卽唐代法典殘卷的介紹。

第二次世界大戰前，關於敦煌、西域所發現之法制文書的解說，能夠傳承各方面之研究成果者，以仁井田陞氏的「最近發表サウれたる敦煌發見唐律令斷簡」一文（註二七）最有系統。在一九三〇年代，日本學者對於唐律疏以及唐令的客觀研究，獲致輝煌的果實，就中乃以仁井田氏爲中堅份子，博得國內外研治東洋法制史的學人們一致讚譽。

流散中、外的敦煌遺書，在戰後大宗刊行目錄者，有英人翟爾士（L. Giles）氏竭卅八年精力編成之「布列顛博物院藏敦煌漢文寫本目錄」（英文書名已見前），於一九五七年出版，同年，北平圖書館的劉銘恕氏依據微捲，在數月短暫的時間編製了「斯坦因劫經錄」，而王重民、拉廬二氏，則分別編了「伯希和劫經錄」和「敦煌西藏文寫本目錄」（註二八）。一九六二年五月，北平商務印書館出版的「敦煌遺書總目索引」，則將斯、伯二錄連同「北京圖書館藏敦煌遺書簡目」及所謂「敦煌遺書散錄」（收公私藏目凡十九種，包括日本國公私藏卷在內）與「索引」、「附錄三種」及王重民氏所撰「後記」一併收入，給敦煌古籍二二五〇〇卷第一次完成了一個目錄，全書共計五五二頁，堪稱空前鉅製。前此王重民氏於一九五八年刊行「敦煌古籍敍錄」一書，亦爲近二十多年來於校勘石室遺書方面空前之作。接着是列寧格勒所藏之敦煌漢文文獻目錄（註二九）兩册（達三千點）相繼於一九六三、一九六七年出版，法國所藏的敦煌漢文寫本（五百號）目錄一册，亦於一九七〇年在巴黎印行。

當庋藏敦煌遺書的主要國家（中、英、法、蘇）的漢文寫本目錄賡續問世之際，東京的東洋文庫敦煌文獻研究委員會於一九六四年起，刊行了「スタイン敦煌文獻暨に引用紹介—西域出土漢文文獻分類目錄初稿—非佛教之部，古文書類I」（油印本，由池田溫、菊池英夫、土肥義和等執筆）（註三〇）二册，一九六九及七一兩年間，該會先後編印（吉岡義豐氏執筆）「敦煌文獻分類目錄—道教之部」、（金岡照光氏執筆）「敦煌出土文學文獻分類目錄附解說」各一册。大淵忍爾氏則於一九七八及七九兩年在東京出版「敦煌道經」（第一册目錄篇）、「敦煌道經」（第二册圖錄篇）。

最近二十年，各國「敦煌學」研究，在內容方面，尤其是日本，與戰前大不相同，顯得更爲充實。就京都學者來說，如於一九七五年春自京大人文科學研究所退休的名譽教授藤枝晃氏，他鑒於一九六〇年前後，各地蒐集品的寫本目錄源源問世，若斯坦因、伯希和蒐集之漢、藏文寫本目錄，王重民編纂之北平圖書館藏漢文寫本簡目（一九六二年出版），加上大谷氏蒐集目錄等。原來先從石室將寫本取出來，大體自一九〇七年到一九一三或一四年時，也就是到第一次世界大戰之前，儘管把寫本帶回去，然而時值大戰發生，有些國家爆發革命，跟着又有二次大戰，所以編纂目錄的工作，到了五十年之後，好容易才具體化。有了這麼多的目錄出現，對於敦煌寫本的全體內容，可以得到明確的了解。在那以前是用舊的方法研究敦煌學，所謂舊的方法，是研究者本身要親自到巴黎或倫敦去—主要是巴黎—從幾萬點的敦煌寫本裡頭，把跟自己的專門有關的東西若干點，用手抄寫下帶回，然後將一點或數點用鉛字排印出來，附上自己的研究成果，回學術界發表。這種方法，又被稱爲「搜寶方式」或「抓吃式」的方法。可是對於敦煌寫本全體的情形明白了之後，這種方法就不能再適用了。從數萬點裡頭，不再是一點一點，而是一種類一種類，把它整類拿出來，然後看看它在全體之中，佔有何等位置作爲根本方針，進行研究，這才是所謂新的方法。

藤枝氏一九六三年在京都作「現階段的敦煌學」第二次（註三一）演講的背景，本欲爲敦煌學共同研究班的學員替翌年出版的「東方學報」敦煌特輯（註三二）作張本，但在付梓前後遭遇兩宗突發的事件，一爲「敦煌專輯」的文稿雖陸續寄到，從某一角度看是令人滿意，從另一角度看，卻發現有意外的缺點。一爲蘇聯擁有的敦煌寫本被確認，一九六四年秋、多問藤枝氏遂有列城之行，並首次赴英、法、瑞典諸邦，觀摩所藏敦煌及西域文物，認爲京大人文研究所到一九六三年前後所藏的敦煌寫本蒐集品，還不足成爲學術資料，意識到撫觸現品實物，確有必要。

以上引述東京和京都學者們對於研究敦煌學的演進實況，具見他們的領導人物的態度謙虛，和對後進督促的嚴厲！所以一度有「漢學（或『敦煌學』）中心在京都」之傳說，並非偶然。

## 七、研究展望

世界第二次大戰後，顯微膠捲的發達，無疑是改變學術研究方法的導因之一，加以近二十年來各科治學工具書（包括書目、索引等）的普徧增加，對任何一位從事敦煌研究的學人言，利、弊皆有。凡能善加運用，觸類旁通者，卽獲其利。如不知運用，或知點而遺線及知線而忘點者；則皆不能承利而受惠。關於近二、三十年來國際學人研治「敦煌學」的過程，已略見上文，玆就管見所及，展望將來的途徑如次。

㈠**對各種資料、目錄（含書本與微捲）善加利用**

各國所藏敦煌卷軸（包括寫本、刋本、拓本等）的個別目錄和敦煌遺書的總目，既已利布流傳，其尚未購置的學校或研究機構，應卽購藏全套，私人亦宜酌量購存，或向各收藏機構借閱參考，此乃最基本的要求。

如對每一專題欲作深入研究者，必須搜集相關資料，作全面的研讀，才能有較多的機會發現你所需求的對象，切勿只求線、或點的探索，而遺其大者。

關於充實資料方面，如斯坦因輦歸英倫之漢文寫本的全部微捲複製本，早在民四七，我國中央研究院已以美金一萬元購得一套，三十年來，似未聞其他校、所之增購。而今日的日本全國，已有十套以上，甚或二十套以上的微捲普及於各地。港、九、新界方面，亦只有香港大學的馮平山圖書館購存一套微捲複製本而已，遠在沙田的中文大學（僅有微捲）和九龍的多間學院、書院（連私立珠海大學在內），（註三三）以及新亞研究所、珠海文史研究所亦皆付缺如。試看歐洲的巴黎，除擁有伯希和輦歸的寫（刋）本原卷外，近年又購得英倫所藏微捲複製本，並商得劍橋大學複製北平所藏微捲，於是法國所藏的敦煌文獻資料，已四分天下有其三，儼然以敦煌學國際研究中心自任，三年前（一九七九）爲着紀念伯希和誕生百歲，而在法京召開的「敦煌、西域文獻研討會第一屆國際會議」，可爲此事最佳的說明。回顧東方的日本呢？當一九七三年秋巴黎接辦第廿九屆國際東方學會議的時候，日本學者大批出席，他們在會期的前後，都充分地利用時間，調閱伯氏蒐集品中未經發表的卷子，各就其研究範圍，分別用卷片拍照帶回東瀛以供研究之資。這些作爲，現在有些人認爲太愚笨，要知巴黎的漢文寫本微捲假使距今兩年前尚未公開發售，那麼日本的敦煌學者對他們所需的資料在六、七年前即已全部掌握，不必等到兩年前才能利用，這樣的搶先爭取資料，還算愚笨嗎？藤枝晃先生在一次演講中說：

七三年參加巴黎會議的學者們（日籍代表）他們從一點點的捲片資料中所得的結果，都全部報告給東洋文庫，而該庫把拷貝以及其矖相收集起來，已經超過了五成以上的微捲在日本。像這些獵取第一手資料的精神，是值得借鏡的！至於倫敦藏的斯氏所得寫（刋）本微捲及複製本、北平圖書館藏敦煌寫本部份（三分之一）的微捲正（陽）片，以及法國國家圖書館售出的伯氏蒐集品中的漢文寫本微捲等，日本亦大致齊備，堪與法國相伯仲。

再回顧我國呢？除國立中央圖書館所藏的敦煌寫本卷子一四四號已於民六五（一九七六年）影印流通外，倫敦、巴黎（註三四）的顯微膠捲，中館亦於近年入藏。至於日本及北平（註三五）所藏，我因返臺不久，尚未訪問各大學、圖書文獻機構，不知有沒有購入他們的微捲？似宜儘速設法羅致，以利研究。

**(乙)從研究資料到研究方法**

在二十年前，不但臺灣寶島關於「敦煌學」的研究資料不夠完全，卽法、日兩國亦復如是。可是今日自由中國的研究環境卻大為改觀，必需的資料已備具，學術氣氛更濃郁。進一步的希望，是研究方法的精進，方法雖無固定的規程，但「急效」總不如「漸進」與「持恒」。所謂欲速則不達，不積跬步，焉能至千里？這些我國先哲的訓示，仍應重視。「敦煌學」的範疇本極廣泛，而寫本古籍的校勘與輯佚，自不失為斯學的核心任務。舉例言之：

(1)**輻輳方式**：從事校勘中國古籍的基本條件，吾人所習知者，是需具備目錄學、校讎學和版本學的知識。至於校勘敦煌寫本，除了以上條件外，還要省察寫本的時代（如陷蕃時期或陷蕃的前、後）背景，比較各國收藏的寫本（包括一書分存數地者的辨認、綴合），以及瞭解當時的地理環境等。例如：一九七二年的「文物」第一期，報導吐魯番出土的「論語鄭氏注」（景龍四年卜天壽抄本），曾喧騰一時，並運往世界各大都市展覽，當它一九七三年在巴黎首展時，有某名教授且讚天壽的書法老練，其他觀衆亦皆以爲展出物確是天壽抄本（註三六），而吾友左東侯先生當時卽表懷疑，離場後檢對法京所藏的伯二五一〇號論語殘卷，並再度往小宮端詳展品及附展之圖籍說明，審愼考證，始知展覽「中國文物」當局原擬以「卜天壽本」論語鄭注赴展，瀕行運出時突留下「卜本」，而改以阿斯塔那唐墓中發現的所謂「開元四年」抄本的鄭注論語代替之。左氏兩年前曾以所撰「敦煌古圖書蠡測」一文見惠，他對各家著錄兩本（所謂「開元」、「龍紀」，皆非抄寫的年代）抄寫的年代，均加辨正。其方法，先據傳統式（依據諱避字、書法、紙質三點）的鑒定後，更從大處着眼並憑數十年的經驗，下了結語：「純論『論語』除開伯二五一〇號，其他『鄭注』寫本，時代決不能推遲，一到唐末，所見不是『白文』便是何晏『集解』。鄭、何二家的消長，也是中國學術史上的事實，誰能取伯二五一〇號作爲孤證，以顯明在唐末學術已達低潮時的邊地，尚有人篤守鄭君呢？」「在唐代，敦煌屬沙州，吐魯番屬西州，兩地雖距離尚遠，畢竟同隸河西道。文教法制也與其他道、州、郡、縣無殊。……觀此可知兩地都有大宗論語鄭氏注出土，並不足爲奇。我們對敦煌寫本所具備的知識，大有助於解說吐魯番本；也可藉從後者所獲的新啟示，而解決處理前者時所有的某些懸案。」「個人所以堅信這一行

（在展品二紙騎縫間倒黏的一行楷書小字）在未有寫經前卽已存在，是根據親閱不計其數的敦煌卷子而得的推論。在敦煌所發現的大宗丁簿、田籍，和其它官檔，兩紙騎縫間（或在背面）也有同樣的小字，只是年代或有不同，鄉里在敦煌而不在吐魯番。在敦煌，官失其守之後，這種公文紙成了廢物，漸又被人利用兩面書寫別項文稿，數見不鮮。以彼例此，可見在吐魯番也有類似情形。」以左兄的豐富學養，再加編纂卷目三十餘年之經驗，而能發他人所未發，其治學精神，足爲後進學者示範。

(2)**從新資料求發現**：藤枝晃氏曾問一位同治敦煌學的朋友：「今後的敦煌學，你認爲怎樣發展？」他回答說：「恐怕沒有發展吧！因爲敦煌寫本不會再增加呢！」藤枝氏又說：「關於敦煌學也不能說沒有新的期待。向來沒有被人知道的事情，現在被知道了，那也可以說是發現。」例如伯希和遺孀售給紐約 Metropolitan 博物館中的上百件寫本，尚未發表，我們就可寄與莫大的期望！又左東侯氏在其近作「敦煌古圖書蠡測」一文中，强調「自承乏此任務（註三七）以來，發見鳴沙寶藏中，尚有大量資料，未爲外間所知聞，此其一。前賢業已刋布研究者，亦仍遺留衆多懸而未決之問題，上下求索，有時幸獲解決，此其二。任事之始，未嘗敢效王氏（重民）之每有所見，卽爲文刋布以告世人。自維在對全部文卷尙未有澈底認識之前，一知半解，難免下筆生誤，豈敢復以誤人？」可見態度之審愼。從以上的引述，可見待發現的資料正復不少，吾人如能掌握新資料而發現新問題，再從新問題中，潛研深思以圖解答，這些也不失爲研究方法之一途。不過，左、藤枝二氏所談的「資料」也好，「發展」也罷，都只就敦煌寫本（爲「敦煌學」之一環）而言，其實莫高、楡林諸窟的繪、塑藝術，有待研究、發現者還更多呢？

⑶**藝術品的比較研究**：關於近一、二十年來研究敦煌畫藝的進展，已見本文第四節論述。即因近十年前後在酒泉、嘉峪關一帶發現的兩晉十六國墓室壁畫中，有若干題材和繪、塑技法，影響了敦煌早期的畫藝，並且在新疆回鶻地區，這些年來不斷地有古墓出現，除了部份的壁畫外，他如用作副葬品的古文書中，也可間接的與敦煌畫藝交光互影之處，値得吾人尋求，以作進一步之探討。

㈢**編印英文論著**

八年前，潘重規教授在「敦煌學」第一輯發刊辭中主張敦煌學要中國化，他說：「現在全世界敦煌學目錄的編定，和發表的論文，有的是用日文，有的是用英文，有的是用法文，有的是用俄文。所有一切的資料，必須將它譯爲中文。敦煌卷子中的藏文、梵文、于闐、回紇、粟特等文字，雖非中文，都是在中國國土發現的與中國有關的文件，也必須一步一步的翻譯成中文，然後才能完成敦煌學中國化。」立意頗佳。然而時至今日，英文幾成爲國際通行的語文，今後希望國內研究敦煌的專刊或集體（有份量的）述作，至少有一種（定期或不定期均可）用英文出版（包括中譯英文著述）的刊物，能夠讓世界上不諳中國語文的學者，瞭解我們對「敦煌學」研究的成果。（註三八）

㈣**提高出版物的素質**

近十多年來，我國出版事業，可謂欣欣向榮，關於「敦煌學」的專書及單篇論文，亦時有刊行，其中不免瑕瑜互見。近三、四年，翻印外版圖書之風尤盛，例如一、二年前，日本廣播新聞界，播映了「絲綢之路」的電視和印行書刊以後，台北出版商從而錄影、翻印者，如雨後春筍。偶然見到某書局重印的「絲路巡禮」一書（圖多於文），其敦煌部分，彩圖說明（如一一五圖的時代題爲「初唐」）頗多訛舛，尤謬者，所附之河西走廊地形挿圖（頁一九二），竟將「西安（長安）」置諸蘭州之東北角，而「酒泉」置於武威、張掖之西南方。如原書如此，應予訂正，豈可盲從地照樣翻印，因爲這皆是中國的地名呀！倘說明文字係該出版社所撰擬，不但貽笑世人，抑且有失國體。希望新聞出版事業主管當局，加以調查，並對翻印外國書刊者嚴加審核，以維聲譽。

## (戊)增設研究機構或社團

我國高等學府之有「敦煌學導論」的課程，創始於抗戰期中的西南聯大（設昆明），也只是曇花一現而已。五十二年秋，陽明山華岡私立中國文化學院內之中國文化研究所，曾開「敦煌藝術」課。次年三月，創設敦煌學研究所於華岡（並未招生）。此外，國立政治大學的中國文學研究所，亦於五十四年十一月起，增開「敦煌變文研究」課程。目前，私立中國文化大學的中文系和研究所，除了授敦煌學（側重文學方面）的課程外，且有敦煌學研究會之設，這些都象徵「敦煌學」的普徧被重視！不過，它們的歷史既短，研究的成績，都還比不上日本東京和京都的研究機構或社團，出版的書刊，也不能和法國國家科學研究院的敦煌研究組抗衡。希望在公立學校或研究機構未能增置「敦煌學」的研究部門以前，工商企業界（民間社團）亦可與學術文化界合作，共謀斯學之發皇，有朝一日，不讓法、日諸邦專精於前，想是國人的共同願望！

(己)長期研究專題的釐訂

以藤枝晃氏爲首的日本敦煌學者們，繼「敦煌特輯」（載在「東方文化」學報京都第卅五期）出版後，他們又以「敦煌寫本總論」作課題，進一步作「通則」性的論述，他們朝向總論的起步，是從京大人文科學研究所出版的歐文紀要「Zinbun」上，以"The Tunhuang Manuscripts, A General Description"的題目，所刊載的報告。其第一期是在一九六六年，第二期是在一九六八年出版。在第二期已把序論的部分寫成，今後將進入分論。現任日本學士院會員、國際基督教大學教授以研究中國古代社經史著稱的山本達郎先生，他利用法、英所藏寫本並參考二十餘種討論研究中國中古社會、經濟、史地分配資料等專著而完成的一篇關於「均田法」的論文，曾在巴黎第一屆國際敦煌西域文獻研究會上宣讀，主旨爲分析探討北朝從五世紀起至八世紀安史之亂，唐室中央力量崩潰止，是因西北地區秩序改變而使均田制度遭受了破壞。此外，巴黎的國立科學研究院編印的「伯希和敦煌資料叢書」先後也出版了幾部圖文並茂的大書（如「太玄眞一本際經」和「敦煌曲」等，皆法文，有部分中文序說）。回顧我國，似乎也應急起直追，釐訂專題，以作長期研究的打算。

(庚)擴大編纂「敦煌學」研究論著目錄、索引

香港學人鄺士元氏於一九七一年起，搜集敦煌學方面的論文與書目，經五、六年的時輯時輟，直至一九七六年夏止，凡蒐集敦煌學研究論著三千零八十五篇，計分十三類，一百四十四目。去夏在港晤及鄺氏，謂所纂之「敦煌學研究論著目錄索引」，已交台北鼎文書局排印中，預計民國七十一年底

以前可以問世。按鄺目截稿於六年以前，近六年來，各地出版的敦煌論著既已不少，而鄺目所收，以中、日學者的著作佔絕大多數，國內學者似可擴大範圍（儘量蒐輯歐、美、澳洲各國的論著）從事增輯，以補鄺書之不足；使成爲完備的第一部國內出版的「敦煌學」論著之分類目錄索引，跂余望之！（註三九）

### ㈦有關「瓜沙史事」寫本的維護與校勘問題

民六四，林天蔚氏在中華學術院史學彙刊第六期發表了「敦煌寫卷之校勘問題」一文，强調由於敦煌資料的豐富，而促使研究範圍之廣濶，這是事實，然而敦煌資料卻未必是絕對的可靠。他曾以半年的時間，蒐集部份的瓜沙資料，其數量僅及全部寫卷之極小部份（約百分之五），已感覺到寫卷中的問題不少。他在港大較長的假期，前往倫敦、巴黎調閱有關的敦煌寫卷，除以微捲中有關部份與原卷對照外，並將英、法二國藏卷互校，最後更以英、法所寫卷與過去學者們所發表的資料互相校勘。他已發現：㈠顯微影片未必「全眞」，有若干部份照不出來，或是模糊不清，遂導致一般寫本目錄（如劉銘恕所編「斯坦因劫經錄」等）中的若干錯誤。亦有部份是影片與原卷不符，故學者們若單據微捲而作研究，很可能引起若干的錯誤。㈡不少寫卷，由於原卷書人的知識程度關係，重複者有之，不通者亦有之，故所謂「敦煌資料」，固然是最寶貴的原始資料，卻未必是絕對可靠的資料。林氏又曾將巴黎所藏的「張淮深變文」、「白雀歌」、「上廻鶻天可汗書」三卷寫本和四十年前各學者所引錄之寫卷內容一一比勘，證明現存原卷遭磨損的程度不小，這是因爲法京藏卷自一九六〇年以來，已公開准人閱覽（或抄錄，當然是經由專家或學術團體的介紹，才易核准），而少數閱者於披覽翻閱時的愛護不周所致。林氏提倡校勘寫卷的建議，是值得重視的！鄙人更誠懇地呼籲所有庋藏敦煌寫本的各國圖書館或博物館，對於維護寫本原件的完整，保持它原有的圖文，是應負起共同的責任。

### ㈤研究敦煌的舞譜、樂譜問題

民國六十六年三月由台北藝文印書館出版的拙著「敦煌」（圖錄・論述）一書，曾刊出敦煌寫本中的舞譜、琵琶譜、指法數幀和莫高窟壁畫伎樂歌舞圖數幅，及饒宗頤教授、日本器樂學家林謙三氏解說數則，以助讀者瞭解。近人論述敦煌樂舞專題者，除「中國史研究季刊」一九八〇年第三期刊載陰法魯氏「敦煌樂舞資料的歷史背景」一文及東京印行之「講座敦煌」十一卷—敦煌の文學と言語類（由金岡照光教授執筆）有「音樂」一目外，殊少見到。惟今年五月十九日香港東方日報載有「上海音樂學院破譯敦煌曲譜，唐代名曲重奏」消息一則，據稱該院民樂系在第十屆音樂舞蹈會上，演奏失傳千年的唐代名曲，使千年古樂重放新聲。而這些被稱爲音樂史上「天書」的樂曲曲譜，係由該院講師葉棟，經十幾年努力破譯成功。在他以前，這宗出自敦煌的二十五首唐人曲譜，引起中外音樂界的極大注意。半個多世紀來，中外學者對這些曲譜進行了大量研究，想把它譯成現代樂譜，均未獲得完全成功，葉氏吸收前人的研究成果，加以消化；且作精深的研究，終於成功，實非偶然。鄙人認爲我政府復興中華固有文化之際，國內若干大專院校（如國立台灣師範大學、國立藝專以及最近設立之國立藝術學院），先後皆有音樂科、系之設置，似宜鼓勵師生們注意古代樂曲之研究，不但宏揚大漢之天聲，亦將為「敦煌學」放一異彩！

第三十一屆國際東方學者會議，訂於民國七十二年（一九八三年）八月在日本召開，議程中有「敦煌學」研討會一項。希望我國應邀的敦煌學者，早作準備，提出精闢而有份量的論文向大會報告；顯示自由中國學人研究敦煌學之業績，庶幾無負國人的期望！

## 【附註】

註一　民國六十九年（一九八〇年）八月，在台北中央研究院召開。

註二　在教育部於中央圖書館設立漢學研究資料及服務中心之同時，聯合報社文化基金會亦創設國學文獻館，從事有關漢學文獻資料之徵集與研究工作。

註三　如中華學術院陸續出版華學月刊，中國文化大學印行英文「中國文化」季刊。第一屆中國古典文學會議於民國六十八年在臺召開，華學研究所於六十九年出版世界華學季刊創刊號，漢學研究資料及服務中心於七十一年初創刊「漢學研究通訊」季刊等。

註四　可參閱拙作「石室眞跡錄題記訂補」（載東海大學圖書館學報第九期）、「石室眞跡錄題記訂補之續」（中央圖書館館刊新二卷第一期）二文。

註五　我國所得殘餘，約九千多卷，均藏國立北平圖書館。見于陳垣「敦煌刼餘錄」者，凡八六七九號，其後胡鳴盛氏又增編一一九二號，共計九八七一號。

註六　民六一，台北正中書局出版。在「六十年來之國學」第二册。

註七　楡林窟和敦煌西千佛洞的壁畫，均可列入「敦煌佛敎藝術體系」之內。

註八　一九六四年，講談社發行。

註九　彩塑部份較能傳眞，壁畫部份，較遜講談社之中國美術（二）。

註一〇　俗名萬佛峽，在今甘肅省安西縣境。
註一一　元康六年（二九六）法護口授梵本，聶承遠筆授之「諸佛要集經」，爲日本大谷氏輦去品之一。
註一二　吾友閻述祖先生據莫高第二七五窟之壁畫風格與炳靈寺一六九窟下層的壁畫近似，其創時期，可能在晉武帝、惠帝統治的年代裡。是較建初、太和爲更早了。
註一三　在河州堂術山，今甘肅永靖縣境。
註一四　在今山西省大同縣境。
註一五　例如一九七六年在洛陽發現的西漢卜千秋墓壁畫等。
註一六　見拙撰「略論河西發現的墓室壁畫與石窟寺壁畫的畫藝傳承」一文，將在故宮季刊發表。
註一七　唐時瓜州，即今甘肅安西縣，沙州即今安西縣西南之敦煌縣。
註一八　翟爾斯所編總目號數，較卷子爲多，其卷軸數量及類目，詳見拙撰「敦煌學概要」上編第五章。
註一九　關於中館藏卷收入善本書目詳情，可參閱拙作「敦煌學第二輯『中央圖書館藏敦煌卷子專輯』書評」，載在香港大學「東方文化」學報第十五卷頁二三四。
註二〇　今藏新德里博物館的敦煌繪畫殘件，除了極破碎的以外，大都已見魏蕾氏圖目著錄。
註二一　其著錄各號詳情，可參閱拙撰「敦煌學概要」增訂本第五章第一一七—一二一頁。
註二二　發表於「敦煌學」第一輯，香港敦煌學會出版。
註二三　詳見拙著「敦煌學概要」上編一三二—一三六頁。
註二四　Vonle cog 氏于一九〇二年至一九一四年間，曾四次往吐魯番訪古。
註二五　此項序論和分論，爲藤枝氏主筆撰述的「敦煌寫本總論」之部分文字，曾刊入一九六八年京都出版的歐文紀要「Zinbun」第二期上。
註二六　斯氏所獲九千多卷的古籍中，裡面有若干藏文寫本，在他經德里赴英時，曾將這些藏文卷子藏在印度總督府的圖書館內，目前不知究在何處？

註二七　載在「歷史學研究」八卷四期，一九三八年出版。

註二八　伯希和所編的目錄，有陸翔、羅福萇二氏中譯本。

註二九　其中亦有蒐集自吐魯番及黑城兩地者。

註三〇　第二册，于一九六七年刊行。

註三一　第一次演講，在一九五二年十一月，亦卽京大人文研究所開所紀念日。

註三二　首題爲藤枝氏所作「敦煌千佛洞の中興」一文，圖文並茂。

註三三　該校和新亞研究所皆係中華民國教育部立案，在香港被稱爲珠海書院。

註三四　巴黎所藏漢文寫本的微捲，自二〇〇一號訖六〇三八號止，其中且缺第二〇二〇號一卷。

註三五　北平圖書館原藏九八七一卷，近年若干在民間流動的卷子，亦歸該館典藏，故總數將超過一萬卷。

註三六　到會場參觀的我國、日本和香港、星、馬（連我在內）代表團學者們，似皆未注意及此。

註三七　指他過去在巴黎國家圖書館東方稿本部爲伯氏蒐集品負責編目任務而言。

註三八　藤枝晃氏說他在「Zinbun」發表的概說，料想不到受人家的利用。他指的是法國出版的Hamilton敦煌回紇文寫本研究以及突厥文寫本研究，還有德國的Sundaman的中世波斯語摩尼教寫本研究等，分別在第一頁的腳注之①引用此論文。到了這種地步，我們還未用日本語正式撰寫總論，實在抱歉云云。可見用英文發表，也有其效用。

註三九　一九五八年，敦煌文獻研究論文目錄，分十八項，收日人的論文已近千篇。

註四〇　有中、英文對照本及中、日文對照本。每册分十七個專題，凡一一三頁，圖版（彩色、單色兩種）一四七面。

（原載「書目季刊」第十六卷第二期，民國七十一年九月）

# 簡牘研究與世界華學中心之轉移

馬先醒

近世簡牘研究著述，首始於巴黎，一時法蘭西有「漢學王國」之稱；繼之簡牘研究昌盛於京都，復有「漢學中心在日本」之議論；近年國內的簡牘研究風氣漸開，「世界華學中心在臺北」的呼聲亦甚高漲。即將本世紀以來簡牘研究之經過、世界華學中心轉移之大勢以及二者間的關係，略予述論於下。

## 一、敦煌漢簡與「漢學王國」

敦煌漢簡並非是近世發現的首批簡牘，但卻是最早考釋成書的一批；敦煌漢簡並非由法國人所發現，但卻必請法國人參與，方才迅即考釋成書，且震動全球華學界，從此開啟了中國古代簡牘的新研究與其進一步的發掘研究熱潮。敦煌漢簡在巴黎，其考釋者沙畹執教於巴黎，「通報」編刊於巴黎。一流的華學家，一流的學術刊物，一手的中國古代史料，一時畢集於巴黎。因此，不論承認與否，巴黎當時被目爲世界性的華學中心，即所謂「漢學王國」者是。

於敦煌漢簡出土之前十六年（一八九一），瑞典人斯文海定（Sven Hedin 1865—1952）已在古代西域之樓蘭故址發現百二十枚漢晉簡牘，此殆中國簡牘出土於近世之嚆矢。彼攜之西歸，先後交謙里（Karl Himly）及孔拉第（August Ganrady）研究，遲至一九二〇年方考釋成書（註一），且由於人地關係，不爲世重，罕爲人知；至一九三一年，國立北平圖書館館刊轉載其釋文（註二），國人雖知其事，但亦未予重視，迄無相關之研究論文發表。

敦煌漢簡由匈裔英人斯坦因（Aurel Stein 1862—1943）發現，運至英倫，但英國一時並無堪任考釋工作者，不得不將其委請法國元老教授院（Gollege de France）華學講座沙畹（Edward Ghavannes 1865—1918）代爲考釋。

一八八九年，沙畹廿四歲，曾至北平，歷時三載，究心中國學問，頗承乾嘉學風之餘韻；回法又蒙中國學者唐復禮之助，法譯「史記」全書（Memoires Historiques de Sseuma Tsien）及「詩經」白文。一八九三年，遂任法國元老教授院華學講座；同時撰成「兩漢時代的中國石刻」（Scaupture sur pierre en Ghine au temps de deux Dynasties Han）。一九〇三年，刊行其所著「西突厥史料」（Documents sur les To'u-Kiue occidentaux），殆集古今中外新舊史料之大成。次年（一九〇四）乃主持「通報」（T'oung Pao）編務。一九〇七年，復來中國作考古之旅遊，遍歷華北、東北，蒐集古代碑刻等拓片，尤致力於雲岡、龍門之拓印研究，歸而著成「北中國考古記」（Mission archeolgique dans la Ghine septentrionale）及「泰山」等書，均蜚聲國際。故斯坦因欲在歐洲請人爲之考釋所獲漢簡時，沙畹自屬首選。

沙畹之學，至爲廣博，且又精深，光前裕後，誠一代通儒。彼考釋敦煌漢簡時，即表現出三大特色，第一，明快。考釋千枚簡牘，一年即告完成。第二，大公。文稿付排，尚未印行，即以其校樣郵贈流寓京都之羅振玉。羅氏乃偕王國維亟予重釋，刊布於日本。亦未聞沙畹有何煩言。

沙畹最不得了處，是造就了四大高徒，且與之併力相繼在巴黎建立其「漢學王國」。本來，瑜亮（Stanislas Julien 1799—1873）於一八四二年法譯「道德經」，繼譯「玄奘傳」及「西土記」等，法國華學研究風氣已盛；但隨著瑜亮之逝世，便呈衰象；英國踵執華學研究之牛耳。至此沙畹等乃復興法國之華學研究，其高徒伯希和（Paul Pelliot 1878—1945）、馬伯樂（Henri Maspero 1883—1945）、葛蘭言（Marcel Granet 1884—1940）、戴密微（Paul Demi'eville 1895—1979）繼之而起，不但爲法蘭西贏得「漢學王國」之稱號，且持續時間甚久，達半世紀以上。

繼承沙畹出任法蘭西元老教授院華學講座者是馬伯樂，同時也接下了沙畹考釋敦煌漢簡的未竟之業，時爲一九一八年。兩年後，斯坦因將其第三次東來考古所獲之簡牘二一九枚及古紙七一片更交馬伯樂代爲考釋，經十九年之研究，至一九三六年撰成六二八頁之稿本，交還英國印刷，但因受第二次世界大戰影響，至一九五三年方始梓行，名曰「Les documents chinois de la troisieme expedition de Sir Aurel Steinen Asie Gentralle」。而其著者馬伯樂已於十年前（一九四四年九月）被刑身死於德國集中營中；此前四年（一九四〇年十一月廿五日）葛蘭言已先逝世；此後一年

（一九四五年十月廿九日）伯希和繼而逝世。「漢學王國」四大柱石相繼崩頹其三，殘局唯賴戴密微獨自維持。

戴密微乃「漢學王國」中之殿軍，早年曾至河內法國遠東學院研究，旋受聘於中國、日本。一九四五年起，繼馬伯樂任法蘭西元老教授院華學講座，迄一九六四年退休。同時該院因遴選不得適當之繼任者，而破例將是項講座暫停，遂使「漢學王國」失卻其原有的權威，而戴密微卻於一九六六年應日本京都大學人文科學研究所之邀，前往講學。個中意義如何？莫非「漢學王國」已星轉斗移？

## 二、自王國維至森鹿三

一九一一年，國內動盪不安。羅振玉、王國維負書東渡，流寓日本，與京都大學教授內藤虎次郎等遊。次年（一九一二）王國維著「簡牘檢署考」，鈴木虎雄日譯之，率先刊布於日本「藝文」第三卷第四、五、六期；一九一四年，其中文稿方載入雲窗叢刻。是篇迄今仍屬簡牘學方面的經典著作。約此同時，歐陸華學權威沙畹考釋敦煌漢簡既竟，已付排，未刊行，即將校樣一份郵贈羅、王，二氏見其未必盡善，乃擇要重予考釋，書名曰「流沙墜簡」，亟刊行於京都（註三），一時洛陽紙貴，予日本京都地區之華學研究者以極大衝激與影響，在內藤虎次郎倡導下，遂形成日本華學研究上的「京都學派」。其時日人之簡牘著作，先後計有：一、欽堂「漢代簡策類の書に付きて」（書苑第三卷第八期，一九一四）；二、後藤朝太郎「中西發掘の漢代の木簡について」（書畫之研究第一卷第五期，一九一七）；三、後藤朝太郎「中央亞細亞發掘の漢代木簡に就いて上下」（書畫骨董雜誌第一二九、一三〇期，一九一九）。同時一批批以京都大學爲首的日本華學者接踵奔赴泰西雙城（巴黎、倫敦），一方面探訪簡牘經卷等新資料，另方面亦學習法國華學大師們的方法與作風。研究之外，猶步武德、俄、英、法、瑞典探險考古者之後塵，組大谷光瑞考查團，訪古於樓蘭故址，發現四枚簡牘以歸。

東瀛學者之研究簡牘，雖由敦煌漢簡之刺激而引發，但從事之者僅三、五人，迅即歸於沈寂者達十餘年之久。至於其持續迄今未衰的簡牘研究熱潮，則係受居延漢簡出土之影響所致。

自一九三〇年起，瑞典考古家貝格曼（Folke Bergman）陸續於額濟納河流域掘獲大批簡牘；北大講師黃文弼氏亦於羅布淖爾北岸發現簡牘若干，轟動遐邇，復掀起日本華學者之研究熱潮。一九三六年以還，先後發表簡牘著述者，計有原田淑人、羽田明、羽田亨、高田桂下、西川寧、石田幹之助、藤原楚水、瀧川政次郎、埜本白雲、森鹿三、西嶋定生、大庭脩、松本善海、中田薰等十餘位；著述十多篇，發表刋物計有史學雜誌、東方學報（東京）、龍谷史壇、滿洲學報、東光、蒙古以及書苑、書道等藝術性刋物。

屈翼鵬先生云：「構成學術中心的條件，不外人才與資料。」（註四）法蘭西賴以建立其「漢學王國」的華學人才——沙畹及其四大高徒，除戴密微之外，既均彫謝於二次大戰末期；日本學者既已諳習其方法，且獲取更豐富之簡牘資料——居延漢簡釋文，乃如魚得水，使世界華學研究發皇於甫踏敗績之東瀛島國之上。

居延漢簡數量十倍於敦煌漢簡，雖其釋文初版於一九四三年，但一方面因係梓行於戰時大後方之南溪，再方面印數有限（僅石印三百部），兩國劍拔弩張，日方未必立卽得讀。一九四九年，旣經商務印書館再版鉛印於上海，日本華學者如獲至寶，乃羣起組班鑽研，主其事者森鹿三；成員爲大庭脩、日比野丈夫、米田賢次郎、伊藤清造、岡崎敬、吉田光邦、川勝義雄、大島利一、守屋美都雄、藤枝晃等，係分別從各個角度研究居延漢簡本身以及其相關史事，然後彙集發表，成兩本專號，卽東洋史研究第十二卷第三期及第十四卷第一、二期合刋。確係一件深具意義的工作，除對居延漢簡作了系統化的研究之外，猶充分表現了日本華學界的分工合作精神。前者意味着日本之華學研究，在簡牘方面，較之「漢學王國」的法蘭西並不多讓；後者的成功，遂使其以共同研究社方式，繼之分工合作了六朝藝術論的研究、明末清初思想的綜合研究以及「中國文化叢書」、「新釋漢文大系」、「中國古典文學大系」、「漢詩大系」等。倡導主持該等共同研究最著名之單位，係東京大學東洋文化研究所及京都大學人文科學研究所，對居延漢簡之共同研究，卽由後者所完成。唯其居延漢簡圖版及其釋文第三版尚未刋行，則該班的研究成品中，某些部分卽不免値得商榷。

一九五一年，長沙陸續出土漢簡及戰國楚簡；武威、江陵等地繼之。日本華學界更加忙碌，曾發表關於簡牘著述者，除前舉諸氏外，更有平中苓次、仁井田陞、原田淑人、尾上八郎、岩井大慧、木村重信、內野熊一郎、松井如流、末澤嘉圃、伏見冲敬、田中有、尾形勇、藤原高男、市川任三、永田英正、池田末利、森田子龍、林巳奈夫、稻葉一郎、田中利朋、榊莫山、赤井清美、小川環樹、春名好重、好並隆司以及貝塚茂樹等。

綜計前舉諸氏，其簡牘著述較夥者，計藤枝晃、永田英正各七篇，市川任三八篇，大庭脩二十一篇，而最多者仍數居延漢簡研究班主持人森鹿三，即將其篇目依時序列之於下：

一、「最近における中國學界の動向」（東光二，一九四七）
二、「『居延漢簡考釋』を手に思ら」（學園新聞，一九五一、三、二六）
三、「居延漢簡研究序說」（東洋史研究一二—三，一九五三）
四、「長沙出土の竹簡」（仝前）
五、「簡牘研究文獻目錄」（仝前）
六、「關嗇夫王光」（仝前）
七、「令史弘に關する文書」（東洋史研究一四—一、二，一九五五）
八、「簡牘研究文獻目錄補遺」（仝前）
九、「居延漢簡にみえる馬について」（東方學報・京二七，一九五七）
一〇、「居延出土の木簡」（墨美六七、一九五七）
一一、「居延出土の一冊書について」（石濱先生古稀紀念東洋學論叢，一九五八）
一二、「漢晉の木簡」（書道全集二，一九五八）
一三、「居延漢簡の集成——とくに第二亭食薄について——」（東方學報・京二九，一九五九）

一四、「西域出土の書蹟」（書道全集三，一九五九）
一五、「居延の早期簡」（墨美九二，一九五九）
一六、「新刊『居延漢簡甲編』によせて上、下」（極東書店「書報」二二、二三，一九六〇）
一七、「居延出木の卒家屬稟名籍について」（立命館文學一八〇，一九六〇）
一八、「居延漢簡とくにウラン・ドルバルジン出土簡について」（史林四四—三，一九六一）
一九、「敦煌、居延出土の漢曆について」（史泉二二，一九六一、一〇）
二〇、「居延出土の王莽簡」（東方學報・京三三，一九六三）
二一、「新出竹、木簡，石刻につよて」（書道全集二六，一九六七）
二二、「漢晉の簡牘」（書道藝術別卷三，一九七三）

一位日本華學家之成品，卽繁富如此；僅簡牘一項，日人攻研之者卽達數十位之多。難怪多年前（一九七六）卽有人倡言：「漢學中心在日本」（註五）。

## 三、「華學中心在中國」之倡議與發揚

一椿事業，尤其一椿千秋偉業之成功，必有倡議者，有繼起者，其間有源有流，傳承不息，終底於成。

民國建立，戰亂相尋，兵馬倥傯，一九二八年似現寧治之象，史語所成立，傅孟眞先生乃提出其

「東方學之正統在中國」的口號（註六）。屈指已逾半世紀，傅先生的理想雖仍歸是理想，但予我國學者以無限鼓舞。其間有多少人爲之不眠不休，再接再勵。六年前（一九七四、七、廿四），筆者應邀出席由中研院史語、近史兩所召開的「歷史學術研究會」，全國史學界濟濟一堂，人人滿懷希望。節目之一是，由嚴歸田先生主講「如何加强研究機關、大學、公共圖書館設備使臺灣成爲國外文史學者所嚮往的中國文化研究中心」。嚴先生首先揭櫫六點以闡明「臺北應當成爲國際上研究中國學問的中心」：

一、中國在世界歷史文化上所處之重要地位。

二、近數十年來，原被西方所忽略之中國文化重被注意。

三、日本的中國文化研究，目前成爲西方研究中國文化的橋樑。

四、日本學人研究中國文化的成就究竟較淺。

五、眞正的中國文化研究中心，是臺北。

六、臺北具備成爲中國文化研究中心的優越條件，而確定其是國際上研究中國文化的中心。

會間，認係不朽盛事而熱烈響應者固大有人在；但猛澆冷水者也未始沒有。當時之輪值主席是史語所故所長屈翼鵬先生，最關心國內的學術研究，認爲臺北一方面所藏之圖書文物豐富，另方面具有高度造詣的學者又多，使之實際上已經是名符其實的「中國文化研究中心」。故問題已不在如何建立，而端在如何發揚（註七）。發揚之道，於補充資料方面，約有四端：

一、有計劃的採購日本方面的華學論著。

二、盡量收購有關華學的西文書刋。

三、建議有關機構，組委員會購置匪區出版的圖書，以及近年新出土古器物的影片和報告，審查後闢室特藏，專供學術研究之用。

四、將英倫、巴黎、蘇俄等處所藏敦煌卷子，設法攝製微影膠卷，以求齊備。

再者，即是成立外籍學人服務中心，以使臺北成爲世界性的「中國文化研究中心」（註八）。筆者大學時代，適値張曉峯先生任教育部長，上而焉廣設大學及研究所，頒授高等學位；下而焉推行九年制國民義務教育；又建設南海學園，使成爲頗具規模的社教中心。一時之教育文化，有聲有色。嗣乃創辦中國文化研究所於華岡，繼而成立中華學術院，主辦國際華學會議，凡此均係發揚華學研究的必須步驟（註九），對於華學中心在中國、在臺北，有其積極的意義。曾出席中華學術院主辦第一屆國際華學會議的高仲華先生，曾經極力强調過：「我們中國人研究本國的學術，是具有無比的優越條件的。（略）我們如果說，研究中國學術的中心應該設在中國，實在不是過分的話；或者我們說，研究有關中國的學術，應該由我們中國來領導，這也是理所當然的。」（註一〇）經過若干年的倡議及如許著名學者的努力，學人服務中心及世界華學研究中心固然迄未建立；而亟待補充的華學圖書，更尙未齊備。何以？似乎隱隱中有股力量在作祟，在累贅。這股力量，有些著名學者稱之爲「莫測高深」；「莫測高深」的擧措抵消了學術界的一切積極努力。

中華學術院主辦第一屆國際華學會議於一九六八年，屬人文學科；預計次年屬社會學科；再次年屬自然學科。如此周而復始；若無意外，今已舉行十二屆，對發揚學術、促進研究之功爲何如，對宣化國情、敦睦邦誼之助又何如。惜乎大智遠矚者少，庸俗淺見者多，竟而一屆不再，挫折者豈僅士氣，傷害者豈僅學術。機鋒既失，補救不易，致至今「華學中心在中國」似仍滯留於倡議階段或發揚途中。

## 四、簡牘學報與近年國內的簡牘研究

倡議與促進均裨益於華學研究；簡牘學會之成立與簡牘學報之刋行，則特着力於簡牘方面之研究。由前述顯示，簡牘研究無疑係近世華學研究中重要課題之一。因此，自傅孟眞先生至張曉峯先生對之均曾盡力促進。萬枚以上居延漢簡之脫出少數人把持，免遭回祿於戰亂，且由勞貞一先生奮迅考釋成書，幾全係傅先生大力使然；簡牘學報自一九七四年刋行，頗蒙華岡學園張創辦人之鼓勵。

當法蘭西號稱「漢學王國」時，同時卽是簡牘研究之中心；當有人倡言「漢學中心在日本」時，京都之簡牘研究亦如火如荼；臺北欲成爲「世界華學中心」，則簡牘研究自然有其必要。蓋甲骨學、敦煌學均係世界華學中之顯要課題；簡牘學既往雖不克與之比擬，然由於簡牘的不斷大量出土，則今後的遠景，將超過之。

固然，臺灣不出簡牘；但法、日又何嘗出土簡牘，既無妨於成其爲簡牘研究中心，臺灣又何獨不然？且臺灣雖不出簡牘，卻有爲數可觀之漢簡庋存於此（註一一）；簡牘權威學者勞貞一先生曾長期研究於此；今猶時而盤桓於此，指導此間之簡牘研究。勞先生不僅將其所研究之居延漢簡圖版印行於此，且重編居延漢簡釋文以配合之。此外，其撰著發表於此的簡牘著作，依次爲：

一、「漢代的亭制」（中央研究院史語所集刊二二，一九五〇、七）
二、「敦煌及敦煌的新史料」（大陸雜誌一—三，一九五〇、八）
三、「龍岡雜記——大石與小石」（大陸雜誌一—一，一九五〇、一二）
四、「關於漢代官俸的幾個推測」（文史哲學報三，一九五一、一二）
五、「漢代的雇庸制度」（史語所集刊二三上，一九五一、一二）
六、「秦漢時期的中國文化」（大陸雜誌四—三，一九五二、二）
七、「中國書籍形式的進展」（今日世界一〇，一九五二、八）
八、「漢簡中所見的布帛」（學術季刊一—一，一九五二、九）
九、「漢代郡制及其對於簡牘的參證」（臺大傅故校長斯年先生紀念論文集，一九五二）
一〇、「漢代常服述略」（史語所集刊二四，一九五三、六）
一一、「漢朝的縣制」（中央研究院院刊一，一九五四）
一二、「玉佩與剛卯」（史語所集刊二七，一九五六、四）
一三、「漢代的西域都護與戊己校尉」（史語所集刊二八上，一九五六、一二）
一四、「居延漢簡——圖版之部」（史語所專刊二一，一九五七、三）

一五、「說簡牘」（幼獅學報一—一，一九五八、一〇）

一六、「居延漢簡考證」（史語所集刊三〇上，一九五九、一〇）

一七、「居延漢簡考證臺北版序」（史語所集刊三〇上，一九五九、一〇）

一八、「居延漢簡——考釋之部」（史語所專刊四〇，一九六〇、四）

一九、「敦煌漢簡校文」（居延漢簡——考釋之部附，一九六〇、四）

二〇、「論漢代玉門關的遷徙問題」（清華學報新二—一，一九五〇、五）

二一、「漢代的『史書』與『尺牘』」（大陸雜誌二一—一、二，一九六〇、七）

二二、「三老餘義」（大陸雜誌二一—九，一九六〇、一一）

二三、「孔廟百石卒史碑考」（史語所集刊三四上，一九六二、一二）

二四、「兩漢政府在西域的經營」（新疆研究，一九六四、六）

二五、「From Wooden Slip to Paper」(Ghinese Gulture Vol. V111, No. 4, Dec.1967)

二六、「The Division of Time in the Han Dynarty as seen in the Wooden S11ps」（史語所集刊三九上，一九六九、一一）

二七、「漢代政治組織的特質及其功能」（清華學報新八—一、二，一九七〇、八）

二八、「近六十年之秦漢史研究」（華學月刊一〇，一九七二、一〇）

二九、「勞榦敎授來信」（食貨月刊三—一，一九七三、四）

三〇、「居延漢簡圖版之部再版序」（居延漢簡—圖版之部，一九七七）（註一二）

勞先生之外，臺北的簡牘學者，尙有王夢鷗、蘇瑩輝、陳槃、屈翼鵬、董作賓、高平子、金祥恆、費海璣、許倬雲、張春樹、李維棻、王關仕、吳昌廉、張壽仁、朱楠、劉欣、耿慧玲、蔡慧瑛、何智霖、蔣義斌、陳鴻琦及宋豫卿等，撰著有關論文達百篇以上，以視世界其他任何地區，似並不多讓。

筆者負笈臺大時，曾遍修勞貞一先生所講授之一切課程；最後在其指導下撰成學士論文，雖與簡牘無關，但當在其指導下續撰博士論文時，則頗有參考漢簡處，隨後乃約集志同道合者習校居延漢簡一過，略將其部分問題抽繹排比，彙集成册，依次相續，此卽簡牘學報之由來。

簡牘學報現已刋行八期，其中兩期爲祝嘏專號，分別慶賀簡牘學大師勞貞一先生七秩華誕及華岡學園創辦人張曉峯先生八秩華誕，蓋二位對簡牘學報指導鼎助最力。專號以外各期，所刋載之論文多與簡牘有關，玆擇要錄之於下：

一、「余讓之漢簡學」（馬先醒）

二、「新莽年號與新莽年號簡」（馬先醒）

三、「簡牘文字中七、十，三、四，廿、卅等問題」（馬先醒）

四、「漢代軺車馬數與其價格」（馬先醒）

五、「蕭相國世家『錢三』、『錢五』諸家注商榷」（馬先醒）

六、「漢代長安里第考」（馬先醒，以上刊第一期）
七、「關於『曬藍本漢簡釋文』及其研究專號」（馬先醒）
八、「居延漢簡專刊本、曬藍本、甲編本並錄諸簡釋文試斠㈠」（馬先醒）
九、「勞貞一先生曬藍本漢簡釋文集抄——以居延漢簡釋文石印本、鉛印本、專刊本均未著錄者爲限——」（馬先醒）
一〇、「勞貞一先生著曬藍本漢簡釋文中所保存之簡牘形制資料」（馬先醒）
一一、「曬藍本漢簡釋文中之複出簡及其有關諸問題」（馬先醒）
一二、「居延漢簡之原編號及其闕奪簡號表」（馬先醒、陳茂進）
一三、「陳邦福『漢魏木簡義證』跋」（馬先醒，以上刊於第二期，即「曬藍本漢簡釋文研究專號」）
一四、「裘善元舊藏漢簡之形制、內容及其有關諸問題」（馬先醒）
一五、「關於湖北雲夢、江陵漢墓出土的兩種木牘」（陳祚龍）
一六、「荀勗量汲冢竹書所用尺度考」（馬先醒）
一七、「居延漢簡總數與現存簡數」（馬先醒）
一八、「說三字經『披蒲編，削竹簡；彼無書，且知勉。』」（馬先醒，以上刊於第三期）
一九、「簡牘通考」（馬先醒）

二〇、「名刺、名紙、名片」（馬先醒，以上刊於第四期）
二一、「論史漢兩書之傳布」（金發根）
二二、「居延漢簡之版本與編號」（馬先醒）
二三、「居延漢簡中甲渠鄣塞所屬的序數隧」（吳昌廉）
二四、「居延漢簡中之昌邑王國簡及其有關問題」（張壽仁）
二五、「漢簡中之河西物價資料」（朱楠）
二六、「勞貞一先生著作目錄」（項秋華，以上刊於第五期，亦即「勞貞一先生七秩榮慶論文集」）
二七、「居延漢簡『標號』與出土地點關係探微」（吳昌廉）
二八、「居延漢簡中昌邑王國簡之斷代」（張壽仁）
二九、「居延漢簡、敦煌漢簡中所見之病例與藥方藥值」（張壽仁）
三〇、「簡牘文字的藝術觀」（張壽仁）
三一、「居延漢簡補編」（馬先醒）
三二、「關於第一四八・一〇號『居延漢簡』」（馬先醒）
三三、「漢邊郡武職之級數及其職稱」（馬先醒）
三四、「簡牘之斷代、接合與編連」（馬先醒）
三五、「『居延漢簡』吏卒籍貫地名索引」（林振東，以上刊於第六期）

三六、漢代『簿』、『籍』述略」(吳昌廉)

三七、「簡牘之時代與踪迹」(馬先醒)

三八、「歐洲學人與漢晋簡牘」(馬先醒)

三九、「簡牘本經史子集」(馬先醒,以上刋於第七期)

四〇、「居延漢簡繫年考略稿」(吳昌廉,以上刋於第八期,亦即「張曉峯先生八秩榮慶論文集」)

近年新發現的華學資料中,其有文字者,以簡牘之爲數最夥,內容亦最豐富、重要。據中外傳播報導,其犖犖大者,如武威儀禮,如姑臧醫簡,如馬王堆遣策,如睡虎地秦律,如銀雀山孫臏兵法及其他子書,如甲渠、地灣兵物簿等等,均數量可觀,各具特色,琳瑯照眼,美不勝收;惟東瀛學者已盡收之矣,爭相鑽研矣,予以發揚矣。其成品一本本印行,賺走了我們多少外滙及勢氣。周法高先生云:「學習漢學的路線,通常有從中國學習或從日本學習兩條。(略)由中國方面着手是正當的步驟。」(註一三)既如此,歐美人士志於華學研究者,果眞捨日本而來臺北學習,而前述之大批簡牘資料無法提供,該怎麼辦?蓋該批簡牘資料遍及經史子集各方而。且簡牘之外,尙有其他方面之新資料,亦有同樣問題存在。所以,若只講衣食不談學術便罷;如談學術,尤其欲使「世界華學中心」轉移至中國,在臺北,則學術界前輩時賢的議論、主張,曷可一再等閒視之!

## 五、餘 語

傅孟眞先生「東方學的正統在中國」之希望，半個世紀後的今天，似仍然只是理想；「胡適之先生說要回到臺灣設法使世界漢學中心在臺灣」（註一四），二十年之後，此間卻有人聲稱「漢學中心在日本」；屈翼鵬先生對「世界漢學中心在臺灣」之努力最大，於百忙中撰寫有關之鼓吹文章最多；且擬訂出不少具體可行的步驟辦法，惜迄今也依然是紙上擬案。民國建立，前幾十年，烽火遍地，未遑學術；後幾十年，安定繁榮，竟徒使高血壓患者增加，而「文化沙漠」之恥未雪。何以？不外乎「莫測高深」的一點瓶頸在作祟。平情而論，使「世界華學中心」轉移至臺北的客觀條件已大致具備，學者們主觀的奮力也足夠；所欠缺者，是有關方面的配合及「莫測高深」舉措的消除而已。苟消除，別方面不敢說，簡牘研究會立卽邁進一個新境界，呈現一番新氣象，成爲此「世界華學中心」中的重要一環。本世紀以來，簡牘研究之盛衰，輒爲「世界華學中心」轉移之風標；可見的未來，似仍將如是。

【附註】

註一　書名「Die Chinesiechen Hands Ghriften und Sonstigen Kleinfunde Sven Hedin in Lou-lan」（Stockholm 一九二〇）。

註二　名曰「斯文海定樓蘭所獲縑素簡牘遺文抄」（國立北平圖書館館刊第五卷第四期，一九三一）。

註三　日本京都東山學社印行。

註四　見「漢學和漢學中心」（聯合報，一九七六、三、四）。

註　五　黃得時「漢學研究在日本」第二節「漢學中心在日本」（幼獅學誌第十三卷第一期，一九七六、一一）。

註　六　見「歷史語言研究所工作之旨趣」（中研院史語所集刊第一本第一分，一九二八、五）。

註　七　仝④。

註　八　參屈萬里「關於漢學研究中心的兩個問題」（中華日報，一九七六、五、一九）。

註　九　據黃得時「漢學研究在日本」云，漢學中心之所以在日本，基本原因，是其九年義務教育的早期實施（一九四七），高等學校（高中）的增設和大學以及大學院（研究所）的大量增加的自然結果；此外全國性的學術團體，如「東方學會」、「日本中國學會」之組成，定期集會，促進研究；又舉行「國際東方學者會議」，刊行「紀要」、「會報」等，均係其重要原因。日本既如此，中國又何獨不然。

註一〇　見「漢學的名義和範疇」（幼獅學誌第十三卷第一期，一九七六、一一）。

註一一　萬枚以上之居延漢簡，幾全部庋存位於臺北市郊區的中央研究院史語所。

註一二　所錄略以一九七七年爲其下限。

註一三　見「論歐美漢學研究的趨勢」（新天地第二卷第八期，一九六三、一〇）

註一四　仝前。

（原載「世界華學季刊」創刊號，中國文化大學，民國六十九年三月）

# 台灣公藏文獻資料鳥瞰

周法高

一

一九五九年李濟之先生在自由中國二十一卷十期發表了「文化沙漠」一文，對來臺學習華語的愛克斯旦（Eckstein）回國後對哈佛所作的報告中說臺灣是「文化沙漠」表示憤慨。愛克斯旦是研究中共經濟的，他到臺灣來研究可以說是「南轅北轍」；同時他的中文不行，不能閱讀第一手的資料，他對臺灣所作的批評，並不見得可靠。我們看另兩位到臺灣來研究的學者所作的批評，就可以看出愛君之說不可靠了。

一九五四年賀凱（Hucker）在遠東季刊上發表「臺灣之漢學研究」一文，說：

「不過，他們（臺灣的漢學家）是這樣多而且他們著作的質和量是如此的，雖然遭受挫折，臺灣必須被認爲或許是自由世界漢學研究最重要的中心。」

（Nevertheless, so numerous are they and such is the quality and quantity of their work, however hampered, that Taiwan must be recognized as probably, the mostovital center of sinological studies in the free world.）

又一九五八年牟復禮（Mote）在亞洲學報上發表「臺灣的出版界」一文，說：

「每一個對中國研究有興趣的人如有機會明瞭這個，將會同意：在過去二三年內在臺灣出版物的質和量方面有顯著的進步了。」（十七卷四期頁五九五）

賀凱曾於十年前到中央研究院歷史語言研究所研究明史兩年，現已成美國明史權威。牟復禮現任普靈斯頓大學漢學教授，近著明代詩人高啟傳，頗得好評。我想他們兩位對漢學的了解，總比愛克斯旦要高明得多吧。以下將列舉臺灣公藏重要文獻資料。

## 二

第一，臺灣有世界最豐富的未刋布的中國近代史檔案。前外交部葉公超部長在民國三十七年（一九四八）把幾百箱外交部檔案撤退到臺灣。在四四年（一九五五）中央研究院故院長朱家驊洽得亞洲協會中華民國分會饒大衞（David Rowe）補助美金一萬元成立近代史研究所，並從外交部接收了二二四箱檔案，其中三五箱係民國十六年（一九二七）以後的檔案未開箱。清代總理衙門和外務部的檔案計六千册和三百包；民國時代北京政府的共六千册和一一〇〇包。此外還有二五八宗條約原件，三一七件國界圖和一七〇件租約。該所出版中國近代史資料彙編：海防檔、中俄關係史料、礦務檔、中法越南交涉檔（以上據亞洲學報十九卷四期，一九六〇，頁四九五該所郭廷以所長之報告，略加補充）。耶魯大學饒大衞教授認爲：「這些檔案，在中國近代史方面以及在中國當十九世紀和二十世紀初期與世界各國的關係方面，代表了特出的新證據的新發現。」（亞洲學報十六卷三期，一九五七，頁四九四）哈佛大學費正清教授認爲亞洲協會中華民國分會最有意義的工作之一就是資助中央研究院成立近代史研究所。在一九六二年，胡適之故院長和福特基金會簽約接受了爲期五年共十五萬餘美元的補助。（參美國亞洲學會的「通訊」九卷一期，一九六三年十二月頁二〇—二三）。

此外，故宮博物院藏實錄、起居注、檔案等，總計二〇四箱，二八九二〇件（見那志良「故宮博物院三十年之經過」，民國四十六年中華叢書委員會出版，頁二〇七、八）。

民國以來的史料在黨史編纂委員會國史館等機關也保存了不少。例如史丹福大學的胡佛圖書館曾得陳副總統的允許把江西剿共的史料照成顯微膠卷存在該館。哥倫比亞大學的韋慕庭教授（C. Martin Wilbur）曾在臺研究北伐史料一年。

假使我們把近代史的範圍展延到明末和清初，那麼中央研究院歷史語言研究所所藏的明清檔案正好接得上。該所在民國十七年（一九二八）向李盛鐸以兩萬元購得清代內閣大庫所藏的檔案七千蔴袋，約十二萬金。民國二五年，又由李光濤精選一百箱南運，抗日戰時西遷，又隨所遷臺。已出版明清史料甲集至辛集共八十册，每册約十六萬言。此批檔案計有：(A)明代天啟崇禎兩朝檔案，(B)滿清入關以前瀋陽時代舊檔，(C)順治以下歷朝檔案。這是研究明清之際史實的最珍貴的原史料。其中包括若干重要文籍，如清太祖高皇帝和清太宗兩朝實錄的原稿本，其史料價值遠在故宮博物院所藏太祖高皇帝實錄及太宗實錄的最後改本之上。該所收藏的檔案又包括一些試卷，爲研究八股文的資料（以上據傅所長紀念特刊李光濤、徐高阮的報告）。該所又於四八年（一九五九）出版李光濤的「明清檔案存眞選輯初集」。

## 三

第二，臺灣擁有世界最有價值的中國藝術史料。

據那志良「故宮博物院三十年之經過」頁二〇七、八：

「運臺文物的分類箱數件數如下：

| | | |
|---|---|---|
| 銅器 | 六一箱 | 二三八二件 |
| 瓷器 | 八九五箱 | 一七九三四件 |
| 玉器 | 一〇三箱 | 三八九四件 |
| 書畫 | 九四箱 | 五七六〇件 |
| 漆器 | 三四箱 | 三一八件 |
| 琺瑯 | 七〇箱 | 八一七件 |
| 雕刻 | 八箱 | 一〇五件 |
| 文具 | 二四箱 | 一二六一件 |
| 雜項 | 一四五箱 | 一九九五八件」 |

頁二四二—四敍述編印「故宮書畫錄」的內容，除了故宮博物院的書畫以外，中央博物院的書畫也一齊列入。計收故博一四七一件，中博一一七件，共一五八八件。其中法書二四四件，名畫一二六四件，

圖像八〇件。以上為詳目，為精品。至於次一點的，則列為「簡目」，計收故博三一七九件，中博二八〇件，共三四五九件。其中法書七三五件，名畫二七二四件。

# 四

第三，臺灣擁有自由世界最豐富宋元明本善本書。根據「國立中央圖書館善本書目」蔣復璁館長的序：

「凡十二萬餘册：其中有宋本二〇一部（三〇七九册），金本五部（一六册），元本二三〇部（三七七册），明本六二一九部（七八六〇六册），嘉興藏經一部，清代刋本三四四部，稿本四八三部（四五三七册），批校本四四六部（二四一五册），鈔本（包括朝鮮日本鈔本）二五八六部（一五二〇一册），高麗本二七三部（一四九四册），日本刋本二三〇部，安南刋本二部，及敦煌寫經一五三卷。自來珍藏書目，其繁富宏博，似未有逾於此者。」

關於中央研究院歷史語言研究所的善本書，據徐高阮在民國四十年的報告說：

「本所收藏的善本中國文籍以二十三年自南京鄧邦述羣碧樓購入的五千一百三十二册為主要的一批。這是鄧氏所藏善本最後售出的一部分，內有宋刋本二十六種，元刋本三十三種，明刋本一百六十八種，其餘是抄本。這批以集部佔多數，宋刋羣玉、碧雲兩集在內。三十六年自北平南運的一萬餘册大部分為明及明以前刋本、舊抄本和稿本。（法高案：此指日本在北平的人文科學研究所的藏書。）三十五年底入藏宋寧宗時內府雕刋的文苑英華一册，此本北平圖書館藏有五册，故宮有十餘册。同時收得傅增湘舊藏北宋刋本史記，爲海內孤本。又有南宋蜀本莊子，也是現存宋本惟一的全本。」（中央研究院歷史語言研究所傅所長紀念特刋頁四二）。

後來又得胡適之先生設法向日本的東京東洋文庫購得大英博物館所藏全部敦煌寫本的影印本。又有北平圖書館存在美國國會圖書館全部善本書的顯微膠卷，也是由胡先生帶回來的。

關於故宮博物院的藏書，據那志良故宮博物院三十年之經過頁二〇八說，有圖書類一三三四箱，一五〇五六一件，又二七張，六九二頁。頁二〇六說，運臺圖書比起由北平南運的圖書，「實際上，圖書一項，僅少運了一百七十多册藏經而已」。現在看其內容如何。據同書一〇二頁，有善本書七二箱，佛經一三箱，殿本書二二八箱，觀海堂藏書六二箱，實錄庫藏書六箱，滿蒙文刻本二三箱，方志四六箱，明刻本清殿本及官刻本三四箱，大藏經五四箱，甘珠爾經五四箱，龍藏經一一〇箱，文淵閣圖書集成三二箱，四庫全書經部八五箱，史部一二九箱，子部一三九箱，集部一八三箱，四庫薈要經部二八箱，史部四六箱，子部二六箱，集部四五箱。

「臺灣公藏宋元本聯合書目」，列出中央圖書館、歷史語言研究所、故宮博物院、中央博物院、臺灣大學所藏宋元本。據說：「卽宋元舊刋，亦幾數萬餘册，而明清舊刋，與夫手稿精校之本，尙不在內。」（見「國立中央圖書館編印目錄題要」，學術季刋六卷四期，民國四十七年，一九五八）。

姑舉一例而言，幾年前在臺北開中日韓學術會議，日本學者曾要求影印故宮博物院所藏世界孤本元刋本元典章及臺灣大學所藏世界孤本抄本琉球歷代琉球寶案（西元一四二四—一八七六年）二四九册，可見其受國際重視之一斑了。

## 五

第四，臺灣藏有大量方志，其稀見者較美國所藏爲多。根據中央圖書館所編「臺灣公藏方志聯合目錄」（學術季刊四卷四期至五卷三期），列出歷史語言研究所、故宮博物院、中央圖書館、中央黨部圖書室、中央日報社資料室、臺大、臺北省立圖書館、臺灣省文獻委員會、師大等機關所藏，約四五千種，自宋迄今（一一三四－一九五四）。據朱士嘉中國地方志綜錄增訂本（一九五八年出版），共著錄七四一三種，一〇九一四三卷。並謂美國之國會圖書館「約有四千種，內有稀見的本子有八〇種」。但「到臺灣去的稀見方志有二三二種，三四八七卷」，可見在臺方志價值之高了。

關於在臺灣的方志，當以史語所爲多，據徐高阮的報告：

「截至二十六年秋西遷，已收方志一千七百三十七種，並已有方志目一集。在西南期間及還京以後，仍繼續收集，現存臺的方志總數一千九百四十四種，重複的不計；存北平的大批書籍中尙僅現存的種數在國內外已列前數位。來臺灣後，所藏臺省的府縣廳志深受本省學者的重視，恒春縣志一種已借給臺灣省文獻委員會排印出版。」（傅所長紀念特刊頁四三）

## 六

第五，臺灣藏有世界上最豐富的明實錄資料。根據中央研究院歷史語言研究所「發售校本明實錄」的說明：國內外現存明實錄鈔本皆不完備，且有訛脫。如民國三十年粱鴻志所影印之南京國學圖書館鈔本卽缺光宗實錄；其熹宗實錄係刪節本；全書訛脫錯簡，不勝枚舉。

本所於民國二十一年借國立北平圖書館藏明實錄紅格鈔本晒藍，此紅格鈔本原藏內閣大庫，係清初明史館爲修明史而鈔者。此本亦有訛脫殘缺，本所遂據別本校補。此一校勘工作歷時三十年始告完成。

本所去年開始據紅格鈔本之顯微影捲影印明實錄，並排印明實錄校勘記。現已印好太祖、太宗、仁宗、宣宗、英宗五朝實錄，及太祖實錄校勘記。憲宗實錄已印五册。全書計：太祖實錄二百五十七卷；太宗實錄二百七十四卷；仁宗實錄十卷；宣宗實錄一百十五卷；英宗實錄三百六十一卷；憲宗實錄二百九十三卷；孝宗實錄二百二十四卷；武宗實錄一百九十七卷；世宗實錄五百六十六卷；穆宗實錄七十卷，神宗實錄五百九十六卷；光宗實錄八卷；熹宗實錄八十七卷，存七十四卷。校勘記分卷與實錄原書同。另附刋：

明□宗愍皇帝實錄　五卷　據梁鴻志影印本影印

崇禎實錄　十七卷　據本所藏舊鈔本影印

明熹宗七年都察院實錄　十四卷　存十三卷　據本所藏舊鈔本影印

崇禎長編　存六十六卷　據本所藏舊鈔本影印　又二卷　據中國歷代逸史叢書本影印

皇明寶訓　四十卷　據美國國會圖書館藏明萬曆刋本影印

明神宗寶訓　存十二頁　據本所藏明鈔本影印

明光宗寶訓　存七頁　據本所藏明鈔本影印

明熹宗寶訓　存五十三頁　據本所藏明鈔本影印

所附刋各書，其中如崇禎長編、熹宗七年都察院實錄、明神宗光宗熹宗寶訓，均係海內孤本。明歷朝實錄，計五萬六千餘面，將分訂成一百三十三册；附刋各書計七千餘面，分訂十九册；明實錄校勘記約分訂三十三册。總計約爲一百八十五册。

## 七

第六，臺灣藏有自由世界最豐富的金石拓片。據歷史語言研究所徐高阮的報告：

「本所除考古組發掘的甲骨都有拓片之外，更收羅國內外甲骨的拓印本，構成甲骨資料的總滙。金文、石刻、碑瓦文字的拓片和印本也是搜求的對象。在購得小校經閣所藏金石拓片之外，更不斷收入新舊拓片。現在石刻拓片已累積二萬餘份，別爲十類，即：①碑紀，②墓誌銘，③石經，即儒家經傳，④刻經，即佛道經錄偈咒等，⑤畫像，⑥造像，即浮雕，⑦題記，⑧詩文，⑨法帖，及⑩雜類，即地、投龍、圖表、格例等。石刻拓片的數量已遠過藝風堂一萬餘份的收藏。」

又該所又出版居延漢簡的影印本，並有勞榦的居延漢簡考釋。

此外中央圖書館藏有不少金石拓片，以及三十枚漢簡；歷史博物館藏有漢石經原石一件。

## 八

第七，臺灣藏有世界豐富的殷墟安陽的考古資料。自民國十七年起至廿六年六月底，中央研究院歷史語言研究所在安陽舉行發掘工作前後共十五次。所搜集之標本現在臺灣者共達十萬件以上。其中甲骨文共二四九一八片。此外又有河南博物館發掘所得的三六五六片（見董作賓「甲骨學五十年」頁十六），又歷史語言研究所購藏六六二片，中央圖書館購藏七四四片（同上頁一七八），再加上零星收藏，已超過三萬片，約佔世界現存全部甲骨十萬片的三分之一弱。

歷史語言研究所已出版的中國考古報告集有：「城子崖」（二十三年）；小屯第一本「殷虛建築遺存」（四十九年），小屯第二本「殷虛文字甲編」（三十七年），「殷虛文字甲編考釋」（五十年），「殷虛文字乙編」上中下輯（三十七年至四十三年），「殷虛文字丙編」三册（四十七年至五十一年），小屯第三本「殷虛器物甲編」（四十七年）；「侯家莊」一〇〇一大墓（五十一年）。

以上列舉臺灣公藏的七種重要文獻資料。

## 九

傅斯年先生在歷史語言研究所工作之旨趣一文中說：

「在中國境內語言學和歷史學的材料是最多的，歐洲人求之尙難得，我們卻坐看他毀壞亡失。我們着實不滿這個狀態，着實不服氣的就是物質的原料以外，卽使學問的原料也被歐洲人搬了去乃至偸了去。我們很想借幾個不陳的工具處置些新獲見的材料，所以才有這歷史語言研究所之設置。」（史語所集刊一本一分頁七）。

歷史語言研究所果然不負所望，在三十多年中把王國維所謂四大發現中研究了三項，即殷墟甲骨、西陲簡牘、明清檔案；只有敦煌卷子遠在英法。

不過，目前在臺的工作是不能令我們十分滿意的。針對着前述的重要資料，臺大至少應該有下列三種工作：

第一，設法與中央研究院近代史研究所合作，造就研究中國近代史的人材。

第二，設法與故宮和中央博物院合作，造就研究中國美術史的人材。可請該院的莊嚴（書畫）、那志良（玉器）、譚旦冏（瓷器、手工藝）、李霖燦（畫）合開一個講論班，每人各講授一部份。

第三，設法與中央圖書館合作，造就研究版本學的人材。可請蔣穀孫、屈萬里、蘇瑩輝、昌彼得合開一個講論班（蘇氏可授敦煌和石刻方面），每人各講授一部份。

所謂「講論班」，相當於西文的Seminar，供研究生選讀，每週約二或三小時。目前在外國研究院中，往往感到一個教師不能兼擅各小部門，所以聯合幾位學者來合開一個講論班，實在是最經濟而理想的措施。

我們希望集中臺灣現有的人材來充實臺大文學院。我們希望能造就出像費正清（美國的中國近代史權威），喜龍仁（Siren，瑞典的中國美術史權威），長澤規矩也（日本的中國版本學權威）這一流的人材來替自由中國在國際漢學界爭一口氣。（民國五十三年二月八日於新港）

（原載「漢學論集」，民國五十三年五月）

編者案：周法高先生後來在其所作「漢學研究的回顧與前瞻」（幼獅學誌第十三卷第一期，民國六十五年十一月出版）一文中，曾就本文所舉七項，增補兩項，玆摘錄如下：

「第八、臺灣藏有大規模的俗曲資料。民國二十幾年，由中央研究院歷史語言研究所助理員李家瑞在劉復教授指導之下，收集了幾千件民間俗曲的資料，後來因爲李氏在對日抗戰時去職，一直沒有引起人的注意。直到卞趙如蘭女士到臺灣來訪問，才認識了這批資料的重要價值。後來由哈佛燕京學社的補助，才由史語所和臺大合作，加以整理編目。」

「第九、臺灣藏有世界最豐富的臺灣高山族資料和臺灣考古的資料。臺灣的高山族的研究，在日治時期已經受到注意。臺灣大學考古人類系的標本室，其中有許多珍貴的標本是從日治時代就開始收集的。等到臺灣光復以後，臺大考古人類學系成立，訓練了考古學和人類學的人材，可謂人材濟濟，接着中央研究院民族學研究所在凌純聲所長領導之下成立了，對於臺灣高山族資料的收集和研究，更是進行得不遺餘力。另一方面，臺灣的考古學在年青的一代爲耶魯大學的張光直教授和臺灣大學的宋文薰教授，積極參加發掘和研究，使臺灣考古學得以發揚光大，而考古的資料的出土更是日新月異。關於臺灣高山族社會學和人類學的研究，也在凌純聲、芮逸夫、衞惠林、陳紹馨老一輩的教授指導之下，造就了好些年青有爲的學者。爲了免除掛一漏萬起見，這裏只舉出臺大考古人類學系主任兼文學院長陳其祿教授和中央研究院民族學研究所李一園所長，作爲代表。至於語言學方面，經過了李方桂、董同龢教授指導之下，訓練了一些高山族語言的專家，最著者有李壬癸博士，已由描寫的研究進入了比較的研究。其所收集的資料有好些已將近滅絕的邊緣，因爲由於交通的發達，講高山話的人一天比一天少了，這種活的資料如不即時收集，就有消滅的可能。」

# 臺灣所藏珍貴文史資料舉要

## ——爲臺灣成爲世界漢學中心作證

劉兆祐

民國六十三年夏，中央研究院召開院士會議期間，屈翼鵬（萬里）、嚴歸田（耕望）、沈剛伯等三位院士呼籲應使臺灣成爲全世界的「漢學研究中心」。一時引起學術界人士的關切。

要成爲某項學術的研究中心，最主要的是要有完備的資料。臺灣，是否有完備的學術資料，足以成爲全世界的漢學研究中心呢？答案是肯定的。

記得十幾年前，有一位外國人士依克斯天（Eckstein）曾譏評臺灣是「文化沙漠」。當時有人舉出臺灣出版事業如何的蓬勃，寫作風氣如何的興盛，以否認外人的誤會。據我的看法，所謂「文化沙漠」，當是指缺乏文化典籍資料而言，也就是漢學資料。臺灣藏有豐富而珍貴的漢學資料，何以外人會說此地是「文化沙漠」？這是因爲我們對於所藏資料的整理工作做得不夠，外人無從知道我們有那些資料？更無從利用這些資料了。一旦我們把這些珍貴的文史資料整理得很有系統，足資利用，自然可消除外人的誤會。

如何有效的整理這些資料？我想以後再談。這裏先要談的，是臺灣究竟藏有那些珍貴的文史資料？

這裏先舉一則眞實的故事：前幾年報載一位留學生從東瀛歸來，暢談渠在日本研究中國文學的情形。他說他是研究韓昌黎的文章，他之所以到日本研究，是因爲臺灣所能看到的韓集只有一二種，不足供研究之需。其實，臺灣藏有歷代編刋的韓昌黎集，例如：唐李漢編，宋朱熹考異，王伯大音釋的「朱文公校昌黎先生文集外集集傳遺詩文」；明朱吾弼重編的「韓文考異外集遺文」；宋魏仲舉編的「五百家注音辨昌黎先生文集」；宋廖瑩中集註的「昌黎先生集外集遺文集傳」；明蔣之翹註的「韓昌黎集外集遺文附錄」；明茅坤評選的「韓文公文鈔」；明郭正域選的「韓文」；淸呂留良選，董采評點的「唐韓文公文」及朝鮮人所編的「韓文正宗」等，都可以看到。迢迢遠赴異國閱覽國內有的文物，很容易爲外邦之識者譏。

這件事說明了什麼？說明了目前國內學文史的學生，還有人不瞭解國內藏有那些文獻？學理工的人出國求學，是因爲國內的環境不如國外。所謂環境，固然也包括研究方法，最主要的還是指的研究設備。學文史的人出國研究，也是由於某些文物國內不如國外的完整；但，如果所研究的主題，國內的文獻較國外充實，仍然盲目的到國外，未免捨近求遠了。

爲了讓外國人士瞭解臺灣所藏文史資料的特色，也爲了讓國內研究文史的人士，深切瞭解自己所擁有的珍貴資料，筆者不揣譾陋，試撰這篇文章。在我們尙未把全部的資料整理出以前，先讓外國學者淸楚的知道我們這裏究竟有些什麼？這些資料有什麼特色？對於增進外人認識臺灣今日在漢學界的地位，自有一定的幫助；讓國人了解自己所擁有的資料，對來日從事學術硏究的方向及資料的索求，也有一定的助益。

在這裏，我要提出說明的是：民國五十三年二月間，周法高先生曾撰「臺灣公藏文獻資料鳥瞰」一文，後來收在他的「漢學論集」（五十三年五月初版）裏。周先生所列擧的臺灣公藏重要文獻資料有七項：

1. 臺灣有世界最豐富的未刊布的中國近代史檔案。
2. 臺灣擁有世界最有價值的中國藝術史資料。
3. 臺灣擁有自由世界最豐富宋元明本善本書。
4. 臺灣藏有大量方志，其稀見者較美國所藏爲多。
5. 臺灣藏有世界上最豐富的明實錄資料。
6. 臺灣藏有自由世界最豐富的金石拓片。
7. 臺灣藏有世界最豐富的殷墟安陽的考古資料。

此外，業師屈翼鵬（萬里）先生在民國五十五年春天，應邀在加拿大多倫多大學講演，講題是「臺灣現存的珍本圖書和重要學術資料」，翼鵬師把臺灣現存的文獻資料，區分爲下列五類敍述：

1. 珍本圖書。
2. 檔案。
3. 甲骨刻辭和古器物。

4.金石拓片。

5.書畫。

翼鵬師在結論中說：「臺灣所收藏的圖書和學術資料，爲世界他處所沒有、或雖有而不如臺灣完備的，有：

1.關於中國考古學和殷代史的資料。

2.關於明代史和清初史的資料。

3.關於中國近代史的資料。

4.關於中國古代美術史的資料。

5.關於中國圖書版本學和校讐學的資料。」

我寫這一篇文章，重點在進一步說明臺灣所藏文史珍貴資料的特色；周先生和翼鵬師的鴻文，實給了我很多的啓示，這是需要聲明的。

## 一、臺灣所藏善本書及其特色

臺灣所藏的善本書，主要分別典藏於：中央研究院歷史語言研究所、國立故宮博物院、國立中央圖書館及國立臺灣大學。其他像國立臺灣師範大學、私立東海大學等也有一些。

關於善本書收錄的標準，歷來不一。臺灣各圖書館著錄善本書的標準，大抵如下：

1.唐、宋、元及明隆慶以前的寫本、刻本，或宋、元及明隆慶以前的活字本。
2.明萬曆以後至近代的刻本或活字本之罕見者。
3.朝鮮、日本之古刻本或古活字本。
4.朝鮮、日本之近代刻本或活字本之罕見者。
5.明以前鈔本或近代鈔本之罕見者。
6.名家鈔本。
7.名家稿本。
8.名家手批本或手校本。
9.名家手書題跋本。

民國五十七年，臺灣藏有善本書的圖書館，在中央研究院中美人文社會科學合作委員會的資助下，編印了善本書聯合目錄。根據這些聯合目錄，可知臺灣公藏善本書的情形。

國立中央圖書館在民國三十七年冬，自南京遷移來臺，當時所遷運的書籍共十三萬餘册，其中善本書佔十二萬餘册。這十二萬餘册善本書，依版本分類：宋本二〇一部，三〇七九册；金本五部，十六册；元本二三〇部，三七七七册；明本六二一九部，七八六〇六册；嘉興藏經一部；清代刋本三四四部；稿本四八三部，四五三七册；批校本四四六部，二四一五册；鈔本二五八六部，一五二〇一册；高麗本二七三部；日本刋本二三〇部；安南刋本二部；敦煌寫經一五三卷。到了臺灣，又續加收購。

民國五十四年十一月，前國立北平圖書館於抗戰期間運存美國國會圖書館的善本書近三千種二萬餘冊，運回臺灣，寄存於中央圖書館。目前該館所藏的善本書已多達十四餘萬冊了。

國立故宮博物院也藏有豐富的善本書，其來源主要是遜清祕府所貯及楊守敬觀海堂的藏書。遜清祕府的遺書今歸藏故宮博物院的，又以文淵閣的四庫全書、養心殿的宛委別藏、摛藻堂的四庫薈要、武英殿所刻的殿本爲最著。據任職於故宮博物院的吳哲夫先生所撰「國立故宮博物院藏書簡介」一文的統計，文淵閣四庫全書的種卷冊數是：

| | | | |
|---|---|---|---|
| 經部 | 六八六種 | 一〇五〇四卷 | 五五六八冊 |
| 史部 | 五六七種 | 二一三九六卷 | 九五一三冊 |
| 子部 | 九二四種 | 一七九四二卷 | 八九九三冊 |
| 集部 | 一二七六種 | 二九〇七二卷 | 一二二三五冊 |
| 總計是 | 三四五三種 | 七九九一四卷 | 三六二九九冊 |

宛委別藏的書，分正續三編三部分。正編是經部八種，史部六種，子部二十一種，集部二十五種；續編有經部四種，史部九種，子部九種，集部八種；三編有經部十二種，史部十八種，子部二十二種，集部十八種。共計一六〇種，七八〇冊。

摛藻堂的四庫薈要種卷冊數是：

| | | | |
|---|---|---|---|
| 經部 | 一七三種 | 三五七六卷 | 二一七七冊 |

史部　　七〇種　　六五三五卷　　三四四五册

子部　　八一種　　二八六六卷　　二〇七七册

集部　　一三四種　　七八五一卷　　三四四六册

故宮博物院所藏的殿本共一二五三部，五二八三三册。所藏的觀海堂藏書多達一六六六種，依版本區分：宋刋本十三種，元刋本五六種，明刋本三五八種，清刋本四五〇種，鈔本二四種，日本刋本三三〇種，日本鈔本四〇七種，韓國刋本二八種。

中央研究院歷史語言研究所藏有善本書二千三百餘部，二萬一千餘册：經部二七八部，一八〇八册；史部一〇九七部，一〇六九四册；子部四六六部，三九六三册；集部四五六部，四三七六册；叢書三五部，六三五册；輿圖三十二幅。

此外，國立臺灣大學、省立臺北圖書館（今改爲中央圖書館臺灣分館）、國防研究院、國立臺灣師範大學、私立東海大學等，也都藏有善本圖書。

以上列舉臺灣所藏珍本圖書的大概情形。這些善本書有什麼特色呢？簡略的說，有下列幾項特色：

㈠**富藏珍貴的刋本**：以國立中央圖書館所藏而言，其中有很多是目前全世界僅存的孤本或罕見的珍本。例如宋紹興間（一一三一—一一六二）國子監本漢書；宋淳熙（一一七四—一一八九）刋本文選李善注；紹興崇化書坊本文選五臣注；宋紹熙間（一一九〇—一一九四）眉山程舍人宅刋本東都事略；宋嘉定（一二〇八—一二二四）至景定（一二六〇—一二六四）間臨安府陳解元宅書籍鋪刋本南宋羣賢小集；金刻的雲齋廣錄、地理新書；元刻的國朝名臣事略、呂氏春秋、中州集、方是閑居士小稿、此山集、雲山類稿等，都是極其珍貴的善本。又如故宮博物院所藏的宋建安余仁仲萬卷堂刋本類編秘府圖書畫一元龜一書，世所罕見；宋末建陽書坊刋新編翰苑新書，是今所見之最早刋本。像這些珍貴的刋本，可做爲校勘及補充其他版本的重要依據。至於比較罕見的版本，如國立中央圖書館所藏宋朝王楙的野客叢書，歷來諸叢刻所收的都是十二卷，該館藏的明嘉靖四十一年（一五六二）王穀祥刋本卻是三十二卷；施顧注東坡先生詩一書，今存世上的只有四部，都是殘本，其中以翁同龢所藏宋景定三年（一二六二）補版重印的三十二卷本及中央圖書館所藏的嘉定六年（一二一三）初次刋印的十九卷本爲最多，而此地十九卷本中的卷七、卷十、卷十五至二十，又是景定本所無，所以甚爲學術界重視。其他如中央研究院傅斯年圖書館、國立臺灣大學圖書館等，都藏有珍貴的刋本。

㈡富藏宋明資料：這些善本書裏，宋明人的著作最豐，也最具價值。以國立中央圖書館所藏來說，有關宋明兩代的典章制度、詔令奏議、雜史、筆記小說及文集，蒐羅衆多，是全世界研究宋明歷史文化的好處所。例如影宋鈔本元豐官制，四庫全書就沒有著錄，後代也沒有翻刻。明代人的著作，尤其是萬曆以後的，因爲觸犯滿清的忌諱，流傳的絕少。張適園及劉承幹兩氏，對於明人的著述，均極力蒐集，網羅宏富，其中多稀見的秘籍。兩家的藏書，後來大部份歸藏中央圖書館，所以該館在這方面，極具特色。例如徐縉的徐文敏公集、馬自強的馬文莊公文集、黃潤玉的南山黃先生家傳集、張同德的昭甫集等，清代的四庫全書都沒有著錄，傳本也罕見，書中有很多關於明代政事的文章。其他如皇明嘉隆兩朝聞見記、謇齋瑣綴錄、兩朝平攘錄等，都是極其罕見而具有史料價值的珍本圖書。

中央研究院歷史語言研究所和國立中央圖書館藏有很多明實錄善本。民國五十三年中央研究院編印「明實錄」，其據以校刊的很多是史語所及中央圖書館所藏的善本明實錄。如中央圖書館藏的明黃絲欄鈔本太祖實錄、明內府寫本太宗實錄、明藍格鈔本仁宗實錄、明翰林院鈔本英宗實錄、明天一閣本孝宗實錄、舊鈔本世宗實錄等，以及史語所藏的廣方言館舊藏清初朱絲欄鈔本大明十五朝實錄、嘉業堂及抱經樓舊藏明歷朝實錄共數十種，都是珍貴的明史資料。

民國五十八年，翼鵬師主編「明代史籍彙刊」初編、續編，即將臺灣所藏的明代史料彙輯刊行，由臺灣學生書局印行，很受學術界人士重視。今後，這方面史料的編輯工作，出版界應該繼續做。

㈢富藏名家的稿本：臺灣所藏的善本書，另一特色是名家稿本多。稿本是最原始的資料，後來的鈔本和刻本，如有錯誤，須據稿本訂正；而尚未刊刻的稿本，其價值則更高了。臺灣各圖書館或多或少都藏有名家的稿本，其中以國立中央圖書館所藏最富，約五百部，大部份是明清兩代的著作。其中像明代王穉登的手稿南有堂集、王思任的手稿王季重詩文稿、文俶女士彩繪的金石昆蟲艸木狀，清代錢謙益和季振宜合編的唐詩、翁方綱的手稿復初齋文稿、潘介祉的明詩人小傳稿、文廷式的純常子枝語、梁啓超的知交手札，除具極高的學術價值外，能親睹前代學者的遺墨，又兼備了美術價值。尤其是以書法著名的翁方綱，他手寫的復初齋文稿二十卷、詩稿六十七卷、筆記稿十五卷、札記稿不分卷，總計達一百三十八册之多，眞是美不勝收。梁起超輯的知交手札，有沈兆慶、章炳麟、蔡松坡、林獻堂等人的信件，深具歷史價值。

以上就臺灣公藏善本書的特色，舉其要說明。

## 二、臺灣藏有豐富的古器物與書畫

這裏所指的古器物，主要的是指銅器、甲骨、石刻與玉器瓷器等文物資料。這些文物，每每爲漢學研究提供最直接的資料。王國維所提出「二重證據」之說，卽在於明文物和圖書互證的重要。屈翼鵬師曾撰「文物資料和圖書資料的相互關係」一文，說明了甲骨文、青銅器、石刻及其他文物資料，絕大多數都可以和圖書資料互證發明。至於書畫，則是研究古代美術史的絕好資料。是以臺灣所藏豐富的古器物與書畫，也是構成臺灣成爲漢學研究中心的一個主要條件。

臺灣收藏的古器物，主要分藏於中央研究院及故宮博物院。那志良先生撰「故宮博物院三十年之經過」一書，記載該院運臺文物的分類箱數及件數如左：

| | | | | | |
|---|---|---|---|---|---|
| 銅器 | 六一箱 | 二三八二件 | 琺瑯 | 七〇箱 | 八一七件 |
| 瓷器 | 八九五箱 | 一七九三四件 | 雕刻 | 八箱 | 一〇五件 |
| 玉器 | 一〇三箱 | 三八九四件 | 文具 | 二四箱 | 一二六一件 |
| 書畫 | 九四箱 | 五七六〇件 | 雜項 | 一四五箱 | 一九九五八件 |
| 漆器 | 三四箱 | 三一八件 | | | |

這些器物，都是研究古代文化的珍貴資料。其中字畫一項，都是宋元明清歷代皇室所藏，是研究中國古代藝術的寶庫。

中央研究院在古器物方面的蒐藏，以甲骨刻辭、石器、陶器、銅器及金石拓片等，最受學術界人士的重視。我引用屈翼鵬師在「臺灣現存的珍本圖書和重要學術資料」講詞的幾段話，以說明中央研究院在這方面收藏之富及價值。他說：

「據估計，全世界收藏的有字甲骨，約在十萬片左右，而中央研究院歷史語言研究所所收藏的，則有二萬五千五百多片。這二萬五千多片甲骨，在數字上看，約當全世界所藏的四分之一。若論它的實際價值，可能相當於其他的七萬多片。因爲：㈠它們大部分是用科學方法發掘出來的（只有六百多片是買來的），出土的地方，和它們埋藏的情形，都是正確的紀錄。㈡它有整個的或近乎整個的龜甲和牛骨版約六百片左右；每一片的面積，相當於他處所藏的十餘片乃至數十片。因而，它的價值是可想而知的。

「關於古器物方面，也以中央研究院歷史語言研究所收藏的最多也最有價值。中央研究院歷史語言研究所在各處發掘所得的古器物，包括石器、陶器、銅器等，都已運來臺灣，總數在十萬件以上。對於研究中國古代—特別是殷代—的文化史來說，這批器物，具有無可比擬的價值。

「中央研究院歷史語言研究所，收藏了將近三萬份的石刻拓片，另有陶文拓片一百多册又八百多張。這些石刻拓片，以墓碑、墓誌之類的爲最多；另外，則爲修廟、祭祀、修橋、修路等類的記載。墓碑、墓誌等，固然是研究傳記的絕好資料；修廟、祭祀等記載，則有些是書本中所不易找得到的文獻，對於研究社會史的人說，也是珍貴的資料。陶文中的一百多册，是清末最著名的古物收藏家陳介祺家裏所拓的；另八百多幅，則購自北平的若干收藏家。如果從事陶文研究，這是一批最豐富的資料。」

在國立歷史博物館所藏的器物，據「國立歷史博物館藏品舉隅」一書的序言，可分爲左列幾類：

㈠銅器類：有在河南安陽殷墟、新鄭、輝縣等地方出土的商周青銅器。中有整套的禮器、樂器、兵器及唐以前之銅鏡。

㈡錢幣類：有周以來之原貝、刀、布、圜貨、紙鈔、銀錠、元寶、銅幣等近五千件。

㈢中國文字史料：有甲骨三千餘片及漢熹平石經殘石。

㈣石刻雕塑類：有商代石主、北魏石塔等。

㈤玉器類：有殷墟出土的兩周明器。

在國立中央圖書館，也藏有部份的器物及爲數可觀的拓片。器物有下列幾項：

㈠甲骨：大小共七四七片。

㈡銅器：有鬲、鼎、簋、尊、爵、觚、斝、觶、矛頭等二十餘件。

㈢陶器：共三件，兩件書有「建昭」三年篆字，一件寫有「天鳳五年」。

㈣簡牘：有漢代簡牘三十枚。

該館也藏有爲數可觀的拓片，以墓碑最多。其中最値得重視的是銅器全文全形拓片六百七十餘張。這些拓片，泰半出自周康元之手，花紋纖細畢現，陰陽向背明顯。拓片中且有吳重熹、羅振玉等名家題記。

## 三、臺灣藏有豐富的地方文獻

這裏所指的地方文獻，以方志爲主。政府遷臺時，內政部把相當完整的方志移運出來，加上各圖書館所藏的方志，成爲目前臺灣所藏文史資料的特色之一。這些方志分別收藏在中央研究院歷史語言研究所、國立故宮博物院、國立中央圖書館及臺灣分館、內政部圖書館、交通部檔案室、中央黨部圖書室、中央日報社資料室、國立臺灣大學圖書館、臺灣省文獻委員會及國立臺灣師範大學圖書館等。這些方志，全國各省的都有，共約四千種。

南洋有衆多的華僑，因此南洋的研究，也可以劃入漢學的領域。臺灣藏有相當豐富的南洋資料，大部份藏於今國立中央圖書館臺灣分館。日本據臺期間，曾設立「南方資料館」，蒐採南洋資料。民國三十五年（一九四六）南方資料館與臺灣總督府圖書館合併爲臺北圖書館，即今中央圖書館臺灣分館。該館現藏有南洋資料中文書籍三四二四種，西文書籍二二五二九種，日文書籍一五〇六〇種，合計四一〇一三種。

## 四、臺灣藏有完備的明清和近代史的原始檔案

臺灣有全世界最豐富的明清及近代史檔案，它們是研究明清及近代史最直接可信的資料。它們分別收藏在故宮博物院及中央研究院的歷史語言研究所與近代史研究所。

故宮博物院所藏檔案以清宮檔案爲主。若依當時典藏的處所分類，可分爲宮中檔案、軍機處檔案及國史館檔案三類。

宮中檔案多屬大臣以私人身份上給皇帝的奏本。今故宮所存的奏摺，康熙朝的有二八二七件，雍正朝有二二三七五件，乾隆朝五九四三六件，嘉慶朝一九九三六件，道光朝一二四九二件，咸豐朝一七〇九二件，光緒朝一八七五九件。可惜順治朝的全缺。這些奏摺，是研究當時政治、軍事、經濟及社會等的直接史料。

軍機處成立於雍正七年，其職責之一是將大臣的奏摺謄抄按月裝訂，以備查考，今故宮存藏的軍機處檔案即這些月摺。計存：乾隆朝四七三八四件，嘉慶朝六八八二件，道光朝二八六三五件，咸豐朝六三九六件，同治朝二九九六八件，光緒朝約五萬餘件，宣統朝約八千六百餘件。

清國史館創立於太宗朝，今故宮博物院所藏存者爲清國史館所編的長編檔，共計三千三百十二册，計乾隆朝二百二十三册，嘉慶朝五百七十七册，道光朝一千一百四十七册，咸豐朝四百零九册，同治朝三百七十三册，光緒朝五百八十三册。長編檔係移取軍機處內閣檔案而成編，故也極具史料價值。（以上故宮博物院檔案部份係參考任職於該院的劉家駒先生「故宮所藏清代文獻檔案」一文）。

故宮博物院還藏有豐富的滿文檔案。這批滿文文獻，據任職於該院的張葳先生「國立故宮博物院所藏的滿文資料簡介」一文說：「包括舊滿洲檔、宮中檔諭摺、起居注册、實錄、本紀、忠義列傳等。其中最重要的要算是舊滿洲檔了。舊滿洲檔是用滿文寫的最古老的書檔，記載的全是滿洲族入關前太祖、太宗兩朝的事蹟，有許多是漢文實錄以及其他史料沒有記載的唯一史料。」「在內容方面看來，包括編年體的本朝的政事、皇帝的聖訓，和紀事本末體的滿洲人和明朝政府的交涉，以及滿洲人和蒙古、朝鮮交涉的情形。」「其他像奏摺、實錄、起居注册、本紀等滿文史料，除了是語言學者重要的研究材料外，更是一般歷史學家研究清初歷史最重要的資料。」

在中央研究院歷史語言研究所藏有清代內閣大庫殘餘檔案三十一萬多件。這些檔案，原藏清代內閣大庫，沒有人注意它。清宣統元年（一九〇九）大庫屋壞，檔案由內閣移交學部，裝成八千蔴袋，堆在孔廟內的敬一亭。民國五年（一九一六），又把這批檔案移在清故宮午門上的歷史博物館。歷史博物館在這批八千蔴袋的檔案中，找出一些宋版書，並略檢比較整齊的册子，陳列於樓，其中以誥勅及廷試策爲多，其餘的視同「廢紙」。歷史博物館爲了清還一筆小債，竟把這些「廢紙」以四千元的價錢賣給了同懋增紙店，準備「廢物利用」。羅振玉聽了這消息，花了一萬二千五百元買了回來。後來，羅振玉又把這些檔案以一萬六千元賣給了李盛鐸。李氏在天津北平二處租屋分貯。民國十七年（一九二八）傅斯年先生聽說「李盛鐸切欲即賣」，「滿鐵公司將此件訂好買約。」深恐國寶淪入外人之手，乃以二萬元買來，從此歸於中央研究院歷史語言研究所。現在運來臺灣存藏的三十萬多件，是從中選擇了一百箱輾轉運來的。

清代的內閣，在雍乾以前是庶政所出之所，故內閣所藏檔案，是清初史事的重要資料。又清初因纂修明史的關係，也就包含了不少明代崇禎年間兵部的檔案。這批檔案，從前在羅振玉手中時，曾選印為「史料叢刊」，如今中央研究院歷史語言研究所陸續整理出版「明清史料」，已印行了近百册。

中央研究院近代史研究所藏有相當完整的清季及民國以來的外交與經濟檔案。民國四十四年秋，外交部將清季總理各國事務衙門、外務部及民國以來外交部的檔案二百二十四箱，移交近代史研究所保管整理。民國五十五年（一九六六），該所又接收經濟部運臺之舊檔四百五十餘箱。外交檔案所包含的時期，自道光三十年（一八五〇）至民國三十四年（一九四五）。清季檔案中，包含四國新檔（英法聯軍之役，中國與英法美俄四國交涉始末），辦理撫局、海防、各國敎務敎案、各國立約修約換約、越南檔、朝鮮檔、澳門檔、西藏檔、緬甸檔、保和會紅十字會、辛丑議約、庚子賠款、通商稅務、租地租界、各省礦務、邊防界務、地方交涉等二十餘類。民國檔案中包含中日交涉、中俄交涉、歐戰、巴黎和會、國際聯合會、太平洋會議、滬案、各國稅厘交涉等檔案。經濟檔案所包含的時期約自光緒三十二年至民國四十一年（一九〇六—一九五二），這些檔案原屬於建設委員會、黃河水利委員會、武漢衞戍總司令部田壁工程處、建設部、淮河水利工程總局、水利總局、全國水利局、水利委員會、水利部，導淮委員會、行政院水利委員會、國民政府、內政部、內務部、農礦部、工商部、農工部、農商部、農工商部、整理運河討論會、經濟部、資源委員會、實業部、全國經濟委員會、農林部、糧食部、行政院農業策進委員會等二十七個部門。其內容大致可分為四個部份：①礦業；②農林；③水利；④實業。這些檔案，自是研究近代史最珍貴的原始資料。

在中國國民黨中央委員會黨史史料編纂委員會，藏有一九四九年以前中華民國開國的有關文獻。這些文獻可分爲兩類：一是一九〇二——一九四九年間的報紙、雜誌及公報。一是一八九四——一九四八年間的一般資料。報紙共藏有一千四百二十種，雜誌藏有一千五百三十九種，公報藏有三百七十八種。報紙雜誌中，各型各類都有，且相當完整，有以抗日爲主旨的，有以研究經濟、社會爲主旨的，有以報導華僑消息爲主旨的，有以反袁爲主旨的；公報部份，則多今已罕見者。一般史料部份，依時間劃分，大致分爲八個時期：興中會（一八九四——一九〇五），同盟會（一九〇五——一九一二），國民黨（一九一二——一九一三），中華革命黨（一九一三——一九一九），中國國民黨第一期（一九一九——一九二三），中國國民黨第二期（一九二四——一九三六），中國國民黨第三期（一九三七——一九四五），中國國民黨第四期（一九四六——一九四九）。這些，自然是研究中國現代史珍貴的史料。

以上列舉臺灣珍藏的檔案，這些資料，是足以使臺灣成爲世界漢學研究中心的因素之一。

筆者撰寫本文的目的，一方面在於爲有志來臺灣研究漢學者提供找尋資料的線索，一方面也呼籲政府重視這些珍貴的文物，予以有計劃的整理，俾得長久保存，並進一步便於中外學者利用。最重要的，是筆者證明臺灣毫無疑問的可以成爲世界漢學研究的中心。

（原載幼獅月刊第四十一卷第四期，民國六十四年四月）

# 從文化沙漠到國際漢學研究中心

沈　謙

臺灣光復三十一周年，在政治經濟各方面的建設，是有目共睹的；然而，在文化建設方面，卻較少有人論及，因爲文化水準的高低，不是那麼具體顯見。於是乎，曾經有人認爲，臺灣是文化沙漠；也有人認爲，臺灣在事實上已經是國際漢學研究中心。本文謹就中國文化的研究與發揚，討論近年來公私機構與各界學人在文化建設上的努力成果，讓我們對於自己所處的文化環境，有一番確切的認知與檢討。

## 一、文化沙漠

十八年前，有一位哈佛大學研究共匪經濟的美國人愛克斯坦（Eckstein），得到福特基金會的補助，到臺灣來學中文，回到哈佛後，發表了一篇報告，說臺灣是「文化沙漠」。自此以後，「文化沙漠」一辭，曾經喧騰一時，至今似猶餘波未息。這固然是愛氏個人的膚淺謬見，但也反映了國人研究方法與處理資料的若干缺失，再加上民族自信心的不夠堅定，才會使得一個外籍人士的誤解與偏見，激發了這麼大的迴響。

臺灣是文化沙漠嗎？如果我們能對當今的文化背景與研究成果略具認識的話，無論從任何角度看來，臺灣絕非文化沙漠，相反地，在今天，臺北地區已經堪稱國際上研究中國文化的中心。愛克斯坦發表他個人的偏見，除了混淆部份不明事理人士的視聽之外，只不過顯示了他的淺薄與無知而已。在當時，我國名學者李濟之先生就在「自由中國」廿一卷十一期（民國四十八年十一月）發表了「文化沙漠」一文，對愛氏的言論，表示憤慨。愛君中文程度欠佳，不能直接閱讀第一手資料，因此，他對臺灣的批評十分不可靠。說句不客氣的話，就是「蚍蜉撼大樹，可笑不自量。」周法高先生在「臺灣公藏文獻資料鳥瞰」一文中，就曾經引述兩位早年來臺研究的美國學者的意見，以證明愛氏的說法錯誤。

一九五四年，賀凱（Hucker）在遠東季刊上發表「臺灣之漢學研究」一文，說：

「不過，他們（臺灣的漢學家）是這樣多，而且他們的著作有如此的質和量，雖然遭受挫折，臺灣必須被認為或許是自由世界漢學研究最重要的中心。」

又在一九五八年牟復禮（Mote）在亞洲學報上發表「臺灣的出版界」一文，說：

「每一個對中國研究有興趣的人如有機會明瞭這個，將會同意：在過去二三年內在臺灣出版物的質和量方面有顯著的進步了。」

尤其是近年來，中華民國的文化建設突飛猛進，許多仰慕中國文化的外籍學者，紛紛來臺學習華語，收集資料，向我國的學者請教。如果說臺灣是文化沙漠的話，那麼，這個沙漠底下一定有全世界蘊藏最豐富的石油和鈾礦了。

## 二、漢學研究中心

二十世紀以來，有關中國文化的研究，已經成爲世界的顯學。一則由於中華民族歷史淵源最爲悠久，人口最爲衆多；一則由於中華文化博大精深，唯有他才能承擔起當前世界的難題，引導全世界人類走入大同的新境界。法國哲學家羅素就曾經說過：「西方文化的長處在於科學方法，中國文化的長處在於合理的人生觀，吾人希望是二者能夠逐漸結合爲一。」（見張其昀東西文化第一篇艾默生論中國文化）。因此，不但是歐美日俄各重要國家熱烈研究中國文化，卽使許多小國家也不例外。國防研究院編印的「世界各國漢學研究論文集」，就報導了美、英、法、日、德、義、瑞典、荷蘭、印度、非律賓、澳洲、馬來西亞、烏拉圭等各國研究漢學的情況。

旣然這麼多的國家，如此多的學者，在世界各角落掀起「漢學研究」的熱潮。那麼，國際漢學研究的中心在那裏呢？

過去，法國曾被稱爲「漢學王國」，於是巴黎被認爲是世界漢學研究中心。自從傅爾蒙（Etienne Fourmont）完成巨著「中國文典」，成爲法國研究漢學的開山祖師後，法國漢學界，人材輩出，確實有若干輝煌的成績。再加上伯希和（Paul Pelliot）從中國攜去的敦煌卷子，是漢學研究的最新珍貴資料，世界各國漢學家都存着好奇的心理，爭着去巴黎看敦煌寫本。而一八九〇年創辦的「通報」

（T'oung Pao），更是國際漢學界歷史最久、價值最高的學報，因此法國儼然爲漢學重鎮。但二次大戰後，老成凋謝，後繼乏人，再加上影印、攝製微卷的技術進步，法國在人才和資料方面，都不再具備「漢學王國」的美譽了。

又有人以爲漢學研究中心在日本，因爲日本學人對中國文化的研究，人才既多，成績亦頗可觀，很受國際注意。周法高先生在「論漢學界的代表人物」文中，就曾經提到楊聯陞先生的話：「假使把漢學各部門分成一百門，每門舉出一個第一名，那麼日本學者要占過半數。」後來，楊君在「與周法高先生論漢學人物書」中，又有所更正：「在漢學可能包括的各部門中，有若干部門，以現在生存的學者而論，日本第一線學人或學徒，似乎比中國人還多。……所謂『過半數』，似乎失之過高。」的確，日本學人在研究方法、整理資料及著作方面，都相當出色，但日本人的成果究竟還是不夠深入。誠如嚴耕望先生在「台北應成爲中國文化研究中心」（六十三年八月八日中央日報）文中所言：

「日本學人，對於中國文化研究的成績究竟較淺。以考證爲例：摭拾材料拼排起來，其事已顯，此爲境界較低的考證；而有些問題，須顯隱鑒微，轉彎抹角，反復辯論，始能得到結論，此爲境界較高的考證。日本學人的顯著成績如中國經濟史、中國佛教史方面的論著，多是前者，而非後者。」再加上現在日本人的中國語文基礎愈形薄弱，成績素質難望提高，他們的漢學研究，多半是資料性的收集整理，缺乏思辨能力。因此，日本也不能算是漢學研究中心。

再其次，又有人認爲美國是世界漢學研究中心。尤其是二次大戰後，美國掀起中國研究的狂熱，數以百計的大學增設中國文化的專門課程，又網羅了許多中國籍的名學者，有充裕的經費添置圖書和資料，補助各項研究計劃。一時聲勢顯赫，成爲漢學研究的生力軍。但美國人的漢學研究，到底根基不深，其成就似乎還不及法國與日本，他們也多半是很重視資料的整理，而欠缺深一層的文化精神探討，層面尚淺。

總結而論，世界各國漢學研究的大勢，似乎只見其表面，而未能盡窺堂奧，有許多零碎的人文科學、社會科學和少許自然科學的資料整理，而欠缺整個中國文化精神的發揚，通疑之功雖著，致遠之績未彰。套句文心雕龍的話，就是「並未能振葉以尋根，觀瀾而索源」，並未能探驪得珠，直取本心，只有在外圍打轉而已。眞正能成爲國際漢學研究中心的，只有中華民族復興基地的臺灣，尤其是共匪文化大革命後，對於中國傳統文化的破壞，不遺餘力，更加重了我們繼往開來的責任。

## 三、如何使臺灣成爲國際漢學研究中心

臺灣爲國際漢學研究中心的問題，最早提出的是胡適先生，胡先生回臺就任中央研究院院長的時候就說過：要設法使世界漢學研究中心在臺灣。民國四十六年，張其昀先生任教育部長，成立了中國文化研究所，印行「世界各國漢學論文集」，並在序中說明：「中國文化研究所，受旅美學人之敦促而創設，彼等以爲在臺灣之中國學人，亟應樹立世界漢學研究之中心……。專以發揚中國文化爲宗旨，以史學爲其核心，而包擧哲學、文學、藝術、政治、經濟、地學諸部門，對中國文化之研究，作均衡

發展與全面推進，從而形成一漢學研究中心者，則爲吾人最大之心願。」

民國五十五年，屈萬里先生在「敎與學」創刊號上，發表「國立中央圖書館」乙文，從國內珍藏文史資料的觀點表示，自由中國可成爲眞正之世界漢學研究中心。

等到民國六十三年夏，中央研究院在臺北召集第十一次院會，沈剛伯、屈萬里、嚴耕望諸先生均在院士會議上發言，呼籲應促使臺灣成爲漢學研究中心。接著，民國六十四年秋，羅錦堂在國家建設研究會上，發表談話，主張應在臺灣成立一永久性的國際漢學研究中心。使得「漢學研究中心」的問題，引起學術界的熱烈討論。許多專家學者，紛紛撰文發表意見，表示了他們對漢學研究中心的熱烈展望。就筆者所知，有如下的十二篇文章：

㈠如何加強研究機關、大學、公共圖書館設備，使臺灣成爲國際學者所嚮往的中國文化研究中心——嚴耕望　歷史研討會（六十三年七月廿四日）

㈡臺北應成爲中國文化研究中心——嚴耕望　中央日報（六十三年八月八日）按：此文由上文精簡而作。

㈢如何使臺灣成爲漢學研究中心——張錦郎　幼獅月刊四一卷四期（六十四年四月一日）

㈣爲漢學研究中心催生——羅錦堂　幼獅月刊四二卷四期（六十四年十月二日）

㈤漢學和漢學研究中心——屈萬里　聯合報（六十五年三月四日）

㈥臺灣所藏珍貴文史資料擧要（爲臺灣成爲世界漢學研究中心作證）——劉兆祐　幼獅月刊四一

卷四期（六十四年四月）

(七)建立中國研究服務中心——方豪。

(八)整理、宣揚、集藏、校勘、編纂同下功夫——蔣復璁、昌彼得。

(九)要有長期計劃，開拓研究範圍——周道濟。

(十)加強資料收集，迅速培養人才——張以仁。

按：以上四篇均載六十五年四月四日聯合報「如何使臺灣成爲世界性的中國文化研究中心」專版，題爲「仰體　蔣公遺訓，復興中華文化」而作。

(十一)漢學中心的提倡——黃得時　中華日報（六十五年四月五、六日）

(十二)關於漢學中心的兩個問題——屈萬里　中華日報（六十五年五月十九日）

這十二篇專論中，有的認爲臺北應成爲世界漢學研究中心，有的從資料、人才各方面列舉臺灣足夠成爲世界漢學研究中心的理由，有的建議漢學研究中心應如何設立機構，如何提供服務，如何整理研究資料、培養人才、發行刊物等，俾從各方面發揚我中華文化。這種種議論，意見雖然不完全一致，但都有相當價值，且甚多獨到的看法。其中最引人注意的是屈萬里先生的一句話：

「就臺北而論，已經是名符其實的漢學研究中心，只需要發揚，不需要建立。」

因爲，無論從資料、人才、文化背景、研究深度各方面看來，只有自由中國基地的臺灣，才夠資格成爲國際漢學研究中心。當然，我們也有若干須要改進的地方，更需要好好加以發揚光大。

## 四、國際漢學研究中心的背景

屈萬里先生在「漢學和漢學中心」一文中，曾經具體指出：「構成學術中心的條件，不外兩點：㈠是人才；㈡是資料。從這兩點看來，但就臺北地區所藏漢學圖書和文物的豐富，以及在國學方面具有高度造詣的學者之多而言，確非各國任何地區所能及。」我個人以為：臺灣成為國際漢學研究中心的條件，除屈先生所論人才與資料外，似乎還可以再加上文化背景與研究成果兩項。以下且略加敘述。

㈤文化背景。二十世紀以來，有關中國文化的研究，已經成為世界上的顯學。一則由於中華民族歷史文明最悠久，人口最衆多；一則由於中華文化博大精深，唯有發揚中國文化，才能承擔當前世界的危局與難題，引導世界全人類走入大同的新境界。法國哲學家羅素就曾經說過：「西方文法的長處在於科學方法，中國文化的長處在於合理的人生觀。吾人希望是二者能夠逐漸結合為一。」（見張其昀東西文化第一篇愛默生與中國文化）而臺灣是中華民族的復興基地，目前為中國傳統文化的中心，且學術氣氛濃厚，享有充分的學術研究自由。有衆多的研究機構與定期刊物，政府與民間又正在大力推行文化復興運動，研究環境最佳，理應是漢學研究中心的所在地。

同時，漢學中心，除了經常有卓越的研究成果之外，還要將所藏資料與研究成果公諸於世，提供各國學者參考與利用。近年來，中華民國和世界上的各重要國家，在文化經濟等各方面都有相當密切的溝通，更能發揚漢學研究中心的聯繫和交流作用。

㈡漢學資料：臺北地區有中央研究院、故宮博物院、中央圖書館、國史館、黨史會、文獻會、臺大、師大圖書館，政大社會科學資料中心等機構，所藏善本書籍近百萬册，檔案文件近兩百萬件，古器物和藝術品數以萬計。這些漢學資料，量多而質精，確非世界其他任何國家任何地區所能及，具備了成爲漢學研究中心的先天優勢。

關於這些珍貴的學術資料，已有好幾位學者曾經撰文介紹：

㈠臺灣公藏文獻資料鳥瞰——周法高　漢學論集（五十四年八月）

㈡臺灣的珍本圖書和重要學術資料——屈萬里　圖書館學刊第一期（五十六年四月）

㈢臺灣所藏珍貴資料舉要——劉兆祐　幼獅月刊四一卷四期（六十四年四月）

誠如屈萬里先生所言，臺北地區所藏漢學圖書和文物之豐富，是世界上任何國家任何地區所無法比擬的。具體條列，最少有八項可居世界漢學研究資料之首：

第一、擁有研究中國歷史、語言、文學、考古等方面藏書最豐富且最適用的圖書館。

第二、藏有大量方志，甚多爲罕見者。

第三、藏有大量中國民間俗曲。

第四、有世界最豐富而未刋布的中國近代史檔案。

第五、有自由世界最豐富的宋元明善本書。

第六、有世界最有價值的中國藝術史資料。

第七、藏有自由世界最豐富的金石拓片。

第八、藏有世界最豐富的殷墟安陽考古資料。

這些資料，並不只是原封不動地珍藏而已。一方面，國內的許多學者，已經利用這些資料，研究出可觀的成果；他方面，歐美日各國學者，來臺閱覽的年有增加。同時，各收藏機構的研究人員，已開始進行整理、編目等工作，並改進服務及參考諮詢，加以報導、宣揚，使這些資料可以更進一步地發揮他的利用價值。

㈥漢學人才：十三年前，周法高先生在「論漢學界的代表人物」一文中曾說：「粗略的估計，在漢學研究的一百門中的第一名，臺灣約占半打，決不會超過百分之十。」這句話，我個人不十分同意，因爲所謂人才，標準與角度難免有出入，這件事姑且不論。我們且看二十年來，國內漢學研究人才的培育與成長，實在是相當可觀的。

就研究機構來說，中央研究院史語所和近代史所就有好幾十位飽學之士，埋首研究，孜孜不倦，成就斐然。故宮博物院除了本身的研究人員外，並和臺大歷史研究所合辦史研所藝術史組，造就了不少中國古代藝術方面的青年專門人才。

就學校方面來說，自從民國五十年羅錦堂先生通過教育部的學位考試，成爲我國第一位國產文學博士以來，師大、臺大、政大所造就的國學博士，已有半百之數。除在國內各大學任教或學術機構研究外，並有多人應聘至歐美、東南亞各地講學。此外，各文史研究所的博士、碩士班，都有蓬勃的發展，造就了許多年輕學者，人才輩出。在漢學人才方面，絕不落於任何國家之後，尤其可貴的是，這些年輕的學人，潛力雄厚，發展前途未可限量，是漢學研究最有希望的一批生力軍。

㈠研究成果：在過去，由於環境欠安定，研究方法陳舊，國內漢學研究的成果，並不十分顯赫。現在已迴然不同，除了每年各校的大量學位論文和升等論文外，在國科會研究補助下，漢學方面的研究報告，在民國四十八年到六十二年間，就有一千二百餘篇，研究範圍廣及中國的語言、文字、典籍校訂、史學、哲學、文學、藝術等等，上自殷商甲骨文，下至近代史，眞是洋洋大觀，盛况空前。

値得重視的是，中國人研究本國的學問，比較能把握要旨，得其神髓。嚴耕望先生就舉過一個顯明的例子：

日本人寫的中國佛敎史非常多，研究論文也很多，是不錯，是有興趣。但都是比較淺膚的研究。好比說，宇井伯壽的禪宗史，現在已經出了五六本了，極有用，但沒有什麽深入的探討。中國人研究佛敎史的非常少，著作也少，然而要在日本人當中找出一本像湯用彤先生的「漢魏兩晉南北朝佛敎史」的書，絕對找不出來。再擧個近例，我國青年學人黃永武博士新近出了一本「中國詩學」（六十五年六月，巨流），體大思精，條理井然，歐美日各國的漢學家中，擅精於中國詩的固然很多，但也不容易找出可和「中國詩學」相比的。大體而言，歐美日各國學者研究漢學的成就固然可觀，著作也很多，但在事實上，講學問的深度，到底不如中國學者。因此，在研究成果上，中國學者仍然居於世界執牛耳的地位。

## 五、結　語

綜合以上所論，中華民族的復興基地——臺灣，已經從過去所誤解的「文化沙漠」，進而成為「國際漢學研究中心」。無論從文化背景、漢學資料、研究人才、研究成果各種角度來衡量，都足以奠定「漢學中心」的確切地位。近年來，國內研究風氣日趨鼎盛，出版事業蓬勃發展，國際文化交流密切；更何況，自大陸淪陷，各項學術資料與人才撤運來臺，事實上，臺灣已傳繼了中華文化的正統，順理成章地成為中國文化的中心。在正統的地位上，以中國人發揚中國文化，責無旁貸。漢學研究中心的問題，不在於建立，而是如何發揚。本文就此結束，關於發揚，容後再論。

（原載「中央日報副刊」，民國六十五年十一月十日）

# 如何使臺灣成爲世界性的中國文化中心

## ——整理・宣揚・集藏・校勘・編纂同下工夫

蔣復璁
昌彼得

近年來學術界人士倡議將台北地區發展成爲研究漢學的中心，曾多次在學術性集會中非正式的商討過。朋友間閑談，也不少以此事爲話題的，可見大家對此事都非常地關心。

台北地區如南港中央研究院的歷史語言和近代史兩研究所，新店青潭的國史館和黨史會、士林外雙溪的國立故宮博物院，台北市內的國立中央圖書館和台灣分館，以及國立台灣、師範等等大學圖書館，所藏的善本舊籍逾八十萬册，明、淸及近代的檔案文獻多達一百七八十萬件，以及數以萬計的古器物和藝術品，的確是相當豐富了。其中若干項類所具有的特色，也的確是其他各國收藏所望塵莫及的，具有成爲漢學研究中心的先天優勢。然而我們環顧一下其他國家近二十年來對於漢學研究的發展與收藏情形，與近十多年來台灣的出版情形，不能不令人懷有杞憂。歐洲早有漢學中心的設置，雖然研究尙頗有成績，但因圖書資料收藏量不豐，姑且不談。美國各大學及國會圖書館所藏的中國善本舊館籍，經過這二十餘年來的努力收購，已達到約九十萬册之多。固然在質的方面還遠不如台北地區藏本的精好，但也有若干項爲國內所不及的。譬如各姓族譜之書，是硏究中華民族史和社會史的重要資料，國內收藏甚少，舊本不過二三十種。美國哥倫比亞大學東亞圖書館一館所藏，僅據日人多賀秋五郎所編「宗譜之研究——資料篇」一書中著錄者，卽多達九百二十四種。實際該館所藏尙不止此數，據云共有一千一百種，都是國內所無的。再如地方志，國會、哈佛、支加哥大學等三館所藏已超過七千種，也比國內收藏爲多。美國各館所藏的淸人文集、叢書，也遠比國內豐富。明代資料，雖說遠不如台北地區所藏，但也有若干種爲國內所無；例如國會藏的明隆慶本王交綠槐堂稿、萬曆本譚大初次川存稿、劉景韶太白原稿、天啓本羅治大月山人集、崇禎本元默勦賊圖記、弘光本鄭大郁經國雄略、劉玉執齋集……等；支加哥大學所藏明王肯堂尙書要旨、孫繼有尙書集解、王用賓三渠集、汪應軫青湖文集……等，都是佚存海外的遺笈。日本與我國毗鄰，文化交流最早，故所藏漢籍尤多，大寺廟中往往可以發現唐宋時代舊籍。僅就有書目可稽，或目驗所及，如靜嘉堂文庫、內閣文庫、宮內省書綾部、京都大學、天理圖書館等所收藏的宋元版書，多達千種，其數量已足以與台北地區所藏的相埓，而且其中不乏孤本秘笈。此外東洋文庫所藏的我國族譜數百種，也大多是國內所缺的。十多年來台灣的出版業蓬勃發展，盛極一時，將各圖書館收藏的孤本秘笈，紛紛影印傳佈。有的業者，純爲圖利，將書價提高，出售海外，甚至根本不在國內銷售，將目錄逕寄國外的。抗戰期中，曾寄存在美國國會圖書館的前北平圖書館藏善本書兩萬多册，三十多年前曾由國會攝製成顯微膠片一千餘捲，已流傳於海外。近年來，國立中央圖書館又積極地將所珍藏的善本書攝製微捲向國外發售。再加上台灣若干私人的小量收藏，爲了貪圖高價，也大都化整爲零運出以美國爲出售的對象。故歐美日本等國的大圖書館得以年增月益其收藏，而國內卻仍在抱殘守缺，不積極從事增補。我們所具有的先天優勢，即因上述種種原因，日朘月削，其差距逐漸縮短，豈能不令人心懷隱憂？近年來，若干歐美來東方研究漢學的學者，寧捨台灣而去日本京都人文科學研究所蒐輯資料研究。雖然京都人文科學研究所本身所藏漢籍不過二十多萬册，並不算豐富，但因備有不少攝自各國的微捲，及用微片冲印成的影本圖書，以補其收藏之不足，故形成了一個優良的研究環境。假如我們再不圖謀補救，馴至有一天，我們所藏的資料，外國都有，而他們所藏的，我們却無。到了那時，我們研究本國文化的學者，眞不能不以外國爲淵藪了。因此，我們認爲要使台北地區成爲世界的漢學研究中心，尙須學術文教界羣策羣力，並希望獲得教育當局的支持。爲了達成這個目標，謹提出下列幾點意見：

**第一是整理。**圖書和檔案如果未經過整理，編成有系統的目錄，卽無法使人明瞭而來利用以作研究，故雖藏有亦等於無。美國各圖書館藏的中國舊籍，數量不可謂不多，惟因缺乏改編的人才，故大多只備有著者及書名卡片，而罕分類目錄，尙不能連結成爲整體，充分發揮它的功能，以供研究者來利用。多年來美國東亞圖書館的負責人士，有編印中國舊籍聯合書目的擬議，但迄未成爲事實。台灣各館所藏的善本圖書，自民國五十六年獲得中美人士社會科學合作委員會的資助，編印了一套七册的善本聯合書目，及三巨册的著者、書名索引，給予學者尋檢資料以莫大的便利。接着，該會自五十九年起，又續資助編印各館所藏的普通本舊籍聯合書目及索引。然迄六十年止，只出版了一部份，此後卽未見下文，尙有少數圖書館的書目仍未付印，更無論聯合的索引了。這項工作，我們希望國立中央圖書館繼續負責，督促編印完成。

第二是宣揚。整理編目尙只是初步工作，對於專家學者可有幫助。但對於一般初作研究的學子，則貢獻仍不甚大，還不能發揮導引的作用。故各收藏機構尙應進一步將其藏品的特色，作重點式的或作有系統的介紹，使人了解。譬如善本書，宋元版或舊抄本，它的學術價值安在？與通行本的異同如何？同一種書流傳的有許多不同的版本，其中以那些版本比較好？倘不予以介紹，初作研究的青年學子是無從知道的。還有各館所藏的許多名家稿本，亦應予以整理介紹，其中那些是已經前代傳刻過了的？那些尙未出版？有無史料或學術價值？有傳刻本的與原稿異同如何？這樣才能使人知曉該稿本的價值所在，引起研究的興趣。

第三是集藏。十多年來，因爲台灣出版業的鼎盛，各圖書館在國學典籍方面收藏量均大有增加，促成學術研究風氣的濃厚，固然是可嘉的現象。然而自國家的立場來說，因爲影印的孤本秘笈原本，大都是台灣所藏的，所以在研究的資料方面，對台灣收藏的總量，卻沒有什麼增加，可以說絕大部份是向海外輸出。故今後應自如何增加台灣圖書資料的收藏着手。文化是立國的根本，我國歷代的秘書監往往懸很高的賞格徵求遺書。我們建議國立中央圖書館運用攝製所藏善本爲顯微膠捲的經費，有計劃地向歐美日本攝製流散在外而爲國內所無的佚籍，以充實國家的收藏，這才是國家圖書館首要的任務，不宜儘作單方面的輸出。台灣的出版界，也應仿效前賢鮑廷博、楊守敬、董康等蒐訪海外佚笈予以傳刻的精神，多從美日等國訪求一些國內無傳的古籍來翻印，以溝通有無，使稀見的秘笈得以流傳，而嘉惠國內學者。幾年前，日本慶應大學斯道文庫曾派阿部隆一教授連續五年中，每年一至三個月不等，來台灣研究版本，攝製了其國所無的宋元善本若干種爲微捲而歸。法國國立圖書館所藏敦煌寫經，向來不許大量攝造，日本曾有計劃的陸續派人前往，每人僅能攝一、二種，然積少成多，所獲恐已不少。而我國卻未聞有類似的行動，希望政府支持我國圖書館也派員赴海外訪求攝製，充實書藏。

復次，各收藏的機構，不妨協調如何的分工合作，各就其收藏的特色來蒐訪佚遺，作重點式的充實，以免重複浪費。譬如國立中央圖書館以充實集藏善本及歐美漢學的著作爲主，台灣大學以集藏日本漢學的著作爲主，歷史語言研究所以集藏考古與歷史資料爲主，近史所以集藏近代史料爲主，故宮博物院以集藏藝術與清代史料爲主等等，各務使其資料充實完備。再由各個的特藏結成一體，匯爲一個漢學中心。

**第四是訓練版本目錄校勘方面的人才**。二十多年來，台灣各大學培養出文史考古經學各方面的人才，非常的豐盛。但是有關版本目錄校勘方面的人才，則甚少造就，以至各圖書館在中國舊籍方面編目人員，均感異常缺乏。甚且有的圖書館員根本不知校勘爲何物，並不重視。現在台灣的大學中，設有圖書館系的固有不少，但圖書館系教授的以西洋圖書館學課程爲主，卽令開有中國版本目錄學的課程，時數也很少，何況系中學生對國學的基本知識不夠，故無法造就這方面的人才。我們要整理、要宣揚中國善本舊籍，這方面的人才卻是不可缺少的。因此，我們建議教育當局選擇一所大學，增設圖書館學研究所，或在中文研究所內增設一組，以訓練版本目錄校勘專門人才爲主要目標，每年酌招收大學文史系畢業學生四、五名，則數年後有可用之人，以充實各館中國舊籍的整理考編工作。大學文史系中也應以校讎、目錄學爲必選課程。

第五是編製參考工具書。以前在大陸時，燕京大學曾有引得編纂處的設置，編印了各種引得不少。大的書局也多設有編輯部，從事各類專科目錄或工具用書的編纂，都卓有成效。來台後，大學及出版商即未有從事這方面編纂機構的設立。出版商只爲圖利翻印舊有的，而從未出資從事編纂。各機構偶有編印索引的，數量既不多，亦乏計劃。倒是日本這些年來在這方面作了不少的工作。現在大家都感到每年大學文史學系畢業學生過多，無適當工作可作。倘若各大學的文史系能協調分工合作，各選擇一個朝代或一個專題，作重點的研究發展，利用研究生及大學畢業生編纂索引及專科目錄。出版商也不妨提出一部分的利潤來資助編纂。如此，既有貢獻於學術界，也可訓練出一批研究國學的人才，豈不一舉兩得？

以上所談，只是我們認爲使台北地區成爲漢學中心所應加強的幾項奠基工作，供各方參考。

（原載「聯合報副刊」，民國六十五年四月四日）

# 第九輯　學術論文寫作類

## 撰著學術論文的理論與實際

劉惠林

### 一、前　言

學術論文之與普通文章不同，顧名思義，乃在于其有濃厚的學術性。對人類知識的發展，具有繼往開來的永恒價值。也就是由於這種原因，其寫作的方法，和治學的精神及要求，與一般的有所不同。又由于其針對的讀者，係高級知識分子及學術界人士，尤其是要以專家爲對象。因此一篇學術論文，必須在動筆之前，具有相當的學術水準。動筆時嚴格遵守學術論文的規格。出版後，則必須具有相當份量，經得起批評和考驗，和對學術界有所貢獻。

在種類上，學術論文又可分爲學位論文及出版論文兩種。前者係以取得研究學位爲目的，其要求除須符合論文的一般規則外，更須達到研究院的標準。後者則以在學術期刊出版爲最終的目的，包括爲出版而出版的論著，以及研究報告及學術會議論文。其中尤以學術會議論文，經討論批評而修改後出版，最具學術上的價値。以性質而言，學位論文範圍狹窄，引證過于瑣碎，並且著作人在寫作和學識方面不夠深度，往往導致作品的缺乏成熟性。雖然符合學位的要求，但距學術論著出版的條件尙遠。這是爲什麼博士論文在歐美出版者，屬于鳳毛麟角。卽使出版，亦須經過大肆修改，且必在出版上註明，方能令人刮目相看。至于另外一般並非爲學位而撰的研究論文，一來不須受到學位條文的束縛，二來由於本身的經驗，學術及觀察力，都較初出茅廬的「博士」來得深厚，再由于其在寫作上的磨練和出版的磨折，印出後的著作，自然具有旣深且遠的影響力。其讀者不囿于一地，而遍及各國的專家（但此僅指在具有國際聲譽的學術刋物而言）。有時，由彼等之反應及批評而展開一場學術上的論戰，則尤爲精彩，而對眞理亦越辯越明。此種論文都具有保存的價値。但是這種在學術上的成就，和在聲譽上的收穫，以論文的作者眼光來看，毋寧是次要的，是副產品，主要的是他本人的學術生命得以發揚光大，藉不斷的作品出版而避免了在學術上被淘汰或落伍的命運。歐美學術界所流行的「不出版，便死亡」一句話（publish or perish），足爲只拿到博士學位而固步自封的「學者」深省。

撰學術論文，無論成功與否，都是件吃力不討好的事情。其與普通一般風花雪月或社會新聞的文章，正如聲樂家和歌星之比。前者須藉標準的聲樂訓練和文化的修養，方克有成；其歌聲足以震撼聽衆靈魂的深處。後者則憑聲嘶力竭，只費旦夕之功，便可如曇花一現似地名利雙收，其歌聲只能充其量吸引一般觀衆的直覺衝動，毫無餘味可囘。一篇好的學術論著，短者須經數月孜孜不倦之功；長者則窮年累月。卽使一旦出版，亦不能名利雙收。唯一最大的收穫，是精神大過于物質。在內心上感到無比的愉快和滿足；但更由此體驗到治學之難和成功之可貴。「學無止境」，唯有在撰學術論文中，方能親身感受到。

## 二、理論部分

學術論文與一般普通文章最大的分歧點，乃在于方法上的不同。學術論文不能隨寫隨想，亦不能以章回小說的寫法，一瀉千里，漫無目標和止境。在理論和實際上「學術」與「研究」不可分開。後者顧名思義，當係以科學和邏輯的原理及方法，來從事對某一件事情的分析或對眞理的探討。推而廣之，撰學術論文，必須採用科學的原理和方法，方能有系統地處理資料，組織內容，進而予以分析，發現而作出一個科學化的結論來。在西方學術界，對學術論文的理論和實際，向極爲注意，並在此方面出版了不少書籍，爲初學者提供極有價值的意見和參考資料。但是這種工具書，究其起源，實出于教育研究上的需要。由最初研究如何分析教育上的問題，如何搜集有關資料及統計數字，如何融合消化已經處理過的材料，進而分析其相互關係和對所擬研究的問題的印證，而獲致適當的答案或新結論。在這方面，首先奠下科學基礎，進而爲學術論文所採用的，當推古德氏的暢銷書「教育研究手册」，裏面論述教育研究的價值及方法，並在書後列舉在二十年代左右的教育研究論著，奠下以科學方法寫作學術論文的基礎。該書開宗明義，便指出敎育研究的性質，乃在乎實現有關教育各方面的程序、規則和原理，並運用批評的思考來使用已實現的事實和原則(註一)。在迨後之三十多年，卽在五十及六十年代，教育研究遂發揚光大，包括一切學術論著，並不單單限于教育學研究的範圍。本來，教育學的定義，正如哲學一樣，有狹義及廣義兩種。在後者，舉凡一切的學術研究，都可視爲教育的一方面。這點由在師資訓練時所開的各式各樣的專門科學，網羅文、理、工、商、法、農等于一爐，可概其餘。

㈠思想及邏輯學的訓練

要想奠下寫作學術論文的基礎，首先必須具有科學分析的能力。這種能力的培養，並非一朝一夕之功，亦非漫無標準的閱讀。一個人如能在思維上有組織，並能運用邏輯學的方法，來探究問題和判斷是非，則在寫作論文方面，可收到事半功倍的效果。早在本世紀初，美國著名哲學家約翰·杜威先生，便深感有系統的思維，對研究學問和判斷事物的重要，大聲疾呼思想訓練，俾以有系統有分析的科學方法，來有效地研究五花八門的學科。這種科學化的思想和態度，反映在杜威所建議的思想分析五個主要的實用步驟上：第一，面對一個需要解決的難題；第二，找出其困難的所在和癥結；第三，嘗試可能的解決方法；第四，以推理的方法來研究所提出來的建議；第五，以進一步的觀察和試驗，來決定是否應接納該建議，而獲致一個結論來（註二）。杜威這種科學化推論事物，實基於其本身在邏輯學上的高度訓練（註三），並由此而引出一本「研究理論」的巨著來，成爲在思想訓練方面的權威（註四）。

㈡觀察的重要性

以專致訓練嚴密思想的論理學，應用到學術研究上時，則尤以其歸納、演譯和推論三方法，最爲有用。歸納法係由特殊的事實以推見普遍的原理，例如由若干金屬具有導熱性的事實，從而推定一切金屬，亦必當如是。這恰與演繹法相反，後者是由普通原理，來判斷特殊事實的方法。例如由平面三角形三內角之和爲 180 度，因而推定不論三角形之形狀爲何，其三角之總和，亦應皆爲 180 度便是。這兩種科學方法，都不離事實或證據，尤其適用于自然科學的研究上。至于最後一種的推論法，則係完全以推理而達到結論，對社會科學（如法學、理則學、心理學）和人文科學（如哲學）的研究，更有用處。但是，不論採用何種邏輯，學術研究的起步，在于觀察。再由觀察而了解，而推理，而試驗，再後方能獲致滿意的研究結果。對一樁事物的初步觀察，並非止于在觀和看而已，而必須透過本身的經驗，來作透視和觸類旁通的了解，方能有所裨益（註五）。在運用觀察，除了應該避免以偏概全和主觀的毛病外，尤應視研究的性質，分爲科學性和歷史性的研究，前者在于推定將來的發展，後者則着重對過去事件的拼綴，使史實齊全，並重現光明。這種歷史研究的方法和目的，在對科學研究上，亦有所幫助，因爲任何有系統地研究過去的資料，作爲科學論文的背景，均屬于歷史研究的範疇。

㈢歷史批評的原則

在表面上看來，對歷史研究的工作，僅是簡單地對史實一件一件地發掘出來而已。如果係以這種態度來撰著歷史學術論文，則所得到的，只不過是一篇支離破碎的拼湊文章，而並非論文。後者之與前者最大不同之點有二，即對史實的鑑定和綜合化。如衆所周知，史實有眞有假，有第一手資料及第二手資料之分。這就要靠敏銳的觀察和辨別能力，來處理發掘出來的零碎事實，然後通過綜合化的過程，將已經去蕪取精的史實，全面地和有深度地組織起來，變成一項資料齊全可靠的歷史（註六）。這樣寫出來的歷史研究論文，便具有學術論文的兩大基本條件：創造性和原始性。

「好的開頭，便是成功的一半」，這句成語，亦可應用到學術論文的上面。不管是從事于科學或歷史的研究，如果能在開頭時，遵守歷史批評的原則，來鑑定已得的資料，決定那些是有價值，那些是贋造，以免迷失研究的方向而導致錯誤的結果或結論來。經過嚴格批評而被鑑定為眞實的資料，可使作者撥雲見天，看到事件的眞相，而能把握研究的準確方向。但是，由已被判斷爲贋造或歪曲的資料，經過思想訓練而具有經驗的作家，亦可利用這種材料，作爲反面教材，來反證事實的眞相，並指出贋造或歪曲的原因及其背景。這樣一來，便可增加論文的深度和廣度，其份量自然比單靠正面材料得來的結論來得重。

鑑定資料的眞假程度，充其量只是就事論事，是屬于歷史批評的外在範圍。經過鑑定後而決定採用的資料，不管是正面的或是反面的，如果在運用上錯誤，則會前功盡廢。由此而得出的研究結果，自然也對學術上無所貢獻。因此，對資料的外在批評，必須佐以內在的批評，方克竟全功。內在的批評，又可分爲正、反兩方面。在正的方面，必須對資料本身的含意，具有正確的了解，尤其是不能斷章取義，或故意爲了遷就自己而歪曲原意，犯了對知識不誠實的過失。大凡每種記事或文件，都應追尋其字面上和字面下的含意，務必對其有通盤而澈底的了解。在反的方面，並不在于再度鑑定該項記事或文件的可靠性，因爲此點已在外部批判中，獲致結論。反面批評的主要目的，乃在予發覺任何可能懷疑的理由，來反證出該項已經被鑑定過爲眞實的資料，或犯有所知不全或因故而隱蔽部分眞相。

比方說，在引用車禍第一見證人的證詞或現場照片時，見證人可能當時未能在一剎那間攝取全部撞車的經過；或身爲乘客的見證人，可能有袒護車主之嫌。在現場照片一事上，車子的位置或可能已被移動過，或不能在黑白底片上顯示出在撞車刹那時間的交通燈訊號等等。這些都是在歷史批評原理下，內在評判反面的運用技巧，其目的乃在找出所引用的鑑定過資料，是否有漏洞或有以偏概全之嫌。換言之，要以反面的批評來試驗所擬引用資料的勝任程度，以及其誠實的程度（註七）。經過了這種反覆鑑定的資料，方能在學術論文上，具有辯駁不倒的地位。由此而作出的結論，其學術價值，自然亦在不言中。

### (四)引用的哲學及翻譯

經過以科學方法來觀察和批評的鑑定資料，在受過思想訓練和具有邏輯學修養的學者手上，便變成了寫作論文的活資本。通過融會貫通，互相發明的原理，組織起來，便構成論文的基礎。在撰著時，爲了與己見互相印證，便需在正文內，引用資料原文。但有時亦爲了抛磚引玉的緣故，以引用的文章來起先導的作用；並在此基礎上，增加論文的濶厚度。不管其目的爲何，「引用」在學術論文上，有增加眞實性的價值。但是，「引用」一事，看似容易，實在問題重重。如果運用不得法，便會犯上畫蛇添足或喧賓奪主的毛病，反而反映出作者囿于他人的觀點，不能自由發揮己見；或因此而行文累贅，使人有頭重脚輕之感。

在運用引用文章時，須注意兩項基本原則。這就是「引用」須短，並在可能的範圍內，與正文融合在一起(註八)。短，則可免累贅之言。消化在正文中，則文理條順，上下溝通，並且顯示出作者對引用一事上，下過整理的工夫。爲了要使「引用」發揮最大的作用，並且免被他人作爲把柄，則必須在引用之前，仔細研究上下文的意思；絕對不能斷章取義，尤其不應削足就履。在引用時，必須用第一手的原始資料，以免以訛傳訛，尤其要絕對避免引用已由別人消化和，理過的「引用」。在無法求證原文的情形下，以不勉強引用爲上策。無論是用引用號或不用引用號。均須在註釋中詳註出處，以免掠人之美。凡此種種，都是引用的原則。用之得當，則論文條理分明，主客均得其便。用之不當，則比不用還不如。

與「引用」成不可分的，乃是翻譯。由于學術論文是超越言語界限的，在引用的資料中，總免不了有外文。因此如何予以翻譯而能存眞，也附帶成了學術論文的一部分。對于翻譯的原則，在中國自從嚴復于清末大量翻譯西洋學說，樹立了「信」「達」「雅」三大基本原則，迄今仍爲中國翻譯界奉行不渝外；在歐美對應用翻譯到學術論著上一事，亦極注意，並作爲學術研究之一。在原則上，主張譯者必須對所需翻譯的外國文字面上、下，都有充分正確的了解，並應在可能範圍之內，採取意譯。換句話說，這就是將原文的文字和精神，全部翻譯過來(註九)。這件事說來容易，做起來卻大有困難。因爲外文中往往夾雜俗語、成語及古語。譯者非有高深的外語訓練，不克爲功。走樣的意譯，會使「引用」起了反作用，影響論文的觀點和價值。這種事也曾在專門敎人從事翻譯的「研究學」上出現。美國哥倫比亞大學巴曾所寫的一本「現代研究員」中，在論及走樣的意譯時，曾舉一法文成語C'est une autre paire de manches為例。指出該句的直譯，應為That's a horse of another color，但事實上是指一對袖口（a pair of sleeves），實與「馬」風牛不相干云云（註一〇）。巴會本身的法文程度，恐怕不足用以教人，更遑論翻譯。因此，在翻譯此句法文，直譯和意譯都走了樣，眞是作法自斃。法文字典對這句的解釋，爲that's another matter, another story, another pair of shoes, another cup of tea（後者兩個解釋，都係英國俗語，意與前兩項解釋雷同）。中文的「法漢詞典」則指出此句是俗語，應譯爲「那是另一回事（大不相同）」，都可謂傳神之筆（註一一）。由上述這段小事，眞可以附帶看出，懷疑和孜孜求證的態度，在學術研究上的重要性。「引用」與「翻譯」兩事，亦不例外。

**㈤註釋及參考書目的作用及價値**

學術論著與一班作品最後一點不同之處，在于註釋及參考書目方面。兩者中，尤以前者最爲重要。註釋的主要用途，在於引證本文，減少對本文不相干或過多的干擾，或提供補充參考資料。後者的功用與參考書目相似，但參考書目所包羅的範圍旣及全文，不像註釋只限于文中的某一句或某段。在應用的程度上，註釋必須絕對準確，使讀者能不費吹灰之力，按圖索驥；而書目則在于提供有關的補充讀物（註一二）。兩者是相輔相成。好的註釋，能增加論文的權威性，同時亦顯示出作者研究方法及路線的正確。反之，馬虎的註釋，則會減低論文的份量和價値。同理，好的參考書目，顯示出作者涉獵之廣及其論文的有力背景。壞的和不齊全的書目，則會無情地暴露出作者在知識上和語文訓練上的欠缺。當然，參考書目也可抄襲別人，但這舉便犯上對學術上不誠實的罪名，是不足取的。上好且下過功夫的書目，往往帶有評註。雖然限于篇幅，只能寫下三言二語，但畫龍點睛，顯出作者確實摸過或看過所舉的書目而略具心得，附帶地也表示其論文參閱的範圍，及所受到輿論影響的程度。因此，一篇完整的學術論文，其註釋及書目，均為被他人研究的對象。作者對資料處理的方法及其研究路線，亦可由註釋及書目兩事中，反映出來。比方說，作者在註釋中，只能引用第二手為翻譯的資料，或無論在大小評論上，均引用他人的話，則可顯示出該論文缺乏了原始性及創造性，其學術價值殊有問題，研究方法亦屬錯誤。又假如論文後所附之參考書目，雖然是長篇大論地開列下來，但如經仔細分析之後，覺得所列者都屬無份量的資料，或編目雖多但乏之濶度和深度及外國文字的參考書籍，則該書目表只是具文，反映出作者對所論著的事物，其了解背景不夠充實，其論文是否可讀，則頗有問題。上好的註釋及書目，非但如紅花綠葉，相得益彰；而且能對研究生起啓廸後人的積極作用，指示出資料的來源、範圍和研究方法等等。在學術上對同儕有貢獻，另一方面則對後學具有指示迷津的功用。能如此一舉兩得，方算是一篇上好的論文。

### (六)學術論文自我審查的標準

學術論文，在用途上可分為學位論文和出版論文兩種。它們雖然在目的上和程度上，有所不同，但在研究的方法上，和所須具有的學術標準，則大致相同。簡言之，一篇完整的論文，除綱目分明，條理清晰外，在結構上必具有「前言」「本文」「結論」「註釋」「書目」五大部分。至于是否加上索引，則應視其篇幅多寡和繁簡而定。索引學在二十世紀時代已經成爲一門專門的學問，因爲索引的範圍可大可小，包括期刊、報紙、專著、編著等書籍。由大英百科全書的正本索引到綿延不斷和專門性的美國駐香港總領事館對中共報章期刊的索引季刊（註一三），眞可謂包羅萬象。其所採用的獨特方法和所需的人力、物力，實遠超出各別學術論著作者的能力範圍。因此，大多數均由出版商聘有專家，替作家綜理其事。索引學在今日已成爲專門書籍的一種（註一四），自然不在本文討論範圍之內。

學術論文的自我審查，可分爲格式和著作兩部分。一篇論文，縱有見地，如在格局上佈置不得法，致使言論顚倒，或處處重複，則充其量只有在口頭上研究的價值，而無印出來或出版的價值。但是，如果在佈局上，過於瑣碎，例如在一章一節下又細分爲小節、款、項、點等，則在行文上雖頗科學化，但同時亦會予讀者不能上、下一貫的印象。這又比一塊大蛋糕，分之又分，卒演成破碎支離的局面，令人有無從恢復廬山眞面目之感。另外，在佈局上各處的分量，亦必須予以適當的計劃，免致產生頭重脚輕，或反賓爲主的毛病。如在序言上，須簡短和提綱揭領，便適可而止，如佔全部篇幅五分之一以上，則嫌份量太重。又比方說，在次要的章節中，其份量可酌量減少，但亦不能減到三言兩語，予人以應景的印象。在作爲論文中心的章節，如果份量太輕，則顯示出作者對所欲討論的問題，未研究到家和缺乏材料，附帶反映出其有限的學術修養和寫作能力。反之，如果份量太重，則形成尾大不掉之弊；或雖份量適中，但言之無物，便會予人有上襯墊的感覺，弄巧成拙。由上面所述，分配份量一事，實非簡單。但份量分配的最主要關鍵，實在于材料是否充足，分析是否詳盡，和對所研究的問題，是否具有獨特心得和全盤的了解，如此方能在寫作上隨心所欲地截長補短，使各章各節，有均衡的發展（註一五）。

在通過自認爲滿意的論文格式後，便可着手來批評所寫作的內容。第一個必須問自己的最重要問題，乃是否具有原始性。「原始」的意思，不在于前人所未寫過的問題，而在于是否具有新的見解或發現新的關係，足以對所研究的事物具有特別的貢獻，這一點，在寫學位論文時，尤其重要。因爲學位的授予，乃建築在「原始學術貢獻」的唯一條件上。這裡說是唯一的條件，事實上亦即是最低的條件。一般念學位的研究生，其在閱歷上，寫作鍛鍊上，及專門知識上，在在都不能與著作等身的資深學者相比。其寫出來的學術論文，自屬生硬之作，視野不廣，論事不週。但是，有一個萬變不離其宗的基本原則，那就是必須言之有物。其所得出來的結論，必須經得起辯駁。這也就是「論文」一字的本意，和「論文」口試的眞諦所在。

好的學術論著，除具有原始性外，在處理材料上，應具有實事求是的處處求證的態度和透視的能力。將之應用到寫作方面，則對一件事的分析，必須具有縱深和遠近景的前後襯托。當然，如想在正文中，高談濶論是不可能的，也是不應該的，因爲這會越扯越遠，終致文不對題。這應利用詳細的註釋，完備的參考書目，或甚至附錄，作爲補充。如此，所寫出來的論文，非但不會予人有上襯墊的感覺，而且視野廣濶，見到樹木，又見到森林。

傑出的論文，除具有上述的優點外，又具有創造性，這又和原始性不同。例如，牛頓首先發現地心引力，便是創造性的研究成果。將地心引力的定律，應用到力學的各方面，如汽車的增速、減速和利車的原理，即在已知的事情上，發現了新的關係和因素，便是原始性的研究成果。因此原始性的研究，必是繼往開來，而創造性的研究，則在于另起爐灶，在學術上發展出一條從未探險過和踐踏過的新路來。這在自然科學上有太空學。應用科學上，有電子計算機學。社會科學上的論理學，人文學上的各種哲學及宗敎皆是。具有創造性且經得起考驗的學術論文，可遇不可求，但其在學術上具有崇高和權威性的地位，則無庸懷疑。

## 三、實際部分

撰寫學術論文，如果了解其理論部分，則有助于論文的構想和結構，同時亦劃清了學術與普通作品的分野所在。但是，單單具備理論的基礎，仍對實際的撰作，無甚幫助。必須將理論應用到實際方面，方克有成。下面所擧的，乃是幾個應有的實際步驟。

### ㈠資料的發掘

撰著論文，在着手之前，必須先有一個擬定的題目，或一個對想研究的題目的大概觀念。但是，選擇題目一事，也是一項不大不小的學問。選擇題目，必須根據本身的興趣和心得，量力而行，由主觀處出發。再在客觀上，考慮資料的來源，乃至研究的環境，以便決定所選的題目，是否適宜。在這兩方面，無經驗的作者，大概都會犯上選題的三大毛病。不是所選的題目太大，便是太複雜，或是根本無法研究(例如檔案不全,或史料因戰爭而燒毀等)(註一六)。即使是初步選定了題目,日後由于研究各項資料的結果,或發現了新的問題,或限于材料,均有再度修正題目的必要。不過好的出發,就是成功的一半。假如當初馬虎地選錯了題目,花了九牛二虎之力朝這方向走,結果落得半途而廢,還不如劃地爲牢的妙。除非自己在選題一事上,已胸有成竹,普通的研究者,都須花上一年半載的時間,遍讀各種觸類旁通的書籍,研究目錄學,查看資料的來源,以及製作初步的參考卡片或筆記等。在按步摸索前進中,審定方向,估計自己的能力,並在研讀資料中,培養靈感,靜俟思想的成熟,方正式限定原所擬定題目的深度和濶度,並着手草擬大綱。當然,在思想成熟的前後過程中,與專家討論爲絕不可少的一部分。這是因爲專家非但能提供對所研究的問題的看法和新角度,並且能指示正確的研究方法及途徑。此類先進經驗,絕非一般白紙黑字的書籍,能依照各人的個別情況,而提供出來的。

任何學術上的研究,如無充足的資料來運用,是絕對不會成功的。因此,如何養成在這方面的靈敏嗅覺和科學方法,來發掘所需要的材料,便成了學術研究的先決條件。這種工夫,並非在旦夕之間,便能訓練出來。一個有經驗的研究員,必是發掘資料的能手,也是圖書館的常客,對圖書館的用法和各種參考書籍,瞭如指掌(註一七)。初步找出來的資料,不是成本大著,便是往往沒有索引可查的報紙及期刊。這種資料,必須經過選擇,去蕪取精,方能使用。但是如果一本一本地閱讀,或一頁一頁地翻看報紙,非但浪費時間精力,且極易迷失方向。因此,如何養成帶有選擇性的閱讀能力,和利用前人所發表過文章的註釋作爲入手研究浩如瀚海的報紙、期刊,便成了與筆記同樣重要的圖書館技能(註一八)。這附帶亦看出註釋的重要性。經過初步精選出來的材料，並非全部可用。必須先予以分門別類地登記起來，以便日後追查之用，同時亦須區別爲「第一手」及「第二手」資料的兩大部門。如是，資料便由雜亂無章而變成有組織，有系統，既便于參考，又便于引用。

## (八)資料的運用

在選擇資料時，必須要帶有批評的態度。對有可疑的地方，進行小心求證，以便取捨。因此，對資料的批評，應是資料運用的第一步。隨着批評必附帶產生見解；再由見解中參考相關的第一、二手資料而觸動靈感，導致對舊問題的新看法和找出新的路徑來。資料經過如此這般的消化，方屬有用。如需在正文中直接引用資料，則必須在註釋中詳細說明出處，這點，尤其在歷史研究上，極爲重要。

資料因論文性質的不同，其運用的方法亦應有所不同(註一九)。在科學論文上，資料多屬于數字及統計。此項資料，必須儘可能準確，並須指出在何種狀況下獲得，及其例外的情形。在應用科學上，以及實驗性的研究，例如心理學的論文，則應在運用資料時，控制應變和不變的因素，以便將前因後果，互相對照。在一般社會科學上，如政治、法律、經濟等，運用資料時，應採取透視的方法，對一樁事情，須採取正、反兩方面的看法，並追查其前因後果而定其作爲第一手或第二手資料的價值。這點尤其對帶有極強的宣傳性和政治性文件來得重要，因爲如果一但鑑別錯誤或不得法，便會導致漏洞百出的結論來。

資料的使用價值，每因各人不同的看法而異。同一樣的文件，對政治家、教育家、社會學家等，都具有不同的意義。因此，對一件文件的研究，除從專門角度着手外，尚須考慮其全盤性的意義。如能從一個以上的角度來作有深度的研究，當更爲有益。反之，不齊全的資料，非但有使研究傾向「只見樹木，不見森林」的危險，且更束縛作者的視野和自由發揮的能力。資料搜集得愈多，就顯示出作者閱讀範圍的廣泛，有助其對某一事的見解，經修正之後再行修正。俟思慮成熟，振筆直書時，其論文便大有可觀。

在有創造性的文學作品上，例如詩歌、小說及戲劇等，資料便處于次要的地位，而由作者本身的豐富人生經驗所取代。這種人生經驗或哲學，在事實上亦屬于資料之一，不過這是無形的。在應用上，亦須予以有系統地組織起來，將思想劃分爲幾個階段，經深思熟慮後，方可寫出來。這種文章，除非帶有評論，或學術性的分析，當不屬于學術論文範圍之內(註二〇)。

在運用資料時，所有的評論均應建築在第一手的原始資料上面。如果該原始資料係外文，而作者不懂或不能得到原文，則須借重翻譯。無論是自譯或參閱別人的翻譯，務必要對所用的資料具有通盤性的了解，包括字面上、下的含意。這點，在引用別人意譯的資料時，尤須予以特別的注意。最好的辦法，是參閱各種不同的譯文，研究出其出入的所在，而定取捨。但是，這也有例外的地方。比方說，官方的譯文，普通都有極高的準確性。間或有錯誤和故意歪曲原文的地方，如係將該地方應用到所翻譯國家的身上，則可看作爲該國對此事的正式觀點，就此而發揮論調，可收到以子之矛攻子之盾之效。如果能夠同時指出故意譯錯或歪曲的地方，及其作用，則更可收到相得益彰的滿意效果。建築在這種手和第二手資料時有適當的主、賓安排，兩者才能相輔相成。

論的縱深度，並由旁人的言論看出一件事的正、反面或分析錯誤的所在。好的學術論文，在運用第一

基礎上所推出來的立論，自屬精采萬分。至於第二手的資料最主要的用處，乃在于參考之用，加強立

### ㈨註釋的技巧

註釋一事，看起來好像是簡單易爲，只要註明引用的出處或以其他有關的資料來補正文的不足而已。這用在一般寫作上，的確便已達到註釋的目的和效果。可是，在學術論著上，由于註釋是正文或不可缺的重要部分，則往往反映出研究者的寫作態度、見識和所用以引用或解釋的資料的素質和立場，無論在直接上和間接上，都會影響論文的品質，更不必重複上面所說過的作爲同道或後學的參考材料和達到拋磚引玉的作用。

好的註釋，在于簡單、明瞭、正確地使用適當的有關資料或表出在正文中言有未盡之處。切忌在註釋中高談濶論，成爲喧賓奪主之勢。如實有繁註的必要，可併入正文中，或列爲正文的附錄，方是妥當的處理辦法。再者，註釋亦不應過于瑣碎，逢句必註，中斷了文氣，而且亦反映出作者未曾或不會將材料消化。唯一可允許的例外，乃是在教科書上，尤其是古典文學經學書上的逐句逐字的註釋。但是註釋在這方面的目的是教學的，不是學術批評，故又當別論。

爲了達到在註釋上簡潔的目的，則必須使用各種通用的縮寫符號，包括拉丁文和英文。在學術論著上，通常都可以看到下列一些縮寫字（註二二）。這些符號，雖然便于行文，但如用之不當，或用之過濫，

ante·········· "before," referring to previous citation in the same chapter.
cf "compare." Different from "vide."
et al. "and others."
et s' + "and the following."
f. "and the following page."
ff. "and the following two or three pages."
ibid. "in the same place," the title cited in the note immediately preceding.
idem "the same" (person, word, title etc. as mentioned before).
infra "below," referring to next chapter.
loc. cit. "in the place cited." Never follow it with a page number.
op. cit. "in the work cited."
passim "throughout the work, here and there."
post "after," in the same chapter.
q. v. "which see."
sic "thus, so."
supra "above," in previous chapter.
vide "see,"
vs. "versus."

則會產生反作用，令讀者莫名其妙。註釋變成了應景，無補于實際。

上面所列舉的縮寫，最難用的當推 loc. cit.和 op. cit. 。其最大的分別處，在于前者指雜誌中某文或一書中的某處、某段、某句；後者則指某書。因此在前者，無須寫出頁數，後者則不然。爲求易于追查，loc. cit.，應加上所曾引用過文章的作者的姓（如已在註釋中有同姓者，則須引用全部姓名，以資識別）。這點亦適用于 op. cit. 之前。事實上，op. cit. 一字是多餘，實於事無補，可略去不用，直接在姓之後（或全名之後）加上所曾引用過的書的頁數便可。有時，爲了使頁數本身表示出意義，則應以括號加註所指一段的小標題。在使用op. cit.時，如果所指的書名在註釋欄內與前者相隔太遠，尤其是註釋不是全部放在論文的後面，而是跟着書頁走，當會令讀者勞神費時地找尋原註。在這種情形之下，應在姓之後，加上縮寫的題目而略去op. cit. 的符號，則可幫助讀者記憶。最好的乃是在註釋後另加括號，註明前註的號碼或頁數，或乾脆全部改寫爲參考某註（如註釋是跟頁數走，則須同時指出頁數，以便翻閱，例如：Vide.n 33, p.222, supra. 但這是假定後註是與前註的頁數完全相同。如只是書名相同而所引的頁數不同，則不可用此法，以免混淆不清）。

最容易使用的拉丁縮寫爲ibid.（ib），因爲這是緊接在上註之後面，只須變更所引的不同頁數便可（或不帶頁數，如果所引的話是在同一頁上）。但是如果不徹底明瞭其與loc. cit.（l.c.），op. cit. 及idem（id）的關係，便會用不得其法。前兩者的關係，已如上述。與ibid. 相比，loc.cit. 及op.cit. 係指以前（並不是上一個）曾經引用過的文章和書籍名稱。但有時候，如果ibid. 在事實上卻是指上一註的同一個「字」「名字」「名稱」「作者」而非指「同一處」，則應改用idem（id.）較爲恰當（註二二）。試研究下列註例：

（註一）杜甫，杜工部詩集，p.3.

（註二）Ibid.，p.4.

（註三）白居易，「長恨歌」，唐詩三百首。

（註四）Idem，白香山詩集。

（註五）杜，op.cit.，p.5.
（註六）白，loc.cit.
（註七）Idem,白香山，p.1.

在學術論文中，往往屢次地引用同一書名、雜誌或報紙。在此種情形之下，作者都會運用縮寫字母來代表。比方說，在原註「台北中央日報國際航空版」以後的同樣引用，均以CYJP來代表全名，可謂簡捷。以後碰到須用Ibid.的地方，因縮寫字母與拉丁縮寫，是同樣長度，若能以CYJP來替代Ibid.則更易使人一眼便知道註釋的眞意，不必再由Ibid.處來追本索源。拉丁縮寫的目的，在避免累贅重複，其缺點則在於不能直接表達意思。但註釋的作用，不在於和讀者捉迷藏（尤以op.cit.一字爲害最劇），所以能在簡潔的原則下，盡量對讀者予以方便，便是註釋最高的運用。以實名的縮寫來代替含糊和間接性的拉丁縮寫，自屬上策。還有，許多作者在引用報紙材料時，只註出報紙的日期而無版數。這在小篇幅的報紙也許不需多大困難，便可找到註釋的出處；但在爲數多至六十多頁的倫敦泰晤士報星期日版，則會令讀者有無從下手之感。卽使註明了版數，由于每版的編欄甚多，也往往耗費讀者的時間來找尋原文。這樣實有失註釋的絕對準確性。最好的辦法，除註出版數外，並加括號，點出小標題。讀者只須費舉手之勞，便可找到原註的出處。但更重要的，乃由此而反映出作者在寫作論文時所採取的嚴謹求證的治學精神。

有些註釋，是不適宜沿用一般方法來處理，而須根據特有的慣例。這種情形，多數發生在政府檔案、法律學和心理學等上面。這是由于這種資料，非但浩如瀚海；且其性質和內容，又異常的專門和複雜。因此，有先見的學者，在引用這些資料方面，成立了一個簡單明瞭的引用公式，人人都應遵守。有些文件編輯，更在卷首註明應如何引用的正確方法。學者如對這種特有的慣例，不予以注意，則在引用一事上不會得心應手，在在行讀者的眼中，更感到嚕嗦。比方說，在引用册數繁多的「美國最高法院判決報告」時（註二三），如果照一般引用的方法，全套搬出來，實不勝其煩。因此，該報告的編輯規定引用的格式如下：41L. Ed. 2d.，下接所需的頁數（「律師版本第二版第 41 卷」）。同理，在引用英國國會上下院的記錄時，其通用的格式爲 833 H. C. Deb. 5s.，下接所需引用的「行數」（column，以 c.爲縮寫），意卽是下院辯論第五輯第 833 卷。至于應否在後面以括號加註辯論者的姓名、事由及日期，則視各人喜愛而定。如果是引用上院的辯論，則可將H. L.來代替H. C.便可。當然，在使用這些簡化引用格式，亦不能以奇兵出現，令讀者茫然。如不在正文中提到，則須在第一次註釋中註明全名，則以後的引用，便可依照既定的簡化格式。在引用英國國會記錄，因爲其資料擧世皆知，可無此顧慮，但如果爲了方便初入門的讀者，則不妨在「第五輯」後面及「行數」之前，以括號加上（Hnasard）一字，便瞭如指掌了。

在一般應用科學上，例如心理學、教育心理學、及精神病理學，歐美學術論文的習慣，均在正文中，附以極簡單的註釋，在括號內只含有姓及著作的年份，例如（Parkes，1970a）。「a」字則便表示同一年著作的先後次序。在正文完畢之後，則附一張參考書目，依人名的姓氏字母排列，以便讀者查考前所提到過的參考論文的出處。這種好處，在于全部廢棄令人迷惑的拉丁字縮寫，可一舉收到直接的註釋效果，堪稱科學化。缺點是，如果碰上了長篇大論的文章或巨册著作，則無法指出正確的頁數所在。

## ㈩參考書目的製作

附在正文後面的參考書目目錄，不可見書便抄上，搪塞了事。書目目錄的作用，大致上可分爲三種。第一種是不分類別、性質和語言，都按照字母順序排列，但均編有號碼，與正文括號內的號碼，遙遠相呼應，旨在使讀者便于找尋所根據的參考書籍。這種目錄，兼有註釋的作用，可謂合二爲一。但其缺點也很顯然，非但不能指出所根據的確實頁數，且亦無法辨別出參考書的類別和性質（即第一手或第二手資料）。第二種是分析性的目錄，在每條書目之下，載有若干評語或是讀後的心得，或是版本的識別等等，最爲有用。但這種書目，所須花費的功夫亦最多。一般情形，都用在目錄學的專門著作方面。上好的分析性目錄，加以分門別類，有若第三種的情形。第三種的參考書目目錄，稱爲「分類目錄學」。依論文所用及參考過的材料，分門別類地可分爲原始資料、評論資料（即第二手資料）、和參考工具書三大部分。每部分或依語言類別，或依主題，分爲若干細目；後者可分爲官方文件、歷史、社會科學、教科書、雜誌、以及未出版的論文等。在參考工具書之下，則可分爲字典、年鑑、人名錄、地名錄、索引之索引、以及目錄之目錄學等等，其大概形式如下頁所示。

至于法學論著，其書目表的製作，則略有所不同，並且必須備有索引，以便翻查在文中廣徵博引

## Cassified Bibliography

( General )

I. Primary sources
  a) Official documents ( by languages or subjects )
  b) Published works ( by subjects )
  c) Unpublished works ( by subjects )
  d) Serials ( by languages or subjects or places of publication)
II. Secondary sources: ( Sub-divisions as adove )
III. References
  a) Almanacs
  b) Bibliography of bibliographies
  c) Dictionaries
  d) Directories
  e) Gazetteers
  f) Index of indexes

## Selected Bibliography

( Law )

I. Cases
  a) District courts ( by countries )
  b) High courts ( by countries)
  c) Supreme courts ( by countries )
  d) International tribunals
II. Sources:
  a) Official sources ( by subjects or countries )
  b) Unofficial sources ( by subjects or countries )
III. Statutes : ( by countries, then chronologically )
IV. Works:
  a) Published works by subjects )
  b) Unpublished works ( by subjects )

## Index to Law

I. Table of cases ( by courts or conntries )
II. Legislation ( by countries , then chronologically )
III. Treaties and agreements ( by countries, then chronologically)
IV. Index of persons
V. Subject . index

的案件及律令。今亦一併列下，以資互相比較。書目及索引，貴在活用，以便更加適合各別情況。在細節上，書名的開具，應包括版本、初版年份、及出版商的名字，地名及年份，並須整齊劃一，或用整句式，或用開句式（即將出版地點、出版公司及年份組成在書名後的一個獨立部分）。這點在用在期刊上的論文，則尤其重要。

### (十一)格調與出版

無論是以申請研究學位或出版爲其最終的目的，學術論文最後的一關，乃屬于其格調和出版問題。所謂格調，就是說論文的「機械」部分，例如拼音、縮寫、外國文字、日期寫法等，都是根據正統的寫法排法，令人讀起來感覺順眼和美觀（註二四）。除此之外，論文在格式上，須首尾齊全，由緒言起，直至目錄、表、插圖，均須有合理和妥當的安排和編輯（註二五）。後者尤須注意所論事物，前後呼應，交待清楚，和避免重複。在涉及使用有版權的資料以及未出版的資料，例如引用他人的學位論文等，則必須注意版權問題，並在文中註明獲准使用的根據（註二六）。

以學位爲目的的論文，在形式的外貌上，又須符合研究院所規定的條件。這包括所用的紙張質地及尺寸，封面的打法，正文和圖表的打法，直至裝訂成册的方法和所印的字的位置等等。至于用作出版的論文，其格調又可細分爲雜誌用和書籍用兩種。用作雜誌論文，普通均須符合該雜誌所規定寫作的格式，尤其是在引用、註釋和書目等事上，更須一致。爲免事倍功半，而重新改頭換面，一般有經驗的作者，均在投稿之前，參閱投稿條例，而決定其寫作的格式。如係長篇大論，成卷成册的論著，則不必受到此項約束。但是，作者所受到的磨折，比寫雜誌論文的作者更多。第一，他必須選擇與他著作相近性質的出版商，或委任經理人代理。第二，則須與出版商取得技術上的合作，使在出版一事上，成爲其伙伴，互相就須修改的地方，作充分的商量，以便在學術與出版的兩觀點上，採取折衷的辦法（註二七）。具有聲譽和學術論著出版豐富經驗的出版商，其所提出來修改的建議，多數極爲中肯，尤其對編排方面，具有獨到的工夫，遠非學者所能望其項背。由這種出版商出版的書籍，自然身價百倍。也是由于這種緣故，出版商的選擇，必須愼重從事，尤其須注意其對學術上所持的立場。有些作者，往往願意自費出版。但是，這種出版，是未經過出版商的批評，非但在銷路上及宣傳上效果大減，更重要的是其學術價值無法鑑定，在一般有名的書目中，例如美國的「每月書目累積索引」及英國博物館所編的「一般出版書籍目錄」（註二八），亦不予以載入。

在歐美的著名大學，均設有出版公司，例如牛津大學印書館、愛丁堡大學印書館、芝加哥大學印書館就是。這種印書館，有兩個共同的特點。第一是專門出版學術性刊物及書籍；第二是對來稿的審查，是採公開競爭的原則，以便挑選佼中之佼，對投來的稿一視同仁。也是由于這個緣故，各大學都罕有自己的「學報」。卽有的話，其稿件亦採取公開競爭的原則，並不囿于自己人。學者的論著，若能爲此種出版商接受而出版，自然名氣大增。此種公開的學術出版機關，每出版一本書籍，都備有大批書評用本，免費分寄各有名雜誌及學人，請撰寫書評。此種作風和學術標準，頗與在開發中國家內大學的出版機關有很大的出入。後者的學術期刊、論文及書籍的出版，絕大多數限于內稿；且於出版後，亦無紛請他人予以書評的習慣。導致在這種內部性出版的論文，非但流通性很小，而且由于不經過公開競爭和批評，其學術上的價值，便也有商榷之處。這點在選擇出版機關時，當亦是一項重大的考慮。

## 四、實例一則

### ㈩書評撰著的重要

有關學術論文寫作的理論和實際，在上面兩大部分中，都簡要地提到了。但在將理論和實際配合起來，除身體力行外，最重要的一點，也並非能在任何寫作入門的書籍上所學到的，乃是多多涉獵好的學術著作，包括已出版的書籍和不出版的學位論文，尤其是登載在有份量和聲譽的學術期刊的文章，以便盡量吸取別人的寫作經驗。另外，練習撰寫書評，可以培養自己分析的能力，也能由分析、批評中看到別人的長、短處。不過，書評一事看起來簡單，但要寫得精采，令被評者折服，則相當費事。書評者非但要對所評的書或文章在行，且須引經據典，眼觀四方，方能評得頭頭是道。已建有聲譽和具有水準的歐美學術期刊，其書評一事，均委托專家特約撰寫，以愼重其事。一般後進，往往有敲門不應之感。這是由于書評一事，在歐美學術出版界，已構成期刊一個主要部分，直接反映出該期刊的素質。出版商對這種有影響力量的期刊，也趨之若鶩，源源不絕地長期免費供應書評本（Review copy），以增身價。演變成「書評本目錄」居然也作爲學術期刊一大特色，令讀者肅然起敬。這眞是牡丹綠葉，相得益彰了。當然，有經驗和有基礎的學者，不必靠書評出名。所寫出來有眞知灼見的書評，縱不被特約撰寫，亦不怕推銷不出去。最精采的，當屬是書評中的書評，將別人已登出來的書評，再度予以批評，頗有趕盡殺絕，自相殘殺之慨。這在做人的方面，也許有失厚道，但卻符合學術競爭，孜孜不倦探討眞理，互相激勵的崇高學術精神。

不管是從事書評或學術論文的撰著，必須具有兩個未動手前的準條件。一是動機，二是本身的經驗。再參照寫作學術論文的理論與實際，來一個全盤佈局，然後動手撰寫，方可得心應手。最方便的例子，莫過于引用本篇寫作的經過，予以分析，亦可作爲本篇一個完滿的結尾。

### ㈢寫作的預備階段

凡做一事，如具有動機，便表示出興趣的所在，並成爲積極性的原動力。這樣，對研究工作的展望，有極大的裨益。以志在取得研究學位的學位論文是如此；以出版揚名並切磋學術者亦是如此。中國古人著書，亦有以日記或隨筆等體裁行之，旨在傳諸後世，或由後人整理後出版。其出發點縱異，但先有動機，迨無疑義。本篇的緣起，導因于台灣地區研究所畢業生的請求在先，有感于彼等所出版的學位論文的水準在後，復鑑于有關研究方法的中文資料，似乎絕無僅有，在在都促成「動機」的成熟。但單有動機，尙須先行考慮是否可量力而行。這就牽涉到本身在這方面的條件和經驗。由于有關此種學術論著的研究方法，首在歐美予以有系統的研究，且成爲教育學上的「教育研究」專門部門。經考慮結果，認爲以往在此方面所受到的訓練，加上歷年寫作的心得，和撰寫書評的經驗，相信在基本上，能力應無問題。在通過了「動機」和「量力而行」兩個初步階段後，如馬上動手，振筆直書，則會有無疾而終的危險，因未經過最重要的研究階段也。因此，在準備動手執筆之前，先行翻閱各種有關教育研究方法的書目和書籍，看看是否有充足的資料，以供運用，並將它們搜集起來，按分門別類來處理。經過這一關後，便開始精讀和做筆記，吸取別人的長處，尋出別人的短處。但最重要的，是在邊讀邊尋求靈感，並就此將題目數度改名，最後方限定了寫作的範圍、題目和大綱。有了大綱之後，將所得來的資料和讀後感，按綱目編入，同時並研究如何地來消化材料，如何擴展立論的縱深度和建立其原始性、創造性和透視性。這又牽涉到再行參考有關研究學的其他學科書籍，主要是杜威的哲學和論理學，以便能在根本上（卽思想上）找出學術論著的理論和實際所在。這種方法，在學術上叫做追本究源，可以擴大視野和鞏固立論的立足點，更有助于「原始」及「創造」性的想法。

## ㈣執筆時的考慮

在執筆時，首先便須考慮到本文的性質、用途及其可能的貢獻。在性質上，本文不能歸之爲純粹論文類，因爲本文不是從一假定前提出發，予以引伸，導致結論，然後予以維護（defence）。而是屬于學術性的應用論文一類。因此之故，全文的構造，自然與正式論文有別。主要是無需結論，更無須予以辯護的必要。在寫作的內容上，側重于「理論」和「實際」兩大部分。由此兩大部分，互相發明，最後以實例結束。這在全篇構造上，便能首尾相應和融會貫通。

本篇的用途，乃提供在學或剛畢業的研究生，從事撰寫學術論文的參考。以中文寫成，俾補充中文資料在這方面的欠缺，並介紹西方對學術論文研究的方法。但是，如果單單從事後者的整理，充其量只能成爲一篇介紹或翻譯的文章，缺乏學術文章的原始性和創造性，更談不到透視性了。西方學者在這方面的著作，多融合本身的寫作經驗，所以每本著作，均有其獨到之處。在此方面，本篇亦不例外。在「理論」和「實際」兩大部分中，適時適地來發揮本身寫作學術論文和學位論文的雙重經驗和所受到的西方訓練，應爲本文一大特色，亦可作爲一種原始性及創造性的貢獻。至于透視方面，由旁徵博引一事上的用心，便可看出一般來。

其次，在資料引用和編排方面，亦有商榷餘地。一般學術論著，均須分別引用第一手及第二手資料。缺了第一項，則論點不能充分發揮。缺了第二項，則無法擴展論文的縱深度。但是，這種辦法，用在以實用爲目的的本篇上，則不可拘泥于一般寫法。在這方面，資料沒有第一手和第二手之分。反之，卻應有遠近之分。遠者又可分爲用作背景的資料，如研究思想方法、理論學和哲學的書籍，以及舊的研究學。近者乃採用最新和更科學化的研究學書籍。這樣便能使讀者看出研究方法的演進及其理論基礎的所在，亦同時爲文章增加了縱深的程度。在編排方面，鑑于篇幅頗多，而且爲便于實用及參考，乃採取一貫編號的方法，即在各主要部分內的小標題，一律以連續的數目字來表出。這樣可在數字上避免重複之弊。英國的官方白皮書及調查報告，都採用這種方法，極方便撰寫和查考。但此法則不宜用于長篇大論的書籍，或學位論文上（除非是小論文）。書籍及大論文都沿用「部分」，「章數」和不加注數目的小標題，以免累贅，及予讀者有五馬分屍的太科學化而缺乏文氣一貫的感覺。

## ㈤註釋的處理

在註釋一事上，本文係採用篇尾註釋法，即是將所有註釋，依順序附在正文之後，以便于排版及事後的檢閱。這點，在來回引用同一出處而以拉丁字縮寫來簡化註釋時，尤其有用，使讀者能藉擧目之勞便找出原註的所在。唯一不便之處，乃在閱讀正文時，須前後翻閱，不勝其煩，並分散不少閱讀時的注意力。最壞的註釋方法，乃集中在每一章或每一小節之後，而每次皆由第一數起。如此，非但註釋的編號，重重疊疊，而且讀者在查閱之前，必須摸準每章或每節的最後一頁，以免看錯同一數目的註釋。在碰到註上「同前」（op. cit.）時，則更災情慘重，必須翻閱以往逐條註釋。這眞是勞神費時，失掉註釋的原意。本篇的註釋，除採取在篇末的連續註法外，並盡量引用參考書名，以便讀者擧一反三，能根據所指出的參考書，來作更深一步的研究。種種小節，非但助人，更能助己，並可反映出寫作時的態度和治學的精神。

# 五、學位與論文

## ㈥學位論文的寫作訓練和經驗

有關寫作學術文章的理論與實際，其最基礎的訓練，實建築在學寫學作論文之上。而後者的初步入門，則又奠基于在大學肄業時所寫的各項報告和心得，在作爲準研究生時所受的專業訓練而寫就的長篇畢業「小」論文，或爲攻讀非研究碩士學位所撰的小論文。前者可以語言學文憑的畢業論文爲代表，後者有如M.Sc.一年制的科學論文或一年制M.A.以筆試爲主的論文，在英國多稱爲dissertation，以示與硏究學位的論文（thesis）有別。以考試爲主的論文和以硏究爲硏究的論文，其最主要的不同點乃在于內容和方法。前者旨在補充筆試的不足，其目的在于測驗學生是否對所學已具有通盤了解和消化，融會貫通的能力，因此，論文的內容，不苛求于原始性及創作性，而注重對學科的消化能力和透視度，俾與筆試的目的及結果互相配合。在方法上，亦不嚴格地囿于硏究論文的規格，而以有系統的伸述性爲主。「伸述」一事，也是知易行難，同時也是一種寫作最基本形式的訓練，對一事的伸述，並非只要平舖直敍，將材料不經過組織、綜合、分析和透視便可作爲一篇學術性小論文。這樣充其量，亦不過流爲新聞報導，在學術硏究上不能作到拋磚引玉和啓廸後人的作用，更不必談到在學術上的可讀性了。這種伸述的能力培養，在于多看多寫，向爲歐美各大學所注重。在一般大學肄業生的各項功課中，就規定撰寫有關的綜合分析報告或讀書心得和學期報告（term paper）。這些在在都是訓練學生寫作的基本能力。在中國，無論是大陸或台灣地區，大學肄業生均缺乏這種寫作的訓練。這是由于中、西兩地教學的方法和觀點不同所致。在中國只一向注重灌入式的教育，以書本考試爲手段，及以書本知識翻版爲目的。于這種情形之下，學生終日忙于生吞死記，焉有時間對所學予深度的思考、分析？更遑論撰寫讀書報告了。在西方，教育是採啓廸式，以培養學生自由發展其心智和潛力爲主，書本及上課只不過是種應用的工具，並非是最終的目的。對學生的學、鑑定，不在于其能死背講義及書籍，而在于其通盤了解的程度，這可由他們所寫的各種讀書報告，心得及學期論文而看出其高下來。在英國大學，更根據學生的學習能力高下而將同一學科分爲榮譽學位及普通學位。在前者又根據學生的程度細分爲第一、第二（上、下）及第三榮譽。所有這些不同程度的學士學位，其目的在于識別學生對所學的深、淺範圍和分析了解能力的高下。顯而易見，這種分法，是只能建築在啓廸式的教育方法上。灌入式的教育無此，也無法像如此的細分必要。

歐美大學的畢業生，與中國大學的相比，則前者多能對所學「活用」。這反映在其求學期間所受到的寫作訓練。這種訓練，自然對日後撰寫學術論文極有幫助。但最重要的一點，乃在這段期間，養成了寫作的習慣及使用圖書館的能力。後者實在包括了熟悉有關的參考書刋，和鍛鍊成一種類似新聞嗅覺的資料嗅覺。具有了這種寫作的基本條件之後，再加上平日撰寫敍述性文章的心得，到了需要撰寫小論文的階段時，便會得心應手，同時亦能在已有的基礎上，作開始正式研究寫作的試探。這樣便涉及撰寫正式學術論文的理論和實際。寫得好的小論文，其格式和質量實與碩士研究學位的論文，不分上下。但在通常一般情形之下，小論文只是具有大論文的雛型而已，在格式上是生硬的；內容上則缺乏深度和原始性，寫作的功力也並不到家，更不必談到或不可缺在研究上的磨練和經驗了。這種種原因也實在反映出小論文和研究論文間的差距和水準的要求不同。

正式的研究學位論文，依程度的不同，可分爲碩士、博士及超博士三種。後者有如高等文學博士（D. Litt.）和高等科學博士等（D.Sc.）。其大致的標準，在學術態度極稱嚴謹的英國，乃是在取得學士學位七年後，再在原來畢業的母校申請審核另一篇同樣具有博士學位水準，但已經由具有聲譽的學術出版公司予以出版和經得起書評的論文。審核合格方能授予超博士學位，成爲在學術界公認的泰斗和權威學者。此類榮譽，極易與「榮譽博士」學位相混淆。後者的寫法與D. Litt. 及D. Sc. 並無二致。但此一超博士實非彼一超博士，其理自明。榮譽博士非但不上頒賜大學的畢業生總名册，更在全（英）國的「研究學位論文索引」榜上無名（該索引亦不臚列非研究學位的碩士論文）(Index to Theses Accepted for Higher Degrees in the Universities of Great Britain and Ireland）由於這種緣故，西人鮮有以榮譽博士學位的頭銜自炫；更不附在己名之後面或掛在口頭上，只視爲一項獎狀，僅供自我欣賞而已。

與博士論文相比，超博士的論文，由于時間的鍛鍊和研究經驗的累積，更經過學術出版和書評的考驗，自然比博士的論文成熟得多多，對學術界的貢獻，也大得多，影響力也廣。此類著作，爲數極少。在寫作的要求上，其標準又與博士論文略有所不同。首先，在文字方面，來得精簡和老練，句句有份量，言之有物；但又不像博士論文所要求的處處予以瑣碎的求證，不堪其繁。這非但不適宜作爲出版的著作，而且在處處求證中，一不小心，便易犯上給別人的言論牽着自己鼻子走的毛病，只見到樹木而看不到森林，這會妨害本身的判斷力和學術觀點的自由發揮。在博士論文上，所以必須處處小心求證，不厭其煩的原因，實由于攻讀博士學位的研究生，在思想和經驗及學識上，均未達到極端成熟的階段。換一句話說，大學研究院當局對博士研究生的寫作論文的能力，尚不能予以全部信任。因此，除了規定寫作論文所需注意要點，並委派指導教授，按時檢查和報告有關研究生的作業和進度外，對所完成，靜待審核的博士論文，必需由處處求證一事中，得以首先確定該論文的正確性的程度；並由詳細的註釋中來觀察該生研究的途徑，資料的選擇和運用的方法等等。在如此這般地樹立了博士論文的健康骨架後，才能放手審查論文的內容、見解和對學術上的貢獻程度，從而決定是否已達到哲學（或醫學等）博士的水準，應否給予研究生的最高學位。這種種顧慮、規則和限制，都不適用到申請高等博士學位的學者身上（即是已經脫離研究生的學生身份）。也就是說，一篇用來申請高等博士學位的論文原稿（須另附上已因此出版的書上，作為證明），已具有了一定程度的博士論文的標準，審查當局不必再為支節等事而分心，而能予以全部信任，得以逕行在學術貢獻一事上全力審核。這也是為什麼高等博士學位的難得和可貴，及其與一般博士論文的要求不同的所在。

博士學位乃是以學生身份所能獲得到的最高學術學位。其得來的過程也可謂滿紙辛酸。一方面必須嚴格遵守研究院上學的規定，另一方面則日以繼夜，寒暑不分，孜孜地在圖書館內埋首研究。稿成之後，不經三易其稿者幾希。在英國，什麼學位都可贈送，下自學士、碩士、上至高等博士學位，唯有哲學（或醫學博士等）學位，毫無例外的絕不贈送（念醫科的理論者則授予，學博士學位。醫學博士係專業學位，因此不能牽涉到「哲學」上來）。即是同一個以苦功得來的博士學位，其質量在西方各國亦不盡相同。英、美的哲學博士，其差別之大，已為世人所洞知。在歐洲大陸上的博士學位，如德國、荷蘭、法國等，舉凡大學畢業生都授予博士頭銜，研究生也不分等級。其受業期間雖與英、美相伯仲，但其博士的根基、磨練和經驗則與英、美有出入，程度也不如英國的整齊劃一。在西德，學位論文（無等級之分）必須經過正式出版後，方予以考慮是否應授予博士學位。這種以論文的出版而獲得的學位，表面上看來可比美超博士，事實上卻與後者有很大的學術距離。由于「出版」變成寫論文硬性的條件，反而做成一些西德出版商，專門以無價來「收買」極待出版的博士論文，做無本的生意。學生爲了不擇手段地得到學位，也自甘爲俎上肉。這反而不如英美的博士論文，將學術與出版劃分爲絕然兩件事。出版的書及不出版的論文，由于標準和性質不同，不能在彼此間畫一個等號，唯一例外的是英國的超博士論文。但這種論文，都是在出版之後，方向原來畢業的母校，繳交註册費用，送請審查，事前並不牽涉學位，自無給出版商收買之理。學術研究亦不致與生意經混爲一談。

博士論文與超博士論文，在寫作上的不同，已如上述。如果拿來與研究碩士論文相比，則兩者在寫作上的理論與實際，並無所不同。毋寧說，其差異存在于成熟性和深度。碩士論文不在精，但必須言之有物，分析有獨到之處。在字數上雖無一定的規定，但是，由于碩士學生本身的研究能力、學識及經驗，鮮有巨著者。反之，寫博士論文，由于在學的時間長，且具有初步的學術研究經驗，其審查標準，自較碩士論文高得多。對問題的分析，由全面而縮到精深的一面。在所運用的資料上，亦較用來寫碩士論文的來得齊全和深奧（尤其是在理論方面）。在寫作方面，用字和措辭必須更加簡練。最重要的一點，也是碩士論文不具有的，乃是外國語文的訓練和應用。在英國，念博士學位的決定條件之一，必須通曉和能運用兩種外國語。究其目的，乃是藉語言上的多方面發展來開濶研究生的天地，便于搜集各國的有關資料。這在研究外國的問題上，尤其必需，非此無法直接利用第一手的原始資料。

## 英國學位論文的分析

| 種類 | 資格 | 修業 | 考試 | 資料 | 方法 | 論文性質 | 論文型別 | 學術價值 |
|---|---|---|---|---|---|---|---|---|
| 1.文憑 (Diploma) | 學士畢業生 | 一年 | 筆試（或加小論文） | 教科書及講義 | 上課 | 廣泛的伸述性 | 原稿，本人參考用 | 無出版價值 |
| 2.（筆試）碩士(M. A.)※ | 學士畢業生 | 一年 | 筆試及論文 | 教科書及講義 | 上課 | 綜合伸述性 | 原稿，存學校參考用 | 無出版價值 |
| 3.（研究）碩士(M.Phil.) | 學士（或文憑研究生） | 二年 | 口試及論文 | 參考書 | 指導教授及上圖書館 | 綜合伸述及分析 | 原稿，列入全國論文索引 | 修改後可出版 |
| 4.博士（Ph.D.） | 碩士研究生 | 三年 | 口試及論文 | 參考書 | 指導教授及上圖書館 | 原始性及創造性 | 原稿，列入全國論文索引 | 修改後可出版 |
| 5.超博士（D.Sc.） | 博士學者 | （無） | 口試及已出版論文 | 參考書 | （無） | 已公認具有學術貢獻 | 已出版原稿列入全國論文及書籍索引 | 已出版的學術著作 |

在博士論文內，儘量避免使用翻譯過來的材料，以保存論文的高度準確性。這點在碩士論文中，則無並非引用或閱讀原文不可的標準。有人不識半句中文，而全靠翻譯過來的第二手材料，成功的寫成有關中國問題的碩士論文的。這因爲碩士論文在學術上的要求，不若博士論文的苛刻和精密，只要翻譯出來的資料，具有高度準確性和全面性，便可符合碩士學位的要求了。上表係以英國的學位論文，予以分析和比較，俾供撰寫學術論文的參考。

上表所列舉的學位，只是每類的一種。M. A. 在英倫爲碩士，在蘇格蘭爲榮譽學士（四年）。英倫文學士爲B. A. 。蘇格蘭的普通文學學士（三年）亦稱B.A.；碩士則稱M. Litt. 。筆試碩士卽 Intermediate Master's Degree ，包括蘇格蘭一年制的M. Sc. ，但不包括英倫二年制研究學位M. Sc. 。

以上所擧，看來都是瑣碎的事，但對一篇學術論文的鑑定，質量的分析，以及其完整性和可讀性，都具有實際的幫助，把握了學術論文的理論和實際，便可爲學術著作奠下一個良好的根基。（一九七六年三月于英國愛丁堡大學）。

註：

1) Carter V. Good, How to Do Research in Education: A Handbook for the Graduate Student, Research Worker, and Public-School Investigator, 3rd ptg., p. 1 (The value of educational research). Baltimore: Warwick & York, 1929.

2) John Dewey, <u>How We Think</u>, pp. 72-79 (Analysis of a complete act of thought). Boston, etc.: D.C. Heath, 1910.

3) John Dewey, <u>Studies in Logical Theory</u> [Decennial publications, 2nd ser. Vol. 11]. Chicago: University of Chicago Press, 1903.
________, <u>Essays in Experimental Logic</u>. Chicago: University of Chicago Press, 1916.

4) John Dewey, <u>Logic, the Theory of Inquiry</u>. London: George Allen & Unwin, 1939.

5) Robert M. W. Travers, <u>An Introduction to Educational Research</u>, 3rd edn., 112-116 (Problems of observation). London: MacMillan, 1969.
Deobold B. Van Dalen & William J. Meyer, <u>Understanding Educational Research: An Introduction</u>, enlarged & rev., 54f (Perception). New York, etc.: McGraw-Hill, 1966).

6) Travers, <u>op.cit.</u>, 389ff (Synthesis of information).
Homer Carey Hockett, <u>The Critical Method in Historical Research and Writing</u>, p. 9f (Three essential processes). New York: Macmillan, 1955.

7) Hockett, <u>ibid.</u>, 13-62 (The principles of historical criticism).

8) Jacques Barzun & Henry F. Graff, <u>The Modern Researcher</u>, p. 290 (The philosophy of quoting). New York: Harcourt, Brace & Co., 1957.

9) Barzun, <u>ibid.</u>, 301 ( Literalism and paraphrase).

10) <u>Ibid.</u>

11) Harrap's New Standard French and English Dictionary (by J. E. Mansion, rev. & ed. R.P.L. & Margaret Ledésert), Pt. I, Vol. II (under "manche"). London: Harrap, 1972).
法漢詞典（高達觀，徐仲年主編），頁472（manche Ⅱ）北平商務印書館1963年。

12) Hockett, op.cit., 146-160 (Footnotes and bibliography).

13) Encyclopaedia Britannica, Index to Volumes 1 to 23. Chicago, etc.: Encyclopaedia Britannica, 1969.
Guide to the Britannica, and Micropaedia: Ready Reference & Index (10 vols) of The New Encyclopaedia Britannica, 15th edn., 1974.
Index to Survey of People's Republic of China Press, Selections from People's Republic of China Magazines, and Current Background. Hong Kong: American Consulate General, quarterly publications distributed by National Technical Information Service of the U.S. Department of Commerce, Springfield, Va.

14) G. V. Carey, Making An Index [Cambridge Authors' and Printers' Guide III], 3rd edn. Cambridge: Cambridge University Press, 1963. [1st edn., 1951].
M. D. Anderson, Book Indexing [Cambridge Authors' and Printers' Guide]. Cambridge: Cambridge University Press, 1971.
Recommendation for the Preparation of Indexes for Books, Periodicals and Other Publications, B.S. 3700. London: British Standards Institution, 1964.

15) Cf. J. A. LaNauze, Presentation of Historical Theses: Notes for University Students. Carlton: Melbourne University Press, 1966.

16) C. J. Parsons, Theses and Project Work: A Guide to Research and Writing, pp. 17f (The topic). London: George Allen & Unwin, 1973.

17) G. Chandler, How to Find Out: A Guide to Sources of Information for All Arranged by the Dewey Decimal Classification, 4th rev. edn., pp. 1-16 (How to find information and trace books). Oxford, etc.: Pergamon Press, 1974.

Lucyle Hook & Mary V. Gaver, The Research Paper: Gathering Library Material, Organizing and Preparing the Manuscript, pp. 5-52 (Using library tools). Englewood Cliffs, N.J.: Prentice-Hall, 1969.

18) Van Dalen, op.cit., 99-118 (Library skills for problem solving).

19) Kathleen Dugdale, A Manual on Writing Research, rev., pp. 12ff (Handling the data). Bloomington, Indiana: Kathleen Dugdale, 1967.

20) 有關文學學術論文的具體方法和題目，可參閱：董保中，「記一次現代中國文學座談會」，香港中華月報總第718期，1975年7月號，頁40-43。

21) William R. Parker, (comp) The MLA Style Sheet, rev.edn., pp.20-22 (Reference words & abbreviations). New York: Modern Language Association, 1965.

22) Martha L. Manheimer, Style Manual: A Guide for the Preparation of Reports and Dissertations, pp. 142-145 (Appendix C: Idem, Ibid., and Op.cit.). New York: Marcel Dekker, 1973.

23) United States Supreme Court Reports, Lawyer edn., 2nd ser. Rochester, N.Y.: The Lawyer Cooperative Publishing Co.

24) A. S. Maney & R. L. Smallwood, eds., Notes for Authors and Editors, pp. 1-42. [Cambridge]: Modern Humanities Research Association, 1971.

25) Style Manual for Authors and Printers of Australian Government Publications, pp. 3-53 (Pt. I: Writing & editing). Canberra: Commonwealth Government Printing Office, 1966.

26) A Manual of Style for Authors, Editors and Copywriters, 12th edn., rev., pp. 92-97 (Material requiring permission). Chicago & London: University of Chicago Press, 1969.

27) David St. John Thomas, Non-Fiction: A Guide to Writing and Publishing, pp. 83-106 (Your publisher). Newton Abbot: David & Charles, 1970.

28) Cumulative Book Index: A World List of Books in the English Language. New York: H.W. Wilson Co.

British Museum General Catalogue of Printed Books. London: Trustees of the British Museum.